Sophus Lie, Georg Scheffers

Vorlesungen über Differentialgleichungen mit bekannten infinitesimalen Transformationen

Sophus Lie, Georg Scheffers

Vorlesungen über Differentialgleichungen mit bekannten infinitesimalen Transformationen

ISBN/EAN: 9783742838278

Hergestellt in Europa, USA, Kanada, Australien, Japan

Cover: Foto ©Andreas Hilbeck / pixelio.de

Manufactured and distributed by brebook publishing software (www.brebook.com)

Sophus Lie, Georg Scheffers

Vorlesungen über Differentialgleichungen mit bekannten infinitesimalen Transformationen

SOPHUS LIE,

VORLESUNGEN

ÜBER

DIFFERENTIALGLEICHUNGEN

MIT BEKANNTEN

INFINITESIMALEN TRANSFORMATIONEN

BEARBEITET UND HERAUSGEGEBEN

VON

DR. GEORG SCHEFFERS.

LEIPZIG,
DRUCK UND VERLAG VON B. G. TEUBNER.
1891.

Vorwort.

Dieses Elementarlehrbuch beschäftigt sich mit der *Integration von gewöhnlichen und linearen partiellen Differentialgleichungen* und zwar zunächst mit der Entwickelung der in den gebräuchlichen Lehrbüchern enthaltenen Integrationsverfahren, welche daselbst als einzelne von einander unabhängige Theorien dargestellt zu werden pflegen, während sie hier *als Ausfluss aus einer allgemeinen Methode* auftreten. Diese Methode giebt eine Integrationstheorie für alle *Differentialgleichungen, welche eine oder mehrere bekannte infinitesimale Transformationen gestatten.* Man könnte daher sagen, dass sie auf dem *Principe der infinitesimalen Transformationen beruht,* wobei jedoch zu bemerken wäre, dass sich dieses Princip nicht in *einem* Satze erschöpfend aussprechen lässt, dass es vielmehr in den verschiedensten Einkleidungen auftritt und die mannigfaltigsten Anwendungen gestattet.

In ihrem weiteren Ausbau führt die Verwertung der infinitesimalen Transformationen zu dem äusserst wichtigen *Gruppenbegriff,* indem es auf dasselbe hinauskommt, ob eine Differentialgleichung mehrere infinitesimale Transformationen oder eine continuierliche Gruppe von Transformationen gestattet. Es zeigt sich in diesen Vorlesungen, dass diejenigen allgemeinen Classen von Differentialgleichungen, welche die älteren Mathematiker integrierten, und die in den Lehrbüchern betrachtet werden, eben als die allgemeinsten Differentialgleichungen charakterisiert werden können, die gewisse Gruppen von Transformationen gestatten. Somit kommt der moderne Begriff der *Differentialinvarianten,* wenn auch in versteckter Form, in jedem Lehrbuch über Differentialgleichungen vor. In diesen Elementarvorlesungen beschränken wir uns auf die Betrachtung der gewöhnlichen Differentialgleichungen erster, zweiter und dritter Ordnung, sowie der linearen partiellen Differentialgleichungen in drei und vier Veränderlichen, welche bekannte infinitesimale Transformationen gestatten. Für alle diese Differentialgleichungen entwickeln wir gewisse rationelle Integrationstheorien, die sich durch die Verwertung des Principes der infinitesimalen Transformationen naturgemäss darbieten.

Diese Vorlesungen haben auch insofern Bedeutung, als sie weitergehende Studien vorbereiten. Unsere Entwickelungen geben nämlich dem Leser eine Ahnung von der ausserordentlichen Fruchtbarkeit des Begriffes der infinitesimalen Transformationen und der von ihnen erzeugten Gruppen für die Integrationstheorien überhaupt. Viele unter den speciellen Anwendungen dieser Begriffe dürften ebenso wichtig sein als gewisse Theorien, die man heutzutage mit dem Namen von Principen belegt. So ordnet sich — um hier nur eine Anwendung zu nennen, die allerdings im vorliegenden Buche nicht enthalten ist — die ganze Theorie der partiellen Differentialgleichungen erster Ordnung dem Begriff der infinitesimalen Transformationen unter und dementsprechend jedes Problem, welches sich auf eine partielle Differentialgleichung erster Ordnung zurückführen lässt, also namentlich das allgemeine Problem der Dynamik. Z. B. fliessen aus der nahezu selbstverständlichen Thatsache, dass die partielle Differentialgleichung erster Ordnung, welche dem Problem der *n* Körper äquivalent ist, die Gruppe der Bewegungen des Raumes gestattet, die Flächensätze und die ersten Schwerpunktsintegrale.

Schliesslich wird der Leser durch diese Vorlesungen vorbereitet zur Inangriffnahme des allgemeinen und ganz besonders wichtigen Problems, *ein sogenanntes vollständiges System mit bekannter Gruppe zu integrieren.* Die allgemeine Erledigung dieses Problems, auf das sich sehr viele wichtige andere zurückführen lassen, unter anderen die *Reduction von gegebenen Differentialgleichungen auf typische Formen,* würde jedoch zunächst das Studium der *Theorie der Transformationsgruppen* erfordern.

Das Wenige, was von der Theorie der Transformationsgruppen in diesem Lehrbuche gebraucht wird, ist ausführlich von den ersten Elementen an entwickelt. Daher kann und soll dies Werk dazu dienen, *einerseits die Bedeutung der Gruppentheorie klar zu machen, andererseits das Eindringen in dieselbe in besonderem Maasse zu erleichtern.*

Aus dem Gesagten erhellt, dass es keineswegs im Plane des Buches lag, nach irgend einer Seite hin eine vom Standpunkt des Fachmannes abgeschlossene Theorie zu geben. Auch ist im Interesse der leichteren Verständlichkeit die Begründung der Entwickelungen nicht immer ganz streng gehalten, und überdies wurden von vornherein gewisse Probleme und Theorien überhaupt von der Betrachtung ausgeschlossen, so insbesondere functionentheoretische Fragen, wie die nach der Existenz der Integrale, ferner die Verwertung der sogenannten Berührungstransformationen u. s. w. Dennoch aber bildet dieses Werk ein in sich abgeschlossenes Ganzes.

Die in diesem Buche entwickelten neuen Theorien sind, wo es nicht anders bemerkt wird, ausschliesslich Eigentum Sophus Lie's und rühren im wesentlichen aus den Jahren 1871—74 her. (Vgl. die Verhandlungen der Gesellschaft der Wiss. zu Christiania, December 1874, sowie auch die „allgemeine Theorie der partiellen Differentialgleichungen erster Ordnung", zweite Abhandlung, Math. Annalen Bd. XI (1877), S. 464 ff.) Allerdings ist hervorzuheben, dass in den ersten Publicationen die Form der Betrachtungen nicht immer völlig streng war, indem daselbst in der Hauptsache mit den infinitesimalen Transformationen, nicht, wie es hier geschieht, mit den von ihnen erzeugten eingliedrigen Gruppen operiert wurde. Aber dies betrifft eben nur die Form, nicht die Ergebnisse, denn es tritt in allen diesen Theorien die eigentümliche und für die Bedeutung der infinitesimalen Transformationen charakteristische Erscheinung zu Tage, *dass Kriterien, die sich durch Benutzung der infinitesimalen an Stelle der von ihnen erzeugten endlichen Transformationen als notwendig ergeben, andererseits auch wirklich hinreichend sind.* Für eine begriffliche Auffassung ist es nicht schwer, von vornherein den Grund dieser wichtigen Thatsache zu erkennen.

In Deutschland hat Professor Lie zum ersten Male im Sommer 1886 über diesen Gegenstand Vorlesungen abgehalten. Daran schloss sich ein Cyclus von Vorlesungen, zunächst eine Einleitung in die eigentliche Gruppentheorie, dann Vorlesungen über Differentialinvarianten, über Berührungstransformationen und Functionengruppen sowie über die geometrische Theorie gewisser Berührungstransformationen. Seither hat sich dieser Cyclus mehrere Male wiederholt. Während dieser Zeit erschienen die beiden ersten Bände des grossen Werkes: Sophus Lie, *Theorie der Transformationsgruppen,* Abschnitt I und II, bearbeitet unter Mitwirkung von F. Engel (Leipzig 1888 und 1890), das in erster Linie für Fachmänner berechnet ist und daher weniger zur eigentlichen ersten Einführung der Studierenden in die Gruppentheorie geeignet erscheint. So entstand das Bedürfnis nach einem *einleitenden* Werke, zumal da die einzelnen Lie'schen Abhandlungen über diese Gegenstände in verschiedenen Zeitschriften zerstreut sind und den Anfängern viele Schwierigkeiten bereiten. Im Gegensatze zu jenem Werke über die Theorie der Transformationsgruppen wurde also in dem vorliegenden *ein ganz besonderes Gewicht auf die pädagogische Brauchbarkeit des Buches gelegt,* und deshalb wurde für den Vortrag der neuen Theorien eine etwas breite, vielleicht hie und da etwas zu breite Art für gut befunden. Einzelne schwierigere, für das Verständnis des Folgenden aber nicht nötige, sowie andere weitergehende Entwickelungen oder nebensächliche Bemerkungen wurden deshalb auch durch kleineren Druck als beim Lesen überschlagbar gekennzeichnet. Ferner sind überschlagbar namentlich auch gewisse Abschnitte, welche *Anwendungen auf Probleme der Flächentheorie* betreffen und nur für solche Leser berechnet sind, die schon die Hauptlehren der Flächentheorie kennen. Wenn irgendwo, so ist es zum Studium dieses Buches von besonderem Nutzen, alles Erlernte sogleich an Beispielen praktisch zu üben, und daher sind *zahlreiche Übungsbeispiele* eingeschaltet worden. Auch hier bleibt es natürlich dem Ermessen des Lesers überlassen, zu entscheiden, wieviele dieser Beispiele er durchzurechnen für nötig erachtet.

Durch diese Vorkehrungen wurde erreicht, dass die *Vorkenntnisse*, die das Studium des Werkes voraussetzt, auf ein geringes Maass zurückgeführt werden konnten. Das Buch ist für Studierende etwa im vierten Semester berechnet, welche eine gründliche Vorlesung über Differential- und Integralrechnung gehört haben und demnach auch mit dem Begriff des Integrals einer Differentialgleichung schon ein wenig bekannt geworden sind. Für das leichtere Verständnis ist es nützlich, aber keineswegs notwendig, dass dem Leser die Anwendung einfacher geometrischer Vorstellungen in der Differential- und Integralrechnung einigermaassen geläufig sei.

Dass das Werk auch Fachmännern mancherlei Interessantes darbietet, liegt schon in seiner eigenartigen Methode. Hoffentlich kann diesem Bande recht bald ein zweiter, die eigentliche Gruppentheorie betreffender, übrigens aber wie dieser durchaus selbstständiger Band folgen. Vereinigt werden diese Werke das Eindringen in die abstracte Theorie der Transformationsgruppen recht erheblich erleichtern. In dieser Hinsicht leisten schon, wie zu hoffen steht, die vorliegenden Vorlesungen recht viel.

Schliesslich noch einige Worte über meinen eigenen Anteil an diesem Werke: Ende Juli 1890 forderte mich Herr Professor Lie auf, diese Bearbeitung zu übernehmen. Da ich seit seiner Berufung nach Leipzig (1886) beständig mit den Lie'schen Theorien beschäftigt gewesen und immer in persönlichem Verkehr mit meinem hochverehrten Lehrer geblieben bin, war es mir möglich, auf Grund eines zum Theil recht knappen Entwurfes von Lie's Hand diese Vorlesungen in seinem Sinne auszuarbeiten. Dabei gereichten vielfache mündliche Besprechungen mit ihm der Bearbeitung zum Nutzen. Meine Thätigkeit bestand naturgemäss wesentlich in der selbständigen Anordnung und ausführlichen Darstellung der Entwickelungen sowie in der Auswahl und Berechnung der Übungsbeispiele, mit denen zu sparen ich nicht für gut hielt, da ich aus eigener Erfahrung weiss, wie nützlich gerade in diesen Theorien die Beispiele, und seien sie noch so trivial, dem Anfänger sind. Einige wenige Stellen, an denen ich eine neue Bemerkung oder Entwickelung in die Lie'schen Theorien dieses Buches einzuschalten für gut fand, sind besonders gekennzeichnet worden.

Ich schliesse das Vorwort mit meinem wärmsten Danke gegen meinen hochverehrten Lehrer für seine Aufforderung, diese Vorlesungen zu bearbeiten, sowie für seine mir dabei unermüdlich gewährten Ratschläge. Möchten diese Vorlesungen zur Verbreitung der Lie'schen Theorie der Transformationsgruppen das Ihre beitragen.

Leipzig, im Juni 1891.

Georg Scheffers.

Inhaltsverzeichnis.

Abteilung I.

Seite

Abteilung II.

Verwertung des Begriffes der infinitesimalen Transformation für Differentialgleichungen erster Ordnung zwischen zwei Veränderlichen . . . . 86—187

Abteilung III.

Seite

Abteilung IV.

Eingliedrige Gruppen und infinitesimale Transformationen in n Veränderlichen. Verwertung dieser Begriffe für Differentialgleichungen . . . . 286—472

Abteilung V.

Berichtigungen.

Seite 19, Zeile 20 v. u. lies Vorrede statt Einleitung.
- 30, - 19 v. o. lies 5′ statt 5.
- 41, - 8 v. u. ist nach „wir" einzuschalten: „identisch oder".
- 41, - 1 v. u. lies infinitesimalen statt infininitesimale.
- 43, - 7 v. o. lies δt statt dt.
- 50, - 15 v. u. lies $\frac{\partial x}{\partial x}$ statt des ersten $\frac{\partial x}{\partial y}$.
- 106. Das in der zweiten Formel dieser Seite gebrauchte ϱ ist natürlich eine andere Function als das in der ersten Formel gebrauchte.
- 110 lies als Seitenzahl 110 statt 710.
- 117, Zeile 11 v. u. fehlt die Randbemerkung: Beispiele.
- 154, Fig. 14 lies $d\vartheta$ statt des untenstehenden ϑ.
- 249, Zeile 5 v. u. lies ähnliche.
- 261, - 4 v. u. lies Lévy statt Levy.

VORLESUNGEN

ÜBER

DIFFERENTIALGLEICHUNGEN

MIT BEKANNTEN

INFINITESIMALEN TRANSFORMATIONEN.

Abteilung I.

Die Begriffe: Infinitesimale Transformation und eingliedrige Gruppe in der Ebene.

Die älteren Untersuchungen über gewöhnliche Differentialgleichungen, wie man sie in den gebräuchlichen Lehrbüchern findet, bilden kein systematisches Ganzes. Man entwickelte specielle Integrationstheorien z. B. für die homogenen Differentialgleichungen, für die linearen Differentialgleichungen und andere specielle integrable Formen von Differentialgleichungen. Es war aber den Mathematikern entgangen, dass diese speciellen Theorien sich unter eine allgemeine Methode unterordnen lassen. Das Fundament dieser Methode ist der Begriff der *infinitesimalen Transformation* und der damit auf das engste zusammenhängende Begriff der *eingliedrigen Gruppe.* Die gegenwärtige erste Abteilung ist einer eingehenden Erläuterung und Untersuchung derselben und zwar für den Fall der Ebene oder zweier Veränderlicher gewidmet.

Kapitel 1.

Beispiele von Gruppen von Punkttransformationen.

Bevor wir damit beginnen, die Begriffe, auf welche sich unsere Behandlung der Differentialgleichungen stützen soll, zu definieren, erscheint es uns zweckmässig, dieselben an einigen *Beispielen* sehr einfacher Natur zu erläutern. Wir werden dabei sehr ausführlich zu Werke gehen.

§ 1. Ein- und zweigliedrige Gruppe von Translationen.

Ein erstes Beispiel ist dies: Wir betrachten die Gesamtheit *aller* Punkte der Ebene und denken uns auf dieselben eine Verschiebung um eine gewisse Strecke nach einer gewissen Richtung hin, eine

Translation. sogenannte *Translation*, ausgeübt. Dadurch wird jeder Punkt der Ebene in einen anderen übergeführt. Legen wir, um das analytisch darzustellen, die x-Axe des Cartesischen Coordinatensystems in die Richtung der Verschiebung und ist a die Strecke, um welche alle Punkte der Ebene verschoben werden sollen, so geht der Punkt (x, y) in den Punkt

$$x_1 = x + a, \quad y_1 = y$$

über. Der Strecke a können wir natürlich alle möglichen constanten Werte von $-\infty$ bis $+\infty$ beilegen, und dadurch erhalten wir ∞^1 verschiedene*) Translationsbewegungen, welche alle nach derselben oder nach der gerade entgegengesetzten Richtung hin stattfinden.

Führen wir nun zwei derselben nach einander aus: Die erste Translation um die Strecke a führt den Punkt (x, y) über in den Punkt

$$x_1 = x + a, \quad y_1 = y,$$

die darauf folgende zweite Translation um die Strecke a_1 führt den neuen Punkt (x_1, y_1) weiter bis zur Stelle

$$x_2 = x_1 + a_1, \quad y_2 = y_1,$$

die mit den beiden vorigen auf einer Parallelen zur x-Axe liegt. Der Übergang aus der Anfangslage (x, y) in die Endlage (x_2, y_2) hätte offenbar auch durch eine *einzige* Translation um die Strecke $a + a_1$ geleistet werden können und zwar *gleichzeitig für alle Punkte der Ebene.* Auch analytisch geht dies hervor, da aus unseren Gleichungen durch Elimination der Zwischenwerte x_1, y_1 folgt:

$$x_2 = x + a + a_1, \quad y_2 = y.$$

Dieses ganz einfache Ergebnis können wir so aussprechen:

Die Reihenfolge zweier Translationen aus der Schar der Translationen

$$x_1 = x + a, \quad y_1 = y$$

ist (hinsichtlich ihres Endergebnisses) äquivalent mit einer einzigen Translation aus derselben Schar.

Eingliedrige Gruppe von Translationen. Aus diesem Grunde nennen wir jene Schar insbesondere eine *Gruppe von Translationen.* Sie enthält *einen* (willkürlichen) Parameter a und daher ∞^1 verschiedene Translationen. Sie wird deshalb auch eine *eingliedrige* Gruppe genannt.

---

*) Eine solche Ausdrucksweise benutzen wir häufig: Wenn ein Gebilde von n Parametern (willkürlichen Constanten) abhängt, von denen keiner überzählig ist, so nimmt das Gebilde ∞^n verschiedene Lagen an, wenn die Parameter variieren. So giebt es z. B. auf der Geraden ∞^1, in der Ebene ∞^2, im Raume ∞^3 Punkte, denn die Lage des Punktes hängt von bez. 1, 2, 3 Parametern (Coordinaten) ab. Ferner giebt es in der Ebene ∞^3 Kreise, da zur Bestimmung des Kreises drei Grössen (z. B. die beiden Mittelpunktscoordinaten und der Radius) genügen, u. s. w.

Bisher haben wir angenommen, die Translationen sollten sämtlich in derselben Richtung stattfinden. Jetzt wollen wir überhaupt *alle* Translationen in der Ebene ins Auge fassen. Wir unterwerfen also alle Punkte der Ebene gleichzeitig einer Verschiebung um ein und dieselbe Strecke nach ein und derselben Richtung hin. Indem wir nicht nur der Grösse, sondern auch der Richtung der Verschiebung alle möglichen bestimmten Werte beilegen, ergiebt sich so eine Schar von Translationen, welche die oben betrachtete umfasst. Eine beliebige dieser Translationen führt den Punkt (x, y) der Ebene über in den Punkt

$$x_1 = x + a, \quad y_1 = y + b,$$

wo a und b zwei beliebige, aber für alle Punkte (x, y) der Ebene gleichbleibende Werte haben. Auch hier lassen wir einer ersten Translation, welche die Punkte (x, y) nach den Stellen (x_1, y_1) führt, eine zweite folgen, welche die neuen Punkte (x_1, y_1) nach den Stellen (x_2, y_2) geleitet, und es ist augenscheinlich, dass wir auch durch eine *einzige* Translation alle Punkte (x, y) in die Punkte (x_2, y_2) hätten überführen können. Die Länge und Richtung dieser, die beiden vorigen ersetzenden Translation ergiebt sich einfach durch Construction der dritten Seite der von den beiden vorigen Translationen gebildeten Dreiecke der Punkte (x, y), (x_1, y_1), (x_2, y_2) oder — mit Benutzung einer kinematischen Ausdrucksweise — als geometrische Summe der beiden ersteren. (Fig. 1.) Auch analytisch erhellt dies ohne weiteres, da aus den Gleichungenpaaren

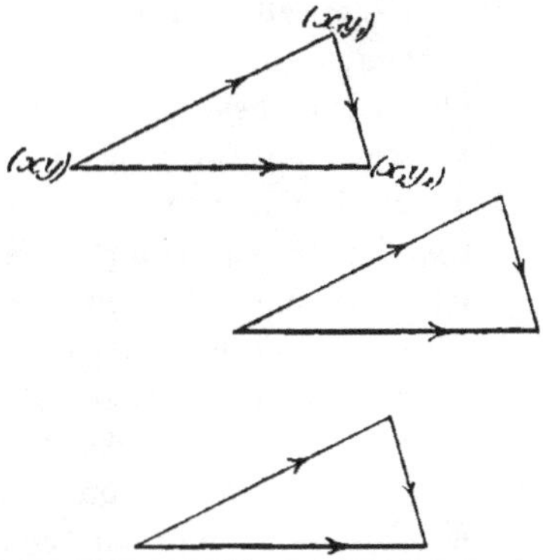

Fig. 1.

$$x_1 = x + a, \quad y_1 = y + b;$$

$$x_2 = x_1 + a_1, \quad y_2 = y_1 + b_1,$$

welche zwei successive Translationen darstellen, durch Elimination von x_1, y_1 folgt:

$$x_2 = x + a + a_1, \quad y_2 = y + b + b_1,$$

und diese Gleichungen wieder eine Translation darstellen, in Worten:

Die Reihenfolge zweier beliebiger Translationen aus der Schar aller Translationen der Ebene:

$$x_1 = x + a, \quad y_1 = y + b$$

ist äquivalent mit einer einzigen Translation derselben Schar.

Zweigliedrige Gruppe von Translationen.

Deshalb nennen wir auch diese Schar eine *Gruppe von Translationen.* Sie enthält *zwei* willkürliche Constanten (Parameter) a und b und daher ∞^2 verschiedene Translationen. Aus diesem Grunde wird sie als eine *zweigliedrige* Gruppe bezeichnet.

Kehren wir nun zu den zuerst betrachteten Translationen parallel der x-Axe

$$(1) \qquad x_1 = x + a, \quad y_1 = y$$

zurück. Unter diesen ∞^1 Translationen ist eine besonders bemerkenswert, nämlich die, für welche $a = 0$ ist, d. h. bei der um die Strecke Null verschoben wird. Hierbei bleiben alle Punkte in Ruhe, und man könnte eigentlich nicht mehr von einer Translation sprechen. Will man dies aber doch thun, so wird man sie die *identische Translation* nennen, d. h. die, welche jeden Punkt in sich selbst überführt. Alle übrigen Translationen der eingliedrigen Gruppe (1) stellen wirkliche Bewegungen dar. Zu beachten ist, dass sich zu jeder Translation dieser Gruppe eine andere Translation derselben angeben lässt, welche, nach jener ausgeführt, die Wirkung derselben gerade aufhebt. Es ist nämlich die Reihenfolge der Translationen um die Strecken a und $-a$ einer Translation um die Strecke $a - a = 0$, also der identischen Translation äquivalent. Man nennt deshalb zwei Verschiebungen um entgegengesetzt gleiche Strecken zu einander *invers.*

Identische Translation.

Inverse Translationen.

Der Übergang von einer endlichen Translation, einer solchen also, welche die Punkte um eine endliche Strecke a verschiebt, zur identischen wird dadurch gewonnen, dass man den Parameter a gegen Null abnehmen lässt. Setzt man ihn gleich einer unendlich kleinen Constanten δt, so ergiebt sich eine *infinitesimale Translation*, d. h. eine solche, welche allen Punkten der Ebene nur eine unendlich kleine Bewegung erteilt:

Infinitesimale Translation.

$$x_1 = x + \delta t, \quad y_1 = y.$$

Bei derselben erfahren also die Coordinaten x, y nur unendlich kleine Zuwüchse

$$\delta x = \delta t, \quad \delta y = 0,$$

d. h. sie ordnet allen Punkten (x, y) gleichlange unendlich kleine Fortschreitungsstrecken δt in derselben Richtung zu. Führt man diese Translation mehrere Male, etwa n-mal, nach einander aus, so geht (x, y) über in den Punkt

$$x_1 = x + n\delta t, \quad y_1 = y.$$

Denkt man sich die infinitesimale Transformation unendlich oft nacheinander ausgeführt, lässt man also n unendlich gross werden, so wird $n\delta t$ eine endliche Strecke a und es ergiebt sich wieder eine endliche Translation

$$x_1 = x + a, \quad y_1 = y.$$

Wenn man auf einen *bestimmten* Punkt (x_0, y_0) alle Translationen unserer eingliedrigen Gruppe

$$x_1 = x + a, \quad y_1 = y$$

ausführt, so erhält er ∞^1 verschiedene Lagen:

$$x = x_0 + a, \quad y = y_0,$$

deren Gesamtheit die Parallele zur x-Axe $y = y_0$ erfüllt. Diese Gerade, den Ort aller Punkte, in welche ein bestimmter Punkt durch Ausführung aller Translationen unserer Gruppe übergeht, nennen wir die *Bahncurve dieses Punktes.* Da alle Punkte (x_0, y_0) auf dieser Geraden offenbar diese auch zur Bahncurve haben, so nennen wir sie Bahncurve schlechtweg oder auch *Bahncurve der eingliedrigen Gruppe.* Im ganzen giebt es ∞^1 Bahncurven, bestehend aus allen Parallelen zur x-Axe. Auch die infinitesimale Translation führt den Punkt (x_0, y_0) auf seiner Bahncurve, wenn auch nur unendlich wenig, weiter und deshalb muss die Richtung der Bahncurve im Punkte (x_0, y_0) mit der Richtung übereinstimmen, welche die infinitesimale Translation diesem Punkte zuordnet, was auch geometrisch ohne weiteres einleuchtet. Bahncurven.

Betrachten wir eine der Bahncurven als Ganzes, so finden wir, dass sie bei Ausführung einer beliebigen Translation

$$x_1 = x + a, \quad y_1 = y$$

nur in sich um die Strecke a verschoben wird, als Ganzes aufgefasst also in Ruhe bleibt: Sie ist *invariant* bei allen Translationen unserer eingliedrigen Gruppe. Es ist sofort klar, dass ausser der Bahncurve im Endlichen keine Curve existiert, welche bei der Gruppe ebenfalls invariant bliebe, d. h. deren Punkte bei allen Translationen der Gruppe wieder in Punkte derselben übergingen. Invariante Curve.

Wohl aber müssen wir die unendlich ferne Gerade als invariant auffassen, *denn jeder unendlich ferne Punkt bleibt für sich bei allen Translationen der Gruppe in Ruhe,* wenn man sich auf den Standpunkt der projectiven Geometrie stellt, wonach ein unendlich ferner Punkt durch die Richtung einer Schar von Parallelgeraden charakterisiert wird.

Stellen wir uns das analytische Problem, alle Functionen $\Omega(x, y)$ zu finden, welche bei jeder Translation

$$x_1 = x + a, \quad y_1 = y$$

unserer Gruppe invariant bleiben, für welche also identisch

$$\Omega(x_1, y_1) \equiv \Omega(x + a, y) = \Omega(x, y)$$

ist, was für einen Wert auch a haben mag, so brauchen wir, wie wir sehen werden, nur a unendlich klein zu wählen, also nur die infinitesimale Translation $x_1 = x + \delta t$, $y_1 = y$ auszuführen, um die gesuchte Function zu bestimmen. Denn es kommt nach dem Taylor'schen Satze durch Entwickelung nach a:

$$\Omega(x, y) + \frac{a}{1}\frac{\partial \Omega(x, y)}{\partial x} + \frac{a^2}{1 \cdot 2}\frac{\partial^2 \Omega(x, y)}{\partial x^2} + \cdots = \Omega(x, y),$$

oder, wenn wir beiderseits $\Omega(x, y)$ streichen, und von Gliedern zweiter Ordnung in a absehen:

$$\frac{\partial \Omega(x, y)}{\partial x} = 0.$$

Ω ist also eine Function von y allein. Umgekehrt erfüllt, wie man sieht, jede beliebige Function Ω von y allein die obige Forderung bei beliebigem endlichen a. Jede Function $\Omega(y)$ ist demnach eine *Invariante* unserer Gruppe. Sie ändert sich nicht, wenn man anstelle von x, y die durch eine beliebige Translation der Gruppe bestimmten neuen Veränderlichen x_1, y_1 einsetzt. Wenn man eine beliebige bei der Gruppe invariante Function einer Constanten gleich setzt: $\Omega(y) = \text{Const.}$, so stellt sie eine oder mehrere Bahncurven $y = \text{Const.}$ der eingliedrigen Gruppe dar. Dies ist eine bemerkenswerte Thatsache, deren inneren Grund wir später erkennen werden.

Invariante Function.

§ 2. Die eingliedrige Gruppe der Rotationen um einen festen Punkt in der Ebene.

Wir haben eine Reihe von neuen Begriffen bei Betrachtung der Translationen kennen gelernt. Diese werden wir später in grösserer Allgemeinheit definieren und erläutern. Jetzt wollen wir ein zweites Beispiel vorführen, in welchem alle jene Begriffe, wenn auch in anderer Gestalt, wiederkehren.

Wir unterwerfen alle Punkte der Ebene gleichzeitig ein und derselben *Rotation* um einen festen Punkt, den wir zum Coordinatenanfang O wählen und mit dem Drehwinkel α, gemessen im Sinne der Drehung von der positiven x-Axe zur positiven y-Axe. Dadurch geht jeder Punkt (x, y) in einen neuen (x_1, y_1) über. Dem für alle Punkte der Ebene gleichen Drehwinkel α können wir einen beliebigen Wert beilegen. Daher giebt es ∞^1 Rotationen um den festen Punkt O. Um

Rotation.

die Gleichungen einer derselben aufzustellen, d. h. x_1, y_1 durch x, y und α auszudrücken, bemerken wir, dass sich α als Differenz der Winkel darstellt, welche die Radienvectoren der Punkte (x, y) und (x_1, y_1) mit der x-Axe bilden und deren Tangenten $\frac{y}{x}$ und $\frac{y_1}{x_1}$ sind (Fig. 2). Demnach ist

$$\frac{\sin\alpha}{\cos\alpha} = \operatorname{tg}\alpha = \frac{\frac{y_1}{x_1} - \frac{y}{x}}{1 + \frac{y_1}{x_1}\cdot\frac{y}{x}} = \frac{x y_1 - x_1 y}{x x_1 + y y_1}$$

woraus durch Auflösung:

$$\frac{x_1}{y_1} = \frac{x\cos\alpha - y\sin\alpha}{x\sin\alpha + y\cos\alpha}.$$

x_1 und y_1 unterscheiden sich also von den rechts stehenden Ausdrücken nur um denselben Factor. Dieser kann, da $x_1{}^2 + y_1{}^2$ als Quadrat des Radiusvectors gleich $x^2 + y^2$ sein muss, nur ± 1 sein; offenbar ist $+1$ zu wählen (denn für $\alpha = 0$ müsste $x_1 = x$, $y_1 = y$ sein). Folglich sind

$$x_1 = x\cos\alpha - y\sin\alpha,$$
$$y_1 = x\sin\alpha + y\cos\alpha$$

die Gleichungen unserer Rotation.

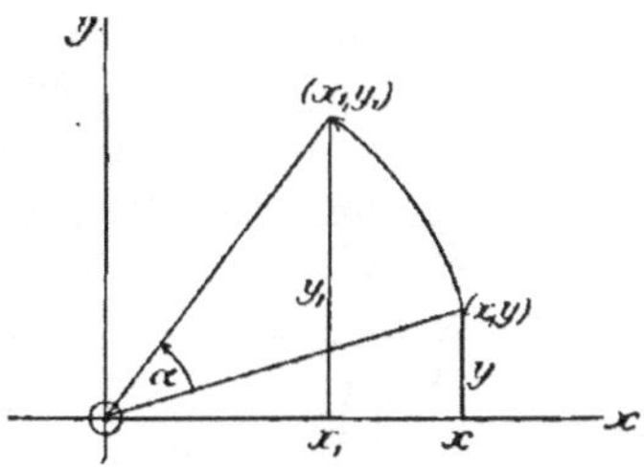

Fig. 2.

Führen wir nun nach einander zwei Rotationen um den Punkt O aus: Die erste mit dem Drehwinkel α führt alle Punkte (x, y) in die neuen Lagen (x_1, y_1), die zweite mit dem Drehwinkel α_1 führt diese Punkte (x_1, y_1) noch weiter in die Lagen (x_2, y_2) über. Es ist geometrisch evident, dass wir auch durch eine einzige Rotation, nämlich durch die mit dem Drehwinkel $\alpha + \alpha_1$, alle Punkte der Ebene aus den Anfangslagen (x, y) in die Endlagen (x_2, y_2) hätten überführen können. Auch analytisch ergiebt sich dies: die erste Rotation wird durch die Gleichungen:

$$x_1 = x\cos\alpha - y\sin\alpha, \quad y_1 = x\sin\alpha + y\cos\alpha,$$

die zweite durch die Gleichungen:

$$x_2 = x_1\cos\alpha_1 - y_1\sin\alpha_1, \quad y_2 = x_1\sin\alpha_1 + y_1\cos\alpha_1$$

dargestellt. Eliminiert man vermöge der beiden ersten x_1, y_1 aus den beiden letzten, so kommt

$$x_2 = (x\cos\alpha - y\sin\alpha)\cos\alpha_1 - (x\sin\alpha + y\cos\alpha)\sin\alpha_1$$
$$= x(\cos\alpha\cos\alpha_1 - \sin\alpha\sin\alpha_1) - y(\sin\alpha\cos\alpha_1 + \cos\alpha\sin\alpha_1),$$

$$y_2 = (x \cos \alpha - y \sin \alpha) \sin \alpha_1 + (x \sin \alpha + y \cos \alpha) \cos \alpha_1$$
$$= x (\cos \alpha \sin \alpha_1 + \sin \alpha \cos \alpha_1) + y (\cos \alpha \cos \alpha_1 - \sin \alpha \sin \alpha_1),$$

also

$$x_2 = x \cos (\alpha + \alpha_1) - y \sin (\alpha + \alpha_1),$$
$$y_2 = x \sin (\alpha + \alpha_1) + y \cos (\alpha + \alpha_1),$$

und diese Gleichungen stellen eben die Rotation mit dem Drehwinkel $\alpha + \alpha_1$ dar. In Worten:

Die Reihenfolge zweier Rotationen um einen festen Punkt ist äquivalent einer einzigen Rotation um diesen Punkt.

Eingliedrige Gruppe von Rotationen. Daher sagen wir, dass die Schar jener Rotationen eine *Gruppe* bildet und zwar, da sie *einen* Parameter α, also ∞^1 verschiedene Rotationen enthält, eine *eingliedrige* Gruppe.

Identische Rotation. Unter allen ∞^1 Rotationen dieser Gruppe ist eine besonders ausgezeichnet, nämlich die *identische*, welche alle Punkte in Ruhe lässt. Ihr Drehwinkel ist Null. Ferner lässt sich zu jeder Rotation der Gruppe eine zweite aus der Gruppe angeben, die nach jener ausgeführt die Wirkung derselben gerade aufhebt. Ist nämlich α der Drehwinkel einer Rotation, und führt man nach ihr die Rotation mit dem Drehwinkel $-\alpha$ aus, so ist diese Reihenfolge einer einzigen Rotation mit dem Winkel $\alpha - \alpha = 0$, d. i. der identischen Rotation äquivalent. Inverse Rotationen. Die Rotationen (α) und $(-\alpha)$ heissen daher zu einander *invers*.

Infinitesimale Rotation. Wollen wir zu einer *infinitesimalen Rotation* gelangen, so haben wir den Drehwinkel unendlich klein, $\alpha = \delta t$, zu wählen. Da bis auf unendlich kleine Grössen höherer Ordnung $\sin \delta t = \delta t$, $\cos \delta t = 1$ ist, so lautet diese infinitesimale Rotation:

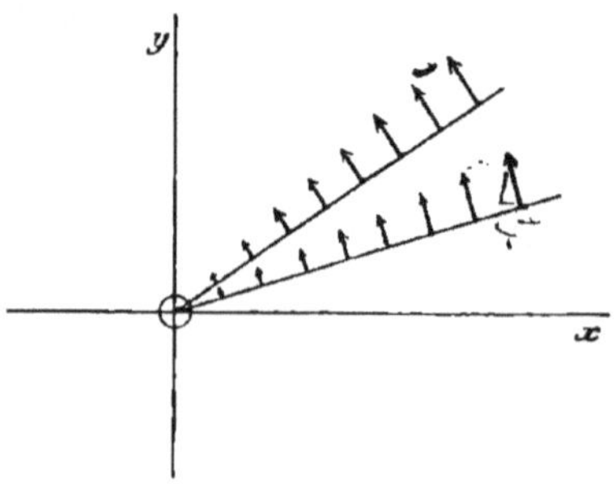

Fig. 3.

$$x_1 = x - y\delta t, \quad y_1 = y + x\delta t,$$

d. h. x und y erhalten bei ihr die unendlich kleinen Incremente

$$\delta x = -y\delta t, \quad \delta y = x\delta t.$$

Jedem Punkte (x, y) wird hiernach eine unendlich kleine Fortschreitungsstrecke $\sqrt{\delta x^2 + \delta y^2} = \sqrt{x^2 + y^2} \cdot \delta t$, also proportional seinem Radiusvector, in einer gewissen Richtung zugeordnet, deren Winkel mit der x-Axe die Tangente $\frac{\delta y}{\delta x} = -\frac{y}{x}$ hat. Diese Richtung steht auf dem Radiusvector senkrecht (Fig. 3).

Auf einen beliebigen Punkt (x_0, y_0) mögen nun alle Rotationen unserer eingliedrigen Gruppe ausgeführt werden. Der geometrische Ort der Lagen, in die er gelangt, ist offenbar ein Kreis um O, was auch auf analytischem Wege hervorgeht, da diese Lagen (x, y) durch die Gleichungen

$$x = x_0 \cos \alpha - y_0 \sin \alpha, \quad y = x_0 \sin \alpha + y_0 \cos \alpha$$

gegeben werden und hiernach für alle α

$$x^2 + y^2 = x_0^2 + y_0^2 \ (= \text{Const.})$$

ist. Demnach nennen wir diesen Kreis die *Bahncurve des Punktes* (x_0, y_0). Es ist einleuchtend, dass wir für jeden anderen Punkt dieses Kreises genau dieselbe Bahncurve gefunden hätten. Im ganzen giebt es also ∞^1 solche Curven, bestehend aus allen Kreisen um den Mittelpunkt O. Wir nennen sie die *Bahncurven der eingliedrigen Gruppe.* Weil unter den Rotationen der Gruppe auch die infinitesimale enthalten ist und diese den Punkten (x_0, y_0) unendlich kleine Bewegungen erteilt, so ist begrifflich klar, dass die Richtung der Bahncurve, welche durch den Punkt (x_0, y_0) geht, in diesem mit der Richtung zusammenfällt, welche die infinitesimale Rotation dem Punkte zuordnet. Letztere Richtung steht, wie bemerkt, auf dem Radiusvector senkrecht; die Bahncurve könnte somit auch durch einen Punkt erzeugt werden, der sich beständig senkrecht zu seinem Radiusvector bewegt. Dies ist hier auch geometrisch klar. Bahncurve.

Die Bahncurve als Ganzes aufgefasst bleibt bei jeder Rotation der eingliedrigen Gruppe in Ruhe, da jeder ihrer Punkte bei einer beliebigen Rotation der Gruppe wieder in einen Punkt auf ihr übergeht, der Kreis sich also nur in sich verschiebt. Es erhellt dies ebensowohl aus dem Begriff der Bahncurve wie aus der geometrischen Anschauung. Jede der ∞^1 Bahncurven ist also bei der eingliedrigen Gruppe *invariant.* Umgekehrt muss eine jede Curve, die bei der Gruppe invariant bleibt, natürlich alle Punkte enthalten, in welche ein beliebiger Punkt der Curve bei allen Rotationen der Gruppe übergeht, d. h. eine Bahncurve sein. Nur ein Ausnahmefall ist besonders zu untersuchen. Es wäre ja möglich, dass eine invariante Curve aus lauter Punkten bestände, die sich bei den Rotationen der Gruppe überhaupt nicht bewegen, sondern einzeln in Ruhe bleiben. Aber man sieht ohne weiteres, dass bei unseren Rotationen im Endlichen nur ein Punkt, nämlich O, in Ruhe bleibt, also keine derartige Curve existiert. Invariante Curve.

Lässt man auch imaginäre Punkte zu, so bleiben auch die beiden Geraden $x + iy = 0$ und $x - iy = 0$ invariant bei allen Rotationen der

Gruppe. Sie sind nämlich die Geraden, in welche der imaginäre Kreis $x^2 + y^2 = 0$, der ja zu den Bahncurven $x^2 + y^2 = \text{Const.}$ gehört, zerfällt. Auf diesen Geraden bleiben ausser ihrem Schnittpunkt O noch die unendlich fernen Punkte, die sogenannten imaginären Kreispunkte, in Ruhe. Die unendlich ferne Gerade ist als unendlich grosser Kreis um O, also auch als Bahncurve aufzufassen.

Wie bei dem früheren Beispiel suchen wir auch hier alle Functionen $\Omega(x, y)$, die bei den Rotationen der eingliedrigen Gruppe ungeändert bleiben, d. h. für die identisch

$$\Omega(x_1, y_1) \equiv \Omega(x \cos\alpha - y \sin\alpha,\ x \sin\alpha + y \cos\alpha) = \Omega(x, y)$$

ist für alle Werte von α. Auch hier brauchen wir die Forderung nur für unendlich kleines α, für die infinitesimale Rotation zu erfüllen, wie wir sehen werden. Für diese sind in der Reihenentwickelung der linken Seite nach α alle höheren Potenzen von α zu vernachlässigen. Es bleibt also nur das absolute Glied und das Glied mit α^1 oder, da $\alpha = \delta t$ gesetzt wird, mit δt übrig. Die Gleichung

$$\Omega(x - y\delta t,\ y + x\delta t) = \Omega(x, y)$$

nimmt also die Form an:

$$\Omega(x, y) - \frac{\partial \Omega(x, y)}{\partial x} y\delta t + \frac{\partial \Omega(x, y)}{\partial y} x\delta t = \Omega(x, y)$$

oder

$$y \frac{\partial \Omega(x, y)}{\partial x} - x \frac{\partial \Omega(x, y)}{\partial y} = 0.$$

Hiernach muss, wie wir aus der Theorie der Differentialgleichungen entnehmen, Ω eine Function von $x^2 + y^2$ allein sein:

$$\Omega \equiv \omega(x^2 + y^2).$$

Nun zeigt sich, dass diese Function ω von $x^2 + y^2$ ganz beliebig gewählt werden darf; denn es ist ja

$$x_1^2 + y_1^2 = x^2 + y^2$$

und daher immer:

$$\omega(x_1^2 + y_1^2) = \omega(x^2 + y^2)$$

für *jede* Rotation α. Jede beliebige Function von $x^2 + y^2$ allein ist also invariant bei allen Rotationen der eingliedrigen Gruppe. Setzt man eine solche *Invariante* gleich einer Constanten, so stellt sie eine oder eine Anzahl von Bahncurven $x^2 + y^2 = \text{Const.}$ dar.

Invariante Function.

Ehe wir dies Beispiel verlassen, noch eine Bemerkung: Man kann die Rotation

$$x_1 = x \cos\alpha - y \sin\alpha, \quad y_1 = x \sin\alpha + y \cos\alpha$$

noch auf sehr einfache Weise durch Benutzung der Polarcoordinaten r, φ und r_1, φ_1 der Punkte (x, y) und (x_1, y_1) ausdrücken. Offenbar ist bei der Rotation der Radiusvector constant, also $r_1 = r$, während die Amplitude φ um α wächst. Demnach sind

$$\varphi_1 = \varphi + \alpha, \quad r_1 = r$$

die Gleichungen der Rotation in Polarcoordinaten. Wird nach dieser Rotation eine zweite mit dem Drehwinkel α_1 ausgeführt, so geht der neue Punkt (r_1, φ_1) über in einen Punkt mit den Polarcoordinaten

$$\varphi_2 = \varphi_1 + \alpha_1, \quad r_2 = r_1,$$

sodass durch Elimination von r_1 und φ_1 hervorgeht:

$$\varphi_2 = \varphi + \alpha + \alpha_1, \quad r_2 = r.$$

Bei dieser analytischen Darstellung tritt die Thatsache, dass die Reihenfolge zweier Rotationen um O einer einzigen äquivalent ist, viel unmittelbarer vor Augen, als früher bei Benutzung rechtwinkliger Coordinaten. Auch haben wir schon die drei letzten Gleichungenpaare, nur mit anderen Buchstaben, früher kennen gelernt. Genau so, wie hier φ und r bei der Rotation mit dem Drehwinkel α transformiert werden, wurden früher die rechtwinkligen Coordinaten x, y bei einer Translation längs der x-Axe um die Strecke a transformiert, wie die Zusammenstellung der beiden Gleichungenpaare deutlich zeigt:

$$\varphi_1 = \varphi + \alpha, \quad r_1 = r;$$
$$x_1 = x + a, \quad y_1 = y.$$

(Vgl. § 1.) Die Möglichkeit der Einführung neuer Coordinaten, durch welche unsere eingliedrige Gruppe von Rotationen die Form der eingliedrigen Gruppe aller Translationen nach derselben Richtung hin annimmt, wird später in viel allgemeinerer Weise in Augenschein treten. Die neuen Coordinaten r, φ, welche diese Zurückführung ermöglichen, nennen wir *canonische Veränderliche* und die Form

Canonische Veränderliche und canonische Form der eingliedr. Gruppe der Rotationen.

$$\varphi_1 = \varphi + \alpha, \quad r_1 = r$$

die *canonische Form der eingliedrigen Gruppe* der Rotationen.

§ 3. Eingliedrige Gruppe von affinen Transformationen.

Ein drittes Beispiel, zu dem wir jetzt übergehen, bietet in zwei Punkten wesentliche Verschiedenheiten von den früheren. Einmal soll die jetzige Lagenänderung aller Punkte der Ebene nicht eine derartige sein, bei welcher die ganze Ebene als starr, aber beweglich aufgefasst werden kann — wie dies bei den Translationen und Rotationen der Fall war —, andererseits werden wir eine neue Art invarianter Curven erhalten.

Betrachten wir also die Gleichungen

$$x_1 = mx, \quad y_1 = y.$$

Dieselben transformieren alle Punkte (x, y) der Ebene in neue Punkte (x_1, y_1), indem alle Abscissen in proportionaler Weise verkleinert oder vergrössert werden. Diese Gleichungen stellen etwa die Zusammendrückung oder Auseinanderziehung einer homogenen elastischen Platte nach einer Richtung, der x-Axe hin dar. Mit *Möbius* nennen wir sie

Affine Transformation.

eine *affine Transformation.* Da der Parameter m zwar constant, aber beliebig ist, so liegen ∞^1 affine Transformationen vor. Führen wir zwei derselben nacheinander aus, verkleinern (resp. vergrössern) wir also die Abscissen aller Punkte zuerst im Massstab m, hierauf weiterhin im Massstab m_1, so ist das Ergebnis offenbar dasselbe, als ob wir alle Abscissen sofort im Massstab $m \cdot m_1$ verkleinert (resp. vergrössert) hätten. Dies ist auch analytisch einleuchtend, indem aus den Gleichungen der beiden successiven affinen Transformationen

$$x_1 = mx, \quad y_2 = y;$$

$$x_2 = m_1 x_1, \quad y_2 = y_1$$

durch Elimination von x_1 und y_1 folgt:

$$x_2 = mm_1 x, \quad y_2 = y,$$

d. h. die affine Transformation mit dem Parameterwert mm_1. In Worten:

Die Reihenfolge zweier affiner Transformationen aus der Schar:

$$x_1 = mx, \quad y_1 = y$$

Eingliedrige Gruppe von affinen Transformationen.

ist einer einzigen affinen Transformation derselben Schar äquivalent.

Deshalb sagen wir, dass auch diese affinen Transformationen eine *Gruppe* bilden und zwar wieder, da sie *einen* Parameter m, also ∞^1 verschiedene Transformationen enthält, eine *eingliedrige* Gruppe.

Identische, inverse, infinitesimale Transformation.

Setzt man den Parameter $m = 1$, so ergiebt sich die *identische Transformation.* Zwei affine Transformationen mit den Parametern m und $\frac{1}{m}$ sind zu einander *invers,* indem sie nach einander ausgeführt sich aufheben, also ihre Reihenfolge der identischen Transformation äquivalent ist. *Infinitesimal* wird die affine Transformation, *wenn der Parameter m unendlich wenig von dem Wert abweicht, den er bei der identischen Transformation hat,* d. h. wenn $m = 1 + \delta t$ ist, wo δt wieder eine unendlich kleine Constante bedeutet. Die Gleichungen der infinitesimalen affinen Transformation sind daher

$$x_1 = x + x\delta t, \quad y_1 = y,$$

und x und y erfahren die Incremente

$$\delta x = x \delta t, \quad \delta y = 0.$$

Die Fortschreitungsstrecken $x\delta t$, welche die infinitesimale affine Transformation den Punkten zuordnet, sind somit sämtlich der x-Axe parallel und den Abscissen proportional.

Führen wir auf einen Punkt (x_0, y_0) alle Transformationen der eingliedrigen Gruppe aus, so ergiebt sich als sein Ort, seine *Bahncurve*, natürlich eine Parallele $y = y_0$ zur x-Axe, was auch aus den Gleichungen Bahncurve.

$$x = mx_0, \quad y = y_0$$

gefolgert werden kann. Für alle Punkte auf dieser Geraden ergiebt sich dieselbe Bahncurve. Die eingliedrige Gruppe der affinen Transformationen besitzt folglich ∞^1 Bahncurven, bestehend aus allen Parallelen zur x-Axe. Die Bahncurven können wie in den früheren Beispielen völlig dadurch definiert werden, dass in jedem ihrer Punkte ihre Richtung zusammenfällt mit der Fortschreitungsrichtung, welche die infinitesimale affine Transformation dem betreffenden Punkte zuordnet. Man beschreibt eine Bahncurve, wenn man continuierlich der von der infinitesimalen Transformation gegebenen Richtung nachgeht.

Als Ganzes aufgefasst bleibt jede Bahncurve bei allen Transformationen der Gruppe invariant, da ihre Punkte sich zwar bewegen, Invariante Curve. aber doch immer auf ihr bleiben. *Aber ausser den Bahncurven giebt es noch mindestens eine im Endlichen gelegene Curve, die bei allen Transformationen der Gruppe invariant bleibt, nämlich die y-Axe $x = 0$.* In der That: Ist $x = 0$, so ist auch $x_1 = mx = 0$. Diese Curve hat die Eigentümlichkeit, dass sie nicht nur als Ganzes aufgefasst in Ruhe bleibt, sondern *überhaupt jeder ihrer Punkte bei allen Transformationen der Gruppe unbeweglich ist.* Will man alle im Endlichen gelegenen invarianten Curven finden, so leuchtet wie früher ein, dass, sobald ein Punkt einer solchen Curve sich bei einer Transformation der Gruppe bewegt, er eine Bahncurve parallel der x-Axe beschreibt, die gesuchte Curve daher diese Bahncurve sein muss. Wenn also eine invariante Curve keine Bahncurve ist, so geht dies nur so an, dass alle Punkte der Curve einzeln in Ruhe bleiben bei allen Transformationen der Gruppe. Da diese Punkte auch bei der infinitesimalen Transformation unbeweglich sein müssen, so müssen ihre oben berechneten Incremente δx, δy gleich Null sein. Dies aber giebt $x = 0$, also die y-Axe. Alle Punkte derselben bleiben, wie wir früher sahen, nicht nur bei der infinitesimalen, sondern auch bei jeder endlichen Transformation der Gruppe einzeln invariant.

Zieht man auch das Unendlichferne in den Kreis der Betrachtung, so wird man auch die unendlich ferne Gerade, die als eine Bahncurve aufzufassen ist, zu den invarianten Curven zählen. Ebenso wird der unendlich ferne Punkt der x-Axe als invariant aufzufassen sein.

Nun wollen wir wie bei den früheren Beispielen die bei unserer eingliedrigen Gruppe invarianten Functionen $\Omega(x, y)$ aufsuchen. Soll $\Omega(x, y)$ eine *Invariante* der Gruppe sein, so muss für jedes m identisch

Invariante Function.

$$\Omega(x_1, y_1) \equiv \Omega(mx, y) = \Omega(x, y)$$

sein. Ω soll sich also nicht ändern, wenn darin statt x eine beliebige Zahl mx gesetzt wird, d. h. Ω enthält x überhaupt nicht. Andererseits erhellt, dass jede beliebige Function von y allein unsere Forderung erfüllt. Wenn man nur das verlangt, dass die Function $\Omega(x, y)$ bei der infinitesimalen affinen Transformation invariant bleibe, so kommt man, wie wir sehen werden, zu demselben Ergebnis. Es muss nämlich dann

$$\Omega(x + x\delta t, y) = \Omega(x, y)$$

oder ausgerechnet

$$\Omega(x, y) + \frac{\partial \Omega(x, y)}{\partial x} x \delta t = \Omega(x, y),$$

d. h. $\frac{\partial \Omega(x, y)}{\partial x} = 0$ oder $\Omega(x, y)$ frei von x sein.

Canonische Form der eingliedr. Gruppe der affinen Transformationen.

Schliesslich können wir auch die vorliegende eingliedrige Gruppe von affinen Transformationen auf eine *canonische Form* bringen, d. h. neue Veränderliche $\mathfrak{x}$, $\mathfrak{y}$ anstelle von x, y einführen, sodass die Gleichungen der Gruppe in die Gleichungen der Gruppe der Translationen

$$\mathfrak{x}_1 = \mathfrak{x} + a, \quad \mathfrak{y}_1 = \mathfrak{y}$$

(vgl. § 1) übergehen. Allerdings ist dies hier nicht so geometrisch evident, wie bei der eingliedrigen Gruppe der Rotationen. Es genüge hier die Bemerkung, dass

$$\mathfrak{x} = \log x, \quad \mathfrak{y} = y$$

Canonische Veränderliche.

solche neue *canonische Veränderliche* sind, ohne dass wir uns über die allgemeinste Bestimmung solcher Variabeln hier weiter auslassen, die wir vielmehr auf später verschieben. In der That ist, wenn $\mathfrak{x}_1$, $\mathfrak{y}_1$ entsprechend die Grössen sind:

$$\mathfrak{x}_1 = \log x_1, \quad \mathfrak{y}_1 = y_1,$$

wegen

$$x_1 = mx, \quad y_1 = y$$

auch

$$\mathfrak{x}_1 = \log x_1 = \log mx = \log x + \log m = \mathfrak{x} + \log m,$$
$$\mathfrak{y}_1 = y_1 = y = \mathfrak{y}.$$

Wenn also der Parameter $\log m$ etwa noch mit $\mathfrak{a}$ bezeichnet wird, so liegt die gewünschte canonische Form vor:

$$\mathfrak{x}_1 = \mathfrak{x} + \mathfrak{a}, \quad \mathfrak{y}_1 = \mathfrak{y}.$$

§ 4. Die Gruppe aller Bewegungen des Raumes.

Die drei bisherigen Beispiele waren der Ebene entnommen. Weniger ausführlich wollen wir nun noch als letztes Beispiel eines aus dem Raume heranziehen.

Denken wir uns einen starren Körper und führen wir ihn durch Verschieben und Drehung aus seiner ursprünglichen Lage A in eine neue Lage A_1 über. Alsdann werde er aus dieser neuen Lage A_1 in eine dritte, A_2, gebracht. Diese zwei aufeinanderfolgenden Bewegungen hätten wir auch durch eine einzige ersetzen können, welche direct den Körper aus der Lage A nach A_2 führt. *Die Reihenfolge zweier Bewegungen eines starren Körpers ist also äquivalent einer einzigen Bewegung desselben.* Lassen wir den starren Körper aus dem ganzen Raume bestehen, so nehmen alle Punkte des Raumes an den Transformationen teil und zwar so, dass alle Abstände zwischen Punkten während der Ueberführungen ungeändert bleiben, also nirgends die Punkte enger zusammen oder weiter auseinander rücken. Eine solche Lagenänderung aller Punkte des Raumes nennt man eine *Euklidische Bewegung* oder kurz *Bewegung* (während überhaupt eine Lagenänderung, bei der eventuell Zusammen- oder Auseinanderrücken von Punkten statt hat, allgemein als *Transformation* der Punkte des Raumes zu bezeichnen wäre, sodass der Begriff der Transformation den Begriff der Bewegung umfasst). Unser obiges Ergebnis betreffs der Reihenfolge zweier Bewegungen sprechen wir so aus: **Euklidische Bewegung.** **Gruppe der Bewegungen des Raumes.**

Alle (Euklidischen) Bewegungen des Raumes bilden eine Gruppe.

Um auch analytisch zu verificieren, dass die Reihenfolge zweier Bewegungen einer einzigen äquivalent ist, muss man daran denken, dass die Formeln für die Bewegung der Punkte (x, y, z), durch die sie in die neuen Lagen (x_1, y_1, z_1) übergehen, sich völlig mit den Formeln decken, welche für die Transformation rechtwinkliger Coordinatensysteme im Raume gelten. Die neue Lage (x_1, y_1, z_1) jedes Punktes (x, y, z) bei einer Bewegung wird also gegeben durch Gleichungen von der Form:

$$\begin{aligned} x_1 &= a_1 x + a_2 y + a_3 z + a_0, \\ y_1 &= b_1 x + b_2 y + b_3 z + b_0, \\ z_1 &= c_1 x + c_2 y + c_3 z + c_0, \end{aligned}$$

wo die Constanten $a_1, a_2, a_3; b_1, b_2, b_3; c_1, c_2, c_3$ die Coefficienten einer orthogonalen Substitution sind, d. h. als Richtungscosinus dreier zu einander senkrechter Geraden aufgefasst werden können, sodass bekanntlich

$$a_1^2 + b_1^2 + c_1^2 = a_2^2 + b_2^2 + c_2^2 = a_3^2 + b_3^2 + c_3^2 = 1,$$
$$a_1 a_2 + b_1 b_2 + c_1 c_2 = a_2 a_3 + b_2 b_3 + c_2 c_3 = a_3 a_1 + b_3 b_1 + c_3 c_1 = 0$$

und die Determinante $\Sigma \pm a_1 b_2 c_3 = +1$ ist. Indem wir die a_0, a_1, a_2, a_3 u. s. w. beliebig, aber diesen Bedingungen entsprechend wählen, erhalten wir die Transformationsgleichungen einer beliebigen Bewegung des Raumes. Wollen wir nach der obigen Bewegung eine zweite ausführen, welche die Punkte (x_1, y_1, z_1) weiter nach den Stellen (x_2, y_2, z_2) bringt, so haben wir den a, b, c neue Werte $\bar{a}, \bar{b}, \bar{c}$ zu geben, doch so, dass auch jetzt

$$\bar{a}_1^2 + \bar{b}_1^2 + \bar{c}_1^2 = 1, \text{ u. s. w.},$$
$$\bar{a}_1 \bar{a}_2 + \bar{b}_1 \bar{b}_2 + \bar{c}_1 \bar{c}_2 = 0, \text{ u. s. w.},$$
$$\Sigma \pm \bar{a}_1 \bar{b}_2 \bar{c}_3 = +1$$

ist, und zu setzen:

$$x_2 = \bar{a}_1 x_1 + \bar{a}_2 y_1 + \bar{a}_3 z_1 + \bar{a}_0,$$
$$y_2 = \bar{b}_1 x_1 + \bar{b}_2 y_1 + \bar{b}_3 z_1 + \bar{b}_0,$$
$$z_2 = \bar{c}_1 x_1 + \bar{c}_2 y_1 + \bar{c}_3 z_1 + \bar{c}_0.$$

Um die der Reihenfolge beider Bewegungen äquivalente zu finden, eliminieren wir x_1, y_1, z_1 und erhalten dadurch x_2, y_2, z_2 ausgedrückt als lineare Functionen von x, y, z in der Form:

$$x_2 = A_1 x + A_2 y + A_3 z + A_0,$$
$$y_2 = B_1 x + B_2 y + B_3 z + B_0,$$
$$z_2 = C_1 x + C_2 y + C_3 z + C_0,$$

wo die A, B, C sich als Functionen der a, b, c und $\bar{a}, \bar{b}, \bar{c}$ darstellen, die sich leicht angeben lassen. Nun mag man sich durch Ausrechnung davon überzeugen, dass auch die A, B, C Coefficienten einer orthogonalen Substitution sind, d. h. dass sie die Bedingungen

$$A_1^2 + B_1^2 + C_1^2 = 1, \text{ u. s. w.},$$
$$A_1 A_2 + B_1 B_2 + C_1 C_2 = 0, \text{ u. s. w.},$$
$$\Sigma \pm A_1 B_2 C_3 = +1$$

erfüllen, sobald die a, b, c und $\bar{a}, \bar{b}, \bar{c}$ den früher aufgestellten Relationen genügen. Daraus geht denn analytisch hervor, dass die Reihenfolge zweier Bewegungen des Raumes in der That einer einzigen

Bewegung derselben äquivalent ist, und deshalb sagen wir, *dass alle Bewegungen des Raumes eine Gruppe bilden.* Sie enthält zunächst 12 Parameter a, b, c, aber zwischen diesen bestehen Relationen, sodass nur *sechs* derselben willkürlich sind. Es giebt demnach ∞^6 Bewegungen des Raumes und wir nennen die Gruppe derselben *sechsgliedrig.*

Sechsgliedrige Gruppe der Bewegungen des Raumes.

Weiter wollen wir uns jetzt nicht mit dieser Gruppe beschäftigen. Dem Studierenden empfehlen wir aber, in der Art, wie die obigen drei eingliedrigen Gruppen in § 1, 2, 3 behandelt wurden, auch die folgenden geometrisch anschaulich und analytisch zu discutieren.

Weitere Beispiele.

1. Beispiel:

$$x_1 = ax, \quad y_1 = ay.$$

(Sogenannte perspective Transformationen.)

2. Beispiel:

$$x_1 = ax, \quad y_1 = \frac{1}{a} y.$$

In beiden Fällen erhält man, wenn man den Parameter a variieren lässt, ∞^1 Transformationen der Punkte (x, y) der Ebene in neue Punkte (x_1, y_1) derselben. Man zeige, dass die Reihenfolge zweier solcher einer einzigen aus derselben Schar äquivalent ist, d. h. dass jede der beiden Scharen eine *Gruppe* bildet und zwar, da jede *einen* Parameter a enthält, eine *eingliedrige.* Man bestimme ihre *identische,* die zu einer beliebigen *inverse* und die *infinitesimale* Transformation. Im ersten Fall führe man als neue Variabeln die Grössen

$$\mathfrak{x} = \log \sqrt{x^2 + y^2}, \quad \mathfrak{y} = \operatorname{arc\,tg} \frac{y}{x},$$

im andern Fall die Grössen

$$\mathfrak{x} = \tfrac{1}{2} \log \frac{x}{y}, \quad \mathfrak{y} = x \cdot y$$

ein (und natürlich entsprechend $\mathfrak{x}_1$, $\mathfrak{y}_1$ ausgedrückt in x_1, y_1). Dadurch nehmen die Gruppen eine sehr einfache Form an, nämlich ihre sogen. *canonische Form.* Auch bestimme man die Bahncurven u. s. w.

§ 5. Einige Bemerkungen über gewöhnliche Differentialgleichungen.

Der Zweck dieser Vorlesung ist der, der Natur des Gegenstandes angemessene Methoden zur Integration der Differentialgleichungen zu entwickeln. Es wird manchem Leser deshalb erwünscht sein, schon jetzt wenigstens andeutungsweise davon unterrichtet zu werden, inwiefern das Studium der Gruppen von Transformationen (von denen wir oben allerdings nur erst einige specielle Beispiele kennen gelernt haben) dabei von Nutzen ist. Diesem Wunsche werden wir in einer Note zum Schlusse dieses Paragraphen nachkommen. Doch wollen wir vorher an einige einfache Begriffe aus der Theorie der Differentialgleichungen erinnern, die in der Folge häufig gebraucht werden.

Gewöhnliche Differentialgleichung 1. Ordnung.

Bekanntlich hat eine *gewöhnliche Differentialgleichung 1. Ordnung* zwischen zwei Variabeln x, y die allgemeine Form

$$X(x, y)\,dy - Y(x, y)\,dx = 0$$

oder

$$Xy' - Y = 0,$$

wenn $\frac{dy}{dx}$ mit y' bezeichnet wird. X und Y sind gegebene Functionen von x, y. Diese Differentialgleichung ordnet jedem Punkte (x, y) der Ebene eine Richtung zu. Die Tangente des Winkels dieser Richtung mit der Abscissenaxe ist $y' = \frac{Y}{X}$. Diese Richtung kann und wird auch im allgemeinen von Punkt zu Punkt eine andere sein. Geht man von einem Punkte aus in der zugeordneten Richtung bis zum unendlich benachbarten, dann in der diesem zugeordneten Richtung zum benachbarten u. s. w., so beschreibt man eine *Integralcurve*. Solcher Integralcurven giebt es ∞^1 und sie lassen sich alle darstellen durch eine Gleichung von der Form

$$\omega(x, y) = \text{Const.}$$

Wie bekannt, heisst dann $\omega(x, y)$ *Integral* der Differentialgleichung. An Stelle desselben kann man übrigens auch jede Function von ω, wie $\Omega(\omega(x, y))$, als Integral benutzen.

Aus der Gleichung

$$\omega(x, y) = \text{Const.}$$

der Integralcurven folgt durch Differentiation wieder

$$\frac{\partial \omega}{\partial x}\,dx + \frac{\partial \omega}{\partial y}\,dy = 0.$$

Da aber andererseits

$$X dy - Y dx = 0$$

ist, so muss

$$X\frac{\partial \omega}{\partial x} + Y\frac{\partial \omega}{\partial y} = 0$$

sein, d. h. die Function ω ist eine Lösung der homogenen linearen *partiellen* Differentialgleichung 1. Ordnung zwischen der abhängigen Variabeln f und den beiden unabhängigen x, y:

Homogene lineare partielle Differentialgleichung 1. Ordnung.

$$X\frac{\partial f}{\partial x} + Y\frac{\partial f}{\partial y} = 0.$$

Ist umgekehrt $f = \omega(x, y)$ eine beliebige Lösung dieser Differentialgleichung, ist also

$$X\frac{\partial \omega}{\partial x} + Y\frac{\partial \omega}{\partial y} = 0$$

für alle Werte von x und y, so erfüllt auch jede Function $\Omega(\omega(x,y))$ die Gleichung, und $\omega(x, y) = \text{Const.}$ stellt dann ∞^1 Curven dar, deren Tangentialrichtungen sich aus

$$\frac{\partial \omega}{\partial x}dx + \frac{\partial \omega}{\partial y}dy = 0$$

bestimmen, sodass die beiden letzten Gleichungen durch Elimination von $\frac{\partial \omega}{\partial x}$ und $\frac{\partial \omega}{\partial y}$ als gewöhnliche Differentialgleichung dieser Curven geben:

$$Xdy - Ydx = 0.$$

Zwischen den beiden Differentialgleichungen:

$$Xdy - Ydx = 0$$

oder

$$\frac{dx}{X} = \frac{dy}{Y}$$

und

$$X\frac{\partial f}{\partial x} + Y\frac{\partial f}{\partial y} = 0$$

besteht also ein inniger Zusammenhang, sie stellen im Grunde genommen dasselbe Problem dar. Deshalb werden wir auch später häufig mit den beiden Formen nach Bequemlichkeit wechseln.

Zusammenhang zwischen der Theorie der Differentialgleichungen und der Gruppentheorie.

Wir haben schon in der Einleitung gesagt, dass die in den gebräuchlichen älteren Lehrbüchern vorkommenden Integrationsmethoden sich im allgemeinen auf Differentialgleichungen beziehen, welche bei einer bekannten Schar von Transformationen invariant bleiben. Indem wir uns vorbehalten, auf die Bedeutung dieser Behauptung später näher einzugehen, wollen wir schon jetzt an einigen möglichst einfachen Beispielen den Zusammenhang zwischen der Theorie der Differentialgleichungen und der Gruppentheorie andeuten.

Zunächst wollen wir die von x freie Differentialgleichung

$$y' = f(y)$$

betrachten. Bekanntlich ist ihre Integration durch eine blosse Quadratur zu leisten. Geometrisch ordnet diese Differentialgleichung allen Punkten längs einer Geraden $y = \text{Const.}$ dieselbe Richtung zu; ihre Integralcurven können daher aus einer einzigen Integralcurve durch Verschiebung derselben längs der x-Axe abgeleitet werden. Diese Verschiebungen aber werden durch die eingliedrige Gruppe von Translationen

$$x_1 = x + a, \quad y_1 = y$$

dargestellt. Führt man daher auf alle ∞^1 Integralcurven nach und nach alle Translationen $x_1 = x + a$, $y_1 = y$ aus, so erhält man jedesmal die ursprüngliche Schar von Integralcurven wieder.

Andererseits ist bekanntlich auch die homogene Differentialgleichung

$$\frac{dy}{dx} = f\left(\frac{y}{x}\right)$$

leicht zu integrieren. Diese Gleichung ordnet allen Punkten desselben Strahles $\frac{y}{x} =$ Const. vom Anfangspunkte aus dieselbe Richtung zu. Die Integralcurven lassen sich deshalb, wie wir später genauer ausführen werden, aus einer einzigen durch ähnliche Vergrösserung oder Verkleinerung derselben vom Anfangspunkt aus ableiten. Diese ähnlichen Vergrösserungen oder Verkleinerungen aber werden durch die eingliedrige Gruppe:

$$x_1 = ax, \quad y_1 = ay$$

dargestellt. Auch hier werden daher die ∞^1 Integralcurven von jeder Transformation der angegebenen Gruppe in einander übergeführt.

Man weiss ferner die Differentialgleichungen von der Form:

$$\frac{xy' - y}{x + yy'} = f(x^2 + y^2)$$

zu integrieren. Eine solche Gleichung kann auch geschrieben werden:

$$\frac{y' - \frac{y}{x}}{1 + y'\frac{y}{x}} = f(x^2 + y^2).$$

Danach ordnet sie den Punkten längs eines Kreises um den Anfangspunkt Richtungen zu, welche mit diesem Kreise sämtlich denselben Winkel bilden, denn die linke Seite der letzten Gleichung stellt die Cotangente dieses Winkels dar. Ein solcher Kreis wird also von allen Integralcurven unter demselben Winkel geschnitten; die Integralcurven gehen daher aus einer bestimmten dadurch hervor, dass man sie um den Anfangspunkt rotieren lässt. Diese Rotationen aber bilden eine eingliedrige Gruppe:

$$x_1 = x \cos \alpha - y \sin \alpha, \quad y_1 = x \sin \alpha + y \cos \alpha.$$

Ferner kann man die Differentialgleichungen von der Form

$$y' = f(x + ky)$$

integrieren. Eine solche ordnet allen Punkten einer Geraden $x + ky =$ Const. gleiche Fortschreitungsrichtungen zu. Die Integralcurven lassen sich also aus einer einzigen durch Verschiebung derselben längs der Parallelgeraden $x + ky =$ Const. ableiten. Diese Translationen aber bilden eine eingliedrige Gruppe

$$x_1 = x - ka, \quad y_1 = y + a.$$

Diese Beispiele, denen sich noch eine sehr grosse Anzahl anderer an die Seite stellen liessen, zeigen, wie man gerade bei solchen Differentialgleichungen, deren Integration geleistet werden kann, eine Gruppe von Transformationen anzugeben vermag, welche die Punkte einer beliebigen Integralcurve in die einer anderen Integralcurve überführen. Man wird es danach plausibel finden, dass die Kenntnis einer solchen Gruppe von Transformationen gestattet, das Integrationsgeschäft zu vereinfachen und vor allem auch methodisch zu gestalten.

Diese wenigen Bemerkungen mögen genügen, um den Zusammenhang zwischen Differentialgleichungen und Transformationsgruppen anzudeuten. Später werden wir natürlich auf alle diese Dinge ausführlich zurückkommen.

Kapitel 2.

Eingliedrige Gruppe in der Ebene.

Der Leser wird aus den im vorigen Kapitel vorgeführten Beispielen schon einiges Verständnis für das, was wir eine Gruppe und insbesondere eine eingliedrige Gruppe nennen, geschöpft haben. Gestützt darauf wollen wir in diesem Kapitel den Begriff und die Theorie der eingliedrigen Gruppen in allgemeiner Weise entwickeln.

§ 1. Begriff einer Transformation und einer eingliedrigen Gruppe von Transformationen in zwei Veränderlichen.

Zunächst haben wir zu erklären, was unter einer Transformation zu verstehen ist:

Eine Transformation der Punkte der Ebene ist eine Operation, welche jeden Punkt der Ebene wieder in einen Punkt derselben überführt. Transformation der Punkte der Ebene.
Der Weg, auf dem diese Überführung statt hat, ist dabei unwesentlich, nur die Anfangs- und Endlagen der Punkte sind für die Transformation bestimmend. Diese Transformation findet ihren analytischen Ausdruck in zwei Gleichungen von der Form

$$x_1 = \varphi(x, y), \quad y_1 = \psi(x, y).$$

Hierin soll (x, y) den ursprünglichen, (x_1, y_1) den transformierten Punkt bezeichnen. Insbesondere werden wir noch voraussetzen, dass die Transformation nicht etwa alle Punkte der Ebene nur in die einer Curve oder gar nur in eine discrete Anzahl von Punkten überführe. *Vielmehr soll im allgemeinen jeder Punkt (x_1, y_1) der Ebene als durch die Transformation aus einem Punkt (x, y) derselben entstanden aufgefasst werden können.* Analytisch findet dies seinen Ausdruck in der Annahme, dass die Gleichungen der Transformation im allgemeinen, d. h. sobald nicht x_1, y_1 gewisse specielle Werte haben, auch nach x und y auflösbar seien. Jeder Punkt der Ebene wird alsdann im allgemeinen sowohl als ursprünglicher wie als transformierter Punkt aufgefasst werden können.

Wenn nun die Gleichungen einer Transformation eine Constante a enthalten:

$$(1) \qquad x_1 = \varphi(x, y, a), \quad y_1 = \psi(x, y, a)$$

und dieser Constanten alle Werte von $-\infty$ bis $+\infty$ beigelegt werden, so ergiebt sich eine Schar von ∞^1 Transformationen. Diese Schar von Transformationen wird im allgemeinen nicht die Eigentümlichkeit haben, dass die Reihenfolge zweier derselben einer einzigen Transformation der Schar äquivalent ist.

Z. B. stellen die Gleichungen

$$x_1 = a - x, \quad y_1 = y$$

eine Schar von ∞^1 Transformationen, die sich geometrisch leicht construieren lassen, dar, welche jene Eigentümlichkeit nicht besitzen. Führt man nämlich nach der Transformation

$$x_1 = a - x, \quad y_1 = y$$

eine zweite aus derselben Schar aus:

$$x_2 = a_1 - x_1, \quad y_2 = y_1,$$

so ist ihre Reihenfolge zwar offenbar einer einzigen Transformation äquivalent (die durch Elimination von x_1 und y_1 berechnet wird):

$$x_2 = a_1 - a + x, \quad y_2 = y,$$

aber diese gehört nicht der Schar von ∞^1 Transformationen

$$x_2 = \text{Const.} - x, \quad y_2 = y$$

an.

Es ist also ein besonderes Vorkommnis, *wenn aus der Schar der* ∞^1 *Transformationen* (1) *jedesmal die Reihenfolge zweier durch eine einzige Transformation aus derselben Schar ersetzt werden kann.* In diesem Falle nennen wir die Schar eine *Gruppe*, und zwar, da sie *einen* Parameter a und demgemäss ∞^1 Transformationen enthält, eine *eingliedrige* Gruppe.

Eingliedrige Gruppe von Transformationen der Ebene.

Das analytische Kriterium für eine solche eingliedrige Gruppe (1) ergiebt sich so: Wir führen nach der Transformation mit Parameter a:

$$x_1 = \varphi(x, y, a), \quad y_1 = \psi(x, y, a);$$

welche die Punkte (x, y) der Ebene in die neuen Lagen (x_1, y_1) bringt, die Transformation mit Parameter a_1 aus:

$$x_2 = \varphi(x_1, y_1, a_1), \quad y_2 = \psi(x_1, y_1, a_1),$$

welche die Punkte (x_1, y_1) nach den Stellen (x_2, y_2) versetzt. Die Transformation, welche direct die Punkte (x, y) nach diesen Stellen (x_2, y_2) führt, erhalten wir durch Elimination der Zwischenwerte x_1, y_1:

$$x_2 = \varphi\,(\varphi(x, y, a),\ \psi(x, y, a), a_1),\quad y_2 = \psi\,(\varphi(x, y, a),\ \psi(x, y, a), a_1);$$

x_2 und y_2 drücken sich hiernach durch x, y, a und a_1 aus. Diese Transformation nun soll wieder eine Transformation aus der Schar (1) sein, d. h. sie muss sich in der Form schreiben lassen:

$$x_2 = \varphi(x, y, \lambda),\quad y_2 = \psi(x, y, \lambda),$$

worin der Parameter λ eine gewisse Function von a und a_1 allein ist:

$$\lambda = \lambda(a, a_1).$$

Es müssen also identisch für alle Werte von x, y, a, a_1 zwei Gleichungen von der Form

$$\varphi(\varphi(x, y, a),\ \psi(x, y, a), a_1) \equiv \varphi(x, y, \lambda\,(a, a_1))$$
$$\psi(\varphi(x, y, a),\ \psi(x, y, a), a_1) \equiv \psi(x, y, \lambda\,(a, a_1))$$

bestehen.

Wir wollen den Begriff der eingliedrigen Gruppe noch etwas einschränken: Es soll sich zu jeder Transformation der Gruppe mit beliebigem Parameter a eine andere Transformation derselben — etwa mit Parameter $\bar{a}$ — zuordnen lassen, sodass die zweite nach der ersten ausgeführt die Wirkung derselben gerade aufhebt, d. h. aus den beiden Gleichungenpaaren

$$x_1 = \varphi(x,\ y,\ a),\quad y_1 = \psi(x,\ y,\ a),$$
$$x_2 = \varphi(x_1, y_1, \bar{a}),\quad y_2 = \psi(x_1, y_1, \bar{a}),$$

durch Elimination von x_1 und y_1 folgt:

$$(2)\qquad x_2 = x,\quad y_2 = y.$$

Mit anderen Worten: Wir setzen voraus, *dass die Gruppe zu jeder Transformation auch die inverse enthalte.* Liegen die Gleichungen der Gruppe vor, so findet man zur Transformation **Inverse Transformationen.**

$$x_1 = \varphi(x, y, a),\quad y_1 = \psi(x, y, a)$$

offenbar die inverse, wenn man x_1, y_1 als die ursprünglichen, x, y als die transformierten Veränderlichen betrachtet. Indem man nach x, y auflöst, ergeben sich mithin die Gleichungen der inversen Transformation in der gewohnten, nach den neuen Veränderlichen x, y aufgelösten Form.

So z. B. ist zur Translation

$$x_1 = x + a,\quad y_1 = y$$

die Translation invers, die sich durch Auflösung nach x, y ergiebt:

$$x = x_1 - a,\quad y = y_1$$

oder, wenn man die ursprünglichen Veränderlichen wie sonst mit x, y, die neuen mit x_1, y_1 bezeichnet, diese:

$$x_1 = x - a, \quad y_1 = y.$$

Da die Reihenfolge zweier Transformationen der Gruppe wieder der Gruppe angehört, so gilt dies auch von der Reihenfolge zweier zu einander inverser Transformationen, d. h. von der *identischen Transformation* (2). Somit folgt aus den gemachten Voraussetzungen, dass es einen constanten Wert a_0 des Parameters a geben muss, für welchen die Gleichungen (1) der Gruppe sich auf $x_1 = x$, $y_1 = y$ reducieren, sodass also

Identische Transformation.

$$(3) \qquad \varphi(x, y, a_0) \equiv x, \quad \psi(x, y, a_0) \equiv y$$

ist für alle Werte von x und y.

Satz 1: *Sind die Transformationen einer eingliedrigen Gruppe in zwei Veränderlichen paarweis zu einander invers, so enthält sie auch die identische Transformation.*

Es wird nicht überflüssig sein, besonders hervorzuheben, dass, wenn die Transformation mit Parameter $\bar{a}$ zu der mit Parameter a invers ist, dann auch umgekehrt letztere die inverse zur ersteren ist. Denn die Transformation (a) führt etwa den Punkt p nach p_1, die Transformation $(\bar{a})$ führt p_1 nach p zurück. Nimmt man also p_1 als ursprünglichen Punkt und führt zuerst die Transformation $(\bar{a})$ aus, so geht er nach p. Die darauf folgende Transformation (a) bringt ihn wieder nach p_1 zurück, sodass diese Reihenfolge beider den Punkt p_1 in Ruhe lässt.

§ 2. Der allgemeine Gruppenbegriff.

Im vorigen Paragraphen wurden nur die eingliedrigen Gruppen definiert. Wir wollen nun auch die allgemeine, r-gliedrige Gruppe kurz erläutern, bemerken jedoch, dass wir von diesem Begriffe in den vorliegenden Vorlesungen keinen Gebrauch machen werden. Wir dehnen überdies in diesem Paragraphen unsere Betrachtung gleich auf den Raum aus.

Denken wir uns drei Gleichungen vorgelegt:

$$x_1 = X(x, y, z, a_1, a_2, \cdots a_r), \quad y_1 = Y(x, y, z, a_1, a_2, \cdots a_r),$$
$$z_1 = Z(x, y, z, a_1, a_2, \cdots a_r),$$

von denen wir annehmen, dass sie auch nach x, y, z auflösbar seien, so stellen sie, wenn die Grössen $a_1, a_2 \cdots a_r$ bestimmten Zahlen gleich gesetzt werden, eine *Transformation der Punkte des Raumes* dar, indem sie jeden Punkt (x, y, z) desselben in einen neuen Punkt (x_1, y_1, z_1) überführen. Von den Parametern $a_1 \cdots a_r$ setzen wir voraus, dass sie sämtlich als wesentlich in obigen Gleichungen vorkommen, also nicht etwa einige

Transformation der Punkte des Raumes.

als überzählig entfernt werden können. Wenn wir $a_1 \cdots a_r$ von $-\infty$ bis $+\infty$ variieren, so stellen unsere Gleichungen eine Schar von ∞^r Transformationen dar. Nach einer Transformation mit bestimmt gewählten Parametern $a_1 \cdots a_r$, welche die Punkte (x, y, z) nach den Stellen (x_1, y_1, z_1) geleitet, wollen wir eine zweite ausführen, bei der die Parameter die Werte $\bar{a}_1 \cdots \bar{a}_r$ haben. Diese wird die Punkte (x_1, y_1, z_1) weiter in die Lagen (x_2, y_2, z_2) bringen und es ist:

$$x_2 = X(x_1, y_1, z_1, \bar{a}_1 \cdots \bar{a}_r),$$

$$y_2 = Y(x_1, y_1, z_1, \bar{a}_1 \cdots \bar{a}_r),$$

$$z_2 = Z(x_1, y_1, z_1, \bar{a}_1 \cdots \bar{a}_r).$$

Um nun direct von den ursprünglichen Punkten (x, y, z) zu den neuen (x_2, y_2, z_2) durch eine Transformation zu gelangen, müssen wir die Zwischenstellen x_1, y_1, z_1 vermöge der drei ersten Gleichungen aus den drei letzten eliminieren; dadurch gehen Formeln hervor, welche x_2, y_2, z_2 durch $x, y, z, a_1 \cdots a_r, \bar{a}_1 \cdots \bar{a}_r$ ausdrücken. Nun wäre es denkbar, dass diese Gleichungen sich wieder so schreiben liessen wie die der beiden nach einander ausgeführten Transformationen, also in der Form:

$$x_2 = X(x, y, z, \lambda_1 \cdots \lambda_r),$$

$$y_2 = Y(x, y, z, \lambda_1 \cdots \lambda_r),$$

$$z_2 = Z(x, y, z, \lambda_1 \cdots \lambda_r),$$

wo dann $\lambda_1, \lambda_2 \cdots \lambda_r$ gewisse Functionen der früheren Parameter $a_1 \cdots a_r$, $\bar{a}_1 \cdots \bar{a}_r$ bedeuten sollen, *die aber frei von x, y, z sind.* In diesem Falle ist also die Reihenfolge der beiden Transformationen unserer Schar mit den Parametern $a_1, \cdots a_r$ und $\bar{a}_1, \cdots \bar{a}_r$ einer einzigen Transformation ebenderselben Schar mit den Parametern $\lambda_1, \cdots \lambda_r$ äquivalent, und zwar gilt dies, wie auch die Constanten $a_1 \cdots a_r$, $\bar{a}_1 \cdots \bar{a}_r$ gewählt sein mögen. Wir sagen alsdann, dass jene Schar eine *Gruppe von Transformationen* darstellt und zwar, da sie r Parameter enthält, eine r-gliedrige Gruppe.

r-gliedrige Gruppe von Transformationen des Raumes.

In § 4 des 1. Kapitels haben wir ein Beispiel hierzu gegeben, die Gruppe aller Bewegungen des Raumes. Sie war 6-gliedrig. Aber auch die in §§ 1 bis 3 jenes Kapitels betrachteten Gruppen

$$x_1 = x + a, \quad y_1 = y;$$

$$x_1 = x + a, \quad y_1 = y + b;$$

$$x_1 = x \cos\alpha - y \sin\alpha, \quad y_1 = x \sin\alpha + y \cos\alpha;$$

$$x_1 = x \cdot m, \quad y_1 = y$$

können als Beispiele von Gruppen des Raumes (x, y, z) gelten, man hat nur jedesmal zu den beiden Gleichungen noch als dritte

$$z_1 = z$$

hinzufügen.

Wir fahren nunmehr fort in der Betrachtung der eingliedrigen Gruppen in zwei Veränderlichen.

§ 3. Existenz einer infinitesimalen Transformation in der eingliedrigen Gruppe.

Wir erkannten in § 1, dass die vorliegende eingliedrige Gruppe*)

(1) $$x_1 = \varphi(x, y, a), \quad y_1 = \psi(x, y, a),$$

von der vorausgesetzt wurde, dass sich ihre Transformationen einander paarweis als invers zuordnen lassen, die identische Transformation $x_1 = x$, $y_1 = y$ enthält.

Infinitesimale Transformation.

Daraus lässt sich nun weiter folgern, dass sie auch eine *infinitesimale Transformation*, eine Transformation also, bei welcher alle Punkte (x, y) in unendlich benachbarte Punkte übergehen, enthält. Es sei nämlich a_0 der Wert des Parameters, für welchen die Gleichungen (1) die identische Transformation darstellen, d. h. für welchen

(3) $$\varphi(x, y, a_0) \equiv x, \quad \psi(x, y, a_0) \equiv y$$

ist. Geben wir dann dem Parameter a den von a_0 unendlich wenig abweichenden Wert $a_0 + \delta a$, so wird die Transformation der Gruppe

$$x_1 = \varphi(x, y, a_0 + \delta a), \quad y_1 = \psi(x, y, a_0 + \delta a)$$

nur unendlich wenig von der identischen Transformation abweichen, also infinitesimal sein. Es kommt ja nach dem Taylor'schen Satze:

$$x_1 = \varphi(x, y, a_0) + \frac{\partial \varphi(x, y, a_0)}{\partial a_0} \frac{\delta a}{1} + \frac{\partial^2 \varphi(x, y, a_0)}{\partial a_0^2} \frac{\delta a^2}{1 . 2} + \cdots,$$

$$y_1 = \psi(x, y, a_0) + \frac{\partial \psi(x, y, a_0)}{\partial a_0} \frac{\delta a}{1} + \frac{\partial^2 \psi(x, y, a_0)}{\partial a_0^2} \frac{\delta a^2}{1 . 2} + \cdots,$$

oder wegen (3):

$$x_1 = x + \frac{\partial \varphi(x, y, a_0)}{\partial a_0} \frac{\delta a}{1} + \frac{\partial^2 \varphi(x, y, a_0)}{\partial a_0^2} \frac{\delta a^2}{1 . 2} + \cdots,$$

$$y_1 = y + \frac{\partial \psi(x, y, a_0)}{\partial a_0} \frac{\delta a}{1} + \frac{\partial^2 \psi(x, y, a_0)}{\partial a_0^2} \frac{\delta a^2}{1 . 2} + \cdots.$$

x_1 und y_1 unterscheiden sich also nur um unendlich kleine Grössen von x und y. Es wäre denkbar, dass die Coefficienten der niedrigsten Potenzen von δa in diesen Reihenentwickelungen für alle Werte von x und y verschwänden. Auf jeden Fall aber wird in den Reihen eine niedrigste Potenz von δa, etwa δa^r, wirklich auftreten. Als unendlich kleine Grösse benutzen wir dann nicht mehr δa, sondern bequemer $\delta a^r = \delta t$ und erhalten, wenn $\xi(x, y)$ und $\eta(x, y)$ die Coefficienten von δa^r in den beiden Reihen sind, die Formeln:

---

*) Hier möge ein für allemal betont werden, dass wir bei Betrachtungen, in denen allgemeine Functionen auftreten, immer die Voraussetzung machen, dass die betreffenden Functionen sich für die in Betracht kommenden Wertsysteme regulär verhalten und sich also nach dem Taylor'schen Satze in Potenzreihen entwickeln lassen.

$$(4) \qquad x_1 = x + \xi(x, y)\delta t + \cdots, \quad y_1 = y + \eta(x, y)\delta t + \cdots,$$

welche eine infinitesimale Transformation der eingliedrigen Gruppe darstellen und in denen die nicht hingeschriebenen Glieder von höherer Ordnung unendlich klein sind als δt. Freilich erkennt man durch dieses Raisonnement nicht, ob die Reihenentwickelungen (4) nach ganzen oder gebrochenen Potenzen von δt fortschreiten. Dagegen giebt die weiter unten zu besprechende Methode sicher Reihenentwickelungen nach ganzen Potenzen des Parameters. ξ und η enthalten allerdings auch noch a_0, aber a_0 ist kein beliebiger Parameter, sondern eine bestimmte Zahl und braucht darum in ξ und η nicht besonders angeführt zu werden.

Wendet man diese Methode etwa auf die eingliedrige Gruppe

$$x_1 = xa - y\sqrt{1 - a^2}, \quad y_1 = ya + x\sqrt{1 - a^2}$$

an, so findet man, dass sie nicht durchführbar ist. Dies liegt darin, dass die Grösse $\sqrt{1 - a^2}$ sich nach der Substitution $a = 1 + \delta t$ nicht nach ganzen Potenzen von δt entwickeln lässt. Die folgende Methode dagegen liefert eine infinitesimale Transformation, da bei ihr $\sqrt{1 - a^2}$ nicht in der Umgebung der Stelle $a = 1$, sondern einer beliebig annehmbaren Stelle in eine Potenzreihe entwickelt wird.

Man kann auf einem weitläufigeren Wege, der aber tiefer in die Sache hineinführt, zu einer infinitesimalen Transformation der eingliedrigen Gruppe gelangen, nämlich so: Wir geben dem Parameter a einen beliebigen, aber bestimmten Wert ε. Die zugehörige Transformation — wir bezeichnen sie kurz mit (ε) — führt die Punkte p der Ebene in neue Lagen p_1 über. Es giebt dann nach Voraussetzung eine zu dieser inverse Transformation in der Gruppe. Ihr Parameter sei $\bar{\varepsilon}$, er ist eine gewisse Function von ε. Diese Transformation $(\bar{\varepsilon})$ führt alle Punkte p_1 wieder in die Lagen p zurück. Eine Transformation nun, deren Parameter unendlich wenig von $\bar{\varepsilon}$ abweicht, also etwa $\bar{\varepsilon} + \delta\varepsilon$ ist, wird p_1 nicht genau nach p, sondern nach einer p unendlich benachbarten Stelle p' führen. (Siehe Fig. 4.) Die Reihenfolge der Transformationen (ε) und $(\bar{\varepsilon} + \delta\varepsilon)$ wird p nach p_1 und dann nach p' bringen und ist einer einzigen der Gruppe angehörenden Transformation äquivalent, welche die Punkte p der Ebene in ihnen

Andere Ableitung einer infinitesimalen Transformation.

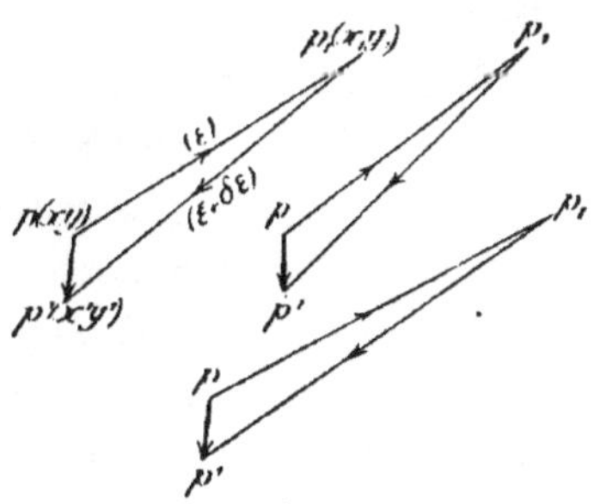

Fig. 4.

unendlich benachbarte Punkte p' überführt, d. h. einer infinitesimalen Transformation der Gruppe.

Analytische Durchführung dieser neuen Ableitung.

Wir wollen dies hier rein begrifflich dargestellte Verfahren jetzt analytisch verfolgen. Die erste Transformation (ε) wird dargestellt durch:

$$x_1 = \varphi(x, y, \varepsilon), \quad y_1 = \psi(x, y, \varepsilon); \tag{5}$$

die Transformation $(\bar{\varepsilon} + \delta\varepsilon)$, welche nach dieser ausgeführt werden soll, durch

$$x' = \varphi(x_1, y_1, \bar{\varepsilon} + \delta\varepsilon), \quad y' = \psi(x_1, y_1, \bar{\varepsilon} + \delta\varepsilon).$$

Elimination von x_1 und y_1 aus (5) und den beiden letzten Gleichungen giebt daher die gesuchte Transformation, welche die Punkte p in die Punkte p' überführt:

$$x' = \varphi(\varphi(x, y, \varepsilon), \psi(x, y, \varepsilon), \bar{\varepsilon} + \delta\varepsilon), \quad y' = \psi(\varphi(x, y, \varepsilon), \psi(x, y, \varepsilon), \bar{\varepsilon} + \delta\varepsilon).$$

Entwickeln wir diese Werte nach Potenzen von $\delta\varepsilon$, so kommt

$$\begin{cases} x' = \varphi(\varphi(x, y, \varepsilon), \psi(x, y, \varepsilon), \bar{\varepsilon}) + \dfrac{\partial \varphi(\varphi(x, y, \varepsilon), \psi(x, y, \varepsilon), \bar{\varepsilon})}{\partial \bar{\varepsilon}} \dfrac{\delta\varepsilon}{1} + \cdots, \\ y' = \psi(\varphi(x, y, \varepsilon), \psi(x, y, \varepsilon), \bar{\varepsilon}) + \dfrac{\partial \psi(\varphi(x, y, \varepsilon), \psi(x, y, \varepsilon), \bar{\varepsilon})}{\partial \bar{\varepsilon}} \dfrac{\delta\varepsilon}{1} + \cdots. \end{cases} \tag{6}$$

Diese Gleichungen der gesuchten Transformation lassen sich noch vereinfachen, wodurch man dann erkennt, dass sie wirklich eine infinitesimale Transformation darstellen. Es sind ja nach Voraussetzung die Transformationen (ε) und $(\bar{\varepsilon})$ zu einander invers, d. h. wenn man nach der Transformation

$$x_1 = \varphi(x, y, \varepsilon), \quad y_1 = \psi(x, y, \varepsilon)$$

die Transformation

$$x_2 = \varphi(x_1, y_1, \bar{\varepsilon}), \quad y_2 = \psi(x_1, y_1, \bar{\varepsilon})$$

ausführt, muss man die identische Transformation $x_2 = x$, $y_2 = y$ erhalten. Es geht aber durch Elimination von x_1 und y_1 hieraus die Transformation hervor:

$$x_2 = \varphi(\varphi(x, y, \varepsilon), \psi(x, y, \varepsilon), \bar{\varepsilon}), \quad y_2 = \psi(\varphi(x, y, \varepsilon), \psi(x, y, \varepsilon), \bar{\varepsilon}).$$

Es ist also eine blosse Folge unserer Voraussetzung, (ε) und $(\bar{\varepsilon})$ seien inverse Transformationen, dass

$$\varphi(\varphi(x, y, \varepsilon), \psi(x, y, \varepsilon), \bar{\varepsilon}) \equiv x, \quad \psi(\varphi(x, y, \varepsilon), \psi(x, y, \varepsilon), \bar{\varepsilon}) \equiv y$$

ist. Die Gleichungen (6) der Transformation der Punkte p in die Punkte p' lauten deshalb auch so:

$$\begin{cases} x' = x + \dfrac{\partial \varphi(\varphi(x, y, \varepsilon), \psi(x, y, \varepsilon), \bar{\varepsilon})}{\partial \bar{\varepsilon}} \dfrac{\delta\varepsilon}{1} + \cdots, \\ y' = y + \dfrac{\partial \psi(\varphi(x, y, \varepsilon), \psi(x, y, \varepsilon), \bar{\varepsilon})}{\partial \bar{\varepsilon}} \dfrac{\delta\varepsilon}{1} + \cdots, \end{cases} \tag{7}$$

und in dieser Form stellen sie offenbar eine infinitesimale Transformation dar, da hier x' und y' nur unendlich wenig von x und y abweichen.

Jetzt erkennt man durch eine kleine Ueberlegung sehr leicht, dass die ersten in $\delta\varepsilon$ linearen Glieder nicht verschwinden. Denn bezeichnet man $\varphi(x, y, \varepsilon)$ und $\psi(x, y, \varepsilon)$ wie in (5) wieder mit x_1 und y_1, so haben diese linearen Glieder in (7) die Coefficienten

$$\frac{\partial\varphi(x_1, y_1, \bar{\varepsilon})}{\partial\bar{\varepsilon}}, \quad \frac{\partial\psi(x_1, y_1, \bar{\varepsilon})}{\partial\bar{\varepsilon}}.$$

Hierin können nun x_1, y_1 und $\bar{\varepsilon}$ als unabhängige Veränderliche aufgefasst werden. Wäre

$$\frac{\partial\varphi(x_1, y_1, \bar{\varepsilon})}{\partial\bar{\varepsilon}} \equiv 0, \quad \frac{\partial\psi(x_1, y_1, \bar{\varepsilon})}{\partial\bar{\varepsilon}} \equiv 0,$$

so würden $\varphi(x_1, y_1, \bar{\varepsilon})$ und $\psi(x_1, y_1, \bar{\varepsilon})$ frei von $\bar{\varepsilon}$ sein, d. h. allgemein wären die Gleichungen der Gruppe $x_1 = \varphi(x, y, a)$, $y_1 = \psi(x, y, a)$ frei von a. Sie würden also gegen die Voraussetzung gar keinen Parameter enthalten.

In (7) sind die Coefficienten von $\delta\varepsilon$, die also nicht verschwinden, Functionen von x, y, ε und $\bar{\varepsilon}$. Zu einer Transformation (ε) gehört aber eine ganz bestimmte inverse $(\bar{\varepsilon})$. Es ist daher $\bar{\varepsilon}$ eine gewisse Function von ε, und jene Coefficienten hängen also nur von x, y und ε ab. Wir bezeichnen sie mit $\xi(x, y, \varepsilon)$ und $\eta(x, y, \varepsilon)$ und erhalten dann die infinitesimale Transformation

$$(8) \qquad x' = x + \xi(x, y, \varepsilon)\delta\varepsilon + \cdots, \quad y' = y + \eta(x, y, \varepsilon)\delta\varepsilon + \cdots,$$

die sicher unserer eingliedrigen Gruppe angehört und noch eine willkürliche Constante ε enthält.

Fassen wir in (8) ε als eine bestimmte Grösse, $\delta\varepsilon$ dagegen als eine veränderliche unendlich kleine Grösse auf, so sind die rechten Seiten unendliche Potenzreihen nach $\delta\varepsilon$. Bei dieser Auffassung geben uns die Gleichungen (8) eine zur identischen Transformation unendlich benachbarte Transformation unserer Gruppe.

Nun aber kann man die Constante ε noch beliebig wählen und man kann also auf verschiedenen Wegen zu einer solchen infinitesimalen Transformation der vorgelegten eingliedrigen Gruppe gelangen. Später werden wir sehen, dass alle infinitesimalen Transformationen der Gruppe, die man so bestimmen kann oder vielleicht durch noch andere Methoden zu finden vermöchte, in den unendlich kleinen Gliedern erster Ordnung bis auf einen constanten Factor übereinstimmen müssen. Vorerst aber sind wir nur zu diesem Ergebni gelangt:

Satz 2: *Eine eingliedrige Gruppe der Ebene, deren Transformatione sich paarweis als invers einander zuordnen lassen, besitzt sicher ein infinitesimale Transformation.*

Beispiel. *Beispiel*: Wir wollen die obige zweite Methode auf die Ableitung einer infinitesimalen Transformation der in § 2 des 1. Kapitels betrachteten eingliedrigen Gruppe aller Rotationen um den Anfangspunkt

$$x_1 = x \cos a - y \sin a, \quad y_1 = x \sin a + y \cos a$$

anwenden. Hier ist die Rotation mit dem Drehwinkel $-\varepsilon$ zur Rotation mit dem Drehwinkel ε invers, also der oben mit $\bar{\varepsilon}$ bezeichnete Parameter gleich $-\varepsilon$. Die Rotation (ε) hat die Gleichungen:

$$(5') \qquad x_1 = x \cos \varepsilon - y \sin \varepsilon, \quad y_1 = x \sin \varepsilon + y \cos \varepsilon.$$

Die Rotation $(-\varepsilon + \delta\varepsilon)$ dagegen, welche die Punkte (x_1, y_1) in Punkte (x', y') zurückführt, die den Punkten (x, y) unendlich benachbart sind, hat die Gleichungen:

$$x' = x_1 \cos(-\varepsilon + \delta\varepsilon) - y_1 \sin(-\varepsilon + \delta\varepsilon),$$
$$y' = x_1 \sin(-\varepsilon + \delta\varepsilon) + y_1 \cos(-\varepsilon + \delta\varepsilon).$$

Eliminiert man hieraus x_1 und y_1 vermöge (5'), so kommt:

$$x' = (x \cos \varepsilon - y \sin \varepsilon) \cos(-\varepsilon + \delta\varepsilon) -$$
$$- (x \sin \varepsilon + y \cos \varepsilon) \sin(-\varepsilon + \delta\varepsilon) =$$
$$= x(\cos \varepsilon \cos(-\varepsilon + \delta\varepsilon) - \sin \varepsilon \sin(-\varepsilon + \delta\varepsilon)) -$$
$$- y(\sin \varepsilon \cos(-\varepsilon + \delta\varepsilon) + \cos \varepsilon \sin(-\varepsilon + \delta\varepsilon)) =$$
$$= x \cos \delta\varepsilon - y \sin \delta\varepsilon = x - y\delta\varepsilon + \cdots$$

und ganz ähnlich:

$$y' = x \sin \delta\varepsilon + y \cos \delta\varepsilon = y + x\delta\varepsilon + \cdots.$$

Die gesuchte infinitesimale Transformation ist also:

$$(7') \qquad x' = x - y\delta\varepsilon + \cdots, \quad y' = y + x\delta\varepsilon + \cdots.$$

Dies ist die in § 2, Kap. 1, gefundene. Man hätte sich diese ganze Rechnung ersparen können, da das Ergebnis aus der geometrischen Anschauung sofort hervorgeht. Es lag uns aber daran, unsere Methode an einem concreten Beispiel zur Erläuterung wirklich durchzuführen.

§ 4. Construction einer eingliedrigen Gruppe aus einer infinitesimalen Transformation.

Begriff einer infinitesimalen Transformation. Zunächst werden wir uns jetzt etwas näher mit dem *Begriff einer infinitesimalen Transformation* selbst beschäftigen und zeigen, wie man von einer solchen wieder zu einer eingliedrigen Gruppe gelangen kann. Wir wollen also jetzt ganz davon absehen, dass die infinitesimale Transformation etwa die einer eingliedrigen Gruppe sei, wir wollen sie vielmehr direct ohne Benutzung des Gruppenbegriffs *definieren durch zwei Gleichungen* von der Form:

$$(9) \qquad x' = x + \xi(x, y)\delta t + \cdots, \quad y' = y + \eta(x, y)\delta t + \cdots,$$

wo ξ und η zwei irgendwie gegebene Functionen von x, y sein sollen und δt eine unendlich kleine Grösse bedeute. Wir denken uns die weggelassenen Glieder als convergente Potenzreihen nach δt, die mit Gliedern zweiter Ordnung beginnen.

Diese Transformation (9) ist eine infinitesimale, denn sie führt alle Punkte (x, y) in ihnen unendlich benachbarte Punkte (x', y') über, deren Coordinaten, wenn wir von unendlich kleinen Grössen zweiter Ordnung absehen, um die infinitesimalen Strecken

$$(10) \qquad \delta x = \xi \delta t, \quad \delta y = \eta \delta t$$

grösser als die ursprünglichen sind. Jedem Punkte (x, y) wird somit eine unendlich kleine *Fortschreitungsstrecke* von der Länge

Fortschreitungsstrecke u. -richtung.

$$\sqrt{\delta x^2 + \delta y^2} = \sqrt{\xi^2 + \eta^2}\, \delta t$$

zugeordnet und zwar den verschiedenen Punkten im allgemeinen solche von verschiedener *Länge* und verschiedener *Richtung*.

Man erhält ein anschauliches und fruchtbares Bild von der infinitesimalen Transformation (9), wenn man von unendlich kleinen Grössen zweiter Ordnung absieht und sich vorstellt, dass alle Punkte (x, y) der Ebene in Bewegung versetzt werden und im *Zeitelement* δt eben jene unendlich kleinen Strecken $\sqrt{\xi^2 + \eta^2}\, \delta t$ beschreiben, deren Projectionen auf die Axen die Längen $\xi \delta t$ und $\eta \delta t$ haben. Dies anschauliche Bild legt es uns nahe, die betreffende unendlich kleine Ortsveränderung fortwährend nach einander, unendlich oft auszuführen. Im ersten Zeitelement δt gelangt der Punkt (x, y) aus seiner Anfangslage in die neue Lage (x', y'), im nächsten Zeitelement δt durchläuft er alsdann die unendlich kleine Strecke $\sqrt{\xi(x', y')^2 + \eta(x', y')^2}\, \delta t$ u. s. w. Der ursprüngliche Punkt (x, y) kommt durch diese fortwährende Ausführung der infinitesimalen Transformation nacheinander in lauter neue Lagen, die eine stetige Reihe bilden, also eine Curve darstellen.

Kinematische Veranschaulichung.

Wir denken uns also, präciser gesagt, alle Punkte der Ebene in Bewegungen begriffen, welche dadurch definiert sind, dass für jeden Punkt (x, y) die Geschwindigkeitscomponenten die Werte

$$\frac{dx_1}{dt} = \xi(x_1, y_1), \quad \frac{dy_1}{dt} = \eta(x_1, y_1)$$

haben, die nur vom *Orte* (x, y), nicht aber von der *Zeit* abhängen.

Stationäre Bewegung. Die ganze Ortsveränderung der Punkte der Ebene ist, da sie sich von Moment zu Moment wiederholen soll, eine sogenannte *stationäre Bewegung* und kann verglichen werden mit der Strömung der Massenteilchen einer *compressibeln* Flüssigkeit, bei welcher das gerade an der Stelle (x, y) befindliche Teilchen im nächsten Zeitelement dt den unendlich kleinen Weg $\sqrt{\xi^2 + \eta^2}\, dt$ durchläuft, wodurch seine Coordinaten um $dx = \xi dt$ und $dy = \eta dt$ zunehmen. Die Zeit t wollen wir von einem bestimmten Zeitpunkte $t = 0$ an messen und voraussetzen, ein gewisses Massenteilchen befinde sich zur Zeit $t = 0$ an der Stelle (x, y). Dann wird es durch die stationäre Bewegung zur Zeit t an einer andern Stelle (x_1, y_1) sich befinden. Es ist dies die Stelle, in welche der Punkt (x, y) übergeht, wenn auf ihn fortwährend die infinitesimale Transformation (9) ausgeübt wird, und dies gilt für alle Punkte (x, y) der Ebene. Die neuen Coordinaten x_1, y_1 sind Functionen der ursprünglichen x, y und der Grösse t. Wenn t um dt wächst, so wachsen x_1 und y_1 um

$$dx_1 = \xi(x_1, y_1)dt, \quad dy_1 = \eta(x_1, y_1)dt.$$

Mithin bestimmen sich x_1 und y_1 als Functionen von t aus den beiden simultanen Differentialgleichungen

$$\text{(11)} \qquad \frac{dx_1}{\xi(x_1, y_1)} = \frac{dy_1}{\eta(x_1, y_1)} = dt$$

mit der Anfangsbedingung: Für $t = 0$ soll $x_1 = x$, $y_1 = y$ sein. Durch Integration dieses Systems ergeben sich für x_1 und y_1 gewisse Werte:

$$\text{(12)} \qquad x_1 = \Phi(x, y, t), \quad y_1 = \Psi(x, y, t),$$

die sich für $t = 0$ auf x und y reducieren.

Diese unsere kinematische Betrachtungsweise zeigt nun leicht, dass die Integralgleichungen

$$x_1 = \Phi(x, y, t), \quad y_1 = \Psi(x, y, t)$$

eine *eingliedrige Gruppe* mit dem Parameter t bestimmen. Denn wenn unsere stationäre Bewegung im Laufe der Zeit t_1 die Punkte (x, y) nach den Stellen (x_1, y_1) und danach im Laufe der Zeit t_2 diese neuen Punkte (x_1, y_1) nach den Stellen (x_2, y_2) führt, so leuchtet ein, dass unsere stationäre Bewegung im Laufe der Zeit $t_1 + t_2$ die ursprünglichen Punkte (x, y) in die Lagen (x_2, y_2) überführt, analytisch ausgedrückt: Die Reihenfolge zweier Transformationen (t_1) und (t_2) aus der Schar der ∞^1 Transformationen (12) ist äquivalent einer einzigen Transformation $(t_1 + t_2)$ dieser Schar. Die Schar (12) stellt also eine eingliedrige Gruppe dar.

Jetzt wollen wir diese nicht ganz streng formulierte kinematische Betrachtung verlassen und sie durch ein strenges analytisches Raisonnement ersetzen.

Analytische Herstellung einer eingliedrigen Gruppe.

Die beiden Differentialgleichungen

$$\frac{dx_1}{dt} = \xi(x_1, y_1), \quad \frac{dy_1}{dt} = \eta(x_1, y_1)$$

bestimmen x_1 und y_1 als Functionen von t und von den zu $t = 0$ gehörigen Anfangswerten, als welche wir $x_1 = x$, $y_1 = y$ wählen. Um diese Functionen x_1, y_1 zu bestimmen, braucht man nur das simultane System

$$\frac{dx_1}{\xi(x_1, y_1)} = \frac{dy_1}{\eta(x_1, y_1)} = dt \tag{11}$$

mit den vorgeschriebenen Anfangswerten: $x_1 = x$, $y_1 = y$ für $t = 0$ zu integrieren.

Da der Differentialquotient $\frac{dx_1}{dt} = \xi(x_1, y_1)$ für $t = 0$ den Wert $\xi(x, y)$ annimmt, so erhalten die Integralgleichungen

$$x_1 = \Phi(x, y, t), \quad y_1 = \Psi(x, y, t), \tag{12}$$

wenn sie nach Potenzen von t entwickelt werden, offenbar die Form

$$\begin{cases} x_1 = x + \xi(x, y)t + \cdots \\ y_1 = y + \eta(x, y)t + \cdots, \end{cases} \tag{12'}$$

und sie stellen ∞^1 Transformationen der x, y in die x_1, y_1 dar. Wir wollen jetzt rein analytisch beweisen, dass diese Transformationen eine eingliedrige Gruppe mit dem Parameter t bilden. Um den Beweis zu liefern, müssen wir uns mit der Art der Integration des Systems (11) etwas näher beschäftigen.

Zur Integration kann man so verfahren: Zunächst besitzt die Differentialgleichung zwischen x_1 und y_1:

$$\frac{dx_1}{\xi(x_1, y_1)} = \frac{dy_1}{\eta(x_1, y_1)}$$

ein Integral $\Omega(x_1, y_1)$, das, da es frei von t ist, auch Integral des ganzen simultanen Systems (11) sein muss. Um nun ein zweites Integral des Systems zu finden, das nicht frei von t ist, hat man vermöge

$$\Omega(x_1, y_1) = c \ (= \text{Const.})$$

etwa y_1 aus

$$\frac{dx_1}{\xi(x_1, y_1)} = dt$$

zu eliminieren und die entstehende Differentialgleichung zwischen x_1 und t (die ausserdem im allgemeinen noch c enthält) zu integrieren. Dies geht, da die linke Seite frei von t ist, durch eine Quadratur und giebt ein Integral von der Form $F(x_1, c) - t$. Dies ist aber noch kein Integral des Systems (11). Vielmehr muss erst wieder c vermöge $\Omega = c$ fortgeschafft werden. Dadurch geht dann ein zweites Integral des Systems (11) hervor von der Form

$$W(x_1, y_1) - t.$$

Als Anfangsbedingung wurde festgesetzt, dass für $t = 0$ auch $x_1 = x$, $y_1 = y$ sein soll. Demnach stellen die Gleichungen

$$(13) \qquad \begin{cases} \Omega(x_1, y_1) \qquad = \Omega(x, y), \\ W(x_1, y_1) - t = W(x, y) \end{cases}$$

das Ergebnis der Integration dar. Durch Auflösung derselben nach x_1 und y_1 ergeben sich dann die Integralgleichungen in der Form (12).

Nachweis der Gruppeneigenschaft. Wir behaupteten nun, dass diese eine eingliedrige Gruppe mit dem Parameter t darstellen. Dies geht aus der Form der nicht aufgelösten Gleichungen (13) unmittelbar hervor:

Denn die Transformation der Schar (12) oder (13), welche dem Parameter t zugehört, führt die Punkte (x, y) in die Punkte (x_1, y_1) über, die sich aus (13) bestimmen. Eine zweite Transformation derselben Schar mit dem Parameter t_1 wird die Punkte (x_1, y_1) weiter in die Punkte (x_2, y_2) überführen, deren Coordinaten sich aus den zu (13) analogen Gleichungen

$$(14) \qquad \begin{cases} \Omega(x_2, y_2) = \Omega(x_1, y_1), \\ W(x_2, y_2) - t_1 = W(x_1, y_1) \end{cases}$$

berechnen lassen. Will man nun die Transformation haben, welche sofort die Punkte (x, y) in die Endlagen (x_2, y_2) bringt, so hat man nur aus (13) und (14) die Zwischenwerte x_1, y_1 zu eliminieren. Dies macht sich sehr leicht, es kommt:

$$\Omega(x_2, y_2) = \Omega(x, y),$$
$$W(x_2, y_2) - (t + t_1) = W(x, y).$$

Aber diese beiden Gleichungen stellen, nach x_2 und y_2 aufgelöst, nichts anderes dar, als die Transformation mit dem Parameter $t + t_1$, welche der durch (13) bestimmten Schar von ∞^1 Transformationen angehört. Jene Schar hat also in der That die Gruppeneigenschaft.

Diese eingliedrige Gruppe enthält auch zu jeder Transformation mit beliebigem Parameter t die inverse. Letztere ist die mit dem Parameter $-t$, denn beide nach einander ausgeführt geben ja die Transformation mit dem Parameter $t - t = 0$, d. h. die, für welche

$$\Omega(x_1, y_1) = \Omega(x, y), \quad W(x_1, y_1) = W(x, y)$$

oder $x_1 = x$, $y_1 = y$ ist, also die identische.

Erinnern wir uns ferner daran, dass die gefundene Gruppe auch durch die Gleichungen (12′) darstellbar ist, so erkennen wir noch, dass sie (wenn t unendlich klein angenommen wird) eine infinitesimale Transformation

$$x' = x + \xi(x, y)\delta t + \cdots, \quad y' = y + \eta(x, y)\delta t + \cdots$$

enthält, die mit der vorgelegten infinitesimalen Transformation (9) in den unendlich kleinen Gliedern *erster* Ordnung übereinstimmt.

Die Entwickelungen (12′) der endlichen Gleichungen unserer Gruppe werden durch das simultane System (11) bestimmt und es ist nicht schwer, auch die Coefficienten von $\frac{t^2}{1\cdot 2}$ anzugeben. Nach dem Maclaurin'schen Satze sind diese nämlich $\frac{d^2x_1}{dt^2}$ und $\frac{d^2y_1}{dt^2}$ für $t = 0$. Nun aber liefert (11):

$$\begin{aligned}\frac{d^2x_1}{dt^2} &= \frac{\partial\xi(x_1, y_1)}{\partial x_1}\frac{dx_1}{dt} + \frac{\partial\xi(x_1, y_1)}{\partial y_1}\frac{dy_1}{dt}\\ &= \frac{\partial\xi(x_1, y_1)}{\partial x_1}\xi(x_1, y_1) + \frac{\partial\xi(x_1, y_1)}{\partial y_1}\eta(x_1, y_1).\end{aligned}$$

Für $t = 0$ wird dies zu:

$$\left(\frac{d^2x_1}{dt^2}\right)_{t=0} = \frac{\partial\xi(x, y)}{\partial x}\xi(x, y) + \frac{\partial\xi(x, y)}{\partial y}\eta(x, y).$$

Ähnlich bestimmt sich der Coefficient $\left(\frac{d^2y_1}{dt^2}\right)_{t=0}$ von $\frac{t^2}{1\cdot 2}$ in der Entwickelung von y_1 nach t.

Wir formulieren nunmehr unsere Ergebnisse in dem

Theorem 1. *Jede infinitesimale Transformation*

$$x_1 = x + \xi(x, y)\delta t + \cdots, \quad y_1 = y + \eta(x, y)\delta t + \cdots$$

gehört, wenn von unendlich kleinen Grössen zweiter und höherer Ordnung abgesehen wird, mindestens einer eingliedrigen Gruppe mit paarweis inversen Transformationen an. Die endlichen Gleichungen dieser Gruppe ergeben sich durch Integration des simultanen Systems

$$\frac{dx_1}{\xi(x_1, y_1)} = \frac{dy_1}{\eta(x_1, y_1)} = dt$$

mit der Anfangsbedingung, dass $x_1 = x$, $y_1 = y$ *für* $t = 0$ *sein soll, in der Form*

$$\begin{aligned}\Omega(x_1, y_1) &= \Omega(x, y),\\ W(x_1, y_1) - t &= W(x, y),\end{aligned}$$

oder, nach x_1 *und* y_1 *aufgelöst und nach* t *entwickelt, in der Form:*

$$x_1 = x + \xi(x,y)\frac{t}{1} + \left(\xi\frac{\partial\xi}{\partial x} + \eta\frac{\partial\xi}{\partial y}\right)\frac{t^2}{1\cdot 2} + \cdots,$$

$$y_1 = y + \eta(x,y)\frac{t}{1} + \left(\xi\frac{\partial\eta}{\partial x} + \eta\frac{\partial\eta}{\partial y}\right)\frac{t^2}{1\cdot 2} + \cdots.$$

Die erzeugte eingliedrige Gruppe besitzt somit eine infinitesimale Transformation, die in den Gliedern erster Ordnung mit der gegebenen infinitesimalen Transformation übereinstimmt).*

Beispiele. *1. Beispiel:* Es sei vorgelegt die infinitesimale Transformation

(9′) $$x_1 = x - y\delta t, \quad y_1 = y + x\delta t,$$

sodass

$$\xi(x,y) \equiv -y, \quad \eta(x,y) \equiv x$$

ist. Das simultane System lautet also:

(11′) $$\frac{dx_1}{-y_1} = \frac{dy_1}{x_1} = dt.$$

Zunächst liefert die Differentialgleichung

$$\frac{dx_1}{-y_1} = \frac{dy_1}{x_1}$$

oder

$$x_1 dx_1 + y_1 dy_1 = 0$$

das Integral

$$\Omega(x_1, y_1) \equiv x_1^2 + y_1^2.$$

Setzen wir es gleich einer Constanten k^2:

$$x_1^2 + y_1^2 = k^2$$

und eliminieren wir hierdurch $y_1 = \sqrt{k^2 - x_1^2}$ aus der Gleichung

$$\frac{dx_1}{-y_1} = dt,$$

so kommt die Differentialgleichung

$$-\frac{dx_1}{\sqrt{k^2 - x_1^2}} = dt$$

mit dem Integral

*) Anfängern, denen die vorstehenden Entwickelungen vielleicht etwas schwierig geworden sind, möchten wir den Rat erteilen, den Rest dieses Capitels mit Ausnahme der nachfolgenden Beispiele *vorerst* zu überschlagen, um ihn später gelegentlich nachzuholen. Freilich muss ein solcher Leser alsdann die Thatsache, die in § 5 bewiesen wird, ohne Beweis als richtig hinzunehmen: Eine eingliedrige Gruppe in x, y mit paarweis inversen Transformationen enthält *nur eine* infinitesimale Transformation, wenn der Wert der infinitesimalen Constanten δt als nebensächlich angesehen, d. h. $k\delta t$ als derselbe wie δt betrachtet wird, wenn k eine Constante vorstellt. Ein solcher Leser wird also das Theorem 2 des § 5 ohne Beweis als richtig annehmen müssen.

$$-\operatorname{arc}\sin\frac{x_1}{k}-t.$$

Hieraus ist nun $k=\sqrt{x_1^2+y_1^2}$ wieder zu entfernen, wodurch das zweite Integral

$$W(x_1,y_1)-t\equiv-\operatorname{arc}\sin\frac{x_1}{\sqrt{x_1^2+y_1^2}}-t$$

unseres simultanen Systems (11') hervorgeht. Danach sind

$$(13')\qquad\begin{cases}x_1^2+y_1^2=x^2+y^2,\\ -\operatorname{arc}\sin\dfrac{x_1}{\sqrt{x_1^2+y_1^2}}-t=-\operatorname{arc}\sin\dfrac{x}{\sqrt{x^2+y^2}}\end{cases}$$

die Gleichungen der von der infinitesimalen Transformation (9') erzeugten Gruppe. Ihre Auflösung nach x_1 und y_1 ist in dieser Form etwas umständlich. Bequemer wird sie, wenn man die Integralgleichungen des simultanen Systems (11') in einer für dies Beispiel geschickteren Form annimmt. Wir fanden als erstes Integral

$$x_1^2+y_1^2=k^2,$$

als zweites zunächst

$$-\operatorname{arc}\sin\frac{x_1}{k}-t=-c\ (=\text{Const.})$$

oder

$$\frac{x_1}{k}=\sin(c-t),$$

sodass aus dem ersten folgt

$$\frac{y_1}{k}=\cos(c-t).$$

Für $t=0$ soll $x_1=x$, $y_1=y$ sein. Demnach haben wir die vier Gleichungen

$$x_1=k\sin(c-t),\quad y_1=k\cos(c-t),$$
$$x=k\sin c,\qquad y=k\cos c,$$

und hieraus sind die Constanten c und k zu eliminieren. Es kommt:

$$(12'')\qquad\begin{cases}x_1=k(\sin c\cos t-\cos c\sin t)=x\cos t-y\sin t,\\ y_1=k(\cos c\cos t+\sin c\sin t)=x\sin t+y\cos t,\end{cases}$$

und diese Gleichungen stellen in der That eine eingliedrige Gruppe dar, nämlich die uns schon bekannte Gruppe der Rotationen um den Anfangspunkt.

Auch stimmt ihre infinitesimale Transformation, wie wir schon von früher her wissen, mit (9') in den Gliedern erster Ordnung überein.

2. Beispiel: Liegt die infinitesimale Transformation

$$(9'')\qquad x_1=x+x\delta t,\quad y_1=y+y\delta t$$

vor, so lautet das simultane System

(11″)
$$\frac{dx_1}{x_1} = \frac{dy_1}{y_1} = dt$$

und giebt integriert:

$$\lg x_1 - \lg x = \lg y_1 - \lg y = t$$

oder:

$$x_1 = xe^t, \quad y_1 = ye^t.$$

Diese Gleichungen stellen in der That eine eingliedrige Gruppe dar. Bei einer Transformation derselben werden alle Abscissen und Ordinaten in demselben Verhältnis geändert, d. h. die ganze Ebene vom Anfangspunkt aus ähnlich vergrössert oder verkleinert. $t = 0$ giebt die identische Transformation, $t = \delta t$ also eine infinitesimale. In der That ist ja $e^{\delta t} = 1 + \frac{\delta t}{1} + \frac{\delta t^2}{1 \cdot 2} + \cdots$ und die infinitesimale Transformation der Gruppe:

$$x_1 = x\left(1 + \frac{\delta t}{1} + \frac{\delta t^2}{1 \cdot 2} + \cdots\right), \quad y_1 = y\left(1 + \frac{\delta t}{1} + \frac{\delta t^2}{1 \cdot 2} + \cdots\right)$$

stimmt mit der vorgelegten (9″) in den Gliedern erster Ordnung überein.

§ 5. **Nachweis, dass eine eingliedrige Gruppe nur eine infinitesimale Transformation besitzt und durch dieselbe bestimmt ist.**

Wir kehren nunmehr zu der eingliedrigen Gruppe des § 3 zurück:

(15)
$$x_1 = \varphi(x, y, a), \quad y_1 = \psi(x, y, a).$$

Wir fanden, dass sie jedenfalls eine infinitesimale Transformation besitzt (Satz 2). Wir dürfen daher voraussetzen, es sei

(16)
$$x' = x + \xi(x, y)\,\delta t + \cdots, \quad y' = y + \eta(x, y)\,\delta t + \cdots$$

eine gewisse infinitesimale Transformation der Gruppe (15). Die höheren Glieder in δt sind nicht mitgeschrieben.

Reihenfolge einer endlichen u. infinitesimalen Transformation.

Wir wollen nun nach der Transformation (15) unserer Gruppe mit dem Parameter a die infinitesimale Transformation (16) ausführen, welche die durch (15) nach den Stellen (x_1, y_1) transformierten Punkte (x, y) weiter führt nach den Stellen (x_2, y_2):

$$x_2 = x_1 + \xi(x_1, y_1)\,\delta t + \cdots, \quad y_2 = y_1 + \eta(x_1, y_1)\,\delta t + \cdots.$$

Die Zwischenwerte x_1, y_1 könnten wir hieraus vermöge (15) eliminieren. Wir wollen dies, um nicht zu umständliche Ausdrücke zu erhalten, nur teilweis ausführen:

(17)
$$\begin{cases} x_2 = \varphi(x, y, a) + \xi(x_1, y_1)\,\delta t + \cdots, \\ y_2 = \psi(x, y, a) + \eta(x_1, y_1)\,\delta t + \cdots. \end{cases}$$

Hierin sind also unter x_1 und y_1 die Werte (15) in x, y und a zu verstehen. Diese Transformation (17) ist die Reihenfolge zweier Transformationen der Gruppe, der Transformation (a) und einer unendlich kleinen. Sie ist mithin einer Transformation der Gruppe äquivalent, die sich von der Transformation (a) nur um unendlich wenig unterscheidet, also etwa dem Parameterwert $a + \delta a$ zugehört, wo δa wie das obige δt eine infinitesimale Grösse bedeutet. Wie allgemein zwischen den Parametern a, a_1 zweier aufeinander folgender Transformationen der Gruppe und dem Parameter λ derjenigen Transformation derselben, welche dieser Reihenfolge äquivalent ist, eine Relation besteht, welche λ als Function von a und a_1 allein darstellt, so ist auch in dem jetzigen speciellen Fall der Parameter $a + \delta a$ eine Function von a und δt allein, also auch δa hängt nur von a und δt ab.

Die Transformation ($a + \delta a$), welche der Transformation (17) äquivalent ist, lautet:

$$x_2 = \varphi(x, y, a + \delta a), \quad y_2 = \psi(x, y, a + \delta a)$$

oder ausgeführt:

$$x_2 = \varphi(x, y, a) + \frac{\partial \varphi(x, y, a)}{\partial a}\delta a + \cdots,$$

$$y_2 = \psi(x, y, a) + \frac{\partial \psi(x, y, a)}{\partial a}\delta a + \cdots.$$

Vergleichen wir diese Ausdrücke mit den Werten (17) von x_2 und y_2, so ergiebt sich:

$$(18) \qquad \begin{cases} \xi(x_1, y_1)\,\delta t + \cdots = \dfrac{\partial \varphi(x, y, a)}{\partial a}\delta a + \cdots, \\ \eta(x_1, y_1)\,\delta t + \cdots = \dfrac{\partial \psi(x, y, a)}{\partial a}\delta a + \cdots. \end{cases}$$

Hierin sollen, wie man nicht vergessen darf, x_1 und y_1 die durch (15) bestimmten Functionen von x, y und a bedeuten oder, was dasselbe ist, es sollen umgekehrt x, y die durch (15) bestimmten Functionen von x_1, y_1 und a sein.

Die Gleichungen (18) müssen nach Voraussetzung bestehen für alle Werte von x, y und a. δa und δt sind gewisse unendlich kleine Grössen, und zwar ist δa eine Function von δt und a.

Erteilen wir den Grössen x, y irgend welche bestimmte Zahlenwerte, so hängen x_1 und y_1 nach der Gleichung (15) nur noch von a ab. Also stellt dann jede der Gleichungen (18) eine Relation zwischen δt und δa her, die ausserdem noch a enthält. Diese Relationen müssen natürlich mit derjenigen übereinstimmen, welche δa durch δt und a

ausdrückt. Nun können wir uns die Zahlen x_1, y_1 sicher so gewählt denken, dass links und rechts die ersten Coefficienten einer der beiden Relationen, nämlich die Grössen

$$\xi(x_1, y_1), \quad \frac{\partial \varphi(x, y, a)}{\partial a}$$

oder die Grössen

$$\eta(x_1, y_1), \quad \frac{\partial \psi(x, y, a)}{\partial a}.$$

nicht gerade verschwinden.

Es ist selbstverständlich, dass die Grössen $\xi(x_1, y_1)$, $\eta(x_1, y_1)$ nicht beide identisch verschwinden. Wir können daher annehmen, dass etwa $\xi(x_1, y_1)$ nicht identisch verschwindet. Alsdann kann auch $\frac{\partial \varphi(x, y, a)}{\partial a}$ nur für ganz besondere Ausnahmewerte von x, y, a verschwinden, denn anstatt x_1, y_1 bestimmt zu wählen, kann man auch wegen (15) x, y bestimmt annehmen. Unter x, y hat man also ganz beliebige Zahlenwerte zu verstehen und für solche ist $\frac{\partial \varphi(x, y, a)}{\partial a}$ nicht stets Null, da sonst φ frei von a sein müsste, d. h. x bei der Gruppe überhaupt nicht transformiert und also $\xi(x_1, y_1) \equiv 0$ sein würde.

Die erste oder zweite Relation (18) giebt demnach bei bestimmter Wahl der Werte x_1, y_1 die Beziehung zwischen δa, δt und a in der Form

$$u_1 \, \delta t + u_2 \, \delta t^2 + \cdots = v_1 \, \delta a + v_2 \, \delta a^2 + \cdots,$$

in der $u_1, u_2 \cdots$, v_1, $v_2 \cdots$ von a abhängen und u_1 und v_1 beide verschieden von Null sind. Wenn aber zwischen zwei Grössen δa und δt eine derartige Beziehung besteht, so lässt sich, wie man in der Functionentheorie nachweist, auch δa in eine Potenzreihe von δt entwickeln:

$$\delta a = w_1 \, \delta t + w_2 \, \delta t^2 + \cdots,$$

deren erster Coefficient $w_1 \equiv\mkern-14mu/ \; 0$ ist. w_1, $w_2 \cdots$ sind gewisse Functionen von a. Diesen Wert von δa substituieren wir in (18), indem wir nunmehr wieder in (18) x_1 und y_1 als Veränderliche auffassen. Alsdann dividieren wir die Formeln durch δt und gehen schliesslich zur Grenze für $\delta t = 0$ über. Dadurch kommt:

$$(19) \qquad \begin{cases} \xi(x_1, y_1) = \dfrac{\partial \varphi(x, y, a)}{\partial a} \, w_1(a), \\ \eta(x_1, y_1) = \dfrac{\partial \psi(x, y, a)}{\partial a} \, w_1(a). \end{cases}$$

In diese beiden Gleichungen können wir nun noch die aus (15) folgenden Werte von x, y, ausgedrückt in x_1, y_1, einsetzen und erhalten dadurch zwei Relationen von der Form

$$(19') \qquad \begin{cases} \xi(x_1, y_1) = X(x_1, y_1, a) \cdot w_1(a), \\ \eta(x_1, y_1) = Y(x_1, y_1, a) \cdot w_1(a). \end{cases}$$

Dieselben gelten für die Coefficienten ξ, η der infinitesimalen Transformation (16) der Gruppe, von der wir ausgingen. Sie müssen für *jedes* Wertsystem x_1, y_1, a richtig sein, ihre linken Seiten aber sind frei von a, ihre rechten Seiten enthalten also nur scheinbar a, d. h. X und Y haben die Form

$$X(x_1, y_1, a) \equiv \frac{A(x_1, y_1)}{w_1(a)}, \quad Y(x_1, y_1, a) \equiv \frac{B(x_1, y_1)}{w_1(a)}.$$

Erteilen wir nun in den Gleichungen (19′) der Grösse a einen bestimmten Wert $\bar{a}$, so gehen $X(x_1, y_1, a)$ und $Y(x_1, y_1, a)$ in Functionen von x_1, y_1 allein über:

$$X(x_1, y_1, \bar{a}) = \bar{X}(x_1, y_1), \quad Y(x_1, y_1, \bar{a}) = \bar{Y}(x_1, y_1),$$

während $w_1(a)$ in eine Constante sich verwandelt. Demnach sind $\xi(x_1, y_1)$, $\eta(x_1, y_1)$ bestimmt bis auf einen constanten Factor K:

$$\xi(x_1, y_1) = K\,\bar{X}(x_1, y_1), \quad \eta(x_1, y_1) = K\,\bar{Y}(x_1, y_1),$$

und zwar gilt dies für *jede* infinitesimale Transformation (16) unserer Gruppe.

Irgend zwei infinitesimale Transformationen unserer Gruppe, etwa

$$x' = x + \xi\,\delta t + \cdots, \quad y' = y + \eta\,\delta t + \cdots$$

und

$$x' = x + \bar{\xi}\,\delta t + \cdots, \quad y' = y + \bar{\eta}\,\delta t + \cdots$$

können sich daher in den Gliedern erster Ordnung nur um einen constanten Factor k unterscheiden, indem

$$\bar{\xi} \equiv k\xi, \quad \bar{\eta} \equiv k\eta$$

ist. Aber zwei solche infinitesimale Transformationen, deren Glieder erster Ordnung (die höherer Ordnung kommen, da δt infinitesimal ist, nicht in Betracht) sich nur um einen constanten Factor unterscheiden, nennen wir von *einander abhängig*, da sie im Grunde genommen übereinstimmen, denn beide ordnen den Punkten proportionale Fortschreitungsstrecken zu und ausserdem ist die Constante δt doch nur insofern bestimmt, als sie unendlich klein sein soll, sodass $k\delta t$ dasselbe wie δt bedeutet. Wir können also den Satz aussprechen:

Satz 3: *Eine eingliedrige Gruppe der Ebene mit paarweis inversen Transformationen enthält nur eine infinitesimale Transformation; oder exacter ausgesprochen: Alle infinitesimale Transformationen einer ein-*

gliedrigen Gruppe stimmen bis auf einen blossen Zahlenfactor in den Gliedern erster Ordnung überein.

Um uns in (19) von dem constanten Factor w_1 zu befreien, führen wir in unsere Gruppe

(15) $$x_1 = \varphi(x, y, a), \quad y_1 = \psi(x, y, a)$$

Neuer Parameter. an Stelle von a eine passend gewählte Function t von a als Parameter ein, indem wir setzen:

(20) $$t = \int_{a_0}^{a} \frac{da}{w_1(a)},$$

wo vorausgesetzt ist, dass wie früher a_0 der zur identischen Transformation gehörige Wert von a ist. Dadurch gehen die Functionen x_1 und y_1 von x, y und a in solche von x, y und t über, indem die Gleichungen der Gruppe (15) durch Einführung von t etwa die neue Form annehmen:

(21) $$x_1 = \Phi(x, y, t), \quad y_1 = \Psi(x, y, t).$$

Da wegen (20) $t = 0$ für $a = a_0$ wird, so ist klar, dass in der neuen Form (21) der Gruppe dem Parameterwert $t = 0$ die identische Transformation $x_1 = x$, $y_1 = y$ zugehört.

Nunmehr können wir (19) so schreiben:

$$\xi(x_1, y_1) = \frac{\partial \varphi(x, y, a)}{\partial a} \frac{da}{dt} = \frac{\partial \Phi(x, y, t)}{\partial t},$$

$$\eta(x_1, y_1) = \frac{\partial \psi(x, y, a)}{\partial a} \frac{da}{dt} = \frac{\partial \Psi(x, y, t)}{\partial t},$$

oder auch:

$$\xi(x_1, y_1) = \frac{dx_1}{dt},$$

$$\eta(x_1, y_1) = \frac{dy_1}{dt},$$

weil ja x_1, y_1 die Functionen (15) von a oder (21) von t sind.

Die den ursprünglichen Gleichungen (15) der Gruppe äquivalenten Gleichungen (21) derselben sind mithin die Integralgleichungen des simultanen Systems

(22) $$\frac{dx_1}{\xi(x_1, y_1)} = \frac{dy_1}{\eta(x_1, y_1)} = dt$$

mit den Anfangswerten $x_1 = x$, $y_1 = y$ für $t = 0$.

Bestimmung der Gruppe durch ihre infinitesimale Transformation. Da dieses simultane System und also auch seine Integralgleichungen vollständig bestimmt sind, sobald man nur die ersten Glieder:

$$x' = x + \xi(x, y)\,\delta t, \quad y' = y + \eta(x, y)\,\delta t$$

der infinitesimalen Transformation der Gruppe angiebt, so ist die Gruppe durch ihre infinitesimale Transformation völlig definiert, also:

Satz 4: *Eine eingliedrige Gruppe der Ebene ist durch ihre infinitesimale Transformation völlig definiert,*

oder auch:

Satz 5: *Jede infinitesimale Transformation*

$$x' = x + \xi(x, y)\,\delta t, \quad y' = y + \eta(x, y)\,dt$$

gehört einer und nur einer eingliedrigen Gruppe der Ebene an.

Dass dies nämlich für jede infinitesimale Transformation, nicht nur für eine solche gilt, von der wir von vornherein wissen, dsss sie einer Gruppe angehört, folgt aus den Betrachtungen des vorigen Paragraphen, aus Theorem 1.

Die Ergebnisse dieses und des vorigen Paragraphen können wir nun in knapper Form so zusammenfassen: Gesamtergebnis.

Theorem 2: *Jede eingliedrige Gruppe der Ebene mit paarweis inversen Transformationen enthält eine und nur eine infinitesimale Transformation. Jede infinitesimale Transformation der Ebene gehört einer und nur einer eingliedrigen Gruppe an. Dieselbe besitzt paarweis inverse Transformationen.*

Dies Theorem ist also so zu verstehen:

Liegt eine eingliedrige Gruppe der Ebene mit paarweis inversen Transformationen vor, so können die Reihenentwickelungen

$$x_1 = x + \xi(x, y)\,t + \cdots$$
$$y_1 = y + \eta(x, y)\,t + \cdots$$

derselben freilich unendlich viele Formen annehmen, welche sich aber in den Gliedern *erster* Ordnung nur dadurch unterscheiden, dass an Stelle von ξ und η resp. $k\xi$, $k\eta$ und $\frac{t}{k}$ statt t gesetzt wird.

Liegen andererseits zwei Reihenentwickelungen

$$x_1 = x + \xi(x, y)\,t + \cdots$$
$$y_1 = y + \eta(x, y)\,t + \cdots$$

vor, so giebt es immer eine und nur eine eingliedrige Gruppe, deren Reihenentwickelungen in den Gliedern *erster* Ordnung mit diesen übereinstimmen.

Hiermit ist die Grundlage unserer Untersuchungen, der Begriff der eingliedrigen Gruppe, entwickelt worden. Im nächsten Kapitel werden wir nun mehrere mit der eingliedrigen Gruppe eng verbundene Begriffe und Sätze ableiten.

Eingliedrige Gruppe, erzeugt von einer infinitesimalen Transformation.

Infolge unseres Theorems 2 kann es keinem Zweifel unterliegen, was unter einer *eingliedrigen Gruppe der Ebene, erzeugt von einer gegebenen infinitesimalen Transformation*, zu verstehen ist. Diese Ausdrucksweise werden wir öfters gebrauchen.

Beispiele.

Wir fügen zu diesem Kapitel noch einige Beispiele hinzu, die der Anfänger sorgfältig durchrechnen möge.

1. Beispiel: Die Gleichungen

$$x_1 = \sqrt{x^2 + xyt}, \quad y_1 = \frac{xy}{\sqrt{x^2 + xyt}}$$

stellen eine eingliedrige Gruppe dar. Um dies zu verificieren, kann man so verfahren: Es ist offenbar

$$x_1 y_1 = xy$$

und

$$\frac{x_1}{y_1} = \frac{x^2 + xyt}{xy} \equiv \frac{x}{y} + t.$$

Diese beiden Gleichungen aber haben die in Theorem 1 (§ 4) angegebene Form, indem hier $\Omega(x, y) \equiv xy$, $W(x, y) \equiv \frac{x}{y}$ ist.

$t = 0$ liefert die identische Transformation der Gruppe, also $t = \delta t$ die infinitesimale. Es ist aber:

$$\sqrt{x^2 + xy\delta t} = x\sqrt{1 + \frac{y}{x}\delta t} = x\left(1 + \tfrac{1}{2}\frac{y}{x}\delta t + \cdots\right),$$

sodass

$$x_1 = x + \tfrac{1}{2}y\delta t + \cdots, \quad y_1 = y - \tfrac{1}{2}\frac{y^2}{x}\delta t \cdots$$

die infinitesimale Transformation vorstellt. Hier ist

$$\xi \equiv \tfrac{1}{2}y, \quad \eta \equiv -\tfrac{1}{2}\frac{y^2}{x},$$

demnach gehen rückwärts die endlichen Gleichungen der Gruppe hervor durch Integration des simultanen Systems:

$$\frac{2dx_1}{y_1} = -\frac{2x_1 dy_1}{y_1^2} = dt,$$

was man sofort verificieren kann.

2. Beispiel: Man zeige, dass die Gleichungen:

$$x_1 = x + t, \quad y_1 = \frac{xy - t}{x + t}$$

eine eingliedrige Gruppe darstellen und dass hier

$$\xi(x, y) \equiv 1, \quad \eta(x, y) = -\frac{1 + y}{x}$$

zu setzen ist. Ferner verificiere man, dass x_1 und y_1 als Functionen von t das simultane System

$$\frac{dx_1}{1} = \frac{-x_1 dy_1}{1+y_1} = dt$$

erfüllen.

3. Beispiel: Es soll gezeigt werden, dass, wenn x_1, y_1 die Wurzeln u der quadratischen Gleichung

$$(u-x)(u-y)+t=0$$

bedeuten, alsdann die Werte von x_1, y_1 ausgedrückt in x, y, t eine eingliedrige Gruppe darstellen. Die quadratische Gleichung lautet ausmultipliciert:

$$u^2-(x+y)u+xy+t=0.$$

Nach einem Elementarsatze ist also:

$$x_1+y_1=x+y,$$
$$x_1 y_1 = xy+t.$$

Dies sind zwei Gleichungen von der Form

$$\Omega(x_1,y_1)=\Omega(x,y),$$
$$W(x_1,y_1)-t=W(x,y),$$

wie sie in Theorem 1 (§ 4) vorkommen und stellen daher nach x_1, y_1 aufgelöst eine eingliedrige Gruppe dar. Man bilde die Auflösungen und zeige, dass die Gleichungen

$$x_1 = x+\frac{\delta t}{y-x}+\cdots,\quad y_1=y+\frac{\delta t}{x-y}+\cdots$$

die infinitesimale Transformation der Gruppe geben.

Kapitel 3.

Symbol einer infinitesimalen Transformation und einfache Formen einer eingliedrigen Gruppe der Ebene.

Wir werden zunächst zeigen, dass man durch Einführung neuer Veränderlicher in eine eingliedrige Gruppe wiederum eine eingliedrige Gruppe erhält. Alsdann werden wir finden, dass sich alle eingliedrigen Gruppen der Ebene durch Einführung zweckmässiger neuer Variabeln auf eine gemeinsame einfache Form bringen lassen. — Danach legen wir besonderen Nachdruck auf das *Symbol, das wir zur Darstellung einer infinitesimalen Transformation einführen werden.* Die Wichtigkeit dieses Symbols wird sich als sehr bedeutend herausstellen, unter anderem wird es uns gelingen, die endlichen Gleichungen einer durch

Inhaltsangabe dieses Kapitels

eine gegebene infinitesimale Transformation erzeugten eingliedrigen Gruppe durch Benutzung des Symbols in einer bemerkenswerten Form darzustellen.

§ 1. Einführung neuer Veränderlicher in eine eingliedrige Gruppe.

Zweierlei Auffassung einer Transformation.

Wenn zwischen zwei Veränderlichenpaaren x, y und $\mathfrak{x}$, $\mathfrak{y}$ Gleichungen festgesetzt werden:

$$(1) \qquad \mathfrak{x} = \lambda(x,y), \quad \mathfrak{y} = \mu(x,y),$$

so stellen sie, vorausgesetzt, dass sie auch nach x, y auflösbar seien, eine Transformation dar. Bisher haben wir eine Transformation immer als eine Operation aufgefasst, welche die Punkte (x, y) der Ebene in die neuen Lagen $(\mathfrak{x}, \mathfrak{y})$ überführt, also als eine Ortsveränderung, sagen wir als eine Bewegung aller Punkte der Ebene. Aber wir können die Gleichungen (1) auch anders auffassen.

Beispiel.

Wenn wir z. B. die Gleichungen ansetzen:

$$(2) \qquad r = \sqrt{x^2 + y^2}, \quad \varphi = \operatorname{arc\,tg} \frac{y}{x},$$

durch welche x, y in r, φ transformiert werden, und wir verstehen unter x, y rechtwinklige Punktcoordinaten, unter r, φ dagegen Polarcoordinaten mit dem Anfangspunkt des Axensystems als Pol und der positiven x-Axe als Anfangsstrahl, so ist der Punkt (x, y) genau identisch mit dem Punkt (r, φ). Die Gleichungen (2) stellen in dieser Auffassung keine Bewegung der einzelnen Punkte der Ebene dar, sondern vermitteln nur den Übergang von einem Coordinatensystem zu einem anderen.

Neues Coordinatensystem.

So können wir allgemein die Gleichungen (1) betrachten als Formeln, welche den Übergang von dem System der rechtwinkligen Punktcoordinaten x, y zu einem gewissen anderen Coordinatensystem $\mathfrak{x}$, $\mathfrak{y}$ in der Ebene bewerkstelligen. Dort sind $x =$ Const. und $y =$ Const. die Coordinaten- oder Parameterlinien, hier sind es die Curven $\mathfrak{x} =$ Const. und $\mathfrak{y} =$ Const., die im ursprünglichen Coordinatensystem die Gleichungen $\lambda(x, y) =$ Const., $\mu(x, y) =$ Const. haben. Bei diesem Übergange von den Werten x, y zu den Werten $\mathfrak{x}$, $\mathfrak{y}$ bleiben also alle Punkte der Ebene in Ruhe, die Gleichungen (1) stellen einen bloss analytischen Process dar, der mit den geometrischen Gebilden selbst nichts zu thun hat.

Es sei nun eine eingliedrige Gruppe vorgelegt:

$$(3) \qquad x_1 = \varphi(x, y, t), \quad y_1 = \psi(x, y, t).$$

Wir haben früher eine Gruppe definiert als eine Schar von ∞^1 Transformationen, welche die Eigentümlichkeit hat, dass die Reihenfolge zweier Transformationen der Schar einer einzigen Transformation derselben Schar äquivalent ist. Fassen wir diese Transformationen in der gewohnten Weise als Operationen auf, durch welche die Punkte der Ebene in neue Lagen gelangen, so ist also eine eingliedrige Gruppe eine Schar von ∞^1 solchen Operationen oder Bewegungen aller einzelnen Punkte der Ebene, sodass die Reihenfolge zweier dieser Bewegungen einer einzigen ebenfalls in der Schar enthaltenen Bewegung aller Punkte der Ebene gleich ist. Dies ist eine rein geometrische Auffassung der Gruppe.

Neue Veränderliche in der Gruppe.

Wenn wir nunmehr durch eine Transformation von der Form (1) neue Veränderliche $\mathfrak{x}$, $\mathfrak{y}$ einführen, so hat dies — wenn die Gleichungen (1) in der auseinandergesetzten Weise als Vermittler der Einführung eines neuen Coordinatensystems betrachtet werden — keinen Einfluss auf die geometrische Bedeutung der Gruppe als einer Schar von ∞^1 Bewegungen aller Punkte. Diese Bewegungen werden eben nur auf ein neues System von Coordinaten bezogen. Der Punkt (x, y) hat im neuen System die Coordinaten $\mathfrak{x}$, $\mathfrak{y}$ und analog werden wir die Coordinaten des transformierten Punktes (x_1, y_1) im neuen System mit $\mathfrak{x}_1$, $\mathfrak{y}_1$ bezeichnen, sodass

$$\mathfrak{x}_1 = \lambda(x_1, y_1), \quad \mathfrak{y}_1 = \mu(x_1, y_1) \tag{4}$$

ist.

Wir können auch direct $\mathfrak{x}_1$ und $\mathfrak{y}_1$ als Functionen von $\mathfrak{x}$ und $\mathfrak{y}$ darstellen, indem wir aus (1), (3) und (4) x, y und x_1, y_1 fortschaffen. Alsdann werden die ∞^1 geometrischen Operationen, welche unsere Gruppe bilden, im neuen Coordinatensystem durch Gleichungen von der Form

$$\mathfrak{x}_1 = \Phi(\mathfrak{x}, \mathfrak{y}, t), \quad \mathfrak{y}_1 = \Psi(\mathfrak{x}, \mathfrak{y}, t) \tag{5}$$

dargestellt, und es liegt in der Natur der Sache, dass diese wieder der analytische Ausdruck einer Gruppe sein müssen, denn die Reihenfolge zweier Bewegungen unserer Schar ist nach wie vor einer einzigen Bewegung derselben äquivalent.

Satz 1: *Führt man in die Gleichungen einer eingliedrigen Gruppe:*

$$x_1 = \varphi(x, y, t), \quad y_1 = \psi(x, y, t)$$

neue Variabeln $\mathfrak{x}$, $\mathfrak{y}$ *und* $\mathfrak{x}_1$, $\mathfrak{y}_1$ *ein, indem man gleichzeitig*

$$\mathfrak{x} = \lambda(x, y), \quad \mathfrak{y} = \mu(x, y)$$

und

$$\mathfrak{x}_1 = \lambda(x_1, y_1), \quad \mathfrak{y}_1 = \mu(x_1, y_1)$$

setzt, so stellen die so erhaltenen neuen Gleichungen

$$\mathfrak{x}_1 = \Phi(\mathfrak{x}, \mathfrak{y}, t), \quad \mathfrak{y}_1 = \Psi(\mathfrak{x}, \mathfrak{y}, t)$$

wieder eine eingliedrige Gruppe dar.

Beispiel.

Beispiel: In die eingliedrige Gruppe:

$$x_1 = x + t, \quad y_1 = \frac{xy}{x+t}$$

sollen die neuen Veränderlichen

$$\mathfrak{x} = \frac{x}{y}, \quad \mathfrak{y} = xy$$

eingeführt werden. Wir setzen noch an:

$$\mathfrak{x}_1 = \frac{x_1}{y_1}, \quad \mathfrak{y}_1 = x_1 y_1$$

und eliminieren aus den drei Gleichungenpaaren x, y und x_1, y_1. Dies giebt:

$$\mathfrak{x}_1 = \frac{(x+t)^2}{xy} = \frac{(\sqrt{\mathfrak{x}\mathfrak{y}} + t)^2}{\mathfrak{y}},$$
$$\mathfrak{y}_1 = xy = \mathfrak{y}.$$

Dass diese Gleichungen auch eine Gruppe darstellen, ist leicht zu verificieren.

Zurückführung der Gruppe auf eine Gruppe von Translationen.

Aus den Entwickelungen des vorigen Kapitels lässt sich jetzt schliessen, dass man jede eingliedrige Gruppe

(3) $$x_1 = \varphi(x, y, t), \quad y_1 = \psi(x, y, t)$$

durch Einführung zweckmässiger neuer Variabeln auf *eine sehr bemerkenswerte einfache Form* bringen kann.

Wir sahen, dass die Gleichungen (3) der Gruppe bei passender Wahl des Parameters t die Integralgleichungen eines gewissen simultanen Systems sind und dass diese Integralgleichungen unaufgelöst die Form haben:

$$\begin{cases} \Omega(x_1, y_1) = \Omega(x, y), \\ W(x_1, y_1) - t = W(x, y), \end{cases}$$

(vgl. Theorem 1). Wenn wir die Functionen Ω und W an Stelle von x, y als neue Veränderliche verwerten, also setzen:

$$\mathfrak{x} = \Omega(x, y), \quad \mathfrak{y} = W(x, y),$$
$$\mathfrak{x}_1 = \Omega(x_1, y_1), \quad \mathfrak{y}_1 = W(x_1, y_1),$$

so nimmt folglich unsere Gruppe (3) die einfache Gestalt an:

(5′) $$\mathfrak{x}_1 = \mathfrak{x}, \quad \mathfrak{y}_1 = \mathfrak{y} + t.$$

Dies ist dieselbe Form, in welcher sich früher die eingliedrige Gruppe der Translationen (in § 1 des 1. Kap.) ergab, nur mit anderen Buchstaben.

Theorem 3: *Jede eingliedrige Gruppe in zwei Veränderlichen kann durch passende Wahl der Veränderlichen in eine Gruppe von Translationen übergeführt werden.*

Derartige neue Veränderliche $\mathfrak{x}$, $\mathfrak{y}$, welche dies leisten, nennen wir *canonisch* und die gefundene Form (5′) der Gruppe (3) ihre *canonische Form.* In dieser canonischen Form ist zur Transformation (t) die Transformation ($-t$) invers, während $t = 0$ die identische Transformation giebt. Wir hatten im ersten Kapitel Beispiele dafür in den §§ 2, 3.

§ 2. Symbol der infinitesimalen Transformation.

Das Hauptergebnis des vorigen Kapitels lässt sich mit wenigen Worten aussprechen: Jede eingliedrige Gruppe der Ebene besitzt eine und — bis auf einen unwesentlichen Zahlenfactor — nur eine infinitesimale Transformation, aus der man durch ein Integrationsverfahren wieder die endlichen Gleichungen der Gruppe ableiten kann.

Hiernach hat die infinitesimale Transformation für die eingliedrige Gruppe grosse Wichtigkeit. Sie kann als das bestimmende Element derselben aufgefasst werden, aus dem die ganze Gruppe rückwärts wieder construiert werden kann.

Wir werden nun die infinitesimale Transformation in einer besonderen, für die begriffliche Auffassung und die praktische Verwendung gleich nützlichen Weise *symbolisch* ausdrücken, wozu die folgende Betrachtung führt.

Die endlichen Gleichungen

(3) $$x_1 = \varphi(x, y, t), \quad y_1 = \psi(x, y, t)$$

einer eingliedrigen Gruppe drücken die transformierten Veränderlichen x_1, y_1 durch die ursprünglichen x, y und den Parameter t aus. Ebenso lässt sich jede Function $f(x_1, y_1)$ als Function von x, y und t darstellen. Für den Wert von t, der der identischen Transformation entspricht, also etwa für $t = 0$, wird natürlich die neue Function identisch gleich $f(x, y)$, mit variierendem t variiert sie. Wir können daher jede Function $f(x_1, y_1)$ als Function von t auffassen und nach der Änderung δf_1 von $f(x_1, y_1)$ fragen, welche $f(x_1, y_1)$ zu teil wird, wenn x_1 und y_1 die Incremente der zugehörigen infinitesimalen Transformation

(6) $$x' = x_1 + \xi(x_1, y_1)\,\delta t + \cdots, \quad y' = y_1 + \eta(x_1, y_1)\,\delta t + \cdots,$$

also die Incremente

(6′) $$\delta x_1 = \xi(x_1, y_1)\,\delta t, \quad \delta y_1 = \eta(x_1, y_1)\,\delta t$$

erfahren. Es ist:

$$\delta f_1 = \frac{\partial f(x_1, y_1)}{\partial x_1} \delta x_1 + \frac{\partial f(x_1, y_1)}{\partial y_1} \delta y_1,$$

also:

$$\frac{\delta f_1}{\delta t} = \frac{\partial f(x_1, y_1)}{\partial x_1} \xi(x_1, y_1) + \frac{\partial f(x_1, y_1)}{\partial y_1} \eta(x_1, y_1).^{*)}$$

$f(x_1, y_1)$ erfährt folglich bei Ausführung der infinitesimalen Transformation der Gruppe den Zuwachs

$$\delta f_1 = \left(\xi(x_1, y_1) \frac{\partial f(x_1, y_1)}{\partial x_1} + \eta(x_1, y_1) \frac{\partial f(x_1, y_1)}{\partial y_1}\right) \delta t,$$

für $t = 0$ ergiebt sich daher als Zuwachs der Function $f = f(x, y)$:

(7) $$\delta f = \left(\xi(x, y) \frac{\partial f}{\partial x} + \eta(x, y) \frac{\partial f}{\partial y}\right) \delta t.$$

Z. B. bei der infinitesimalen Transformation

$$x' = x - y\delta t, \quad y' = y + x\delta t$$

der eingliedrigen Gruppe der Rotationen:

$$x_1 = x \cos t - y \sin t, \quad y_1 = x \sin t + y \cos t$$

erhält $f(x, y)$ den Zuwachs

$$\delta f = \left(-y \frac{\partial f}{\partial x} + x \frac{\partial f}{\partial y}\right) \delta t.$$

$f(x, y)$ kann dabei eine ganz beliebige Function von x und y bedeuten. Setzt man insbesondere $f \equiv x$, so kommt

$$\delta x = \left(-y \frac{\partial x}{\partial y} + x \frac{\partial x}{\partial y}\right) \delta t = -y\delta t,$$

der Zuwachs, den x selbst bei der infinitesimalen Transformation erfährt, und für $f \equiv y$ kommt analog

$$\delta y = x\delta t.$$

So auch allgemein: Wenn wir wissen, eine beliebige Function $f(x, y)$ erfährt bei der infinitesimalen Transformation einer eingliedrigen Gruppe den Zuwachs (7), so ist auch die infinitesimale Transformation (6) selbst bekannt. Denn für $f \equiv x$ giebt (7):

---

*) Betrachtet man x_1, y_1, wie im Texte geschehen, als Functionen von t und den Anfangswerten x, y und $f(x_1, y_1)$ als Function von x_1, y_1, so ist

$$\frac{df(x_1, y_1)}{dt} = \frac{\partial f(x_1, y_1)}{\partial x_1} \xi(x_1, y_1) + \frac{\partial f(x_1, y_1)}{\partial y_1} \eta(x_1, y_1).$$

Es ist daher:

$$\frac{\delta f(x_1, y_1)}{\delta t} = \frac{df(x_1, y_1)}{dt},$$

und man könnte also das Variationszeichen δ durch das Differentiationszeichen d ersetzen. Es ist jedoch bequem, das Variationszeichen beizubehalten.

$$\delta x = \xi(x, y)\,\delta t$$

und für $f \equiv y$:

$$\delta y = \eta(x, y)\,\delta t.$$

Anstatt also die infinitesimale Transformation durch die beiden Gleichungen (6) oder (6′) zu geben, kann man sie auch durch den einen Ausdruck

$$\xi \frac{\partial f}{\partial x} + \eta \frac{\partial f}{\partial y}$$

charakterisieren, der den durch die infinitesimale Grösse δt dividierten Zuwachs angiebt, den eine beliebige Function $f(x, y)$ bei Ausführung der infinitesimalen Transformation erfährt. *Aus diesem Grunde benutzen wir den Ausdruck*

$$\xi \frac{\partial f}{\partial x} + \eta \frac{\partial f}{\partial y}$$

Symbol der infinitesimalen Transformation.

als das Symbol der infinitesimalen Transformation (6) *oder* (6′).

Wenn wir also z. B. von der infinitesimalen Transformation $x \frac{\partial f}{\partial x} + y \frac{\partial f}{\partial y}$ reden, so meinen wir damit die infinitesimale Transformation, welche x und y die Incremente erteilt:

$$\delta x = x\delta t, \quad \delta y = y\delta t.$$

Ebenso ist $\frac{\partial f}{\partial x}$ das Symbol der infinitesimalen Translation

$$\delta x = \delta t, \quad \delta y = 0,$$

$\frac{\partial f}{\partial y}$ das der infinitesimalen Translation

$$\delta x = 0, \quad \delta y = \delta t.$$

Das Symbol $\xi \frac{\partial f}{\partial x} + \eta \frac{\partial f}{\partial y}$ der allgemeinen infinitesimalen Transformation:

$$x' = x + \xi\delta t + \cdots, \quad y' = y + \eta\delta t + \cdots$$

wollen wir zur Abkürzung auch mit Uf bezeichnen. Uf bedeutet also einen Functionalausdruck in f, es soll somit unter Ux der Ausdruck gebildet für $f \equiv x$, also ξ, unter Uy der Ausdruck gebildet für $f \equiv y$, also η, verstanden werden, sodass selbstverständlich

$$Uf \equiv Ux \frac{\partial f}{\partial x} + Uy \frac{\partial f}{\partial y} \tag{8}$$

ist.

Einführung neuer Variabeln in die Gruppe u. in das Symbol.

Wenn wir irgend welche *neue Veränderliche* $\mathfrak{x}$, $\mathfrak{y}$ an Stelle von x, y in die eingliedrige Gruppe einführen, wodurch sie nach Satz 1 des § 1 in eine eingliedrige Gruppe in $\mathfrak{x}$, $\mathfrak{y}$ übergeht, deren infinitesimale Transformation das Symbol $\mathfrak{U}f$ habe, so liegt die Vermutung nahe, dass wir das Symbol $\mathfrak{U}f$ auch *direct* durch Einführung der neuen Veränderlichen in Uf erhalten können.

Um dies zu ergründen, denken wir uns die neuen Veränderlichen durch die Gleichungen

$$(9) \qquad \mathfrak{x} = \Phi(x, y), \quad \mathfrak{y} = \Psi(x, y)$$

und dementsprechend

$$(10) \qquad \mathfrak{x}_1 = \Phi(x_1, y_1), \quad \mathfrak{y}_1 = \Psi(x_1, y_1)$$

eingeführt. Die Transformationen der von der infinitesimalen Transformation $\xi \frac{\partial f}{\partial x} + \eta \frac{\partial f}{\partial y}$ erzeugten Gruppe lassen sich, wie wir aus § 4 des 2. Kapitels wissen, auch so schreiben:

$$(11) \qquad x_1 = x + \xi(x, y)t + \cdots, \quad y_1 = y + \eta(x, y)t + \cdots,$$

indem wir uns die transformierten Variabeln x_1, y_1 nach dem Parameter t entwickelt denken. Wir drücken nun diese Transformationen in den neuen Veränderlichen aus: Es kommt zunächst nach (10) und (11):

$$\mathfrak{x}_1 = \Phi(x + \xi t + \cdots, \ y + \eta t + \cdots) =$$
$$= \Phi(x, y) + \left(\frac{\partial \Phi(x, y)}{\partial x} \xi + \frac{\partial \Phi(x, y)}{\partial y} \eta\right) t + \cdots,$$
$$\mathfrak{y}_1 = \Psi(x + \xi t + \cdots, \ y + \eta t + \cdots) =$$
$$= \Psi(x, y) + \left(\frac{\partial \Psi(x, y)}{\partial x} \xi + \frac{\partial \Psi(x, y)}{\partial y} \eta\right) t + \cdots,$$

also nach (9)

$$\mathfrak{x}_1 = \mathfrak{x} + \left(\frac{\partial \Phi(x, y)}{\partial x} \xi + \frac{\partial \Phi(x, y)}{\partial y} \eta\right) t + \cdots,$$
$$\mathfrak{y}_1 = \mathfrak{y} + \left(\frac{\partial \Psi(x, y)}{\partial x} \xi + \frac{\partial \Psi(x, y)}{\partial y} \eta\right) t + \cdots.$$

Demnach hat die infinitesimale Transformation der neuen Gruppe die Form:

$$\delta \mathfrak{x} = \left(\frac{\partial \Phi(x, y)}{\partial x} \xi + \frac{\partial \Phi(x, y)}{\partial y} \eta\right) \delta t + \cdots,$$
$$\delta \mathfrak{y} = \left(\frac{\partial \Psi(x, y)}{\partial x} \xi + \frac{\partial \Psi(x, y)}{\partial y} \eta\right) \delta t + \cdots,$$

wo natürlich rechts noch statt x und y vermöge (9) $\mathfrak{x}$ und $\mathfrak{y}$ eingeführt zu denken sind. Das Symbol dieser infinitesimalen Transformation aber ist

$$(12) \qquad \mathfrak{U}f \equiv \left(\frac{\partial \Phi(x, y)}{\partial x} \xi + \frac{\partial \Phi(x, y)}{\partial y} \eta\right) \frac{\partial f}{\partial \mathfrak{x}} + \\ + \left(\frac{\partial \Psi(x, y)}{\partial x} \xi + \frac{\partial \Psi(x, y)}{\partial y} \eta\right) \frac{\partial f}{\partial \mathfrak{y}}$$

oder auch nach (9):

$$\mathfrak{U}f \equiv \left(\frac{\partial \mathfrak{x}}{\partial x}\xi + \frac{\partial \mathfrak{x}}{\partial y}\eta\right)\frac{\partial f}{\partial \mathfrak{x}} + \left(\frac{\partial \mathfrak{y}}{\partial x}\xi + \frac{\partial \mathfrak{y}}{\partial y}\eta\right)\frac{\partial f}{\partial \mathfrak{y}}.$$

Hier ist nun der Coefficient von $\frac{\partial f}{\partial \mathfrak{x}}$ offenbar nichts anderes als $U\mathfrak{x}$ und ebenso der von $\frac{\partial f}{\partial \mathfrak{y}}$ gleich $U\mathfrak{y}$, sodass sich ergiebt:

$$\mathfrak{U}f \equiv U\mathfrak{x}\frac{\partial f}{\partial \mathfrak{x}} + U\mathfrak{y}\frac{\partial f}{\partial \mathfrak{y}}. \tag{13}$$

Hierin hat man sich $U\mathfrak{x}$ und $U\mathfrak{y}$ in den Veränderlichen $\mathfrak{x}$, $\mathfrak{y}$ ausgedrückt zu denken.

Nunmehr wollen wir *direct* die neuen Veränderlichen $\mathfrak{x}$, $\mathfrak{y}$ in das Symbol

$$Uf \equiv \xi\frac{\partial f}{\partial x} + \eta\frac{\partial f}{\partial y}$$

einführen. Es kommt, wenn f vermöge (9) statt in x, y in $\mathfrak{x}$ und $\mathfrak{y}$ geschrieben gedacht wird:

$$\frac{\partial f}{\partial x} = \frac{\partial f}{\partial \mathfrak{x}}\cdot\frac{\partial \mathfrak{x}}{\partial x} + \frac{\partial f}{\partial \mathfrak{y}}\cdot\frac{\partial \mathfrak{y}}{\partial x},$$

$$\frac{\partial f}{\partial y} = \frac{\partial f}{\partial \mathfrak{x}}\cdot\frac{\partial \mathfrak{x}}{\partial y} + \frac{\partial f}{\partial \mathfrak{y}}\cdot\frac{\partial \mathfrak{y}}{\partial y},$$

und Uf geht demnach über in

$$\xi\left(\frac{\partial f}{\partial \mathfrak{x}}\cdot\frac{\partial \mathfrak{x}}{\partial x} + \frac{\partial f}{\partial \mathfrak{y}}\cdot\frac{\partial \mathfrak{y}}{\partial x}\right) + \eta\left(\frac{\partial f}{\partial \mathfrak{x}}\cdot\frac{\partial \mathfrak{x}}{\partial y} + \frac{\partial f}{\partial \mathfrak{y}}\cdot\frac{\partial \mathfrak{y}}{\partial y}\right)$$

oder

$$U\mathfrak{x}\frac{\partial f}{\partial \mathfrak{x}} + U\mathfrak{y}\frac{\partial f}{\partial \mathfrak{y}},$$

also in das Symbol $\mathfrak{U}f$, wie es in (13) gefunden wurde.

Satz 2: *Führt man in die Gleichungen einer eingliedrigen Gruppe:*

$$x_1 = \varphi(x, y, t), \quad y_1 = \psi(x, y, t)$$

vermöge zweier cogredienter Gleichungensysteme:

$$\mathfrak{x} = \Phi(x, y), \quad \mathfrak{y} = \Psi(x, y),$$
$$\mathfrak{x}_1 = \Phi(x_1, y_1), \quad \mathfrak{y}_1 = \Psi(x_1, y_1)$$

die neuen Veränderlichen $\mathfrak{x}$, $\mathfrak{y}$; $\mathfrak{x}_1$, $\mathfrak{y}_1$ *ein, so kann man das Symbol* $\mathfrak{U}f$ *der infinitesimalen Transformation der neuen Gruppe direct durch Einführung der neuen Veränderlichen* $\mathfrak{x}$, $\mathfrak{y}$ *in das Symbol* Uf *der infinitesimalen Transformation der ursprünglichen Gruppe berechnen. Es kommt:*

$$\mathfrak{U}f \equiv U\mathfrak{x}\cdot\frac{\partial f}{\partial \mathfrak{x}} + U\mathfrak{y}\cdot\frac{\partial f}{\partial \mathfrak{y}},$$

wo natürlich $U\mathfrak{x}$ *und* $U\mathfrak{y}$ *durch* $\mathfrak{x}$, $\mathfrak{y}$ *allein auszudrücken sind.*

Dies Ergebnis liegt auch in der Natur der Sache: Das Symbol Uf ist ja nichts anderes als der Differentialquotient $\frac{df}{dt}$ der Function

$f(x_1, y_1)$ für den Wert $t = 0$ des Parameters, der der identischen Transformation zukommt. So waren wir ursprünglich auf das Symbol Uf gekommen. Bei dieser Auffassung ist

$$\frac{df}{dt} = Uf \equiv \xi \frac{\partial f}{\partial x} + \eta \frac{\partial f}{\partial y}$$

nichts anderes als eine Differentialgleichung, welche die Function f an der Stelle $t = 0$ erfüllen muss. Diese Differentialgleichung muss natürlich auch noch gelten, wenn neue unabhängige Veränderliche eingeführt werden.

Ueberführung einer Gruppe in eine andere.

Durch Einführung neuer Veränderlicher $\mathfrak{x}, \mathfrak{y}$ kann man eine vorgelegte infinitesimale Transformation

$$Uf \equiv \xi \frac{\partial f}{\partial x} + \eta \frac{\partial f}{\partial y}$$

auf jede beliebige andere Form

$$\mathfrak{U}f \equiv \bar{\xi}(\mathfrak{x}, \mathfrak{y}) \frac{\partial f}{\partial \mathfrak{x}} + \bar{\eta}(\mathfrak{x}, \mathfrak{y}) \frac{\partial f}{\partial \mathfrak{y}}$$

bringen. Man hat zu dem Zweck nach (13) die Veränderlichen $\mathfrak{x}, \mathfrak{y}$ als solche Functionen von x, y zu wählen, dass identisch für jedes f

$$\bar{\xi} \frac{\partial f}{\partial \mathfrak{x}} + \bar{\eta} \frac{\partial f}{\partial \mathfrak{y}} = U\mathfrak{x} \frac{\partial f}{\partial \mathfrak{x}} + U\mathfrak{y} \frac{\partial f}{\partial \mathfrak{y}}$$

wird. Diese Forderung zerfällt in die beiden einzelnen:

$$U\mathfrak{x} = \bar{\xi}, \quad U\mathfrak{y} = \bar{\eta}$$

oder ausführlich geschrieben:

$$\xi \frac{\partial \mathfrak{x}}{\partial x} + \eta \frac{\partial \mathfrak{x}}{\partial y} = \bar{\xi}, \quad \xi \frac{\partial \mathfrak{y}}{\partial x} + \eta \frac{\partial \mathfrak{y}}{\partial y} = \bar{\eta}.$$

Da es unabhängige Functionen $\mathfrak{x}, \mathfrak{y}$ von x, y giebt, welche diese Differentialgleichungen erfüllen, sobald nur nicht $\bar{\xi}$ und $\bar{\eta}$ beide $\equiv 0$ angenommen werden (denn dann würden $\mathfrak{x}$ und $\mathfrak{y}$ nicht von einander unabhängige Functionen sein), so ist die verlangte Variabelnänderung möglich.

Nach Satz 2 wird dabei gleichzeitig die von Uf erzeugte eingliedrige Gruppe in die von $\mathfrak{U}f$ erzeugte übergeführt. Daher:

Satz 3: *Durch Einführung neuer Veränderlicher kann jede eingliedrige Gruppe der Ebene in jede andere eingliedrige Gruppe derselben verwandelt werden.*

Reduction auf die canonische Form.

Verlangt man insbesondere, dass die neue infinitesimale Transformation die Form habe

$$\mathfrak{U}f \equiv \frac{\partial f}{\partial \mathfrak{y}},$$

so hat man die beiden Differentialgleichungen zu erfüllen:

$$(14)\qquad U\mathfrak{x} \equiv \xi \frac{\partial \mathfrak{x}}{\partial x} + \eta \frac{\partial \mathfrak{x}}{\partial y} = 0, \quad U\mathfrak{y} \equiv \xi \frac{\partial \mathfrak{y}}{\partial x} + \eta \frac{\partial \mathfrak{y}}{\partial y} = 1.$$

Die von $\mathfrak{U}f$ erzeugte Gruppe ist die der Translationen längs der $\mathfrak{y}$-Axe. Dies wissen wir aus früheren Beispielen, können es aber auch durch Integration des simultanen Systems

$$\frac{d\mathfrak{x}_1}{0} = \frac{d\mathfrak{y}_1}{1} = dt$$

mit den Anfangswerten $\mathfrak{x}$, $\mathfrak{y}$, 0 erkennen, denn dann ergeben sich die endlichen Gleichungen der von $\frac{\partial f}{\partial \mathfrak{y}}$ erzeugten Gruppe in der Form

$$\mathfrak{x}_1 = \mathfrak{x}, \quad \mathfrak{y}_1 = \mathfrak{y} + t.$$

Die hier betrachteten neuen Veränderlichen sind schon früher bei Ableitung des Theorems 3 (§ 1) vorgekommen. Damals fanden wir diese canonischen Variabeln ohne Integration der Differentialgleichungen (14) aus den endlichen Gleichungen der gegebenen Gruppe.

Wenn aber nur die infinitesimale Transformation Uf derselben gegeben ist, so muss man, um $\mathfrak{x}$ und $\mathfrak{y}$ zu finden, die Differentialgleichungen (14) integrieren. Die erste derselben ist der gewöhnlichen Differentialgleichung

$$\frac{dx}{\xi} = \frac{dy}{\eta}$$

äquivalent und liefert als Integral $\mathfrak{x}$. Hat man dies gefunden, so kann man die zweite Differentialgleichung (14) durch blosse Quadratur integrieren. Diese ist nämlich dem simultanen System

$$\frac{dx}{\xi} = \frac{dy}{\eta} = d\mathfrak{y}$$

äquivalent, von welchem $\mathfrak{x}(x, y)$ ein von $\mathfrak{y}$ freies bekanntes Integral ist. Wenn man also etwa aus

$$\frac{dx}{\xi} = d\mathfrak{y}$$

vermöge des gefundenen Integrals

$$\mathfrak{x}(x, y) = c \; (= \text{Const.})$$

y eliminiert, so wird die linke Seite eine Function von x allein, die allerdings noch c enthält. Eine Quadratur liefert daher $\mathfrak{y}$ als Function von x und c oder, wenn man wieder $c = \mathfrak{x}(x, y)$ setzt, als Function von x und y.

Satz 4: *Jede infinitesimale Transformation* $Uf \equiv \xi \frac{\partial f}{\partial x} + \eta \frac{\partial f}{\partial y}$ *kann durch Einführung zweckmässiger neuer Variabeln* $\mathfrak{x}$, $\mathfrak{y}$ *auf die Form* *einer infinitesimalen Translation* $\frac{\partial f}{\partial \mathfrak{y}}$ *gebracht werden. Die Bestimmung von* $\mathfrak{x}$ *erfordert die Integration der Differentialgleichung*

$$U\mathfrak{x} \equiv \xi \frac{\partial \mathfrak{x}}{\partial x} + \eta \frac{\partial \mathfrak{x}}{\partial y} = 0,$$

worauf sich $\mathfrak{y}$ *durch blosse Quadratur aus der Differentialgleichung*

$$U\mathfrak{y} \equiv \xi \frac{\partial \mathfrak{y}}{\partial x} + \eta \frac{\partial \mathfrak{y}}{\partial y} = 1$$

berechnen lässt.

Beispiel. *Beispiel:* Man soll die infinitesimale affine Transformation

$$Uf \equiv x \frac{\partial f}{\partial x}$$

auf die canonische Form $\frac{\partial f}{\partial \mathfrak{y}}$ bringen. Wir haben zu setzen:

$$x \frac{\partial f}{\partial x} = \frac{\partial f}{\partial \mathfrak{y}}.$$

Die Substitution: $f \equiv \mathfrak{x}$ giebt

$$x \frac{\partial \mathfrak{x}}{\partial x} = 0,$$

d. h. $\mathfrak{x}$ ist frei von x: $\mathfrak{x} = \varphi(y)$. Ferner giebt $f \equiv \mathfrak{y}$:

$$x \frac{\partial \mathfrak{y}}{\partial x} = 1,$$

also:

$$\mathfrak{y} = \lg x + \psi(y).$$

Wir können z. B.

$$\mathfrak{x} = y, \quad \mathfrak{y} = \lg x$$

setzen. (Vgl. § 3 des 1. Kap., wo nur $\mathfrak{x}$ und $\mathfrak{y}$ ihre Bedeutung vertauscht haben.)

§ 3. Reihenentwickelung der endlichen Gleichungen einer Gruppe.

Mit Benutzung des Symbols

$$Uf \equiv \xi \frac{\partial f}{\partial x} + \eta \frac{\partial f}{\partial y}$$

für die infinitesimale Transformation

$$x_1 = x + \xi \delta t + \cdots, \quad y_1 = y + \eta \delta t + \cdots$$

oder

$$\delta x = \xi \delta t + \cdots, \quad \delta y = \eta \delta t + \cdots$$

können wir die Integration des simultanen Systems

$$\frac{dx_1}{\xi(x_1, y_1)} = \frac{dy_1}{\eta(x_1, y_1)} = dt \tag{15}$$

mit den Anfangswerten x, y, 0, wodurch sich nach Theorem 1 (§ 4, 2. Kap.) die endlichen Gleichungen der von Uf erzeugten eingliedrigen

Gruppe ergeben, wirklich durchführen, allerdings vermittelst unendlicher Reihen.

Diese Integration soll x_1 und y_1 als Functionen von x, y und t oder, wenn man die Anfangswerte x, y als Constanten betrachtet, als Functionen von t darstellen. Jede Function $f_1 \equiv f(x_1, y_1)$ ist demnach als Function von t zu betrachten und wir haben nach dem Maclaurinschen Satze:

$$(16)\quad f_1 \equiv f(x_1, y_1) = \Big[f(x_1, y_1)\Big]_{t=0} + \frac{t}{1}\left[\frac{df_1}{dt}\right]_{t=0} + \frac{t^2}{1\cdot 2}\left[\frac{d^2 f_1}{dt^2}\right]_{t=0} + \cdots$$

Es ist nun

$$\frac{df_1}{dt} \equiv \frac{df(x_1, y_1)}{dt} \equiv \frac{\partial f_1}{\partial x_1}\frac{dx_1}{dt} + \frac{\partial f_1}{\partial y_1}\frac{dy_1}{dt}.$$

Nach (15) aber ist:

$$\frac{dx_1}{dt} = \xi(x_1, y_1), \quad \frac{dy_1}{dt} = \eta(x_1, y_1),$$

sodass kommt:

$$\frac{df_1}{dt} = \xi(x_1, y_1)\frac{\partial f_1}{\partial x_1} + \eta(x_1, y_1)\frac{\partial f_1}{\partial y_1}.$$

Diese Formel haben wir schon bei Einführung des Symbols der infinitesimalen Transformation (zu Anfang des § 2) gehabt. Die rechte Seite ist nichts anderes als Uf, aber geschrieben in x_1, y_1, was wir durch $U_1 f_1$ ausdrücken:

$$(17)\qquad \frac{df_1}{dt} = U_1 f_1.$$

Jede Function f_1 von x_1, y_1 giebt also nach t differenziert $U_1 f_1$. Eine solche Function ist aber $U_1 f_1$ selbst. Mithin ist

$$\frac{d(U_1 f_1)}{dt} = U_1(U_1 f_1).$$

Dies ist so zu verstehen, dass zuerst $U_1 f_1$ zu bilden ist und auf die dadurch hervorgehende Function $\varphi(x_1, y_1)$ nochmals $U_1 f$ auszuführen, also $U_1\varphi$ zu berechnen ist. Nach (17) ist also auch

$$\frac{d^2 f_1}{dt^2} = U_1(U_1 f_1).$$

Weiter differenzieren wir $U_1(U_1 f_1)$, das auch als Function von x_1, y_1 zu betrachten ist, nach t und erhalten analog

$$\frac{d^3 f_1}{dt^3} = U_1(U_1(U_1 f_1))$$

u. s. w., allgemein

$$(18)\qquad \frac{d^m f_1}{dt^m} = \underbrace{U_1\big(U_1(\cdots(U_1 f_1)\cdots)\big)}_{m\text{-mal}}.$$

Setzen wir nunmehr in dieser Formel $t = 0$, so gehen x_1, y_1 in x, y, $U_1 f_1$ in Uf, $U_1(U_1 f_1)$ in $U(Uf)$ u. s. w. über. Folglich kommt:

$$(19)\qquad \left[\frac{d^m f_1}{dt^m}\right]_{t=0} = \underbrace{U\big(U(\cdots(Uf)\cdots)\big)}_{m\text{-mal}}.$$

Reihenentwickelung einer beliebigen Function. Hiernach geht die Reihenentwickelung (16) über in diese:

$$(20)\qquad f_1 \equiv f(x_1, y_1) = f(x, y) + \frac{t}{1}\,Uf + \frac{t^2}{1\cdot 2}\,U(Uf) + \frac{t^3}{1\cdot 2\cdot 3}\,U(U(Uf)) + \cdots$$

und diese Formel gilt für jede Function $f(x_1, y_1)$ der transformierten Variabeln x_1, y_1, also auch für $f_1 \equiv x_1$ und $f \equiv y_1$, sodass insbesondere folgt:

$$(21)\qquad \begin{cases} x_1 = x + \frac{t}{1}\,Ux + \frac{t^2}{1\cdot 2}\,U(Ux) + \frac{t^3}{1\cdot 2\cdot 3}\,U(U(Ux)) + \cdots, \\ y_1 = y + \frac{t}{1}\,Uy + \frac{t^2}{1\cdot 2}\,U(Uy) + \frac{t^3}{1\cdot 2\cdot 3}\,U(U(Uy)) + \cdots. \end{cases}$$

Diese Gleichungen sind die, welche wir suchten. Sie drücken ja x_1, y_1 als Functionen von t und den Anfangswerten x, y aus, d. h. sie sind die endlichen Gleichungen der von Uf erzeugten eingliedrigen Gruppe. Da wir immer nur solche Gruppen betrachten, bei denen x_1 und y_1 analytische Functionen von x, y und t sind, so ist sicher, dass diese Reihen jedenfalls für Werte von t in der Nähe von $t = 0$ convergieren.

Theorem 4: *Die endlichen Gleichungen der von der infinitesimalen Transformation $Uf \equiv \xi \frac{\partial f}{\partial x} + \eta \frac{\partial f}{\partial y}$ erzeugten eingliedrigen Gruppe können in Form von Reihenentwickelungen nach dem Parameter t der Gruppe so geschrieben werden:*

$$x_1 = x + \frac{t}{1}\,Ux + \frac{t^2}{1\cdot 2}\,U(Ux) + \frac{t^3}{1\cdot 2\cdot 3}\,U(U(Ux)) + \cdots,$$

$$y_1 = y + \frac{t}{1}\,Uy + \frac{t^2}{1\cdot 2}\,U(Uy) + \frac{t^3}{1\cdot 2\cdot 3}\,U(U(Uy)) + \cdots,$$

und jede Function f von x_1, y_1 hat die Form:

$$f(x_1, y_1) = f(x, y) + \frac{t}{1}\,Uf(x, y) + \frac{t^2}{1\cdot 2}\,U(Uf(x, y)) + {} \\ + \frac{t^3}{1\cdot 2\cdot 3}\,U\big(U(Uf(x, y))\big) + \cdots.$$

Im vorigen Kapitel, im Theorem 1 (§ 4), berechneten wir nur die ersten Glieder der Reihenentwickelungen:

$$x_1 = x + \xi\,\frac{t}{1} + \left(\xi\,\frac{\partial \xi}{\partial x} + \eta\,\frac{\partial \xi}{\partial y}\right)\frac{t^2}{1\cdot 2} + \cdots,$$

$$y_1 = y + \eta\,\frac{t}{1} + \left(\xi\,\frac{\partial \eta}{\partial x} + \eta\,\frac{\partial \eta}{\partial y}\right)\frac{t^2}{1\cdot 2} + \cdots.$$

Schon damals leuchtete ein, dass die höheren Glieder durch ξ und η vollständig bestimmt sind. Das *Gesetz* der Reihenentwicklungen ist nun in unserem Theorem 4 angegeben. Durch diese Gesetzmässigkeit zeichnen sich die Reihenentwickelungen einer eingliedrigen *Gruppe* vor beliebigen Reihenentwickelungen nach Potenzen von t aus.

Wir wollen zu den Entwicklungen dieses und des vorhergehenden Paragraphen einige Beispiele geben.

1. Beispiel: Vorgelegt sei die infinitesimale Transformation Beispiele.

$$Uf \equiv - y \frac{\partial f}{\partial x} + x \frac{\partial f}{\partial y}.$$

In der Form (21) sollen die endlichen Gleichungen der von Uf erzeugten eingliedrigen Gruppe dargestellt werden.

Es ist hier offenbar:

$$\begin{aligned} Ux &\equiv -y, & Uy &\equiv x, \\ U(Ux) &\equiv -x, & U(Uy) &\equiv -y, \\ U(U(Ux)) &\equiv y, & U(U(Uy)) &\equiv -x, \\ U\big(U(U(Ux))\big) &\equiv x, & U\big(U(U(Uy))\big) &\equiv y \end{aligned}$$

u. s. w. Man erkennt leicht die Gesetzmässigkeit dieser Werte. Nach (21) kommt also:

$$x_1 = x - \frac{t}{1} y - \frac{t^2}{1 \cdot 2} x + \frac{t^3}{1 \cdot 2 \cdot 3} y + \frac{t^4}{1 \cdot 2 \cdot 3 \cdot 4} x - \cdots,$$

$$y_1 = y + \frac{t}{1} x - \frac{t^2}{1 \cdot 2} y - \frac{t^3}{1 \cdot 2 \cdot 3} x + \frac{t^4}{1 \cdot 2 \cdot 3 \cdot 4} y - \cdots$$

oder:

$$x_1 = x\left(1 - \frac{t^2}{1 \cdot 2} + \frac{t^4}{1 \cdot 2 \cdot 3 \cdot 4} - \cdots\right) - y\left(\frac{t}{1} - \frac{t^3}{1 \cdot 2 \cdot 3} + \cdots\right),$$

$$y_1 = x\left(\frac{t}{1} - \frac{t^3}{1 \cdot 2 \cdot 3} + \cdots\right) + y\left(1 - \frac{t^2}{1 \cdot 2} + \frac{t^4}{1 \cdot 2 \cdot 3 \cdot 4} - \cdots\right).$$

Nach bekannten Reihenentwickelungen ist also:

$$x_1 = x \cos t - y \sin t, \quad y_1 = x \sin t + y \cos t.$$

Die gesuchte Gruppe ist die der Rotationen um den Anfangspunkt, was wir auch aus unserem Beispiel in § 2 des 1. Kap. hätten entnehmen können.

Es soll nunmehr Uf auf die canonische Form, d. h. auf die Form der infinitesimalen Translation $\frac{\partial f}{\partial \mathfrak{y}}$ gebracht werden.

Nach Satz 4 sind die neuen Variabeln $\mathfrak{x}$, $\mathfrak{y}$ so zu wählen, dass

$$U\mathfrak{x} \equiv - y \frac{\partial \mathfrak{x}}{\partial x} + x \frac{\partial \mathfrak{x}}{\partial y} = 0,$$

$$U\mathfrak{y} \equiv - y \frac{\partial \mathfrak{y}}{\partial x} + x \frac{\partial \mathfrak{y}}{\partial y} = 1$$

wird. Die erste Differentialgleichung ist der gewöhnlichen Differentialgleichung

$$\frac{dx}{-y} = \frac{dy}{x}$$

oder:

$$xdx + ydy = 0$$

äquivalent und hat das Integral

$$\mathfrak{x} = x^2 + y^2.$$

Die zweite Differentialgleichung ist dem simultanen System

$$\frac{dx}{-y} = \frac{dy}{x} = d\mathfrak{y}$$

äquivalent. Zur Integration desselben, die durch eine Quadratur zu ermöglichen sein muss, brauchen wir übrigens nicht erst, wie es oben im Text geschah, y vermöge $x^2 + y^2 = c$ zu eliminieren. Es kommt nämlich:

$$dx = -yd\mathfrak{y}, \quad dy = xd\mathfrak{y}$$

und also:

$$xdy - ydx = (x^2 + y^2)d\mathfrak{y}$$

oder:

$$d\mathfrak{y} = \frac{xdy - ydx}{x^2 + y^2}.$$

Die rechte Seite ist nichts anderes als das Differential von arc tg $\frac{y}{x}$. Es ist daher:

$$\mathfrak{x} = x^2 + y^2, \quad \mathfrak{y} = \text{arc tg}\,\frac{y}{x}$$

zu setzen. Natürlich hätten wir auch $\mathfrak{x}$ in der Form $\sqrt{x^2 + y^2}$ annehmen können. Alsdann sind $\mathfrak{x}$ und $\mathfrak{y}$ die Polarcoordinaten r, φ. Wir gelangen also dann zu denselben canonischen Variabeln wie in § 2 des 1. Kap. (Vgl. auch Beispiel 1, Kap. 2, § 4.)

2. *Beispiel*: Man soll die endlichen Gleichungen der von der infinitesimalen Transformation

$$Uf \equiv x\frac{\partial f}{\partial x} + y\frac{\partial f}{\partial y}$$

erzeugten eingliedrigen Gruppe durch Reihenentwickelung darstellen.

Hier ist $Ux \equiv x$, $UUx \equiv x$ u. s. w., analog $Uy \equiv y$, $UUy \equiv y$ u. s. w. Also kommt nach (21):

$$x_1 = x + \frac{t}{1}\cdot x + \frac{t^2}{1\cdot 2}\cdot x + \cdots = x\,.\,e^t,$$

$$y_1 = y + \frac{t}{1}\cdot y + \frac{t^2}{1\cdot 2}\cdot y + \cdots = y\,.\,e^t.$$

Es ist dies die Gruppe der Ähnlichkeitstransformationen vom Anfangspunkt aus. Als Parameter kann anstatt t auch $a = e^t$ benutzt werden:

$$x_1 = ax, \quad y_1 = ay.$$

Allerdings entspricht dann nicht mehr dem Parameterwert 0 die identische Transformation, sondern dem Wert $a = 1$.

Um canonische Veränderliche $\mathfrak{x}$, $\mathfrak{y}$ einzuführen, welche die infinitesimale Transformation auf die Form $\frac{\partial f}{\partial \mathfrak{y}}$ bringen, haben wir nach Satz 4 anzusetzen:

$$U\mathfrak{x} \equiv x\frac{\partial \mathfrak{x}}{\partial x} + y\frac{\partial \mathfrak{x}}{\partial y} = 0,$$

$$U\mathfrak{y} \equiv x\frac{\partial \mathfrak{y}}{\partial x} + y\frac{\partial \mathfrak{y}}{\partial y} = 1.$$

Die erste Gleichung ergiebt, dass $\mathfrak{x}$ eine Function von $\frac{y}{x}$ ist, also etwa:

$$\mathfrak{x} = \frac{y}{x}.$$

Die zweite ist dem simultanen System

$$\frac{dx}{x} = \frac{dy}{y} = d\mathfrak{y}$$

äquivalent. Es darf also z. B.

$$\mathfrak{y} = \log x$$

gesetzt werden. In der That ist dann:

$$Uf \equiv x\frac{\partial f}{\partial x} + y\frac{\partial f}{\partial y} = U\mathfrak{x}\frac{\partial f}{\partial \mathfrak{x}} + U\mathfrak{y}\frac{\partial f}{\partial \mathfrak{y}} =$$

$$= U\left(\frac{y}{x}\right)\frac{\partial f}{\partial \mathfrak{x}} + U(\log x)\frac{\partial f}{\partial \mathfrak{y}} =$$

$$= \left(-x\cdot\frac{y}{x^2} + y\cdot\frac{1}{x}\right)\frac{\partial f}{\partial \mathfrak{x}} + x\cdot\frac{1}{x}\frac{\partial f}{\partial \mathfrak{y}} = \frac{\partial f}{\partial \mathfrak{y}}.$$

In ähnlicher Weise behandele man die infinitesimalen Transformationen:

3. Beispiel: $\qquad Uf \equiv x\frac{\partial f}{\partial x},$

4. Beispiel: $\qquad Uf \equiv x^2\frac{\partial f}{\partial x} + xy\frac{\partial f}{\partial y},$

5. Beispiel: $\qquad Uf \equiv e^x\frac{\partial f}{\partial x}.$

Man überzeuge sich jedesmal davon, dass die durch Reihenentwickelung erhaltenen endlichen Gleichungen wirklich Gruppen darstellen.

Kapitel 4.

Bestimmung aller Functionen und Curven, welche bei einer eingliedrigen Gruppe der Ebene invariant bleiben, insbesondere der Bahncurven.

Werfen wir einen Rückblick auf die beiden vorhergehenden Kapitel, so fällt in die Augen, welche hervorragende Stelle der Begriff der infinitesimalen Transformation in der Theorie der eingliedrigen Gruppen einnimmt. Die infinitesimale Transformation ist der wahre Repräsentant der eingliedrigen Gruppe; es wird sich nämlich später immer zeigen, dass alle auf die eingliedrige Gruppe bezüglichen Probleme durch Benutzung der infinitesimalen Transformation derselben allein gelöst werden können. Dies wird es gerechtfertigt erscheinen lassen, wenn wir öfters statt von der durch die infinitesimale Transformation Uf erzeugten eingliedrigen Gruppe kurz von der *eingliedrigen Gruppe* Uf sprechen.

Die Transformationen einer Gruppe stellen nun Operationen vor, durch welche die Punkte der Ebene in neue Lagen übergeführt werden. Es bietet sich demnach ganz von selbst die Frage dar, *welche Gebilde bei allen Transformationen der Gruppe ungeändert bleiben*, indem zwar die Punkte eines solchen Gebildes durch die Transformationen der Gruppe in neue Lagen kommen, aber doch immer wieder in Punkte desselben Gebildes übergehen. Das hiermit angedeutete Problem hat zwei Seiten, eine analytische und eine geometrische. Einerseits kann man nach allen *Functionen* $\Omega(x, y)$ respective allen *Gleichungen* $\Omega(x, y) = \text{Const.}$ fragen, welche bei allen Transformationen der Gruppe ungeändert bleiben, andererseits nach allen *Curven* $\Omega(x, y) = 0$, welche bei allen Transformationen der Gruppe ungeändert bleiben.

Mit diesen beiden Problemen werden wir uns in diesem Kapitel beschäftigen.

§ 1. Die Invarianten einer eingliedrigen Gruppe in der Ebene.

Die wichtigen Reihenentwickelungen im Theorem 4 (3. Kap., § 3) liefern fast unmittelbar die Bestimmung aller *Functionen* $\Omega(x, y)$ welche bei allen Transformationen der eingliedrigen Gruppe

(1) $$x_1 = \varphi(x, y, t), \quad y_1 = \psi(x, y, t),$$

deren infinitesimale Transformation

$$Uf \equiv \xi \frac{\partial f}{\partial x} + \eta \frac{\partial f}{\partial y}$$

ist, *ungeändert bleiben*, d. h. für welche bei beliebigem t stets Invariante Functionen.

$$\Omega(x_1, y_1) = \Omega(x, y)$$

ist. Nach jenem Theorem lässt sich ja $\Omega(x_1, y_1)$ in eine Reihe nach t entwickeln und unsere Forderung sich so schreiben:

$$\Omega(x, y) + \frac{t}{1} U\Omega(x, y) + \frac{t^2}{1 \cdot 2} U(U\Omega(x, y)) + \cdots = \Omega(x, y).$$

Diese Gleichung soll für jedes t erfüllt sein. Insbesondere muss also:

$$U\Omega(x, y) \equiv 0$$

sein. Offenbar ist aber alsdann der Forderung auch für jedes t genügt, denn dann ist

$$U(U\Omega(x, y)) \equiv U(0) \equiv 0$$

u. s. w.

Theorem 5: *Eine Function $\Omega(x, y)$ bleibt invariant bei allen Transformationen einer eingliedrigen Gruppe Uf dann und nur dann, wenn identisch $U\Omega(x, y) = 0$ ist.*

Die Bedingung $U\Omega = 0$ stellt offenbar eine lineare partielle Differentialgleichung dar:

$$\xi \frac{\partial \Omega}{\partial x} + \eta \frac{\partial \Omega}{\partial y} = 0.$$

Da dieselbe immer Lösungen besitzt, so giebt es sicher eine Invariante Ω, aber auch *nur eine* im wesentlichen, denn mit Ω erfüllt zwar jede Function $F(\Omega)$ die Gleichung, aber keine sonstige Function.

Satz 1: *Jede Function einer Invariante einer eingliedrigen Gruppe der Ebene ist wieder eine Invariante derselben, und alle Invarianten der Gruppe lassen sich als Functionen einer einzigen Invariante darstellen.*

Wenn man eine Schar von ∞^1 Transformationen der Ebene betrachtet, die *keine Gruppe* bilden, so steht die Sache wesentlich anders. Z. B. die ∞^1 Transformationen

$$x_1 = x + 1, \quad y_1 = y + t$$

bilden keine Gruppe, denn führt man die zweite Transformation:

$$x_2 = x_1 + 1, \quad y_2 = y_1 + t_1$$

nach dieser ersten aus, so ist die Reihenfolge beider der Transformation

$$x_2 = x + 2, \quad y_2 = y + (t + t_1)$$

äquivalent, welche *nicht* der Schar angehört. Auch solche Scharen von ∞^1 Transformationen können Invarianten haben. Die Function $\operatorname{tg} \pi x$ z. B. bleibt bei jeder Transformation:

$$x_1 = x + 1, \quad y_1 = y + t$$

ungeändert, da $\operatorname{tg} \pi x_1 = \operatorname{tg} \pi(x + 1) = \operatorname{tg} \pi x$ ist. Aber mit $\operatorname{tg} \pi x$ ist nicht jede Function von $\operatorname{tg} \pi x$ invariant, sonst müsste ja x eine Invariante sein, während doch x bei jeder Transformation der Schar um 1 wächst.

Ein anderes hierhergehöriges Beispiel bietet die Schar von ∞^1 Transformationen

$$x_1 = -x, \quad y_1 = y + t,$$

welche ebenfalls keine Gruppe bilden. Hier ist zwar x^2 eine Invariante, aber nicht x selbst.

Andere Scharen von ∞^1 Transformationen, die keine Gruppe bilden, besitzen überhaupt keine Invariante. Dies ist der Fall bei der Schar:

$$x_1 = xt, \quad y_1 = y + t - 1.$$

Eine Invariante $\Omega(x, y)$ derselben müsste die Gleichung erfüllen:

$$\Omega(xt, y + t - 1) = \Omega(x, y)$$

und zwar für jedes t. Für $t = 1$ ist sie erfüllt. Für $t = 1 + \delta t$ kommt:

$$\Omega(x + x\delta t, y + \delta t) = \Omega(x, y)$$

oder, wenn man die linke Seite entwickelt

$$\Omega(x, y) + \frac{\partial \Omega(x, y)}{\partial x} x \delta t + \frac{\partial \Omega(x, y)}{\partial y} \delta t = \Omega(x, y),$$

d. h.

$$\frac{\partial \Omega(x, y)}{\partial x} x + \frac{\partial \Omega(x, y)}{\partial y} = 0.$$

Diese Differentialgleichung wird von jeder Function

$$\Omega = F(xe^{-y})$$

erfüllt. Soll eine solche bei allen Transformationen

$$x_1 = xt, \quad y_1 = y + t - 1$$

invariant sein, so muss also

$$F(x_1 e^{-y_1}) = F(xte^{-y-t+1}) = F(te^{-t+1}xe^{-y}) = F(xe^{-y})$$

sein. Da t beliebig ist, ist dies nur dann möglich, wenn F bloss eine Constante ist. Die vorliegende Schar besitzt also gar keine Invariante.

Die Invarianten einer eingliedrigen Gruppe sind, oder sagen wir, da es im wesentlichen nur eine giebt, die Invariante einer eingliedrigen Gruppe ist einer einfachen geometrischen Deutung fähig. Um diese auseinanderzusetzen, bedarf es jedoch einiger Vorbereitungen.

§ 2. Die Bahncurven einer eingliedrigen Gruppe der Ebene.

Wir wollen uns auf einen beliebigen Punkt p_0 mit den Coordinaten x_0, y_0 alle Transformationen unserer eingliedrigen Gruppe

(1) $$x_1 = \varphi(x, y, t), \quad y_1 = \psi(x, y, t)$$

ausgeführt denken. Bei diesen Transformationen geht er über in die Punkte (x, y), welche durch die Gleichungen

$$(2) \qquad x = \varphi(x_0, y_0, t), \quad y = \psi(x_0, y_0, t)$$

bestimmt werden, in denen t willkürlich ist.

Den Ort aller ∞^1 Punkte, in welche ein bestimmter Punkt p_0 der Ebene vermöge aller Transformationen (2) der vorgelegten Gruppe übergeführt werden kann, nennen wir seine *Bahncurve.* Die Gleichung derselben ergiebt sich durch Elimination von t aus den beiden Gleichungen (2) in der Form Bahncurve.

$$\omega(x, y, x_0, y_0) = 0,$$

in der x_0, y_0, die Coordinaten des ursprünglichen Punktes, die Rolle von Constanten spielen. Die Gleichungen (2) geben für jedes t einen Punkt (x, y) der Curve, insbesondere geben sie für den der identischen Transformation entsprechenden Parameterwert, also etwa für $t = 0$, den Punkt p_0 selbst.

In dem Wesen des Gruppenbegriffs liegt es, dass *alle* Punkte auf der Bahncurve des Punktes p_0 eben diese Curve auch zur Bahncurve haben. Eine gewisse Transformation der Gruppe nämlich wird p_0 in einen beliebigen anderen Punkt p_1 auf der Bahncurve von p_0 überführen. Wenn man nun auf p_1 irgend eine Transformation der Gruppe ausübt, so wird dieselbe etwa p_1 nach p_2 bringen. Auch p_2 liegt, wie wir beweisen werden, auf der Bahncurve von p_0. In der That, die Aufeinanderfolge jener beiden Transformationen der Gruppe, deren erste p_0 nach p_1, deren zweite p_1 nach p_2 brachte, ist gemäss der Gruppendefinition einer einzigen Transformation der Gruppe äquivalent, welche direct p_0 nach p_2 versetzt. Aber alle Transformationen der Gruppe führen p_0 stets in Punkte seiner Bahncurve über, also auch diese, welche p_0 nach p_2 bringt. Demnach liegt p_2, der Punkt, in welchen p_1 bei einer beliebigen Transformation der Gruppe übergeht, auf der Bahncurve von p_0.

Satz 2: *Ist, bei einer eingliedrigen Gruppe der Ebene, p_1 ein Punkt auf der Bahncurve des Punktes p_0, so ist diese Curve auch Bahncurve des Punktes p_1.*

Zu jedem Punkt gehört also eine Bahncurve, *jede Bahncurve aber ist Bahncurve für ihre ∞^1 Punkte.*

Die Überlegung, welche zum Satz 2 führte, lässt sich in einige wenige Gleichungen zusammenfassen, wenn man von einer einfachen Symbolik Gebrauch macht, die wir, da sie auch später benutzt wird, hier kurz auseinandersetzen: Wir wollen unter T_a, T_b, $T_c \cdots$ die Transformationen unserer Gruppe verstehen, welche den Parameterwerten $t = a, b, c \cdots$ zugehören, und unter $T_a T_b$ die successive Ausführung der Transformationen T_a und T_b oder also die Transformation

T verstehen, welche der Aufeinanderfolge von T_a und T_b äquivalent ist und auch der Gruppe angehört. Da diese Transformation T von den Parameterwerten a und b abhängt, werden wir sie besser noch mit $T_{(ab)}$ bezeichnen. Die Äquivalenz der Reihenfolge von T_a und T_b mit $T_{(ab)}$ können wir in Form einer symbolischen Gleichung ausdrücken:

$$T_a\, T_b = T_{(ab)},$$

die weiter nichts als diese Äquivalenz ausdrücken soll. $(p_0)T_a$ ferner soll der Punkt p_1 sein, in welchen p_0 durch Ausführung der Transformation T_a übergeht, was wir symbolisch so schreiben:

$$p_1 = (p_0)T_a \quad (p_0)T_a = (p_1).$$

Unsere obige Beweisführung stellt sich nun so dar: Ist

$$p_1 = (p_0)T_a,$$

so ist, wenn noch T_b ausgeführt wird:

$$(p_1)T_b = (p_0)T_a\,T_b$$

oder, da

$$T_a T_b = T_{(ab)}$$

ist:

$$(p_1)T_b = (p_0)T_{(ab)}.$$

$(p_0)T_{(ab)}$ ist aber ein Punkt der Bahncurve von p_0, $(p_1)T_b$ ein beliebiger Punkt der Bahncurve von p_1. Letztere Bahncurve fällt also mit der ersteren zusammen.

Satz 2 können wir auch so aussprechen:

Satz 3: *Jede eingliedrige Gruppe der Ebene besitzt* ∞^1 *Bahncurven.*

Diese ∞^1 Bahncurven überdecken die ganze Ebene, da jeder Punkt, der nicht überhaupt bei allen Transformationen der Gruppe in Ruhe bleibt — und diese sind nur Ausnahmestellen —, eine Bahncurve besitzt.

Wenn wir auf den Punkt p_0 insbesondere die infinitesimale Transformation der Gruppe ausüben, so muss er natürlich auch in einen Punkt seiner Bahncurve übergehen. Dabei bewegt sich aber der Punkt p_0 nur unendlich wenig und zwar in der Fortschreitungsrichtung, welche die infinitesimale Transformation ihm zuordnet. Also:

Satz 4: *Die Richtung einer Bahncurve stimmt in jedem Punkte mit der Richtung überein, welche die infinitesimale Transformation der eingliedrigen Gruppe dem Punkte zuordnet.*

Oder auch:

Satz 5: *Ein Punkt, welcher beständig der ihm durch die infinitesimale Transformation der eingliedrigen Gruppe jeweils zugeordneten Richtung folgt, beschreibt eine Bahncurve.*

Mit den Bahncurven unserer eingliedrigen Gruppe hängt nun die

Invariante derselben, die wir im vorigen Paragraphen betrachteten, eng zusammen. Es stelle nämlich

$$\omega(x, y) = \text{Const.}$$

die Schar der Bahncurven dar. Führen wir eine allgemeine Transformation

$$x_1 = \varphi(x, y, t), \quad y_1 = \psi(x, y, t)$$

der Gruppe aus, so gehen alle Punkte (x, y) der Bahncurve $\omega(x, y) = c$ wieder in Punkte (x_1, y_1) derselben Bahncurve über, d. h. es ist sicher

$$\omega(x_1, y_1) = c,$$

sobald $\omega(x, y) = c$ ist, und zwar für alle Werte von x, y, t und c. Es ist also notwendig

$$\omega(x_1, y_1) = \omega(x, y)$$

für alle Werte von x, y und t, d. h. $\omega(x, y)$ ist eine Invariante der Gruppe.

Setzen wir andererseits eine Invariante $\Omega(x, y)$ der Gruppe gleich einer Constanten, so stellt sie eine Bahncurve dar, denn die Definitionsgleichung der Invariante

$$\Omega(x_1, y_1) = \Omega(x, y)$$

sagt aus, dass auch der von der Stelle (x, y) der Curve $\Omega(x, y) = c$ nach der Stelle (x_1, y_1) transformierte Punkt auf der Curve $\Omega(x, y) = c$ liegt.

Satz 6: *Die Invariante einer eingliedrigen Gruppe der Ebene ist dadurch charakterisiert, dass sie, gleich einer Constanten gesetzt, die Bahncurven definiert.*

Es erhellt dies schliesslich auch aus der Gleichung

$$U\Omega \equiv \xi \frac{\partial \Omega}{\partial x} + \eta \frac{\partial \Omega}{\partial y} = 0,$$

welche die Invariante Ω erfüllen muss. Erinnern wir uns nämlich an den engen Zusammenhang, der zwischen der Gleichung $Uf = 0$ und der gewöhnlichen Differentialgleichung

$$\frac{dx}{\xi} = \frac{dy}{\eta}$$

besteht (vgl. § 5 des 1. Kap.), so folgt ohne weiteres, dass die Curve $\Omega(x, y) = \text{Const.}$ in jedem ihrer Punkte (x, y) die Richtung $\frac{dy}{dx} = \frac{\eta}{\xi}$ besitzt, welche die infinitesimale Transformation der Gruppe dem betreffenden Punkt zuordnet, dass also die Curve Bahncurve ist.

Die Invariante Ω ist Lösung der linearen partiellen Differentialgleichung

$$\xi \frac{\partial \Omega}{\partial x} + \eta \frac{\partial \Omega}{\partial y} = 0.$$

Ihre Auffindung erfordert also eine Integration. Kennt man jedoch die endlichen Gleichungen der Gruppe

$$x_1 = \varphi(x, y, t), \quad y_1 = \psi(x, y, t), \tag{1}$$

so kann man die Bahncurven und mit ihnen die Invariante durch bloss algebraische Operationen bestimmen. Wir fanden ja die Bahncurve des Punktes (x_0, y_0) durch Elimination von t aus

$$x = \varphi(x_0, y_0, t), \quad y = \psi(x_0, y_0, t)$$

in der Form

$$W(x, y, x_0, y_0) = 0.$$

Da es nur ∞^1 Bahncurven giebt, treten die Constanten x_0, y_0 hierin nur in einer Verbindung auf und die letzte Gleichung der ∞^1 Bahncurven lässt sich also umformen:

$$f(x, y, c) = 0,$$

sodass die Auflösung nach der (von x_0 und y_0 abhängigen) Constanten c die Invariante

$$\Omega(x, y) = c$$

liefert. Am bequemsten verführt man, um die zwei Constanten x_0, y_0 auf eine einzige zu reducieren, so, dass man y_0 einen bestimmten Zahlenwert, wie z. B. 1, erteilt. Alsdann stellt

$$W(x, y, x_0, 1) = 0$$

alle von den Punkten der Geraden $y = 1$ ausgehenden Bahncurven dar, also alle Bahncurven überhaupt (sobald nicht etwa $y = 1$ selbst eine invariante Curve ist). Auflösung nach x_0 liefert nun etwa

$$\omega(x, y) = x_0$$

und $\omega(x, y)$ ist demnach die Invariante.

Satz 7: *Die Bahncurven und die Invariante einer eingliedrigen Gruppe der Ebene lassen sich auf rein algebraischem Wege finden, sobald die endlichen Gleichungen der Gruppe bekannt sind.*

Die früheren Beispiele von ∞^1 Transformationen, die keine Gruppe bilden (siehe Schluss des § 1), wollen wir jetzt geometrisch erläutern.

Wir sahen, dass die Schar:

$$x_1 = x + 1, \quad y_1 = y + t,$$

die keine Gruppe ist, die Invariante $\operatorname{tg} \pi x$ besitzt, während x keine Invariante ist. Das geometrische Gebilde, welches durch $\operatorname{tg} \pi x = c$ dargestellt wird, wo c eine beliebige, aber bestimmte Constante sein soll, ist eine Schar von ∞^1 *discreten* Geraden, die sämtlich der y-Axe parallel laufen und die Abstände 1 von einander haben. Bei einer jeden der obigen Transformationen bleibt in der That die Gesamtheit dieser Reihe von Geraden ungeändert, indem sie die Punkte einer jeden dieser Geraden in die der nächsten Geraden der Schar überführt. Von Bahncurven kann hier nicht die Rede sein, da die Punkte sich bei jeder Transformation sprungweise ändern, indem x um 1 wächst.

Auch bei der Schar von ∞^1 Transformationen

$$x_1 = -x, \quad y_1 = y + t,$$

die keine Gruppe bilden und, wie wir sahen, die Invariante x^2 besitzen, giebt es keine Curven, die wir etwa als Bahncurven bezeichnen könnten. $x^2 = c$ stellt zwei Geraden parallel der y-Axe dar. Ihr Inbegriff bleibt insofern bei allen obigen Transformationen ungeändert, als dieselben die Punkte der einen Geraden in die der anderen überführen und umgekehrt.

Bei der Schar von ∞^1 Transformationen dagegen:

$$x_1 = xt, \quad y_1 = y + t - 1,$$

die auch keine Gruppe bilden und, wie wir sahen, keine Invariante besitzen, kann man sehr wohl von Bahncurven sprechen, da hier die identische Transformation und eine infinitesimale Transformation, nämlich $x\frac{\partial f}{\partial x} + \frac{\partial f}{\partial y}$, vorkommt. Der Punkt (x_0, y_0) wird durch die Transformationen der Schar in die Punkte:

$$x = x_0 t, \quad y = y_0 + t - 1$$

übergeführt, also in die Punkte der Geraden:

$$\frac{x}{x_0} - y = 1 - y_0,$$

die durch (x_0, y_0) selbst hindurchgeht. Wir bemerken aber, dass jeder Punkt dieser Geraden wieder eine andere Gerade, nicht diese, als Bahncurve hat, indem die obige Gleichung ∞^2 verschiedene Geraden darstellt. Obgleich es hier einen Sinn hat, von Bahncurven zu reden, ist doch der Satz 2 oder 3 bei der vorliegenden Schar von ∞^1 Transformationen, die keine Gruppe bilden, nicht erfüllt.

§ 3. Die bei allen Transformationen einer eingliedrigen Gruppe der Ebene invarianten Curven.

Die Bahncurven haben die Eigentümlichkeit, dass eine jede für sich als Ganzes aufgefasst bei allen Transformationen der eingliedrigen Gruppe in Ruhe bleibt, indem alle Punkte der Curve wieder in Punkte derselben übergeführt werden.

Fragt man andererseits überhaupt nach einer *Curve, welche als Ganzes aufgefasst bei der Gruppe in Ruhe bleibt*, so findet man, dass dieselbe eine Bahncurve ist, sobald es wenigstens einen Punkt auf ihr giebt, der nicht bei allen Transformationen der Gruppe in Ruhe bleibt. Denn dieser Punkt geht ja bei Ausführung aller Transformationen der Gruppe über in Punkte seiner Bahncurve, während er doch auf der gesuchten Curve verbleiben soll. Invariante Curve.

Es ist nun aber auch möglich, dass Curven existieren, deren sämtliche Punkte bei allen Transformationen der eingliedrigen Gruppe, und zwar jeder für sich, in Ruhe bleiben. Dann ist selbstverständlich auch die ganze Curve invariant, aber sie ist doch keine Bahncurve. Dass dies wirklich vorkommt, haben wir in § 3 des 1. Kap. bei der eingliedrigen Gruppe der affinen Transformationen gesehen. Analytisch lassen sich leicht die Bedingungen dafür angeben und die Mittel zu ihrer Bestimmung finden: Ein Punkt, der bei der ganzen Gruppe in Ruhe bleiben soll, bleibt bei der infinitesimalen Transformation

Invarianter Punkt.

$$Uf \equiv \xi \frac{\partial f}{\partial x} + \eta \frac{\partial f}{\partial y}$$

der Gruppe invariant, d. h. für ihn sind ξ und η Null. Die Coordinaten x, y solcher Punkte bestimmen sich also aus dem Gleichungenpaar

$$\xi(x, y) = 0, \quad \eta(x, y) = 0.$$

Es liegt nahe zu vermuten, dass jeder solche Punkt bei allen Transformationen der Gruppe in Ruhe bleibt, denn er bleibt bei der infinitesimalen Transformation ungeändert und eine allgemeine Transformation der Gruppe geht durch fortwährende Ausführung der infinitesimalen Transformation hervor. Analytisch folgt es mit voller Stringenz aus den endlichen Gleichungen der Gruppe:

$$(3) \qquad \begin{cases} x_1 = x + \frac{t}{1} Ux + \frac{t^2}{1 \cdot 2} U(Ux) + \cdots, \\ y_1 = y + \frac{t}{1} Uy + \frac{t^2}{1 \cdot 2} U(Uy) + \cdots, \end{cases}$$

denn es ist für den Punkt (x, y) sowohl ξ als η Null, mithin auch jeder Ausdruck von der Form $U\omega \equiv \xi \frac{\partial \omega}{\partial x} + \eta \frac{\partial \omega}{\partial y}$, also auch $U(Ux)$, $U(Uy)$ u. s. w. Es kommt daher: $x_1 = x$, $y_1 = y$.

Es ist nun denkbar, dass die beiden Gleichungen

$$\xi(x, y) = 0, \quad \eta(x, y) = 0$$

nicht eine discrete Anzahl von Punkten (x, y), sondern eine oder einige continuierliche Scharen derselben liefern. Alsdann sind die von ihnen gebildeten Curven eben invariante Curven der besprochenen zweiten Art.

Eine *Curve* kann also auf *zweierlei Arten* bei der eingliedrigen Gruppe *invariant* sein, entweder als *Bahncurve* oder als eine *Curve von lauter einzeln invarianten Punkten.* Es fragt sich nun, ob ein gemeinsames analytisches Kriterium für invariante Curven der ersten und zweiten Art aufgestellt werden kann.

Kriterium der Invarianz einer Curve.

Die Curve

$$\omega(x, y) = 0$$

ist invariant, wenn die Punkte (x, y) derselben bei einer beliebigen Transformation der Gruppe in Punkte (x_1, y_1) derselben Curve übergehen, d. h. wenn

$$\omega(x_1, y_1) = 0$$

ist vermöge

$$\omega(x, y) = 0.$$

Nach Theorem 4 (3. Cap. § 3) muss also

$$\omega(x, y) + \frac{t}{1} U\omega + \frac{t^2}{1 \cdot 2} U(U\omega) + \cdots = 0$$

sein vermöge $\omega(x, y) = 0$ und zwar für jedes t. Dies liefert als ein notwendiges Kriterium, dass

$$U\omega = 0$$

oder ausführlich geschrieben:

$$\xi \frac{\partial \omega}{\partial x} + \eta \frac{\partial \omega}{\partial y} = 0$$

sein muss vermöge $\omega = 0$. Dies ist nun auf zweierlei Weisen möglich: Entweder sind ξ und η, die Coefficienten, einzeln beide Null. Alsdann sind alle Punkte (x, y) der Curve für sich invariant, also ist es auch die ganze Curve. Oder aber zweitens längs der ganzen Curve $\omega = 0$ ist die Tangentialneigung

$$\frac{dy}{dx} = \frac{\eta}{\xi},$$

d. h. die Curve ist Bahncurve. Das als *notwendig* erkannte Kriterium: $U\omega = 0$ vermöge $\omega = 0$ führt also gerade nur auf invariante Curven, ist daher auch *hinreichend.*

Allerdings wäre es auch drittens möglich, dass $\frac{\partial \omega}{\partial x}$ und $\frac{\partial \omega}{\partial y}$ einzeln vermöge $\omega = 0$ verschwinden. Dies tritt z. B. ein, wenn man den Kreis mit Radius 1 um den Anfangspunkt durch die Gleichung $(x^2 + y^2 - 1)^2 = 0$ darstellt. Aber wir können immer voraussetzen, dass die Gleichung der Curve so geschrieben sei, dass dies nicht der Fall ist. Denn man braucht sie nur etwa in der nach y aufgelösten Form

$$\omega \equiv y - f(x) = 0$$

anzunehmen, in der $\frac{\partial \omega}{\partial y} \equiv 1$, also nicht Null vermöge $\omega = 0$ ist.

Somit hat sich ergeben:

Theorem 6: *Es giebt zweierlei Curven, welche bei einer eingliedrigen Gruppe*

$$Uf \equiv \xi \frac{\partial f}{\partial x} + \eta \frac{\partial f}{\partial y}$$

der Ebene invariant sein können. Die einen, stets vorkommenden, sind die ∞^1 Bahncurven der Gruppe; sie werden erhalten, indem man die Invariante der Gruppe einer Constanten gleich *setzt. Die Curven der andern Art bestehen aus lauter einzeln invarianten Punkten, für welche* $\xi(x, y) = \eta(x, y) = 0$ *ist.*

Für beide Curvenarten gilt das Kriterium: Die Curve oder die Gleichung $\omega(x, y) = 0$ *ist bei der eingliedrigen Gruppe dann und nur dann invariant, wenn* $U\omega = 0$ *ist vermöge* $\omega = 0$, *dabei vorausgesetzt, dass die Gleichung* $\omega = 0$ *in solcher Form angenommen wird, dass nicht etwa* $\frac{\partial\omega}{\partial x}$ *und* $\frac{\partial\omega}{\partial y}$ *einzeln beide vermöge* $\omega = 0$ *verschwinden.*

Zu unserem Kriterium machen wir noch eine Bemerkung: Da das Verschwinden von $U\omega$ vermöge $\omega = 0$ die rein geometrische Bedeutung hat, dass $\omega = 0$ eine bei der Gruppe Uf invariante Curve ist, und da diese geometrische Bedeutung unabhängig von der Wahl der Coordinaten und der speciellen analytischen Darstellungsform der Curve ist, so folgt:

Satz 8: *Ist bei einer infinitesimalen Transformation* Uf *in zwei Veränderlichen* x, y *der Ausdruck* $U\omega(x, y) = 0$ *vermöge* $\omega(x, y) = 0$, *so gilt das entsprechende auch bei Einführung von anderen Veränderlichen und unabhängig von der Darstellungsform der Gleichung* $\omega = 0$, *wenn nur nicht* $\frac{\partial\omega}{\partial x}$ *und* $\frac{\partial\omega}{\partial y}$ *vermöge* $\omega = 0$ *beide verschwinden.*

Das Kriterium lässt sich noch in etwas anderer Weise aussprechen. Es liegt ja ausserordentlich nahe, sich der Redeweise zu bedienen, dass die Curve $\omega(x, y) = 0$ die infinitesimale Transformation Uf gestattet, d. h. bei ihr invariant bleibt, wenn $U\omega = 0$ vermöge $\omega = 0$ ist, denn die durch Uf transformierten Veränderlichen

$$x_1 = x + \xi\delta t, \quad y_1 = y + \eta\delta t$$

müssen, soll $\omega = 0$ die infinitesimale Transformation Uf gestatten, die Gleichung $\omega(x_1, y_1) = 0$ vermöge $\omega(x, y) = 0$ erfüllen und dies liefert:

$$\omega(x + \xi\delta t, \quad y + \eta\delta t) = 0$$

oder

$$\xi\frac{\partial\omega}{\partial x} + \eta\frac{\partial\omega}{\partial y} = 0,$$

d. h. $U\omega = 0$ vermöge $\omega = 0$.

Da wir sahen, dass dies Kriterium auch hinreichend dafür ist, dass die Curve bei allen Transformationen der Gruppe invariant bleibt oder, wie wir auch häufig sagen werden, dass sie alle Transformationen der Gruppe gestattet, so folgt:

Satz 9: *Eine Curve oder Gleichung* $\omega(x, y) = 0$ *gestattet alle Transformationen der eingliedrigen Gruppe* Uf *der Ebene, sobald sie die infinitesimale Transformation* Uf *zulässt.*

Eine Reihe einfacher Beispiele soll die Entwickelungen dieses Kapitels erläutern, indem wir die Curven und Punkte aufsuchen, welche bei gewissen durch ihre infinitesimale Transformation Uf gegebenen eingliedrigen Gruppen invariant bleiben. Beispiele.

1. Beispiel: Sei

$$Uf \equiv x \frac{\partial f}{\partial x}.$$

Die von Uf erzeugte eingliedrige Gruppe ist die der affinen Transformationen:

$$x_1 = x \cdot e^t, \quad y_1 = y.$$

Hier ist die Invariante Ω zu bestimmen aus

$$x \frac{\partial \Omega}{\partial x} = 0.$$

Daher darf $\Omega \equiv y$ angenommen werden. Die Curven $y =$ Const. sind also die Bahncurven. Um die eventuell existierenden Curven mit lauter einzeln invarianten Punkten zu finden, haben wir $\xi = \eta = 0$ zu setzen. Dies giebt hier nur $x = 0$, d. h. alle Punkte der y-Axe sind invariant. Die y-Axe ist folglich auch eine invariante Curve. Schematisch deuten wir diese Ergebnisse durch die Fig. 5 an, in welcher die Pfeile längs der Bahncurven $y =$ Const. die Richtungen angeben, in welchen sich die Punkte vermöge der infinitesimalen Transformation $x \frac{\partial f}{\partial x}$ bewegen. Natürlich würden alle Pfeile umzukehren sein, wenn man die infinitesimale Transformation in der Form $-x \frac{\partial f}{\partial x}$ angenommen hätte.

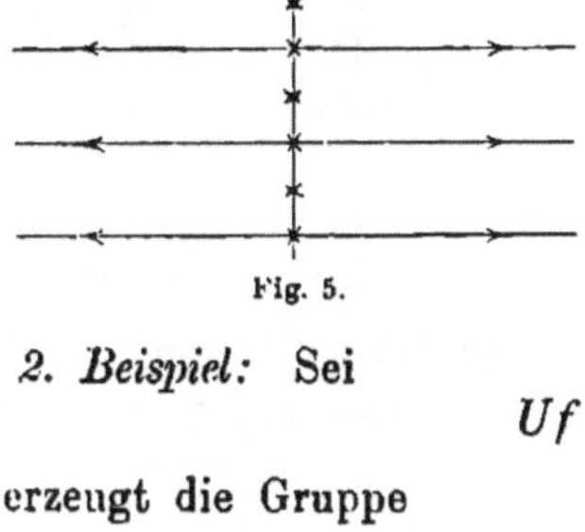

Fig. 5.

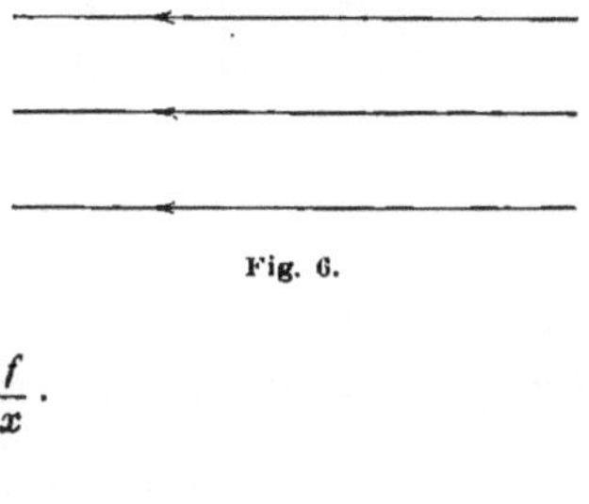

Fig. 6.

2. Beispiel: Sei

$$Uf \equiv y \frac{\partial f}{\partial x}.$$

Uf erzeugt die Gruppe

$$x_1 = x + yt, \quad y_1 = y.$$

Auch hier ist die Invariante $\Omega \equiv y$ zu setzen und die Curven $y =$ Const. sind die Bahncurven. Für die einzeln invarianten Punkte haben wir die Bedingung $y = 0$, d. h. alle Punkte der x-Axe sind einzeln invariant. Daher vorstehendes Schema (Fig. 6). Man bemerke, dass die Gerade $y = 0$, deren Punkte sämtlich in Ruhe bleiben, der Schar der Bahncurven angehört.

3. Beispiel: Die infinitesimale Transformation der eingliedrigen Gruppe der Rotationen lautet:

$$Uf \equiv -y \frac{\partial f}{\partial x} + x \frac{\partial f}{\partial y}.$$

Die Invariante Ω bestimmt sich aus:

$$-y \frac{\partial \Omega}{\partial x} + x \frac{\partial \Omega}{\partial y} = 0.$$

Da

$$\frac{dx}{-y} = \frac{dy}{x}$$

oder

$$xdx + ydy = 0$$

die zugehörige gew. Differentialgleichung ist, so ist die Invariante $\Omega \equiv x^2 + y^2$ zu setzen. Die Bahncurven sind, wie wir ja schon wissen, die Kreise um den Anfangspunkt: $x^2 + y^2 =$ Const. Setzen wir hier $\xi = \eta = 0$, so kommt nur ein einzelner invarianter Punkt, nämlich der Anfangspunkt. Vgl. die Fig. 7.

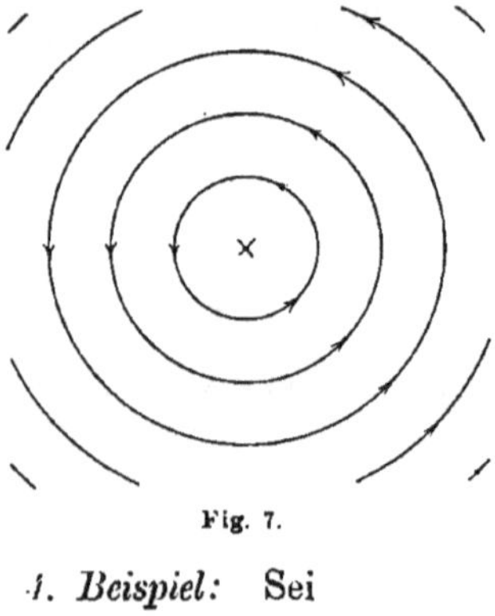

Fig. 7.

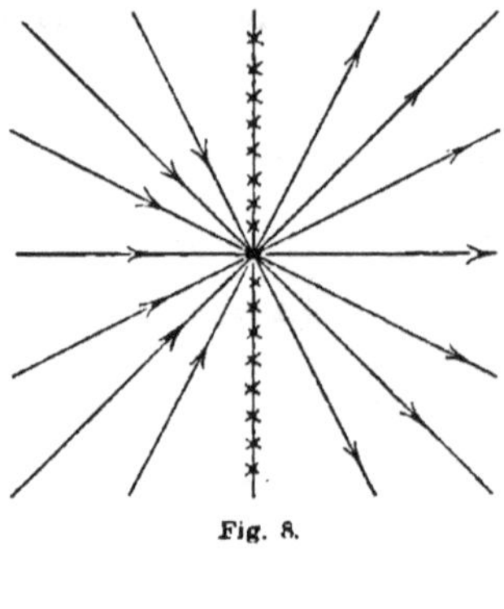

Fig. 8.

4. Beispiel: Sei

$$Uf \equiv x^2 \frac{\partial f}{\partial x} + xy \frac{\partial f}{\partial y}.$$

Die Invariante Ω der von Uf erzeugten eingliedrigen Gruppe muss die Gleichung $U\Omega = 0$ erfüllen oder also die Gleichung:

$$x \frac{\partial \Omega}{\partial x} + y \frac{\partial \Omega}{\partial y} = 0.$$

Daher ist $\Omega \equiv \frac{y}{x}$ zu setzen. Die Bahncurven sind also die Geraden $\frac{y}{x} =$ Const. Die einzeln invarianten Punkte ergeben sich aus $\xi = \eta = 0$. Es kommt $x^2 = xy = 0$ oder $x = 0$. Also ist die y-Axe eine invariante Gerade, bestehend aus lauter invarianten Punkten (Fig. 8). Die endlichen Gleichungen der Gruppe sind, wie man berechnen möge:

$$x_1 = \frac{x}{1 - xt}, \quad y_1 = \frac{y}{1 - xt}.$$

Weitere Beispiele zur Bearbeitung: Uf habe eine der Formen:

$$1) \quad x \frac{\partial f}{\partial x} + y \frac{\partial f}{\partial y},$$

$$2) \quad x \frac{\partial f}{\partial x} - y \frac{\partial f}{\partial y},$$

$$3) \quad x^2 \frac{\partial f}{\partial x} + y^2 \frac{\partial f}{\partial y}.$$

Man bestimme die invarianten Curven und Punkte bei den betreffenden von Uf erzeugten eingliedrigen Gruppen und berechne die endlichen Gleichungen dieser Gruppen entweder durch directe Integration des bekannten simultanen Systems oder durch Benutzung der Reihenentwickelung.

Man beweise, dass der Kreis

$$x^2 + y^2 = 1$$

bei allen Transformationen der von der infinitesimalen Transformation

$$\left(x - \frac{1}{2x}\right) \frac{\partial f}{\partial x} + \left(y - \frac{1}{2y}\right) \frac{\partial f}{\partial y}$$

erzeugten eingliedrigen Gruppe invariant bleibt, und zwar ohne die endlichen Gleichungen dieser Gruppe zu benutzen.

§ 4. Einige wichtige Klassen von infinitesimalen Transformationen der Ebene.

Im Anschluss an die in den bisherigen Kapiteln dargestellten Theorien wollen wir in diesem Paragraphen gewisse interessante Gattungen von infinitesimalen Transformationen besprechen.

1) *Die projectiven infinitesimalen Transformationen.* — Unter einer projectiven Transformation der Ebene versteht man eine solche, welche alle Punkte einer beliebig gewählten Geraden wieder in die Punkte einer Geraden überführt. Aus der projectiven Geometrie entlehnen wir hier die Thatsache, dass eine projective Transformation der Ebene allgemein dargestellt wird durch zwei Gleichungen von der Form:

Projective Transformation.

$$(4) \qquad x_1 = \frac{ax + by + c}{dx + ey + g}, \quad y_1 = \frac{hx + ky + l}{dx + ey + g},$$

in denen also die *Nenner* beider Brüche dieselben sind. Dass diese Transformation alle Punkte einer Geraden wieder in die einer Geraden verwandelt, ist leicht zu verificieren: Die Punkte (x, y) der Geraden

$$y = \varkappa x + m$$

werden in Punkte (x_1, y_1) übergeführt, für die

$$x_1 = \frac{(a + b\varkappa)\,x + bm + c}{(d + e\varkappa)\,x + em + g}, \quad y_1 = \frac{(h + k\varkappa)\,x + km + l}{(d + e\varkappa)\,x + em + g}$$

ist. Durch Elimination von x folgt hieraus für den Ort der transformierten Punkte (x_1, y_1) die Gleichung:

$$\begin{vmatrix} (d + e\varkappa)x_1 - (a + b\varkappa) & (em + g)x_1 - (bm + c) \\ (d + e\varkappa)y_1 - (h + k\varkappa) & (em + g)\,y_1 - (km + l) \end{vmatrix} = 0.$$

Dieselbe ist linear in x_1, y_1, denn die quadratischen Glieder x_1, y_1 heben sich gerade weg. Sie stellt daher ebenfalls eine *Gerade* dar, auf der alle transformierten Punkte (x_1, y_1) liegen.

Andererseits lehrt diese Betrachtung aber nicht, dass die Transformation (4) die allgemeinste ist, welche alle Punkte einer beliebigen Geraden wieder in die Punkte einer Geraden überführt. Dies entnehmen wir vielmehr, wie gesagt, aus der projectiven Geometrie.

Die Transformation (4) ist die identische, wenn a, g und k gleich 1, alle anderen Constanten gleich 0 sind. Wünschen wir eine *infinitesimale* projective Transformation zu erhalten, so haben wir also den Constanten a, g und k unendlich wenig von 1, den übrigen Constanten unendlich wenig von 0 abweichende Werte zu erteilen. So kommt:

$$x_1 = \frac{(1 + \delta a)x + \delta b \cdot y + \delta c}{\delta d \cdot x + \delta e \cdot y + 1 + \delta g}, \quad y_1 = \frac{\delta h \cdot x + (1 + \delta k)\,y + \delta l}{\delta d \cdot x + \delta e \cdot y + 1 + \delta g}.$$

Bis auf unendlich kleine Grössen höherer Ordnung ist aber bekanntlich

$$\frac{1}{\delta d \cdot x + \delta e \cdot y + 1 + \delta g} = 1 - \delta d \cdot x - \delta e \cdot y - \delta g$$

und daher kommt:

$$x_1 = [(1 + \delta a)x + \delta b \cdot y + \delta c]\,[1 - \delta d \cdot x - \delta e \cdot y - \delta g],$$
$$y_1 = [\delta h \cdot x + (1 + \delta k) \cdot y + \delta l]\,[1 - \delta d \cdot x - \delta e \cdot y - \delta g],$$

oder, wenn man ausrechnet und die unendlich kleinen Grössen zweiter Ordnung nicht mehr berücksichtigt,

$$x_1 = (1 - \delta d \cdot x - \delta e \cdot y - \delta g)x + \delta a \cdot x + \delta b \cdot y + \delta c,$$
$$y_1 = (1 - \delta d \cdot x - \delta e \cdot y - \delta g)y + \delta h \cdot x + \delta k \cdot y + \delta l,$$

d. h. x und y erhalten die Incremente:

$$\delta x \equiv x_1 - x = \delta c + (\delta a - \delta g) x + \delta b \cdot y - \delta d \cdot x^2 - \delta e \cdot xy,$$
$$\delta y \equiv y_1 - y = \delta l + \delta h \cdot x + (\delta k - \delta g) y - \delta d \cdot xy - \delta e \cdot y^2,$$

oder, wenn man die infinitesimalen Constanten anders bezeichnet:

$$\delta x = (a + cx + dy + hx^2 + kxy)\,\delta t,$$
$$\delta y = (b + ex + gy + hxy + ky^2)\,\delta t,$$

sodass die gefundene infinitesimale projective Transformation der Ebene das Symbol besitzt:

$$Uf \equiv (a + cx + dy + hx^2 + kxy)\frac{\partial f}{\partial x} + (b + ex + gy + hxy + ky^2)\frac{\partial f}{\partial y}.$$

Wir werden später an passender Stelle beweisen, dass hiermit die allgemeinste infinitesimale projective Transformation der Ebene gefunden ist*).

Die 8 Constanten $a, b, c \cdots k$ können irgendwie angenommen werden. Setzt man sieben derselben gleich 0, die übrigbleibende gleich 1, so ergeben sich die folgenden 8 infinitesimalen projectiven Transformationen:

$$\frac{\partial f}{\partial x}, \quad \frac{\partial f}{\partial y}; \quad x\frac{\partial f}{\partial x}, \quad y\frac{\partial f}{\partial x}, \quad x\frac{\partial f}{\partial y}, \quad y\frac{\partial f}{\partial y};$$
$$x^2\frac{\partial f}{\partial x} + xy\frac{\partial f}{\partial y}, \quad xy\frac{\partial f}{\partial x} + y^2\frac{\partial f}{\partial y},$$

und die oben gefundene infinitesimale projective Transformation Uf kann man dadurch herstellen, dass man diese 8 speciellen mit Constanten multipliciert und addiert.

Unter den infinitesimalen projectiven Transformationen sind offenbar auch einige uns schon bekannte enthalten: die infinitesimalen Translationen, die infinitesimale Rotation um den Anfangspunkt, die infinitesimale Ähnlichkeitstransformation vom Anfangspunkt aus und die infinitesimale affine Transformation längs der x-Axe. Es ist geometrisch einleuchtend, dass alle diese projectiv sind, d. h. alle Punkte einer beliebigen Geraden wieder in die Punkte einer solchen überführen.

Eine gute Übung ist es, die bei den oben angegebenen 8 infinitesimalen projectiven Transformationen invarianten Punkte und Curven zu bestimmen. Auch ist es nicht schwer, die endlichen Gleichungen der von diesen 8 infinitesimalen Transformationen erzeugten eingliedrigen Gruppen durch Integration der betreffenden simultanen Systeme aufzustellen.

---

*) Man bemerke, dass die Incremente δx und δy, welche eine beliebige infinitesimale projective Transformation den Coordinaten x, y erteilt, *ganze* Functionen (zweiten Grades) von x, y sind.

Die bei der infinitesimalen projectiven Transformation

$$Uf \equiv (a + cx + dy + hx^2 + kxy)\frac{\partial f}{\partial x} + (b + ex + gy + hxy + ky^2)\frac{\partial f}{\partial y}$$

invarianten Punkte x, y ergeben sich durch Nullsetzen der beiden Coefficienten:

$$a + cx + dy + hx^2 + kxy = 0,$$
$$b + ex + gy + hxy + ky^2 = 0.$$

Diese beiden quadratischen Gleichungen müssen wir durch gemeinsame Wurzelpaare x, y zu befriedigen suchen. Die erste ist linear in y und giebt:

$$y = -\frac{a + cx + hx^2}{d + kx}.$$

Setzt man diesen Wert in die zweite ein, so wird sie nicht vom vierten, sondern nur vom *dritten* Gerade in x, d. h. es giebt (im allgemeinen) drei Wertepaare x, y, und mithin lässt die infinitesimale projective Transformation Uf im allgemeinen drei verschiedene Punkte invariant. Es ist dann selbstverständlich, dass die Seiten des von diesen drei Punkten gebildeten Dreiecks invariante Geraden sein müssen, denn jede dieser Geraden geht ja wieder in eine Gerade über, während doch zwei Punkte auf ihr fest bleiben. Wäre noch eine vierte Gerade invariant, so würden ihre Schnittpunkte mit den drei anderen invariante Punkte sein. Da es aber deren nur drei giebt, so folgt, dass im allgemeinen keine vierte invariante Gerade existiert. Das invariante Gebilde von Punkten und Geraden ist also ein Dreieck.

Wohlbemerkt können für specielle projective Transformationen (z. B. für die Translationen) ganz andere Umstände statthaben, denn es ist möglich, dass die obige Auflösung der beiden quadratischen Gleichungen bei besonderer Wahl der Constanten $a, b, c \cdots k$ zu ganz anderen Ergebnissen führt. Doch wollen wir hier nur den allgemeinen Fall in Betracht ziehen. Ein tieferes Eingehen auf diese wichtige, wenn auch einfache Frage ist hier noch nicht am Platze.

Um nun die *Bahncurven* der von Uf erzeugten eingliedrigen projectiven Gruppe zu bestimmen, wollen wir das Coordinatensystem so wählen, dass die beiden Axen und die unendlich ferne Gerade jenes invariante Dreieck bilden. (Dies lässt sich immer durch eine projective Umformung des Coordinatensystems erreichen.) Alsdann haben die Constanten $a, b, c \cdots k$ in Uf specielle Werte. Da zunächst der Anfangspunkt in Ruhe bleiben soll, so muss $a = b = 0$ sein (denn für $x = y = 0$ müssen ξ und η verschwinden). Der unendlich ferne Punkt der x-Axe ist invariant, wenn jede Gerade, die ihn enthält, also jede

Gerade $x = \text{Const.}$, in eine ebensolche transformiert wird. Ist also $x = \text{Const.}$ gesetzt, so muss auch $x + \delta x = \text{Const.}$, d. h. δx muss frei von y sein. Demnach ist $d = k = 0$. Analog ist $e = h = 0$, sodass bleibt:

$$Uf \equiv cx \frac{\partial f}{\partial x} + gy \frac{\partial f}{\partial y}.$$

Die endlichen Gleichungen der von Uf erzeugten eingliedrigen Gruppe ergeben sich entweder durch Integration des simultanen Systems

$$\frac{dx_1}{cx_1} = \frac{dy_1}{gy_1} = dt$$

in der Form

$$\frac{1}{c} \lg x_1 - t = \frac{1}{c} \lg x,$$

$$\frac{1}{g} \lg y_1 - t = \frac{1}{g} \lg y,$$

d. h. aufgelöst in der Form

$$x_1 = xe^{ct}, \quad y_1 = ye^{gt},$$

oder durch Reihenentwickelung. Es ist ja hier

$$Ux = cx, \quad UUx = c^2x, \quad \cdots,$$

$$Uy = gy, \quad UUy = g^2y, \quad \cdots,$$

sodass kommt:

$$x_1 = x + cx\frac{t}{1} + c^2x\frac{t^2}{1\cdot 2} + \cdots = xe^{ct},$$

$$y_1 = y + gy\frac{t}{1} + g^2y\frac{t^2}{1\cdot 2} + \cdots = ye^{gt}.$$

Die Bahncurven finden wir, indem wir aus

$$x = x_0e^{ct}, \quad y = y_0e^{gt}$$

t eliminieren. Dies giebt als Bahncurve

$$\left(\frac{x}{x_0}\right)^g = \left(\frac{y}{y_0}\right)^c$$

oder, wenn $x_0^g : y_0^c = \gamma$ (= Const.) gesetzt wird:

$$x^g - \gamma y^c = 0.$$

Man sieht, dass die Bahncurven algebraische Curven sind, wenn g und c in rationalem Verhältnis stehen. Für $c = 1$, $g = 2$ z. B. sind sie die Kegelschnitte:

$$x^2 - \gamma y = 0,$$

d. h. alle Kegelschnitte, welche zwei Seiten des invarianten Dreiecks, nämlich die x-Axe und die unendlich ferne Gerade, in ihren Schnittpunkten mit der dritten Seite, der y-Axe, berühren.

Ist $c : g$ nicht rational, so sind die Bahncurven

$$x^g - \gamma y^c = 0$$

transcendent. Um uns eine Vorstellung von ihrem Verlaufe zu machen, bemerken wir, dass ihre Differentialgleichung lautet:

$$\frac{dx}{cx} - \frac{dy}{gy} = 0,$$

also die Differentialgleichung ihrer orthogonalen Trajectorien diese ist:

$$\frac{dx}{gy} + \frac{dy}{cx} = 0$$

oder:

$$cxdx + gydy = 0,$$

deren Integralcurven die Kegelschnitte

$$cx^2 + gy^2 = \text{Const.}$$

sind. Mithin sind die Bahncurven von Uf die orthogonalen Trajectorien *) einer Schar von ähnlichen und ähnlich gelegenen Kegelschnitten, deren Axen in den Coordinatenaxen liegen. (Siehe Fig. 9.)

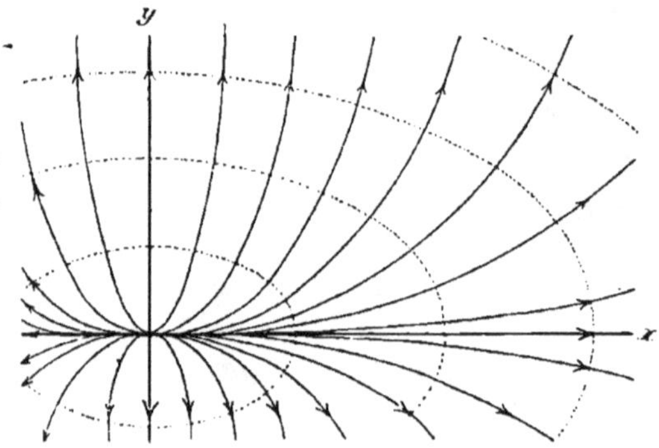

Fig. 9.

Conforme Transformation.

2) *Die conformen oder winkeltreuen infinitesimalen Transformationen.* — Eine Punkttransformation heisst conform, wenn sie zwei beliebige sich in einem Punkte p schneidende Curven in Curven überführt, die sich in dem aus p nach p_1 transformierten Punkte unter *demselben Winkel* schneiden wie die ursprünglichen Curven in p.

Wir wollen aus der Functionentheorie entnehmen, dass jede solche Transformation dadurch dargestellt wird, dass man die transformierten Coordinaten x_1, y_1 dem reellen Teile und dem Factor des mit $i = \sqrt{-1}$ behafteten Teiles einer beliebigen Function von $x \pm iy$ gleich setzt, also annimmt:

$$x_1 + iy_1 = \varphi(x \pm iy).$$

Soll diese Transformation infinitesimal, etwa $\xi \frac{\partial f}{\partial x} + \eta \frac{\partial f}{\partial y}$, sein, so muss $x_1 + iy_1$ unendlich wenig von $x + iy$ verschieden sein. Es ist

*) Ein geometrisches Studium *aller* Curven, die eine infinitesimale projective Transformation gestatten, wurde zuerst ausgeführt von **Klein** und **Lie** in den Math. Annalen Bd. 3. Die im Texte gegebene geometrische Definition der Curven $x^g - \gamma y^c = 0$ rührt von **Scheffers** her.

also dann nur das obere Vorzeichen zu berücksichtigen und zu setzen:

$$x_1 + iy_1 = x + iy + \psi(x + iy)\,\delta t.$$

ξ und η sind also der reelle Teil und der Factor des mit i behafteten Teiles der Function $\psi(x + iy)$, d. h. es ist

$$\xi + i\eta = \psi(x + iy).$$

ψ erfüllt als complexe Function die Bedingung

$$\frac{\partial \psi}{\partial x} + i\frac{\partial \psi}{\partial y} = 0,$$

und diese ist auch hinreichend für ψ. Also folgt*): Die infinitesimale Transformation

$$\xi\frac{\partial f}{\partial x} + \eta\frac{\partial f}{\partial y}$$

ist dann und nur dann conform, wenn ξ und η die Bedingung erfüllen:

$$\frac{\partial \xi}{\partial x} + i\frac{\partial \eta}{\partial x} + i\frac{\partial \xi}{\partial y} - \frac{\partial \eta}{\partial y} = 0.$$

Z. B. die infinitesimale projective Transformation

$$Uf \equiv (a + cx + dy + hx^2 + kxy)\frac{\partial f}{\partial x} +$$
$$+ (b + ex + gy + hxy + ky^2)\frac{\partial f}{\partial y}$$

ist conform, wenn:

$$(c + 2hx + ky) + i(e + hy) + i(d + kx) - (g + hx + 2ky) = 0,$$

d. h. — da dies für alle x, y gelten soll — wenn:

$$c + ic + id - g = 0, \quad h + ik = 0$$

ist. Soll sie insbesondere auch reell sein, so muss also einzeln

$$c = g, \quad e + d = 0, \quad h = 0, \quad k = 0$$

sein, und somit hat die allgemeine reelle conforme und infinitesimale projective Transformation das Symbol:

$$(a + cx + dy)\frac{\partial f}{\partial x} + (b - dx + cy)\frac{\partial f}{\partial y}.$$

Dasselbe setzt sich linear mit Constanten zusammen aus den vier einzelnen conformen und projectiven Transformationssymbolen:

$$\frac{\partial f}{\partial x}, \quad \frac{\partial f}{\partial y}, \quad x\frac{\partial f}{\partial x} + y\frac{\partial f}{\partial y}, \quad y\frac{\partial f}{\partial x} - x\frac{\partial f}{\partial y}.$$

Diese stellen die Translationen, die Ähnlichkeitstransformation vom

---

*) An einer anderen Stelle werden wir zeigen, dass eben die Gruppentheorie die einfachste Bestimmung der grössten continuierlichen Gruppe von conformen Transformationen des n-fach ausgedehnten Raumes liefert.

Anfangspunkt aus und die Rotationen um den Anfangspunkt dar, die auch geometrisch sich sofort als conform erweisen.

Flächentreue Transformation.

3) *Die flächentreuen infinitesimalen Transformationen.* — Wir nennen eine Transformation flächentreu, wenn sie eine beliebige geschlossene Curve stets in eine geschlossene Curve überführt, welche denselben Flächeninhalt hat wie jene. Insbesondere sei

$$Uf \equiv \xi \frac{\partial f}{\partial x} + \eta \frac{\partial f}{\partial y}$$

eine infinitesimale flächentreue Transformation. Man kann zeigen, dass für eine solche

$$\frac{\partial \xi}{\partial x} + \frac{\partial \eta}{\partial y} = 0$$

ist.

Zu dem Ende betrachten wir das Dreieck Δ, das von den drei Punkten mit den Coordinaten

$$\begin{gathered} x, \; y, \\ x + a, \quad y + b, \\ x + \alpha, \quad y + \beta \end{gathered}$$

gebildet wird. Der doppelte Inhalt desselben ist bekanntlich

$$V = a\beta - \alpha b.$$

Der Punkt (x, y) wird nun durch Uf übergeführt in:

$$x_1 = x + \xi\delta t, \quad y_1 = y + \eta\delta t. \tag{5}$$

Ferner geht der Punkt $(x + a, y + b)$ über in einen Punkt $(x_1 + a_1, y_1 + b_1)$, für den:

$$\begin{aligned} x_1 + a_1 &= x + a + \xi(x + a, y + b)\delta t, \\ y_1 + b_1 &= y + b + \eta(x + a, y + b)\delta t \end{aligned}$$

ist oder, wenn man nach a und b entwickelt:

$$\begin{aligned} x_1 + a_1 &= x + a + \xi(x, y)\delta t + \left(\frac{\partial \xi}{\partial x} a + \frac{\partial \xi}{\partial y} b\right) \delta t + \cdots, \\ y_1 + b_1 &= y + b + \eta(x, y)\delta t + \left(\frac{\partial \eta}{\partial x} a + \frac{\partial \eta}{\partial y} b\right) \delta t + \cdots. \end{aligned}$$

Werden a, b und α, β infinitesimal angenommen, d. h. wird das Dreieck Δ unendlich klein, so können wir diese Entwickelungen mit den in a, b linearen Gliedern abbrechen und erhalten:

$$\begin{aligned} x_1 + a_1 &= x + a + \xi\delta t + \left(\frac{\partial \xi}{\partial x} a + \frac{\partial \xi}{\partial y} b\right) \delta t, \\ y_1 + b_1 &= y + b + \eta\delta t + \left(\frac{\partial \eta}{\partial x} a + \frac{\partial \eta}{\partial y} b\right) \delta t, \end{aligned}$$

oder wegen (5):

$$(6)\qquad \begin{cases} a_1 = a + \left(\frac{\partial \xi}{\partial x} a + \frac{\partial \xi}{\partial y} b\right) \delta t, \\ b_1 = b + \left(\frac{\partial \eta}{\partial x} a + \frac{\partial \eta}{\partial y} b\right) \delta t. \end{cases}$$

Analog geht der Punkt $(x + \alpha,\ y + \beta)$ bei Uf in einen Punkt $(x_1 + \alpha_1,\ y_1 + \beta_1)$ über, für den

$$(7)\qquad \begin{cases} \alpha_1 = \alpha + \left(\frac{\partial \xi}{\partial x} \alpha + \frac{\partial \xi}{\partial y} \beta\right) \delta t, \\ \beta_1 = \beta + \left(\frac{\partial \eta}{\partial x} \alpha + \frac{\partial \eta}{\partial y} \beta\right) \delta t \end{cases}$$

ist. Nun war

$$V = a\beta - \alpha b$$

der (jetzt von zweiter Ordnung unendlich kleine) doppelte Inhalt des infinitesimalen Dreiecks $\varDelta$. Analog ist

$$V_1 = a_1 \beta_1 - \alpha_1 b_1$$

der doppelte Inhalt des infinitesimalen Dreiecks $\varDelta_1$, in welches $\varDelta$ durch Uf übergeführt wird. Die infinitesimale Transformation Uf soll flächentreu, d. h.

$$V_1 = V$$

sein. Dies giebt nach (6) und (7):

$$\left[a + \left(\frac{\partial \xi}{\partial x} a + \frac{\partial \xi}{\partial y} b\right)\delta t\right]\left[\beta + \left(\frac{\partial \eta}{\partial x} \alpha + \frac{\partial \eta}{\partial y} \beta\right)\delta t\right] -$$
$$-\left[\alpha + \left(\frac{\partial \xi}{\partial x} \alpha + \frac{\partial \xi}{\partial y} \beta\right)\delta t\right]\left[b + \left(\frac{\partial \eta}{\partial x} a + \frac{\partial \eta}{\partial y} b\right)\delta t\right] = a\beta - \alpha b$$

oder, wenn man ausrechnet, wobei sich die Glieder 2. Ordnung fortheben, und die Glieder von höherer als 3. Ordnung vernachlässigt:

$$a\left(\frac{\partial \eta}{\partial x} \alpha + \frac{\partial \eta}{\partial y} \beta\right) + \left(\frac{\partial \xi}{\partial x} a + \frac{\partial \xi}{\partial y} b\right)\beta -$$
$$-\alpha\left(\frac{\partial \eta}{\partial x} a + \frac{\partial \eta}{\partial y} b\right) - \left(\frac{\partial \xi}{\partial x} \alpha + \frac{\partial \xi}{\partial y} \beta\right) b = 0.$$

Hierin heben sich einige Glieder fort. Da diese Bedingung für alle infinitesimalen Dreiecke $\varDelta$, d. h. für alle infinitesimalen Werte von a, α, b, β erfüllt sein muss, so kommt einfach

$$\frac{\partial \xi}{\partial x} + \frac{\partial \eta}{\partial y} = 0.$$

Diese Gleichung müssen also alle flächentreuen infinitesimalen Transformationen erfüllen.

Man kann auch beweisen, dass, wenn umgekehrt ξ und η diese Bedingung erfüllen, alsdann die infinitesimale Transformation

$$Uf \equiv \xi \frac{\partial f}{\partial x} + \eta \frac{\partial f}{\partial y}$$

flächentreu ist. Wir wollen jedoch hierauf nicht weiter eingehen.

Die flächentreue Transformation Uf können wir noch etwas anders schreiben: Wegen

$$\frac{\partial \xi}{\partial x} = \frac{\partial(-\eta)}{\partial y}$$

lassen sich ξ und $-\eta$ als die Differentialquotienten einer einzigen Function $\varrho(x, y)$ auffassen:

$$\xi \equiv \frac{\partial \varrho}{\partial y}, \quad \eta \equiv -\frac{\partial \varrho}{\partial x},$$

sodass die infinitesimale flächentreue Transformation allgemein die Form hat:

$$Uf \equiv \frac{\partial \varrho}{\partial y}\frac{\partial f}{\partial x} - \frac{\partial \varrho}{\partial x}\frac{\partial f}{\partial y}.$$

Hierbei bedeutet ϱ eine irgendwie gewählte Function von x und y.

So z. B. giebt

$$\varrho \equiv \frac{x^2 + y^2}{2}$$

die infinitesimale Rotation

$$y\frac{\partial f}{\partial x} - x\frac{\partial f}{\partial y},$$

die selbstverständlich flächentreu ist. $\varrho \equiv ax + by$ giebt eine infinitesimale Translation.

Setzt man ferner:

$$\varrho \equiv \lg \frac{y}{x},$$

so ergiebt sich die flächentreue Transformation

$$\frac{1}{y}\frac{\partial f}{\partial x} + \frac{1}{x}\frac{\partial f}{\partial y}.$$

Die endlichen Gleichungen der von ihr erzeugten eingliedrigen Gruppe lauten:

$$x_1 = \sqrt{\frac{x}{y}(xy + 2t)}, \quad y_1 = \sqrt{\frac{y}{x}(xy + 2t)}$$

u. s. w.

Die Bahncurven der von unserer infinitesimalen flächentreuen Transformation

$$Uf \equiv \frac{\partial \varrho}{\partial y}\frac{\partial f}{\partial x} - \frac{\partial \varrho}{\partial x}\frac{\partial f}{\partial y}$$

erzeugten eingliedrigen Gruppe erfüllen die Differentialgleichung

$$\frac{dx}{\frac{\partial \varrho}{\partial y}} = \frac{dy}{-\frac{\partial \varrho}{\partial x}}$$

oder:

$$\frac{\partial \varrho}{\partial x}dx + \frac{\partial \varrho}{\partial y}dy = 0,$$

deren Integral ist:

$$\varrho(x, y) = \text{Const.}$$

Soll die infinitesimale projective Transformation

$$Uf \equiv (a + cx + dy + hx^2 + kxy)\frac{\partial f}{\partial x} +$$
$$+ (b + ex + gy + hxy + ky^2)\frac{\partial f}{\partial y}$$

flächentreu sein, so müssen die Constanten die Bedingung erfüllen:

$$c + 2hx + ky + g + hx + 2ky = 0$$

und zwar für alle Werte von x und y, d. h. es muss sein:

$$g = -c, \quad h = k = 0,$$

und die Transformation lautet:

$$(a + cx + dy)\frac{\partial f}{\partial x} + (b + ex - cy)\frac{\partial f}{\partial y},$$

setzt sich also linear mit constanten Coefficienten zusammen aus den fünfen:

$$\frac{\partial f}{\partial x}, \quad \frac{\partial f}{\partial y}, \quad x\frac{\partial f}{\partial x} - y\frac{\partial f}{\partial y}, \quad y\frac{\partial f}{\partial x}, \quad x\frac{\partial f}{\partial y}.$$

Um das zugehörige ϱ zu finden, haben wir zu setzen:

$$\frac{\partial \varrho}{\partial x} = -b - ex + cy, \quad \frac{\partial \varrho}{\partial y} = a + cx + dy.$$

Es ist also anzunehmen:

$$\varrho \equiv -bx + ay - \frac{e}{2}x^2 + cxy + \frac{d}{2}y^2,$$

d. h. die Bahncurven $\varrho = \text{Const.}$ sind Kegelschnitte und zwar alle ∞^1 Kegelschnitte, welche sich in zwei bestimmten unendlich fernen (eventuell imaginären) Punkten berühren, oder anders ausgesprochen: welche gemeinsamen Mittelpunkt und gemeinsame Axenrichtungen haben, sowie einander ähnlich sind.

Erinnern wir uns an die kinematische Auffassung des § 4, 2. Kapitel, so sehen wir, dass *eine infinitesimale flächentreue Transformation Uf der Ebene eine stationäre Bewegung eines incompressibelen Fluidums definiert.*

Abteilung II.

Verwertung des Begriffes der infinitesimalen Transformation für Differentialgleichungen erster Ordnung zwischen zwei Veränderlichen.

Nachdem wir in der ersten Abteilung die Begriffe „eingliedrige Gruppe“ und „infinitesimale Transformation“ im Bereiche der Ebene eingeführt haben, wenden wir uns jetzt zur Anwendung dieser Begriffe auf gewöhnliche Differentialgleichungen erster Ordnung zwischen zwei Veränderlichen. Unter anderem entwickeln wir den Zusammenhang zwischen dem Begriff des *Euler'schen Multiplicators* einer solchen Differentialgleichung und dem allgemeinen Begriff der *infinitesimalen Transformation* in der Ebene.

Kapitel 5.

Invariante Curvenscharen.

Im letzten Kapitel der 1. Abteilung haben wir unter anderem Curven betrachtet, welche bei einer Transformation invariant blieben, insofern als alle Punkte einer solchen Curve durch die Transformation wieder in Punkte ebenderselben übergehen.

Nunmehr wollen wir zu *Curvenscharen* übergehen, welche bei einer Transformation *invariant* bleiben. Es wird sich darum handeln, zunächst zu definieren, was unter einer invarianten Schar von Curven verstanden werden soll, alsdann ein analytisches Kriterium für die Invarianz einer Curvenschar bei Ausführung einer Transformation zu gewinnen und endlich zu untersuchen, wann eine Curvenschar bei allen Transformationen einer eingliedrigen Gruppe ungeändert bleibt.

§ 1. Kriterium dafür, dass eine Schar von ∞^1 Curven der Ebene eine Transformation gestattet.

Wir sagen, dass *eine Transformation eine Curve*

$$\omega(x, y) = 0$$

in eine andere Curve

$$\omega_1(x_1, y_1) = 0$$

überführt, wenn sie die Punkte (x, y) der ersten Curve in die Punkte (x_1, y_1) der zweiten Curve überführt.

Wir sagen ferner, dass *eine Transformation eine Curvenschar* Invariante Curvenschar.

$$\omega(x, y) = \text{Const.}$$

invariant lässt, wenn sie jede Curve der Schar in eine Curve der Schar überführt. Alsdann benutzen wir auch häufig die Redeweise, dass die Curvenschar $\omega(x, y) = \text{Const.}$ die Transformation *gestattet* oder *zulässt*, oder dass sie *durch die Transformation in sich übergeführt wird*, indem ihre einzelnen Curven durch die Transformation unter einander vertauscht werden.

So z. B. wird jede Gerade der Schar von Parallelgeraden

$$y - \varkappa x = \text{Const.}$$

bei einer Translation (Verschiebung) der Ebene wieder in eine Gerade dieser Schar übergeführt. Die Schar bleibt also bei einer Translation der Ebene invariant, sie gestattet dieselbe. Im allgemeinen wird diese Translation jede Gerade der Schar in eine andere Gerade derselben verwandeln; wenn jedoch die Richtung der Translation mit der Richtung der Geraden zusammenfällt, so wird jede einzelne Gerade in sich verschoben, bleibt also auch für sich invariant.

Ferner sieht man z. B., dass die Schar der ∞^1 Kreise mit gleichem Radius r, deren Mittelpunkte auf der x-Axe liegen:

$$(x - c)^2 + y^2 = r^2$$

(mit dem Parameter c) bei der Translation längs der x-Axe

$$x_1 = x + t, \quad y_1 = y$$

invariant bleibt. Diese Translation führt nämlich den Kreis mit Mittelpunktsabscisse c in den Kreis mit Mittelpunktsabscisse $c + t$ über, was geometrisch selbstverständlich erscheint, aber sich auch analytisch ergiebt, da durch Einführung von x_1 und y_1 in die Kreisgleichung diese übergeht in

$$(x_1 - c - t)^2 + y_1^2 = r^2,$$

also in die Gleichung des Kreises der Schar, dessen Mittelpunkt die Abscisse $c + t$ hat. Jeder Punkt des ersteren Kreises (c) wird um die Strecke t längs der x-Axe verschoben, sodass er in einen Punkt des Kreises $(c + t)$ übergeht. Und das gilt von allen Kreisen (c) der Schar.

Wir wollen nun eine kurze Bemerkung aus der analytischen Geometrie einschalten, welche wir nachher gebrauchen. Wenn zwei Gleichungen

$$A(x, y) = \text{Const.}, \quad B(x, y) = \text{Const.}$$

dieselbe Schar von ∞^1 Curven darstellen sollen, so muss eine jede Curve der ersten Schar $A(x, y) = a$ mit einer gewissen Curve

$B(x, y) = b$ der zweiten Schar identisch sein. Zwischen den Constanten a und b besteht also die Beziehung, dass zu jedem a ein bestimmtes b gehört, d. h. b ist eine Function von a:

$$b = \Omega(a).$$

Liegt nun ein *beliebiger* Punkt (x, y) der Ebene etwa auf der Curve

$$A(x, y) = a_1,$$

so liegt er selbstverständlich gleichzeitig auf der Curve $B(x, y) = \Omega(a_1)$ und daher besteht identisch die Gleichung:

$$B(x, y) = \Omega(A(x, y)),$$

in Worten:

Zwei Gleichungen

$$A(x, y) = \text{Const.}, \quad B(x, y) = \text{Const.}$$

stellen dieselbe Schar von ∞^1 *Curven dar dann und nur dann, wenn* B *eine Function von* A *allein ist:*

$$B(x, y) \equiv \Omega(A(x, y)).$$

Von diesem Hülfssatz aus der analytischen Geometrie werden wir sogleich Gebrauch machen.

Kriterium für die Invarianz einer Curvenschar.

Es sei nämlich

$$\omega(x, y) = \text{Const.}$$

eine Schar von ∞^1 Curven. Wir fragen nach *einem analytischen Kriterium dafür, dass dieselbe die Transformation*

$$x_1 = \varphi(x, y), \quad y_1 = \psi(x, y) \tag{1}$$

gestattet.

Jede Curve $\omega(x, y) = \text{Const.}$ soll durch die Transformation (1) wieder in eine solche Curve übergehen. Um dies auszudrücken, haben wir zunächst die Gleichung der Curve aufzustellen, in welche eine Curve $\omega(x, y) = \text{Const.}$ durch die Transformation (1) übergeführt wird, und dazu bedarf es der Auflösung der Gleichungen (1) nach x, y. Ist:

$$x = \Phi(x_1, y_1), \quad y = \Psi(x_1, y_1) \tag{2}$$

diese Auflösung, so lautet die Gleichung der Curve, in welche $\omega(x, y) = \text{Const.}$ transformiert wird:

$$\omega(\Phi(x_1, y_1), \Psi(x_1, y_1)) = \text{Const.},$$

allerdings geschrieben in den Coordinaten x_1, y_1. Diese Gleichung soll also wieder die gegebene Curvenschar vorstellen, die wir, wenn wir auch darin die Coordinaten mit x_1, y_1 bezeichnen, so schreiben können:

$$\omega(x_1, y_1) = \text{Const.}$$

Nach unserem vorausgeschickten Hülfssatze besteht daher eine Relation von der Form

$$\omega(\Phi(x_1, y_1),\ \Psi(x_1, y_1)) \equiv W(\omega(x_1, y_1))$$

oder also es muss

$$\omega(x, y) = W(\omega(x_1, y_1))$$

sein vermöge (2) oder, was dasselbe ist, vermöge (1).

Dies notwendige und hinreichende Kriterium lässt sich auch durch Auflösung nach $\omega(x_1, y_1)$ so aussprechen: Es muss vermöge der Transformation (1) $\omega(x_1, y_1)$ eine Function von $\omega(x, y)$ allein sein:

$$\omega(x_1, y_1) = \Omega(\omega(x, y)).$$

Dass dies Kriterium auch hinreicht, ist augenscheinlich, denn vermöge der Transformation geht hiernach die Curve $\omega(x, y) = c$ in die Curve $\omega(x_1, y_1) = \Omega(c)$ über, welche ebenfalls der Schar angehört.

Satz 1: *Die Schar von ∞^1 Curven*

$$\omega(x, y) = \text{Const.}$$

gestattet dann und nur dann die Transformation

$$x_1 = \varphi(x, y), \quad y_1 = \psi(x, y),$$

wenn vermöge dieser Transformation $\omega(x_1, y_1)$ eine Function von $\omega(x, y)$ allein ist:

$$\omega(x_1, y_1) = \Omega(\omega(x, y)).$$

Beispiel: Die oben betrachtete Schar von ∞^1 Kreisen mit gleichem Radius r:

$$(x - c)^2 + y^2 = r^2$$

gestattet, wie wir sahen, die Translation

$$x_1 = x + t, \quad y_1 = y.$$

Um dies durch unseren Satz zu verificieren, müssen wir die Gleichung der Kreisschar erst nach ihrem Parameter c auflösen:

$$\omega \equiv x - \sqrt{r^2 - y^2} = c.$$

In der That ist nun

$$\omega(x_1, y_1) \equiv x_1 - \sqrt{r^2 - y_1^2} = x + t - \sqrt{r^2 - y^2} \equiv \omega(x, y) + t,$$

d. h. eine Function von $\omega(x, y)$ allein.

§ 2. Kriterium dafür, dass eine Schar von ∞^1 Curven alle Transformationen einer eingliedrigen Gruppe gestattet.

Nunmehr wollen wir untersuchen, wann eine Schar von ∞^1 Curven Invariante Schar bei einer eingliedrigen Gruppe.

$$\omega(x, y) = \text{Const.}$$

nicht nur eine, sondern *alle* Transformationen einer eingliedrigen Gruppe $Uf \equiv \xi \frac{\partial f}{\partial x} + \eta \frac{\partial f}{\partial y}$ gestattet.

Die Gleichungen einer beliebigen Transformation der Gruppe, die jetzt an die Stelle der Gleichungen (1) des vorigen Paragraphen treten, lauten nach Theorem 4 (3. Kap., § 3):

$$(3)\quad \begin{cases} x_1 = x + \frac{t}{1} Ux + \frac{t^2}{1\cdot 2} UUx + \cdots, \\ y_1 = y + \frac{t}{1} Uy + \frac{t^2}{1\cdot 2} UUy + \cdots. \end{cases}$$

Unser Verlangen kommt nach Satz 1 darauf hinaus, dass für jedes t (nämlich für jede Transformation der Gruppe Uf) vermöge (3) eine Relation bestehen muss von der Form

$$(4)\quad \omega(x_1, y_1) = W(\omega(x, y)).$$

Die Substitution der Werte (3) in eine beliebige Function ist schon in dem citierten Theorem angegeben. Danach ist:

$$(5)\quad \omega(x_1, y_1) = \omega(x, y) + \frac{t}{1} U\omega + \frac{t^2}{1\cdot 2} UU\omega + \cdots.$$

Dies soll nach (4) eine Function von $\omega(x, y)$ allein sein und zwar für alle Werte von t. Es müssen demnach die Coefficienten der verschiedenen Potenzen von t einzeln Functionen von $\omega(x, y)$ allein sein, insbesondere der Coefficient von t^1. Als eine erste notwendige Bedingung ergiebt sich folglich, dass eine Relation bestehen muss von der Form

$$(6)\quad U\omega(x, y) \equiv \xi \frac{\partial \omega}{\partial x} + \eta \frac{\partial \omega}{\partial y} = \Omega(\omega(x, y))$$

und zwar identisch für alle Werte von x und y. Aber diese Bedingung ist auch völlig hinreichend, denn nun ist identisch

$$UU\omega = U\Omega(\omega) = \xi \frac{\partial \Omega}{\partial x} + \eta \frac{\partial \Omega}{\partial y} = \frac{d\Omega}{d\omega}\left(\xi \frac{\partial \omega}{\partial x} + \eta \frac{\partial \omega}{\partial y}\right)$$
$$= \frac{d\Omega}{d\omega} U\omega = \frac{d\Omega}{d\omega} \Omega(\omega),$$

also auch eine Function von ω allein, ebenso $UUU\omega$ u. s. w. In (5) sind also wirklich alle Coefficienten nur Functionen von $\omega(x, y)$, sobald (6) erfüllt ist.

Wir haben hier wie in § 1 immer nur die Forderung gestellt, dass jede Curve der Schar $\omega(x, y) = \text{Const.}$ vermöge der betreffenden Transformationen wieder in *irgend* eine Curve der Schar übergehe. Es ist nun insbesondere denkbar, dass *jede Curve der Schar in sich übergeführt wird*, also einzeln invariant bleibt. Offenbar ist dies nur ein Specialfall des Obigen und das Kriterium (6) bleibt auch dann noch richtig. In diesem Falle ist $\omega(x, y)$ eine *Invariante* der eingliedrigen Gruppe und demgemäss hat dann (6) die speciellere Form $U\omega = 0$. (Vgl. §§ 1, 2 des 4. Kap.)

Theorem 7: *Die Schar von ∞^1 Curven*

$$\omega(x, y) = \text{Const.}$$

gestattet dann und nur dann alle Transformationen der eingliedrigen Gruppe Uf, wenn Uω eine Function von ω allein ist:

$$U\omega \equiv \Omega(\omega).$$

Insbesondere bleibt jede Curve der Schar einzeln bei allen Transformationen der Gruppe invariant, wenn Uω ≡ 0 ist).*

Wir forderten, dass die Curvenschar $\omega(x, y) = \text{Const.}$ *alle* Transformationen der von Uf erzeugten eingliedrigen Gruppe gestatte. Wir wollen jetzt einmal nur verlangen, dass die Schar die *infinitesimale* Transformation Uf der Gruppe gestatte. Dieselbe führt alle Punkte einer Curve

Invariante Schar bei einer infinitesimalen Transformation.

$$\omega(x, y) = c$$

in ihnen unendlich benachbarte Punkte

$$x_1 = x + \xi\delta t, \quad y_1 = y + \eta\delta t$$

über, und diese sollen wieder auf einer solchen Curve liegen. Es soll also der Ausdruck:

$$\omega(x_1, y_1) = \omega(x + \xi\delta t, y + \eta\delta t)$$

oder, wenn man von unendlich kleinen Grössen 2. Ordnung absieht:

$$\omega(x, y) + \left(\xi\frac{\partial\omega}{\partial x} + \eta\frac{\partial\omega}{\partial y}\right)\delta t$$

eine Function von $\omega(x, y)$ allein sein. Daraus folgt, dass eine Relation von der Form

$$U\omega \equiv \xi\frac{\partial\omega}{\partial x} + \eta\frac{\partial\omega}{\partial y} = \Omega(\omega)$$

bestehen muss.

Satz 2: *Die Schar von ∞^1 Curven $\omega(x, y) = Const.$ gestattet die infinitesimale Transformation Uf, sobald Uω eine Function von ω allein ist:*

$$U\omega \equiv \Omega(\omega).$$

Die Übereinstimmung dieses Kriteriums mit dem im Theorem 7 aufgestellten lehrt ferner:

Satz 3: *Gestattet eine Schar von ∞^1 Curven der Ebene eine infinitesimale Transformation, so gestattet sie auch alle Transformationen der von dieser infinitesimalen Transformation erzeugten eingliedrigen Gruppe.*

---

*) Lie, Gesell. d. W. zu Christiania 1874.

§ 3. Beispiele.

Wir erläutern das Vorhergehende an einigen einfachen Beispielen.

1. Beispiel: Die Schar von ∞^1 Parallelgeraden

$$\omega(x, y) \equiv y - \varkappa x = \text{Const.}$$

gestattet alle Translationen der Ebene, wie schon in § 1 bemerkt wurde. Insbesondere gestattet sie auch alle Translationen der eingliedrigen Gruppe

$$x_1 = x + at, \quad y_1 = y + bt,$$

in der a und b gegebene Zahlen bedeuten und t der Parameter der Gruppe ist. Wir wollen dies mit Hülfe unseres Theorems verificieren: Die identische Transformation der Gruppe ergiebt sich für $t = 0$, die infinitesimale also für $t = \delta t$. Es kommt für dieselbe $\delta x = a\delta t$, $\delta y = b\delta t$, sodass das Symbol der infinitesimalen Transformation der Gruppe lautet:

$$Uf \equiv a\frac{\partial f}{\partial x} + b\frac{\partial f}{d y}.$$

Für die Geradenschar

$$\omega \equiv y - \varkappa x = \text{Const.}$$

ist nun

$$U\omega \equiv a\frac{\partial(y - \varkappa x)}{\partial x} + b\frac{\partial(y - \varkappa x)}{\partial y} \equiv -a\varkappa + b.$$

$U\omega$ ist also bloss eine Constante. Eine Constante ist aber auch als Function von ω allein aufzufassen, sodass das Kriterium stimmt.

2. Beispiel: Wir fanden in § 1 auch, dass die Schar von ∞^1 Kreisen

$$\omega(x, y) \equiv x - \sqrt{r^2 - y^2} = \text{Const.}$$

alle Transformationen der eingliedrigen Gruppe der Translationen längs der x-Achse:

$$x_1 = x + t, \quad y_1 = y$$

gestattet. Die infinitesimale Transformation dieser Gruppe hat das Symbol

$$Uf \equiv \frac{\partial f}{\partial x}$$

und es ist daher:

$$U\omega \equiv \frac{\partial(x - \sqrt{r^2 - y^2})}{\partial x} \equiv 1,$$

d. h. in der That eine Function von ω allein, nämlich bloss eine Constante.

3. Beispiel: Die Schar von ∞^1 Geraden

$$\omega \equiv \frac{y}{x} = \text{Const.}$$

durch den Anfangspunkt gestattet, wie schon geometrisch klar ist, alle Rotationen um denselben:

$$x_1 = x\cos t - y\sin t, \quad y_1 = x\sin t + y\cos t.$$

Um dies analytisch zu beweisen, bilden wir die infinitesimale Rotation:

$$Uf \equiv -y\frac{\partial f}{\partial x} + x\frac{\partial f}{\partial y},$$

welche die Gruppe jener endlichen Rotationen erzeugt, und berechnen $U\omega$. Es kommt:

$$U\omega \equiv -y\frac{\partial \frac{y}{x}}{\partial x} + x\frac{\partial \frac{y}{x}}{\partial y} \equiv \frac{y^2}{x^2} + 1 \equiv \omega^2 + 1.$$

$U\omega$ ist also wirklich nur eine Function von ω.

4. Beispiel: Die Schar der concentrischen Kreise um den Anfangspunkt

$$\omega \equiv x^2 + y^2 = \text{Const.}$$

gestattet offenbar auch die soeben betrachtete eingliedrige Gruppe von Rotationen. Um diese geometrisch augenscheinliche Thatsache analytisch zu beweisen, haben wir zu bilden:

$$U\omega \equiv -y\frac{\partial(x^2+y^2)}{\partial x} + x\frac{\partial(x^2+y^2)}{\partial y} \equiv -y\cdot 2x + x\cdot 2y \equiv 0.$$

Hier tritt der besondere Fall $U\omega \equiv 0$ ein, der aussagt, dass jeder Kreis $x^2 + y^2 = \text{Const.}$ einzeln bei allen Rotationen der Gruppe invariant bleibt, was ebenfalls geometrisch einleuchtet, weil diese Kreise die Bahncurven der Gruppe sind.

5. Beispiel: Die vorhergehenden Beispiele waren nur Verificationen des Theorems 7. Jetzt wollen wir an einem Beispiel zeigen, wie man dies Theorem benutzen kann, um alle Scharen von ∞^1 Curven zu finden, welche bei einer vorgelegten Gruppe Uf invariant bleiben, und zwar unter der Voraussetzung, dass nur die infinitesimale Transformation der Gruppe gegeben sei. Wir wählen die eingliedrige Gruppe der Rotationen:

$$Uf \equiv -y\frac{\partial f}{\partial x} + x\frac{\partial f}{\partial y}.$$

Soll die Curvenschar $\omega(x, y) = \text{Const.}$ diese Rotationen gestatten, so muss $U\omega$ eine Function von ω allein sein:

$$U\omega \equiv -y\frac{\partial \omega}{\partial x} + x\frac{\partial \omega}{\partial y} = \Omega(\omega).$$

Entweder ist $\Omega \equiv 0$, dies liefert natürlich die Bahncurven $x^2 + y^2 = \text{Const.}$ Oder aber Ω ist verschieden von Null. Es kann immer erreicht werden, dass dann $\Omega \equiv 1$ wird. Denn die Curvenschar $\omega = \text{Const.}$ kann ja in jeder Form $\psi(\omega) = \text{Const.}$ geschrieben werden und es ist:

$$U\psi(\omega) \equiv \frac{d\psi}{d\omega}\, U\omega \equiv \frac{d\psi}{d\omega}\, \Omega(\omega).$$

Wählt man also die Function $\psi(\omega)$ so, dass

$$\frac{d\psi(\omega)}{d\omega}\, \Omega(\omega) \equiv 1$$

wird, so wird $U\psi(\omega) \equiv 1$. Wir dürfen also annehmen, die Curvenschar $\omega = \text{Const.}$ sei so geschrieben, dass $U\omega = 1$ wird oder:

$$-y\frac{\partial \omega}{\partial x} + x\frac{\partial \omega}{\partial y} = 1.$$

Zur Integration dieser Gleichung bemerken wir, dass sie äquivalent ist dem simultanen System

$$\frac{dx}{-y} = \frac{dy}{x} = \frac{d\omega}{1},$$

und dies besitzt ausser $x^2 + y^2$ noch ein Integral, das ω enthält und sich leicht berechnen lässt. Es ist ja:

$$\frac{x\,dy - y\,dx}{x^2 + y^2} = d\omega$$

oder:

$$\text{arc tg}\,\frac{y}{x} - \omega = \text{Const.}$$

Die allgemeinste Curvenschar $\omega = \text{Const.}$, welche alle Rotationen um den Anfangspunkt gestattet, ergiebt sich demnach aus der Gleichung

$$F\left(x^2 + y^2, \text{arctg}\,\frac{y}{x} - \omega\right) = 0$$

durch Auflösung nach ω in der Form:

$$\omega(x, y) \equiv \text{arctg}\,\frac{y}{x} + f(x^2 + y^2) = \text{Const.}$$

Hierin ist f eine beliebig annehmbare Function von $x^2 + y^2$. Insbesondere ergiebt sich für $f = a \lg \sqrt{x^2 + y^2}$ die Schar von logarithmischen Spiralen:

$$\text{arctg}\,\frac{y}{x} + a \lg \sqrt{x^2 + y^2} = \text{Const.}$$

Weitere Beispiele zur Behandlung:

1) Zu beweisen, dass die Schar der ∞^1 Kreise $x^2 + y^2 = \text{Const.}$ bei allen Transformationen der eingliedrigen Gruppe

$$x_1 = xt, \quad y_1 = yt$$

invariant bleibt.

2) Zu beweisen, dass dieselbe Kreisschar auch alle Transformationen der eingliedrigen Gruppe

$$x_1 = (x \cos t - y \sin t)e^t, \quad y_1 = (x \sin t + y \cos t)e^t$$

gestattet.

3) Zu beweisen, dass die soeben angegebene Gruppe auch die Schar von ∞^1 logarithmischen Spiralen:

$$\sqrt{x^2 + y^2} - ae^{\operatorname{arctg} \frac{y}{x}} = \text{Const.}$$

invariant lässt.

Natürlich soll jedesmal das Theorem 7 angewandt werden. Man verificiere aber, wo es nicht evident ist, die Invarianz immer noch nachträglich, indem man vermöge der endlichen Gleichungen der betreffenden Gruppen die neuen Veränderlichen x_1, y_1 einführt und sich davon überzeugt, dass die neue Gleichung der Curvenschar sich mit der ursprünglichen deckt.

Kapitel 6.

Gewöhnliche Differentialgleichungen 1. Ordnung in x, y, welche eine eingliedrige Gruppe gestatten.

In den bisherigen Kapiteln hat sich noch keine Gelegenheit gezeigt, die Theorie der eingliedrigen Gruppen für die Differentialgleichungen zu verwerten. In diesem Kapitel machen wir einen ersten Schritt in dieser Richtung.

§ 1. Zusammenhang zwischen einer infinitesimalen Transformation und einem Integrabilitätsfactor.

Wir betrachteten im vorigen Kapitel eine Schar von ∞^1 Curven, welche alle Transformationen einer eingliedrigen Gruppe gestattete. Analytisch werden ∞^1 Curven entweder, wie dort geschehen, durch eine Gleichung mit einer willkürlichen Constanten

$$\omega(x, y) = \text{Const.}$$

oder aber als die Integralcurven einer gewöhnlichen Differentialgleichung zwischen x und y

$$X(x, y)dy - Y(x, y)dx = 0 \qquad (1)$$

definiert. Von jetzt ab wollen wir uns an die letztere Definition halten, also annehmen, die endliche Gleichung der Curvenschar sei nicht bekannt, sondern nur ihre Differentialgleichung (1) sei vorgelegt.

Andererseits nehmen wir an, dass wir zufälliger Weise wissen, dass die durch (1) dargestellte unbekannte Schar von ∞^1 Curven eine gewisse bekannte infinitesimale Transformation

$$Uf \equiv \xi(x, y) \frac{\partial f}{\partial x} + \eta(x, y) \frac{\partial f}{\partial y}$$

gestatte.

Das unbekannte Integral $\omega(x, y)$ der Differentialgleichung (1) erfüllt identisch die lineare partielle Differentialgleichung

$$X \frac{\partial \omega}{\partial x} + Y \frac{\partial \omega}{\partial y} = 0. \tag{2}$$

(Vgl. § 5 des 1. Kap.) Überdies muss für dasselbe, da die Curvenschar $\omega =$ Const. die infinitesimale Transformation Uf gestattet, nach Theorem 7 (5. Kap., § 2) $U\omega$ eine Function von ω allein sein

$$U\omega \equiv \xi \frac{\partial \omega}{\partial x} + \eta \frac{\partial \omega}{\partial y} = \Omega(\omega(x, y)). \tag{3}$$

Wie bekannt ist mit ω jede Function Φ von ω allein ebenfalls Integral der Differentialgleichung (1), denn es ist ja:

$$X \frac{\partial \Phi}{\partial x} + Y \frac{\partial \Phi}{\partial y} \equiv \frac{d\Phi(\omega)}{d\omega} \cdot \left(X \frac{\partial \omega}{\partial x} + Y \frac{\partial \omega}{\partial y}\right) = 0, \tag{4}$$

sobald (2) erfüllt ist. Auch ist $U\Phi(\omega)$ als Function von Φ allein darstellbar, denn es ist:

$$U\Phi(\omega) \equiv \frac{d\Phi(\omega)}{d\omega} \cdot U\omega = \frac{d\Phi(\omega)}{d\omega} \cdot \Omega(\omega). \tag{5}$$

Wenn hieraus ω vermöge $\Phi = \Phi(\omega)$ fortgeschafft wird, stellt sich $U\Phi$ als Function von Φ allein dar.

Setzen wir voraus, *dass in* (3) $\Omega(\omega) \not\equiv 0$ *sei, d. h. dass nicht einzeln jede Integralcurve* $\omega =$ *Const. für sich bei der infinitesimalen Transformation* Uf *invariant bleibe* (vgl. Theorem 7), so können wir uns offenbar die Function Φ von ω so gewählt denken, dass $U\Phi \equiv 1$ wird. Denn nach (5) haben wir zu diesem Zwecke Φ nur so zu bestimmen, dass

$$\frac{d\Phi}{d\omega} \cdot \Omega(\omega) = 1$$

wird, also zu setzen:

$$\Phi = \int \frac{d\omega}{\Omega(\omega)}.$$

Folglich dürfen wir voraussetzen, für das unbekannte (soeben mit Φ, von jetzt ab mit ω bezeichnete) Integral $\omega(x, y)$ sei:

$$X \frac{\partial \omega}{\partial x} + Y \frac{\partial \omega}{\partial y} = 0$$

und

$$U\omega \equiv \xi \frac{\partial \omega}{\partial x} + \eta \frac{\partial \omega}{\partial y} = 1.$$

Aus diesen beiden Gleichungen lassen sich $\frac{\partial \omega}{\partial x}$ und $\frac{\partial \omega}{\partial y}$ berechnen:

$$\frac{\partial \omega}{\partial x} = -\frac{Y}{X\eta - Y\xi}, \quad \frac{\partial \omega}{\partial y} = \frac{X}{X\eta - Y\xi}.$$

Von der unbekannten Function ω sind also die partiellen Differentialquotienten nach x und y bekannt. Daher ist auch ω selbst nach einem Satze aus der Theorie der Differentialgleichungen durch blosse Quadratur zu bestimmen, denn es ist jetzt

$$d\omega = \frac{\partial \omega}{\partial x} dx + \frac{\partial \omega}{\partial y} dy = \frac{Xdy - Ydx}{X\eta - Y\xi}$$

notwendig ein vollständiges Differential, mit anderen Worten: es ist

$$\frac{1}{X\eta - Y\xi}$$

ein *Integrabilitätsfactor* oder *Euler'scher Multiplicator* der gewöhnlichen Differentialgleichung Euler'scher Multiplicator.

$$Xdy - Ydx = 0.$$

Theorem 8*): *Weiss man, dass die Schar der Integralcurven einer vorgelegten Differentialgleichung*

$$Xdy - Ydx = 0$$

eine bekannte infinitesimale Transformation

$$\xi \frac{\partial f}{\partial x} + \eta \frac{\partial f}{\partial y}$$

gestattet, welche jedoch nicht jede Integralcurve für sich invariant lässt, so ist

$$\frac{1}{X\eta - Y\xi}$$

ein Integrabilitätsfactor der Differentialgleichung und diese also durch eine Quadratur integrierbar in der Form:

$$\int \frac{Xdy - Ydx}{X\eta - Y\xi} = \text{Const.}$$

Dieses wichtige Theorem lehrt also, wie die Kenntnis einer infinitesimalen Transformation, welche die Schar der Integralcurven invariant lässt, für das Integrationsproblem verwertbar ist.

Doch hatten wir ausgeschlossen, dass die infinitesimale Transformation jede Integralcurve für sich invariant liesse. Dies darf nicht überraschen: Man kann nämlich von vornherein jede infinitesimale Transformation angeben, welche jede Integralcurve der Differentialgleichung

$$Xdy - Ydx = 0$$

einzeln invariant lässt. Denn die Differentialgleichung ordnet jedem Punkte (x, y) die Tangentialrichtung

---

*) Dieses merkwürdige Theorem wurde zuerst 1874 veröffentlicht in den Verhandlungen der Gesellschaft d. Wiss. zu Christiania: „Zur Theorie des Integrabilitätsfactors" von Sophus Lie.

$$\frac{dy}{dx} = \frac{Y}{X}$$

der durch ihn gehenden Integralcurve zu. Soll aber die infinitesimale Transformation die Integralcurven einzeln stehen lassen, so muss sie jeden Punkt (x, y) längs seiner Integralcurve fortbewegen. Die Richtung $\frac{\eta}{\xi}$, welche die infinitesimale Transformation $\xi \frac{\partial f}{\partial x} + \eta \frac{\partial f}{\partial y}$ dem Punkte (x, y) zuordnet, muss also gleich der Tangentialrichtung $\frac{Y}{X}$ sein. Es ist also:

$$\xi = \varrho(x, y) X, \quad \eta = \varrho(x, y) Y$$

zu setzen. Umgekehrt lässt jede infinitesimale Transformation, deren ξ und η solche Werte haben, die also das Symbol

$$\varrho(x, y) \left(X \frac{\partial f}{\partial x} + Y \frac{\partial f}{\partial y} \right)$$

hat — und zwar bei beliebiger Wahl der Function $\varrho(x, y)$ —, eine jede Integralcurve $\omega(x, y) = \text{Const.}$ der Differentialgleichung

$$X dy - Y dx = 0$$

invariant. Diese begrifflich einleuchtende Umkehrung erhellt auch analytisch: Es ist ja

$$X \frac{\partial \omega}{\partial x} + Y \frac{\partial \omega}{\partial y} \equiv 0$$

und daher auch

$$\varrho(x, y) \left(X \frac{\partial \omega}{\partial x} + Y \frac{\partial \omega}{\partial y} \right) \equiv 0,$$

d. h. diese infinitesimale Transformation giebt auf ω ausgeführt Null, was aber nach dem früheren Theorem 7 aussagt, dass jede Curve $\omega = \text{Const.}$ einzeln die infinitesimale Transformation gestattet.

Da wir also von vornherein alle infinitesimalen Transformationen kennen, welche jede Integralcurve der Differentialgleichung

$$X dy - Y dx = 0$$

in sich transformieren, so kann auch nicht überraschen, dass eine solche infinitesimale Transformation, die nichts neues aussagt, auch nichts für die Integration der Differentialgleichung nützen kann. Sonst wäre ja jede beliebige Differentialgleichung $X dy - Y dx = 0$ durch unsere Methode integrabel.

Triviale Transformation einer Differentialgleichung.

Eine derartige infinitesimale Transformation

$$\varrho(x, y) \left(X \frac{\partial f}{\partial x} + Y \frac{\partial f}{\partial y} \right)$$

nennen wir daher eine für die vorgelegte Differentialgleichung

$$Xdy - Ydx = 0$$

oder

$$X\frac{\partial f}{\partial x} + Y\frac{\partial f}{\partial y} = 0$$

triviale.

Um einen anderen Ausdruck unseres Theorems zu finden, machen wir auf Folgendes aufmerksam.

Zunächst gilt der Satz:

Satz 1: *Führt man in eine Differentialgleichung*

$$X(x, y)dy - Y(x, y)dx = 0$$

und in ihr Integral $\omega(x, y)$ *gleichzeitig neue Veränderliche* x_1, y_1 *ein vermöge einer Transformation:*

$$x_1 = \varphi(x, y), \quad y_1 = \psi(x, y),$$

so hat die neue Differentialgleichung wieder die transformierte Function ω *zum Integral.*

Führt man nämlich in das Integral $\omega(x, y)$ die neuen Veränderlichen x_1, y_1 ein, so geht es etwa in $\bar{\omega}(x_1, y_1)$ über. Dann ist vermöge der Substitution

$$\frac{\partial \omega}{\partial x} = \frac{\partial \bar{\omega}}{\partial x_1}\frac{\partial x_1}{\partial x} + \frac{\partial \bar{\omega}}{\partial y_1}\frac{\partial y_1}{\partial x},$$

$$\frac{\partial \omega}{\partial y} = \frac{\partial \bar{\omega}}{\partial x_1}\frac{\partial x_1}{\partial y} + \frac{\partial \bar{\omega}}{\partial y_1}\frac{\partial y_1}{\partial y}.$$

Da ω die Identität erfüllt

$$X\frac{\partial \omega}{\partial x} + Y\frac{\partial \omega}{\partial y} \equiv 0,$$

weil es nämlich Integral der Differentialgleichung $Xdy - Ydx = 0$ ist, so ist folglich

$$X\left(\frac{\partial \bar{\omega}}{\partial x_1}\frac{\partial x_1}{\partial x} + \frac{\partial \bar{\omega}}{\partial y_1}\frac{\partial y_1}{\partial x}\right) + Y\left(\frac{\partial \bar{\omega}}{\partial x_1}\frac{\partial x_1}{\partial y} + \frac{\partial \bar{\omega}}{\partial y_1}\frac{\partial y_1}{\partial y}\right) \equiv 0$$

oder geordnet:

$$\left(X\frac{\partial x_1}{\partial x} + Y\frac{\partial x_1}{\partial y}\right)\frac{\partial \bar{\omega}}{\partial x_1} + \left(X\frac{\partial y_1}{\partial x} + Y\frac{\partial y_1}{\partial y}\right)\frac{\partial \bar{\omega}}{\partial y_1} \equiv 0.$$

Wenn man in den Klammern überall x_1, y_1 einführt, so stellt also die Gleichung

$$\left(X\frac{\partial x_1}{\partial x} + Y\frac{\partial x_1}{\partial y}\right)dy_1 - \left(X\frac{\partial y_1}{\partial x} + Y\frac{\partial y_1}{\partial y}\right)dx_1 = 0$$

diejenige gew. Differentialgleichung dar, deren Integral $\bar{\omega}(x_1, y_1)$ ist.

Andererseits folgt, da

$$dx_1 = \frac{\partial x_1}{\partial x} dx + \frac{\partial x_1}{\partial y} dy,$$

$$dy_1 = \frac{\partial y_1}{dx} dx + \frac{\partial y_1}{\partial y} dy,$$

also:

$$dx = \frac{1}{\Delta} \left(\frac{\partial y_1}{\partial y} dx_1 - \frac{\partial x_1}{\partial y} dy_1\right),$$

$$dy = \frac{-1}{\Delta} \left(\frac{\partial y_1}{\partial x} dx_1 - \frac{\partial x_1}{\partial x} dy_1\right)$$

ist, wo

$$\Delta = \frac{\partial x_1}{\partial x}\frac{\partial y_1}{\partial y} - \frac{\partial y_1}{\partial x}\frac{\partial x_1}{\partial y}$$

sein soll, dass die Differentialgleichung $Xdy - Ydx = 0$ durch Einführung der neuen Veränderlichen übergeht in

$$-\frac{1}{\Delta}\left\{X\left(\frac{\partial y_1}{\partial x} dx_1 - \frac{\partial x_1}{\partial x} dy_1\right) + Y\left(\frac{\partial y_1}{\partial y} dx_1 - \frac{\partial x_1}{\partial y} dy_1\right)\right\} = 0$$

und dies ist bis auf den Factor $\frac{1}{\Delta}$, der gestrichen werden kann, die soeben schon erhaltene Differentialgleichung, deren Integral $\overline{\omega}(x_1, y_1)$ ist.

Damit aber ist der Satz 1 bewiesen.

Noch kürzer ist dieser Beweis: Ist $\omega(x, y)$ ein Integral der Gleichung

$$X(x, y)dy - Y(x, y)dx = 0,$$

so existiert eine Function $M(x, y)$ (ein Euler'scher Multiplicator), sodass

$$d\omega(x, y) \equiv M(X(x, y)dy - Y(x, y)dx)$$

ist für alle Werte von x, y und $\frac{dy}{dx}$. Erhalten nun ω, M und $Xdy - Ydx$ durch Einführung der neuen Veränderlichen:

$$x_1 = \varphi(x, y), \quad y_1 = \psi(x, y)$$

die Formen:

$$\omega(x, y) = \overline{\omega}(x_1, y_1), \quad M(x, y) = \overline{M}(x_1, y_1),$$

$$X(x, y)dy - Y(x, y)dx = \overline{X}(x_1, y_1)dy_1 - \overline{Y}(x_1, y_1)dx_1,$$

so bestehen diese drei letzten Gleichungen *identisch* vermöge unserer Transformation. Aus der Identität

$$d\omega(x, y) \equiv M(x, y) \,.\, (X(x, y)dy - Y(x, y)dx)$$

folgt daher die andere Identität:

$$d\overline{\omega}(x_1, y_1) \equiv \overline{M}(x_1, y_1) \,.\, (\overline{X}(x_1, y_1)dy_1 - \overline{Y}(x_1, y_1)dx_1),$$

und diese sagt aus, dass das transformierte Integral $\overline{\omega}(x_1, y_1)$ ein Integral der transformierten Differentialgleichung

$$\overline{X}dy_1 - \overline{Y}dx_1 = 0$$

ist, wie behauptet wurde.

Zugleich ergiebt sich hieraus ohne weiteres der

Satz 2: *Eine vorgelegte Differentialgleichung:*

$$X(x, y)dy - Y(x, y)dx = 0$$

bewahrt bei Einführung neuer Veränderlicher:

$$x_1 = \varphi(x, y), \quad y_1 = \psi(x, y)$$

dann und nur dann bis auf einen unwesentlichen Factor ihre Form, wenn jedes Integral $\omega(x, y)$ derselben in den neuen Veränderlichen x_1, y_1 eine solche Form $\overline{\omega}(x_1, y_1)$ annimmt, dass $\overline{\omega}(x, y)$ eine Function von $\omega(x, y)$ allein ist, anders ausgesprochen, wenn $\overline{\omega}(x, y)$ ein Integral der ursprünglichen Differentialgleichung darstellt.

Differentialgleichung, die eine Transformation gestattet.

Sagen wir, dass *eine Differentialgleichung*

$$X(x, y)dy - Y(x, y)dx = 0$$

eine Transformation gestattet, sobald sie bei Ausführung derselben bis auf einen unwesentlichen Factor ihre Form bewahrt, also etwa übergeht in

$$\varrho(x_1, y_1)\,(X(x_1, y_1)dy_1 - Y(x_1, y_1)dx_1) = 0,$$

so können wir Satz 2 auch so aussprechen:

Satz 3: *Eine Differentialgleichung*

$$Xdy - Ydx = 0$$

gestattet eine Transformation dann und nur dann, wenn die Schar ihrer Integralcurven diese Transformation zulässt, anders ausgesprochen, wenn jede Integralcurve bei der Transformation in eine Integralcurve übergeht.

Kehren wir nach diesen notwendigen Auseinandersetzungen zu unserem Theorem 8 zurück.

Es war damals nur die Rede davon, dass die Schar der Integralcurven eine infinitesimale Transformation Uf gestatte. Aber nach Satz 3 des § 2, 5. Kap., gestattet sie dann auch alle endlichen Transformationen der von Uf erzeugten eingliedrigen Gruppe. Dann gestattet aber auch nach dem jetzigen Satz 3 die Differentialgleichung $Xdy - Ydx = 0$ alle Transformationen der eingliedrigen Gruppe oder, sagen wir kurz, die eingliedrige Gruppe selbst.

Daher können wir jetzt unser Theorem 8 kürzer so aussprechen:

Satz 4: *Wenn eine vorgelegte Differentialgleichung*

$$Xdy - Ydx = 0$$

eine vorgelegte eingliedrige Gruppe $Uf \equiv \xi \frac{\partial f}{\partial x} + \eta \frac{\partial f}{\partial y}$ gestattet, so ist

$$\frac{1}{X\eta - Y\xi}$$

ein Integrabilitätsfactor der Differentialgleichung, sobald $X\eta - Y\xi \not\equiv 0$ ist.

Anders ausgesprochen, es ist dann

$$\frac{Xdy - Ydx}{X\eta - Y\xi}$$

ein vollständiges Differential und demnach

$$\int \frac{Xdy - Ydx}{X\eta - Y\xi}$$

*ein Integral der Differentialgleichung**).

Im Falle $X\eta - Y\xi \equiv 0$ wäre Uf eine triviale Transformation der Differentialgleichung.

Am bequemsten merkt man sich das Integral in Determinantenform:

$$\int \frac{\begin{vmatrix} dx & dy \\ X & Y \end{vmatrix}}{\begin{vmatrix} X & Y \\ \xi & \eta \end{vmatrix}}.$$

§ 2. Kriterium dafür, dass eine gewöhnliche Differentialgleichung 1. Ordnung in x, y eine eingliedrige Gruppe Uf gestattet.

Nun fragt es sich, wie wir *praktisch* entscheiden werden, *ob eine vorgelegte Differentialgleichung* $Xdy - Ydx = 0$ *eine vorgelegte eingliedrige Gruppe* Uf *gestattet.* Unser im vorigen Kapitel gegebenes Kriterium setzte ja die Kenntnis der Integralcurven voraus. Es liegt aber in der Natur der Sache, dass es möglich sein muss, ein Kriterium anzugeben, welches sich auf die Kenntnis der Differentialgleichung und der infinitesimalen Transformation der eingliedrigen Gruppe allein stützt.

Diese Behauptung wollen wir dadurch erhärten, dass wir ein solches Kriterium wirklich ableiten. Dazu bedarf es einiger *Vorbereitungen.*

Wir betrachten zwei in $\frac{\partial f}{\partial x}$ und $\frac{\partial f}{\partial y}$ lineare und homogene Ausdrücke von der Form:

$$Uf \equiv \xi(x, y)\frac{\partial f}{\partial x} + \eta(x, y)\frac{\partial f}{\partial y}$$

und

$$Af \equiv X(x, y)\frac{\partial f}{\partial x} + Y(x, y)\frac{\partial f}{\partial y}.$$

Es sollen also Uf und Af nur abkürzende Bezeichnungen für die beiden rechts stehenden Differentialausdrücke sein.

Der Ausdruck $U(Af) - A(Uf)$.

Alsdann hat der Ausdruck

$$U(Af) - A(Uf)$$

*) Lie, Gesell. d. W. zu Christiania, 1874.

einen ganz bestimmten Sinn, denn $U(Af)$ bedeutet, es soll in Uf an Stelle von f der Ausdruck Af gesetzt werden, während umgekehrt zur Bildung von $A(Uf)$ in Af das allgemeine Functionenzeichen f durch Uf zu ersetzen ist*). Demnach kommt

$$U(Af)-A(Uf)\equiv \xi\frac{\partial}{\partial x}\left(X\frac{\partial f}{\partial x}+Y\frac{\partial f}{\partial y}\right)+\eta\frac{\partial}{\partial y}\left(X\frac{\partial f}{\partial x}+Y\frac{\partial f}{\partial y}\right)-$$
$$-X\frac{\partial}{\partial x}\left(\xi\frac{\partial f}{\partial x}+\eta\frac{\partial f}{\partial y}\right)-Y\frac{\partial}{\partial y}\left(\xi\frac{\partial f}{\partial x}+\eta\frac{\partial f}{\partial y}\right).$$

Führt man die hierin angedeuteten Differentiationen aus, so findet man, dass alle zweiten partiellen Differentialquotienten der allgemeinen Function f sich gerade wegheben; so liefert z. B. die erste Klammer ein Glied $\xi X\frac{\partial^2 f}{\partial x^2}$, das auch aus der dritten Klammer, aber mit entgegengesetztem Vorzeichen, hervorgeht. Es ergiebt sich also die bemerkenswerte Thatsache, dass der Ausdruck

$$U(Af)-A(Uf)\equiv\left(\xi\frac{\partial X}{\partial x}+\eta\frac{\partial X}{\partial y}-X\frac{\partial \xi}{\partial x}-Y\frac{\partial \xi}{\partial y}\right)\frac{\partial f}{\partial x}+$$
$$+\left(\xi\frac{\partial Y}{\partial x}+\eta\frac{\partial Y}{\partial y}-X\frac{\partial \eta}{\partial x}-Y\frac{\partial \eta}{\partial y}\right)\frac{\partial f}{\partial y}$$

auch, wie Uf und Af selbst, nur die *ersten* partiellen Differentialquotienten $\frac{\partial f}{\partial x}$, $\frac{\partial f}{\partial y}$ *linear* und homogen enthält. Kürzer lässt sich die Formel schreiben, wenn man bedenkt, dass

$$UX\equiv\xi\frac{\partial X}{\partial x}+\eta\frac{\partial X}{\partial y},\quad UY\equiv\xi\frac{\partial Y}{\partial x}+\eta\frac{\partial Y}{\partial y},$$
$$A\xi\equiv X\frac{\partial \xi}{\partial x}+Y\frac{\partial \xi}{\partial y},\quad A\eta\equiv X\frac{\partial \eta}{\partial x}+Y\frac{\partial \eta}{\partial y}$$

ist. Es kommt danach

$$U(Af)-A(Uf)\equiv(UX-A\xi)\frac{\partial f}{\partial x}+(UY-A\eta)\frac{\partial f}{\partial y}. \tag{6}$$

Diese wichtige Formel, die von *Jacobi* für n Veränderliche aufgestellt worden ist, liefert nun leicht das gewünschte Kriterium dafür, dass die Differentialgleichung

$$Xdy-Ydx=0$$

die eingliedrige Gruppe Uf gestattet.

Die Differentialgleichung $Xdy-Ydx=0$ ist nämlich der linearen partiellen Differentialgleichung

---

*) Im allgemeinen schreiben wir Uf und nicht $U(f)$. Nur wenn für f ein längerer Ausdruck steht, wie oben, setzen wir, um Zweideutigkeiten und Irrtümer zu vermeiden, die Klammer.

$$X\frac{\partial f}{\partial x}+Y\frac{\partial f}{\partial y}=0$$

äquivalent, deren linke Seite eben der oben mit Af bezeichnete Ausdruck ist, sodass diese lineare partielle Differentialgleichung auch kürzer so geschrieben werden kann:

$$Af=0.$$

Jedes Integral $\omega(x, y)$ der Differentialgleichung

$$Xdy-Ydx=0$$

erfüllt diese lineare partielle Differentialgleichung identisch, d. h. es besteht für dasselbe die Identität:

$$A\omega\equiv X\frac{\partial\omega}{\partial x}+Y\frac{\partial\omega}{\partial y}\equiv 0.$$

Damit die Curvenschar $\omega(x, y)=$ Const. die eingliedrige Gruppe Uf gestatte, ist nach unserem Theorem 7 (§ 2 des 5. Kap.) notwendig und hinreichend, dass $U\omega$ eine Function von ω allein sei:

$$U\omega\equiv\Omega(\omega).$$

Nun ist:

$$U(A\omega)\equiv U(0)\equiv 0$$

$$A(U\omega)\equiv A(\Omega(\omega))\equiv\frac{d\Omega}{d\omega}\cdot A\omega\equiv 0.$$

Die oben abgeleitete Formel (6) giebt daher, sobald $f\equiv\omega$ gesetzt wird:

$$0\equiv(UX-A\xi)\frac{\partial\omega}{\partial x}+(UY-A\eta)\frac{\partial\omega}{\partial y}.$$

Es ist aber $A\omega\equiv 0$ oder ausführlich geschrieben:

$$0\equiv X\frac{\partial\omega}{\partial x}+Y\frac{\partial\omega}{\partial y}.$$

Die beiden letzten Identitäten ziehen nach sich, dass notwendig die Proportion besteht:

$$(7)\qquad \frac{UX-A\xi}{X}\equiv\frac{UY-A\eta}{Y}.$$

Bezeichnen wir dies Verhältnis mit $\lambda(x, y)$, so ergiebt sich also:

$$UX-A\xi\equiv\lambda X,\quad UY-A\eta\equiv\lambda Y$$

und daher ist auch bei beliebig gewähltem f:

$$(UX-A\xi)\frac{\partial f}{\partial x}+(UY-A\eta)\frac{\partial f}{\partial y}\equiv\lambda\left(X\frac{\partial f}{\partial x}+Y\frac{\partial f}{\partial y}\right)$$

Kriterium dafür, dass $Xdy-Ydx=0$ die inf. Transformation Uf gestattet.

oder mit Benutzung der Formel (6):

$$(8)\qquad U(Af)-A(Uf)\equiv\lambda\cdot Af.$$

Wenn nun umgekehrt bei beliebigem f eine solche Identität besteht, also $U(Af)-A(Uf)$ sich nur um einen Factor $\lambda(x, y)$ von

Af unterscheidet, so ergiebt dieselbe, wenn ω ein Integral der Differentialgleichung $Xdy - Ydx = 0$, also $A\omega \equiv 0$ und demnach auch $U(A\omega) \equiv 0$ ist, sobald $f \equiv \omega$ gesetzt wird:

$$A(U\omega) \equiv 0$$

oder ausführlich geschrieben

$$X\frac{\partial U\omega}{\partial x} + Y\frac{\partial U\omega}{\partial y} \equiv 0,$$

d. h. $U\omega$ ist ein Integral unserer Differentialgleichung, also eine Function des Integrals ω derselben:

$$U\omega \equiv \Omega(\omega)$$

und mithin gestattet die Schar der Integralcurven $\omega = \text{Const.}$ nach Theorem 7 (§ 2, 5. Kap.) die eingliedrige Gruppe Uf.

Hiermit ist bewiesen:

Theorem 9: *Die gewöhnliche Differentialgleichung*

$$Xdy - Ydx = 0$$

gestattet dann und nur dann die eingliedrige Gruppe Uf, wenn Uf und der Ausdruck

$$Af \equiv X\frac{\partial f}{\partial x} + Y\frac{\partial f}{\partial y}$$

für alle Werte von x, y und für alle Functionen $f(x, y)$ identisch eine Relation von der Form erfüllen:

$$U(Af) - A(Uf) = \lambda \cdot Af,$$

*in der λ eine Function von x und y allein bedeutet**).

Dass dies Kriterium notwendig ist, hätten wir auch so in elementarerer Weise einsehen können. Nach unserer in § 1 eingeführten Terminologie gestattet die Differentialgleichung

$$Xdy - Ydx = 0$$

alle Transformationen

$$x_1 = x + t\xi + \cdots, \quad y_1 = y + t\eta + \cdots$$

der eingliedrigen Gruppe Uf, sobald für jedes t identisch eine Relation besteht von der Form:

$$\begin{aligned} X(x + t\xi + \cdots, y + t\eta + \cdots)d(y + t\eta + \cdots) - \\ - Y(x + t\xi + \cdots, y + t\eta + \cdots)d(x + t\xi + \cdots) = \\ = \varrho\,(X(x, y)dy - Y(x, y)dx). \end{aligned}$$

Durch Entwickelung nach den Potenzen von t kommt:

---

*) Lie, Gesell. d. W. zu Christiania, 1874.

$$X(x,y)dy - Y(x,y)dx +$$
$$+ t\left\{Xd\eta - Yd\xi + \left(\frac{\partial X}{\partial x}\xi + \frac{\partial X}{\partial y}\eta\right)dy - \left(\frac{\partial Y}{\partial x}\xi + \frac{\partial Y}{\partial y}\eta\right)dx\right\} + \cdots$$
$$= \varrho(Xdy - Ydx).$$

Der Coefficient von t^1 giebt also insbesondere

$$\left(X\frac{\partial \eta}{\partial y} - Y\frac{\partial \xi}{\partial y} + \frac{\partial X}{\partial x}\xi + \frac{\partial X}{\partial y}\eta\right)dy -$$
$$-\left(-X\frac{\partial \eta}{\partial x} + Y\frac{\partial \xi}{\partial x} + \frac{\partial Y}{\partial x}\xi + \frac{\partial Y}{\partial y}\eta\right)dx =$$
$$= \varrho(Xdy - Ydx)$$

oder, da diese Relation in zwei einzelne zerfällt und aus denselben ϱ zu eliminieren ist:

$$\frac{X\frac{\partial \eta}{\partial y} - Y\frac{\partial \xi}{\partial y} + UX}{X} = \frac{-X\frac{\partial \eta}{\partial x} + Y\frac{\partial \xi}{\partial x} + UY}{Y}.$$

Wir haben hierin davon Gebrauch gemacht, dass

$$\xi\frac{\partial X}{\partial x} + \eta\frac{\partial X}{\partial y} \equiv UX, \quad \xi\frac{\partial Y}{\partial x} + \eta\frac{\partial Y}{\partial y} \equiv UY$$

ist. Indem wir nun beiderseits $\frac{\partial \xi}{\partial x} + \frac{\partial \eta}{\partial y}$ subtrahieren, nimmt unser Kriterium die Form an

$$\frac{-X\frac{\partial \xi}{\partial x} - Y\frac{\partial \xi}{\partial y} + UX}{X} = \frac{-X\frac{\partial \eta}{\partial x} - Y\frac{\partial \eta}{\partial y} + UY}{Y}$$

oder, da

$$X\frac{\partial \xi}{\partial x} + Y\frac{\partial \xi}{\partial y} \equiv A\xi, \quad X\frac{\partial \eta}{\partial x} + Y\frac{\partial \eta}{\partial y} \equiv A\eta$$

ist:

$$\frac{-A\xi + UX}{X} = \frac{-A\eta + UY}{Y}.$$

Dies ist wieder die frühere Formel (7). Also sind wir auch auf dem jetzigen Wege zu dem im Theorem 9 angegebenen Kriterium gelangt; freilich lehrt unser jetziges Verfahren nur, dass es *notwendig*, nicht aber, wie das frühere, dass es auch *hinreichend* ist.

Jedenfalls lassen es die letzten Entwickelungen, in denen wir die Transformationen der Gruppe direct auf die Differentialgleichung ausübten, dann aber nur die Glieder niederster Ordnung berücksichtigten, naturgemäss erscheinen, zu sagen, dass die Differentialgleichung $Xdy - Ydx = 0$ die *infinitesimale* Transformation $Uf \equiv \xi\frac{\partial f}{\partial x} + \eta\frac{\partial f}{\partial y}$ gestattet, wenn die Relation (7) oder, was ja dasselbe ist, eine Relation von der Form

$$U(Af) - A(Uf) = \lambda \cdot Af$$

besteht, wo $Af \equiv X\frac{\partial f}{\partial x} + Y\frac{\partial f}{\partial y}$ ist.

Wir können danach unser Theorem 9 kürzer so aussprechen:

Satz 5: *Die Differentialgleichung*

$$Xdy - Ydx = 0$$

gestattet alle Transformationen der eingliedrigen Gruppe Uf dann und nur dann, wenn sie die infinitesimale Transformation Uf zulässt.

§ 3. Beispiele.

Es wird an der Zeit sein, diese Theorien durch *Beispiele* und zwar zunächst durch *möglichst einfache Beispiele* zu erläutern.

1. Beispiel. In einem früheren Beispiele (vgl. §§ 1 und 3 des 5. Kap.) fanden wir, dass die Schar der ∞^1 Parallelgeraden

$$y - \varkappa x = \text{Const.}$$

die eingliedrige Gruppe von Translationen:

$$x_1 = x + at, \quad y_1 = y + bt$$

gestattet, wo a und b bestimmte Constanten bedeuten und t der Parameter der Gruppe ist. Das Symbol der infinitesimalen Transformation dieser Gruppe ist:

$$Uf \equiv a\frac{\partial f}{\partial x} + b\frac{\partial f}{\partial y},$$

während die Geradenschar die Differentialgleichung

$$dy - \varkappa dx = 0$$

hat. Wir haben hier also zu setzen:

$$Af \equiv \frac{\partial f}{\partial x} + \varkappa\frac{\partial f}{\partial y}.$$

Prüfen wir, ob eine Relation

$$U(Af) - A(Uf) = \lambda Af$$

auch wirklich besteht. Offenbar ist hier in der That im besonderen

$$U(Af) - A(Uf) \equiv 0.$$

2. Beispiel, das wir ebenfalls früher (§§ 1 und 3 des 5. Kap.) betrachteten: Die Schar der ∞^1 Kreise mit gleichem Radius r, deren Mittelpunkte auf der Abscissenaxe liegen:

$$(x - a)^2 + y^2 - r^2 = 0$$

gestattet alle Translationen längs der x-Axe, d. h. die eingliedrige Gruppe $\frac{\partial f}{\partial x}$. Es ist hier also

$$Uf \equiv \frac{\partial f}{\partial x}.$$

Um die Differentialgleichung erster Ordnung aufzustellen, der die Kreisschar genügt, suchen wir zunächst das oben mit ω bezeichnete Integral durch Auflösung der Gleichung

$$(x-a)^2 + y^2 - r^2 = 0$$

nach a. Es kommt

$$\omega(x, y) \equiv x - \sqrt{r^2 - y^2}$$

und also

$$\frac{\partial \omega}{\partial x} \equiv 1, \quad \frac{\partial \omega}{\partial y} \equiv \frac{y}{\sqrt{r^2 - y^2}}.$$

Daher genügt ω der linearen partiellen Differentialgleichung

$$Af \equiv y \frac{\partial f}{\partial x} - \sqrt{r^2 - y^2} \frac{\partial f}{\partial y} = 0,$$

und die gew. Differentialgleichung, deren Integral ω ist, lautet

$$y dy + \sqrt{r^2 - y^2} dx = 0.$$

Es ist, wie sich durch Ausführung ergiebt:

$$U(Af) - A(Uf) \equiv 0,$$

d. h. das Kriterium stimmt.

Unbequem ist hier das Auflösen der Gleichung der Kreisschar nach a. Wir hätten allerdings auch ohne Auflösen die Differentialgleichung finden können, deren Integralcurven diese Kreise sind. Denn aus

$$(x-a)^2 + y^2 - r^2 = 0$$

folgt durch Differentiation

$$x - a + yy' = 0$$

oder $x - a = -yy'$, sodass

$$y^2 y'^2 + y^2 - r^2 = 0$$

die gesuchte Differentialgleichung ist. Aber um Af zu bilden, müssen wir diese Gleichung in der Form $Xdy - Ydx = 0$ schreiben, also doch nach y' auflösen, wodurch eben die obige Form

$$y dy + \sqrt{r^2 - y^2} dx = 0$$

hervorgeht. Wir werden späterhin ein Kriterium dafür, dass eine gewöhnliche Differentialgleichung

$$F(x, y, y') = 0$$

eine eingliedrige Gruppe gestatte, kennen lernen, das sich direct anwenden lässt, ohne dass man erst nötig hat, nach y' aufzulösen.

3. Beispiel: Die Schar der Geraden vom Anfangspunkt aus:

$$\frac{y}{x} = \text{Const.}$$

gestattet die eingliedrige Gruppe der Rotationen

$$x_1 = x \cos t - y \sin t, \quad y_1 = x \sin t + y \cos t$$

oder also die eingliedrige Gruppe:

$$Uf \equiv - y \frac{\partial f}{\partial x} + x \frac{\partial f}{\partial y}.$$

Die Geradenschar genügt der Differentialgleichung:

$$xdy - ydx = 0.$$

Es ist hier also

$$Af \equiv x \frac{\partial f}{\partial x} + y \frac{\partial f}{\partial y}$$

und es kommt

$$U(Af) - A(Uf) \equiv 0,$$

sodass auch hier die Verification ausgeführt ist.

In allen drei Beispielen hat sich die allgemeine Bedingungsgleichung

$$U(Af) - A(Uf) = \lambda \cdot Af$$

auf

$$U(Af) - A(Uf) = 0$$

reduciert. Sie ist symmetrisch in Af und Uf. Wir bemerkten schon, dass

$$Af \equiv X \frac{\partial f}{\partial x} + Y \frac{\partial f}{\partial y}$$

die Form des Symbols einer infinitesimalen Transformation hat. Fassen wir also Af als eine infinitesimale Transformation auf und betrachten wir $Uf \equiv \xi \frac{\partial f}{\partial x} + \eta \frac{\partial f}{\partial y} = 0$ als lineare partielle Differentialgleichung, die der gewöhnlichen Differentialgleichung

$$\xi dy - \eta dx = 0$$

zugehört, so folgt aus der Symmetrie der Gleichung

$$U(Af) - A(Uf) = 0,$$

dass die letztere Differentialgleichung $\xi dy - \eta dx = 0$ die infinitesimale Transformation Af gestattet.

Prüfen wir dies am letzten Beispiel. Hier ist die neue Differentialgleichung $Uf = 0$ diese:

$$Uf \equiv - y \frac{\partial f}{\partial x} + x \frac{\partial f}{\partial y} = 0$$

und die zugehörige gewöhnliche Differentialgleichung:

$$ydy + xdx = 0.$$

Ihre Integralcurven sind die concentrischen Kreise

$$x^2 + y^2 = \text{Const.}$$

Andererseits ist $Af \equiv x \frac{\partial f}{\partial x} + y \frac{\partial f}{\partial y}$ das Symbol der infinitesimalen Transformation der eingliedrigen Gruppe von Ähnlichkeitstransformationen:

$$x_1 = xt, \quad y_1 = yt.$$

In der That führt jede solche Ähnlichkeitstransformation jeden Kreis der Schar

$$x^2 + y^2 = \text{Const.}$$

wieder in einen Kreis dieser Schar über, wie wir wissen (vgl. § 3, 5. Kap.).

Die Relation

$$U(Af) - A(Uf) = 0$$

lässt also zweierlei geometrische Deutungen zu. Wir wollen dies in einem Satze aussprechen und dabei, weil Af und Uf ganz symmetrisch auftreten, auch die Bezeichnung gleichartig wählen:

Erste Deutung der Relation $(U_1 U_2) = 0$.

Satz 6: *Ist*

$$U_1 f \equiv \xi_1 \frac{\partial f}{\partial x} + \eta_1 \frac{\partial f}{\partial y}, \quad U_2 f \equiv \xi_2 \frac{\partial f}{\partial x} + \eta_2 \frac{\partial f}{\partial y}$$

und ist identisch

$$U_1(U_2 f) - U_2(U_1 f) = 0,$$

so gestattet einerseits die Differentialgleichung

$$\xi_1 dy - \eta_1 dx = 0$$

die eingliedrige Gruppe $U_2 f$, andererseits die Differentialgleichung

$$\xi_2 dy - \eta_2 dx = 0$$

die eingliedrige Gruppe $U_1 f$.

Wir werden später eine neue schöne Deutung dieser wichtigen Relation

$$U_1(U_2 f) - U_2(U_1 f) = 0$$

geben. —

Nun sei noch zu unseren Sätzen ein Beispiel angeführt, in welchem $U(Af) - A(Uf)$ nicht identisch verschwindet:

4. Beispiel: Die Schar der ∞^1 Parallelgeraden

$$x - y = \text{Const.}$$

gestattet jede Ähnlichkeitstransformation:

$$x_1 = xt, \quad y_1 = yt,$$

denn diese führt eine Gerade

$$x - y = c$$

der Schar in eine andere

$$x_1 - y_1 = tc$$

derselben über. Die Differentialgleichung der Geradenschar lautet

$$dy - dx = 0$$

und es ist also

$$Af \equiv \frac{\partial f}{\partial x} + \frac{\partial f}{\partial y},$$

während jene Ähnlichkeitstransformationen die der eingliedrigen Gruppe:

$$Uf \equiv x \frac{\partial f}{\partial x} + y \frac{\partial f}{\partial y}$$

sind. Hier ist nun

$$U(Af) - A(Uf) \equiv -\frac{\partial f}{\partial x} - \frac{\partial f}{\partial y} \equiv -Af,$$

d. h. es besteht in That eine Relation von der Form

$$U(Af) - A(Uf) = \lambda \cdot Af,$$

indem hier $\lambda = -1$ ist.

Noch einige geometrische Beispiele mögen hier Platz finden.

5. *Beispiel:* Man sucht die Curven, deren Tangenten, gemessen vom Berührungspunkt bis zum Schnittpunkt mit der x-Axe, die constante Länge a haben (die sogen. *Tractricen*). Offenbar wird jede solche Curve durch eine Translation längs der x-Axe in eine ebensolche übergeführt. Die Schar der Curven gestattet also die infinitesimale Translation $\frac{\partial f}{\partial x}$, ihre Differentialgleichung ist also durch Quadratur integrierbar. In der That, diese lautet

$$y^2 + \frac{y^2}{y'^2} = a^2$$

oder:

$$\sqrt{a^2 - y^2}\, dy - y\, dx = 0\,.$$

Sie gestattet $\frac{\partial f}{\partial x}$ und hat den Multiplicator $\frac{1}{y}$.

6. *Beispiel:* Man sucht die orthogonalen Trajectorien der ∞^1 Kreise, welche die x- und die y-Axe berühren. Diese Kreise werden durch die infinitesimale Ähnlichkeitstransformation

$$Uf \equiv x \frac{\partial f}{\partial x} + y \frac{\partial f}{\partial y}$$

untereinander vertauscht. Da diese Transformation sich senkrecht schneidende Curven in ebensolche überführt, so erhellt, dass diese Ähnlichkeitstransformation auch die Schar der gesuchten orthogonalen

Trajectorien invariant lässt und die Differentialgleichung derselben einen bekannten Multiplicator hat. Es ist

$$x^2 - 2ax + y^2 - 2ay + a^2 = 0$$

die Gleichung der Kreisschar. Die Differentialgleichung dieser Schar von Kreisen ergiebt sich durch Differentiation:

$$x - a + yy' - ay' = 0$$

und Elimination von a in der Form:

$$x^2 + y^2 - 2(x + y)\frac{x + yy'}{1 + y'} + \left(\frac{x + yy'}{1 + y'}\right)^2 = 0$$

oder:

$$\frac{x + yy'}{1 + y'} = x + y + \sqrt{2xy}.$$

Hieraus ergiebt sich die Differentialgleichung der orthogonalen Trajectorien, wenn y' durch $-\frac{1}{y'}$ ersetzt wird, also hat sie die Form

$$\frac{xy' - y}{y' - 1} = x + y + \sqrt{2xy}$$

oder

$$(y + \sqrt{2xy})\,y' - x - \sqrt{2xy} = 0.$$

Sie gestattet, wie wir wissen, $Uf \equiv x\frac{\partial f}{\partial x} + y\frac{\partial f}{\partial y}$ und besitzt demnach das Integral

$$\omega = \int \frac{\begin{vmatrix} dx & dy \\ y + \sqrt{2xy} & x + \sqrt{2xy} \end{vmatrix}}{\begin{vmatrix} y + \sqrt{2xy} & x + \sqrt{2xy} \\ x & y \end{vmatrix}} =$$

$$= -\lg(x - y) + \int \frac{d\left(\frac{y}{x}\right)}{\left(\frac{y}{x} - 1\right)\left(1 + \frac{y}{x} + \sqrt{2\frac{y}{x}}\right)}.$$

§ 4. Neuer Beweis und Umkehrung des Theorems 8.

Neuer Beweis des Theorems 8. Unser unabhängig von Theorem 8 (§ 1 dieses Kapitels) abgeleitetes Theorem 9 (in § 2) giebt einen neuen Beweis für das erstere. Wir fanden nämlich, dass die Differentialgleichung

$$Xdy - Ydx = 0$$

die eingliedrige Gruppe $Uf \equiv \xi\frac{\partial f}{\partial x} + \eta\frac{\partial f}{\partial y}$ dann und nur dann gestattet, wenn die mit (7) bezeichnete Relation (in § 2):

$$\frac{UX - A\xi}{X} = \frac{UY - A\eta}{Y} \tag{7}$$

oder, ausführlich geschrieben, die Relation

$$(9)\quad \frac{\xi\frac{\partial X}{\partial x}+\eta\frac{\partial X}{\partial y}-X\frac{\partial\xi}{\partial x}-Y\frac{\partial\xi}{\partial y}}{X}=\frac{\xi\frac{\partial Y}{\partial x}+\eta\frac{\partial Y}{\partial y}-X\frac{\partial\eta}{\partial x}-Y\frac{\partial\eta}{\partial y}}{Y}$$

erfüllt ist. Diese Bedingung kann aber in der Form geschrieben werden:

$$(10)\quad \frac{\partial}{\partial x}\frac{X}{X\eta-Y\xi}+\frac{\partial}{\partial y}\frac{Y}{X\eta-Y\xi}=0.$$

Wir erinnern nun daran, wie man in der Theorie der Differentialgleichungen einen Integrabilitätsfactor M der Gleichung

$$Xdy-Ydx=0$$

definieren kann. Es soll ja $M(Xdy-Ydx)$ ein vollständiges Differential sein und dazu ist, wie bekannt, notwendig und hinreichend, dass

$$(11)\quad \frac{\partial MX}{\partial x}+\frac{\partial MY}{\partial y}=0$$

ist, denn MX und $-MY$ sind die partiellen Differentialquotienten eines Integrals nach y und x.

Vergleichen wir (10) mit (11), so erhellt, dass

$$(12)\quad M=\frac{1}{X\eta-Y\xi}$$

ein Integrabilitätsfactor ist, und dies war die in Theorem 8 aufgestellte Behauptung.

Diese Folgerung lässt sich auch umkehren: Ist M irgend ein Multiplicator unserer Differentialgleichung Umkehrung des Theorems 8.

$$Xdy-Ydx=0$$

und bestimmt man ξ und η in irgend welcher Weise so, dass wie in (12) der Bruch

$$\frac{1}{X\eta-Y\xi}$$

gerade gleich M wird, so folgt aus (11) rückwärts (10), (9), (8) und (7), d. h. die Differentialgleichung $Xdy-Ydx=0$ gestattet die eingliedrige Gruppe $Uf\equiv\xi\frac{\partial f}{\partial x}+\eta\frac{\partial f}{\partial y}$. Daher kommt:

Satz 7: *Ist M ein Integrabilitätsfactor der Differentialgleichung*

$$Xdy-Ydx=0,$$

so gestattet diese Gleichung die eingliedrige Gruppe

$$Uf\equiv\xi\frac{\partial f}{\partial x}+\eta\frac{\partial f}{\partial y},$$

sobald nur

$$\frac{1}{X\eta-Y\xi}=M$$

ist.

Durch die Gleichung (12) werden ξ und η nicht vollständig bestimmt. Zu einem bekannten Multiplicator M lassen sich also unendlich viele infinitesimale Transformationen (oder eingliedrige Gruppen) angeben, welche die Differentialgleichung gestattet, während sich aus einer solchen infinitesimalen Transformation nur ein Multiplicator ableiten lässt.

Bekanntlich besitzt jede gewöhnliche Differentialgleichung erster Ordnung zwischen x und y einen Integrabilitätsfactor (ja sogar unendlich viele), und daher ergiebt sich der Satz:

Satz 8: *Jede gewöhnliche Differentialgleichung erster Ordnung zwischen zwei Veränderlichen gestattet unendlich viele infinitesimale Transformationen oder eingliedrige Gruppen.*

Für Differentialgleichungen höherer Ordnung gilt ein ähnlicher Satz *nicht*.

Wir werden in den folgenden Kapiteln auf den Zusammenhang zwischen infinitesimalen Transformationen und Multiplicatoren einer gewöhnlichen Differentialgleichung in x und y zurückkommen und insbesondere die Wichtigkeit unserer Theoreme durch viele Beispiele illustrieren.

§ 5. Integration der gewöhnlichen Differentialgleichungen erster Ordnung durch Einführung canonischer Veränderlicher.

Wie wir gesehen haben, lässt sich für eine vorgelegte Differentialgleichung

$$Xdy - Ydx = 0$$

ein Multiplicator angeben und also ihre Integration durch eine Quadratur leisten, sobald man eine infinitesimale Transformation Uf kennt, welche sie gestattet. Es giebt nun noch eine andere sehr bemerkenswerte Methode, durch welche eine bekannte infinitesimale Transformation Uf, welche die Differentialgleichung gestattet, zur Integration derselben verwertet werden kann, und von dieser wollen wir zum Schluss des vorliegenden Kapitels noch kurz sprechen. Doch heben wir sogleich hervor, dass diese neue Methode nur dann zum Ziele führt, wenn die Bahncurven der von der bekannten infinitesimalen Transformation erzeugten Gruppe schon gegeben sind.

Einführung canonischer Veränderlicher.

Das Verfahren besteht darin, dass wir an Stelle von x und y neue Veränderliche $\mathfrak{x}$ und $\mathfrak{y}$ einführen, sodass die bekannte infinitesimale Transformation Uf die canonische Form $\frac{\partial f}{\partial \mathfrak{y}}$ annimmt. In § 2 des 3. Kapitels erkannten wir, dass wenn die Bahncurven

$$\omega(x, y) = \text{Const.}$$

der Gruppe Uf bekannt sind, alsdann einfach $\mathfrak{x} = \omega(x, y)$ zu setzen ist, und dass sich darauf $\mathfrak{y}$, das die Gleichung

$$U\mathfrak{y} \equiv \xi \frac{\partial \mathfrak{y}}{\partial x} + \eta \frac{\partial \mathfrak{y}}{\partial y} = 1$$

erfüllen muss, durch eine Quadratur bestimmen lässt. Die Curvenschar $\mathfrak{y} = \text{Const.}$ ist hiernach eine von den Scharen, welche die eingliedrige Gruppe Uf gestattet (nach Theorem 7, § 2 des 5. Kap.), und zwar eine beliebige solche Schar, denn wir sahen früher (S. 94 u. 96) gelegentlich, dass jede invariante Schar, die nicht aus lauter invarianten Curven besteht, eine solche Form $\varphi(x, y) = \text{Const.}$ erhalten kann, dass $U\varphi$ gerade gleich 1 wird.

Die vorgelegte Differentialgleichung $Xdy - Ydx = 0$ möge nun in den neuen Veränderlichen $\mathfrak{x}$, $\mathfrak{y}$, aufgelöst nach $d\mathfrak{y}$, die Form haben:

$$d\mathfrak{y} - \mathfrak{F}(\mathfrak{x}, \mathfrak{y})\, d\mathfrak{x} = 0.$$

Sie gestattet die infinitesimale Transformation Uf, die in den neuen Variabeln lautet:

$$\frac{\partial f}{\partial \mathfrak{y}}.$$

Wir werden zeigen, dass hieraus folgt, dass $\mathfrak{F}$ frei von $\mathfrak{y}$ ist. Obgleich dies auch auf andere Weise direct eingesehen werden kann, wollen wir diese Behauptung durch Benutzung des Theorems 9 (§ 2) zur Einübung desselben beweisen. Wir haben statt des dortigen Af und Uf zu benutzen:

$$\mathfrak{A}f \equiv \frac{\partial f}{\partial \mathfrak{x}} + \mathfrak{F} \frac{\partial f}{\partial \mathfrak{y}}, \quad \mathfrak{U}f \equiv \frac{\partial f}{\partial \mathfrak{y}}$$

und es kommt:

$$\mathfrak{U}(\mathfrak{A}f) - \mathfrak{A}(\mathfrak{U}f) \equiv \frac{\partial \mathfrak{F}}{\partial \mathfrak{y}} \frac{\partial f}{\partial \mathfrak{y}}.$$

Dies soll die Form $\lambda \cdot \mathfrak{A}f$ haben. Das geht aber offenbar nur so an, dass $\lambda = 0$ ist und

$$\frac{\partial \mathfrak{F}}{\partial \mathfrak{y}} = 0,$$

d. h. die transformierte Differentialgleichung

$$d\mathfrak{y} - \mathfrak{F}(\mathfrak{x})\, d\mathfrak{x} = 0$$

ist ganz frei von $\mathfrak{y}$, und ihre Integration ist durch eine blosse Quadratur zu leisten:

$$\mathfrak{y} - \int \mathfrak{F}(\mathfrak{x}) d\mathfrak{x} = \text{Const.}$$

Satz 9: *Gestattet die Differentialgleichung*

$$Xdy - Ydx = 0$$

die eingliedrige Gruppe Uf, und kennt man die Bahncurven der Gruppe, so *kann man durch eine Quadratur solche neue Veränderliche* $\mathfrak{x}$, $\mathfrak{y}$ *angeben, dass die Differentialgleichung dadurch die Form annimmt:*

$$\frac{d\mathfrak{y}}{d\mathfrak{x}} = \mathfrak{F}(\mathfrak{x}),$$

also durch eine zweite Quadratur integrabel wird.

Übrigens braucht nicht notwendig die Curvenschar $\mathfrak{y}(x, y) = \text{Const.}$ so gewählt zu werden, dass $U\mathfrak{y}$ gerade gleich 1 wird. Wenn diese invariante Schar $\mathfrak{y}$ allgemein so genommen wird, dass $U\mathfrak{y}$ nur nicht gleich Null ist (denn sonst wäre $\mathfrak{y} = \text{Const.}$ die Schar der Bahncurven $\mathfrak{x} = \text{Const.}$), also etwa:

$$U\mathfrak{y} = \chi(\mathfrak{y}),$$

so ist die in $\mathfrak{x}$ und $\mathfrak{y}$ geschriebene Differentialgleichung, die zunächst die Form

$$d\mathfrak{y} - \mathfrak{F}(\mathfrak{x}, \mathfrak{y})d\mathfrak{x} = 0$$

hat, auch integrierbar. Denn sie gestattet ja

$$\mathfrak{U}f \equiv U\mathfrak{x} \cdot \frac{\partial f}{\partial \mathfrak{x}} + U\mathfrak{y} \cdot \frac{\partial f}{\partial \mathfrak{y}} \equiv \chi(\mathfrak{y}) \frac{\partial f}{\partial \mathfrak{y}}$$

und es ist bei ihr

$$\mathfrak{A}f \equiv \frac{\partial f}{\partial \mathfrak{x}} + \mathfrak{F} \frac{\partial f}{\partial \mathfrak{y}},$$

sodass sich ergiebt:

$$\mathfrak{U}(\mathfrak{A}f) - \mathfrak{A}(\mathfrak{U}f) = \left(\frac{\partial \mathfrak{F}}{\partial \mathfrak{y}} \chi - \chi'(\mathfrak{y}) \mathfrak{F}\right) \frac{\partial f}{\partial \mathfrak{y}}.$$

Es soll dies die Form $\lambda \cdot \mathfrak{A}f$ haben, d. h. es muss $\lambda = 0$ und

$$\frac{\partial \mathfrak{F}}{\partial \mathfrak{y}} \chi - \chi'(\mathfrak{y})\mathfrak{F} = 0$$

sein. Es ist also

$$\frac{\partial \lg \mathfrak{F}}{\partial \mathfrak{y}} = \frac{\partial \lg \chi}{d\mathfrak{y}}.$$

$\frac{\partial \lg \mathfrak{F}}{\partial \mathfrak{y}}$ enthält demnach kein $\mathfrak{x}$ und es kommt:

$$\lg \mathfrak{F} = \chi(\mathfrak{y}) + \vartheta(\mathfrak{x})$$

oder

$$\mathfrak{F} = e^{\chi(\mathfrak{y})} \cdot e^{\vartheta(\mathfrak{x})}.$$

Die Differentialgleichung nimmt also die Form an:

$$e^{-\chi(\mathfrak{y})}\, d\mathfrak{y} - e^{\vartheta(\mathfrak{x})}\, d\mathfrak{x} = 0,$$

d. h. sie ist separiert und durch eine Quadratur integrierbar.

Satz 10: *Gestattet die Differentialgleichung*

$$Xdy - Ydx = 0$$

eine eingliedrige Gruppe Uf und kennt man die Bahncurven $\mathfrak{x}(x,y) = \text{Const.}$ *derselben, so bestimmt man zunächst durch eine Quadratur eine beliebige bei Uf invariante Curvenschar* $\mathfrak{y}(x, y) = Const.$ *Führt man alsdann* $\mathfrak{x}$ *und* $\mathfrak{y}$ *an Stelle von* x *und* y *als Veränderliche in die Differentialgleichung ein, so erscheint sie unter separierter Form, ist also durch Quadratur zu integrieren.*

Man sieht, dass die in diesem Paragraphen entwickelte Integrationsmethode nicht so viel leistet als die früher in Theorem 8 des § 1 gegebene, denn *sie setzt die Kenntnis der Bahncurven der eingliedrigen Gruppe Uf voraus.* Insbesondere ist sie aber immer anwendbar, wenn die *endlichen* Gleichungen dieser Gruppe Uf bekannt sind (vgl. Satz 7 des § 2, 4. Kap.).

Diese im Jahre 1869 von Lie entdeckte Integrationsmethode dürfte wohl die erste sein, bei welcher Invarianten einer continuierlichen Gruppe in *bewusster Weise* zur Integration von Differentialgleichungen angewandt wurden. Wir werden an einer späteren Stelle eine dieser Methode analoge, aber allgemeinere Integrationstheorie entwickeln, welche Anwendung auf partielle Differentialgleichungen findet.

Diese Methode giebt das *allgemeinste* System von Veränderlichen, durch deren Einführung *alle* Differentialgleichungen, welche Uf gestatten, separiert werden. Unter den unendlich vielen Systemen solcher Veränderlicher kann man sodann auch nach demjenigen suchen, welches der transformierten Differentialgleichung die einfachste Form erteilt und dann wird man im allgemeinen zu eben dem neuen Variabelnpaar geführt, durch dessen Benutzung die betreffenden Differentialgleichungen in den gebräuchlichen älteren Lehrbüchern integriert zu werden pflegen.

1. Beispiel: Will man die sogen. homogene Differentialgleichung

$$y' = \varphi\left(\frac{y}{x}\right)$$

integrieren, so führt man bekanntlich $\frac{y}{x}$ neben x als neue Veränderliche ein. Dies findet seine Begründung durch unsere Methode. Denn bei der vorstehenden Differentialgleichung ist die zugehörige lineare partielle Differentialgleichung

$$Af \equiv \frac{\partial f}{\partial x} + \varphi\left(\frac{y}{x}\right)\frac{\partial f}{\partial y} = 0,$$

und die Differentialgleichung gestattet die eingliedrige Gruppe von Ähnlichkeitstransformationen:

$$Uf \equiv x\frac{\partial f}{\partial x} + y\frac{\partial f}{\partial y},$$

denn es ist hier:

$$U(Af) - A(Uf) \equiv -\frac{\partial f}{\partial x} + \left(x\frac{\partial \varphi}{\partial x} + y\frac{\partial \varphi}{\partial y} - \varphi\right)\frac{\partial f}{\partial y}$$

und dies ist, da φ homogen in x, y und also nach dem Euler'schen Satze über homogene Functionen

$$x\frac{\partial \varphi}{\partial x} + y\frac{\partial \varphi}{\partial y} \equiv 0$$

ist, gleich $-Af$. Nach unserem Theorem 9 gestattet also die vorgelegte homogene Differentialgleichung die eingliedrige Gruppe der Ähnlichkeitstransformationen Uf. Die Bahncurven derselben sind

$$\frac{y}{x} = \text{Const.},$$

während die Schar $x = \text{Const.}$ eine invariante Geradenschar ist, welche die Gleichung $Ux = x$ erfüllt. Bei Benutzung der Variabeln $\frac{y}{x}$ und x wird also die homogene Differentialgleichung nach Satz 10 in der That durch Quadratur integrabel.

Dies ist die Art, in der man die homogene Differentialgleichung gewöhnlich zu integrieren pflegt. Unsere Methode leistet aber noch mehr, wir können das allgemeinste Variabelnpaar angeben, welches alle homogenen Differentialgleichungen separiert. Zu dem Ende bestimmen wir $\mathfrak{x}$ so, dass

$$U\mathfrak{x} \equiv x\frac{\partial \mathfrak{x}}{\partial x} + y\frac{\partial \mathfrak{x}}{\partial y} = 0$$

wird. Diese Gleichung hat das allgemeine Integral

$$\mathfrak{x} = \lambda\left(\frac{y}{x}\right),$$

wo λ eine beliebige Function von $\frac{y}{x}$ bezeichnet. Ferner bestimmen wir $\mathfrak{y}$ zunächst so, dass

$$U\mathfrak{y} \equiv x\frac{\partial \mathfrak{y}}{\partial x} + y\frac{\partial \mathfrak{y}}{\partial y} = 1$$

wird. Die Function $\mathfrak{y}$, welche dieselbe erfüllt, wird einer Gleichung

$$f(\mathfrak{y}, y) = 0$$

genügen, und diese Function f erfüllt die lineare Differentialgleichung:

$$x\frac{\partial f}{\partial x} + y\frac{\partial f}{\partial y} + \frac{\partial f}{\partial \mathfrak{y}} = 0,$$

die dem simultanen Systeme

$$\frac{dx}{x} = \frac{dy}{y} = \frac{d\mathfrak{y}}{1}$$

äquivalent ist, welches $\frac{y}{x}$ und $\lg x - \mathfrak{y}$ zu Integralen hat, sodass

$$f\left(\frac{y}{x}, \lg x - \mathfrak{y}\right) = 0$$

oder also

$$\mathfrak{y} = \lg x + \mu\left(\frac{y}{x}\right)$$

zu setzen ist, wo μ eine beliebige Function von $\frac{y}{x}$ bedeutet. Noch allgemeiner dürfen wir als $\mathfrak{y}$ jede Function des gefundenen Ausdruckes benutzen, wie oben bemerkt wurde, so dass wir als allgemeinstes Variabelnpaar, welches alle homogenen Differentialgleichungen separiert, dieses finden:

$$\mathfrak{x} = \lambda\left(\frac{y}{x}\right), \quad \mathfrak{y} = \nu\left(\lg x + \mu\left(\frac{y}{x}\right)\right),$$

worin λ, μ, ν arbiträre Functionen ihrer Argumente sind. Von allen diesen Variabelnpaaren ist das gebräuchliche

$$\mathfrak{x} = \frac{y}{x}, \quad \mathfrak{y} = x$$

im allgemeinen das bequemste.

2. Beispiel: Die Differentialgleichung

$$y' = \varphi(x + \varkappa y)$$

gestattet die eingliedrige Gruppe von Translationen:

$$x_1 = x - \varkappa t, \quad y_1 = y + t,$$

welche von der infinitesimalen Transformation

$$Uf \equiv -\varkappa\frac{\partial f}{\partial x} + \frac{\partial f}{\partial y}$$

erzeugt wird. Denn hier ist

$$Af \equiv \frac{\partial f}{\partial x} - \varphi(x + \varkappa y)\frac{\partial f}{\partial y},$$

also

$$U(Af) - A(Uf) \equiv 0.$$

Die Bahncurven $\mathfrak{x} =$ Const. der eingliedrigen Gruppe sind die Geraden $x + \varkappa y =$ Const. Ferner bleibt bei den Translationen natürlich jede Schar von Parallelgeraden, z. B. die Schar $y =$ Const., invariant. Es ist auch $Uy \equiv 1$. Wir werden also nach Satz 9 setzen:

$$\mathfrak{x} = x + \varkappa y, \quad \mathfrak{y} = y$$

und erhalten:

$$d\mathfrak{x} = dx + \varkappa dy,$$
$$d\mathfrak{y} = dy,$$

oder, in unsere Differentialgleichung

$$dy - \varphi(x + \varkappa y)dx = 0$$

eingesetzt:

$$d\mathfrak{y} - \varphi(\mathfrak{x})\,(d\mathfrak{x} - \varkappa d\mathfrak{y}) = 0$$

oder

$$(1 + \varkappa\varphi(\mathfrak{x}))d\mathfrak{y} - \varphi(\mathfrak{x})d\mathfrak{x} = 0.$$

Diese Gleichung ist, wie es sein muss, frei von $\mathfrak{y}$ und giebt durch eine Quadratur das Integral

$$\mathfrak{y} - \int \frac{\varphi(\mathfrak{x})}{1 + \varkappa\varphi(\mathfrak{x})} d\mathfrak{x}$$

oder also als Integral der ursprünglichen Differentialgleichung

$$y - \int \frac{\varphi(x + \varkappa y)}{1 + \varkappa\varphi(x + \varkappa y)} d(x + \varkappa y).$$

3. *Beispiel:* Zur Durchrechnung empfehlen wir dem Leser die Differentialgleichung

$$\frac{xy' - y}{x + yy'} = f(x^2 + y^2),$$

welche die infinitesimale Rotation

$$Uf \equiv -y\frac{\partial f}{\partial x} + x\frac{\partial f}{\partial y}$$

gestattet. Dies weise man mit Hülfe des Theorems 9 nach und führe dann die neuen Variabeln ein. Die Bahncurven sind die Kreise $x^2 + y^2 = \text{Const.}$ und eine invariante Curvenschar ist z. B. die der Geraden durch den Anfangspunkt: $\frac{y}{x} = \text{Const.}$ Es ist $U\frac{y}{x} \equiv 1 + \left(\frac{y}{x}\right)^2$ und wir werden statt $\frac{y}{x}$ lieber arc tg $\frac{y}{x}$ wählen, denn es ist

$$U\left(\text{arc tg}\,\frac{y}{x}\right) = 1.$$

Demnach wird die Differentialgleichung durch Einführung der Polarcoordinaten

$$r = \sqrt{x^2 + y^2}, \quad \varphi = \text{arc tg}\,\frac{y}{x}$$

frei von φ, also durch eine Quadratur integrabel. Man verificiere dies. Hätte man als neue Veränderliche ausser $\mathfrak{x} = \sqrt{x^2 + y^2}$ nicht arc tg $\frac{y}{x}$, sondern $\frac{y}{x}$ selbst als $\mathfrak{y}$ eingeführt, so wäre der Fall des Satzes 10 da: die Gleichung würde in den neuen Veränderlichen $\mathfrak{x}$ und $\mathfrak{y}$ separiert sein.

Kapitel 7.

Beziehungen zwischen den infinitesimalen Transformationen, welche eine gewöhnliche Differentialgleichung erster Ordnung in x, y gestattet.

In diesem Kapitel werden wir untersuchen, welcher Zusammenhang zwischen den infinitesimalen Transformationen Uf besteht, die eine gewöhnliche Differentialgleichung gestattet. Wir werden sehen, dass, wenn man zwei derselben kennt, sofort ein Integral angegeben werden kann und umgekehrt die allgemeine Form einer infinitesimalen Transformation, welche die Differentialgleichung gestattet, aus einer beliebigen derselben und einem Integral sehr leicht abzuleiten ist.

Vorher müssen wir jedoch noch einige Bemerkungen über das Rechnen mit den Symbolen Uf machen.

§ 1. Bemerkungen über das Rechnen mit Symbolen infinitesimaler Transformationen.

Es sei

$$Uf \equiv \xi \frac{\partial f}{\partial x} + \eta \frac{\partial f}{\partial y}$$

das Symbol einer infinitesimalen Transformation. Wird ganz von seiner Deutung als infinitesimale Transformation abgesehen, so stellt es einen Differentiationsprocess dar, ausgeführt auf eine beliebige Function f von x und y. Deshalb gelten hier Regeln für die Ausführung dieses Processes auf Summen, Producte u. s. w. genau in der Weise, wie in der Differentialrechnung. So ist

$$U(\varphi + \psi) \equiv U\varphi + U\psi,$$

$$U(\varphi \cdot \psi) \equiv \psi \cdot U\varphi + \varphi \cdot U\psi$$

u. s. w. Uc ist natürlich Null, wenn c eine Constante bedeutet.

Seien nun

$$U_1 f \equiv \xi_1 \frac{\partial f}{\partial x} + \eta_1 \frac{\partial f}{\partial y},$$

$$U_2 f \equiv \xi_2 \frac{\partial f}{\partial x} + \eta_2 \frac{\partial f}{\partial y}$$

zwei Symbole, so lässt sich aus ihnen der Ausdruck

$$U_1(U_2 f) - U_2(U_1 f)$$

construieren. Derselbe enthält, wie schon im vorigen Kapitel gelegentlich gezeigt wurde (in § 2), bemerkenswerter Weise keine zweiten Differentialquotienten von f, da diese sich sämtlich paarweis fortheben.

Er ist also auch ein Symbol wie $U_1 f$ und $U_2 f$. Wir werden ihn abkürzend mit $(U_1\, U_2)$ oder, um hervorzuheben, dass er ein auf f ausgeführter Process ist, mit $(U_1 f,\ U_2 f)$ bezeichnen:

$$(U_1\, U_2) \equiv (U_1 f,\, U_2 f) \equiv U_1(U_2 f) - U_2(U_1 f).$$

Klammerausdruck. Den Ausdruck $(U_1\, U_2)$ nennen wir den mit $U_1 f$ und $U_2 f$ gebildeten *Klammerausdruck*. Auf seine begriffliche Bedeutung können wir hier noch nicht eingehen.

Insbesondere ist offenbar

$$(U_1\, U_2) + (U_2\, U_1) \equiv 0$$

und

$$(U_1\, U_1) \equiv 0.$$

Bedeutet ferner ω eine Function von x und y allein, so ist

$$(\omega U_1,\, U_2) \equiv \omega (U_1\, U_2) - U_2 \omega \cdot U_1 f,$$

wovon man sich durch Ausrechnung überzeugen möge.

Überhaupt empfehlen wir dem Leser, sich mit der Bildung des Klammerausdruckes, der eine überaus wichtige Rolle in unseren Theorien spielen wird, durch mannigfache Übung recht vertraut zu machen. Je gewandter man in seiner Ausrechnung ist, um so besser übersieht man die theoretischen und praktischen Entwickelungen der späteren Kapitel.

Bei solchen Rechnungen ist es recht bequem, die umständlichen Zeichen $\frac{\partial f}{\partial x}$ und $\frac{\partial f}{\partial y}$, solange f eine beliebige Function bedeutet, durch kürzere, nämlich durch p und q, zu ersetzen. So lautet das Symbol der infinitesimalen Rotation um den Anfangspunkt kurz $-yp + xq$ oder, da es mit einer beliebigen Constanten multipliciert werden darf, $yp - xq$. Die infinitesimale Ähnlichkeitstransformation vom Anfangspunkt aus hat das Symbol $xp + yq$, die infinitesimale Translation längs der x-Axe das Symbol p, die längs der y-Axe q, eine beliebige infinitesimale Translation das Symbol $ap + bq$, wo a und b Constanten sind. Das Symbol der in § 3 des 1. Kap. betrachteten infinitesimalen affinen Transformation ist xp, u. s. w.

Doch wollen wir in den folgenden theoretischen Entwickelungen zum besseren Verständnis derselben die umständlicheren Zeichen $\frac{\partial f}{\partial x}$ und $\frac{\partial f}{\partial y}$ beibehalten und erst auf einer späteren Stufe die Abkürzungen p und q dafür gebrauchen. Immerhin mag der Leser sich schon jetzt damit bekannt machen.

Schliesslich heben wir noch hervor, dass zwischen drei infinitesimalen Transformationen der Ebene $(x,\, y)$:

$$U_1f \equiv \xi_1 \frac{\partial f}{\partial x} + \eta_1 \frac{\partial f}{\partial y}, \quad U_2f \equiv \xi_2 \frac{\partial f}{\partial x} + \eta_2 \frac{\partial f}{\partial y}, \quad U_3f \equiv \xi_3 \frac{\partial f}{\partial x} + \eta_3 \frac{\partial f}{\partial y}$$

stets eine Gleichung

$$\lambda_1 U_1f + \lambda_2 U_2f + \lambda_3 U_3f = 0$$

identisch besteht für alle Werte von x, y und f. Eliminiert man nämlich die Grössen $\frac{\partial f}{\partial x}$ und $\frac{\partial f}{\partial y}$ aus den drei obenstehenden Gleichungen, so kommt:

$$\begin{vmatrix} U_1f & \xi_1 & \eta_1 \\ U_2f & \xi_2 & \eta_2 \\ U_3f & \xi_3 & \eta_3 \end{vmatrix} \equiv 0$$

oder

$$(\xi_2\eta_3 - \xi_3\eta_2)\, U_1f + (\xi_3\eta_1 - \xi_1\eta_3)\, U_2f + (\xi_1\eta_2 - \xi_2\eta_1)\, U_3f \equiv 0$$

und diese Identität zwischen U_1f, U_2f und U_3f besteht für jedes $\frac{\partial f}{\partial x}$ und $\frac{\partial f}{\partial y}$, d. h. für jede Function f. Ist hierin

$$\xi_2\eta_3 - \xi_3\eta_2 \not\equiv 0,$$

unterscheiden sich also U_2f und U_3f nicht nur um einen (von x und y abhängigen) Factor, so können wir durch $\xi_2\eta_3 - \xi_3\eta_2$ dividieren und erhalten eine Relation von der Form

$$U_1f \equiv \mu_2(x, y)\, U_2f + \mu_3(x, y)\, U_3f.$$

Das Symbol einer beliebigen infinitesimalen Transformation in x, y lässt sich also linear (mit Coefficienten, die von x und y abhängen) aus den Symbolen irgend zweier solcher zusammensetzen, vorausgesetzt dass die Symbole der beiden letzteren sich nicht bloss um einen Factor unterscheiden, geometrisch ausgesprochen: vorausgesetzt, dass die beiden letzteren infinitesimalen Transformationen einem beliebigen Punkte *verschiedene Fortschreitungsrichtungen* zuerteilen.

Nach diesen Vorbemerkungen kehren wir zu den Multiplicatorsätzen des vorigen Kapitels zurück.

§ 2. Beziehung zwischen zwei infinitesimalen Transformationen, welche eine gew. Differentialgleichung erster Ordnung gestattet.

Wir wollen annehmen, die Differentialgleichung Zusammenhang zwischen zwei inf. Transform. der Differentialgleichung und einem Integral.

$$Xdy - Ydx = 0$$

gestatte *zwei* bekannte infinitesimale Transformationen

$$U_1f \equiv \xi_1 \frac{\partial f}{\partial x} + \eta_1 \frac{\partial f}{\partial y},$$

$$U_2f \equiv \xi_2 \frac{\partial f}{\partial x} + \eta_2 \frac{\partial f}{\partial y},$$

und dabei voraussetzen, dass keine derselben *trivial*, d. h. von der Form

$$\varrho\left(X\frac{\partial f}{\partial x}+Y\frac{\partial f}{\partial y}\right)$$

oder kurz ϱAf ist, wenn nämlich wie früher gesetzt wird:

$$Af\equiv X\frac{\partial f}{\partial x}+Y\frac{\partial f}{\partial y}.$$

Nach Theorem 8 (§ 1 des 6. Kap.) sind nun

$$M_1\equiv\frac{1}{X\eta_1-Y\xi_1},\quad M_2\equiv\frac{1}{X\eta_2-Y\xi_2}$$

Integrabilitätsfactoren der vorgelegten Differentialgleichung. Bekanntlich ist der Quotient zweier solcher, wie in der Theorie der Differentialgleichungen gelehrt wird, ein Integral oder eine Constante. Wir wollen den Beweis dafür zum Überfluss kurz andeuten: M_1 und M_2 erfüllen die Definitionsgleichung eines Euler'schen Multiplicators, d. h. es ist

$$\frac{\partial M_1X}{\partial x}+\frac{\partial M_1Y}{\partial y}\equiv 0,$$

$$\frac{\partial M_2X}{\partial x}+\frac{\partial M_2Y}{\partial y}\equiv 0$$

oder, etwas umgeformt:

$$X\frac{\partial \lg M_1}{\partial x}+Y\frac{\partial \lg M_1}{\partial y}+\frac{\partial X}{\partial x}+\frac{\partial Y}{\partial y}\equiv 0,$$

$$X\frac{\partial \lg M_2}{\partial x}+Y\frac{\partial \lg M_2}{\partial y}+\frac{\partial X}{\partial x}+\frac{\partial Y}{\partial y}\equiv 0.$$

Subtrahiert man beide Identitäten von einander, so kommt

$$A\left(\lg\frac{M_1}{M_2}\right)\equiv 0,$$

d. h. $\lg\frac{M_1}{M_2}$ oder also $\frac{M_1}{M_2}$ selbst ist ein Integral der vorgelegten Differentialgleichung oder aber nur eine Constante.

Mithin ergiebt sich

Satz 1: *Sind*

$$\xi_1\frac{\partial f}{\partial x}+\eta_1\frac{\partial f}{\partial y}\quad und\quad \xi_2\frac{\partial f}{\partial x}+\eta_2\frac{\partial f}{\partial y}$$

zwei nicht triviale infinitesimale Transformationen, welche die gewöhnliche Differentialgleichung

$$Xdy-Ydx=0$$

gestattet, so ist

$$\frac{X\eta_2-Y\xi_2}{X\eta_1-Y\xi_1}$$

ein Integral derselben oder aber eine Constante.

Setzen wir zunächst voraus, dieser Quotient sei ein Integral. Ist $\omega(x, y)$ wie früher ein Integral der Differentialgleichung, so ist also der Quotient allgemein eine Function $\Omega(\omega)$ desselben: Beziehung zwischen zwei infin. Transform. d. Differentialgleichung.

$$\frac{X\eta_2 - Y\xi_2}{X\eta_1 - Y\xi_1} \equiv \Omega(\omega),$$

d. h.

$$\frac{\xi_2 - \Omega\xi_1}{X} = \frac{\eta_2 - \Omega\eta_1}{Y},$$

sodass ξ_2 und η_2 die Formen haben:

$$\xi_2 \equiv \Omega(\omega) \cdot \xi_1 + \varrho(x, y) \cdot X,$$
$$\eta_2 \equiv \Omega(\omega) \cdot \eta_1 + \varrho(x, y) \cdot Y,$$

wo ϱ eine gewisse Function von x, y bedeutet. Mithin ist

$$U_2 f \equiv \xi_2 \frac{\partial f}{\partial x} + \eta_2 \frac{\partial f}{\partial y} \equiv \Omega(\omega) \cdot \left(\xi_1 \frac{\partial f}{\partial x} + \eta_1 \frac{\partial f}{\partial y}\right) + \varrho \cdot \left(X \frac{\partial f}{\partial x} + Y \frac{\partial f}{\partial y}\right)$$

oder also

(1) $$U_2 f \equiv \Omega(\omega) \cdot U_1 f + \varrho(x, y) \cdot Af.$$

Wenn jener im obigen Satze erwähnte Quotient nur eine Constante $\varkappa$ ist, so folgt, indem $\varkappa$ an Stelle von Ω tritt, ganz analog, dass

(2) $$U_2 f \equiv \varkappa \cdot U_1 f + \varrho(x, y) \cdot Af$$

ist. Es ist hier keine wesentliche Beschränkung der Allgemeinheit, wenn wir insbesondere die Constante $\varkappa$ (die sicher nicht Null ist, da sonst nach (2) gegen die Voraussetzung $U_2 f$ eine triviale Transformation der Differentialgleichung wäre) gleich 1 annehmen, denn mit $U_1 f$ ist ja auch $\varkappa \cdot U_1 f$ eine infinitesimale Transformation, welche unsere Differentialgleichung gestattet. Demnach können wir statt (2) auch schreiben

(2′) $$U_2 f \equiv U_1 f + \varrho(x, y) \cdot Af.$$

Alsdann transformieren die beiden infinitesimalen Transformationen $U_1 f$ und $U_2 f$ die Integralcurven $\omega(x, y) = \text{Const.}$ beide in genau derselben Weise. Denn: die Curve

$$\omega(x, y) = c$$

geht bei $U_1 f$ über in eine unendlich benachbarte Curve der Schar

$$\omega(x_1, y_1) = c + \delta c_1.$$

Die Transformation $U_1 f$ lautet:

$$x_1 = x + \xi\delta t + \cdots, \quad y_1 = y + \eta\delta t + \cdots$$

und es ist also

$$\omega(x + \xi\delta t + \cdots, \; y + \eta\delta t + \cdots) = c + \delta c_1$$

oder bis auf unendlich kleine Grössen höherer Ordnung

$$\omega(x, y) + \left(\xi \frac{\partial \omega}{\partial x} + \eta \frac{\partial \omega}{\partial y}\right) \delta t = c + \delta c_1,$$

oder endlich, da $\omega(x, y) = c$ ist:

$$U_1 \omega \,.\, \delta t = \delta c_1.$$

Nun aber wissen wir, dass die Curvenschar $\omega(x, y) = c$ die infinitesimale Transformation $U_1 f$ gestattet und dass infolge dessen eine Gleichung von der Form

$$U_1 \omega = F(\omega) = F(c)$$

besteht. Daher führt die infinitesimale Transformation $\delta x = \xi \delta t$, $\delta y = \eta \delta t$ jede Curve der invarianten Schar $\omega(x, y) = c$ in die benachbarte Curve

$$\omega(x_1, y_1) = c + F(c) \delta t = c + U_1 \omega \,.\, \delta t$$

über.

In entsprechender Weise geht die Curve $\omega(x, y) = c$ bei der infinitesimalen Transformation $U_2 f$ in eine benachbarte Curve

$$\omega(x_1, y_1) = c + \delta c_2$$

über, wo analog

$$U_2 \omega \,.\, \delta t = \delta c_2$$

ist. Nach (2′) aber ist:

$$U_2 \omega \equiv U_1 \omega,$$

weil $A\omega \equiv 0$ ist, und also auch

$$\delta c_2 = \delta c_1,$$

d. h. die beiden Curven, in welche $\omega = c$ durch die infinitesimalen Transformationen $U_1 f$ und $U_2 f$ übergeführt wird, sind dieselben, wie behauptet wurde.

Auch auf mehr anschaulichem Wege geht dies aus (2′) hervor: Fasst man nämlich

$$Af \equiv X \frac{\partial f}{\partial x} + Y \frac{\partial f}{\partial y}$$

als infinitesimale Transformation auf, so ordnet sie einem Punkte p einer Integralcurve $\omega = c$ eine Fortschreitungsstrecke zu, deren Projectionen auf die Axen gleich $X \delta t$ und $Y \delta t$ sind, und führt ihn also auf der Integralcurve selbst weiter, während $U_1 f$ und $U_2 f$ ihm gewisse Fortschreitungsstrecken zuordnen, die ihn aus dieser Integralcurve hinausführen. Die Gleichung (2′) aber giebt für $f \equiv x$ und $f \equiv y$:

$$\xi_2 \equiv \xi_1 + \varrho X,$$
$$\eta_2 \equiv \eta_1 + \varrho Y.$$

Demnach ist die Fortschreitungsstrecke $\delta t \sqrt{\xi_2^2 + \eta_2^2}$, welche $U_2 f$ dem Punkte p erteilt, nach dem Parallelogramm der Bewegungen aus den Strecken $\delta t \sqrt{\xi_1^2 + \eta_1^2}$ und $\varrho \delta t \sqrt{X^2 + Y^2}$, welche der Punkt p durch $U_1 f$ und Af erführt, zu construieren. $U_1 f$ führt *alle* Punkte einer Integralcurve $\omega = c$ in die Punkte *einer* benachbarten Integralcurve über, und bis auf unendlich kleine Grössen zweiter Ordnung liegen daher auch die vierten Ecken jener Parallelogramme der Bewegungen, welche für die Punkte p der Integralcurve $\omega = c$ construiert werden können, auf *derselben* benachbarten Integralcurve. (Fig. 10.)

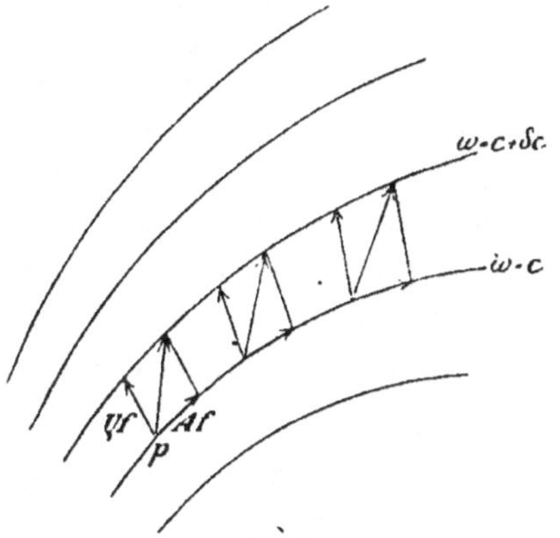

Fig. 10.

Wenn $U_1 f$ und $U_2 f$ in der Beziehung (2′) zu einander stehen, so werden wir daher $U_2 f$ gar nicht als eine wesentlich von $U_1 f$ abweichende infinitesimale Transformation der Differentialgleichung $Xdy - Ydx = 0$ auffassen. Man kann ja alle solche Transformationen $U_2 f$ sofort angeben, sobald $U_1 f$ gegeben ist, und für das Integrationsgeschäft bringt $U_2 f$ keinen Nutzen, da

$$\frac{X\eta_2 - Y\xi_2}{X\eta_1 - Y\xi_1}$$

kein Integral, sondern nur eine Constante ist.

Deshalb wollen wir, wenn von *zwei* infinitesimalen Transformationen $U_1 f$ und $U_2 f$ die Rede ist, welche die Differentialgleichung $Xdy - Ydx = 0$ gestattet, dabei im allgemeinen stillschweigend voraussetzen, *dass $U_1 f$ und $U_2 f$ wesentlich von einander in Hinsicht dieser Differentialgleichung verschieden seien*, also keine Relation von der Form (2′) oder noch allgemeiner von der Form:

$$U_2 f \equiv \varkappa U_1 f + \varrho Af$$

bestehe, in der $\varkappa$ eine Constante bedeutet.

Unsere Formeln (1) und (2) können wir in dem Satze zusammenfassen:

Satz 2: *Zwei nicht triviale infinitesimale Transformationen $U_1 f$ und $U_2 f$ einer Differentialgleichung*

$$Xdy - Ydx = 0,$$

deren zugehörige lineare partielle Differentialgleichung lautet:

$$Af \equiv X\frac{\partial f}{\partial x} + Y\frac{\partial f}{\partial y} = 0,$$

erfüllen immer eine Relation von der Form

$$U_2 f \equiv \Omega(\omega)\, U_1 f + \varrho(x, y) Af,$$

wo ω ein Integral der Differentialgleichung bedeutet.

Wir können zu demselben Ergebnis auch auf mehreren anderen Wegen gelangen, welche erwähnt zu werden verdienen, da die betreffenden Methoden an sich Interesse darbieten.

§ 3. Andere Ableitungen derselben Ergebnisse und ihre Umkehrung.

Zweite Ableitung jener Beziehung.

Um auf einem anderen Wege zu unserer Formel (1) zu kommen, denken wir uns an Stelle von x und y neue Veränderliche eingeführt, etwa $\mathfrak{x}$ und $\mathfrak{y}$, für welche

$$A\mathfrak{x} \equiv X\frac{\partial \mathfrak{x}}{\partial x} + Y\frac{\partial \mathfrak{x}}{\partial y} = 0,$$

$$A\mathfrak{y} \equiv X\frac{\partial \mathfrak{y}}{\partial x} + Y\frac{\partial \mathfrak{y}}{\partial y} = 1$$

ist, also sogenannte canonische Veränderliche des Ausdrucks Af, der dadurch übergeht in

$$Af = \frac{\partial f}{\partial \mathfrak{y}}.$$

(Vgl. Satz 4 des § 2, 3. Cap.) Dabei geht $U_1 f$ (nach Satz 2 desselben Paragraphen) über in

$$U_1 f = U_1\mathfrak{x}\,\frac{\partial f}{\partial \mathfrak{x}} + U_1\mathfrak{y}\,\frac{\partial f}{\partial \mathfrak{y}},$$

während

$$U_2 f = U_2\mathfrak{x}\,\frac{\partial f}{\partial \mathfrak{x}} + U_2\mathfrak{y}\,\frac{\partial f}{\partial \mathfrak{y}}$$

wird. Da jetzt Af die einfache Form $\frac{\partial f}{\partial \mathfrak{y}}$ hat, so lautet die Differentialgleichung $Xdy - Ydx = 0$ in den neuen Veränderlichen einfach $d\mathfrak{x} = 0$, d. h. die Integralcurven sind die Curven $\mathfrak{x} = \text{Const.}$ Diese Schar gestattet aber eine infinitesimale Transformation Uf nur dann, wenn diese dem $\mathfrak{x}$ ein nur von $\mathfrak{x}$ abhängiges Increment erteilt, also die Form hat:

$$Uf = \Omega(\mathfrak{x})\frac{\partial f}{\partial \mathfrak{x}} + W(\mathfrak{x}, \mathfrak{y})\frac{\partial f}{\partial \mathfrak{y}}.$$

Da $U_1 f$ und $U_2 f$ infinitesimale Transformationen der Differentialgleichung sein sollen, so müssen sie folglich die Formen haben:

$$U_1 f = \Omega_1(\mathfrak{x})\frac{\partial f}{\partial \mathfrak{x}} + W_1(\mathfrak{x}, \mathfrak{y})\frac{\partial f}{\partial \mathfrak{y}}.$$

$$U_2 f = \Omega_2(\mathfrak{x})\frac{\partial f}{\partial \mathfrak{x}} + W_2(\mathfrak{x}, \mathfrak{y})\frac{\partial f}{\partial \mathfrak{y}}.$$

Hiernach ist eine Relation vorhanden:

$$\Omega_2(\mathfrak{x})\,U_1f - \Omega_1(\mathfrak{x})\,U_2f = \Phi(\mathfrak{x}, \mathfrak{y})\,\frac{\partial f}{\partial \mathfrak{y}},$$

die sich auch so schreiben lässt:

$$U_2f - \Omega(\mathfrak{x})\,U_1f = W(\mathfrak{x}, \mathfrak{y})\,Af,$$

da $Af = \frac{\partial f}{\partial \mathfrak{y}}$ ist, oder:

$$U_2f = \Omega(\mathfrak{x})\,U_1f + W(\mathfrak{x}, \mathfrak{y})\,Af.$$

Kehren wir nun zu den ursprünglichen Veränderlichen x, y zurück, so ist $\mathfrak{x}$ wegen $A\mathfrak{x} = 0$ ein Integral ω der Differentialgleichung $Af = 0$, während $W(\mathfrak{x}, \mathfrak{y})$ eine Function $\varrho(x, y)$ wird, sodass sich ergiebt:

$$U_2f \equiv \Omega(\omega)\,U_1f + \varrho(x, y)\,Af,$$

was zu beweisen war.

Wir können zu demselben Ergebnis auch durch das folgende Vorgehen gelangen: *Dritte Ableitung jener Beziehung.*

Da U_1f sich nicht nur um einen Factor von Af unterscheidet (sonst wäre ja U_1f eine triviale Transformation der Differentialgleichung), so ist nach dem in § 1 Gesagten klar, dass U_2f sich linear durch U_1f und Af ausdrücken lassen muss:

(3) $$U_2f \equiv \sigma\,U_1f + \varrho\,Af.$$

Hier sind σ und ϱ gewisse Functionen von x und y. Sollen nun U_1f und U_2f infinitesimale Transformationen sein, welche die Differentialgleichung $Xdy - Ydx = 0$ oder also die Schar $\omega =$ Const. der zugehörigen Integralcurven invariant lassen, so müssen $U_1\omega$ und $U_2\omega$ Functionen von ω allein sein (siehe Satz 2, § 2, Kap. 5):

$$U_1\omega \equiv \Omega_1(\omega), \quad U_2\omega \equiv \Omega_2(\omega),$$

während $A\omega \equiv 0$ ist. Setzen wir also in der sicher vorhandenen Relation (3) $f \equiv \omega$, so reduciert sie sich auf:

$$\Omega_2(\omega) \equiv \sigma\,\Omega_1(\omega),$$

d. h. σ ist eine Function $\Omega(\omega)$, sodass sich ergiebt:

$$U_2f \equiv \Omega(\omega)\,U_1f + \varrho\,Af.$$

Dies ist wieder unsere Formel (1).

Complicierter ist die Ableitung unserer Formel aus der Relation (3), wenn wir das Theorem 9 (§ 2 des 6. Kap.) benutzen. Danach müssen nämlich, wenn U_1f und U_2f infinitesimale Transformationen sein sollen, welche die Differentialgleichung $Xdy - Ydx = 0$ gestattet, Relationen bestehen von der Form *Vierte Ableitung jener Beziehung.*

(4) $$(U_1A) \equiv \lambda_1(x, y)\,Af; \quad (U_2A) \equiv \lambda_2(x, y)\,A_2f.$$

Nach (3) aber ist:

$$(U_2 A) \equiv (\sigma U_1, A) + (\varrho A, A).$$

Hieraus folgt, wenn wir an die Bemerkungen in § 1 erinnern:

$$(U_2 A) \equiv \sigma(U_1 A) - A\sigma \,.\, U_1 f + \varrho(AA) - A\varrho \,.\, Af,$$

wo noch $(AA) \equiv 0$ ist. Substituieren wir hierin die Werte (4), so kommt:

$$\lambda_2 Af \equiv \sigma\lambda_1 \,.\, Af - A\sigma \,.\, U_1 f - A\varrho \,.\, Af$$

oder:

$$(\sigma\lambda_1 - \lambda_2 - A\varrho) Af \equiv A\sigma \,.\, U_1 f.$$

Hierin sind $\sigma\lambda_1 - \lambda_2 - A\varrho$ und $A\sigma$ Functionen von x, y. Nach Voraussetzung soll sich $U_1 f$ nicht nur um einen Factor von Af unterscheiden. Es ist also notwendig einzeln jeder dieser beiden Coefficienten Null, insbesondere der zweite:

$$A\sigma \equiv 0,$$

woraus folgt, dass σ ein Integral $\Omega(\omega)$ unserer Differentialgleichung ist. Danach giebt (3) wieder unsere gesuchte Formel:

$$U_2 f \equiv \Omega(\omega) U_1 f + \varrho Af. \tag{5}$$

Umkehrung. Nehmen wir nun umgekehrt an, $U_1 f$ sei eine infinitesimale Transformation, welche die Differentialgleichung gestattet, $\Omega(\omega)$ sei eine beliebig gewählte Function des Integrals ω und ϱ eine beliebige Function von x und y, so ist leicht zu zeigen, dass alsdann auch die durch (5) bestimmte infinitesimale Transformation $U_2 f$ die Differentialgleichung invariant lässt. In der That giebt ja die Formel (5) für $f \equiv \omega$, da $A\omega \equiv 0$ und nach Voraussetzung $U_1 \omega$ eine Function $\Omega_1(\omega)$ ist:

$$U_2 \omega \equiv \Omega(\omega) \,.\, \Omega_1(\omega),$$

d. h. auch $U_2 \omega$ ist eine Function von ω allein. Die Schar $\omega =$ Const. gestattet also die infinitesimale Transformation $U_1 f$.

Daher werden wir unseren Satz jetzt so aussprechen:

Theorem 10: *Ist $U_1 f$ eine nicht triviale infinitesimale Transformation, welche die Differentialgleichung*

$$Xdy - Ydx = 0$$

gestattet, und setzt man

$$Af \equiv X \frac{\partial f}{\partial x} + Y \frac{\partial f}{\partial y},$$

so gestattet die Differentialgleichung auch jede infinitesimale Transformation von der Form

$$U_2 f \equiv \Omega(\omega) U_1 f + \varrho(x, y) Af,$$

wo $\Omega(\omega)$ eine beliebige Function des Integrals ω der Differentialgleichung und ϱ eine beliebige Function von x und y bedeutet. Andererseits ist dies die allgemeinste infinitesimale Transformation in x, y, welche die Differentialgleichung zulässt.

Dies Resultat lässt sich auch in eleganter Weise rein geometrisch ableiten. Seien nämlich $U_1 f$ und $U_2 f$ irgend zwei infinitesimale Transformationen, welche die Schar der Integralcurven $\omega =$ Const. invariant lassen. Eine beliebige, aber bestimmte Curve dieser Schar sei $\omega(x, y) = c$. Sie wird von $U_2 f$ in eine infinitesimal benachbarte Curve der Schar, etwa in Geometrische Ableitung.

$$\omega(x_1, y_1) = c + \delta c_2$$

übergeführt. Alsdann ist, wie wir früher schon (in § 2) fanden:

$$U_2 \omega \cdot \delta t = \delta c_2 \tag{6}$$

und hierin hat die linke Seite ebenso wie die rechte denselben Wert längs der Curve $\omega = c$. Dies gilt für jede Curve $\omega = c$.

Betrachten wir nun den Ausdruck

$$\mathfrak{U}f \equiv \frac{U_2 \omega}{U_1 \omega} U_1 f;$$

derselbe stellt eine infinitesimale Transformation dar, die sich von $U_1 f$ nur um einen Factor $\frac{U_2 \omega}{U_1 \omega}$, der eine Function von ω allein ist, unterscheidet. Diese infinitesimale Transformation $\mathfrak{U}f$ lässt auch die Schar $\omega =$ Const. invariant, es ist ja $\mathfrak{U}\omega$ eine Function von ω allein, nämlich gleich $U_2 \omega$. Nach (6) führt mithin $\mathfrak{U}f$ die beliebige Curve $\omega = c$ in genau dieselbe Curve $\omega = c + \delta c_2$ über, in die sie durch $U_2 f$ verwandelt wird. Die beiden infinitesimalen Transformationen $U_2 f$ und $\mathfrak{U}f$ führen aber nicht notwendig die Punkte der Curve $\omega = c$ in *dieselben* Punkte der benachbarten Curve $\omega = c + \delta c_2$ über, vielmehr im allgemeinen in verschiedene. (S. Fig. 11.)

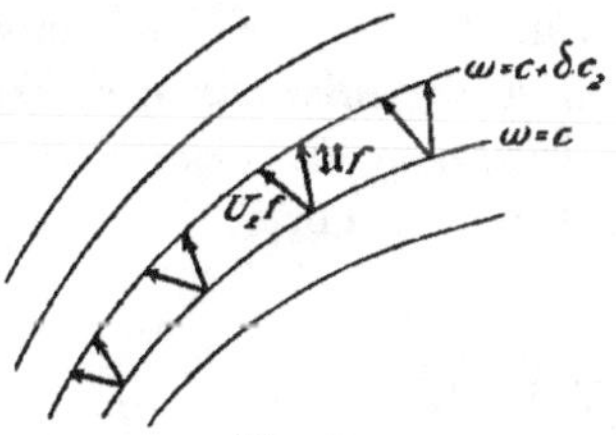

Fig. 11.

Wenn $\mathfrak{U}f$ die beliebige Curve $\omega = c$ in die Curve $\omega = c + \delta c_2$ transformiert, so wird die infinitesimale Transformation $-\mathfrak{U}f$ alle Punkte der letzteren Curve in die der ersteren zurückbringen (wenn, wie überhaupt bei dieser Betrachtung, von unendlich kleinen Grössen zweiter Ordnung abgesehen wird), denn sie erteilt den Coordinaten gerade entgegengesetzte Incremente wie $\mathfrak{U}f$. Führen wir nun zuerst

$U_2 f$ und darauf $-\mathfrak{U}f$ aus, so ist dies dasselbe, als ob wir die infinitesimale Transformation $U_2 f - \mathfrak{U}f$ ausgeführt hätten. $U_2 f$ führt die Curve $\omega = c$ in die Curve $\omega = c + \delta c_2$ über, und $-\mathfrak{U}f$ führt diese zurück. (Fig. 12.) Dabei gelangen zwar die Punkte wieder auf ihre ursprüngliche Curve, aber nicht gerade notwendig auf ihre ursprünglichen Plätze zurück. Sie können vielmehr längs der Curve infinitesimal verschoben sein. Aber jede solche infinitesimale Transformation hat die Fortschreitungsrichtung

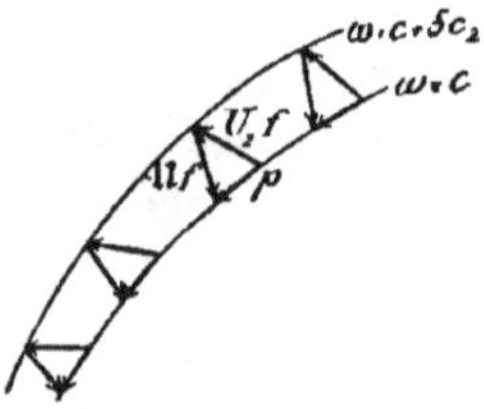

Fig. 12.

$$\frac{\delta y}{\delta x} = \frac{Y}{X}$$

(die von der Differentialgleichung $Xdy - Ydx = 0$ bestimmt wird), also ein Symbol von der Form

$$\varrho(x, y)\left(X\frac{\partial f}{\partial x} + Y\frac{\partial f}{\partial y}\right)$$

oder $\varrho \cdot Af$. Demnach ist:

$$U_2 f - \mathfrak{U}f \equiv \varrho \cdot Af$$

oder:

$$U_2 f \equiv \Omega(\omega) U_1 f + \varrho \cdot Af$$

und dies ist unsere obige Formel (5).

Das *wichtigste Ergebnis dieses Kapitels*, das in Satz 1 ebenso wie in der Formel (5) seinen Ausdruck findet, ist, *dass die Kenntnis zweier in Hinsicht auf die Differentialgleichung $Xdy - Ydx = 0$ wesentlich verschiedener infinitesimaler Transformationen $U_1 f$ und $U_2 f$ der Differentialgleichung die Kenntnis eines Integrals nach sich zieht*, das in dem Satz 1 in der Form

$$\frac{X\eta_2 - Y\xi_2}{X\eta_1 - Y\xi_1},$$

in (5) in der Form $\Omega(\omega)$ geschrieben wurde.

Da die Formel (5) wieder zu jenem ersten Satze zurückführt, denn aus (5) folgt

$$\xi_2 \equiv \Omega\xi_1 + \varrho X,$$

$$\eta_2 \equiv \Omega\eta_1 + \varrho Y,$$

also:

$$\Omega(\omega) \equiv \frac{X\eta_2 - Y\xi_2}{X\eta_1 - Y\xi_1},$$

so können wir sagen, dass wir die Möglichkeit der Verwertung von $U_1 f$ und $U_2 f$ zur Bestimmung des Integrals von zwei verschiedenen Punkten ausgehend bewiesen haben, einmal mit Hülfe der im vorigen

Kapitel entwickelten Multiplicatortheorie (in § 2) und dann auf mehr begrifflichem, von früheren Entwickelungen unabhängigeren Wege (in § 3). Letztere Methode ist deshalb bemerkenswert, weil sie auf *partielle* Differentialgleichungen ausgedehnt werden kann, wie wir später sehen werden.

§ 4. Beispiele.

Wir erläutern unsere Theorien durch mehrere einfache Beispiele.

1. Beispiel: Die Differentialgleichung:

$$dy - \varkappa dx = 0$$

gestattet die beiden infinitesimalen Transformationen:

$$U_1 f \equiv \frac{\partial f}{\partial x}, \quad U_2 f \equiv x \frac{\partial f}{\partial x} + y \frac{\partial f}{\partial y},$$

denn es ist hier

$$Af \equiv \frac{\partial f}{\partial x} + \varkappa \frac{\partial f}{\partial y}$$

und

$$(U_1 A) \equiv 0, \quad (U_2 A) \equiv - Af.$$

(Vgl. Theorem 9, § 2 des 6. Kap.) Mithin ist $U_2 f$ von der Form

$$U_2 f = \Omega(\omega) U_1 f + \varrho A f,$$

also (für $f \equiv x$ und $\equiv y$):

$$x = \Omega \cdot 1 + \varrho$$
$$y = \Omega \cdot 0 + \varrho \varkappa,$$

daher $\varrho = \frac{y}{\varkappa}$, $\Omega = x - \varrho = x - \frac{y}{\varkappa}$. Es ist also $x - \frac{y}{\varkappa}$ oder $\varkappa x - y$ ein Integral. In der That giebt dies differenziert sofort die Differentialgleichung wieder. Kürzer hätten wir das Integral nach Satz 1 gefunden durch Bildung des Quotienten:

$$\frac{X\eta_2 - Y\xi_2}{X\eta_1 - Y\xi_1} = \frac{1 \cdot y - \varkappa \cdot x}{1 \cdot 0 - \varkappa \cdot 1} \equiv - \frac{y - \varkappa x}{\varkappa}.$$

2. Beispiel: Die Differentialgleichung.

$$xdy - (y - x^2)dx = 0$$

gestattet die beiden infinitesimalen Transformationen

$$U_1 f \equiv x \frac{\partial f}{\partial y}, \quad U_2 f \equiv x \frac{\partial f}{\partial x} + 2y \frac{\partial f}{\partial y},$$

denn es ist

$$Af \equiv x \frac{\partial f}{\partial x} + (y - x^2) \frac{\partial f}{\partial y}$$

und

$$(U_1 A) \equiv 0, \quad (U_2 A) \equiv 0,$$

wie die Ausrechnung lehrt. Mithin hat $U_2 f$ die Form:

$$U_2 f = \Omega(\omega) U_1 f + \varrho A f.$$

Dies liefert die beiden einzelnen Gleichungen:

$$x = \Omega \cdot 0 + \varrho \cdot x,$$
$$2y = \Omega \cdot x + \varrho(y - x^2),$$

d. h. $\varrho = 1$, also

$$\Omega = \frac{y + x^2}{x}.$$

Es ist somit $\frac{y+x^2}{x}$ ein Integral. In der That folgt daraus durch Differentiation wieder die Differentialgleichung. Schneller ergiebt sich das Integral durch Bildung des Quotienten:

$$\frac{X\eta_2 - Y\xi_2}{X\eta_1 - Y\xi_1} = \frac{x \cdot 2y - (y - x^2) \cdot x}{x \cdot x - (y - x^2) \cdot 0} \equiv \frac{y + x^2}{x}.$$

3. Beispiel: Die Differentialgleichung

$$dy - \left(x - \sqrt{x^2 - 2y}\right) dx = 0$$

gestattet die beiden infinitesimalen Transformationen

$$U_1 f \equiv \frac{\partial f}{\partial x} + x \frac{\partial f}{\partial y}, \quad U_2 f \equiv x \frac{\partial f}{\partial x} + 2y \frac{\partial f}{\partial y},$$

denn es ist

$$Af \equiv \frac{\partial f}{\partial x} + \left(x - \sqrt{x^2 - 2y}\right) \frac{\partial f}{\partial y}$$

und also

$$(U_1 A) \equiv 0, \quad (U_2 A) \equiv -Af.$$

Folglich ist der Quotient:

$$\frac{1 \cdot 2y - \left(x - \sqrt{x^2 - 2y}\right) \cdot x}{1 \cdot x - \left(x - \sqrt{x^2 - 2y}\right) \cdot 1} \equiv x - \sqrt{x^2 - 2y}$$

ein Integral.

Weitere Beispiele, die der Leser selbst durchführen möge, sind diese:

4. Beispiel: Die Differentialgleichung

$$x^2\, dy - 2y^2\, dx = 0$$

gestattet die beiden infinitesimalen Transformationen

$$U_1 f \equiv x \frac{\partial f}{\partial x} + y \frac{\partial f}{\partial y}, \quad U_2 f = x^2 \frac{\partial f}{\partial x} + y^2 \frac{\partial f}{\partial y}.$$

Man verificiere dies und bestimme das Integral.

5. Beispiel: Die Differentialgleichung

$$xy dy - (y^2 + x) dx = 0$$

gestattet die beiden infinitesimalen Transformationen

$$U_1 f \equiv 2x \frac{\partial f}{\partial x} + y \frac{\partial f}{\partial y}, \quad U_2 f \equiv x^2 \frac{\partial f}{\partial x} + xy \frac{\partial f}{\partial y}.$$

Man verificiere dies und bestimme das Integral.

Kapitel 8.

Über die Bestimmung der Scharen von ∞^1 Curven und der Differentialgleichungen erster Ordnung, welche eine vorgelegte eingliedrige Gruppe gestatten.

In dem vorletzten Kapitel war davon die Rede, wann eine *vorgelegte* Curvenschar $\omega(x, y) =$ Const. oder eine *vorgelegte* Differentialgleichung $Xdy - Ydx = 0$ eine eingliedrige Gruppe oder, was auf dasselbe hinauskommt, eine infinitesimale Transformation Uf gestattet. Nunmehr wollen wir in diesem Kapitel zu einer *bekannten eingliedrigen Gruppe alle* invarianten Curvenscharen und Differentialgleichungen bestimmen.

§ 1. Ausführung aller Transformationen einer eingliedrigen Gruppe auf eine beliebige Curve.

Wir stellen uns also jetzt die Frage:

Gesetzt, es sei eine eingliedrige Gruppe vorgelegt, wie findet man alsdann alle Scharen von ∞^1 Curven, welche diese Gruppe gestatten?

Dabei wollen wir annehmen, die endlichen Gleichungen der eingliedrigen Gruppe seien vorgelegt:

$$(1) \qquad x_1 = \varphi(x, y, a), \quad y_1 = \psi(x, y, a),$$

wo a den Parameter der Gruppe bezeichnet. Um uns später recht knapp ausdrücken zn können, schicken wir einige nicht nur für die vorliegende Frage, sondern für die ganze Gruppentheorie wichtige formelle Bemerkungen voraus.

Wie schon früher gelegentlich (vgl. § 2 des 4. Kap.) bezeichnen*) wir die Transformation der Gruppe, welche dem Parameterwert a zugehört, mit T_a. Die Aufeinanderfolge zweier Transformationen T_a und T_b ist einer gewissen Transformation T_c der Gruppe äquivalent: Symbolische Bezeichnungen.

$$T_a T_b = T_c,$$

wo dann c eine gewisse Function von a und b ist:

$$c = \lambda(a, b).$$

Führen wir insbesondere die Transformationen auf einen Punkt p oder auf eine Curve k aus, so schreiben wir die Äquivalenz symbolisch so:

---

*) Die im Text eingeführte Symbolik ist, wie der Leser bemerken wird, *von der Substitutionstheorie herübergenommen.*

$$(p) T_a T_b = (p) T_c,$$
$$(k) T_a T_b = (k) T_c.$$

Es hat jeder Ausdruck $(p) T_a T_b T_c \ldots$ und $(k) T_a T_b T_c \ldots$ einen ganz bestimmten Sinn. Der erste z. B. bezeichnet den Punkt, in welchen p übergeht, wenn man auf p nacheinander die Transformationen $T_a, T_b, T_c \ldots$ der Gruppe anwendet. Führen wir *dieselbe* Transformation T_a zweimal nach einander aus, so werden wir $T_a T_a$ kürzer mit T_a^2 bezeichnen können, ebenso $T_a T_a T_a$ kürzer mit T_a^3 u. s. w. Alsdann gewinnt der Ausdruck $T_a T_b T_c \ldots$ der Reihenfolge mehrer Transformationen grosse Ähnlichkeit mit den Producten der gewöhnlichen Arithmetik. Um diese für die Anwendungen recht erwünschte Analogie noch vollständiger zu machen, werden wir die identische Transformation mit $T_a^0 = T_b^0 = \cdots = 1$ und die zu T_a inverse Transformation, welche ja nach der Definition der Gruppe (vgl. § 1 des 2. Kap.) in ihr vorhanden ist, mit T_a^{-1} bezeichnen. Dann ist nämlich:

$$T_a T_a^{-1} = T_a^0 = 1$$

und (vgl. denselben §) auch:

$$T_a^{-1} T_a = T_a^0 = 1,$$

während

$$T_a \cdot 1 = T_a^1 \cdot T_a^0 = T_a$$

ist. T_a^{-2} würde natürlich die Reihenfolge $T_a^{-1} T_a^{-1}$ bedeuten u. s. w. Wenn T_a den Punkt p oder die Curve k nach p_1 resp. k_1 führt:

$$(p) T_a = (p_1), \quad (k) T_a = (k_1), \tag{2}$$

so führt T_a^{-1}, die inverse Transformation, p_1 resp. k_1 nach p resp. k zurück:

$$(p_1) T_a^{-1} = (p), \quad (k_1) T_a^{-1} = (k). \tag{3}$$

Wir hätten dies auch rein rechnerisch aus (2) ableiten können, denn führen wir auf beide Seiten von (2) die Transformation T_a^{-1} aus, so kommt:

$$(p) T_a T_a^{-1} = (p_1) T_a^{-1}, \quad (k) T_a T_a^{-1} = (k_1) T_a^{-1}$$

oder, da $T_a T_a^{-1} = T_a^0 = 1$ die identische Transformation und also $(p) 1 = (p)$, $(k) 1 = (k)$ zu setzen ist:

$$(p) = (p_1) T_a^{-1}, \quad (k) = (k_1) T_a^{-1}.$$

Diese Gleichungen sind aber dieselben wie (3).

Nach diesen Vorbemerkungen wollen wir jetzt nach allen Scharen von ∞^1 Curven fragen, welche bei der eingliedrigen Gruppe (1) invariant bleiben. *Eine* solche Schar ist die der Bahncurven, denn es bleibt ja jede Bahncurve bei der Gruppe einzeln invariant, also auch die Schar derselben.

Wollen wir eine andere invariante Schar von ∞^1 Curven k finden, so haben wir anzunehmen, dass wenigstens eine Curve k_0 derselben *keine* Bahncurve sei. Führen wir auf diese Curve k_0 alle Transformationen der Gruppe aus, so sollen dieselben k_0 in Curven k der gesuchten Schar überführen. Durch Ausführung aller ∞^1 Transformationen der Gruppe geht aber k_0 gerade in ∞^1 Curven über; denn ist

Ausführung aller Transformationen der Gruppe auf eine Curve.

(4) $$\Omega(x, y) = 0$$

die Gleichung von k_0, so findet man die Curven, in welche k_0 durch die Transformationen der Gruppe verwandelt wird, durch Elimination von x und y aus (1) und (4) ausgedrückt in x_1 und y_1, und die sich ergebende Gleichung enthält einen Parameter a. (Derselbe würde nur dann wegfallen, wenn k_0 gegen die Voraussetzung Bahncurve wäre.) Die ∞^1 Curven, in welche somit k_0 bei allen Transformationen der Gruppe übergeht, bilden nun offenbar eine invariante Schar. Denn sei k eine beliebige dieser ∞^1 Curven, die aus k_0 etwa durch Ausführung von T_a hervorgegangen ist, so ist:

(5) $$(k_0)T_a = (k).$$

Führen wir auf k eine beliebige Transformation T_b der Gruppe aus, so geht k über in die Curve $(k)T_b$ oder nach (5) in die Curve $(k_0)T_aT_b$ oder $(k_0)T_c$, also in eine Curve, die aus k_0 durch Ausführung einer Transformation T_c der Gruppe hervorgeht und daher jener Schar angehört.

Es ist offenbar gleichgültig, wie die ursprüngliche Curve k_0 in der Ebene gewählt ist, wenn sie nur nicht Bahncurve ist. Immer erzeugt sie bei den Transformationen der Gruppe eine invariante Schar von ∞^1 Curven.

Dass diese Schar keine Bahncurve enthält, ist leicht zu sehen. Sei nämlich angenommen, eine Curve k_1 der Schar sei doch Bahncurve. Sie gehe aus k_0 etwa durch die Transformation T_a hervor:

$$(k_0)T_a = (k_1).$$

Führen wir rechts und links T_a^{-1} aus, so kommt:

$$(k_0) = (k_1)T_a^{-1},$$

d. h. die zu T_a inverse Transformation T_a^{-1} führt k_1 in die Lage k_0 zurück. Wenn aber k_1 Bahncurve ist, so ist dies unmöglich, da jede Bahncurve bei allen Transformationen der Gruppe, also auch bei T_a^{-1}, invariant bleibt, d. h. $(k_1)T_a^{-1} = (k_1)$ und nicht $= (k_0)$ ist. Wir haben also gefunden:

Theorem 11: *Liegt eine eingliedrige Gruppe der Ebene vor, so gehört jede Curve der Ebene einer und nur einer Schar von ∞^1 Curven an, welche die Gruppe gestattet. Ist jene Curve Bahncurve der Gruppe, so sind alle Curven der Schar Bahncurven, ist jene Curve keine Bahncurve, so ist auch keine andere Curve der Schar Bahncurve. In diesem Falle geht die invariante Schar dadurch hervor, dass man auf die eine Curve alle Transformationen der Gruppe ausführt.*

Sei etwa

$$\Omega(x, y) = 0$$

die Gleichung der beliebig gewählten Curve, die keine Bahncurve sein soll. Anstatt alle Transformationen T_a auf sie auszuführen, führen wir die inversen T_a^{-1} aus. Dies kommt auf dasselbe hinaus, denn *jede* Transformation der Gruppe ist ja die inverse einer anderen. Dies Verfahren ist analytisch bequemer, denn T_a^{-1} hat die Gleichungen (1), wenn man darin x_1, y_1 als die ursprünglichen, x, y als die transformierten Variabeln auffasst. Wir werden demnach die Gleichung der vorgelegten Curve so schreiben:

$$\Omega(x_1, y_1) = 0$$

und hierin die Werte (1) substituieren. Dadurch geht dann die invariante Curvenschar, welcher jene vorgelegte Curve angehört, in der Form hervor:

$$\Omega(\varphi(x, y, a),\ \psi(x, y, a)) = 0. \tag{6}$$

Dies ist also der allgemeine Ausdruck einer bei der Gruppe invarianten Schar von ∞^1 Curven, von denen nicht jede einzeln invariant ist. Ω darf ganz beliebig gewählt werden, nur nicht so, dass $\Omega(x, y) = 0$ gerade eine Bahncurve ist, denn dann würde (6) den Parameter a in Wirklichkeit gar nicht enthalten.

§ 2. Bestimmung der Differentialgleichungen erster Ordnung, welche eine vorgelegte eingliedrige Gruppe gestatten.

Um nun die Differentialgleichungen $Xdy - Ydx = 0$ zu finden, welche die vorgelegte Gruppe (1) zulassen, haben wir nur noch einen Schritt zu thun:

Die ∞^1 Curven (6) sind ja die Integralcurven einer gewöhnlichen Differentialgleichung erster Ordnung zwischen x und y. Man findet diese also durch Elimination von a aus (6) und der differenzierten Gleichung $d\Omega(\varphi, \psi) = 0$. Damit hat man dann den allgemeinen Ausdruck einer gewöhnlichen Differentialgleichung erster Ordnung gefunden, welche unsere eingliedrige Gruppe gestattet. Man darf nicht vergessen, dass man hierdurch *eine* Differentialgleichung, welche die Gruppe gestattet, nicht erhält, nämlich die der Bahncurven. Aber die Bahncurven sind mit den endlichen Gleichungen der Gruppe bekannt (vgl. Satz 7, § 2 des 4. Kap.), also ist auch ihre Differentialgleichung durch Differentiation und Elimination zu finden. Daher: Invariante Differentialgleichungen 1. O. bei vorgelegter Gruppe.

Satz 1: *Kennt man die endlichen Gleichungen einer eingliedrigen Gruppe in x, y, so kann man allein durch Differentiation und Elimination alle gewöhnlichen Differentialgleichungen erster Ordnung zwischen x und y bestimmen, welche die Gruppe gestatten.*

Das hier vorgetragene Verfahren liefert alle Differentialgleichungen erster Ordnung, welche die Gruppe oder, was auf dasselbe hinauskommt, ihre infinitesimale Transformation gestatten. Nach Theorem 8 (§ 1 des 6. Kap.) lässt sich daher zu jeder dieser Differentialgleichungen, mit Ausnahme der Differentialgleichung der Bahncurven, ein Multiplicator angeben, und sie sind mithin durch Quadratur integrierbar.

Man könnte durch dieses Verfahren unbegrenzt viele Differentialgleichungen erster Ordnung auffinden, die integrierbar sind, denn es sind uns ja alle eingliedrigen Gruppen der Ebene bekannt in der Darstellungsform

$$\Omega(x_1, y_1) = \Omega(x, y), \quad W(x_1, y_1) - t = W(x, y),$$

(vgl. Theorem 1, § 4 des 2. Kap.). Allein diese Methode leidet an dem wesentlichen Übelstande, dass sie keine rechte Übersicht über die mannigfaltigen Formen solcher Differentialgleichungen gewährt. Später geben wir eine andere Methode, die in dieser Hinsicht vollkommener ist.

Hervorgehoben sei noch, dass unser Verfahren natürlich *alle* Differentialgleichungen erster Ordnung ergeben muss, denn jede solche Differentialgleichung gestattet eingliedrige Gruppen. (Vgl. Satz 8 des § 4, 6. Kap.) Damit ist nun aber keineswegs gesagt, dass man auch alle Differentialgleichungen $Xdy - Ydx = 0$ integrieren könne. Die Schwierigkeit ist eben die, wenn eine solche Differentialgleichung integriert werden soll, eine eingliedrige Gruppe zu *finden*, welche sie invariant lässt und ihre Integralcurven nicht zu Bahncurven hat.

Wenn nun nicht die endlichen Gleichungen der eingliedrigen Gruppe vorgelegt sind, sondern nur ihre infinitesimale Transformation

$$Uf \equiv \xi \frac{\partial f}{\partial x} + \eta \frac{\partial f}{\partial y}$$

bekannt ist, so findet man alle invarianten Curvenscharen

$$\omega(x, y) = \text{Const.}$$

aus der Bedingung

$$U\omega = \Omega(\omega),$$

die sich, wie schon früher bemerkt wurde (siehe § 1 des 6. Kap.), durch Benutzung einer passenden Function $\Phi(\omega)$ anstelle von ω ohne Beschränkung der Allgemeinheit noch specieller annehmen lässt in den Formen:

$$U\omega = 0, \quad U\omega = 1.$$

Die erste Gleichung giebt durch Integration die Schar der Bahncurven. Die Ermittelung der Functionen ω, welche $U\omega = 1$ machen, deckt sich bekanntlich mit der Integration des simultanen Systems

$$\frac{dx}{\xi} = \frac{dy}{\eta} = \frac{d\omega}{1}$$

und erfordert, wie wir früher zeigten (vgl. S. 33 u. 55), bloss eine Quadratur, sobald die Bahncurven bekannt sind. Übrigens haben wir hierzu schon früher ein Beispiel gegeben. Es ist dies das 5. Beispiel des § 3, 5. Kap., wo alle bei der eingliedrigen Gruppe der Rotationen um den Anfangspunkt invarianten Curvenscharen gesucht wurden.

Man könnte in ähnlicher Weise wie oben erkennen, dass zu jeder eingliedrigen Gruppe der Ebene auch invariante Scharen von ∞^2 Curven gehören, auch wäre es leicht, alle derartigen Scharen aus den endlichen Gleichungen der Gruppe zu bestimmen. Aber auf diese und ähnliche weitergehende Probleme wollen wir uns hier nicht einlassen.

§ 3. Beispiele: Klassen von Differentialgleichungen erster Ordnung in x, y, welche eine eingliedrige Gruppe gestatten und daher integrabel sind.

Die Entwickelungen der §§ 1 und 2, welche uns gestatten, alle bei einer vorgelegten eingliedrigen Gruppe invarianten Differentialgleichungen erster Ordnung zu finden, sollen jetzt durch mehrere Beispiele illustriert werden. Dabei heben wir noch einmal ausdrücklich hervor, dass eine später zu entwickelnde Methode in allen diesen Beispielen schneller zum Ziele führen wird, wie wir seinerzeit zeigen werden.

1. Beispiel: Sei vorgelegt die eingliedrige Gruppe der Translationen längs der x-Axe:

$$x_1 = x + a, \quad y_1 = y.$$

Um alle invarianten Scharen von ∞^1 Curven zu finden, muss man von einer Curve ausgehen. Entweder ist ihre Gleichung frei von x oder nicht. Im ersten Fall ist sie Bahncurve, bleibt also bei allen Transformationen der eingliedrigen Gruppe invariant. Die Schar der invarianten Bahncurven wird dargestellt durch

$$y = \text{Const.}$$

oder durch die Differentialgleichung

$$dy = 0.$$

Enthält dagegen die Gleichung der Curve x, so ist sie nach x auflösbar:

$$x - \varphi(y) = 0.$$

Durch die Translationen der Gruppe geht sie über in die Schar von ∞^1 Curven:

$$x - \varphi(y) = \text{Const.},$$

deren Differentialgleichung die Form hat:

$$1 - \varphi'(y)y' = 0.$$

Alle Differentialgleichungen also, welche frei von x sind, gestatten die eingliedrige Gruppe der Translationen längs der x-Axe. Insbesondere ist $dy = 0$ die Differentialgleichung der Bahncurven.

Die infinitesimale Transformation der Gruppe lautet $\frac{\partial f}{\partial x}$, und die allgemeine Form der invarianten Differentialgleichung, mit Ausschluss von $dy = 0$, ist:

$$F(y)dy - dx = 0.$$

Bestimmt man nach Theorem 8 des § 1, 6. Kap., hieraus einen Multiplicator der Differentialgleichung, so ergiebt sich derselbe gleich 1. In der That ist ja auch schon die linke Seite der Differentialgleichung ein vollständiges Differential.

2. Beispiel: Vorgelegt sei die eingliedrige Gruppe von affinen Transformationen:

$$x_1 = ax, \quad y_1 = y.$$

Um alle invarianten Curvenscharen zu finden, müssen wir auf eine beliebige Curve alle Transformationen der Gruppe ausführen. Zunächst kann die Gleichung dieser Curve frei von x sein. Dann bleibt die Curve invariant, und so ergiebt sich die Schar der Bahncurven

$$y = \text{Const.}$$

mit der Differentialgleichung

$$dy = 0.$$

Enthält die Curvengleichung x, so können wir sie so schreiben:

$$x - \varphi(y) = 0.$$

Durch Ausführung aller Transformationen der Gruppe liefert sie die Curvenschar

$$\frac{x}{a} - \varphi(y) = 0$$

oder

$$\frac{\varphi(y)}{x} = \text{Const.}$$

mit der Differentialgleichung

$$x\varphi'(y)dy - \varphi(y)dx = 0$$

oder also:

$$xdy - F(y)dx = 0.$$

Die eingliedrige Gruppe der affinen Transformationen längs der x-Axe lässt also unbegrenzt viele Differentialgleichungen erster Ordnung invariant, welche die Formen:

$$dy = 0$$

und

$$xdy - F(y)dx = 0$$

haben.

Die Differentialgleichung

$$xdy - F(y)dx = 0$$

gestattet also auch die infinitesimale Transformation $x\frac{\partial f}{\partial x}$ der Gruppe. Nach Theorem 8 hat sie folglich den Multiplicator

$$\frac{1}{xF(y)}.$$

In der That ist

$$\frac{dy}{F(y)} - \frac{dx}{x}$$

ein vollständiges Differential.

3. Beispiel: Sei bei der eingliedrigen Gruppe von Ähnlichkeitstransformationen:

$$x_1 = ax, \quad y_1 = ay$$

die Gleichung der Curve, von der wir ausgehen, zunächst wieder frei von x, also $y = c$. Die Transformationen der Gruppe führen sie über in die Geradenschar

$$y = \text{Const.}$$

mit der Differentialgleichung

$$dy = 0.$$

Enthält die Curvengleichung x, so hat sie etwa die Form

$$x - \varphi(y) = 0$$

und liefert daher die Curvenschar

$$\frac{x}{a} - \varphi\left(\frac{y}{a}\right) = 0$$

oder bequemer

$$ax - \varphi(ay) = 0.$$

(Zu letzterer Form wären wir gelangt, wenn wir wie im vorigen Paragraphen die Gleichung der ursprünglichen Curve in x_1, y_1 geschrieben hätten.) Um die zugehörige Differentialgleichung zu finden, müssen wir differenzieren:

$$dx - \varphi'(ay)\,dy = 0$$

und a aus den beiden letzten Gleichungen eliminieren. Die letzte giebt ay in der Form:

$$ay = \psi\left(\frac{dy}{dx}\right) \equiv \psi(y')$$

und also:

$$a = \frac{1}{y}\,\psi(y').$$

Setzen wir dies in die erste Gleichung ein, so kommt

$$\frac{x}{y}\,\psi(y') - \varphi(\psi(y')) = 0$$

oder, wenn nach y' aufgelöst wird, eine Differentialgleichung von der Form

$$y' - F\left(\frac{y}{x}\right) = 0.$$

Es ist etwas mühselig, auf directem Wege (indem man auf die Entstehung dieser Gleichung recurriert) einzusehen, dass hierin F eine beliebige Function von $\frac{y}{x}$ sein kann. Wir bestätigen es indirect, indem wir bemerken, dass die letzte Differentialgleichung die infinitesimale Transformation

$$Uf \equiv x\frac{\partial f}{\partial x} + y\frac{\partial f}{\partial y}$$

unserer Gruppe bei beliebig gewähltem F gestattet. Denn die zu unserer Gleichung gehörige partielle Differentialgleichung lautet:

$$Af \equiv \frac{\partial f}{\partial x} + F\left(\frac{y}{x}\right)\frac{\partial f}{\partial y} = 0$$

und es ist also, wie Ausrechnung lehrt:

$$(UA) \equiv -Af.$$

Die Differentialgleichung $y' - F = 0$ ist also wirklich die allgemeine homogene.

Bequemer hätten wir dies einsehen können, wenn wir uns des Kunstgriffes bedient hätten, die beliebig angenommene Curve nicht in der Form $x - \varphi(y) = 0$, sondern in dieser:

$$x - \varphi\left(\frac{y}{x}\right) = 0$$

zu geben. Alsdann ist die Gleichung der Curvenschar:

$$a x - \varphi\left(\frac{y}{x}\right) = 0.$$

Sie giebt differenziert:

$$a dx - \varphi'\left(\frac{y}{x}\right)\frac{x dy - y dx}{x^2} = 0,$$

sodass die Elimination von a die gewünschte Differentialgleichung giebt:

$$\varphi\left(\frac{y}{x}\right) dx - \varphi'\left(\frac{y}{x}\right)\left(dy - \frac{y}{x}\,dx\right) = 0,$$

die offenbar homogen ist. Durch passende Wahl der Function φ erhält man offenbar jede homogene Differentialgleichung erster Ordnung.

Die eingliedrige Gruppe von Ähnlichkeitstransformationen vom Anfangspunkte aus lässt die homogenen Differentialgleichungen

$$y' = F\left(\frac{y}{x}\right)$$

und keine weiteren invariant.

Man beachte, dass die Differentialgleichung der Bahncurven $\frac{y}{x} = \text{Const.}$, nämlich

$$y' = \frac{y}{x},$$

schon in unserer allgemeinen Form enthalten ist, ebenso wie die zuerst gefundene invariante Differentialgleichung $dy = 0$ oder $y' = 0$. Weil nun die homogene Differentialgleichung die infinitesimale Ähnlichkeitstransformation $x\frac{\partial f}{\partial x} + y\frac{\partial f}{\partial y}$ gestattet, so folgt nach Theorem 8:

Die homogene Differentialgleichung

$$dy - F\left(\frac{y}{x}\right) dx = 0$$

hat den Multiplicator)*

$$\frac{1}{y - xF\left(\frac{y}{x}\right)}.$$

Ihr Integral wird also in bekannter Weise aus dem vollständigen Differential

$$\frac{dy - F\left(\frac{y}{x}\right) dx}{y - F\left(\frac{y}{x}\right) x}$$

*) Der Satz des Textes ist längst bekannt.

durch Quadratur bestimmt. Man bemerkt, dass sich kein Multiplicator ergiebt, wenn $F\left(\frac{y}{x}\right)$ sich auf $\frac{y}{x}$ reduciert, da dann der Nenner Null ist. Die betreffende Differentialgleichung $xdy - ydx = 0$ ist nämlich die der Bahncurven, für welche die infinitesimale Transformation $x\frac{\partial f}{\partial x} + y\frac{\partial f}{\partial y}$ trivial ist.

4. Beispiel: Die eingliedrige Gruppe der Rotationen um den Anfangspunkt

$$x_1 = x\cos a - y\sin a, \quad y_1 = x\sin a + y\cos a$$

sei vorgelegt. Die Curve, auf welche wir alle Transformationen der Gruppe ausführen, denken wir uns in x_1 und y_1 geschrieben:

$$\Omega(x_1, y_1) = 0.$$

Alsdann ergiebt sich durch Ausführung der zur obenstehenden inversen Transformation, die ja ebenso wie diese die allgemeine Transformation der Gruppe ist, die Curvenschar:

$$\Omega(x\cos a - y\sin a, \quad x\sin a + y\cos a) = 0.$$

Um nun die Differentialgleichung dieser Schar aufzustellen, haben wir zu differenzieren:

$$\frac{\partial\Omega}{\partial(x\cos a - y\sin a)}(dx\cos a - dy\sin a) +$$
$$+ \frac{\partial\Omega}{\partial(x\sin a + y\cos a)}(dx\sin a + dy\cos a) = 0$$

und aus den beiden letzten Gleichungen a zu eliminieren. Dies ist etwas unbequem: Bezeichnen wir für den Augenblick die beiden hierin vorkommenden Differentialquotienten von Ω mit u und v, so giebt die letzte Gleichung

$$\frac{dy}{dx} = \frac{u\cos a + v\sin a}{u\sin a - v\cos a}$$

und also:

$$\frac{xdy - ydx}{xdx + ydy} = \frac{u(x\cos a - y\sin a) + v(x\sin a + y\cos a)}{u(x\sin a + y\cos a) - v(x\cos a - y\sin a)}.$$

Nun aber ist

$$(x\cos a - y\sin a)^2 + (x\sin a + y\cos a)^2 = x^2 + y^2.$$

Daher kann die rechte Seite der vorletzten Gleichung als Function von $x\cos a - y\sin a$ und $x^2 + y^2$ betrachtet werden. Ebenso lässt sich $\Omega = 0$ in der Form

$$x\cos a - y\sin a = \Phi(x^2 + y^2)$$

schreiben. Also wird die rechte Seite der obigen Gleichung nach Elimination von a eine Function von $x^2 + y^2$ allein, sodass sich ergiebt:

$$\frac{x\,dy - y\,dx}{x\,dx + y\,dy} = F(x^2 + y^2)$$

oder auch:

$$\frac{xy' - y}{x + yy'} = F(x^2 + y^2).$$

Dass jede Differentialgleichung dieser Art bei beliebiger Wahl der Function F von $x^2 + y^2$ die eingliedrige Gruppe der Rotationen gestattet, wissen wir schon aus dem letzten Beispiel des § 5, 6. Kap.

Auf einem weniger künstlichen Wege wären wir zu dieser Differentialgleichung durch Einführung canonischer Variabeln, nämlich der Polarcoordinaten r, φ, in die Gruppe der Rotationen gelangt. Dann nämlich lauten die Gleichungen der Gruppe einfach

$$r_1 = r, \quad \varphi_1 = \varphi + \alpha.$$

Ist also

$$\omega(r_1, \varphi_1) = 0$$

die Gleichung der Ausgangscurve in Polarcoordinaten, so stellt

$$\omega(r, \varphi + \alpha) = 0$$

die invariante Curvenschar dar. War die ursprüngliche Curvengleichung $\omega(r_1, \varphi_1) = 0$ frei von φ_1, so enthält auch die neue den Parameter α nicht, d. h. jede Curve $r = \text{Const.}$ ist, wie wir ja auch schon wissen, Bahncurve. Eine invariante Curvenschar ist also die Schar der Kreise

$$x^2 + y^2 = \text{Const.}$$

mit der Differentialgleichung

$$x\,dx + y\,dy = 0.$$

Enthält aber die ursprüngliche Curvengleichung φ_1, so ist

$$\omega(r, \varphi + \alpha) = 0$$

oder aufgelöst

$$\varphi - f(r) = \text{Const.}$$

eine invariante Schar. In rechtwinkligen Coordinaten lautet sie etwa:

$$\operatorname{arc\,tg} \frac{y}{x} - F_1(x^2 + y^2) = \text{Const.}$$

und ihre Differentialgleichung hat die Form:

$$\frac{xy' - y}{x + yy'} = F(x^2 + y^2).$$

Da diese Differentialgleichung die infinitesimale Rotation

$$-y \frac{\partial f}{\partial x} + x \frac{\partial f}{\partial y}$$

gestattet, so liefert Theorem 8 einen Multiplicator derselben. Zu diesem

Zwecke muss aber die Differentialgleichung erst linear in y' gemacht werden:

$$(x - yF(x^2 + y^2))dy - (y + xF(x^2 + y^2))dx = 0.$$

Es ergiebt sich alsdann der Multiplicator:

$$\frac{1}{(x - yF)x + (y + xF)y} \equiv \frac{1}{x^2 + y^2}.$$

In der That ist:

$$\frac{x - yF(x^2 + y^2)}{x^2 + y^2}dy - \frac{y + xF(x^2 + y^2)}{x^2 + y^2}dx$$

ein vollständiges Differential.

Die eingliedrige Gruppe der Rotationen um den Anfangspunkt lässt also ausser der Differentialgleichung ihrer Bahncurven:

$$xdx + ydy = 0$$

noch alle Differentialgleichungen von der Form

$$\frac{xy' - y}{x + yy'} = F(x^2 + y^2)$$

invariant. Eine derartige Differentialgleichung besitzt, wenn sie in der Form

$$(x - yF)dy - (y + xF)dx = 0$$

geschrieben wird, den Multiplicator $\frac{1}{x^2 + y^2}$. *)

5. *Beispiel:* Auch die Gleichungen Lineare Differentialgleichung erster Ordnung in x, y.

(7) $$x_1 = x, \quad y_1 = y + a\varphi(x)$$

stellen eine eingliedrige Gruppe dar. Wenn man nämlich ansetzt:

$$x_2 = x_1, \quad y_2 = y_1 + a_1\varphi(x_1),$$

so folgt durch Elimination von x_1 und y_1:

$$x_2 = x, \quad y_2 = y + (a + a_1)\varphi(x).$$

Um die bei dieser Gruppe invarianten Differentialgleichungen zu finden, führen wir alle Transformationen derselben zunächst auf eine Curve aus, deren Gleichung frei von y ist. Offenbar bleibt sie invariant, sie ist Bahncurve wie alle Curven der Schar

$$x = \text{Const.}$$

mit der Differentialgleichung

$$dx = 0.$$

---

*) Der Satz des Textes ist längst bekannt.

Enthält dagegen die Gleichung der beliebig angenommenen Curve wirklich y, ist sie also in der Form

$$y - \psi(x) = 0$$

darstellbar, so führen die Transformationen der Gruppe sie in die Schar über:

$$y - a\varphi(x) - \psi(x) = 0.$$

Ihre Differentialgleichung ergiebt sich durch Differentiation:

$$dy - (a\varphi'(x) + \psi'(x))dx = 0$$

und Elimination von a in der Form

$$dy - \left(\frac{y - \psi(x)}{\varphi(x)} \cdot \varphi'(x) + \psi'(x)\right) dx = 0.$$

Setzen wir

$$(8) \qquad \begin{cases} \dfrac{\varphi'(x)}{\varphi(x)} = \Phi(x) \\ \text{und} \\ \psi'(x) - \psi(x) \cdot \dfrac{\varphi'(x)}{\varphi(x)} = \Psi(x), \end{cases}$$

so nimmt sie die Gestalt an:

$$dy - (\Phi(x)y + \Psi(x))dx = 0$$

oder

$$y' - \Phi(x)y - \Psi(x) = 0,$$

ist also eine sogenannte *lineare* Differentialgleichung.

Umgekehrt können wir zu *jeder* linearen Differentialgleichung

$$(9) \qquad y' - \Phi(x)y - \Psi(x) = 0$$

eine eingliedrige Gruppe (7) angeben, welche sie gestattet. Wir brauchen ja nur rückwärts aus (8) φ und ψ zu bestimmen. Es kommt:

$$\lg \varphi(x) = \int \Phi(x)dx$$

oder

$$\varphi(x) = e^{\int \Phi(x)dx}$$

und

$$\psi'(x) - \psi(x) \cdot \Phi(x) = \Psi(x),$$

woraus sich ψ bestimmen lässt.

Die allgemeine lineare Differentialgleichung

$$y' - \Phi(x)y - \Psi(x) = 0$$

gestattet mithin die eingliedrige Gruppe

$$x_1 = x, \quad y_1 = y + a e^{\int \Phi(x)dx}.$$

Diese eingliedrige Gruppe besitzt die infinitesimale Transformation

$$e^{\int \Phi(x)dx} \cdot \frac{\partial f}{\partial y}.$$

Also hat unsere Differentialgleichung nach Theorem 8 den Multiplicator

$$\frac{1}{e^{\int \Phi(x)\,dx}}.$$

In der That ist

$$e^{-\int \Phi(x)\,dx} \cdot dy - (\Phi(x)y + \Psi(x))e^{-\int \Phi(x)\,dx} \cdot dx$$

ein vollständiges Differential.

Die allgemeine lineare Differentialgleichung

$$y' - \Phi(x)y - \Psi(x) = 0$$

besitzt den Multiplicator

$$e^{-\int \Phi(x)\,dx} \;*).$$

Indem man das Integral durch Quadratur bestimmt, findet man die bekannte Form desselben.

Diese Theorie lässt sich auch folgendermassen entwickeln: Sei

$$\frac{dy}{dx} - \Phi(x)y - \Psi(x) = 0 \tag{10}$$

eine beliebige vorgelegte lineare Differentialgleichung und $y = y_0$ eine particulare Lösung derselben, während z die allgemeine Lösung der *verkürzten* Gleichung

$$\frac{dz}{dx} - \Phi(x)z = 0 \tag{11}$$

bedeute. Alsdann ist:

$$\frac{dy_0}{dx} - \Phi(x)y_0 - \Psi(x) \equiv 0$$

und demnach auch

$$y = y_0 + cz$$

eine Lösung von (10) und zwar, da sie eine Constante c enthält, die allgemeine Lösung. z hat nach (11) die Form:

$$z \equiv e^{\int \Phi(x)\,dx}$$

und es ist also

$$y = y_0 + ce^{\int \Phi(x)\,dx}.$$

Wir können dies auch so aussprechen: Jede Transformation

$$x_1 = x, \quad y_1 = y + ce^{\int \Phi(x)\,dx} \equiv y + cz$$

führt die Gleichung (10) in sich über. Diese ∞^1 Transformationen aber bilden eine eingliedrige Gruppe mit der infinitesimalen Transformation:

$$e^{\int \Phi(x)\,dx} \frac{\partial f}{\partial x}$$

---

*) Auch dieser Satz ist längst bekannt.

oder $z\frac{\partial f}{\partial x}$, und so kommt man zum selben Ergebnis wie oben. Wir können es aber jetzt so aussprechen:

Die Integration der allgemeinen linearen Differentialgleichung

$$y' - \Phi(x)y - \Psi(x) = 0$$

ist durch eine Quadratur zu leisten, sobald die allgemeine Lösung z der verkürzten Differentialgleichung

$$z' - \Phi(x)z = 0$$

bekannt ist. Diese aber wird durch eine Quadratur gefunden.

Kapitel 9.

Geometrische Anwendungen.

In diesem Kapitel wollen wir die Theorien der vorangegangenen Kapitel in ausgedehnter Weise *auf eine Reihe an sich interessanter geometrischer Probleme anwenden. Wir heben jedoch hervor, dass die Entwickelungen dieses Kapitels in der Folge nicht unentbehrlich sind.* Der erste Paragraph wird jedem Leser verständlich sein, während die übrigen Paragraphen beim Leser die Kenntnis der Grundzüge der *Flächentheorie* voraussetzen. Nur noch § 3 macht hiervon eine Ausnahme, der ein Problem über gewisse Differentialgleichungen behandelt, das eine gute Übung in unseren Theorien liefert.

Hiernach mag der Leser selbst darüber entscheiden, wieviel er von diesem Kapitel mitnehmen will.

§ 1. Geometrische Deutung des Integrabilitätsfactors.

Bei den geometrischen Anwendungen unserer Theorien erweist sich eine sehr einfache und schöne *geometrische Deutung des Integrabilitätsfactors* von grossem Nutzen. Diese soll jetzt abgeleitet werden.

Wenn die Differentialgleichung

$$Xdy - Ydx = 0$$

die infinitesimale Transformation

$$Uf \equiv \xi\frac{\partial f}{\partial x} + \eta\frac{\partial f}{\partial y}$$

gestattet, so besitzt sie nach Theorem 8 des § 1, 6. Kapitel, den Multiplicator

$$M \equiv \frac{1}{X\eta - Y\xi}.$$

Es mögen nun $\omega(x, y) =$ Const. die Integralcurven der Differentialgleichung sein. Alsdann wird die infinitesimale Transformation Uf jede Curve $\omega = c$ in eine benachbarte $\omega = c + \delta c$ überführen. Dabei beschreibt jeder Punkt (x, y) eine infinitesimale Strecke $\delta t \sqrt{\xi^2 + \eta^2}$, deren Projectionen auf die Axen gleich $\xi \delta t$ und $\eta \delta t$ sind, wo δt eine für alle Punkte gleiche infinitesimale Constante bedeutet. Im Punkte (x, y) wollen wir uns noch die Tangente an die hindurchgehende Integralcurve $\omega = c$ gezogen und auf ihr die Strecke $\sqrt{X^2 + Y^2}$ (mit den Projectionen X und Y auf die Axen) abgetragen denken (Fig. 13). Die beiden Strecken $\delta t \sqrt{\xi^2 + \eta^2}$ und $\sqrt{X^2 + Y^2}$ bestimmen ein Parallelogramm mit dem Inhalt

Erste Ableitung der geometrischen Deutung des Multiplicators.

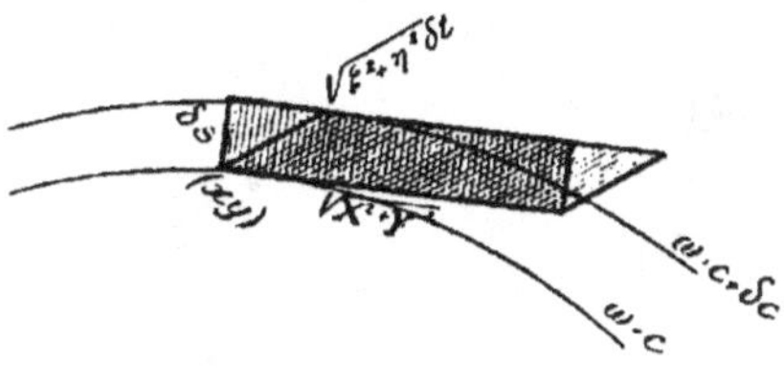

Fig. 13.

$$(X\eta - Y\xi)\delta t = \frac{1}{M}\delta t.$$

Dieses Parallelogramm ist nun bis auf unendlich kleine Grössen zweiter Ordnung inhaltsgleich mit dem Rechteck über $\sqrt{X^2 + Y^2}$, dessen Höhe die Breite δs des Streifens ist, den die beiden Integralcurven $\omega = c$ und $\omega = c + \delta c$ einschliessen, gemessen an der Stelle (x, y). Es ist also:

$$\frac{1}{M} \cdot \delta t = \delta s \cdot \sqrt{X^2 + Y^2}$$

oder:

$$M = \frac{\delta t}{\delta s \cdot \sqrt{X^2 + Y^2}},$$

in Worten:

Satz 1: *Ein Multiplicator M der Differentialgleichung*

$$X dy - Y dx = 0$$

ist umgekehrt proportional dem Inhalt des Rechteckes, dessen eine Seite der Normalabstand im Punkte (x, y) zwischen der durch den Punkt hindurchgehenden und einer infinitesimal benachbarten Integralcurve, die andere die auf der Tangente dieses Punktes abgetragene Strecke $\sqrt{X^2 + Y^2}$ ist).*

Ursprünglich ist Lie zu dem obigen Satze auf einem anderen Wege gelangt, ohne mit dem Begriff der infinitesimalen Transformation zu operieren, nämlich so:

Zweite Ableitung der geometrischen Deutung des Multiplicators.

Es seien δx und δy die Projectionen der Breite δs des von zwei benachbarten Integralcurven $\omega = c$ und $\omega = c + \delta c$ eingeschlossenen

*) Lie, Gesellsch. d. W. zu Christiania 1874.

Streifens an der Stelle (x, y). Da diese Breite δs senkrecht zur Tangente der Curve $\omega = c$ ist und die Richtung $\frac{\delta y}{\delta x}$, andererseits die Tangente die Richtung $\frac{dy}{dx}$ besitzt, die sich aus

$$d\omega \equiv \frac{\partial \omega}{\partial x} dx + \frac{\partial \omega}{\partial y} dy = 0$$

bestimmt, so ist

$$\frac{\delta x}{\frac{\partial \omega}{\partial x}} = \frac{\delta y}{\frac{\partial \omega}{\partial y}},$$

also etwa

$$\delta x = \lambda \frac{\partial \omega}{\partial x}, \quad \delta y = \lambda \frac{\partial \omega}{\partial y}.$$

Demnach ist auch:

$$(1) \qquad \frac{\frac{\partial \omega}{\partial x} \delta x + \frac{\partial \omega}{\partial y} \delta y}{\left(\frac{\partial \omega}{\partial x}\right)^2 + \left(\frac{\partial \omega}{\partial y}\right)^2} = \lambda = \frac{\sqrt{\delta x^2 + \delta y^2}}{\sqrt{\left(\frac{\partial \omega}{\partial x}\right)^2 + \left(\frac{\partial \omega}{\partial y}\right)^2}}.$$

Nun ist $\frac{\partial \omega}{\partial x} \delta x + \frac{\partial \omega}{\partial y} \delta y$ die Änderung, welche $\omega(x, y)$ beim Fortschreiten längs δs erfährt, wobei die Curve $\omega = c$ in die benachbarte $\omega = c + \delta c$ übergeht. Jene Änderung ist also gleich δc. Ferner ist $\sqrt{\delta x^2 + \delta y^2} = \delta s$ und endlich, wenn M einen Multiplicator der Differentialgleichung bezeichnet:

$$d\omega \equiv \frac{\partial \omega}{\partial x} dx + \frac{\partial \omega}{\partial y} dy \equiv M(X dy - Y dx),$$

daher

$$\frac{\partial \omega}{\partial x} \equiv -MY, \quad \frac{\partial \omega}{\partial y} \equiv MX,$$

sodass:

$$\left(\frac{\partial \omega}{\partial x}\right)^2 + \left(\frac{\partial \omega}{\partial y}\right)^2 \equiv M^2(X^2 + Y^2)$$

wird. Unsere obige Formel (1) liefert also

$$\frac{\delta c}{M^2(X^2 + Y^2)} = \frac{\delta s}{M\sqrt{X^2 + Y^2}}$$

oder

$$M = \frac{\delta c}{\delta s \sqrt{X^2 + Y^2}} = \frac{1}{\frac{\delta s}{\delta c} \cdot \sqrt{X^2 + Y^2}}$$

als Multiplicator unserer Differentialgleichung. Der Zuwachs δc, den ω beim Übergang von einer Curve $\omega = c$ zu einer benachbarten $\omega = c + \delta c$ erfährt, hat längs der Curve $\omega = c$ denselben Wert und ist somit eine Function von ω allein. Welche Function von ω dies ist, ist gleichgültig, da der Multiplicator, mit einer beliebigen Function des Integrals multipliciert, wieder in einen Multiplicator übergeht.

Diese geometrische Deutung des Multiplicators wollen wir zunächst auf einige sehr einfache Beispiele in Anwendung bringen.

1. Beispiel: Wenn man auf allen Normalen einer vorgelegten Curve Beispiele.

$$\psi(x, y) = 0$$

gleichlange Strecken n abträgt, so bilden ihre Endpunkte eine neue Curve. Lässt man n variieren, so erhält man eine Schar von ∞^1 Curven, welche bekanntlich die Parallelcurven zur ursprünglichen Curve heissen. Die Differentialgleichung $Xdy - Ydx = 0$ einer solchen Parallelcurvenschar lässt sich stets durch eine Quadratur integrieren, denn man kann einen Multiplicator derselben angeben. Weil nämlich der Normalabstand zwischen zwei infinitesimal benachbarten Parallelcurven constant ist, so muss nach unserem Satze 1

$$\frac{1}{\sqrt{X^2 + Y^2}}$$

ein Multiplicator sein. Also:

Weiss man von einer Differentialgleichung $Xdy - Ydx = 0$, *dass ihre Integralcurven Parallelcurven sind, so ist*

$$\frac{1}{\sqrt{X^2 + Y^2}}$$

ein Multiplicator derselben, sodass man die Integralcurven durch eine Quadratur bestimmen kann.

Eine Parallelcurvenschar besitzt eine gemeinschaftliche Evolute, die Eingehüllte ihrer gemeinschaftlichen Normalen. Daraus folgt, *dass man die Evolventen einer vorgelegten Curve stets durch eine Quadratur finden kann,* was allerdings auch aus andern Gründen evident ist.

Z. B. die Evolventen der Parabel $y = x^2$ haben die Differentialgleichung

$$2(x + \sqrt{x^2 - y})dy + dx = 0.$$

Daher muss

$$\frac{1}{\sqrt{4(x + \sqrt{x^2 - y})^2 + 1}}$$

ein Multiplicator dieser Gleichung sein. In der That ist

$$\frac{2(x + \sqrt{x^2 - y})dy + dx}{\sqrt{4(x + \sqrt{x^2 - y})^2 + 1}}$$

ein vollständiges Differential.

*2. Beispiel:**) Die Evolventen sind Curven, welche eine Geradenschar orthogonal schneiden. *Man kann aber auch die Differentialgleichung einer Schar von Curven, welche eine gegebene Geradenschar unter beliebigem, aber constanten Winkel Θ schneiden, durch eine Quadratur integrieren,* denn auch hier kann der Abstand zweier infinitesimal benachbarter Curven bestimmt werden. Schneiden nämlich zwei infinitesimal benachbarte dieser Curven auf einer als Anfangsgerade der Schar gewählten Geraden g_0 die Strecke δa_0 ab, so bestimmen sie auf der nächsten Geraden g_1, die mit g_0 den Winkel $d\vartheta$ bilde, die Strecke

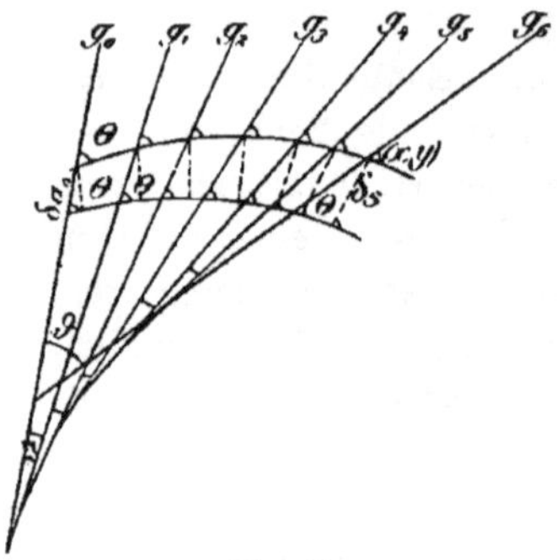

Fig. 14.

$$\delta a_1 = \delta a_0 (1 + \operatorname{ctg} \Theta \cdot d\vartheta),$$

auf der folgenden wieder um $d\vartheta$ gegen g_1 geneigten Geraden g_2 die Strecke $\delta a_2 = \delta a_1 (1 + \operatorname{ctg} \Theta \cdot d\vartheta)$, also

$$\delta a_2 = \delta a_0 (1 + \operatorname{ctg} \Theta \cdot d\vartheta)^2$$

u. s. w., auf der n^{ten} Geraden g_n, die mit g_0 den Winkel $n d\vartheta$ bildet, die Strecke

$$\delta a_n = \delta a_0 (1 + \operatorname{ctg} \Theta \cdot d\vartheta)^n$$

(Fig. 14). Lässt man n unendlich gross werden, sodass $n d\vartheta$ in den endlichen Winkel ϑ übergeht, den eine *beliebige* Gerade g der Geradenschar mit der Anfangsgeraden g_0 bildet, so erhält man den Abschnitt

$$(\lim n = \infty) \quad \delta a = \delta a_0 \left(1 + \operatorname{ctg} \Theta \cdot \frac{\vartheta}{n}\right)^n,$$

d. h. nach einer bekannten Formel der Analysis:

$$\delta a = \delta a_0 \, e^{\vartheta \operatorname{ctg} \Theta},$$

und daher ist hier der Abstand δs der beiden Curven

$$\delta s = \delta a \cdot \sin \Theta = \delta a_0 \, e^{\vartheta \operatorname{ctg} \Theta} \sin \Theta.$$

Nach Satz 1 besitzt somit die Differentialgleichung $X dy - Y dx = 0$ der Curvenschar den Multiplicator

$$\frac{e^{-\vartheta \operatorname{ctg} \Theta}}{\sin \Theta \sqrt{X^2 + Y^2}},$$

wo ϑ natürlich eine Function des Punktes (x, y) ist, nämlich der Winkel, welchen die durch diesen Punkt gehende Gerade g der gegebenen Schar mit der Anfangsgeraden g_0 bildet, und wo der Factor $\sin \Theta$ als blosse Constante gestrichen werden kann. $\Theta = \frac{\pi}{2}$ führt zurück zum 1. Beispiel.

*) Dieses Beispiel wurde von Scheffers angegeben.

In dem speciellen Falle, dass die gegebenen Geraden sämtlich durch denselben Punkt gehen, wird man auf die Bestimmung der logarithmischen Spiralen geführt. Wir fragen dann nach allen Curven, welche alle von einem Punkte ausgehenden Strahlen unter constantem Winkel Θ schneiden. Wählen wir den Mittelpunkt des Strahlenbüschels zum Anfangspunkt und die positive x-Axe zum Anfangsstrahl, so ist ϑ der Winkel, dessen Tangente gleich $\frac{y}{x}$ ist. Bezeichnet r den Radiusvector, so ist offenbar hier (Fig. 15)

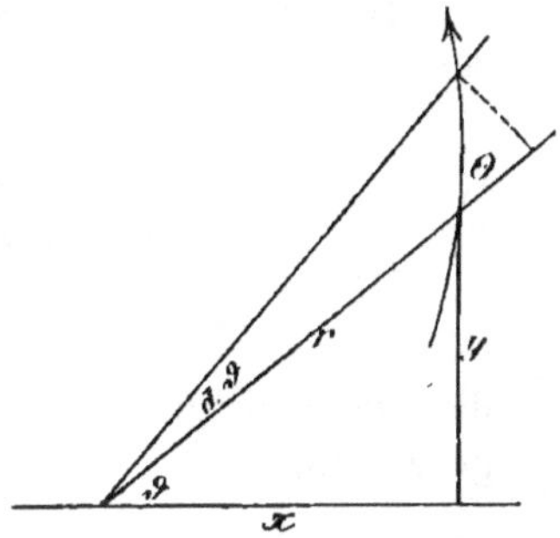

Fig. 15.

$$\operatorname{tg} \Theta = \frac{r d\vartheta}{dr}.$$

Nun ist

$$\vartheta = \operatorname{arc} \operatorname{tg} \frac{y}{x}, \quad r = \sqrt{x^2 + y^2};$$

berechnet man hiernach $d\vartheta$ und dr und setzt ihre Werte ein, so kommt

$$\operatorname{tg} \Theta = \frac{x dy - y dx}{x dx + y dy}.$$

Bezeichnen wir noch $\operatorname{ctg} \Theta$ mit $-a$, so können wir diese Differentialgleichung so schreiben:

$$(x - ya)dx + (y + xa)dy = 0.$$

Nach unserer Theorie muss

$$\frac{e^{-\vartheta \operatorname{ctg} \Theta}}{\sqrt{X^2 + Y^2}}$$

ein Multiplicator derselben sein. Es ist hier

$$X^2 + Y^2 = (x - ya)^2 + (y + xa)^2 = (x^2 + y^2)(1 + a^2).$$

Der Multiplicator kann also, da constante Factoren gestrichen werden dürfen, in der Form angenommen werden

$$\frac{e^{a \operatorname{arctg} \frac{y}{x}}}{\sqrt{x^2 + y^2}}.$$

In der That ist:

$$\frac{(x - ya)dx + (y + xa)dy}{\sqrt{x^2 + y^2}} e^{a \operatorname{arctg} \frac{y}{x}}$$

ein vollständiges Differential, nämlich von

$$\sqrt{x^2 + y^2} \cdot e^{a \operatorname{arctg} \frac{y}{x}}.$$

Dies gleich Const. gesetzt stellt also die logarithmischen Spiralen dar, deren Winkel mit den Radienvectoren gleich arc ctg $(-a)$ ist.

§. 2. Isothermen in der Ebene und auf krummen Flächen.

Isothermen in der Ebene.

Die Isothermenscharen in der Ebene geben ein weiteres Beispiel, für die Anwendung der geometrischen Deutung des Multiplicators.

Bekanntlich versteht man unter einer Isothermenschar eine Schar von ∞^1 Curven, welche zusammen mit ihren orthogonalen Trajectorien ein Netz von infinitesimalen Quadraten bilden.

Ist

$$Xdy - Ydx = 0 \tag{2a}$$

die Differentialgleichung einer Isothermenschar, so hat die dazu orthogonale Isothermenschar die Differentialgleichung

$$Ydy + Xdx = 0. \tag{2b}$$

Man kann nun diese beiden Gleichungen durch Quadratur integrieren.

Denn betrachten wir zwei aufeinander folgende Curven der einen und der anderen Schar, welche alle vier zusammen an der Stelle (x, y) ein infinitesimales Quadrat bilden, so haben die beiden Curvenstreifen des einen und des anderen Paares dieselbe Breite δs, nämlich die Quadratseite (Fig. 16). Nach unserem Satze ist daher

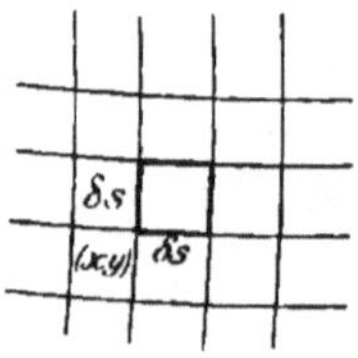

Fig. 16.

$$\frac{\delta t}{\delta s \sqrt{X^2 + Y^2}},$$

wo δt eine beliebige infinitesimale Zahl bedeutet, ein Multiplicator sowohl von (2a) wie von (2b). Wenn aber zwei Differentialgleichungen einen gemeinsamen Multiplicator M haben, so kann man diesen immer durch Quadratur finden: Der Multiplicator muss im vorliegenden Falle die beiden Gleichungen

$$\frac{\partial MX}{\partial x} + \frac{\partial MY}{\partial y} = 0,$$

$$\frac{\partial MY}{\partial x} - \frac{\partial MX}{\partial y} = 0$$

erfüllen, die sich umformen lassen in diese:

$$\left\{\begin{aligned} X\frac{\partial \lg M}{\partial x} + Y\frac{\partial \lg M}{\partial y} &= -\frac{\partial X}{\partial x} - \frac{\partial Y}{\partial y}, \\ Y\frac{\partial \lg M}{\partial x} - X\frac{\partial \lg M}{\partial y} &= -\frac{\partial Y}{\partial x} + \frac{\partial X}{\partial y}. \end{aligned}\right. \tag{3}$$

Hieraus aber lassen sich $\frac{\partial \lg M}{\partial x}$ und $\frac{\partial \lg M}{\partial y}$ als Functionen von x, y berechnen. $\lg M$ oder also M selbst ist folglich durch eine Quadratur zu bestimmen. Hat man so den Multiplicator gefunden, so verlangt die Integration der Differentialgleichungen (2a) und (2b) nur noch je eine Quadratur, daher:

Satz 2: *Ist $Xdy - Ydx = 0$ die Differentialgleichung einer Isothermenschar in der Ebene, so verlangt ihre Integration nur Quadraturen.*

Nebenbei bemerkt kann man hieraus auch eine notwendige und hinreichende Bedingung dafür ableiten, dass die Differentialgleichung (2a) eine Isothermenschar darstellt. Denn aus (3) müssen sich $\frac{\partial \lg M}{\partial x}$ und $\frac{\partial \lg M}{\partial y}$ so bestimmen, dass die Integrabilitätsbedingung

$$\frac{\partial}{\partial y}\frac{\partial \lg M}{\partial x} = \frac{\partial}{\partial x}\frac{\partial \lg M}{\partial y}$$

auch wirklich erfüllt ist. Stellt man diese Bedingung auf, so erhält man eine gewisse Relation zwischen X und Y, welche aussagt, dass $\frac{Y}{X}$ die Form haben muss:

$$\frac{Y}{X} = \operatorname{tg}(\Phi(x+iy) + \Psi(x-iy)).$$

Wenn umgekehrt diese Relation erfüllt ist, so kann man $\lg M$ und damit auch M bestimmen, d. h. (2a) und (2b) haben einen gemeinsamen Multiplicator, woraus rückwärts folgt, dass die Breite jener beiden Streifen an der Stelle (x, y) dieselbe ist, dass die vier Curven also ein Quadrat bilden, mit anderen Worten, dass (2a) eine Isothermenschar definiert.

1. Beispiel: Die Differentialgleichung: Beispiele.

(2a′) $$2xydy - (y^2 - x^2)dx = 0,$$

welche eine Isothermenschar definiert, soll integriert werden. Hier lautet die Gleichung (2) der Orthogonalschar:

(2b′) $$(y^2 - x^2)dy + 2xy\,dx = 0.$$

Die Gleichungen (3) werden:

(3′) $$\begin{cases} 2xy\frac{\partial \lg M}{\partial x} + (y^2 - x^2)\frac{\partial \lg M}{\partial y} = -4y, \\ (y^2 - x^2)\frac{\partial \lg M}{\partial x} - 2xy\frac{\partial \lg M}{\partial y} = 4x \end{cases}$$

und ergeben:

$$\frac{\partial \lg M}{\partial x} = \frac{-4x}{x^2+y^2}, \quad \frac{\partial \lg M}{\partial y} = \frac{-4y}{x^2+y^2},$$

also

$$d\lg M = -2\frac{2xdx + 2ydy}{x^2+y^2}$$

oder

$$\lg M = -2\lg(x^2+y^2),$$

$$M = \frac{1}{(x^2+y^2)^2}.$$

Dies ist, wie es sein muss, ein Multiplicator von (2a′), denn

$$\frac{2xy\,dy - (y^2 - x^2)dx}{(x^2 + y^2)^2}$$

ist ein vollständiges Differential. Eine Quadratur liefert das gesuchte Integral:

$$\frac{x}{x^2 + y^2} = \text{Const.},$$

während das Integral von (2b′) lautet:

$$\frac{y}{x^2 + y^2} = \text{Const.}$$

Die erste Isothermenschar ist die Schar aller Kreise, welche die y-Axe im Anfangspunkt berühren, die zweite die Schar aller Kreise, welche die x-Axe im Anfangspunkt berühren.

2. Beispiel: Die Differentialgleichung:

$$2xy\,dy + (x^2 - y^2 + 1)\,dx = 0$$

stellt eine Isothermenschar dar. Sie soll integriert werden. Man findet — die Ausrechnung überlassen wir dem Leser — den Multiplicator

$$M = \frac{1}{4x^2y^2 + (x^2 - y^2 + 1)^2}$$

und das Integral zunächst in der Form:

$$\tfrac{1}{2}\,\text{arc tg}\,\frac{x^2 + y^2 - 1}{2x}.$$

Also ist:

$$\frac{x^2 + y^2 - 1}{2x} = \text{Const.}$$

die Isothermenschar. Die Orthogonalschar hat die Gleichung

$$\frac{x^2 + y^2 + 1}{2y} = \text{Const.}$$

Die ersteren Curven sind alle Kreise durch die Punkte $y = \pm 1$ auf der y-Axe, die letzteren die dazu orthogonalen Kreise (durch die imaginären Punkte $x = \pm i$ auf der x-Axe).

Beziehung $M_1 = \varphi \cdot M$ zwischen den Multiplicatoren zweier Differentialgleichungen.

Um weitere Probleme mit Hülfe der geometrischen Deutung des Integrabilitätsfactors zu behandeln, leiten wir zunächst den Hülfssatz ab:

Satz 3: *Besteht zwischen einem Multiplicator M der vorgelegten Differentialgleichung*

$$X\,dy - Y\,dx = 0$$

und einem Multiplicator M_1 einer zweiten vorgelegten Differentialgleichung

$$X_1\,dy - Y_1\,dx = 0$$

eine Relation

$$M_1 = \varphi(x, y)\,M,$$

in der φ eine bekannte Function von x, y ist, so kann man die beiden Multiplicatoren durch eine Quadratur bestimmen, also jede der beiden Differentialgleichungen durch eine fernere Quadratur integrieren.

Im Fall $\varphi \equiv 1$ haben wir diesen Satz schon oben (S. 156) bewiesen. Der allgemeine Beweis ist fast genau derselbe wie damals: Da nämlich $M_1 = \varphi M$ ist, so hat die Differentialgleichung

$$\varphi X_1 dy - \varphi Y_1 dx = 0,$$

die sich mit der zweiten Differentialgleichung deckt, denselben Multiplicator M wie die erste gegebene Differentialgleichung. Damit liegt aber wieder der früher betrachtete Fall vor, dass zwei gegebene Differentialgleichungen einen gemeinsamen Multiplicator haben, der sich also durch Quadratur (vgl. die Formeln (3)) bestimmen lässt.

Mit Hülfe dieses Satzes ist es leicht einzusehen, dass man z. B. zwei vorgelegte Differentialgleichungen

Eine geometrische Anwendung hiervon.

$$Xdy - Ydx = 0, \quad X_1 dy - Y_1 dx = 0,$$

deren Integralcurven ein Netz von infinitesimalen Parallelogrammen bilden, deren Seitenverhältnis an jeder Stelle x, y der Ebene bekannt ist, durch im ganzen drei Quadraturen integrieren kann. In der That, es besteht dann zwischen den infinitesimalen Parallelogrammseiten δa und δa_1 an der Stelle (x, y) eine bekannte Beziehung von der Form:

$$\frac{\delta a}{\delta a_1} = \psi(x, y).$$

Da sich in dem Parallelogramm die Seiten wie die Höhen δs und δs_1 verhalten, so ist also

$$\frac{\delta s}{\delta s_1} = \psi(x, y).$$

Andererseits aber sind δs und δs_1 die Breiten der von je zwei Integralcurven der einen und der anderen Differentialgleichung gebildeten Streifen an der Stelle (x, y). (Fig. 17.) Bezeichnet δt eine infinitesimale Zahl, so sind also

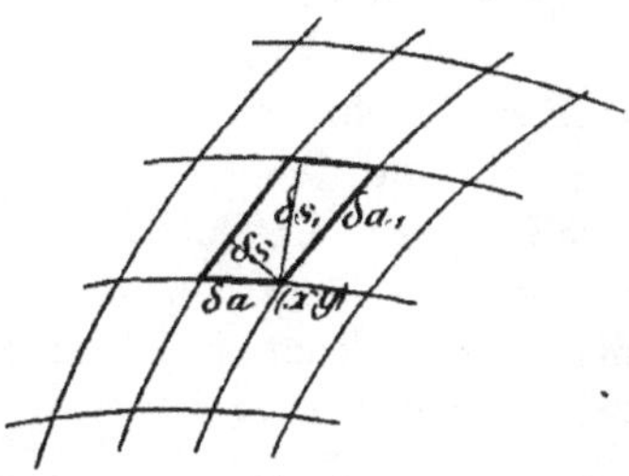

Fig. 17.

$$M = \frac{\delta t}{\delta s \sqrt{X^2 + Y^2}},$$

$$M_1 = \frac{\delta t}{\delta s_1 \sqrt{X_1{}^2 + Y_1{}^2}}$$

Multiplicatoren der beiden Differentialgleichungen (nach Satz 1). Wegen der obigen Beziehung zwischen δs und δs_1 kommt dann:

$$M_1 = \frac{\psi \delta t}{\delta s \sqrt{X_1^2 + Y_1^2}} = \psi \sqrt{\frac{X^2 + Y^2}{X_1^2 + Y_1^2}} \cdot M,$$

d. h. zwischen den Multiplicatoren M und M_1 besteht eine Beziehung von der Form, wie sie in Satz 3 vorausgesetzt wurde. Demnach verlangt die Bestimmung von M und M_1 nur eine Quadratur. Eine zweite Quadratur liefert das Integral der ersten, eine von dieser Quadratur unabhängige dritte Quadratur das der zweiten Differentialgleichung.

Also gilt der folgende Satz, von dem Satz 2 nur ein Specialfall ist:

Satz 4: *Weiss man, dass die Integralcurven zweier vorgelegter Differentialgleichungen*

$$Xdy - Ydx = 0, \quad X_1 dy - Y_1 dx = 0$$

die Ebene in solche infinitesimale Parallelogramme zerlegen, dass das Verhältnis der Seiten des an der Stelle (x, y) *befindlichen Parallelogramms gleich einer bekannten Function* $\psi(x, y)$ *des Ortes ist, so verlangt die Integration der beiden Differentialgleichungen im ganzen drei Quadraturen.*

Dieser Satz hat auch für die Bestimmung von *Curvenscharen auf einer krummen Fläche* Bedeutung. Wir zeigen dies an einem Beispiel:

Isothermen auf Flächen.

Gegeben sei eine Fläche

$$z = F(x, y).$$

Ein Punkt auf ihr wird durch die Coordinaten x, y bestimmt, durch die allein wegen $z = F(x, y)$ sich alle Gleichungen von Curven auf der Fläche ausdrücken lassen. Vorgelegt sei nun noch die Differentialgleichung einer Isothermenschar auf der Fläche:

$$(4) \qquad Xdy - Ydx = 0,$$

wo also X und Y gegebene Functionen von x, y bedeuten. Sie soll integriert werden.

Zunächst kann man die Differentialgleichung der orthogonalen Isothermenschar aufstellen. Es seien nämlich zur Unterscheidung $d_1 x$, $d_1 y$, $d_1 z$ die Incremente von x, y, z längs einer Isotherme dieser zweiten Schar im Punkte (x, y, z), während dx, dy, dz die Incremente von x, y, z längs der durch den Punkt (x, y, z) gehenden Isotherme der ersten Schar bedeuten sollen. Da beide Isothermen sich senkrecht schneiden, so ist

$$(5) \qquad dx \cdot d_1 x + dy \cdot d_1 y + dz \cdot d_1 z = 0.$$

Ferner ist wegen $z = F(x, y)$, wenn $\frac{\partial F}{\partial x}$ und $\frac{\partial F}{\partial y}$ zur Abkürzung mit p und q bezeichnet werden:

$$(6) \qquad \begin{cases} p\,dx + q\,dy - dz = 0, \\ p\,d_1x + q\,d_1y - d_1z = 0. \end{cases}$$

Durch Elimination von dx, dy, dz, d_1z aus (4), (5) und (6) geht dann die Differentialgleichung der zweiten Isothermenschar hervor:

$$(7) \qquad (Y(1+q^2) + Xpq)d_1y + (X(1+p^2) + Ypq)d_1x = 0.$$

Die Gleichungen (4) und (7), die von z frei sind, kann man natürlich auch auffassen als die Differentialgleichungen der Curvenscharen, welche die Projectionen der beiden Isothermenscharen auf die (xy)-Ebene sind. Die Gleichung (7) wollen wir abkürzend auch so schreiben:

$$(7') \qquad X_1 d_1 y - Y_1 d_1 x = 0.$$

Die Isothermen auf der Fläche teilen diese in infinitesimale Quadrate und zwar habe das an der Stelle (x, y) befindliche Quadrat die Seitenlänge δs. Die Projectionen der Quadrate auf die (xy)-Ebene sind Parallelogramme (Fig. 18) und das Verhältnis der Seiten $\delta\sigma$ und $\delta\sigma_1$ dieser Parallelogramme lässt sich berechnen. Es sind ja $\delta\sigma$ und $\delta\sigma_1$ die Projectionen von δs auf die (xy)-Ebene, und zwar ist das eine Mal δs zur (xy)-Ebene unter einem Winkel φ, das andere Mal unter einem Winkel φ_1 geneigt, wo

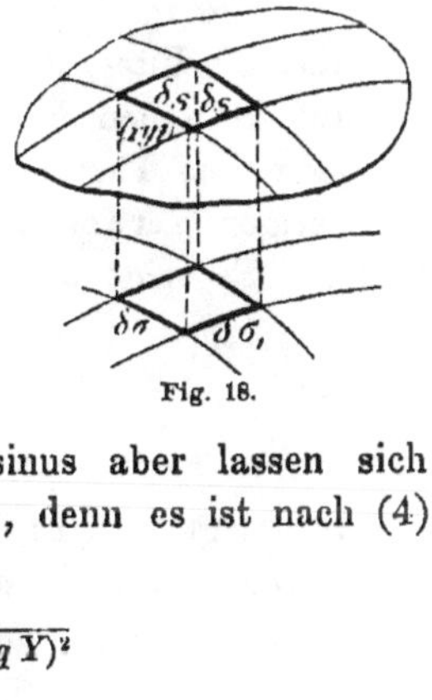

Fig. 18.

$$\cos^2\varphi = \frac{dx^2 + dy^2}{dx^2 + dy^2 + dz^2},$$

$$\cos^2\varphi_1 = \frac{d_1x^2 + d_1y^2}{d_1x^2 + d_1y^2 + d_1z^2}$$

ist. Die Parallelogrammseiten verhalten sich zu einander wie $\cos\varphi$ zu $\cos\varphi_1$. Diese Cosinus aber lassen sich als Functionen von x und y allein darstellen, denn es ist nach (4) und (6):

$$\cos^2\varphi = \frac{X^2 + Y^2}{X^2 + Y^2 + (pX + qY)^2}$$

und nach (7′) und (6):

$$\cos^2\varphi_1 = \frac{X_1^2 + Y_1^2}{X_1^2 + Y_1^2 + (pX_1 + qY_1)^2}.$$

Es liegt hier mithin der Fall vor, auf welchen sich Satz 4 bezieht: Wir wissen, dass die Integralcurven der vorgelegten Differentialgleichungen (4) und (7) oder (7′), diese aufgefasst als Differentialgleichungen in der (xy)-Ebene, die Ebene in infinitesimale Parallelogramme teilen, deren Seiten in einem Verhältnis $\cos\varphi : \cos\varphi_1$ stehen, das als Function des Ortes, d. h. als Function von x und y, bekannt ist. Die beiden Differentialgleichungen lassen sich somit durch drei Quadraturen integrieren. Dadurch werden die Projectionen der Isothermen und folglich diese selbst bestimmt. Die Integration der ersten Gleichung (4) benötigt nur zwei von diesen drei Quadraturen. Daher:

Satz 5: *Ist eine Isothermenschar auf einer gegebenen Fläche durch ihre Differentialgleichung definiert, so kann die Integration der letzteren durch zwei Quadraturen geleistet werden.*

Übrigens werden wir die Zurückführbarkeit der Integration später auf einem anderen Wege in eleganterer Weise darthun (vgl. § 4).

Bemerkt sei noch, dass sich überhaupt der Satz 4 auf krumme Flächen ausdehnen lässt, denn bilden auf einer solchen zwei durch ihre Differentialgleichungen vorgelegte Curvenscharen infinitesimale Parallelogramme, deren Seitenverhältnis eine bekannte Function des Ortes ist, so gilt dasselbe von den Projectionen dieser Curvenscharen auf die (xy)-Ebene. Satz 5 ist also nur ein Specialfall.

§ 3. Integration dreier Differentialgleichungen erster Ordnung in x, y, welche mehr als eine gemeinsame infinitesimale Transformation gestatten.

Um im folgenden § 4 auf elegante Weise eine Reihe von Sätzen über die Integration von Differentialgleichungen, welche Curvenscharen auf krummen Flächen definieren, ableiten zu können, schicken wir jetzt eine Theorie voraus, die auch abgesehen von dieser ihrer nachherigen Verwertung Interesse darbietet.

Drei Differentialgleichungen mit Integralen $u, v, u+v$.

Es seien drei Differentialgleichungen

$$(8)\qquad \begin{cases} X_1 dy - Y_1 dx = 0, \\ X_2 dy - Y_2 dx = 0, \\ X_3 dy - Y_3 dx = 0 \end{cases}$$

vorgelegt, und es sei ferner vorausgesetzt, dass ihre Integrale sich in solcher Form u, v, w annehmen lassen, dass zwischen ihnen eine lineare Relation mit constanten Coefficienten λ, μ, ν besteht:

$$\lambda u + \mu v + \nu w \equiv 0.$$

Wir können zeigen, dass ihre Integration durch im ganzen drei Quadraturen geleistet werden kann.

Natürlich sind die Constanten λ, μ, ν alle verschieden von Null. Mit u ist auch λu ein Integral der ersten Differentialgleichung (8). Ebenso ist auch μv ein Integral der zweiten Differentialgleichung (8) und $-\nu w$ eines der dritten. Jene lineare Relation darf also insbesondere so angenommen werden:

$$w \equiv u + v.$$

Es muss nun Multiplicatoren M_1, M_2, M_3 geben derart, dass identisch:

$$
(9) \qquad \begin{cases} du = M_1(X_1dy - Y_1dx), \\ dv = M_2(X_2dy - Y_2dx), \\ dw = M_3(X_3dy - Y_3dx) \end{cases}
$$

ist. Wegen $dw = du + dv$ folgt aber hieraus:

$$
M_3X_3 = M_1X_1 + M_2X_2,
$$
$$
M_3Y_3 = M_1Y_1 + M_2Y_2,
$$

und also durch Elimination von M_3:

$$
M_1(X_1Y_3 - X_3Y_1) + M_2(X_2Y_3 - X_3Y_2) = 0,
$$

d. h.

$$
M_2 = -\frac{X_1Y_3 - X_3Y_1}{X_2Y_3 - X_3Y_2} M_1.
$$

Zwischen den Multiplicatoren M_1 und M_2 der beiden ersten Differentialgleichungen (8) besteht also eine bekannte Beziehung von der Form:

$$
M_2 = \varphi(x, y) M_1.
$$

Nach Satz 3 des vorigen Paragraphen lässt sich folglich M_1 durch eine Quadratur bestimmen. Damit ist dann auch M_2 und

$$
M_3 = \frac{M_1X_1 + M_2X_2}{X_3}
$$

gefunden. Nun berechnet man durch je eine Quadratur aus (9) auch u und v und kennt damit ohne weiteres das Integral $w = u + v$.

Satz 6: *Weiss man von drei gewöhnlichen Differentialgleichungen erster Ordnung in x, y, dass sich ihre Integrale in solcher Form u, v, w wählen lassen, dass zwischen ihnen eine lineare Relation mit constanten Coefficienten besteht, insbesondere etwa diese: $w \equiv u + v$, so kann man sie alle drei durch im ganzen drei Quadraturen integrieren.*

Man kann den Zusammenhang zwischen den drei Differentialgleichungen noch in anderer Weise charakterisieren. Zu dem Zwecke wollen wir einmal alle infinitesimalen Transformationen aufsuchen, welche alle drei Differentialgleichungen gemeinschaftlich gestatten. Wir führen dazu am besten neue Veränderliche ein, etwa die Integrale u und v der beiden ersten Gleichungen. Dann nehmen die drei Differentialgleichungen die einfachen Formen an:

$$
du = 0, \quad dv = 0, \quad du + dv = 0.
$$

Soll die erste die in den neuen Veränderlichen u, v geschriebene infinitesimale Transformation

$$
Wf \equiv \varphi(u, v) \frac{\partial f}{\partial u} + \psi(u, v) \frac{\partial f}{\partial v}
$$

gestatten, so darf das Increment, das Wf dem u erteilt, nur von u

abhängen. Soll die zweite sie gestatten, so darf analog das Increment von v nur von v abhängen, sodass also Wf zunächst die Form hat:

$$Wf \equiv \varphi(u)\frac{\partial f}{\partial u} + \psi(v)\frac{\partial f}{\partial v}.$$

Die dritte Differentialgleichung $du + dv = 0$ ist der linearen partiellen Differentialgleichung

$$Cf \equiv \frac{\partial f}{\partial u} - \frac{\partial f}{\partial v} = 0$$

äquivalent. Soll sie Wf gestatten, so muss nach Theorem 9 des § 2 des 6. Kap. eine Relation bestehen:

$$(WC) = \lambda Cf.$$

Ausgerechnet kommt:

$$-\varphi'(u)\frac{\partial f}{\partial u} + \psi'(v)\frac{\partial f}{\partial v} = \lambda\left(\frac{\partial f}{\partial u} - \frac{\partial f}{\partial v}\right),$$

d. h.

$$\varphi'(u) = \psi'(v) = \text{Const.}$$

und somit:

$$\varphi(u) = a + cu,$$
$$\psi(v) = b + cv,$$

sodass

$$Wf \equiv (a + cu)\frac{\partial f}{\partial u} + (b + cv)\frac{\partial f}{\partial v}$$

wird. Unsere drei Differentialgleichungen gestatten also die drei infinitesimalen Transformationen:

$$\frac{\partial f}{\partial u}, \quad \frac{\partial f}{\partial v}, \quad u\frac{\partial f}{\partial u} + v\frac{\partial f}{\partial v},$$

die sich durch Nullsetzen je zweier Constanten ergeben, und jede, welche sich aus diesen linear mit constanten Coefficienten a, b, c zusammensetzen lässt, also, wie wir uns ausdrücken, von ihnen abhängig ist.

Satz 7: *Lassen sich die Integrale dreier gewöhnlicher Differentialgleichungen erster Ordnung in x, y auf solche Formen u, v, w bringen, dass $w \equiv u + v$ wird, so gestatten die drei Gleichungen gemeinschaftlich gerade drei von einander unabhängige infinitesimale Transformationen. Dieselben lassen sich durch Einführung der neuen Veränderlichen u, v auf die Form bringen:*

$$\frac{\partial f}{\partial u}, \quad \frac{\partial f}{\partial v}, \quad u\frac{\partial f}{\partial u} + v\frac{\partial f}{\partial v}.$$

Drei Differentialgleichungen, welche mehr als eine gem. inf. Trf. haben.

Wir werden nunmehr durch ein allerdings längeres Raisonnement, das jedoch guten Übungsstoff für früher Vorgetragenes bietet, umgekehrt einsehen, dass drei Differentialgleichungen erster Ordnung in x, y, welche gemeinsam mehr als eine infinitesimale Transformation gestatten, gerade drei von einander unabhängige infinitesimale Transformationen zulassen. Wir werden dadurch zu dem Satz gelangen*):

Satz 8: *Wenn drei gewöhnliche Differentialgleichungen erster Ordnung in x, y gemeinschaftlich mehr als eine infinitesimale Transformation gestatten, so lassen sich ihre Integrale auf eine solche Form u, v, w bringen, dass $w \equiv u + v$ wird.*

Dieser Satz wird übrigens bei den Problemen des nächsten Paragraphen nicht benutzt, kann daher auch übergangen werden.

Zum Beweise benutzen wir wie vorhin die Einführung zweckmässiger neuer Variabeln. Wenn u ein Integral der ersten und v eines der zweiten vorgelegten Differentialgleichung ist, so benutzen wir diese als neue Veränderliche. Alsdann haben die beiden ersten Differentialgleichungen die Form

$$du = 0, \quad dv = 0,$$

während die dritte zunächst die allgemeine Form hat:

$$dv - \Phi(u, v)du = 0.$$

Nach Voraussetzung sollen die drei Differentialgleichungen mehr als eine gemeinschaftliche infinitesimale Transformation

$$Wf \equiv \varphi(u, v)\frac{\partial f}{\partial u} + \psi(u, v)\frac{\partial f}{\partial v}$$

gestatten. Wie schon vorhin bemerkt wurde, darf φ nur von u, ψ nur von v abhängen, wenn $du = 0$ und $dv = 0$ diese infinitesimale Transformation gestatten sollen. Also ist:

$$Wf \equiv \varphi(u)\frac{\partial f}{\partial u} + \psi(v)\frac{\partial f}{\partial v}. \tag{10}$$

Die dritte Differentialgleichung ist der linearen partiellen Differentialgleichung

$$Cf \equiv \frac{\partial f}{\partial u} + \Phi\frac{\partial f}{\partial v} = 0$$

---

*) Der hier zu gebende Beweis ist elementar. Kürzer und eleganter gestaltet er sich durch Benutzung der Theorie der Transformationsgruppen: Daselbst wird gezeigt, dass alle mehr als eingliedrigen Gruppen der Ebene, welche drei Differentialgleichungen erster Ordnung invariant lassen, durch Einführung zweckmässiger Variabeln auf eine der beiden Formen p, q, $xp + yq$ und p, $xp + yq$ gebracht werden können. $\left(\text{Hier ist } p \equiv \frac{\partial f}{\partial x},\ q \equiv \frac{\partial f}{\partial y}.\right)$ Alsdann übersieht man leicht, dass die drei Differentialgleichungen die Form $adx + bdy = 0$ haben, wo a und b Constanten sind. Die Integrale haben also die Form $a_1x + b_1y$, $a_2x + b_2y$, $a_3x + b_3y$ und für diese ist der Satz evident. Diese Methode benutzte Lie in seinen Vorlesungen. Die mehr elementare Methode des Textes gehört Scheffers.

äquivalent. Da sie Wf gestatten soll, so muss nach Theorem 9 des § 2, 6. Kap., eine Relation bestehen von der Form:

$$(WC) = \lambda Cf$$

oder ausgerechnet:

$$\left(\varphi \frac{\partial \Phi}{\partial u} + \psi \frac{\partial \Phi}{\partial v}\right) \frac{\partial f}{\partial v} - \varphi' \frac{\partial f}{\partial u} - \Phi \psi' \frac{\partial f}{\partial v} = \lambda \frac{\partial f}{\partial u} + \lambda \Phi \frac{\partial f}{\partial v}.$$

Hier bedeutet natürlich φ' den Differentialquotienten $\frac{d\varphi}{du}$, ebenso wie $\psi' \equiv \frac{d\psi}{dv}$ sein soll. Da diese Relation für alle Werte von f bestehen soll, so muss

$$\lambda = -\varphi'$$

und demnach:

$$\varphi \frac{\partial \Phi}{\partial u} + \psi \frac{\partial \Phi}{\partial v} = \psi' \Phi - \varphi' \Phi \tag{11}$$

sein. Jede infinitesimale Transformation also, welche alle drei Differentialgleichungen invariant lässt, hat die Form (10), in der zwischen φ und ψ die Beziehung (11) besteht.

Es sei nun

$$W_0 f \equiv \varphi_0 \frac{\partial f}{\partial u} + \psi_0 \frac{\partial f}{\partial v}$$

eine dieser infinitesimalen Transformationen. Alsdann werden wir an Stelle von u und v die Grössen:

$$\bar{u} = \int \frac{du}{\varphi_0(u)}, \quad v = \int \frac{dv}{\psi_0(v)}$$

als Veränderliche benutzen, wodurch $W_0 f$ in $\frac{df}{\partial \bar{u}} + \frac{\partial f}{\partial \bar{v}}$ übergeht. Die beiden ersten Differentialgleichungen lauten dann $d\bar{u} = 0$, $d\bar{v} = 0$ und die dritte erhält eine Form $d\bar{v} - \bar{\Phi}(\bar{u}, \bar{v}) d\bar{u} = 0$. Wir können deshalb annehmen, unsere Verändlichen u, v seien schon so gewählt, dass eine der infinitesimalen Transformationen, welche alle drei Gleichungen $du = 0$, $dv = 0$, $dv - \Phi du = 0$ invariant lassen, die einfache Form hat:

$$W_0 f \equiv \frac{\partial f}{\partial u} + \frac{\partial f}{\partial v}. \tag{12}$$

Aber freilich geht dies dann nicht, wenn φ_0 oder ψ_0 identisch verschwindet. Diesen Ausnahmefall können wir aber schnell erledigen. Ist nämlich etwa $\psi_0 \equiv 0$, aber $\varphi_0 \not\equiv 0$, so führen wir nur an Stelle von u die Function $\int \frac{du}{\varphi_0(u)}$ als neue Veränderliche u ein. Dann dürfen wir also annehmen, dass $W_0 f$ die Form hat

$$W_0 f \equiv \frac{\partial f}{\partial u}.$$

Hier liefert (11), da $\varphi \equiv 1$, $\psi \equiv 0$ ist, $\frac{\partial \Phi}{\partial u} = 0$, d. h. die dritte gegebene Differentialgleichung hat die Form $du - \Phi(v)dv = 0$. Indem man dann $-\int \Phi(v)dv$ als neues v einführt, erkennt man, dass die drei Differentialgleichungen auf die Form

$$du = 0, \quad dv = 0, \quad du + dv = 0$$

zu bringen sind, sodass das Integral w der letzten gleich der Summe $u + v$ der Integrale der beiden ersten ist. In diesem Ausnahmefall sind wir also zu dem gewünschten Ergebnis gelangt, ohne die in Satz 8 aufgestellte Voraussetzung, dass die drei Differentialgleichungen mehr als eine infinitesimale Transformation gestatten, im Beweise völlig benutzt zu haben.

Ist hiermit der Ausnahmefall erledigt, so handelt es sich jetzt noch darum, den Fall zu untersuchen, in welchem eine der infinitesimalen Transformationen Wf die besondere Form hat:

$$W_0 f \equiv \frac{\partial f}{\partial u} + \frac{\partial f}{\partial v}. \tag{12}$$

Hier ist $\varphi \equiv \psi \equiv 1$ und (11) liefert also

$$\frac{\partial \Phi}{\partial u} + \frac{\partial \Phi}{\partial v} = 0,$$

d. h. Φ ist eine Function von $u - v$ allein, sodass die drei vorgelegten Differentialgleichungen lauten:

$$du = 0, \quad dv = 0, \quad dv - \Phi(u - v)du = 0. \tag{13}$$

Nun sollen sie mehr als die eine infinitesimale Transformation $W_0 f$ gestatten. Es sei also:

$$Wf \equiv \varphi(u) \frac{\partial f}{\partial u} + \psi(v) \frac{\partial f}{\partial v}$$

eine zweite, von $W_0 f$ unabhängige; es dürfen sich also φ und ψ nicht etwa auf eine Constante a reducieren. Hier liefert die Bedingung (11), da Φ eine Function von $u - v$ allein ist, wenn $\frac{d\Phi}{d(u-v)}$ kurz mit Φ' bezeichnet wird:

$$(\varphi - \psi)\Phi' = (\psi' - \varphi')\Phi$$

oder:

$$\frac{\varphi' - \psi'}{\varphi - \psi} = -\frac{\Phi'}{\Phi} \equiv \Omega(u - v). \tag{14}$$

Es kommt nun darauf an, diese Bedingung zu interpretieren. Dabei ist im Auge zu behalten, dass φ eine Function von u, ψ eine von v und Φ eine von $u - v$ sein soll, und dass φ und ψ sich nicht beide auf eine Constante a reducieren dürfen. Man findet durch eine allerdings etwas umständliche Erwägung, dass der Bruch (14) eine Constante ist.

Zum Beweise bemerken wir, dass wegen (14) jedenfalls eine Function ϱ von u und v existiert, sodass einzeln:

$$(15)\qquad \begin{cases} \varphi(u) - \psi(v) = \varrho, \\ \varphi'(u) - \psi'(v) = \varrho\Omega \end{cases}$$

ist. Welche Form ϱ haben muss, ist leicht zu sehen, denn die erste Gleichung giebt nach u und nach v differenziert:

$$\varphi'(u) = \frac{\partial \varrho}{\partial u}, \quad \psi'(v) = -\frac{\partial \varrho}{\partial v},$$

sodass, wenn dies in die zweite eingesetzt wird,

$$\frac{\partial \varrho}{\partial u} + \frac{\partial \varrho}{\partial v} = \varrho\Omega$$

hervorgeht oder:

$$\frac{\partial \lg \varrho}{\partial u} + \frac{\partial \lg \varrho}{\partial v} = \Omega(u - v).$$

Diese lineare partielle Differentialgleichung für $\lg \varrho$ ist äquivalent dem simultanen System

$$\frac{du}{1} = \frac{dv}{1} = \frac{d \lg \varrho}{\Omega},$$

von welchem $u - v$ und $\lg \varrho - \frac{1}{2}\Omega(u - v) \cdot (u + v)$ Integrale sind, sodass zu setzen ist:

$$\lg \varrho - \tfrac{1}{2}\Omega \cdot (u + v) = \lg \Psi(u - v)$$

oder:

$$(16)\qquad \varrho = \Psi e^{\frac{1}{2}(u+v)\Omega}.$$

Hier bedeutet Ψ wie Ω eine Function von $u - v$ allein. Setzen wir den Wert (16) in die erste Gleichung (15) ein, so kommt:

$$(17)\qquad \varphi(u) - \psi(v) = \Psi e^{\frac{1}{2}(u+v)\Omega}.$$

Die rechte Seite soll sich in der links stehenden Form darstellen lassen, d. h. die rechte Seite muss, wenn sie nach u und das Ergebnis weiterhin nach v differenziert wird, ebenso wie die linke Null ergeben. Dies giebt die Bedingung:

$$\begin{aligned} &- \Psi'' - \tfrac{1}{2}\Psi'\Omega - \tfrac{1}{2}\Psi'\Omega'(u + v) - \tfrac{1}{2}\Psi\Omega''(u + v) + \\ &+ [\Psi' + \tfrac{1}{2}\Psi\Omega + \tfrac{1}{2}\Psi\Omega'(u + v)]\,[\tfrac{1}{2}\Omega - \tfrac{1}{2}\Omega'(u + v)] = 0. \end{aligned}$$

Hierin sind Ψ, Ψ', Ψ'', Ω, Ω', Ω'' Functionen von $u - v$ allein. Ausserdem kommt noch $u + v$ vor und zwar quadratisch. Da die Gleichung für alle Werte von $u + v$ und $u - v$ bestehen soll, so müssen notwendig die Coefficienten von $(u + v)^2$, $(u + v)$ und $(u + v)^0$ einzeln verschwinden. Dies liefert die drei Relationen:

$$\Psi\Omega'^2 = 0, \quad \Psi'\Omega' + \tfrac{1}{2}\Psi\Omega'' = 0, \quad \Psi'' - \tfrac{1}{4}\Psi\Omega^2 = 0.$$

Entweder ist also $\Omega' = 0$, d. h. Ω eine Constante, was wir beweisen wollten, oder $\Psi = 0$. Dann aber giebt (17):

$$\varphi(u) - \psi(v) = 0,$$

d. h.

$$\varphi(u) = a, \quad \psi(v) = a,$$

wo a eine Constante ist. Die Möglichkeit, dass φ und ψ sich auf dieselbe Constante reduciren, wurde aber oben ausdrücklich ausgeschlossen.

Demnach hat sich ergeben, dass Ω eine Constante ist.

Es war Ω zur Abkürzung für $-\frac{\Phi'}{\Phi}$ gebraucht. Es ergiebt sich mithin, dass

$$\frac{\Phi'}{\Phi} = a \ (= \text{Const.}),$$

d. h.

$$\Phi = \alpha e^{a(u-v)} \quad (\alpha = \text{Const.})$$

ist. Somit lauten unsere drei Differentialgleichungen (13):

$$du = 0, \quad dv = 0, \quad e^{av}dv - \alpha e^{au}du = 0.$$

Hier ist $\alpha \neq 0$. Wenn wir e^{av} und $-\alpha e^{au}$ im Falle $a \neq 0$ an Stelle von v und u als Variabeln benutzen, gehen sie über in:

$$du = 0, \quad dv = 0, \quad dv + du = 0,$$

d. h. ihre Integrale u, v, w stehen in der Beziehung $w = u + v$. Ist $a = 0$, so ist dies evident, wenn $-\alpha u$ als neues u benutzt wird.

Damit ist Satz 8 völlig bewiesen.

Wenn drei Differentialgleichungen erster Ordnung in x, y vorliegen, so sind *drei Fälle* denkbar. Entweder gestatten sie *mehr als eine* gemeinschaftliche infinitesimale Transformation. Diesen Fall haben wir soeben erledigt, auf ihn beziehen sich die Sätze 6, 7 und 8. Oder aber sie gestatten *nur eine* gemeinsame infinitesimale Transformation, oder endlich sie gestatten *keine* gemeinsame.

Auch im *zweiten* Fall kann man die Integration auf Quadraturen zurückführen, indem sich alsdann die betreffende infinitesimale Transformation durch Quadratur finden lässt, sodass damit ein Multiplicator jeder der drei Gleichungen zu bestimmen ist. Wir werden jedoch hierauf nicht näher eingehen.

§ 4. Anwendungen auf Probleme der Flächentheorie.

Wir werden die im vorigen Paragraphen entwickelte Integrationstheorie auf einige Probleme anwenden, die sich auf die *Bestimmung gewisser Curvenscharen auf gegebenen Flächen beziehen.*

Auf einer krummen Fläche sind drei Doppelscharen von je ∞^1 Curven von besonderem Interesse, nämlich die *Haupttangentencurven* oder, wie man sie auch nennt, die asymptotischen Curven, die *Krümmungslinien* und die *Minimalcurven*, d. h. die (imaginären) Curven, deren Bogenelement $ds = 0$ ist. Wir nennen diese Scharen *Doppelscharen*, weil durch jeden Punkt der Fläche im allgemeinen zwei Curven jeder Art hindurchgehen, analytisch ausgedrückt: weil die Differentialgleichungen dieser Scharen hinsichtlich der Differentialquotienten quadratisch sind.

Wenn nämlich die Punkte der als gegeben betrachteten Fläche durch zwei Parameter u, v bestimmt werden und wenn e, f, g die Gauss'schen Fundamentalgrössen erster Ordnung, E, F, G die zweiter Ordnung (nämlich in Gauss' Bezeichnung D, D', D''), aber noch dividiert durch $t = \sqrt{eg - f^2}$, bezeichnen, so lautet die Differentialgleichung der Haupttangentencurven

$$Edu^2 + 2Fdudv + Gdv^2 = 0, \tag{18}$$

die der Krümmungslinien

$$\begin{vmatrix} dv^2 & -dudv & du^2 \\ e & f & g \\ E & F & G \end{vmatrix} = 0 \tag{19}$$

und die der Minimalcurven von der Bogenlänge Null:

$$edu^2 + 2fdudv + gdv^2 = 0. \tag{20}$$

Die linken Seiten dieser drei Differentialgleichungen lassen sich in je zwei in du und dv lineare Factoren zerlegen, sodass wir also *sechs* Differentialgleichungen vor uns haben von der Form

$$Vdu - Udv = 0.$$

Im allgemeinen werden nun zwischen gewissen dreien derselben keine solche Beziehungen bestehen, wie wir sie im vorigen Paragraphen betrachteten. *Besonderes Interesse bieten deshalb die Flächengattungen dar, bei welchen die Integrale gewisser dreier dieser Gleichungen auf eine solche Form gebracht werden können, dass zwischen ihnen eine lineare Relation mit constanten Coefficienten besteht.* Wir werden hier nur einzelne dieser Fälle näher besprechen.

Sie beziehen sich ihrer Natur nach auf *besondere Flächengattungen.* Dem gegenüber lassen sich aber auch andere Probleme, welche sich auf gewisse *Curvenscharen auf ganz beliebigen Flächen* beziehen, mit Hülfe unserer Theorie erledigen, so die *Integration der Differentialgleichung einer Isothermenschar auf einer beliebigen Fläche.* Wir fanden in § 2, dass diese Integration immer durch Quadraturen geleistet

Isothermen auf Flächen.

werden kann. Dies hat den folgenden tieferen Grund: Man weiss aus der allgemeinen Flächentheorie, dass, wenn $u_1(u, v) = \text{Const.}$ und $v_1(u, v) = \text{Const.}$ die Minimalcurven darstellen, alsdann jede Isothermenschar durch eine Gleichung von der Form

$$U(u_1) + V(v_1) = 0$$

oder bei passender Wahl von u_1 und v_1 durch:

$$u_1 + v_1 = \text{Const.}$$

dargestellt wird. Demnach stehen die in (20) enthaltenen Differentialgleichungen der beiden Scharen von Minimalcurven und die vorgelegte Differentialgleichung einer Isothermenschar:

$$U(u, v)dv - V(u, v)du = 0$$

(jetzt bei beliebiger Wahl der Flächenparameter u, v) in der Beziehung, dass zwischen ihren Integralen u_1, v_1, w_1 eine lineare Relation $w_1 = u_1 + v_1$ besteht. Ihre Integration verlangt also nach Satz 6 des vorigen Paragraphen nur Quadraturen*). In § 2 bewiesen wir dies auf einem etwas umständlicheren Wege.

Nunmehr wollen wir jene oben charakterisierten Einzelprobleme in einigen Beispielen erläutern und erledigen.

1. Beispiel: Vorausgesetzt wird, dass *zwischen den Differentialgleichungen der beiden Scharen von Haupttangentencurven und der einen Schar von Krümmungslinien die Beziehung besteht, wonach ihre Integrale h_1, h_2, k_1 auf eine Form gebracht werden können, in welcher eine lineare Relation mit constanten Coefficienten zwischen ihnen stattfindet:* $k_1 = h_1 + h_2$. Übrigens ist dann $k_2 = h_1 - h_2$ das Integral der Differentialgleichung der Krümmungslinien der zweiten Schar, da die vier durch einen Flächenpunkt gehenden Curven der betrachteten Art in ihm Richtungen mit dem Doppelverhältnis -1 haben, denn die Haupttangentencurven halbieren die Winkel der Krümmungslinien, und da andererseits die Differentialgleichungen $dh_1 = 0$, $dh_2 = 0$; $dh_1 + dh_2 = 0$, $dh_1 - dh_2$ vier harmonische Richtungen bestimmen. Man kann dann nach unserer im vorigen Paragraphen entwickelten Theorie die beiden Scharen der Haupttangentencurven und die der Krümmungslinien durch Quadraturen bestimmen. Um nun aber zu erkennen, welche geometrische Eigentümlichkeit diesen jetzt betrachteten Flächen zukommt, wollen wir für den Augenblick annehmen,

Flächen, deren Haupttangentencurven Rhomben bilden.

*) Dieser Satz wurde zuerst aufgestellt von Lie in der Abhandlung: „Allgemeine Theorie der partiellen Differentialgleichungen erster Ordnung (2. Abteil.)". Math. Ann. XI (1877), S. 556. Später haben Weingarten und Darboux einen speciellen Fall dieses Satzes bewiesen.

die Parameterlinien $u = \text{Const.}$, $v = \text{Const.}$ seien gerade die Haupttangentencurven. Dann ist nach (18) $E = G = 0$, so dass die Differentialgleichung (19) der Krümmungslinien sich reduciert auf:

$$(\sqrt{e}\,du + \sqrt{g}\,dv)(\sqrt{e}\,du - \sqrt{g}\,dv) = 0.$$

Nach Voraussetzung sollen sich die Krümmungslinien in der Form

$$\varphi(u) \pm \psi(v) = \text{Const.}$$

ergeben, denn $\varphi(u)$ und $\psi(v)$ sind die allgemeinen Integrale der Differentialgleichungen $du = 0$, $dv = 0$ der Haupttangentencurven. Folglich muss $\sqrt{e}$ sich bis auf einen Factor ϱ auf die Function $\varphi(u)$, $\sqrt{g}$ sich bis auf denselben Factor ϱ auf die Function $\psi(u)$ reducieren:

$$\sqrt{e} = \varrho\varphi(u), \quad \sqrt{g} = \varrho\psi(v),$$

wo ϱ eine Function von u, v ist, sodass das Quadrat des Bogenelementes der Fläche die Form erhält, wenn f gleich $\chi(u, v)\varrho^2$ gesetzt wird:

$$ds^2 = \varrho^2(\varphi(u)du^2 + 2\chi du dv + \psi(v)dv^2).$$

Wenn wir von dem Ausnahmefall, dass $e \equiv 0$ oder $g \equiv 0$ ist, d. h. dass die eine oder andere Haupttangentencurvenschar aus Minimalcurven besteht, absehen, so können wir durch Einführung einer Function von u als neues u und einer Function von v als neues v, wodurch das Bisherige nicht wesentlich berührt wird, erreichen, dass $\varphi(u) \equiv 1$, $\psi(v) \equiv 1$ wird, sodass dann:

$$ds^2 = \varrho^2(du^2 + 2\chi du dv + dv^2)$$

ist. Hiernach ist das Bogenelement, welches die Curven $u = \text{Const.}$ und $u + du = \text{Const.}$ auf einer Curve $v = \text{Const.}$ abschneiden, gleich ϱdu, und Entsprechendes gilt für die Bogen auf den Curven $u = \text{Const.}$ Nimmt man also die beiden Differentiale du und dv gleich gross an, d. h. überzieht man die Fläche mit den Haupttangentencurven $u = u_0$, $u = u_0 + \varepsilon$, $u = u_0 + 2\varepsilon$, . . ., $v = v_0$, $v = v_0 + \varepsilon$, $v = v_0 + 2\varepsilon$, . . ., wo ε eine infinitesimale Grösse bedeute, so erhält man ein Netz von infinitesimalen *Rhomben*. An der Stelle (u, v) besitzt der betreffende Rhombus die Seite $\varrho(u, v)\varepsilon$. Wenn umgekehrt das Netz der Haupttangentencurven aus Rhomben besteht, so folgt, dass $\sqrt{e}\,du$ und $\sqrt{g}\,dv$ für $du = dv$ gleich sind, d. h. $\sqrt{e} = \sqrt{g} = \varrho(u, v)$ ist u. s. w., es ergiebt sich also rückwärts die zu Anfang dieses Beispiels gemachte Annahme. Übrigens lauten bei unserer Wahl der Parameter u, v die Differentialgleichungen der Krümmungslinien

$$du \pm dv = 0,$$

d. h. *die Krümmungslinien sind, wie auch geometrisch erhellt, die Diagonalen jener Rhomben.*

Satz 9: *Kann man auf einer Fläche die Haupttangentencurven so ziehen, dass sie ein Netz von infinitesimalen Rhomben bilden, so verlangt die Integration der Differentialgleichungen der Haupttangentencurven und Krümmungslinien nur Quadraturen.*

Zu den Flächen dieser Art gehören insbesondere alle Flächen constanten Gauss'schen Krümmungsmasses. Wenn man nämlich auf einer solchen Fläche die Haupttangentencurven als Parameterlinien $u =$ Const., $v =$ Const. einführt, so werden, wie Dini und Enneper zuerst zeigten, e und g Functionen von u resp. v allein. Also folgt:

Satz 10: *Die Haupttangentencurven und Krümmungslinien einer Fläche constanter Krümmung lassen sich durch Quadraturen bestimmen*).*

Nun können wir übrigens auch auf directem geometrischen Wege einsehen, dass auf den Flächen, welche von ihren Haupttangentencurven in infinitesimale Rhomben zerteilt werden, diese Curven durch Quadraturen gefunden werden können.

Es seien nämlich u, v beliebig gewählte Flächenparameter, z. B. die Coordinaten x, y, und es sei $\varrho(u, v)\delta t$, wo δt eine infinitesimale Grösse bedeute, die noch *unbekannte* Seitenlänge des an der Stelle (u, v) der Fläche befindlichen Rhombus. Erteilen wir nun dem daselbst befindlichen Punkt (x, y, z) die infinitesimale Fortschreitung $\varrho\delta t$ längs einer der hindurchgehenden beiden Haupttangentencurven und verfahren wir so mit allen Punkten der Fläche, so geht offenbar jede Haupttangentencurve der anderen Schar in eine ebensolche über. Auch die Krümmungslinien, die Diagonalen der Rhomben, werden unter einander vertauscht. (Siehe Fig. 19.)

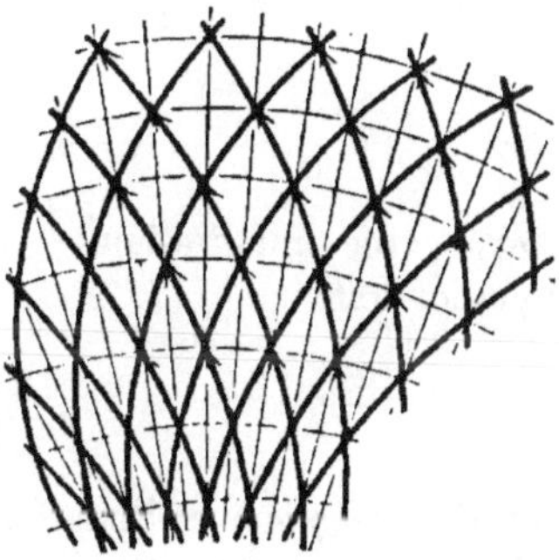

Fig. 19.

Diese geometrische Thatsache verwerten wir analytisch. In dem beliebig angenommenen Parametersystem u, v hat das Quadrat des Bogenelementes allgemein die Form

$$ds^2 = e du^2 + 2f du dv + g dv^2, \tag{21}$$

*) Lie, Zur Theorie der Flächen constanter Krümmung I. Archiv for Math. og Naturv. Bd. III (1879), S. 345—354. Vgl. auch Bulletin des sciences math. t. V (1881), II. série, p. 79—80.

in der e, f, g bekannte Functionen von u, v sind. Indem wir die allgemeine Differentialgleichung (18) der Haupttangentencurven in ihre linearen Factoren zerlegen, erhalten wir die beiden Differentialgleichungen

(22) $$Adv - Bdu = 0, \quad Cdv - Ddu = 0$$

der beiden Scharen von Haupttangentencurven. Es handelt sich darum, sie zu integrieren. A, B, C, D sind natürlich bekannte Functionen von u und v.

Wir suchen den analytischen Ausdruck jener oben betrachteten infinitesimalen Transformation. Dieselbe führt einen Punkt (u, v) der Fläche längs einer Haupttangentencurve der Schar

$$Adv - Bdu = 0$$

hin zu einem infinitesimal benachbarten Punkte $(u + \delta u, v + \delta v)$. Die Incremente δu und δv müssen also die Form haben:

$$\delta u = \lambda A \delta t, \quad \delta v = \lambda B \delta t.$$

Nun soll die Verschiebung die Länge $\varrho \delta t$ haben. Nach (21) muss also sein:

$$\varrho^2 \delta t^2 = e \delta u^2 + 2f \delta u \delta v + g \delta v^2$$

oder:

$$\varrho^2 = \lambda^2 (A^2 e + 2ABf + B^2 g),$$

d. h.

$$\lambda = \frac{\varrho}{\sqrt{A^2 e + 2ABf + B^2 g}},$$

sodass die infinitesimale Transformation in u, v geschrieben das Symbol hat:

$$\varrho \frac{A \frac{\partial \mathfrak{f}}{\partial u} + B \frac{\partial \mathfrak{f}}{\partial v}}{\sqrt{A^2 e + 2ABf + B^2 g}},$$

wo das allgemeine Functionszeichen $\mathfrak{f}$ statt f gewählt wurde, weil f schon eine andere Bedeutung hat. Allerdings ist hier ϱ noch unbekannt.

Diese infinitesimale Transformation führt die Haupttangentencurven der zweiten Schar:

$$Cdv - Ddu = 0$$

in sich über, lässt also diese Differentialgleichung invariant. Nach Theorem 8, § 1, 6. Kap. besitzt mithin diese Differentialgleichung den Multiplicator:

(23) $$N = \frac{1}{\varrho} \cdot \frac{\sqrt{A^2 e + 2ABf + B^2 g}}{AD - BC}.$$

Ganz ebenso ergiebt sich, dass die Differentialgleichung

$$Adv - Bdu = 0$$

der anderen Schar den Multiplicator

$$(24) \qquad M = \frac{1}{\varrho} \cdot \frac{\sqrt{C^2 e + 2CDf + D^2 g}}{AD - BC}$$

besitzt.

Zwischen zwei Multiplicatoren M und N der beiden Differentialgleichungen (22) besteht also eine bekannte Relation:

$$\frac{M}{N} = \sqrt{\frac{C^2 e + 2CDf + D^2 g}{A^2 e + 2ABf + B^2 g}}.$$

Nach Satz 3, § 2 dieses Kapitels lassen sich also auch M und N durch nur eine Quadratur finden. Mithin erfordert die Integration der beiden Gleichungen (22) im ganzen drei Quadraturen.

Da jene beiden infinitesimalen Transformationen auch die Krümmungslinien unter einander vertauschen, so kann man für die Differentialgleichungen dieser ähnliche Multiplicatoren aufstellen.

Wenn insbesondere jene Rhomben *constante* Seitenlänge $\varrho\delta t$ haben, so ist $\varrho \equiv 1$ zu setzen, d. h. nach (23) und (24) kennen wir dann die Multiplicatoren M und N und die Bestimmung der Haupttangentencurven erfordert nur zwei Quadraturen. Dieser Fall tritt, wie oben bemerkt, bei den Flächen constanter Krümmung ein.

Wir wollen diese allgemeinen Ergebnisse an dem *Beispiele der Flächen constanter Krümmung, welche Rotationsflächen sind,* verificieren. Bekanntlich kann man jede solche Fläche mit der z-Axe als Rotationsaxe darstellen in der Form:

$$x = a \sin u \cos v, \quad y = a \sin u \sin v,$$

$$z = \int \sqrt{\lambda^2 - a^2 \cos^2 u}\, du.$$

Berechnet man hier die Fundamentalgrössen, so kommt:

$$e = \lambda^2, \qquad f = 0, \quad g = a^2 \sin^2 u,$$

$$E = \frac{a\lambda \sin u}{\sqrt{\lambda^2 - a^2 \cos^2 u}}, \quad F = 0, \quad G = \frac{a}{\lambda} \sin u \sqrt{\lambda^2 - a^2 \cos^2 u},$$

sodass die Differentialgleichung der Haupttangentencurven

$$Edu^2 + 2Fdudv + Gdv^2 = 0$$

die Form erhält:

$$\lambda^2 du^2 + (\lambda^2 - a^2 \cos^2 u) dv^2 = 0$$

oder, in ihre linearen Factoren zerspalten:

$$\sqrt{\lambda^2 - a^2 \cos^2 u} \cdot dv \mp i\lambda du = 0.$$

Natürlich ist die Integration sofort durch Separation der Variabeln zu leisten. Wir wollen jedoch unsere obigen allgemeinen Resultate verificieren. Es ist hier zu setzen:

$$A = \sqrt{\lambda^2 - a^2 \cos^2 u}, \quad B = i\lambda,$$
$$C = \sqrt{\lambda^2 - a^2 \cos^2 u}, \quad D = -i\lambda,$$

sodass $AD - BC = -2i\lambda\sqrt{\lambda^2 - a^2\cos^2 u}$ und:

$$A^2 e + 2ABf + B^2 g = \lambda^2(\lambda^2 - a^2),$$

also constant wird. Dasselbe gilt von

$$C^2 e + 2CDf + D^2 g = \lambda^2(\lambda^2 - a^2).$$

Die beiden Differentialgleichungen der Haupttangentencurven besitzen sonach den Multiplicator

$$M = N = \frac{\lambda\sqrt{\lambda^2 - a^2}}{-2i\lambda\sqrt{\lambda^2 - a^2\cos^2 u}}.$$

oder auch

$$\frac{1}{\sqrt{\lambda^2 - a^2\cos^2 u}}$$

und das ist offenbar richtig.

Man kann nach der *analytischen Bedingung dafür fragen, dass eine Fläche*

$$z = F(x, y)$$

eine Fläche der von uns betrachteten Gattung ist, d. h. von ihren Haupttangentencurven in Rhomben zerlegt wird. Der Weg zu ihrer Aufstellung liegt offen: Wir benutzen x und y als Parameter u und v. Dann ist bekanntlich, wenn die ersten partiellen Differentialquotienten von z nach x, y mit p, q, die zweiten der Reihe nach mit r, s, t bezeichnet werden:

$$e = 1 + p^2, \quad f = pq, \quad g = 1 + q^2$$

und die Gleichung der Haupttangentencurven:

$$r dx^2 + 2s dx dy + t dy^2 = 0.$$

Sie ist in ihre linearen Factoren zu zerspalten:

$$(t dy + (s + \omega) dx)\,((s + \omega) dy + r dx) = 0,$$

sodass zu setzen ist:

$$A = -t, \qquad B = s + \omega,$$
$$C = s + \omega, \quad D = -r.$$

Hierbei bedeutet ω die Quadratwurzel:

$$\omega = \sqrt{s^2 - rt}.$$

Nun wird:

$$A^2e + 2ABf + B^2g = t^2(1+p^2) - 2pqt(s+\omega) + (s+\omega)^2(1+q^2),$$
$$C^2e + 2CDf + D^2g = (s+\omega)^2(1+p^2) - 2pqr(s+\omega) + r^2(1+q^2).$$

Diese beiden Ausdrücke, sie seien zur Abkürzung mit U^2 und V^2 bezeichnet, stellen sich also dar als Functionen der ersten und zweiten Differentialquotienten von z.

Wenn nun die Fläche $z = F(x, y)$ eine Fläche der betrachteten Art ist, so müssen nach (23) und (24) die beiden Differentialgleichungen der Haupttangentencurven:

(25) $$V(Ady - Bdx) = 0, \quad U(Cdy - Ddx) = 0$$

einen gemeinsamen Multiplicator:

$$P = \frac{1}{\varrho(AD - BC)}$$

besitzen.

Wenn umgekehrt die beiden Differentialgleichungen der Haupttangentencurven (25) einen gemeinsamen Multiplicator P besitzen, so lässt sich hieraus ϱ bestimmen und danach wieder rückwärts eine infinitesimale Transformation angeben, welche die eine Schar der Haupttangentencurven invariant lässt, u. s. w., d. h. man gelangt wieder zu den Flächen, welche von ihren Haupttangentencurven in Rhomben zerlegt werden.

Einzige Bedingung für unsere Fläche ist also die, dass die beiden Differentialgleichungen (25) einen gemeinsamen Multiplicator haben, dass also eine Function P existiert, sodass:

$$VA\frac{\partial \lg P}{\partial x} + VB\frac{\partial \lg P}{\partial y} = -\frac{\partial VA}{\partial x} - \frac{\partial VB}{\partial y},$$
$$UC\frac{\partial \lg P}{\partial x} + UD\frac{\partial \lg P}{\partial y} = -\frac{\partial UC}{\partial x} - \frac{\partial UD}{\partial y}$$

ist. Hieraus lassen sich $\frac{\partial \lg P}{\partial x}$ und $\frac{\partial \lg P}{\partial y}$ auf algebraischem Wege bestimmen und zwar als Functionen der ersten, zweiten und dritten Ableitungen von z. Die einzige verbleibende Bedingung, nämlich die der Integrabilität:

$$\frac{\partial}{\partial y}\frac{\partial \lg P}{\partial x} = \frac{\partial}{\partial x}\frac{\partial \lg P}{\partial y},$$

enthält also die ersten bis vierten Differentialquotienten von z.

Die Flächen $z = F(x, y)$ also, welche von ihren Haupttangentencurven in Rhomben zerlegt werden, sind definiert durch eine partielle Differentialgleichung vierter Ordnung.

Wenn wir insbesondere verlangen, dass die Fläche $z = F(x, y)$ von ihren Haupttangentencurven in Rhomben von *constanter* Seitenlänge $\varrho\delta t$ zerlegt werden soll, so ist in (23) und (24) $\varrho = 1$ anzunehmen, d. h. wir haben auszudrücken, dass die Gleichungen

$$Ady - Bdx = 0, \quad Cdy - Ddx = 0$$

die Multiplicatoren

$$M = \frac{V}{AD - BC} \text{ resp. } N = \frac{U}{AD - BC}$$

besitzen. Dies liefert offenbar *zwei partielle Differentialgleichungen dritter Ordnung für z*. Man kann zeigen, dass dieselben nur von solchen Flächen gleichzeitig erfüllt werden, für die

$$\frac{rt - s^2}{(1 + p^2 + q^2)^2} = \text{Const.}$$

ist, d. h. nur von den *Flächen constanter Krümmung*. Wir gehen aber hierauf nicht näher ein.

Flächen, deren Krümmungslinien Isothermen sind.

2. *Beispiel:* Die vorliegende Fläche möge nunmehr die Eigentümlichkeit haben, dass *zwischen den beiden Differentialgleichungen der Minimalcurven und der Differentialgleichung der einen Schar der Krümmungslinien die im vorigen Paragraphen betrachtete Beziehung besteht, wonach das Integral der letzteren sich linear mit constanten Coefficienten durch die der beiden ersteren ausdrückt.* Übrigens gilt dann dasselbe von dem Integral der Differentialgleichung der anderen Krümmungslinienschar, da die durch einen Punkt gehenden Minimalcurven und Krümmungslinien in diesem Punkte vier Richtungen mit harmonischem Doppelverhältnis bestimmen. Nach § 3 können wir diese Minimalcurven und Krümmungslinien durch Quadraturen bestimmen.

Um die geometrische Eigentümlichkeit unserer Flächengattung zu finden, seien die Parameterlinien $u =$ Const., $v =$ Const. die Minimalcurven. Längs derselben muss das Bogenelement Null sein, d. h. in

$$ds^2 = edu^2 + 2fdudv + gdv^2$$

ist $e = g = 0$. Es bleibt demnach

$$ds^2 = 2fdudv.$$

Die Differentialgleichung (19) der Krümmungslinien nimmt also die Form an:

$$(\sqrt{G}\,dv + \sqrt{E}\,du)\,(\sqrt{G}\,dv - \sqrt{E}\,du) = 0.$$

Da das Integral von

$$\sqrt{G}\,dv + \sqrt{E}\,du = 0$$

die Form $\varphi(u) + \psi(v)$ haben soll — denn $\varphi(u)$ und $\psi(v)$ sind die allgemeinen Integrale der Differentialgleichungen $du = 0$, $dv = 0$ der Minimalcurven —, so sind E und G von der Form:

$$E = \varrho\sqrt{\varphi(u)}, \quad G = \varrho\sqrt{\psi(v)},$$

wo ϱ eine Function von u, v bedeutet. Indem wir an Stelle von u, v passende Functionen von u allein und von v allein als Parameter einführen, erreichen wir insbesondere, dass

$$E = \varrho, \quad G = i\varrho$$

wird (wenn wir von dem Ausnahmefall $E = 0$ oder $G = 0$, in welchem die Krümmungslinien Minimalcurven sind, absehen). Die Krümmungslinien sind dann gegeben durch:

$$u \pm iv = \text{Const.}$$

Sie sind *Isothermen*. Um dies nachzuweisen — ohne uns auf die Theorie der Isothermensysteme auf Flächen zu stützen, nach der dies augenscheinlich ist — führen wir neue Parameter u_1, v_1 ein vermöge:

$$u + iv = 2u_1, \quad u - iv = 2iv_1,$$

sodass $u_1 = \text{Const.}$, $v_1 = \text{Const.}$ die Krümmungslinien sind. Alsdann ist:

$$du = du_1 + idv_1, \quad dv = -idu_1 - dv_1$$

und also wird das Quadrat des Bogenelementes

$$ds^2 = 2fdudv = -2if(du_1^2 + dv_1^2),$$

d. h. längs der Krümmungslinien $u_1 = \text{Const.}$, $v_1 = \text{Const.}$ haben die Bogenelemente die Werte $dv_1\sqrt{-2if}$ und $du_1\sqrt{-2if}$. Zieht man also die Krümmungslinien $u = u_0$, $u = u_0 + \varepsilon$, $u = u_0 + 2\varepsilon, \ldots$, $v = v_0$, $v = v_0 + \varepsilon$, $v = v_0 + 2\varepsilon, \ldots$, wo ε eine infinitesimale Zahl bedeute, so bilden sie *Quadrate* von der Seitenlänge $\varepsilon\sqrt{-2if}$, was zu beweisen war.

Wenn umgekehrt die Krümmungslinien einer Fläche Isothermen sind, so folgt rückwärts, dass man das Bogenelement durch Einführung passender Parameter u, v auf die Form

$$ds^2 = 2fdudv$$

bringen kann und gleichzeitig $u \pm iv = \text{Const.}$ die Krümmungslinien darstellt. Man gelangt also zu den ursprünglichen Flächen zurück.

Satz 11: *Sind die Krümmungslinien einer Fläche Isothermen, so kann man sie und die Minimalcurven der Fläche durch Quadraturen bestimmen.*

Übrigens ist dieser Satz, soweit er von den Krümmungslinien spricht, nur ein Specialfall des Satzes 5, § 2.

Angenommen, es seien u, v beliebig gewählte Flächenparameter, in denen das Quadrat des Bogenelementes

$$ds^2 = edu^2 + 2fdudv + gdv^2$$

ist, und die Differentialgleichung (19) der Krümmungslinien lasse sich in die beiden linearen Factoren zerlegen:

$$Adv - Bdu = 0, \quad Cdv - Ddu = 0,$$

wo A, B, C, D alsdann bekannte Functionen von u, v sind, so lässt sich ihre Integration in derselben Weise wie im vorigen Beispiel durchführen, indem wir die infinitesimalen Transformationen aufstellen, welche die Punkte der Fläche längs der einen Krümmungslinien um die infinitesimalen Quadratseiten verschieben. Diese beiden infinitesimalen Transformationen lassen jedesmal die andere Schar der Krümmungslinien invariant. Wie im 1. Beispiel finden wir danach, dass

$$M = \frac{1}{\varrho}\frac{\sqrt{C^2 e + 2CDf + D^2 g}}{AD - BC}$$

Multiplicator der einen,

$$N = \frac{1}{\varrho}\frac{\sqrt{A^2 e + 2ABf + B^2 g}}{AD - BC}$$

Multiplicator der anderen Differentialgleichung der Krümmungslinien ist. ϱ ist hierin noch unbekannt, aber zwischen N und M besteht eine bekannte Beziehung, sodass die Integration nach Satz 3, § 2, geleistet werden kann.

Wenn man die Coordinaten x, y als Parameter u, v wählt und wie im 1. Beispiel die Bedingung sucht, welche die betrachteten Flächen $z = F(x, y)$ erfüllen müssen, so kommt man auch hier auf *eine partielle Differentialgleichung vierter Ordnung*, die aus einer Integrabilitätsbedingung hervorgeht. Diese partielle Differentialgleichung aller Flächen, deren Krümmungslinien Isothermen sind, wurde von Weingarten*) in sehr eleganter Form zuerst aufgestellt.

Zu den hier betrachteten Flächen gehören die Flächen zweiten Grades, die Rotationsflächen und die Flächen constanter mittlerer Krümmung. Dass insbesondere die *Minimalflächen* hierher gehören und also ihre Krümmungslinien durch Quadraturen zu bestimmen sind, hat schon Roberts**) bewiesen.

Flächen, deren eine Schar von Haupttangentencurven Isothermen sind.

3. Beispiel: Angenommen, *zwischen den Integralen der beiden Differentialgleichungen der Minimalcurven und der Differentialgleichung der einen Schar der Haupttangentencurven bestehe eine lineare Beziehung mit*

*) Weingarten, Über die Differentialgleichung der Oberflächen, welche durch ihre Krümmungslinien in unendlich kleine Quadrate geteilt werden können. Sitzungsberichte der preuss. Acad. d. Wissensch. 1883, S. 1153—1166.

**) Roberts, Sur la surface dont les rayons de courbure sont égaux, mais dirigées en sens opposés. Journal de Liouville, t. XI, 1. série, p. 300—312.

constanten Coefficienten. Alsdann lassen sich diese drei Curvenscharen auf der betreffenden Fläche durch Quadraturen bestimmen, nach § 3. Wegen der vorausgesetzten Beziehung sind nach der allgemeinen Theorie der Isothermen auf Flächen die Haupttangentencurven, von denen hier die Rede ist, eine Schar von Isothermen. Daher, da sich diese Folgerung umkehren lässt:

Satz 12: *Sind die Haupttangentencurven der einen Schar auf einer Fläche Isothermen, so kann man diese sowie die beiden Scharen der Minimalcurven durch Quadraturen finden.*

Es ist hier nicht gesagt, dass auch die Haupttangentencurven der *zweiten* Schar Isothermen seien. Wenn aber beide Scharen zusammen *ein* Isothermensystem bilden, so durchschneiden die Haupttangentencurven einander senkrecht. Dies tritt bekanntlich nur bei den *Minimalflächen* ein. Umgekehrt bilden aber auch die Haupttangentencurven einer Minimalfläche stets ein Isothermensystem. Somit folgt der von Roberts*) zuerst abgeleitete Satz, dass die Haupttangentencurven einer Minimalfläche durch Quadraturen zu bestimmen sind.

Als Anhang hierzu heben wir noch *eine Bemerkung über Minimalflächen* hervor: Da man weiss, dass parallele Ebenen eine Minimalfläche in Isothermen schneiden, so sind auch die Orthogonalcurven dieser Parallelschnitte Isothermen. Sie können nach Satz 5 des § 2 folglich durch Quadratur gefunden werden.

§ 5. Integration gewisser Differentialgleichungen von Curvenscharen in der Ebene und auf krummen Flächen.

Wir haben mehrfach von dem Satze 3 des § 2 Gebrauch gemacht, nach welchem die Integration zweier Differentialgleichungen

$$Adv - Bdu = 0, \quad Cdv - Ddu = 0$$

nur Quadraturen erfordert, sobald man weiss, dass zwischen zwei Multiplicatoren M und N derselben eine Beziehung besteht von der Form:

$$\frac{N}{M} = \varphi(u, v).$$

In Satz 4 des § 2 haben wir diesen Satz geometrisch eingekleidet.

Weitere geometrische Anwendungen knüpfen sich an die folgende *Verallgemeinerung jenes Satzes:*

Beziehung $N = M^{\alpha}\beta$ zwischen Multiplicatoren zweier Differentialgleichungen.

Satz 13: *Besteht zwischen zwei Multiplicatoren M und N der beiden gewöhnlichen Differentialgleichungen:*

$$Adv - Bdu = 0, \quad Cdv - Ddu = 0$$

*) Siehe die letzte Fussnote.

eine Beziehung von der Form:

$$N = M^\alpha \cdot \beta,$$

wo α und β bekannte Functionen von u und v bedeuten, so verlangt die Integration der beiden Gleichungen nur Quadraturen.

Zum Beweise bemerken wir, dass M und N die Definitionsgleichungen erfüllen:

$$(26)\qquad \begin{aligned} A\frac{\partial \lg M}{\partial u} + B\frac{\partial \lg M}{\partial v} &= -\frac{\partial A}{\partial u} - \frac{\partial B}{\partial v}, \\ C\frac{\partial \lg N}{\partial u} + D\frac{\partial \lg N}{\partial v} &= -\frac{\partial C}{\partial u} - \frac{\partial D}{\partial v}, \end{aligned}$$

deren zweite sich wegen

$$(27)\qquad N = M^\alpha \cdot \beta$$

verwandelt in:

$$C\frac{\partial(\alpha \lg M + \lg \beta)}{\partial u} + D\frac{\partial(\alpha \lg M + \lg\beta)}{\partial v} = -\frac{\partial C}{\partial u} - \frac{\partial D}{\partial v}$$

oder:

$$(28)\qquad \begin{aligned} &\alpha C\frac{\partial \lg M}{\partial u} + \alpha D\frac{\partial \lg M}{\partial v} + \lg M\left(C\frac{\partial \alpha}{\partial u} + D\frac{\partial \alpha}{\partial v}\right) + \\ &\qquad + C\frac{\partial \lg \beta}{\partial u} + D\frac{\partial \lg \beta}{\partial v} = -\frac{\partial C}{\partial u} - \frac{\partial D}{\partial v}. \end{aligned}$$

Die Gleichungen (26) und (28) sind linear in $\frac{\partial \lg M}{\partial u}$ und $\frac{\partial \lg M}{\partial v}$. Somit lassen sich diese — da (28) noch $\lg M$ explicite enthält — darstellen in der Form:

$$(29)\qquad \begin{cases} \dfrac{\partial \lg M}{\partial u} = \lambda \lg M + \mu, \\ \dfrac{\partial \lg M}{\partial v} = \nu \lg M + \pi, \end{cases}$$

wo λ, μ, ν, π bekannte Functionen von u und v bedeuten.

Aus zwei solchen Gleichungen (29) lässt sich nun $\lg M$ durch zwei Quadraturen bestimmen. Stellt man nämlich zunächst die Integrabilitätsbedingung auf, so findet man, dass unter anderem

$$\frac{\partial \lambda}{\partial v} = \frac{\partial \nu}{\partial u}$$

ist. Mithin giebt es eine Function ω von u, v, für die:

$$\frac{\partial \omega}{\partial u} = \lambda, \quad \frac{\partial \omega}{\partial v} = \nu$$

ist. Sie wird durch eine Quadratur bestimmt. Setzt man dann

$$\lg M = \Omega \cdot e^\omega,$$

so ergiebt sich zur Bestimmung von Ω

$$\frac{\partial \Omega}{\partial u} = \mu e^{-\omega}, \quad \frac{\partial \Omega}{\partial v} = \pi e^{-\omega},$$

und hieraus wird Ω durch eine Quadratur gefunden. Dann ist auch $\lg M = \Omega \cdot e^{\omega}$ bekannt.

Hiermit ist Satz 13 bewiesen. Denn es ist jetzt der Multiplicator M und nach (27) auch der Multiplicator N gefunden. Die Integration der Differentialgleichungen verlangt weiterhin also nur noch Quadraturen.

Geometrische Anwendung in der Ebene.

Um unseren Satz 13 anzuwenden, wollen wir zunächst unter u, v die rechtwinkligen Punktcoordinaten x, y der Ebene verstehen. Es seien also in der Ebene zwei Curvenscharen definiert durch die Gleichungen:

$$A dy - B dx = 0, \quad C dy - D dx = 0.$$

Es sei M ein Multiplicator der ersten und N einer der zweiten und zwischen beiden bestehe die obige Beziehung:

(27) $$N = M^{\alpha} \cdot \beta,$$

wo α, β bekannte Functionen von x, y sein sollen.

Erinnern wir uns an die geometrische Deutung des Multiplicators in Satz 1, § 1 dieses Kapitels. Danach ist zu setzen:

$$M = \frac{\delta t}{\delta \mu \sqrt{A^2 + B^2}}, \quad N = \frac{\delta t}{\delta \nu \sqrt{C^2 + D^2}}.$$

Hier bedeutet δt eine infinitesimale Zahl. $\delta \mu$ und $\delta \nu$ sind die Breiten der Streifen, welche von zwei infinitesimal benachbarten Curven der ersten bez. zweiten Schar gebildet werden, gemessen an der Stelle (x, y). Die Beziehung (27) kann also geschrieben werden:

$$\frac{\delta t}{\delta \nu \sqrt{C^2 + D^2}} = \left(\frac{\delta t}{\delta \mu \sqrt{A^2 + B^2}}\right)^{\alpha} \cdot \beta.$$

Hier sind α, β, A, B, C, D bekannte Functionen von x, y. Es besteht demnach zwischen $\delta \mu$ und $\delta \nu$ eine bekannte Relation von der Form:

(28) $$\left(\frac{\delta \mu}{\delta t}\right)^{\alpha(x, y)} : \frac{\delta \nu}{\delta t} = \varphi(x, y).$$

Wenn umgekehrt eine solche Beziehung besteht, so kann man daraus die Relation (27) ableiten, die beiden Differentialgleichungen also nach Satz 13 durch Quadraturen erledigen.

Ein Specialfall der Gleichung (28) ist:

$$\delta \mu \cdot \delta \nu = \omega(x, y) \delta t^2.$$

Er lässt sich leicht geometrisch deuten: Die Integralcurven der beiden vorgelegten Differentialgleichungen bilden infinitesimale Parallelogramme. Betrachten wir das an der Stelle (x, y) befindliche. $\delta\mu$ und $\delta\nu$ sind in demselben die Höhen. Bezeichnen wir die Seiten des Parallelogramms mit δm und δn, ihren Winkel mit Θ, so ist (Fig. 20):

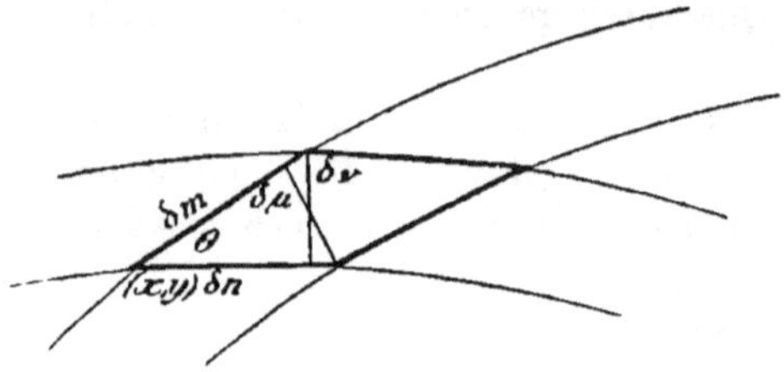

Fig. 20.

$$\delta\mu = \delta n \cdot \sin\Theta, \quad \delta\nu = \delta m \cdot \sin\Theta,$$

also

$$\delta\mu \cdot \delta\nu = \delta n \cdot \delta m \cdot \sin^2\Theta.$$

Aber $\delta n \cdot \delta m \cdot \sin\Theta$ ist der unendlich kleine Inhalt J des Parallelogramms. Die angenommene Beziehung liefert daher:

$$J \sin\Theta = \omega(x, y)\delta t^2.$$

Nun ist $\sin\Theta$ leicht als Function von x und y auszudrücken, denn die durch den Punkt (x, y) gehenden Curven der beiden Scharen haben zur x-Axe die Tangentialneigungen $\frac{B}{A}$ und $\frac{D}{C}$, sodass

$$\operatorname{tg}\Theta = \frac{\frac{B}{A} - \frac{D}{C}}{1 + \frac{B}{A} \cdot \frac{D}{C}} = \frac{BC - AD}{AC + BD}$$

ist. Unsere Annahme kommt also auf die hinaus, dass der Inhalt J des Parallelogramms als Function des Ortes (x, y) bekannt ist. Wenn umgekehrt dies der Fall ist, so lässt sich rückwärts die Relation (27) ableiten. Sonach kommt:

Satz 14: *Zerlegen die Integralcurven zweier Differentialgleichungen*

$$Ady - Bdx = 0, \quad Cdy - Ddx = 0$$

die (xy)-Ebene in infinitesimale Parallelogramme derart, dass der Inhalt des an der Stelle (x, y) befindlichen Parallelogramms eine bekannte Function des Ortes ist, so verlangt die Integration nur Quadraturen.

Insbesondere schliessen wir noch:

Satz 15: *Weiss man von den Integralcurven zweier Differentialgleichungen*

$$Ady - Bdx = 0, \quad Cdy - Ddx = 0,$$

dass sie die (xy)-Ebene in infinitesimale gleichgrosse Parallelogramme zerlegen, so verlangt ihre Integration nur Quadraturen.

Derartige Differentialgleichungen kommen vor, wenn es sich darum handelt, *die Ebene flächentreu auf sich selbst abzubilden.* Die Curven, in welche dabei die Geraden $x = \text{Const.}$ und $y = \text{Const.}$ übergehen, sind Integralcurven solcher Differentialgleichungen.

Anwendung auf Curven einer Fläche.

Wir gehen dazu über, den Satz 13 auf Curvenscharen anzuwenden, die auf krummen Flächen gelegen sind. Es seien also u, v Parameter einer vorgelegten Fläche und

$$Adv - Bdu = 0, \quad Cdv - Ddu = 0$$

die Differentialgleichungen zweier Curvenscharen auf der Fläche. Es seien ferner wieder δm und δn die Seiten des von den Integralcurven an der Stelle (u, v) gebildeten infinitesimalen Parallelogramms. Wenn wir nun alle Punkte der Fläche längs der zweiten Curvenschar um die Strecken δn weiter rücken lassen, so werden offenbar die Curven der ersten Schar unter sich vertauscht. Diese infinitesimale Transformation lässt sich leicht in u und v ausdrücken. (Vgl. 1. Beispiel des § 4.) Da sie längs der Curven der zweiten Schar stattfindet, hat sie die Form

$$\tau\left(C\frac{\partial \mathfrak{f}}{\partial u} + D\frac{\partial \mathfrak{f}}{\partial v}\right),$$

wo τ noch zu bestimmen ist und wo das allgemeine Functionszeichen $\mathfrak{f}$ statt f genommen wurde, um Verwechselungen mit dem sogleich auftretenden Zeichen f vorzubeugen. u und v erfahren also die Incremente

$$\delta u = \tau C \delta t, \quad \delta v = \tau D \delta t,$$

d. h. das Quadrat der Strecke, um welche der Punkt (u, v) verschoben wird, ist:

$$e\delta u^2 + 2f\delta u \delta v + g\delta v^2 = \tau^2 (eC^2 + 2fCD + gD^2)\delta t^2.$$

Hier bedeuten natürlich e, f, g die Fundamentalgrössen erster Ordnung der Fläche. Da nun die Punkte um die Strecken δu verschoben werden sollen, so ist also:

$$\delta n^2 = \tau^2 (eC^2 + 2fCD + gD^2)\delta t^2,$$

d. h.

$$\tau = \frac{\delta n}{\delta t} \cdot \frac{1}{\sqrt{eC^2 + 2fCD + gD^2}}.$$

Zur Abkürzung wollen wir setzen:

$$\sqrt{eC^2 + 2fCD + gD^2} = V$$

und analog:

$$\sqrt{eA^2 + 2fAB + gB^2} = U,$$

sodass jene infinitesimale Transformation das Symbol hat:

$$\frac{\delta n}{\delta t} \cdot \frac{1}{V}\left(C\frac{\partial \mathfrak{f}}{\partial u} + D\frac{\partial \mathfrak{f}}{\partial v}\right).$$

Sie lässt die Integralcurven der Differentialgleichung

$$Adv - Bdu = 0$$

invariant, d. h. diese hat nach Theorem 8, § 1, 6. Kap., den Integrabilitätsfactor

(30) $$M = \frac{V}{\varDelta} \cdot \frac{\delta t}{\delta n},$$

wo

$$\varDelta = AD - BC$$

ist. Analog hat die Differentialgleichung

$$Cdv - Ddu = 0$$

den Multiplicator

(31) $$N = \frac{U}{\varDelta} \cdot \frac{\delta t}{\delta m}.$$

Nach Satz 13 sind die beiden vorgelegten Differentialgleichungen integrabel, wenn zwischen M und N eine Beziehung besteht von der Form

$$N = M^{\alpha(u,v)} \cdot \beta(u, v)$$

d. h. wenn — nach den letzten Ergebnissen — zwischen den Seiten δm und δn des Parallelogramms eine bekannte Relation besteht von der Form:

$$\frac{\delta m}{\delta t} = \left(\frac{\delta n}{\delta t}\right)^{\alpha(u,v)} \cdot \gamma(u, v).$$

Daher kann Satz 13 so ausgesprochen werden:

Satz 16: *Weiss man, dass zwischen den Seiten δm und δn der infinitesimalen Parallelogramme, in welche die Integralcurven zweier vorgelegter Differentialgleichungen*

$$Adv - Bdu = 0, \quad Cdv - Ddu = 0$$

eine durch gewisse Gleichungen

$$x = \varphi(u, v), \quad y = \psi(u, v), \quad z = \chi(u, v)$$

definierte Fläche zerlegen, eine bekannte Beziehung besteht von der Form:

$$\frac{\delta m}{\delta t} = \left(\frac{\delta n}{\delta t}\right)^{\alpha(u,v)} \cdot \gamma(u, v),$$

in der δt eine infinitesimale Zahl bedeutet, so verlangt die Integration der Differentialgleichungen nur Quadraturen.

Dies tritt z. B. dann ein, wenn die Parallelogramme constanten Inhalt haben. Denn ist Θ der Winkel der sich im Punkte (u, v) kreuzenden Integralcurven, so ist der Inhalt gleich $\delta m \delta u \sin\Theta =$ Const., d. h. $= \delta t^2$, sodass die Relation lautet:

$$\frac{\delta m}{\delta t} = \left(\frac{\delta n}{\delta t}\right)^{-1} \cdot \frac{1}{\sin\Theta}.$$

$\sin\Theta$ ist bekannt, denn längs der einen Curve ist $\frac{dv}{du} = \frac{B}{A}$, längs der andern $= \frac{D}{C}$, sodass sich $\sin\Theta$ nach einer bekannten Formel der Flächentheorie berechnen lässt. Es kommt:

$$\sin\Theta = \frac{\Delta\cdot t}{U\cdot V},$$

wo

$$t = \sqrt{eg - f^2}$$

ist. Daher wird unsere Relation:

$$\frac{\delta m}{\delta t}\cdot\frac{\delta n}{\delta t} = \frac{U\cdot V}{\Delta\cdot t}.$$

Führen wir hierin wieder M und N ein nach (30) und (31), so kommt:

$$M\cdot N = \frac{t}{\Delta} = \frac{\sqrt{eg - f^2}}{AD - BC}.$$

Also:

Satz 17: *Weiss man, dass die Integralcurven der beiden vorgelegten Differentialgleichungen*

$$Adv - Bdu = 0,\quad Cdv - Ddu = 0$$

eine durch gewisse Gleichungen $x = \varphi(u, v)$, $y = \psi(u, v)$, $z = \chi(u, v)$ *definierte Fläche in gleichgrosse infinitesimale Parallelogramme zerlegen, so besteht zwischen zwei Integrabilitätsfactoren* M *und* N *der Gleichungen die Beziehung*

$$M\cdot N = \frac{\sqrt{eg - f^2}}{AD - BC}$$

(e, f, g *bedeuten hierbei die Fundamentalgrössen erster Ordnung der Fläche). Die Integration verlangt also nur Quadraturen.*

Abteilung III.

Eingliedrige Gruppen in drei Veränderlichen.

Bisher haben wir uns auf Untersuchungen im Gebiete *zweier* Veränderlicher beschränkt. Wir wollen jetzt unsere Betrachtungen auf das Gebiet *dreier* Veränderlicher x, y, z ausdehnen. Dabei werden wir zunächst x, y, z als *rechtwinklige Punktcoordinaten im Raume* deuten. Eine andere Interpretation der Veränderlichen als *Bestimmungsstücke eines Linienelementes in der Ebene* wird später in den Vordergrund treten.

Kapitel 10.

Systeme simultaner gewöhnlicher Differentialgleichungen und lineare partielle Differentialgleichungen. — Die Jacobi'sche Identität.

Zunächst werden wir jetzt an eine Reihe bekannter Thatsachen erinnern, indem wir den Integralen simultaner gewöhnlicher Differentialgleichungen und den Lösungen linearer partieller Differentialgleichungen in drei unabhängigen Veränderlichen x, y, z geometrische Deutungen unterlegen und den Zusammenhang zwischen jenen Integralen und diesen Lösungen erläutern.

Im Anschluss hieran werden wir noch einzelne Punkte beleuchten, auf welche wir uns später zu beziehen haben.

§ 1. Geometrische Deutungen simultaner gewöhnlicher und linearer partieller Differentialgleichungen.

Ebenso wie zwischen einer gewöhnlichen Differentialgleichung in zwei Veränderlichen x, y

$$Xdy - Ydx = 0$$

oder

$$\frac{dx}{X} = \frac{dy}{Y}$$

und der linearen partiellen Differentialgleichung

$$X\frac{\partial f}{\partial x} + Y\frac{\partial f}{\partial y} = 0$$

ein enger Zusammenhang besteht, insofern als jedes Integral f der ersteren eine Lösung der letzteren und umgekehrt jede Lösung f der letzteren ein Integral der ersteren ist, — ebenso *hängt auch das simultane System von zwei gewöhnlichen Differentialgleichungen in drei Veränderlichen x, y, z:*

$$\frac{dx}{X} = \frac{dy}{Y} = \frac{dz}{Z} \tag{1}$$

eng zusammen mit der linearen partiellen Differentialgleichung

$$X\frac{\partial f}{\partial x} + Y\frac{\partial f}{\partial y} + Z\frac{\partial f}{\partial z} = 0. \tag{2}$$

Es sollen hier natürlich X, Y, Z Functionen von x, y, z bedeuten. Wir wollen diesen bekannten Zusammenhang im gegenwärtigen Paragraphen analytisch wie geometrisch beleuchten.

Simultanes System. *Das System* (1) *integrieren* heisst, etwa y und z als Functionen von x zu bestimmen, sodass sie die Gleichungen (1) identisch erfüllen, mit anderen Worten — wenn x, y, z als rechtwinklige Punktcoordinaten im Raume gedeutet werden —, diejenigen *Curven im Raume* zu finden, welche die folgende geometrische Eigentümlichkeit besitzen: Die Gleichungen (1) ordnen jedem Punkte (x, y, z), für welchen nicht etwa zufällig gerade $X = Y = Z = 0$ ist, eine *Fortschreitungsrichtung* (dx, dy, dz) zu, deren Richtungscosinus proportional X, Y, Z sind. Das Integrationsproblem besteht nun darin, alle Curven zu finden, deren Tangenten in allen ihren Punkten mit den den betreffenden Punkten zugeordneten Fortschreitungsrichtungen zusammenfallen. Die Integration liefert, wie man analytisch beweisen kann, ∞^2 Curven (indem zwei Integrationsconstanten auftreten). Dies hat einen anschaulichen Sinn, denn wir werden geometrisch eine solche *Integralcurve* dadurch erhalten, dass wir von einem beliebigen Punkte ausgehend der ihm zugeordneten Richtung folgen bis zu einem benachbarten Punkt, hier wieder der diesem zugehörigen Richtung bis zum nächsten Punkt nachgehen u. s. w. Durch jeden Punkt allgemeiner Lage im Raume geht also eine und nur eine Integralcurve, sodass es im ganzen deren ∞^2 giebt. Natürlich ist diese anschauliche Betrachtung kein strenger Beweis für die Existenz von Integralcurven. Wir setzen vielmehr die allgemeine Möglichkeit der Integration als bekannt voraus. Integralcurve.

Analytisch werden die ∞^2 Integralcurven durch zwei Gleichungen dargestellt, die, nach den willkürlichen Constanten a, b aufgelöst, etwa die Form haben:

$$u(x, y, z) = a, \quad v(x, y, z) = b.$$

Jedem bestimmten Zahlenpaar a, b entspricht eine Integralcurve. Die vorstehenden Gleichungen stellen die ∞^2 Integralcurven dar als Schnitte der Flächen $u =$ Const. und $v =$ Const. Folglich enthält jede dieser Flächen ∞^1 Integralcurven.

Eine Function u heisst ein *Integral* des simultanen Systems (1), wenn jede Fläche aus der Schar $u =$ Const. von ∞^1 Integralcurven des Systems erzeugt wird. Dies tritt dann und nur dann ein, wenn u die Gleichung Integral.

$$X\frac{\partial u}{\partial x} + Y\frac{\partial u}{\partial y} + Z\frac{\partial u}{\partial z} = 0$$

identisch erfüllt. Dann nämlich und nur dann besitzt *jede* Fläche $u =$ Const. in jedem Punkte eine Tangente, deren Richtung $(X : Y : Z)$ mit der Richtung der durch den betreffenden Punkt gehenden Integralcurve zusammenfällt. Wenn man also von Punkt zu Punkt dieser Richtung nachgeht, d. h. eine Integralcurve durchläuft, so bleibt man fortwährend auf der Fläche $u =$ Const., die daher die durch einen beliebigen ihrer Punkte hindurchgehende Integralcurve vollständig enthält, mithin von ∞^1 Integralcurven erzeugt wird.

Kennt man zwei von einander unabhängige Integrale u und v des simultanen Systems (1), so stellen die Gleichungen

$$u = a, \cdot v = b \quad (a, b = \text{Const.})$$

alle ∞^2 Integralcurven dar. Da nun

$$\Omega(u, v) = 0$$

die allgemeine Gleichung einer von ∞^1 Curven $u = a$, $v = b$ erzeugten Fläche ist, so ist $\Omega(u, v)$ das allgemeinste Integral des simultanen Systems. Jedes Integral des Systems ist also darstellbar als Function irgend zweier von einander unabhängiger Integrale derselben. Kennt man nur diese zwei, so kennt man alle Integrale und alle Integralcurven, und das simultane System ist als integriert zu betrachten.

Eine *einzelne* Fläche

$$\varphi(x, y, z) = 0$$

wird von ∞^1 Integralcurven erzeugt, wenn sie in jedem ihrer Punkte (x, y, z) die Richtung der hindurchgehenden Integralcurve zur Tangente hat, wenn also *für jeden Punkt der Fläche*

$$X \frac{\partial \varphi}{\partial x} + Y \frac{\partial \varphi}{\partial y} + Z \frac{\partial \varphi}{\partial z} = 0$$

ist, denn dann und nur dann enthält sie die durch ihre Punkte gehenden Integralcurven. Dies können wir auch so aussprechen: Die Gleichung $\varphi(x, y, z) = 0$ lässt sich dann und nur dann in der Form $\Omega(u, v) = 0$ schreiben, in der u, v zwei von einander unabhängige Integrale darstellen, wenn die Gleichung:

$$X \frac{\partial \varphi}{\partial x} + Y \frac{\partial \varphi}{\partial y} + Z \frac{\partial \varphi}{\partial z} = 0$$

besteht *vermöge* $\varphi(x, y, z) = 0$.

Hierbei wird stets von solchen Punkten (x, y, z) abgesehen, für die X, Y, Z selbst sämtlich verschwinden.

Lineare partielle Differentialgleichung

Betrachten wir nun die *lineare partielle Differentialgleichung*

(2) $$X \frac{\partial f}{\partial x} + Y \frac{\partial f}{\partial y} + Z \frac{\partial f}{\partial z} = 0.$$

Lösung derselben heisst jede Function $f = u$, welche sie *identisch* erfüllt und keine Constante ist. Nach dem Obigen *ist demnach jede Lösung von* (2) *ein Integral des simultanen Systems* (1), *und umgekehrt.* Daher leuchtet ein, dass die allgemeinste Lösung von (2) die Form $f = \Omega(u, v)$ hat, sobald nur u, v irgend zwei von einander unabhängige Lösungen darstellen. Während das simultane System (1) ∞^2 *Curven*

— die Integralcurven $u = a$, $v = b$ — definiert, werden durch die lineare partielle Differentialgleichung (2) diejenigen *Flächen*

$$\Omega(u, v) = \text{Const.}$$

bestimmt, deren jede von je ∞^1 Integralcurven erzeugt wird. Sind die Integralcurven bekannt, so sind es auch die von ihnen gebildeten Flächen, die *Integralflächen*, und umgekehrt. Integralflächen.

Die Integration der linearen partiellen Differentialgleichung (2) ist demnach auf diejenige des simultanen Systems (1) zurückführbar, oder auch umgekehrt.

Sind u und v zwei von einander unabhängige Lösungen von (2), d. h. Integrale von (1), so stellen die Gleichungen

$$u = a, \quad v = b$$

die ∞^2 Integralcurven von (1) dar. Diese Curven nennen wir nach Monge auch die *Charakteristiken der linearen partiellen Differentialgleichung* (2). Wir können daher sagen: Jede Lösung von (2) stellt gleich Const. gesetzt eine von ∞^1 Charakteristiken erzeugte Integralfläche von (1) dar, und umgekehrt erzeugt eine continuierliche Schar von ∞^1 Charakteristiken — etwa alle von einer beliebigen Curve ausgehenden Charakteristiken — stets eine Integralfläche.

Wir wollen diese geometrischen Deutungen durch einige sehr einfache Beispiele erläutern.

1. Beispiel: Die lineare partielle Differentialgleichung Beispiele.

$$y\frac{\partial f}{\partial x} - x\frac{\partial f}{\partial y} = 0$$

hängt zusammen mit dem simultanen System

$$\frac{dx}{y} = \frac{dy}{-x} = \frac{dz}{0}.$$

Dasselbe ordnet einem Punkt (x, y, z) des Raumes eine Fortschreitungsrichtung zu, deren Richtungscosinus proportional y, $-x$, 0 sind, die also zur (xy)-Ebene parallel und auf dem Lote vom Punkt aus auf die z-Axe senkrecht steht. Verfolgt man die Fortschreitungsrichtung von Punkt zu Punkt, so beschreibt man einen Kreis, der seinen Mittelpunkt auf der z-Axe hat und dessen Ebene auf der z-Axe senkrecht steht. Die Charakteristiken sind also sämtliche Kreise, welche durch Rotation um die z-Axe entstehen, die von Charakteristiken erzeugten Integralflächen daher die Rotationsflächen mit der z-Axe als Rotationsaxe. In der That ist die Gleichung einer solchen

$$f \equiv z - \varphi(x^2 + y^2) = 0$$

und hier ist

$$\frac{\partial f}{\partial x} \equiv -\varphi' \cdot 2x, \quad \frac{\partial f}{\partial y} \equiv -\varphi' \cdot 2y,$$

also:

$$y\frac{\partial f}{\partial x} - x\frac{\partial f}{\partial y} \equiv -\varphi'(2xy - 2xy) \equiv 0.$$

2. *Beispiel:* Die lineare partielle Differentialgleichung

$$x\frac{\partial f}{\partial x} + y\frac{\partial f}{\partial y} = 0,$$

in der ebenfalls $\frac{\partial f}{\partial z}$ fehlt, entspricht dem simultanen System:

$$\frac{dx}{x} = \frac{dy}{y} = \frac{dz}{0}.$$

Dieses ordnet jedem Punkte eine Fortschreitungsrichtung lotrecht zur z-Axe zu. Die Charakteristiken sind also diese Lote zur z-Axe. Die von ihnen erzeugten Integralflächen sind Regelflächen mit der allgemeinen Gleichung

$$f \equiv \frac{y}{x} - \varphi(z) = 0.$$

In der That ist hier wegen:

$$\frac{\partial f}{\partial x} \equiv -\frac{y}{x^2}, \quad \frac{\partial f}{\partial y} \equiv \frac{1}{x}$$

auch

$$x\frac{\partial f}{\partial x} + y\frac{\partial f}{\partial y} \equiv 0.$$

3. *Beispiel:* Die lineare partielle Differentialgleichung

$$a\frac{\partial f}{\partial x} + b\frac{\partial f}{\partial y} + c\frac{\partial f}{\partial z} = 0$$

hat zu Charakteristiken lauter parallele Geraden, denn das simultane System

$$\frac{dx}{a} = \frac{dy}{b} = \frac{dz}{c}$$

ordnet jeden Punkt die Richtung zu, deren Cosinus proportional $a, b, c,$ also constant, sind. Die Integralflächen sind daher Cylinder von derselben Richtung, und die allgemeine Gleichung eines solchen ist:

$$f \equiv cx - az - \varphi(cy - bz) = 0.$$

In der That erfüllt dies f die lineare partielle Differentialgleichung und zwar identisch.

4. *Beispiel:* Die Charakteristiken der Gleichung

$$x\frac{\partial f}{\partial x} + y\frac{\partial f}{\partial y} + z\frac{\partial f}{\partial z} = 0,$$

deren zugehöriges System lautet:

$$\frac{dx}{x} = \frac{dy}{y} = \frac{dz}{z},$$

sind alle ∞^2 Geraden durch den Anfangspunkt, die Integralflächen also Kegel, welche den Anfangspunkt zur Spitze haben. Diese werden durch eine in x, y, z homogene Gleichung

$$f(x, y, z) = 0$$

dargestellt. Ist dieselbe homogen vom m^{ten} Grade, so ist nach dem Euler'schen Satze

$$x\frac{\partial f}{\partial x} + y\frac{\partial f}{\partial y} + z\frac{\partial f}{\partial z} \equiv mf,$$

d. h. die lineare partielle Differentialgleichung wird von f erfüllt vermöge $f = 0$.

§ 2. Abhängigkeit linearer partieller Differentialgleichungen.

Zur Abkürzung wollen wir die linke Seite einer linearen partiellen Differentialgleichung, also einen Ausdruck von der Form

$$X\frac{\partial f}{\partial x} + Y\frac{\partial f}{\partial y} + Z\frac{\partial f}{\partial z},$$

der einen Differentiationsprocess, ausgeführt auf eine Function f, darstellt, durch ein *Symbol* von derselben Form, wie wir es in der zweiten Abteilung anwandten, also durch Af, Bf u. dergl. bezeichnen. Setzen wir also:

$$Af \equiv X\frac{\partial f}{\partial x} + Y\frac{\partial f}{\partial y} + Z\frac{\partial f}{\partial z},$$

so lautet die lineare partielle Differentialgleichung kürzer

$$Af = 0.$$

Es seien u und v zwei von einander unabhängige Lösungen derselben, d. h. es sei:

$$Au \equiv X\frac{\partial u}{\partial x} + Y\frac{\partial u}{\partial y} + Z\frac{\partial u}{\partial z} \equiv 0,$$

$$Av \equiv X\frac{\partial v}{\partial x} + Y\frac{\partial v}{\partial y} + Z\frac{\partial v}{\partial z} \equiv 0.$$

Aus diesen beiden Gleichungen lassen sich nun die Verhältnisse $X : Y : Z$ berechnen. X, Y, Z verhalten sich nämlich zu einander wie die zweireihigen, wegen der Unabhängigkeit der Functionen u, v nicht sämtlich verschwindenden Unterdeterminanten der Matrix:

$$\left|\begin{array}{ccc} \frac{\partial u}{\partial x} & \frac{\partial u}{\partial y} & \frac{\partial u}{\partial z} \\ \frac{\partial v}{\partial x} & \frac{\partial v}{\partial y} & \frac{\partial v}{\partial z} \end{array}\right|,$$

sodass sich ergiebt

$$\frac{X}{\frac{\partial u}{\partial y}\frac{\partial v}{\partial z} - \frac{\partial v}{\partial y}\frac{\partial u}{\partial z}} = \frac{Y}{\frac{\partial u}{\partial z}\frac{\partial v}{\partial x} - \frac{\partial v}{\partial z}\frac{\partial u}{dx}} = \frac{Z}{\frac{\partial u}{\partial x}\frac{\partial v}{\partial y} - \frac{\partial v}{\partial x}\frac{\partial u}{\partial y}}.$$

Diese Relationen bestimmen X, Y, Z und daher auch Af bis auf einen Factor ϱ. Da aber die Gleichungen

$$Af = 0 \quad \text{und} \quad \varrho\, Af = 0$$

dasselbe aussagen, so kommt es auf diesen Factor nicht an.

Eine lineare partielle Differentialgleichung $Af = 0$ in x, y, z wird also durch die Angabe zweier von einander unabhängiger Lösungen u, v bis auf einen unwesentlichen Factor völlig bestimmt. Unter allen gleichberechtigten Formen, welche sie annehmen kann, ist die folgende:

$$\begin{vmatrix} \frac{\partial f}{\partial x} & \frac{\partial f}{\partial y} & \frac{\partial f}{\partial z} \\ \frac{\partial u}{\partial x} & \frac{\partial u}{\partial y} & \frac{\partial u}{\partial z} \\ \frac{\partial v}{\partial x} & \frac{\partial v}{\partial y} & \frac{\partial v}{\partial z} \end{vmatrix} = 0$$

die einfachste.

Abhängigkeit zweier lin. part. Differentialgleichungen.

Wir nennen zwei lineare Differentialgleichungen $A_1f = 0$ und $A_2f = 0$ von einander abhängig, sobald sie dasselbe aussagen, d. h. sobald eine Relation besteht von der Form

$$A_2f \equiv \varrho(x, y, z) \cdot A_1f$$

und zwar identisch für jede beliebige Function f. Dagegen heissen sie *von einander unabhängig*, sobald keine derartige Relation besteht. Im letzteren Fall sind die Fortschreitungsrichtungen, welche die entsprechenden simultanen Systeme den Punkten zuordnen, bei beiden für Punkte allgemeiner Lage verschieden, sodass dann $A_1f = 0$ und $A_2f = 0$ verschiedene Charakteristiken haben.

Betrachten wir nunmehr *drei* lineare partielle Differentialgleichungen:

$$A_1f \equiv X_1 \frac{\partial f}{\partial x} + Y_1 \frac{\partial f}{\partial y} + Z_1 \frac{\partial f}{\partial z} = 0,$$

$$A_2f \equiv X_2 \frac{\partial f}{\partial x} + Y_2 \frac{\partial f}{\partial y} + Z_2 \frac{\partial f}{\partial z} = 0,$$

$$A_3f \equiv X_3 \frac{\partial f}{\partial x} + Y_3 \frac{\partial f}{\partial y} + Z_3 \frac{\partial f}{\partial z} = 0,$$

und nehmen wir an, dass sie eine gemeinsame Lösung ω besitzen, so ist:

$$(3) \qquad \begin{cases} A_1\omega \equiv X_1 \frac{\partial \omega}{\partial x} + Y_1 \frac{\partial \omega}{\partial y} + Z_1 \frac{\partial \omega}{\partial z} \equiv 0, \\ A_2\omega \equiv X_2 \frac{\partial \omega}{\partial x} + Y_2 \frac{\partial \omega}{\partial y} + Z_2 \frac{\partial \omega}{\partial z} \equiv 0, \\ A_3\omega \equiv X_3 \frac{\partial \omega}{\partial x} + Y_3 \frac{\partial \omega}{\partial y} + Z_3 \frac{\partial \omega}{\partial z} \equiv 0. \end{cases}$$

Dies sind drei hinsichtlich $\frac{\partial \omega}{\partial x}$, $\frac{\partial \omega}{\partial y}$, $\frac{\partial \omega}{\partial z}$ lineare und homogene Gleichungen. Nach einem allgemeinen Satz aus der Theorie der linearen homogenen Gleichungen ziehen dieselben bekanntlich nach sich, dass entweder $\frac{\partial \omega}{\partial x}$, $\frac{\partial \omega}{\partial y}$, $\frac{\partial \omega}{\partial z}$ sämtlich Null sind — und das ist hier ausgeschlossen —, oder aber, dass ihre Determinante verschwindet:

$$(4) \qquad \begin{vmatrix} X_1 & Y_1 & Z_1 \\ X_2 & Y_2 & Z_2 \\ X_3 & Y_3 & Z_3 \end{vmatrix} \equiv 0.$$

Man kann hieraus ferner schliessen, dass es drei Functionen ϱ_1, ϱ_2, ϱ_3 geben muss, sodass:

$$(5) \qquad \begin{cases} \varrho_1 X_1 + \varrho_2 X_2 + \varrho_3 X_3 \equiv 0, \\ \varrho_1 Y_1 + \varrho_2 Y_2 + \varrho_3 Y_3 \equiv 0, \\ \varrho_1 Z_1 + \varrho_2 Z_2 + \varrho_3 Z_3 \equiv 0 \end{cases}$$

ist. Natürlich sind ϱ_1, ϱ_2, ϱ_3 durch diese Gleichungen nur ihren Verhältnissen nach bestimmt. Diese drei Gleichungen lassen sich zu einer einzigen zusammenfassen. Multiplicieren wir nämlich die erste mit $\frac{\partial f}{\partial x}$, die zweite mit $\frac{\partial f}{\partial y}$, die dritte mit $\frac{\partial f}{\partial z}$ und addieren sie dann, so kommt einfach:

$$\varrho_1 A_1 f + \varrho_2 A_2 f + \varrho_3 A_3 f \equiv 0.$$

Satz 1: *Haben drei homogene lineare partielle Differentialgleichungen in x, y, z:*

$$A_1 f = 0, \quad A_2 f = 0, \quad A_3 f = 0$$

eine gemeinsame Lösung, so besteht zwischen $A_1 f$, $A_2 f$, $A_3 f$ eine Identität von der Form

$$\varrho_1(x, y, z) A_1 f + \varrho_2(x, y, z) A_2 f + \varrho_3(x, y, z) A_3 f \equiv 0$$

und zwar für alle Werte von f.

Wir werden drei lineare partielle Differentialgleichungen $A_1 f = 0$, $A_2 f = 0$, $A_3 f = 0$ in dem Falle, dass zwischen ihnen eine lineare Relation besteht:

$$\varrho_1(x, y, z) A_1 f + \varrho_2(x, y, z) A_2 f + \varrho_3(x, y, z) A_3 f = 0,$$

von einander abhängig nennen. Giebt es keine drei Functionen ϱ_1, ϱ_2, ϱ_3, durch welche diese Gleichung zu befriedigen wäre, so nennen wir sie von einander unabhängig. Abhängigkeit dreier lin. part. Differentialgleichungen.

Da diese lineare Beziehung wegen der Willkürlichkeit der Function f in die Gleichungen (5) zerfällt, so folgt, *dass die drei Gleichungen $A_1 f = 0$, $A_2 f = 0$, $A_3 f = 0$ dann und nur dann von einander unabhängig sind, wenn ihre Determinante:*

$$\begin{vmatrix} X_1 & Y_1 & Z_1 \\ X_2 & Y_2 & Z_2 \\ X_3 & Y_3 & Z_3 \end{vmatrix} \neq 0$$

ist.

Es hat dies einen wichtigen geometrischen Sinn. Denn X_1, Y_1, Z_1 sind proportional den Cosinus der Richtung, welche das der Gleichung $A_1 f = 0$ entsprechende System

$$\frac{dx}{X_1} = \frac{dy}{Y_1} = \frac{dz}{Z_1}$$

dem Punkte (x, y, z) zuordnet. Ähnliches gilt von X_2, Y_2, Z_2 und von X_3, Y_3, Z_3. Wäre jene Determinante gleich Null, so würde das hiernach aussagen, dass die Richtung $(X_3 : Y_3 : Z_3)$ in der Ebene der Richtungen $(X_1 : Y_1 : Z_1)$ und $(X_2 : Y_2 : Z_2)$ liegt. Also: *Drei lineare partielle Differentialgleichungen $A_1 f = 0$, $A_2 f = 0$, $A_3 f = 0$ sind von einander unabhängig, wenn die zugehörigen simultanen Systeme dem Punkt allgemeiner Lage (x, y, z) drei nicht in einer Ebene liegende Richtungen zuordnen, abhängig aber, sobald jene drei Richtungen nur eine Ebene oder gar nur eine Gerade bestimmen.* Der letzte Fall tritt ein, wenn zwischen $A_1 f$, $A_2 f$ und $A_3 f$ *zwei* verschiedene lineare Relationen bestehen, d. h. wenn

$$A_2 f \equiv \sigma_2 A_1 f, \quad A_3 f \equiv \sigma_3 A_1 f$$

ist.

§ 3. Der Klammerausdruck und die vollständigen Systeme.

Für das Spätere ist es nützlich, gleich hier einen gewissen sehr wichtigen Ausdruck zu betrachten, den wir schon früher in zwei Veränderlichen kennen lernten, und zwar wollen wir ihn gleich für den Fall darstellen, dass n Veränderliche $x_1, x_2 \cdots x_n$ vorliegen, um späterer Wiederholungen überhoben zu sein. Wir empfehlen jedoch dem Leser, die folgende Rechnung zur Übung für den Fall dreier Variabeln besonders durchzuführen.

Es mögen also in n Veränderlichen zwei lineare partielle Differentialgleichungen vorliegen:

$$\alpha_1 \frac{\partial f}{\partial x_1} + \alpha_2 \frac{\partial f}{\partial x_2} + \cdots + \alpha_n \frac{\partial f}{\partial x_n} = 0,$$

$$\beta_1 \frac{\partial f}{\partial x_1} + \beta_2 \frac{\partial f}{\partial x_2} + \cdots + \beta_n \frac{\partial f}{\partial x_n} = 0.$$

Hier sollen $\alpha_1, \alpha_2 \cdots \alpha_n$, $\beta_1, \beta_2 \cdots \beta_n$ Functionen von $x_1, x_2 \cdots x_n$ sein. Wir wollen die linken Seiten dieser Gleichungen, da sie einen Differentiationsprocess, ausgeführt auf f, darstellen, wie früher abkürzend bezeichnen, indem wir setzen:

$$(6)\qquad \begin{cases} Af \equiv \alpha_1 \dfrac{\partial f}{\partial x_1} + \alpha_2 \dfrac{\partial f}{\partial x_2} + \cdots + \alpha_n \dfrac{\partial f}{\partial x_n}, \\ Bf \equiv \beta_1 \dfrac{\partial f}{\partial x_1} + \beta_2 \dfrac{\partial f}{\partial x_2} + \cdots + \beta_n \dfrac{\partial f}{\partial x_n}, \end{cases}$$

oder mit Benutzung des Summenzeichens:

$$(6')\qquad Af \equiv \sum_1^n{}_i\, \alpha_i \frac{\partial f}{\partial x_i}, \quad Bf \equiv \sum_1^n{}_k\, \beta_k \frac{\partial f}{\partial x_k},$$

sodass $Af = 0$ und $Bf = 0$ unsere beiden linearen partiellen Differentialgleichungen sind.

Es soll nun der Ausdruck

Der Klammerausdruck.

$$A(Bf) - B(Af)$$

construiert werden. $A(Bf)$ bedeutet natürlich, dass in Af statt f der Ausdruck Bf gesetzt werden soll, und entsprechend $B(Af)$, dass in Bf an Stelle von f der Ausdruck Af stehen soll. $A(Bf)$ wird ausgerechnet auch die zweiten partiellen Differentialquotienten von f enthalten, ebenso $B(Af)$. Es kommt:

$$A(Bf) - B(Af) \equiv \sum_1^n{}_i\, \alpha_i \frac{\partial Bf}{\partial x_i} - \sum_1^n{}_k\, \beta_k \frac{\partial Af}{\partial x_k}$$

$$\equiv \sum_1^n{}_i\, \alpha_i \left(\sum_1^n{}_k \frac{\partial \beta_k}{\partial x_i} \frac{\partial f}{\partial x_k} + \sum_1^n{}_k\, \beta_k \frac{\partial^2 f}{\partial x_i\, \partial x_k} \right) -$$

$$- \sum_1^n{}_k\, \beta_k \left(\sum_1^n{}_i \frac{\partial \alpha_i}{\partial x_k} \frac{\partial f}{\partial x_i} + \sum_1^n{}_i\, \alpha_i \frac{\partial^2 f}{\partial x_k\, \partial x_i} \right).$$

Hierin tritt $\dfrac{\partial^2 f}{\partial x_i\, \partial x_k}$ zweimal auf, einmal mit den Coefficienten $\alpha_i \beta_k$ und dann mit dem Coefficienten $-\beta_k \alpha_i$, d. h. es hebt sich gerade fort. So fallen überhaupt alle zweiten Differentialquotienten von f weg und es bleibt:

$$A(Bf) - B(Af) \equiv \sum_1^n{}_i \sum{}_k \left(\alpha_i \frac{\partial \beta_k}{\partial x_i} \frac{\partial f}{\partial x_k} - \beta_k \frac{\partial \alpha_i}{\partial x_k} \frac{\partial f}{\partial x_i} \right)$$

oder, wenn im ersten Ausdruck die Indices i, k vertauscht werden, was geschehen darf:

$$(7)\qquad A(Bf) - B(Af) \equiv \sum_1^n{}_i \sum{}_k \left(\alpha_k \frac{\partial \beta_i}{\partial x_k} - \beta_k \frac{\partial \alpha_i}{\partial x_k} \right) \frac{\partial f}{\partial x_i}.$$

Wenn man bedenkt, dass

$$A\beta_i \equiv \sum_1^n {}_k\, \alpha_k \frac{\partial \beta_i}{\partial x_k}, \quad B\alpha_i \equiv \sum_1^n {}_k\, \beta_k \frac{\partial \alpha_i}{\partial x_k}$$

ist, so lässt sich die Formel noch kürzer so schreiben:*)

$$(7') \qquad A(Bf) - B(Af) \equiv \sum_1^n {}_i\, (A\beta_i - B\alpha_i) \frac{\partial f}{\partial x_i}.$$

Das Bemerkenswerte ist hier, dass der Ausdruck $A(Bf) - B(Af)$ völlig frei von den zweiten Differentialquotienten von f wird, also wieder in $\frac{\partial f}{\partial x_1}, \cdots \frac{\partial f}{\partial x_n}$ linear und homogen ist, gerade so wie Af und Bf selbst.

Wir werden diesen Ausdruck $A(Bf) - B(Af)$ häufig noch kürzer schreiben: (AB) oder, wenn uns daran gelegen ist, dass f in der Formel zum Vorschein kommt: (Af, Bf). Wir nennen ihn wie in der 2. Abteilung (vgl. § 1 des 7 Kap.) den *Klammerausdruck von Af und Bf.*

Natürlich ist es, um (AB) zu bilden, durchaus nicht notwendig, sich unter Af und Bf die linken Seiten linearer partieller Differentialgleichungen vorzustellen. Vielmehr werden wir späterhin wie in der ersten Abteilung Ausdrücke von der Form Af, Bf an sich betrachten, indem wir sie als Symbole infinitesimaler Transformationen auffassen.

Kehren wir nach dieser den Klammerausdruck betreffenden Einschaltung zu unseren linearen partiellen Differentialgleichungen in drei Veränderlichen x, y, z zurück.

Zwei lineare partielle Differentialgleichungen mit einer gemeinsamen Lösung.

Wenn die beiden linearen partiellen Differentialgleichungen in x, y, z:

$$A_1 f = 0, \quad A_2 f = 0$$

eine gemeinsame Lösung u besitzen, so ist

$$A_1 u \equiv 0, \quad A_2 u \equiv 0.$$

Da nun der Klammerausdruck

$$(A_1 f, A_2 f) \equiv A_1(A_2 f) - A_2(A_1 f)$$

ist, so folgt, dass auch

$$(A_1 u, A_2 u) \equiv 0$$

ist, d. h.

*) Diese wichtige Formel ist, wie früher (§ 2 des 6. Kap.) bemerkt wurde, von Jacobi aufgestellt worden.

Satz 2: *Besitzen zwei lineare partielle Differentialgleichungen* $A_1 f = 0$ *und* $A_2 f = 0$ *eine gemeinsame Lösung, so befriedigt dieselbe auch die durch Klammeroperation entstehende Gleichung*

$$(A_1 A_2) \equiv A_1(A_2 f) - A_2(A_1 f) = 0.$$

(Offenbar gilt dieser von Jacobi herrührende Satz nicht nur für drei Veränderliche, sondern allgemein. Daher haben wir ihm auch seine allgemeinere Fassung gegeben.)

Jetzt haben wir *drei* lineare partielle Differentialgleichungen in drei Veränderlichen vor uns:

$$A_1 f = 0, \quad A_2 f = 0, \quad (A_1 f, A_2 f) = 0.$$

Sie besitzen die gemeinsame Lösung u. Nach Satz 1 des § 2 besteht also zwischen ihren linken Seiten eine lineare Relation. Dieselbe enthält sicher den Klammerausdruck $(A_1 A_2)$, sobald wir voraussetzen, dass $A_1 f = 0$ und $A_2 f = 0$ von einander unabhängig sind, d. h. keine Relation zwischen $A_1 f$ und $A_2 f$ allein besteht. Wir können demnach jene Relation so schreiben:

$$(A_1 A_2) \equiv \varrho_1 A_1 f + \varrho_2 A_2 f.$$

Also ergiebt sich:

Satz 3: *Haben zwei (unabhängige) lineare partielle Differentialgleichungen* $A_1 f = 0$ *und* $A_2 f = 0$ *in drei Veränderlichen eine gemeinsame Lösung, so besteht eine Relation von der Form:*

$$(A_1 A_2) \equiv \varrho_1(x, y, z) A_1 f + \varrho_2(x, y, z) A_2 f$$

identisch für alle Werte von f.

Wir werden nun erkennen, dass umgekehrt die Existenz einer solchen Relation

$$(A_1 A_2) \equiv \varrho_1 A_1 f + \varrho_2 A f \tag{8}$$

nach sich zieht, dass $A_1 f = 0$ und $A_2 f = 0$ eine gemeinsame Lösung besitzen.

Um dies nachzuweisen, werden wir die beiden Gleichungen $A_1 f = 0$ und $A_2 f = 0$ in besonderer Form schreiben. Zunächst können wir sie allgemein durch zwei Gleichungen

$$\overline{A}_1 f \equiv \lambda_1 A_1 f + \lambda_2 A_2 f = 0, \quad \overline{A}_2 f \equiv \mu_1 A_1 f + \nu_2 A_2 f = 0 \tag{9}$$

ersetzen, sobald $\lambda_1 \mu_2 - \lambda_2 \mu_1 \not\equiv 0$ ist. Dann ist:

$$\begin{aligned}(\overline{A}_1 f, \overline{A}_2 f) &\equiv (\lambda_1 A_1 + \lambda_2 A_2,\ \mu_1 A_1 + \mu_2 A_2) \\ &\equiv \lambda_1 \mu_1 (A_1 A_1) + \lambda_1 \mu_2 (A_1 A_2) + \lambda_2 \mu_1 (A_2 A_1) + \lambda_2 \mu_2 (A_2 A_2) + \\ &+ (\lambda_1 \cdot A_1 \mu_1 + \lambda_2 \cdot A_2 \mu_1) A_1 f + (\lambda_1 \cdot A_1 \mu_2 + \lambda_2 \cdot A_2 \mu_2) A_2 f - \\ &- (\mu_1 \cdot A_1 \lambda_1 + \mu_2 \cdot A_2 \lambda_1) A_1 f - (\mu_1 \cdot A_1 \lambda_2 + \mu_2 \cdot A_2 \lambda_2) A_2 f.\end{aligned}$$

Da $(A_1A_1) \equiv 0$, $(A_2A_2) \equiv 0$, $(A_2A_1) \equiv -(A_1A_2)$ ist und die Coefficienten der vier letzten Glieder Functionen von x, y, z sind, so drückt sich also wegen (8) auch $(\overline{A}_1\overline{A}_2)$ linear durch A_1f und A_2f aus oder nach (9) linear durch $\overline{A}_1f$ und $\overline{A}_2f$.

Es ist also ganz gleichgültig, in welcher Form (9) man die beiden linearen partiellen Differentialgleichungen schreibt.

Insbesondere kann man, wie wir nachher sehen werden, das System der beiden Gleichungen $A_1f = 0$, $A_2f = 0$, sobald

$$(A_1A_2) = \varrho_1 A_1f + \varrho_2 A_2f$$

ist, stets in solcher Weise $\overline{A}_1f = 0$, $\overline{A}_2f = 0$ schreiben, dass der Klammerausdruck $(\overline{A}_1\overline{A}_2) \equiv 0$ wird.

Wir werden nun — bevor wir die Möglichkeit dieser Umformung darthun — zunächst beweisen, dass, wenn $\overline{A}_1f = 0$ und $\overline{A}_2f = 0$ zwei lineare partielle Differentialgleichungen sind, für die insbesondere

$$(\overline{A}_1\overline{A}_2) \equiv 0$$

ist, die Gleichungen alsdann eine gemeinsame Lösung besitzen. Um nämlich in systematischer Weise eine eventuell vorhandene gemeinsame Lösung zu finden, denken wir uns das zu $\overline{A}_1f = 0$ gehörige simultane System integriert, also zwei von einander unabhängige Lösungen u, v der Gleichung $\overline{A}_1f = 0$ gefunden. Die allgemeinste Lösung von $\overline{A}_1f = 0$ hat dann die Form $\Omega(u, v)$. Da uns nun daran liegt, eine solche Lösung von $\overline{A}_1f = 0$ zu finden, welche auch $\overline{A}_2f = 0$ befriedigt, werden wir also die Function $\Omega(u, v)$ so zu bestimmen suchen, dass auch $\overline{A}_2\Omega \equiv 0$ wird. Nun ist, da $\overline{A}_2f$ ein auf f ausgeübter Differentiatiosprocess ist:

$$\overline{A}_2\Omega(u, v) \equiv \frac{\partial \Omega}{\partial u}\overline{A}_2u + \frac{\partial \Omega}{\partial v}\overline{A}_2v. \tag{10}$$

Andererseits folgt aus

$$(\overline{A}_1\overline{A}_2) \equiv \overline{A}_1(\overline{A}_2f) - \overline{A}_2(\overline{A}_1f) \equiv 0,$$

wenn wir darin für die beliebige Function f insbesondere u und v setzen, da $\overline{A}_1u \equiv \overline{A}_1v \equiv 0$ ist (denn u und v sind Lösungen von $\overline{A}_1f = 0$):

$$\overline{A}_1(\overline{A}_2u) \equiv 0, \quad \overline{A}_1(\overline{A}_2v) \equiv 0,$$

d. h. $\overline{A}_2u$ und $\overline{A}_2v$ sind Lösungen der Gleichung $\overline{A}_1f = 0$, also Functionen von u und v allein:

$$\overline{A}_1u \equiv \varphi(u, v), \quad \overline{A}_2v \equiv \psi(u, v),$$

sodass (10) liefert:

$$\overline{A}_2 \Omega(u, v) \equiv \varphi(u, v) \frac{\partial \Omega}{\partial u} + \psi(u, v) \frac{\partial \Omega}{\partial v}.$$

Die Forderung, welche wir noch zu erfüllen haben, stellt sich also so dar:

$$\varphi(u, v) \frac{\partial \Omega}{\partial u} + \psi(u, v) \frac{\partial \Omega}{\partial v} = 0.$$

Dies ist eine lineare partielle Differentialgleichung in u, v allein und lässt sich als solche stets durch eine Function $\Omega(u, v)$ befriedigen, nämlich durch das Integral der zugehörigen gewöhnlichen Differentialgleichung

$$\frac{du}{\varphi(u, v)} = \frac{dv}{\psi(u, v)}.$$

Es giebt also eine Function Ω, welche beide Gleichungen $\overline{A}_1 f = 0$ und $\overline{A}_2 f = 0$ befriedigt. Sie ist die gesuchte gemeinsame Lösung der beiden Gleichungen $\overline{A}_1 f = 0$ und $\overline{A}_2 f = 0$.

Um noch zu sehen, dass sich ein System von zwei Gleichungen $A_1 f = 0$ und $A_2 f = 0$, deren Klammerausdruck

$$(A_1 A_2) \equiv \varrho_1 A_1 f + \varrho_2 A_2 f$$

ist, stets in solcher Form $\overline{A}_1 f = 0$, $\overline{A}_2 f = 0$ schreiben lässt, in der $(\overline{A}_1 \overline{A}_2) \equiv 0$ ist, brauchen wir uns nur das System $A_1 f = 0$ und $A_2 f = 0$ nach $\frac{\partial f}{\partial x}$ und $\frac{\partial f}{\partial y}$ aufgelöst zu denken, sodass etwa:

$$\overline{A}_1 f \equiv \frac{\partial f}{\partial x} - \sigma_1 \frac{\partial f}{\partial z} = 0,$$

$$\overline{A}_2 f \equiv \frac{\partial f}{\partial y} - \sigma_2 \frac{\partial f}{\partial z} = 0$$

ist. σ_1 und σ_2 bedeuten hier gewisse Functionen von x, y, z. Nach Voraussetzung muss auch jetzt eine Relation bestehen, welche $(\overline{A}_1 \overline{A}_2)$ linear durch $\overline{A}_1 f$ und $\overline{A}_2 f$ ausdrückt. Bildet man aber den Klammerausdruck, so erkennt man, dass er frei von $\frac{\partial f}{\partial x}$ und $\frac{\partial f}{\partial y}$, also, da er die Form $\lambda_1 \overline{A}_1 f + \lambda_2 \overline{A}_2 f$ haben muss, gleich Null wird, wie gewünscht wurde.

Liegen zwei Gleichungen $A_1 f = 0$ und $A_2 f = 0$ vor, deren Klammerausdruck die Form $\varrho_1 A_1 f + \varrho_2 A_2 f$ hat, so können wir sie nach der eben gegebenen Methode der Auflösung stets in einer Form $\overline{A}_1 f = 0$, $\overline{A}_2 f = 0$ schreiben, in der $(\overline{A}_1 \overline{A}_2) \equiv 0$ ist. Alsdann aber besitzen, wie vorher bewiesen, $\overline{A}_1 f = 0$ und $\overline{A}_2 f = 0$ oder also $A_1 f = 0$ und $A_2 f = 0$ eine gemeinsame Lösung. Somit gilt das

Theorem 12: *Sind $A_1 f = 0$ und $A_2 f = 0$ zwei lineare partielle Differentialgleichungen in x, y, z, so besitzen sie dann und nur dann eine gemeinsame Lösung, wenn eine Relation von der Form*

$$(A_1 A_2) = \varrho_1(x, y, z) A_1 f + \varrho_2(x, y, z) A_2 f$$

identisch für jede Function f besteht.

Man nennt in diesem Falle die beiden Differentialgleichungen
Vollständiges System. $A_1 f = 0$ und $A_2 f = 0$ zusammen *ein* (*zweigliedriges*) *vollständiges System*. Der Begriff eines vollständigen Systems ist allerdings umfassender, da er nicht auf den Fall dreier Veränderlicher beschränkt ist. Wir werden ihn auf einer späteren Stufe in voller Allgemeinheit kennen lernen. Im besonderen heisst das vollständige System $A_1 f = 0$, $A_2 f = 0$ auch ein *Jacobi'sches System*, wenn der Klammerausdruck $(A_1 A_2) \equiv 0$ ist. Wir haben gesehen, dass jedes vollständige System $A_1 f = 0$, $A_2 f = 0$ als Jacobi'sches geschrieben werden kann.

Die *Lösung* des vollständigen Systems, d. h. die gemeinsame Lösung der Gleichungen $A_1 f = 0$ und $A_2 f = 0$ bestimmt man, um es zu recapitulieren, in dieser Weise: Vorerst schreibt man das System in einer Form $\overline{A}_1 f = 0$, $\overline{A}_2 f = 0$, in der $(\overline{A}_1 \overline{A}_2) \equiv 0$ ist. Man sucht dann die allgemeine Lösung $\Omega(u, v)$ der Gleichung $\overline{A}_1 f = 0$ und bildet $\overline{A}_2 \Omega = 0$. Diese Gleichung ist dann stets eine lineare partielle Differentialgleichung zwischen Ω und u, v allein, deren Lösung Ω die gesuchte Function ist. Offenbar ist mit Ω auch jede Function $\Phi(\Omega)$ Lösung des vollständigen Systems*).

Wenn die Jacobi'sche Form $\overline{A}_1 f = 0$, $\overline{A}_2 f = 0$ im besonderen durch die obige Auflösungsmethode erhalten ist, wenn also

$$\overline{A}_1 f \equiv \frac{\partial f}{\partial x} + \sigma_1 \frac{\partial f}{\partial z} = 0,$$

$$\overline{A}_2 f \equiv \frac{\partial f}{\partial y} + \sigma_2 \frac{\partial f}{\partial z} = 0$$

ist, was stets zu erreichen, so vereinfacht sich die Integration noch etwas. $\overline{A}_1 f = 0$ ist nämlich dann äquivalent der gew. Differentialgleichung in zwei Veränderlichen x, z:

$$\frac{dx}{1} = \frac{dz}{\sigma_1},$$

*) Die Theorie der vollständigen Systeme, die von Jacobi und Clebsch herrührt, hat durch Herrn Mayer ihre jetzige einfache Form erhalten.

wo y in σ_1 nur die Rolle einer arbiträren, von x und z unabhängigen Grösse spielt. Also kann man das Integral dieser Gleichung als das u und y als das v benutzen. Man sieht, dass sich die Integration des vollständigen Systems so auf die successive Integration zweier gew. Differentialgleichungen erster Ordnung zwischen je zwei Variabeln reduciert.

Übrigens ist die Zurückführung des vollständigen Systems auf eine Jacobi'sche Form vor Beginn der Integration nicht nötig. Man braucht die Gleichungen nur auf eine solche Form $\overline{A}_1 f = 0$, $\overline{A}_2 f = 0$ zu bringen, dass $(\overline{A}_1 \overline{A}_2) \equiv \varrho \overline{A}_1 f$ wird. Sind nämlich u, v die Lösungen von $\overline{A}_1 f = 0$, so zeigt diese Relation wegen $\overline{A}_1 u \equiv \overline{A}_1 v \equiv 0$, dass $\overline{A}_1 (\overline{A}_2 u) \equiv 0$ und $\overline{A}_1 (\overline{A}_2 v) \equiv 0$ ist, dass also $\overline{A}_2 u$ und $\overline{A}_2 v$ Lösungen von $A_1 f = 0$ sind und sich daher auch jetzt durch u, v allein ausdrücken. Nun setzt man $f = \Omega(u, v)$ in $\overline{A}_2 f = 0$ ein und erhält so eine Differentialgleichung in u, v.

Schliesslich kann man auch die Integration des vollständigen Systems $A_1 f = 0$, $A_2 f = 0$, wo

$$(A_1 A_2) \equiv \varrho_1 A_1 f + \varrho_2 A_2 f$$

ist, sofort in Angriff nehmen, ohne es erst umzuformen: Man bestimmt zwei Lösungen u, v von $A_1 f = 0$. Eine gewisse Function derselben, $\Omega(u, v)$, erfüllt dann sicher auch $A_2 f = 0$. Wir bilden daher:

$$A_2 \Omega \equiv A_2 u \cdot \frac{\partial \Omega}{\partial u} + A_2 v \cdot \frac{\partial \Omega}{\partial v} = 0$$

oder:

$$\frac{\partial \Omega}{\partial u} + \frac{A_2 v}{A_2 u} \cdot \frac{\partial \Omega}{\partial v} = 0.$$

Da eine Function $\Omega(u, v)$ existiert, die diese Gleichung erfüllt, und da $\frac{\partial \Omega}{\partial u}$ und $\frac{\partial \Omega}{\partial v}$ nur von u, v abhängen, so lässt sich notwendig auch $\frac{A_2 v}{A_2 u}$ durch u, v allein ausdrücken. Daher ergiebt sich auch auf diesem Wege die Differentialgleichung in u und v allein. Diese Methode ist oft sehr praktisch.

Wir wollen uns die gemeinsame Lösung der beiden ein vollständiges System bildenden Gleichungen $A_1 f = 0$ und $A_2 f = 0$ auch geometrisch vorstellen.

Die Frage nach einer gemeinsamen Lösung u kommt auf die nach ∞^1 gemeinsamen Integralflächen $u =$ Const. der beiden Gleichungen hinaus. Es fragt sich somit, ob es ∞^1 Flächen giebt, welche sowohl von je ∞^1 Charakteristiken der ersten als auch von je ∞^1 Charakteristiken der zweiten Gleichung erzeugt werden. Man würde eine derartige Fläche — da durch jeden Punkt p_0 des Raumes eine derselben hindurchgehen müsste — in dieser Weise zu construieren suchen: Von einem Punkte p_0 ausgehend verfolgt man die durch ihn gehende Charakteristik k_1 der ersten Gleichung eine Strecke weit bis zu einem Punkte p_1 und geht dann auf der zu p_1 gehörigen Charakteristik k_2 der zweiten Gleichung eine Strecke weit bis p_2, dann von p_2 aus wieder auf einer Charakteristik k_1' der ersten Gleichung u. s. w. abwechselnd. (Fig. 21.) Diese Bewegungen besitzen noch einen ziemlichen Grad von Willkür.

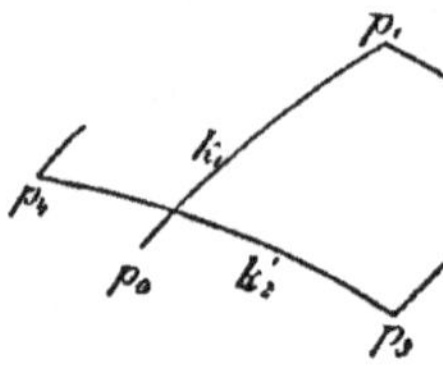

Fig. 21.

Es sind zwei Fälle denkbar: Entweder beschreibt man hierbei nur eine Fläche — und dann ist dies eine der gesuchten gemeinsamen Integralflächen — oder aber man bleibt nicht auf einer Fläche. Wenn man die Bedingung dafür aufstellt, dass der erste Fall eintritt, so kommt man darauf, dass zwischen A_1f und A_2f eine Relation von der Form

$$(A_1A_2) \equiv \varrho_1 A_1 f + \varrho_2 A_2 f$$

bestehen muss*). Da wir von jedem Punkte p_0 des Raumes ausgehend alsdann eine Fläche erhalten, so ergeben sich gerade ∞^1 gemeinsame Integralflächen $u = $ Const., und u ist die gesuchte gemeinsame Lösung.

Schliesslich heben wir noch Eines hervor: Eine gemeinsame Integralfläche der beiden Differentialgleichungen $A_1f = 0$ und $A_2f = 0$, welche ein vollständiges System bilden, hat in jedem ihrer Punkte die beiden Richtungen, welche dem Punkte durch die zu $A_1f = 0$ und $A_2f = 0$ gehörigen simultanen Systeme zugeordnet werden, zu Tangenten. Ist

$$A_1f \equiv X_1 \frac{\partial f}{\partial x} + Y_1 \frac{\partial f}{\partial y} + Z_1 \frac{\partial f}{\partial z},$$

$$A_2f \equiv X_2 \frac{\partial f}{\partial x} + Y_2 \frac{\partial f}{\partial y} + Z_2 \frac{\partial f}{\partial z},$$

so sind X_1, Y_1, Z_1 den Richtungscosinus der einen, X_2, Y_2, Z_2 denen der anderen proportional. Sind ferner α, β, γ proportional den Richtungscosinus einer zu diesen beiden senkrechten Richtung, so muss sein:

---

*) Diese Deutung des Klammerausdruckes $(A_1 A_2)$ erhält in der Theorie der Transformationsgruppen eine vollständig scharfe Form.

$$X_1\alpha + Y_1\beta + Z_1\gamma = 0,$$
$$X_2\alpha + Y_2\beta + Z_2\gamma = 0,$$

d. h. man kann setzen:

$$\alpha = Y_1 Z_2 - Y_2 Z_1, \quad \beta = Z_1 X_2 - Z_2 X_1, \quad \gamma = X_1 Y_2 - X_2 Y_1.$$

Diese drei Grössen verhalten sich also wie die Richtungscosinus der Normalen der gemeinsamen Integralfläche. Bezeichen dx, dy, dz die Differentiale der Coordinaten x, y, z auf der gemeinsamen Integralfläche, so ist daher:

$$(Y_1 Z_2 - Y_2 Z_1)dx + (Z_1 X_2 - Z_2 X_1)dy + (X_1 Y_2 - X_2 Y_1)dz = 0.$$

Es ergiebt sich somit der Satz:

Zusammenhang zwischen vollst. System und totaler Differentialgleichung.

Satz 4: *Die Integralflächen des vollständigen Systems:*

$$A_1 f \equiv X_1 \frac{\partial f}{\partial x} + Y_1 \frac{\partial f}{\partial y} + Z_1 \frac{\partial f}{\partial z} = 0,$$
$$A_2 f \equiv X_2 \frac{\partial f}{\partial x} + Y_2 \frac{\partial f}{\partial y} + Z_2 \frac{\partial f}{\partial z} = 0,$$

wo $(A_1 A_2) \equiv \varrho_1 A_1 f + \varrho_2 A_2 f$ *ist, befriedigen die totale Differentialgleichung:*

$$(Y_1 Z_2 - Y_2 Z_1)dx + (Z_1 X_2 - Z_2 X_1)dy + (X_1 Y_2 - X_2 Y_1)dz = 0,$$

und umgekehrt ist jede Fläche, welche die letztere befriedigt, eine Integralfläche des vollständigen Systems.

Diese Umkehrung leuchtet ein: Eine Fläche, welche der totalen Differentialgleichung genügt, besitzt als Normale die Richtung, welche zu den beiden Fortschreitungsrichtungen senkrecht steht, die dem betreffenden Flächenpunkt durch die zu $A_1 f = 0$ und $A_2 f = 0$ gehörigen simultanen Systeme zugeordnet werden. Die Fläche hat daher die beiden letzteren Richtungen als Tangenten, d. h. ist Integralfläche von $A_1 f = 0$ und $A_2 f = 0$.

Es wird erwünscht sein, diese Theorien an einfachen Beispielen erläutert zu sehen.

Beispiele.

1. Beispiel: Sei:

$$A_1 f \equiv \frac{\partial f}{\partial x}, \quad A_2 f \equiv x \frac{\partial f}{\partial x} + y \frac{\partial f}{\partial y} + z \frac{\partial f}{\partial z}.$$

Dann ist

$$(A_1 A_2) \equiv \frac{\partial f}{\partial x} \equiv A_1 f,$$

d. h. $A_1 f = 0$ und $A_2 f = 0$ bilden ein vollständiges System. Dies zu integrieren, suchen wir zunächst zwei Integrale u, v des zu $A_1 f = 0$ gehörigen simultanen Systems:

$$\frac{dx}{1} = \frac{dy}{0} = \frac{dz}{0}.$$

Offenbar sind $u \equiv y$, $v \equiv z$ zwei Integrale desselben. Nun wird $A_2\Omega(y, z)$ gebildet. Es kommt:

$$A_2\Omega(y, z) \equiv y\frac{\partial\Omega}{\partial y} + z\frac{\partial\Omega}{\partial z} = 0.$$

Diese Gleichung wird durch

$$\Omega \equiv \frac{y}{z}$$

befriedigt. Also stellt $\frac{y}{z} =$ Const. die ∞^1 Integralflächen des gegebenen vollständigen Systems dar. Stellen wir uns alles geometrisch vor. Die zu $A_1f = 0$ und $A_2f = 0$ gehörigen simultanen Systeme:

$$\frac{dx}{1} = \frac{dy}{0} = \frac{dz}{0},$$

$$\frac{dx}{x} = \frac{dy}{y} = \frac{dz}{z}$$

ordnen dem Punkte (x, y, z) zwei Richtungen zu, das erste die Parallele zur x-Axe, das zweite den Strahl nach dem Anfangspunkt. Die Integralflächen von $A_1f = 0$ sind demnach alle Cylinder parallel der x-Axe, die von $A_2f = 0$ alle Kegel, deren Spitze der Anfangspunkt ist. Eine gemeinsame Integralfläche muss beides zugleich sein, d. h. ist eine Ebene durch den Anfangspunkt, die die x-Axe enthält. Also sind die Ebenen

$$\frac{y}{z} = \text{Const.}$$

in der That die Integralflächen des vollständigen Systems. Die in Satz 4 genannte totale Differentialgleichung lautet hier:

$$-z dy + y dz = 0.$$

Ihre Integralflächen sind die Flächen, deren Normalen Richtungscosinus proportional $0, -z, y$ haben. Diese Normalen sind der (yz)-Ebene parallel und kreuzen die x-Axe senkrecht. Mithin sind die betreffenden Flächen die Ebenen $\frac{y}{z} =$ Const. durch die x-Axe.

2. Beispiel: Sei

$$A_1f \equiv \frac{\partial f}{\partial z}, \quad A_2f \equiv y\frac{\partial f}{\partial x} - x\frac{\partial f}{\partial y}.$$

Hier ist $(A_1A_2) \equiv 0$, d. h. $A_1f = 0$ und $A_2f = 0$ bilden ein vollständiges System und zwar in Jacobi'scher Form. $A_1f = 0$ hat die Lösungen x und y und als allgemeine Lösung also eine Function $\Omega(x, y)$. Die Lösung Ω des vollständigen Systems muss noch der Gleichung

$$A_2\Omega \equiv y\frac{\partial\Omega}{\partial x} - x\frac{\partial\Omega}{\partial y} = 0$$

genügen, d. h. sie ist gleich $x^2 + y^2$ zu setzen. Also giebt

$$x^2 + y^2 = \text{Const.}$$

die Integralflächen des vollständigen Systems. Geometrisch: Die Charakteristiken von $A_1 f = 0$ sind die Parallelen zur z-Axe, also die Integralflächen von $A_1 f = 0$ die Cylinder parallel dieser Axe. Die Charakteristiken von $A_2 f = 0$ sind, wie wir schon in einem früheren Beispiel sahen (1. Beispiel des § 1), die Kreise, deren Mittelpunkte auf der z-Axe liegen und deren Ebenen zu dieser senkrecht stehen. Die Integralflächen von $A_2 f = 0$ sind folglich die Rotationsflächen um die z-Axe. Gemeinsame Integralflächen beider Differentialgleichungen können also nur die Rotationscylinder um die z-Axe sein:

$$x^2 + y^2 = \text{Const.}$$

Die totale Differentialgleichung lautet hier

$$x dx + y dy = 0$$

und giebt in der That sofort

$$x^2 + y^2 = \text{Const.}$$

3. *Beispiel:* Sei

$$A_1 f \equiv x \frac{\partial f}{\partial x} + z \frac{\partial f}{\partial z},$$

$$A_2 f \equiv x \frac{\partial f}{\partial x} + y \frac{\partial f}{\partial y} + 2z \frac{\partial f}{\partial z},$$

sodass $(A_1 A_2) \equiv 0$, d. h. $A_1 f = 0$, $A_2 f = 0$ ein vollständiges System ist. Wir werden, um die Integralflächen derselben zu finden, gut thun, statt $A_2 f = 0$ die einfachere Gleichung

$$\overline{A}_2 f \equiv A_2 f - A_1 f \equiv y \frac{\partial f}{\partial y} + z \frac{\partial f}{\partial z} = 0$$

zu benutzen. $A_1 f = 0$ hat zu Charakteristiken alle Geraden parallel der (xz)-Ebene, welche die y-Axe schneiden, $\overline{A}_2 f = 0$ alle Geraden parallel der (yz)-Ebene, welche die x-Axe schneiden. Die Integralflächen von $A_1 f = 0$ sind somit die Regelflächen, welche durch Gleiten einer der (xz)-Ebene beständig parallelen Geraden längs der y-Axe entstehen. Analog sind die Integralflächen von $\overline{A}_2 f = 0$ gewisse Regelflächen. Soll eine Fläche Integralfläche des vollständigen Systems sein, so muss sie sowohl ∞^1 Geraden durch die y-Axe parallel der (xz)-Ebene als auch ∞^1 Geraden durch die x-Axe parallel der (yz)-Ebene enthalten. Daher ist die Fläche, wie man elementar einsehen kann, ein hyperbolisches Paraboloid:

$$\frac{xy}{z} = \text{Const.}$$

Man kann auf systematischem Wege durch Integration des vollständigen Systems dies verificieren: $A_1 f = 0$ hat das allgemeine Integral $\Omega\left(\frac{x}{z}, y\right)$ und es ist

$$A_2 \Omega \equiv -u \frac{\partial \Omega}{\partial u} + y \frac{\partial \Omega}{\partial y},$$

wenn $\frac{x}{z}$ mit u bezeichnet wird. $A_2 \Omega = 0$ hat die Lösung uy oder $\frac{xy}{z}$. Die totale Differentialgleichung lautet hier:

$$-yzdx - xzdy + xydz = 0$$

oder, wenn durch xyz dividiert wird:

$$-\frac{ydx + xdy}{xy} + \frac{dz}{z} = 0$$

und giebt integriert:

$$\frac{xy}{z} = \text{Const.}$$

§ 4. Die Jacobi'sche Identität.

Zum Schluss dieses Kapitels wollen wir noch eine Formel entwickeln, die von grosser Bedeutung für das Folgende ist und die wir, wie im vorigen Paragraphen den Klammerausdruck, sogleich in n Veränderlichen $x_1, x_2 \cdots x_n$ darstellen, indem wir dem Leser anheimgeben, die Rechnung im Falle $n = 3$ durchzuführen.

Es seien

$$A_1 f \equiv \alpha_1 \frac{\partial f}{\partial x_1} + \alpha_2 \frac{\partial f}{\partial x_2} + \cdots + \alpha_n \frac{\partial f}{\partial x_n} \equiv \sum_1^n \alpha_i \frac{\partial f}{\partial x_i},$$

$$B_1 f \equiv \beta_1 \frac{\partial f}{\partial x_1} + \beta_2 \frac{\partial f}{\partial x_2} + \cdots + \beta_n \frac{\partial f}{\partial x_n} \equiv \sum_1^n \beta_i \frac{\partial f}{\partial x_i},$$

$$C_1 f \equiv \gamma_1 \frac{\partial f}{\partial x_1} + \gamma_2 \frac{\partial f}{\partial x_2} + \cdots + \gamma_n \frac{\partial f}{\partial x_n} \equiv \sum_1^n \gamma_i \frac{\partial f}{\partial x_i}$$

drei solche Differentialausdrücke, wie wir sie nun schon vielfach betrachtet haben. Die α, β, γ bedeuten irgendwelche Functionen der n Veränderlichen $x_1, x_2 \cdots x_n$. Zwischen den Klammerausdrücken, die sich aus Af, Bf, Cf herstellen lassen, besteht eine sehr merkwürdige Beziehung. Wenn wir wie oben $A(Bf) - B(Af)$ kurz durch (AB) bezeichnen, so lautet diese Beziehung so:

$$((AB)C) + ((BC)A) + ((CA)B) \equiv 0.$$

Diese Identität rührt von Jacobi her, der sie in noch allgemeinerer

Weise entwickelte. Wir werden sie deshalb die *specielle Jacobi'sche Identität**) oder auch kurz die *Jacobi'sche Identität* nennen.

Man kann sie auf verschiedenen Wegen beweisen. Der nächstliegende, aber umständlichste wäre, die Ausdrücke $((AB)C)$ u. s. w. direct auszurechnen und dann zu zeigen, dass sich alle Glieder fortheben. In zwei Veränderlichen ist dies noch weniger umfangreich und der Leser möge deshalb die Formel für $n = 2$ wirklich ausrechnen.

Wir wollen die Identität nach einer Bemerkung von Engel beweisen: Es ist

$$(AB) \equiv A(Bf) - B(Af)$$

und daher

$$\begin{aligned}((AB)C) &\equiv A(B(Cf)) - B(A(Cf)) - C(A(Bf) - B(Af)) \\ &\equiv A(B(Cf)) - B(A(Cf)) - C(A(Bf)) + C(B(Af)).\end{aligned}$$

Durch cyklische Vertauschung der Buchstaben A, B, C gehen hieraus die Entwickelungen von $((BC)A)$ und $((CA)B)$ hervor. Addiert man dann die drei Formeln, so heben sich alle Glieder rechts paarweis fort, denn z. B. $A(B(Cf))$ kommt in der ersten als erstes Glied positiv, in der zweiten Formel als drittes Glied negativ vor u. s. w., sodass die Identität übrig bleibt:

$$((AB)C) + ((BC)A) + ((CA)B) \equiv 0.$$

Diese specielle Identität gilt also stets für drei Ausdrücke Af, Bf, Cf. Sie spielt eine wichtige Rolle in vielen Untersuchungen über infinitesimale Transformationen.

Beispiel: Ist

$$Af \equiv x\frac{\partial f}{\partial x} + y\frac{\partial f}{\partial y} + z\frac{\partial f}{\partial z}, \quad Bf \equiv x^2\frac{\partial f}{\partial x}, \quad Cf \equiv \frac{\partial f}{\partial x} + \frac{\partial f}{\partial z},$$

so ist:

$$(AB) \equiv x^2\frac{\partial f}{\partial x}, \quad (BC) \equiv -2x\frac{\partial f}{\partial x}, \quad (CA) \equiv \frac{\partial f}{\partial x} + \frac{\partial f}{\partial z},$$

also

$$((AB)C) \equiv -2x\frac{\partial f}{\partial x}, \quad ((BC)A) \equiv 0, \quad ((CA)B) \equiv 2x\frac{\partial f}{\partial x},$$

und die Summe der drei letzten Ausdrücke verschwindet identisch.

---

*) Die hervorragende Wichtigkeit der *speciellen Jacobi'schen Identität* trat wohl zuerst in der *Theorie der Transformationsgruppen* deutlich hervor.

Kapitel 11.

Eingliedrige Gruppe in drei Veränderlichen.

Um die Theorie der Differentialgleichungen erster Ordnung, welche alle Transformationen einer eingliedrigen Gruppe gestatten, zu einem befriedigenden Abschlusse zu bringen, ist es notwendig, zunächst eingliedrige Gruppen in drei Veränderlichen zu betrachten. Der Leser wird finden, dass diese Betrachtungen in sehr vielen Punkten nur insofern von denen des 2. und 3. Kapitels abweichen, als jetzt die Zahl der Veränderlichen 3 statt 2 ist. Es mag deshalb auch gestattet sein, die Darstellung möglichst knapp zu fassen und bezüglich der ausführlichen Entwickelungen häufig auf jene beiden Kapitel zurückzuverweisen.

§ 1. Definition der eingliedrigen Gruppe im Raume, Existenz einer infinitesimalen Transformation derselben.

Drei Gleichungen von der Form

$$(1)\qquad x_1 = \varphi(x, y, z), \quad y_1 = \psi(x, y, z), \quad z_1 = \chi(x, y, z),$$

von denen vorausgesetzt wird, dass sie auch nach x, y, z auflösbar seien, bestimmen allgemein eine *Transformation* der Veränderlichen x, y, z in die neuen Veränderlichen x_1, y_1, z_1. Wir fassen sie wie früher begrifflich auf als eine Operation, welche alle Punkte (x, y, z) des Raumes in neue Punkte (x_1, y_1, z_1) desselben überführt. Eine Fläche wird also durch die Transformation wieder in eine Fläche, eine Curve wieder in eine Curve verwandelt. Will man die Gleichung der Fläche aufstellen, in welche die gegebene Fläche

Transformation.

$$\Omega(x, y, z) = 0$$

vermöge der Transformation übergeht, so hat man hieraus x, y, z vermöge der Gleichungen (1) zu eliminieren, wodurch sich die gesuchte Gleichung

$$W(x_1, y_1, z_1) = 0$$

der transformierten Fläche ergiebt. Man wird also zunächst die Gleichungen (1) nach x, y, z auflösen, dies gebe etwa:

$$(2)\qquad x = \overline{\varphi}(x_1, y_1, z_1), \quad y = \overline{\psi}(x_1, y_1, z_1), \quad z = \overline{\chi}(x_1, y_1, z_1),$$

und dann diese Werte (2) in $\Omega = 0$ einführen:

$$W(x_1, y_1, z_1) \equiv \Omega(\overline{\varphi}, \overline{\psi}, \overline{\chi}) = 0.$$

Die Auflösung (2) ist nicht nötig, wenn man umgekehrt nach der Fläche fragt, welche vermöge der Transformation (1) in die neue Fläche

$$W(x_1, y_1, z_1) = 0$$

übergeführt wird. Die betreffende Fläche hat offenbar die Gleichung in x, y, z:

$$\Omega(x, y, z) \equiv W(\varphi, \psi, \chi) = 0.$$

Die durch Auflösung von (1) nach den ursprünglichen Veränderlichen x, y, z erhaltenen Gleichungen (2) stellen ebenfalls eine Transformation dar und zwar die zu (1) *inverse*, indem nämlich beide nach einander ausgeführt alle Punkte (x, y, z) des Raumes über die Stellen (x_1, y_1, z_1) in ihre ursprünglichen Lagen (x, y, z) zurückführen. Die Aufeinanderfolge beider Transformationen ist demnach der *identischen*: Inverse Transformation. Identische Transformation.

$$x' = x, \quad y' = y, \quad z' = z$$

äquivalent.

Wenn nun die Gleichungen einer Transformation der Punkte des Raumes noch eine willkürlich annehmbare Constante, einen *Parameter* a, enthalten:

$$(3) \qquad x_1 = \varphi(x, y, z, a), \quad y_1 = \psi(x, y, z, a), \quad z_1 = \chi(x, y, z, a),$$

so stellen sie eine Schar von ∞^1 Transformationen dar. Insbesondere ist es denkbar, dass diese Schar die *Gruppeneigenschaft* besitzt, d. h. dass zwei Transformationen der Schar, wenn man sie nach einander auf die Punkte des Raumes ausführt, durch eine einzige Transformation derselben Schar ersetzt werden können, welche diese Überführung aus den Anfangs- in die Schlusslagen mit einem Schlage leistet.

Analytisch stellt sich das Kriterium für das Vorhandensein der Gruppeneigenschaft so dar: Eine erste Transformation der Schar (3) mit beliebig gewähltem Parameterwert a führt die Punkte (x, y, z) des Raumes in die Punkte (x_1, y_1, z_1) über, deren Coordinaten durch (3) bestimmt werden. Eine nach dieser Transformation (a) der Schar ausgeführte Transformation derselben mit dem Parameterwert a_1, welche die Punkte (x_1, y_1, z_1) weiterhin in die Lagen (x_2, y_2, z_2) bringt, besitzt die Gleichungen:

$$(4) \quad x_2 = \varphi(x_1, y_1, z_1, a_1), \quad y_2 = \psi(x_1, y_1, z_1, a_1), \quad z_2 = \chi(x_1, y_1, z_1, a_1).$$

Die Transformation nun, welche die Aufeinanderfolge von (3) und (4) ersetzt, wird durch Elimination der Zwischenwerte x_1, y_1, z_1 aus (3) und (4) bestimmt. Es ergiebt sich:

$$(5)\quad \begin{cases} x_2 = \varphi(\varphi(x, y, z, a), \quad \psi(x, y, z, a), \quad \chi(x, y, z, a), a_1) \\ \text{und analog:} \\ y_2 = \psi(\varphi, \psi, \chi, a_1), \\ z_2 = \chi(\varphi, \psi, \chi, a_1). \end{cases}$$

Diese Transformation (5) der Punkte (x, y, z) in die Punkte (x_2, y_2, z_2) muss also, wenn die Schar der ∞^1 Transformationen eine Gruppe bilden soll, eine Transformation dieser Schar sein, d. h. es muss ein Wert λ des Parameters existieren, sodass die Gleichungen (5) sich decken mit:

$$x_2 = \varphi(x, y, z, \lambda), \quad y_2 = \psi(x, y, z, \lambda), \quad z_2 = \chi(x, y, z, \lambda);$$

es muss daher sein:

$$\begin{aligned} \varphi(\varphi(x, y, z, a), \ \psi(x, y, z, a), \ \chi(x, y, z, a), a_1) &\equiv \varphi(x, y, z, \lambda), \\ \psi(\varphi(\ldots\ldots), \ \psi(\ldots\ldots), \ \chi(\ldots\ldots), a_1) &\equiv \psi(x, y, z, \lambda), \\ \chi(\varphi(\ldots\ldots), \ \psi(\ldots\ldots), \ \chi(\ldots\ldots), a_1) &\equiv \chi(x, y, z, \lambda) \end{aligned}$$

und zwar für alle Werte der Veränderlichen x, y, z. a und a_1 bedeuten hierbei beliebig angenommene Constanten und auch λ soll eine Constante sein. λ ist bestimmt, sobald die beiden nach einander auszuführenden Transformationen (a) und (a_1) gegeben sind, d. h. λ ist eine Function von a und a_1:

$$\lambda = \lambda(a, a_1).$$

Die Gleichungen (3) stellen demnach dann und nur dann eine Gruppe dar, wenn es eine Function λ von a und a_1 allein giebt, sodass für alle Werte von x, y, z, a und a_1 die drei letzten Identitäten bestehen.

Eingliedrige Gruppe im Raume.

Insbesondere nennen wir diese Gruppe (3) eine *eingliedrige Gruppe*, weil sie *einen* Parameter a, also ∞^1 Transformationen enthält.

Man bemerkt, dass jede eingliedrige Gruppe der *Ebene*

$$x_1 = \varphi(x, y, a), \quad y_1 = \psi(x, y, a)$$

durch Zufügung von $z_1 = z$ eine eingliedrige Gruppe des *Raumes* wird.

Wir werden nunmehr die eingliedrigen Gruppen im Raume genauer untersuchen und wollen — wie in der Ebene — immer voraussetzen, *dass die eingliedrige Gruppe auch zu jeder ihrer Transformationen die dazu inverse enthalte*, d. h. es soll eine Function $\bar{a}$ von a geben, sodass die Aufeinanderfolge der Transformationen mit den Parameterwerten a und $\bar{a}$ der identischen Transformation äquivalent ist.

Führen wir nach einander zwei Transformationen der Gruppe aus, die zu einander invers sind, so ergiebt sich die identische Transformation, d. h. *die Gruppe enthält die identische Transformation*, mit anderen Worten: Es muss ein Wert a_0 des Parameters a vorhanden sein, für welchen sich die Gleichungen (3) der Gruppe auf die der identischen Transformation $x_1 = x$, $y_1 = y$, $z_1 = z$ reducieren, dass also für alle Werte von x, y, z

(6) $$\varphi(x, y, z, a_0) \equiv x, \quad \psi(x, y, z, a_0) \equiv y, \quad \chi(x, y, z, a_0) \equiv z$$

ist.

Aus der Existenz der identischen Transformation schliessen wir — wie in der Ebene (§ 3 des 2. Kap.) — auf die *Existenz einer infinitesimalen Transformation* in der eingliedrigen Gruppe. Wenn nämlich dem Parameter a ein von a_0 nur unendlich wenig abweichender Wert $a_0 + \delta a$ erteilt wird, so werden die Gleichungen (3) nicht die identische, sondern eine von ihr unendlich wenig verschiedene Transformation der Gruppe vorstellen, d. h. eine infinitesimale Transformation der Gruppe. In der That, (3) giebt für $a = a_0 + \delta a$: Infinitesimale Transformation.

$$x_1 = \varphi(x, y, z, a_0 + \delta a) \equiv \varphi(x, y, z, a_0) + \frac{\partial \varphi(x, y, z, a_0)}{\partial a_0}\delta a + \cdots,$$

$$y_1 = \psi(x, y, z, a_0 + \delta a) \equiv \psi(x, y, z, a_0) + \frac{\partial \psi(x, y, z, a_0)}{\partial a_0}\delta a + \cdots,$$

$$z_1 = \chi(x, y, z, a_0 + \delta a) \equiv \chi(x, y, z, a_0) + \frac{\partial \chi(x, y, z, a_0)}{\partial a_0}\delta a + \cdots,$$

oder wegen (6):

$$x_1 = x + \frac{\partial \varphi(x, y, z, a_0)}{\partial a_0}\delta a + \cdots,$$

$$y_1 = y + \frac{\partial \psi(x, y, z, a_0)}{\partial a_0}\delta a + \cdots,$$

$$z_1 = z + \frac{\partial \chi(x, y, z, a_0)}{\partial a_0}\delta a + \cdots.$$

Jeder transformierte Punkt (x_1, y_1, z_1) ist also seiner Anfangslage (x, y, z) unendlich benachbart. Natürlich ist es denkbar, dass in den Reihenentwickelungen die Glieder niedrigster Potenz in δa identisch verschwinden. Jedenfalls aber wird eine Potenz δa^r von δa als niedrigste wirklich auftreten und sie wählen wir dann als unendlich kleine Grösse $\delta t = \delta a^r$. Ihre Coefficienten, die von x, y, z abhängen (a_0 ist ja nur eine bestimmte Zahl), wollen wir mit $\xi(x, y, z)$, $\eta(x, y, z)$, $\zeta(x, y, z)$ bezeichnen. Dann nimmt die infinitesimale Transformation, welche, wie wir wissen, der Gruppe angehört, die Form an:

(7) $$\begin{cases} x_1 = x + \xi(x, y, z)\delta t + \cdots, \\ y_1 = y + \eta(x, y, z)\delta t + \cdots, \\ z_1 = z + \zeta(x, y, z)\delta t + \cdots, \end{cases}$$

wo die nicht hingeschriebenen Glieder unendlich klein von höherer Ordnung sind.

Satz 1: *Eine eingliedrige Gruppe des Raumes mit paarweis inversen Transformationen enthält die identische und sicher auch eine infinitesimale Transformation.*

Man kann noch auf einem allgemeineren Wege*) zu einer infinitesimalen Transformation der Gruppe gelangen, in analoger Weise, wie es in der Ebene (in § 3 des 2. Kap.) geschah: Nach einer beliebigen Transformation der Gruppe mit dem Parameter ε wird eine zweite ausgeführt, welche sich von der zur Transformation (ε) inversen Transformation $(\bar{\varepsilon})$ nur unendlich wenig unterscheidet, deren Parameter also etwa $\bar{\varepsilon} + \delta\varepsilon$ ist. Diese Reihenfolge ist einer einzigen Transformation der Gruppe äquivalent und zwar einer infinitesimalen Transformation, denn die Transformation $(\bar{\varepsilon} + \delta\varepsilon)$ führt die Punkte in Lagen zurück, welche nur unendlich wenig von den Anfangslagen abweichen.

Kann man so auf verschiedenen Wegen zu einer infinitesimalen Transformation der Gruppe gelangen, so bleibt noch die Frage offen, ob wir dadurch auch stets zur selben kommen. Hierüber werden wir uns im nächsten Paragraphen Klarheit verschaffen.

Beispiel. *Beispiel:* Die ∞^1 Transformationen:

$$x_1 = x \cos\alpha - y \sin\alpha,$$
$$y_1 = x \sin\alpha + y \cos\alpha,$$
$$z_1 = z + m\alpha$$

mit dem Parameter α bilden eine eingliedrige Gruppe. (m soll eine bestimmte Zahl sein.) Zunächst sieht man dies rein geometrisch ein: Die Gleichungen stellen ja nichts anderes dar als eine Bewegung des Raumes, bei welcher der (starr gedachte) Raum um die z-Axe um den Winkel α gedreht und gleichzeitig längs der z-Axe um die Strecke $m\alpha$ verschoben wird. Es ist dies also eine *Schraubenbewegung*. Variiert α, so hat man ∞^1 solche Schraubenbewegungen, aber alle mit derselben Steighöhe, weil das Verhältnis zwischen Drehwinkel α und Verschiebung $m\alpha$ constant ist. Zwei solche Schraubungen nach

*) Erst durch diese zweite Methode erkennt man in voller Strenge, dass jede eingliedrige Gruppe des dreifachen Raumes mit paarweis inversen Transformationen eine infinitesimale Transformation

$$\delta x = \xi(x, y, z)\delta t + \cdots, \quad \delta y = \eta(x, y, z)\delta t + \cdots, \quad \delta z = \zeta(x, y, z)\delta t + \cdots$$

enthält, deren Reihenentwickelungen nach *ganzen* Potenzen von δt fortschreiten und Glieder *erster* Ordnung in δt wirklich enthalten.

einander ausgeführt sind natürlich einer einzigen äquivalent mit ebenderselben Steighöhe. Wenn α und α_1 die Drehwinkel der beiden nach einander ausgeführten Schraubungen sind, so ist offenbar $\alpha + \alpha_1$ der Drehwinkel der dieser Aufeinanderfolge äquivalenten Schraubung.

Auch analytisch erhellt dies: Führen wir nach der Schraubung (α), welche die Punkte (x, y, z) in die Lagen (x_1, y_1, z_1) überführt, eine zweite (α_1) aus, welche die neuen Punkte (x_1, y_1, z_1) weiter nach den Stellen (x_2, y_2, z_2) bringt, so haben wir ausser den drei obigen Gleichungen diese:

$$x_2 = x_1 \cos \alpha_1 - y_1 \sin \alpha_1,$$
$$y_2 = x_1 \sin \alpha_1 + y_1 \cos \alpha_1,$$
$$z_2 = z_1 + m\alpha_1.$$

Eliminieren wir x_1, y_1, z_1, so liefern die ersten beiden Gleichungenpaare, wie wir schon von der Gruppe der Rotationen um den Anfangspunkt in der (xy)-Ebene wissen (vgl. § 2 des 1. Kap.):

$$x_2 = x \cos(\alpha + \alpha_1) - y \sin(\alpha + \alpha_1),$$
$$y_2 = x \sin(\alpha + \alpha_1) + y \cos(\alpha + \alpha_1),$$

und ausserdem kommt:

$$z_2 = z + m(\alpha + \alpha_1)$$

und dies ist wieder eine jener Schraubungen, nämlich die mit Drehwinkel $\alpha + \alpha_1$.

Also bilden jene ∞^1 Transformationen eine eingliedrige Gruppe des Raumes. $\alpha = 0$ giebt ihre identische, also $\alpha = \delta t$ eine unendlich kleine Transformation der Gruppe, nämlich:

$$x_1 = x - y\delta t + \cdots, \quad y_1 = y + x\delta t + \cdots, \quad z_1 = z + m\delta t + \cdots$$

Hier ist also

$$\xi \equiv -y, \quad \eta \equiv x, \quad \zeta \equiv m.$$

§ 2. Construction einer eingliedrigen Gruppe aus einer infinitesimalen Transformation; Nachweis, dass sie nur eine solche enthält.

Ausgehend von der vorgelegten eingliedrigen Gruppe des Raumes sind wir zum Begriff einer infinitesimalen Transformation des Raumes gelangt. Es liegt uns jetzt ob, diese näher zu untersuchen. Wir werden dabei völlig parallel mit den Entwickelungen des § 4, 2. Kap., zu Werke gehen, also zunächst den Gruppenbegriff beiseite lassen und annehmen, *es sei irgend eine infinitesimale Transformation des Raumes definiert durch drei Gleichungen von der Form*

$$(8)\quad \begin{cases} x_1 = x + \xi(x,y,z)\delta t + \cdots, & y_1 = y + \eta(x,y,z)\delta t + \cdots, \\ & z_1 = z + \zeta(x,y,z)\delta t + \cdots, \end{cases}$$

welche die Punkte (x, y, z) der Ebene in ihnen unendlich benachbarte Punkte (x_1, y_1, z_1) überführt, da hierbei x, y, z nur um unendlich kleine Grössen

$$(9)\quad \delta x = \xi(x,y,z)\delta t + \cdots,\quad \delta y = \eta(x,y,z)\delta t + \cdots,\quad \delta z = \zeta(x,y,z)\delta t + \cdots$$

zunehmen. Die nicht geschriebenen Glieder denken wir uns als convergente Reihen nach ganzen Potenzen von δt.

Diese infinitesimale Transformation ordnet jedem Punkte (x, y, z) des Raumes eine *infinitesimale Fortschreitungsstrecke* zu. Ihre Länge

$$\sqrt{\delta x^2 + \delta y^2 + \delta z^2} = \delta t \cdot \sqrt{\xi^2 + \eta^2 + \zeta^2},$$

mit den Projectionen $\xi\delta t$, $\eta\delta t$, $\zeta\delta t$ auf die drei Axen, variiert ebenso wie ihre Richtung im allgemeinen von Punkt zu Punkt.

Kinematische Veranschaulichung.

Indem wir wie in § 4, 2. Kap., hiernach einer kinematischen Vorstellung folgen dadurch, dass wir die Punkte des Raumes diese ihnen durch die infinitesimale Transformation zugeordneten Fortschreitungsstrecken wirklich durchlaufen lassen im Zeitteilchen δt und diese Bewegung unendlich oft wiederholen, also die infinitesimale Transformation als Definition einer *stationären* Bewegung einer *compressibelen* Flüssigkeit auffassen, erkennen wir wie damals, dass die endlichen Gleichungen

$$x_1 = \Phi(x,y,z,t),\quad y_1 = \Psi(x,y,z,t),\quad z_1 = X(x,y,z,t)$$

der stationären Bewegung eine eingliedrige Gruppe bestimmen. Da jedoch diese kinematische Betrachtung ohne analytische Hülfsmittel nicht streng zu formulieren ist, wollen wir sie hiermit nur angedeutet haben und ein rein analytisches Verfahren einschlagen, um zu einer eingliedrigen Gruppe zu gelangen.

Analytische Herstellung einer eingliedrigen Gruppe.

Wir stellen nämlich das simultane System von drei gewöhnlichen Differentialgleichungen in x_1, y_1, z_1 und t auf:

$$(10)\quad \frac{dx_1}{\xi(x_1, y_1, z_1)} = \frac{dy_1}{\eta(x_1, y_1, z_1)} = \frac{dz_1}{\zeta(x_1, y_1, z_1)} = dt$$

und denken uns dasselbe integriert, also x_1, y_1, z_1 als Functionen von t bestimmt. Diesen Functionen können wir die Anfangsbedingung vorschreiben, sich für $t = 0$ auf x, y, z zu reducieren. Es mögen sich etwa die Integralgleichungen ergeben:

$$(11)\quad x_1 = \Phi(x,y,z,t),\quad y_1 = \Psi(x,y,z,t),\quad z_1 = X(x,y,z,t).$$

Für $t = 0$ geben dieselben also einfach $x_1 = x$, $y_1 = y$, $z_1 = z$.

Diese Gleichungen (11) sind nun der analytische Ausdruck einer Schar von ∞^1 Transformationen des Raumes und diese bilden eine eingliedrige Gruppe mit dem Parameter t.

Zum Nachweis dieser Behauptung müssen wir auf die Art der Integration des simultanen Systems (10) näher eingehen. Zunächst besitzen die beiden Gleichungen

$$\frac{dx_1}{\xi(x_1, y_1, z_1)} = \frac{dy_1}{\eta(x_1, y_1, z_1)} = \frac{dz_1}{\zeta(x_1, y_1, z_1)}$$

zwei von einander unabhängige Integrale $\Omega_1(x_1, y_1, z_1)$ und $\Omega_2(x_1, y_1, z_1)$, die, weil sie frei von t sind, natürlich auch Integrale des ganzen Systemes (10) sind. Um nun noch ein Integral des letzteren zu finden, das t enthält, werden wir etwa y_1 und z_1 vermöge

$$\Omega_1 = c_1, \quad \Omega_2 = c_2$$

aus

$$\frac{dx_1}{\xi(x_1, y_1, z_1)} = dt$$

eliminieren. Dadurch wird die linke Seite ein Ausdruck in x_1 und den Constanten c_1, c_2. Diese Gleichung wird folglich eine gewöhnliche Differentialgleichung zwischen x_1 und t, die sich durch eine Quadratur integrieren lässt. Ihr Integral hat die Form:

$$F(x_1, c_1, c_2) - t.$$

Wenn man c_1 und c_2 wieder durch Ω_1 und Ω_2 ersetzt, so geht hieraus ein Integral des Systems (10) hervor und zwar in der Gestalt

$$W(x_1, y_1, z_1) - t.$$

Da sich für $t = 0$ die Functionen x_1, y_1, z_1 von t auf x, y, z reducieren sollen, so ergeben sich also die gesuchten Functionen durch Auflösung der drei Gleichungen:

$$(12) \qquad \left\{ \begin{aligned} \Omega_1(x_1, y_1, z_1) &= \Omega_1(x, y, z), \\ \Omega_2(x_1, y_1, z_1) &= \Omega_2(x, y, z), \\ W(x_1, y_1, z_1) - t &= W(x, y, z) \end{aligned} \right.$$

nach x_1, y_1, z_1. Die Auflösungen sind die obigen Gleichungen (11), von denen wir behaupteten, dass sie eine Gruppe vorstellen. Diese Behauptung wird durch die Form der Gleichungen (12) leicht dargethan.

Eine Transformation nämlich der Schar (11) oder — unaufgelöst — der Schar (12), welche dem Parameterwert t zugehört, führt die Punkte (x, y, z) in die Punkte (x_1, y_1, z_1) über. Eine zweite Transformation derselben Schar, deren Parameterwert t_1 sei, wird diese Punkte (x_1, y_1, z_1) weiterhin an die Stellen (x_2, y_2, z_2) gelangen lassen, die sich aus den Gleichungen bestimmen:

$$(13) \quad \begin{cases} \Omega_1(x_2, y_2, z_2) = \Omega_1(x_1, y_1, z_1), \\ \Omega_2(x_2, y_2, z_2) = \Omega_2(x_1, y_1, z_1), \\ W(x_2, y_2, z_2) - t_1 = W(x_1, y_1, z_1). \end{cases}$$

Die Transformation also, welche die Punkte (x, y, z) direct in die Endlagen (x_2, y_2, z_2) überführt, geht durch Elimination von x_1, y_1, z_1 aus (12) und (13) hervor. Diese Elimination ist ausführbar, es kommt einfach:

$$\Omega_1(x_2, y_2, z_2) = \Omega_1(x, y, z),$$
$$\Omega_2(x_2, y_2, z_2) = \Omega_2(x, y, z),$$
$$W(x_2, y_2, z_2) - (t + t_1) = W(x, y, z),$$

und diese Transformation gehört ebenfalls der Schar an; es ist die zum Parameterwert $t + t_1$ gehörige. Insbesondere giebt die Reihenfolge der Transformationen (t) und $(-t)$ die Transformation $t = 0$, d. h. die identische. Also:

Satz 2: *Integriert man ein beliebiges simultanes System von der Form*

$$\frac{dx_1}{\xi(x_1, y_1, z_1)} = \frac{dy_1}{\eta(x_1, y_1, z_1)} = \frac{dz_1}{\zeta(x_1, y_1, z_1)} = dt$$

mit der Anfangsbedingung $x_1 = x$, $y_1 = y$, $z_1 = z$ *für* $t = 0$, *so bestimmen die hervorgehenden Integralgleichungen*

$$x_1 = \Phi(x, y, z, t), \quad y_1 = \Psi(x, y, z, t), \quad z_1 = X(x, y, z, t)$$

eine eingliedrige Gruppe mit paarweis inversen Transformationen.

Da die Integration des simultanen Systems

$$\frac{dx_1}{\xi(x_1, y_1, z_1)} = \frac{dy_1}{\eta(x_1, y_1, z_1)} = \frac{dz_1}{\zeta(x_1, y_1, z_1)} = dt$$

vermöge der Maclaurin'schen Entwickelungen von x_1, y_1, z_1 nach Potenzen von t die Reihen mit den Anfangsgliedern:

$$x_1 = x + \xi(x,y,z)t + \cdots, \quad y_1 = y + \eta(x,y,z)t + \cdots, \quad z_1 = z + \zeta(x,y,z)t + \cdots$$

liefert, so hat die infinitesimale Transformation der construierten Gruppe die Form:

$$x_1 = x + \xi\delta t + \cdots, \quad y_1 = y + \eta\delta t + \cdots, \quad z_1 = z + \zeta\delta t + \cdots.$$

Sie stimmt also mit der ursprünglichen infinitesimalen Transformation (8) in den Gliedern erster Ordnung überein, und auf diese allein kommt es an, da $\delta t^2, \cdots$ gegen δt zu vernachlässigen sind. Die Coefficienten der Glieder zweiter Ordnung in unseren Reihenentwickelungen ergeben sich in derselben Weise wie früher in der Ebene (§ 4 des 2. Kap.).

Wir sagen daher:

Theorem 13: *Jede infinitesimale Tranformation*

$$x_1 = x + \xi(x, y, z)\delta t + \cdots, \quad y_1 = y + \eta(x, y, z)\delta t + \cdots,$$
$$z_1 = z + \zeta(x, y, z)\delta t + \cdots$$

gehört, wenn von unendlich kleinen Grössen zweiter und höherer Ordnung abgesehen wird, mindestens einer eingliedrigen Gruppe mit paarweis inversen Transformationen an. Die endlichen Gleichungen dieser Gruppe ergeben sich durch Integration des simultanen Systems:

$$\frac{dx_1}{\xi(x_1, y_1, z_1)} = \frac{dy_1}{\eta(x_1, y_1, z_1)} = \frac{dz_1}{\zeta(x_1, y_1, z_1)} = dt$$

mit der Anfangsbedingung, dass $x_1 = x$, $y_1 = y$, $z_1 = z$ *für* $t = 0$ *sein soll, in der Form:*

$$\begin{aligned} \Omega_1(x_1, y_1, z_1) &= \Omega_1(x, y, z), \\ \Omega_2(x_1, y_1, z_1) &= \Omega_2(x, y, z), \\ W(x_1, y_1, z_1) - t &= W(x, y, z) \end{aligned}$$

oder, nach x_1, y_1 *aufgelöst und nach* t *entwickelt, in der Form:*

$$\begin{aligned} x_1 &= x + \xi(x, y, z)\frac{t}{1} + \left(\xi\frac{\partial \xi}{\partial x} + \eta\frac{\partial \xi}{\partial y} + \zeta\frac{\partial \xi}{\partial z}\right)\frac{t^2}{1 \cdot 2} + \cdots, \\ y_1 &= y + \eta(x, y, z)\frac{t}{1} + \left(\xi\frac{\partial \eta}{\partial x} + \eta\frac{\partial \eta}{\partial y} + \zeta\frac{\partial \eta}{\partial z}\right)\frac{t^2}{1 \cdot 2} + \cdots, \\ z_1 &= z + \zeta(x, y, z)\frac{t}{1} + \left(\xi\frac{\partial \zeta}{\partial x} + \eta\frac{\partial \zeta}{\partial y} + \zeta\frac{\partial \zeta}{\partial z}\right)\frac{t^2}{1 \cdot 2} + \cdots. \end{aligned}$$

Die erzeugte eingliedrige Gruppe besitzt somit eine infinitesimale Transformation, die in den Gliedern erster Ordnung mit der gegebenen infinitesimalen Transformation übereinstimmt.

Beispiel: Vorgelegt sei die infinitesimale Transformation Beispiel.

$$x_1 = x - y\delta t, \quad y_1 = y + x\delta t, \quad z_1 = z + m\delta t.$$

Wir fragen nach der von ihr erzeugten eingliedrigen Gruppe. Hier lautet das simultane System:

$$\frac{dx_1}{-y_1} = \frac{dy_1}{x_1} = \frac{dz_1}{m} = dt.$$

Das System

$$\frac{dx_1}{-y_1} = \frac{dy_1}{x_1} = dt$$

wurde schon früher in der Ebene integriert (Beispiel in § 4 des 2. Kap.). Wir fanden die Integralgleichungen:

$$\begin{aligned} x_1 &= x \cos t - y \sin t, \\ y_1 &= x \sin t + y \cos t. \end{aligned}$$

Es bleibt also nur noch

$$\frac{dz_1}{m} = dt$$

mit den Anfangswerten z, 0 von z_1 und t zu integrieren. Dies giebt:

$$\frac{z_1 - z}{m} = t$$

oder

$$z_1 = z + mt.$$

Die drei gefundenen Integralgleichungen stellen die im Beispiel zu § 1 schon betrachtete eingliedrige Gruppe von Schraubungen mit constanter Steighöhe um die z-Axe dar.

Im vorigen Paragraphen gingen wir von einer beliebig gegebenen eingliedrigen Gruppe des Raumes mit paarweis inversen Transformationen aus und fanden, dass sie sicher eine infinitesimale Transformation enthält. In diesem Paragraphen betrachteten wir umgekehrt eine infinitesimale Transformation als vorgelegt und zeigten, dass sie eine eingliedrige Gruppe mit paarweis inversen Transformationen erzeugt.

Jetzt fehlt nur noch der Nachweis, dass eine eingliedrige Gruppe des Raumes nur eine infinitesimale Transformation enthält, sowie dass jede infinitesimale Transformation des Raumes nur einer eingliedrigen Gruppe angehört. Dies werden wir jetzt zeigen.

Vorher aber eine Bemerkung: Wenn bei zwei infinitesimalen Transformationen des Raumes:

$$x' = x + \xi(x, y, z)\delta t + \cdots,\ y' = y + \eta\delta t + \cdots,\ z' = z + \zeta\delta t + \cdots$$

und

$$x' = x + \bar{\xi}(x, y, z)\delta t + \cdots,\ y' = y + \bar{\eta}\delta t + \cdots,\ z' = z + \bar{\zeta}\delta t + \cdots$$

die Coefficienten ξ, η, ζ und $\bar{\xi}$, $\bar{\eta}$, $\bar{\zeta}$ von δt einander im ganzen Raume in der Weise proportional sind, dass

$$\bar{\xi} = \varkappa\xi, \quad \bar{\eta} = \varkappa\eta, \quad \bar{\zeta} = \varkappa\zeta$$

ist, wo $\varkappa$ eine *Constante* bedeuten soll, so sagen wir, wie früher in der Ebene, diese beiden infinitesimalen Transformationen seien von einander *abhängig*, und betrachten sie als im Grunde identisch. In der That, δt ist ihrem Begriffe nach nur eine gegen Null convergierende Grösse, δt und $\varkappa\delta t$ sind also als äquivalent aufzufassen. Auch ordnen die beiden infinitesimalen Transformationen dem Punkte (x, y, z) Fortschreitungsstrecken $\delta t\sqrt{\xi^2 + \eta^2 + \zeta^2}$ und $\varkappa\delta t\sqrt{\xi^2 + \eta^2 + \zeta^2}$ zu, welche für irgend einen Wert von δt dieselbe Richtung haben und deren Längenverhältnis im ganzen Raum constant ist.

Nachweis, d. e. eingl. Gruppe nur eine infin. Trf. hat.

Um nun den versprochenen Nachweis zu liefern, verfahren wir wie in § 5 des 2. Kapitels. Wir gehen aus von einer vorgelegten eingliedrigen Gruppe des Raumes:

(14) $$x_1 = \varphi(x, y, z, a), \quad y_1 = \psi(x, y, z, a), \quad z_1 = \chi(x, y, z, a)$$

mit dem Parameter a und nehmen an, es sei

(15) $$x' = x + \xi(x, y, z)\delta t + \cdots, \quad y' = y + \eta(x, y, z)\delta t + \cdots$$
$$z' = z + \zeta(x, y, z)\delta t + \cdots$$

eine infinitesimale Transformation derselben. Dass eine solche existiert, ist ja bewiesen.

Nun führen wir nach der Transformation (a) der Gruppe, welche die Punkte (x, y, z) in die Lagen (x_1, y_1, z_1) überführt, die infinitesimale Transformation (15) aus, welche die Punkte (x_1, y_1, z_1) weiter in neue Lagen (x_2, y_2, z_2) gelangen lässt:

(16) $$x_2 = x_1 + \xi(x_1, y_1, z_1)\delta t + \cdots, \quad y_2 = y_1 + \eta(x_1, y_1, z_1)\delta t + \cdots,$$
$$z_2 = z_1 + \zeta(x_1, y_1, z_1)\delta t + \cdots.$$

Diese Reihenfolge der Transformation (a) und der infinitesimalen ist einer einzigen Transformation der Gruppe (14) äquivalent, die natürlich nur unendlich wenig von der Transformation (a) abweicht, also etwa den Parameter $a + \delta a$ besitzt, wo δa eine infinitesimale Constante bedeutet. Die Gleichungen dieser Transformation ($a + \delta a$), welche die Punkte (x, y, z) direct in die Punkte (x_2, y_2, z_2) verwandelt, lauten:

(17) $$\begin{cases} x_2 = \varphi(x, y, z, a + \delta a) \equiv \varphi(x, y, z, a) + \dfrac{\partial \varphi}{\partial a}\delta a + \cdots, \\ y_2 = \psi(x, y, z, a + \delta a) \equiv \psi(x, y, z, a) + \dfrac{\partial \psi}{\partial a}\delta a + \cdots, \\ z_2 = \chi(x, y, z, a + \delta a) \equiv \chi(x, y, z, a) + \dfrac{\partial \chi}{\partial a}\delta a + \cdots. \end{cases}$$

Andererseits müssen sie sich auch ergeben durch Elimination von x_1, y_1, z_1 aus (14) und (16). Diese Elimination wollen wir nur zum Teil wirklich durchführen. Es kommt:

$$x_2 = \varphi(x, y, z, a) + \xi(x_1, y_1, z_1)\delta t + \cdots,$$
$$y_2 = \psi(x, y, z, a) + \eta(x_1, y_1, z_1)\delta t + \cdots,$$
$$z_2 = \chi(x, y, z, a) + \zeta(x_1, y_1, z_1)\delta t + \cdots.$$

Die hieraus noch nicht entfernten x_1, y_1, z_1 sollen also die durch (14) bestimmten Functionen von x, y, z und a sein.

Der Vergleich der letzten Relationen mit (17) liefert:

(18) $$\begin{cases} \xi(x_1, y_1, z_1)\delta t + \cdots = \dfrac{\partial \varphi(x, y, z, a)}{\partial a}\delta a + \cdots, \\ \eta(x_1, y_1, z_1)\delta t + \cdots = \dfrac{\partial \psi(x, y, z, a)}{\partial a}\delta a + \cdots, \\ \zeta(x_1, y_1, z_1)\delta t + \cdots = \dfrac{\partial \chi(x, y, z, a)}{\partial a}\delta a + \cdots. \end{cases}$$

Wir können nun genau so wie in § 5 des 2. Kapitels erkennen, welche Form die Gleichung hat, die δa als Function von δt und a darstellt. Um sie zu finden, werden wir wie damals die Veränderlichen x, y, z zunächst specialisieren, indem wir ihnen bestimmte Werte geben. Alsdann erhalten wir wie damals eine Relation von der Form

$$\delta a = w_1 \delta t + w_2 \delta t^2 + \cdots,$$

wo $w_1, w_2 \cdots$ Functionen von a allein sind und $w_1 \not\equiv 0$ ist.

Nun verstehen wir wieder in (18) unter x, y, z beliebige Veränderliche. Sobald unter x_1, y_1, z_1 die Functionen (14) von x, y, z und a verstanden werden, müssen die Gleichungen (18) identisch bestehen, sobald $\delta a = w_1 \delta t + \cdots$ gesetzt wird. Diesen Wert führen wir wirklich in (18) ein. Alsdann lässt sich rechts und links δt einmal fortheben. Da δt unendlich klein ist, so müssen die sich ergebenden Relationen auch noch bestehen, wenn δt gegen Null convergiert. Dies liefert:

$$(19)\qquad \begin{cases} \xi(x_1, y_1, z_1) = \dfrac{\partial \varphi(x, y, z, a)}{\partial a} w_1(a), \\ \eta(x_1, y_1, z_1) = \dfrac{\partial \psi(x, y, z, a)}{\partial a} w_1(a), \\ \zeta(x_1, y_1, z_1) = \dfrac{\partial \chi(x, y, z, a)}{\partial a} w_1(a). \end{cases}$$

Aus diesen Formeln folgt nun ohne weiteres, dass unsere eingliedrige Gruppe nur eine infinitesimale Transformation enthält. Führt man nämlich noch die aus (14) folgenden Werte von x, y, z, ausgedrückt in x_1, y_1, z_1, ein, so erhält man drei Relationen von der Form:

$$\xi(x_1, y_1, z_1) \equiv X(x_1, y_1, z_1, a) \cdot w_1(a),$$
$$\eta(x_1, y_1, z_1) \equiv Y(x_1, y_1, z_1, a) \cdot w_1(a),$$
$$\zeta(x_1, y_1, z_1) \equiv Z(x_1, y_1, z_1, a) \cdot w_1(a).$$

Erteilen wir hierin der Grösse a einen bestimmten Wert $\bar{a}$, so gehen $X(x_1, y_1, z_1, a)$, $Y(x_1, y_1, z_1, a)$, $Z(x_1, y_1, z_1, a)$ in bestimmte Functionen von x_1, y_1, z_1 allein über:

$$X(x_1, y_1, z_1, \bar{a}) = \overline{X}(x_1, y_1, z_1),$$
$$Y(x_1, y_1, z_1, \bar{a}) = \overline{Y}(x_1, y_1, z_1),$$
$$Z(x_1, y_1, z_1, \bar{a}) = \overline{Z}(x_1, y_1, z_1),$$

während $w_1(a)$ in eine Constante sich verwandelt. Demnach sind $\xi(x_1, y_1, z_1)$, $\eta(x_1, y_1, z_1)$, $\zeta(x_1, y_1, z_1)$ bestimmt bis auf einen constanten Factor K:

$$\xi(x_1, y_1, z_1) = K\,\overline{X}(x_1, y_1, z_1),$$
$$\eta(x_1, y_1, z_1) = K\,\overline{Y}(x_1, y_1, z_1),$$
$$\zeta(x_1, y_1, z_1) = K\,\overline{Z}(x_1, y_1, z_1);$$

und zwar gilt dies für *jede* infinitesimale Transformation (15) unserer Gruppe. Daher können sich zwei infinitesimale Transformationen der Gruppe in ihren Gliedern erster Ordnung nur um einen constanten Factor unterscheiden, d. h. sie sind als identisch aufzufassen. Also ergiebt sich:

Satz 3: *Eine eingliedrige Gruppe des Raumes mit paarweis inversen Transformationen enthält nur eine infinitesimale Transformation, exacter ausgesprochen: Alle infinitesimalen Transformationen einer eingliedrigen Gruppe des Raumes stimmen bis auf einen blossen Zahlenfactor in den Gliedern erster Ordnung überein.*

Um unsere Gleichungen (19) von dem Factor $w_1(a)$ zu befreien, führen wir an Stelle des Parameters a in die Gruppe (14) den durch die Gleichung

$$t = \int_{a_0}^{a} \frac{da}{w_1(a)}$$

definierten Parameter t ein, indem wir für a die hierdurch bestimmte Function a von t setzen. a_0 soll hierbei der Wert von a sein, dem die identische Transformation zugehört. Dann werden x_1, y_1, z_1 Functionen von x, y, z und t:

$$(20) \qquad x_1 = \Phi(x, y, z, t), \quad y_1 = \Psi(x, y, z, t), \quad z_1 = X(x, y, z, t),$$

die sich für $t = 0$ auf x, y, z selbst reducieren. Nun werden die Gleichungen (19) einfach diese:

$$\frac{dx_1}{dt} = \xi(x_1, y_1, z_1), \quad \frac{dy_1}{dt} = \eta(x_1, y_1, z_1), \quad \frac{dz_1}{dt} = \zeta(x_1, y_1, z_1),$$

d. h. die endlichen Gleichungen (20) der Gruppe sind die Integralgleichungen des simultanen Systems:

$$\frac{dx_1}{\xi(x_1, y_1, z_1)} = \frac{dy_1}{\eta(x_1, y_1, z_1)} = \frac{dz_1}{\zeta(x_1, y_1, z_1)} = dt,$$

wenn die Anfangswerte $x, y, z, 0$ von x_1, y_1, z_1, t vorgeschrieben werden.

Da dieses simultane System durch die Glieder erster Ordnung der infinitesimalen Transformation (15) vollständig bestimmt wird, so ist auch die Gruppe durch ihre infinitesimale Transformation völlig definiert.

Unser Schlussergebnis ist also unter Berücksichtigung des Theorems 13:

Theorem 14: *Jede eingliedrige Gruppe des Raumes mit paarweis inversen Transformationen enthält eine und nur eine* *infinitesimale Transformation. Jede infinitesimale Transformation des Raumes gehört einer und nur einer eingliedrigen Gruppe an. Dieselbe besitzt paarweis inverse Transformationen.*

Eingliedrige Gruppe, erzeugt v. e. infin. Trf.

Wir können demnach wie früher in der Ebene auch im Raume von *einer eingliedrigen Gruppe, erzeugt von einer gegebenen infinitesimalen Transformation*, sprechen, ohne Unklarheiten befürchten zu müssen.

§ 3. Symbol einer infinitesimalen Transformation und Reihenentwickelung der endlichen Gleichungen einer eingliedrigen Gruppe im Raume.

Gleichwie wir in der Ebene eine infinitesimale Transformation durch ein Symbol charakterisierten, werden wir auch hier im Raume verfahren. Liegt die eingliedrige Gruppe im Raume vor:

$$(21)\qquad x_1 = \varphi(x, y, z, t), \quad y_1 = \psi(x, y, z, t), \quad z_1 = \chi(x, y, z, t),$$

deren identische Transformation etwa dem Parameterwert $t = 0$ entspreche, so kann jede Function $f(x_1, y_1, z_1)$ vermöge (21) als Function von t und den Anfangswerten x, y, z aufgefasst werden, die mit variierendem t sich auch im allgemeinen ändert und sich für $t = 0$ auf $f(x, y, z)$ selbst reduciert. In dieser Auffassung wollen wir nach dem Differentialquotienten der Function $f(x_1, y_1, z_1)$ nach t fragen. Lassen wir t bis $t + \delta t$ wachsen, so wachsen die von t vermöge (21) abhängigen Veränderlichen x_1, y_1, z_1 um die Incremente, welche sie bei der infinitesimalen Transformation der Gruppe:

$$(22)\quad x' = x + \xi(x, y, z)\delta t + \cdots, \quad y' = y + \eta\delta t + \cdots, \quad z' = z + \zeta\delta t + \cdots$$

erfahren, nämlich um

$$\delta x_1 = \xi(x_1, y_1, z_1)\delta t, \quad \delta y_1 = \eta(x_1, y_1, z_1)\delta t, \quad \delta z_1 = \zeta(x_1, y_1, z_1)\delta t,$$

sodass die gleichzeitige Änderung von $f(x_1, y_1, z_1)$ sich so darstellt:

$$\delta f(x_1, y_1, z_1) = \frac{\partial f(x_1, y_1, z_1)}{\partial x_1}\,\delta x_1 + \frac{\partial f_1}{\partial y_1}\,\delta y_1 + \frac{\partial f_1}{\partial z_1}\,dz_1$$
$$= \left(\frac{\partial f_1}{\partial x_1}\,\xi_1 + \frac{\partial f_1}{\partial y_1}\,\eta_1 + \frac{\partial f_1}{\partial z_1}\,\zeta_1\right)\delta t.$$

Der Index 1 soll hier überall andeuten, dass x_1, y_1, z_1 die Argumente sind. Der gesuchte Differentialquotient lautet also

$$\frac{\delta f_1}{\delta t} = \xi_1\,\frac{\partial f_1}{\partial x_1} + \eta_1\,\frac{\partial f_1}{\partial y_1} + \zeta_1\,\frac{\partial f_1}{\partial z_1}.\text{*)}$$

*) Man könnte hierin das Variationszeichen δ durch das Differentiationszeichen d ersetzen. Wir finden es jedoch bequemer, das erstere Zeichen beizubehalten.

Insbesondere für $t = 0$ wird $f_1 \equiv f(x, y, z)$ und also ist dann:

$$\frac{\delta f(x, y, z)}{\delta t} = \xi \frac{\partial f}{\partial x} + \eta \frac{\partial f}{\partial y} + \zeta \frac{\partial f}{\partial z}. \tag{23}$$

Wir führen demnach Symbol einer infin. Transform. im Raume.

$$Uf \equiv \xi \frac{\partial f}{\partial x} + \eta \frac{\partial f}{\partial y} + \zeta \frac{\partial f}{\partial z}$$

als Symbol der infinitesimalen Transformation (22) *unserer Gruppe ein.* Uf stellt den durch die infinitesimale Grösse δt dividierten Zuwachs dar, den $f(x, y, z)$ vermöge der infinitesimalen Transformation (22) der vorgelegten Gruppe erfährt. Ist Uf gegeben, so ist auch die infinitesimale Transformation gegeben, denn setzt man in Uf die willkürliche Function $f \equiv x, y, z$, so giebt Uf die Coefficienten ξ, η, ζ der infinitesimalen Transformation. Es ist also auch

$$Uf \equiv Ux \frac{\partial f}{\partial x} + Uy \frac{\partial f}{\partial y} + Uz \frac{\partial f}{\partial z}.$$

So ist z. B.

$$Uf \equiv -y \frac{\partial f}{\partial x} + x \frac{\partial f}{\partial y} + m \frac{\partial f}{\partial z}$$

das Symbol der in § 1 und § 2 als Beispiel betrachteten infinitesimalen Schraubung:

$$x' = x - y\delta t, \quad y' = y + x\delta t, \quad z' = z + m\delta t.$$

Wir werden nun untersuchen, wie sich das Symbol Uf gegenüber der Einführung neuer Veränderlicher in die Gruppe verhält.

Es bedarf zunächst keines besonderen Beweises, dass, wenn wir in die Gruppe Neue Veränderliche in der Gruppe.

$$x_1 = \varphi(x, y, z, t), \quad y_1 = \psi(x, y, z, t), \quad z_1 = \chi(x, y, z, t) \tag{21}$$

vermöge zweier cogredienter Gleichungensysteme:

$$\begin{cases} \mathfrak{x} = \Phi(x, y, z), & \mathfrak{y} = \Psi(x, y, z), & \mathfrak{z} = X(x, y, z); \\ \mathfrak{x}_1 = \Phi(x_1, y_1, z_1), & \mathfrak{y}_1 = \Psi(x_1, y_1, z_1), & \mathfrak{z}_1 = X(x_1, y_1, z_1) \end{cases} \tag{24}$$

neue Veränderliche $\mathfrak{x}, \mathfrak{y}, \mathfrak{z}$ und $\mathfrak{x}_1, \mathfrak{y}_1, \mathfrak{z}_1$ einführen, dann die so entstehenden Gleichungen, welche $\mathfrak{x}_1, \mathfrak{y}_1, \mathfrak{z}_1$ durch $\mathfrak{x}, \mathfrak{y}, \mathfrak{z}$ und t ausdrücken, wieder eine eingliedrige Gruppe darstellen. Es ist dies ja selbstverständlich, wenn wir die Gleichungen (24) nicht als die zweier Ortsveränderungen, sondern als die einer Coordinatenänderung auffassen, vermöge deren die Punkte (x, y, z) und (x_1, y_1, z_1) im neuen System die Coordinaten $\mathfrak{x}, \mathfrak{y}, \mathfrak{z}$ und $\mathfrak{x}_1, \mathfrak{y}_1, \mathfrak{z}_1$ haben. Zur weiteren Ausführung dieser Auffassung brauchen wir nur auf die Bemerkungen des § 1, 3. Kap., zurückzuverweisen. Wir sprechen den Satz so aus:

Satz 4: *Führt man in die eingliedrige Gruppe*

$$x_1 = \varphi(x, y, z, t), \quad y_1 = \psi(x, y, z, t), \quad z_1 = \chi(x, y, z, t)$$

vermöge der Gleichungensysteme

$$\mathfrak{x} = \Phi(x, y, z), \qquad \mathfrak{y} = \Psi(x, y, z), \qquad \mathfrak{z} = X(x, y, z);$$

$$\mathfrak{x}_1 = \Phi(x_1, y_1, z_1), \quad \mathfrak{y}_1 = \Psi(x_1, y_1, z_1), \quad \mathfrak{z}_1 = X(x_1, y_1, z_1)$$

die neuen Veränderlichen $\mathfrak{x}, \mathfrak{y}, \mathfrak{z}$ *und* $\mathfrak{x}_1, \mathfrak{y}_1, \mathfrak{z}_1$ *ein, so stellen die hervorgehenden Gleichungen*

$$\mathfrak{x}_1 = \bar{\varphi}(\mathfrak{x}, \mathfrak{y}, \mathfrak{z}, t), \quad \mathfrak{y}_1 = \bar{\psi}(\mathfrak{x}, \mathfrak{y}, \mathfrak{z}, t), \quad \mathfrak{z}_1 = \bar{\chi}(\mathfrak{x}, \mathfrak{y}, \mathfrak{z}, t)$$

wieder eine eingliedrige Gruppe dar.

Einführung neuer Veränderlicher in das Symbol.

Die so entstehende Gruppe in $(\mathfrak{x}, \mathfrak{y}, \mathfrak{z})$ besitzt nun eine gewisse infinitesimale Transformation und diese ein gewisses Symbol, das wir mit $\mathfrak{U}f$ bezeichnen wollen. Es fragt sich, ob dies Symbol $\mathfrak{U}f$ aus dem Symbol Uf der infinitesimalen Transformation der ursprünglichen Gruppe direct durch Einführung der neuen Veränderlichen $\mathfrak{x}, \mathfrak{y}, \mathfrak{z}$ erhalten werden kann. Wenn man, wie wir dies oben gethan haben, Uf als Differentialquotienten von $f(x_1, y_1, z_1)$ nach t an der Stelle $t = 0$ auffasst, so ist die Bejahung dieser Frage selbstverständlich, denn wird f in den neuen Veränderlichen $\mathfrak{x}_1, \mathfrak{y}_1, \mathfrak{z}_1$ geschrieben, die als Functionen von $\mathfrak{x}, \mathfrak{y}, \mathfrak{z}$ und t aufzufassen sind, und nach t differenziert an der Stelle $t = 0$, so ergiebt sich offenbar ein Ausdruck $\mathfrak{U}f$, der direct aus dem Differentialquotienten Uf durch Einführung der neuen Veränderlichen $\mathfrak{x}, \mathfrak{y}, \mathfrak{z}$ hervorgehen muss.

Übrigens könnten wir wie in § 2 des 3. Kapitels zur Klärung dieser Frage auch rein analytisch vorgehen. Doch überheben wir uns dieser Rechnungen durch den Hinweis auf das damals Gesagte. Wie damals können wir, entweder indem wir die Gruppe in den neuen Veränderlichen schreiben und dann ihre infinitesimale Transformation $\mathfrak{U}f$ suchen, oder indem wir direct Uf in $\mathfrak{U}f$ verwandeln, zu der Formel gelangen, dass

$$\mathfrak{U}f = U\mathfrak{x}\,\frac{\partial f}{\partial \mathfrak{x}} + U\mathfrak{y}\,\frac{\partial f}{\partial \mathfrak{y}} + U\mathfrak{z}\,\frac{\partial f}{\partial \mathfrak{z}} \tag{25}$$

ist, wo natürlich

$$U\mathfrak{x} \equiv \xi\,\frac{\partial \mathfrak{x}}{\partial x} + \eta\,\frac{\partial \mathfrak{x}}{\partial y} + \zeta\,\frac{\partial \mathfrak{x}}{\partial z},$$

$U\mathfrak{y}$ und $U\mathfrak{z}$ durch $\mathfrak{x}, \mathfrak{y}, \mathfrak{z}$ allein ausgedrückt werden müssen.

So finden wir

Satz 5: *Führt man in eine eingliedrige Gruppe:*

$$x_1 = \varphi(x, y, z, t), \quad y_1 = \psi(x, y, z, t), \quad z_1 = \chi(x, y, z, t)$$

an Stelle von x, y, z *und* x_1, y_1, z_1 *durch zwei cogrediente Gleichungen-*

systeme neue Veränderliche $\mathfrak{x}, \mathfrak{y}, \mathfrak{z}$ *und* $\mathfrak{x}_1, \mathfrak{y}_1, \mathfrak{z}_1$ *ein, so geht das Symbol*

$$Uf \equiv \xi \frac{\partial f}{\partial x} + \eta \frac{\partial f}{\partial y} + \zeta \frac{\partial f}{\partial z}$$

der infinitesimalen Transformation der Gruppe dabei direct in das Symbol $\mathfrak{U}f$ *der infinitesimalen Transformation der neuen Gruppe über. Es ergiebt sich also:*

$$\mathfrak{U}f \equiv U\mathfrak{x} \frac{\partial f}{\partial \mathfrak{x}} + U\mathfrak{y} \frac{\partial f}{\partial \mathfrak{y}} + U\mathfrak{z} \frac{\partial f}{\partial \mathfrak{z}},$$

wo natürlich $U\mathfrak{x}$, $U\mathfrak{y}$, $U\mathfrak{z}$ *in den neuen Veränderlichen* $\mathfrak{x}, \mathfrak{y}, \mathfrak{z}$ *zu schreiben sind.*

Hiernach ist leicht einzusehen, dass man eine gegebene infinitesimale Transformation Uf nebst der von ihr erzeugten eingliedrigen Gruppe durch Einführung neuer Veränderlicher $\mathfrak{x}, \mathfrak{y}, \mathfrak{z}$ stets auf eine beliebig angenommene Form bringen kann. Wollen wir z. B. Uf in die infinitesimale Transformation

$$\mathfrak{U}f \equiv \bar{\xi}(\mathfrak{x}, \mathfrak{y}, \mathfrak{z}) \frac{\partial f}{\partial \mathfrak{x}} + \bar{\eta}(\mathfrak{x}, \mathfrak{y}, \mathfrak{z}) \frac{\partial f}{\partial \mathfrak{y}} + \bar{\zeta}(\mathfrak{x}, \mathfrak{y}, \mathfrak{z}) \frac{\partial f}{\partial \mathfrak{z}}$$

überführen, so haben wir zur Bestimmung der Functionen $\mathfrak{x}, \mathfrak{y}, \mathfrak{z}$ von x, y, z nach (25) die Gleichung anzusetzen:

$$\bar{\xi} \frac{\partial f}{\partial \mathfrak{x}} + \bar{\eta} \frac{\partial f}{\partial \mathfrak{y}} + \bar{\zeta} \frac{\partial f}{\partial \mathfrak{z}} = U\mathfrak{x} \frac{\partial f}{\partial \mathfrak{x}} + U\mathfrak{y} \frac{\partial f}{\partial \mathfrak{y}} + U\mathfrak{z} \frac{\partial f}{\partial \mathfrak{z}}.$$

Sie soll für jede Function f gelten, zerfällt also in die drei einzelnen Forderungen:

$$(26) \qquad U\mathfrak{x} = \bar{\xi}, \quad U\mathfrak{y} = \bar{\eta}, \quad U\mathfrak{z} = \bar{\zeta}$$

oder ausführlich geschrieben:

$$(26') \qquad \begin{cases} \xi \dfrac{\partial \mathfrak{x}}{\partial x} + \eta \dfrac{\partial \mathfrak{x}}{\partial y} + \zeta \dfrac{\partial \mathfrak{x}}{\partial z} = \bar{\xi}(\mathfrak{x}, \mathfrak{y}, \mathfrak{z}), \\ \xi \dfrac{\partial \mathfrak{y}}{\partial x} + \eta \dfrac{\partial \mathfrak{y}}{\partial y} + \zeta \dfrac{\partial \mathfrak{y}}{\partial z} = \bar{\eta}(\mathfrak{x}, \mathfrak{y}, \mathfrak{z}), \\ \xi \dfrac{\partial \mathfrak{z}}{\partial x} + \eta \dfrac{\partial \mathfrak{z}}{\partial y} + \zeta \dfrac{\partial \mathfrak{z}}{\partial z} = \bar{\zeta}(\mathfrak{x}, \mathfrak{y}, \mathfrak{z}). \end{cases}$$

Dies aber sind drei simultane Differentialgleichungen zur Bestimmung von $\mathfrak{x}, \mathfrak{y}, \mathfrak{z}$ als Functionen von x, y, z, die sich immer erfüllen lassen, vorausgesetzt natürlich, dass nicht etwa $\bar{\xi}, \bar{\eta}, \bar{\zeta}$ sämtlich identisch gleich Null angenommen werden.

Da die hierdurch bestimmten neuen Veränderlichen $\mathfrak{x}, \mathfrak{y}, \mathfrak{z}$ die infinitesimale Transformation Uf in $\mathfrak{U}f$ überführen und gleichzeitig die von Uf erzeugte Gruppe gerade in die von $\mathfrak{U}f$ erzeugte übergeht, so hat sich ergeben: Überführung einer Gruppe in eine andere.

Satz 6: *Durch Einführung neuer Variabeln kann man jede eingliedrige Gruppe des Raumes in jede andere eingliedrige Gruppe des Raumes verwandeln.*

Reduction auf die canonische Form.

Als Corollar hierzu entwickeln wir Folgendes. Nehmen wir insbesondere die neue Transformation $\mathfrak{U}f$ in der einfachen Form an:

$$\mathfrak{U}f \equiv \frac{\partial f}{\partial \mathfrak{z}},$$

so geht die ursprüngliche Gruppe über in die Gruppe mit dieser neuen infinitesimalen Transformation. $\mathfrak{U}f$ erteilt $\mathfrak{x}$, $\mathfrak{y}$, $\mathfrak{z}$ die Incremente:

$$\delta\mathfrak{x} = 0, \quad \delta\mathfrak{y} = 0, \quad \delta\mathfrak{z} = \delta t,$$

ist also eine infinitesimale Translation längs der $\mathfrak{z}$-Axe, wenn für den Augenblick $\mathfrak{x}$, $\mathfrak{y}$, $\mathfrak{z}$ als rechtwinklige Punktcoordinaten aufgefasst werden. Die endlichen Gleichungen der von $\mathfrak{U}f$ erzeugten Gruppe sind:

$$\mathfrak{x}_1 = \mathfrak{x}, \quad \mathfrak{y}_1 = \mathfrak{y}, \quad \mathfrak{z}_1 = \mathfrak{z} + t,$$

wie man sofort durch Integration des simultanen Systems

$$\frac{d\mathfrak{x}_1}{0} = \frac{d\mathfrak{y}_1}{0} = \frac{d\mathfrak{z}_1}{1} = dt$$

mit den Anfangswerten $\mathfrak{x}$, $\mathfrak{y}$, $\mathfrak{z}$, 0 nach Theorem 13 (§ 2) erkennt.

Theorem 15: *Jede eingliedrige Gruppe in drei Veränderlichen kann durch passende Wahl der Veränderlichen in eine Gruppe von Translationen übergeführt werden. Insbesondere also kann ihre infinitesimale Transformation in den neuen Veränderlichen $\mathfrak{x}$, $\mathfrak{y}$, $\mathfrak{z}$ auf die Form $\frac{\partial f}{\partial \mathfrak{z}}$ gebracht werden.*

Zur Bestimmung der hierzu nötigen Variabeln $\mathfrak{x}$, $\mathfrak{y}$, $\mathfrak{z}$ dienen nach (26) oder (26′) die drei Differentialgleichungen:

$$(27) \quad \begin{cases} U\mathfrak{x} \equiv \xi \frac{\partial \mathfrak{x}}{\partial x} + \eta \frac{\partial \mathfrak{x}}{\partial y} + \zeta \frac{\partial \mathfrak{x}}{\partial z} = 0, \\ U\mathfrak{y} \equiv \xi \frac{\partial \mathfrak{y}}{\partial x} + \eta \frac{\partial \mathfrak{y}}{\partial y} + \zeta \frac{\partial \mathfrak{y}}{\partial z} = 0, \\ U\mathfrak{z} \equiv \xi \frac{\partial \mathfrak{z}}{\partial x} + \eta \frac{\partial \mathfrak{z}}{\partial y} + \zeta \frac{\partial \mathfrak{z}}{\partial z} = 1. \end{cases}$$

Die neuen Veränderlichen $\mathfrak{x}$, $\mathfrak{y}$, $\mathfrak{z}$, welche die Verwandlung der Gruppe Uf in eine Gruppe von Translationen ermöglichen, nennen wir *canonische* und die dadurch erhaltene Form der Gruppe ihre *canonische Form.*

Wir hätten zu demselben Ergebnis auch auf einem Wege gelangen können, der sich eng an das in der Ebene benutzte Verfahren anschliesst (§ 1 des 3. Kap.). Wir haben ja in Theorem 13 (§ 2 dieses

Kapitels) gefunden, dass sich die endlichen Gleichungen der von Uf erzeugten eingliedrigen Gruppe durch Integration eines simultanen Systems in der Form ergeben:

$$\Omega_1(x_1, y_1, z_1) = \Omega_1(x, y, z),$$
$$\Omega_2(x_1, y_1, z_1) = \Omega_2(x, y, z),$$
$$W(x_1, y_1, z_1) - t = W(x, y, z).$$

Wenn wir also

$$\mathfrak{x} = \Omega_1(x, y, z), \quad \mathfrak{y} = \Omega_2(x, y, z), \quad \mathfrak{z} = W(x, y, z)$$

und analog

$$\mathfrak{x}_1 = \Omega_1(x_1, y_1, z_1), \quad \mathfrak{y}_1 = \Omega_2(x_1, y_1, z_1), \quad \mathfrak{z}_1 = W(x_1, y_1, z_1)$$

setzen, so lauten die endlichen Gleichungen der Gruppe in den neuen Veränderlichen:

$$\mathfrak{x}_1 = \mathfrak{x}, \quad \mathfrak{y}_1 = \mathfrak{y}, \quad \mathfrak{z}_1 = \mathfrak{z} + t,$$

und dies ist die gewünschte eingliedrige Gruppe von Translationen längs der $\mathfrak{z}$-Axe.

1. Beispiel: Wir wollen die eingliedrige Gruppe von Schraubungen längs der z-Axe, die wir schon in § 1 und § 2 als Beispiel benutzten: Beispiele.

$$x_1 = x \cos t - y \sin t,$$
$$y_1 = x \sin t + y \cos t,$$
$$z_1 = z + mt,$$

in eine Gruppe von Translationen überführen. Die infinitesimale Schraubung hat das Symbol:

$$Uf \equiv -y\frac{\partial f}{\partial x} + x\frac{\partial f}{\partial y} + m\frac{df}{\partial z}.$$

Es ist hier also $\xi \equiv -y$, $\eta \equiv x$, $\zeta \equiv m$. Die Gleichungen (27) für die neuen Veränderlichen $\mathfrak{x}$, $\mathfrak{y}$, $\mathfrak{z}$ lauten demnach:

$$(27') \qquad \begin{cases} -y\frac{\partial \mathfrak{x}}{\partial x} + x\frac{\partial \mathfrak{x}}{\partial y} + m\frac{\partial \mathfrak{x}}{\partial z} = 0, \\ -y\frac{\partial \mathfrak{y}}{\partial x} + x\frac{\partial \mathfrak{y}}{\partial y} + m\frac{\partial \mathfrak{y}}{\partial z} = 0, \\ -y\frac{\partial \mathfrak{z}}{\partial x} + x\frac{\partial \mathfrak{z}}{\partial y} + m\frac{\partial \mathfrak{z}}{\partial z} = 1. \end{cases}$$

$\mathfrak{x}$, $\mathfrak{y}$ sind also Integrale des simultanen Systems:

$$\frac{dx}{-y} = \frac{dy}{x} = \frac{dz}{m}.$$

Ein Integral derselben ist offenbar:

$$\mathfrak{x} = \sqrt{x^2 + y^2}.$$

Da ferner

$$\frac{x\,dy - y\,dx}{x^2 + y^2} = \frac{dz}{m}$$

ist, so liefert dies als ein zweites Integral:

$$\mathfrak{y} = \operatorname{arc\,tg} \frac{y}{x} - \frac{z}{m}.$$

Die dritte Gleichung (27′) wird offenbar befriedigt durch

$$\mathfrak{z} = \frac{z}{m}.$$

Die drei neuen Veränderlichen:

$$\mathfrak{x} = \sqrt{x^2 + y^2}, \quad \mathfrak{y} = \operatorname{arc\,tg} \frac{y}{x} - \frac{z}{m}, \quad \mathfrak{z} = \frac{z}{m}$$

vermitteln also den Übergang zur Gruppe von Translationen:

$$\mathfrak{x}_1 = \mathfrak{x}, \quad \mathfrak{y}_1 = \mathfrak{y}, \quad \mathfrak{z}_1 = \mathfrak{z} + t.$$

Dass in der That $\mathfrak{x}$ und $\mathfrak{y}$ durch die Schraubungen längs der z-Axe nicht geändert werden, erhellt übrigens auch aus ihrer geometrischen Bedeutung, denn $\mathfrak{x}$ ist der Abstand des betreffenden Punktes (x, y, z) von der Schraubenaxe, $\operatorname{arc\,tg} \frac{y}{x}$ ist der Winkel dieses Abstandes mit der (xz)-Ebene, der sich bei der Schraubung genau so wie $\frac{z}{m}$ ändert, sodass auch $\mathfrak{y} = \operatorname{arc\,tg} \frac{y}{x} - \frac{z}{m}$ ungeändert bleibt. Schliesslich kann dies auch rechnerisch eingesehen werden. Denn es ist:

$$\mathfrak{x}_1 = \sqrt{x_1^2 + y_1^2} = \sqrt{(x\cos t - y\sin t)^2 + (x\sin t + y\cos t)^2} = \sqrt{x^2 + y^2} = \mathfrak{x},$$

$$\begin{aligned}
\mathfrak{y}_1 &= \operatorname{arc\,tg} \frac{y_1}{x_1} - \frac{z_1}{m} = \operatorname{arc\,tg} \frac{x\sin t + y\cos t}{x\cos t - y\sin t} - \frac{z + mt}{m} \\
&= \operatorname{arc\,tg} \frac{\operatorname{tg} t + \frac{y}{x}}{1 - \operatorname{tg} t \cdot \frac{y}{x}} - \frac{z}{m} - t \\
&= t + \operatorname{art\,tg} \frac{y}{x} - \frac{z}{m} - t \\
&= \operatorname{arc\,tg} \frac{y}{x} - \frac{z}{m} = \mathfrak{y}.
\end{aligned}$$

Dagegen ist

$$\mathfrak{z}_1 = \frac{z_1}{m} = \frac{z + mt}{m} = \frac{z}{m} + t = \mathfrak{z} + t.$$

2. *Beispiel:* Die drei Gleichungen:

$$\begin{aligned}
x_1 &= x + \tfrac{1}{2}t\,(2z + t), \\
y_1 &= y + \tfrac{1}{2}t\,(2z + t), \\
z_1 &= z + t
\end{aligned}$$

bilden eine eingliedrige Gruppe in x, y, z. Wir suchen ihre canonischen Veränderlichen. Es ist hier die infinitesimale Transformation (die sich für $t = \delta t$ ergiebt):

$$Uf \equiv z\frac{\partial f}{\partial x} + z\frac{\partial f}{\partial y} + \frac{\partial f}{\partial z}.$$

Daher bestimmen sich $\mathfrak{x}$ und $\mathfrak{y}$ nach (27) als Lösungen f der Gleichung:

$$z\frac{\partial f}{\partial x} + z\frac{\partial f}{\partial y} + \frac{\partial f}{\partial z} = 0.$$

Dieselbe ist dem simultanen System

$$\frac{dx}{z} = \frac{dy}{z} = \frac{dz}{1}$$

äquivalent und hat die beiden Lösungen:

$$\mathfrak{x} = x - \tfrac{1}{2}z^2, \quad \mathfrak{y} = y - \tfrac{1}{2}z^2.$$

Die dritte neue Veränderliche $\mathfrak{z}$ bestimmt sich aus:

$$U\mathfrak{z} \equiv z\frac{\partial \mathfrak{z}}{\partial x} + z\frac{\partial \mathfrak{z}}{\partial y} + \frac{\partial \mathfrak{z}}{\partial z} = 1$$

und kann offenbar gleich z gesetzt werden. Wenn wir also vermöge:

$$\mathfrak{x} = x - \tfrac{1}{2}z^2, \qquad \mathfrak{y} = y - \tfrac{1}{2}z^2, \qquad \mathfrak{z} = z;$$
$$\mathfrak{x}_1 = x_1 - \tfrac{1}{2}z_1{}^2, \quad \mathfrak{y}_1 = y_1 - \tfrac{1}{2}z_1{}^2, \quad \mathfrak{z}_1 = z_1$$

die neuen Veränderlichen $\mathfrak{x}$, $\mathfrak{y}$, $\mathfrak{z}$; $\mathfrak{x}_1$, $\mathfrak{y}_1$, $\mathfrak{z}_1$ in die vorgelegte Gruppe einführen, so ergiebt sich ihre canonische Form:

$$\mathfrak{x}_1 = \mathfrak{x}, \quad \mathfrak{y}_1 = \mathfrak{y}, \quad \mathfrak{z}_1 = \mathfrak{z} + t.$$

Man verificiert dies ohne Schwierigkeit.

Wie in zwei Veränderlichen die endlichen Gleichungen einer eingliedrigen Gruppe in Form von *Reihenentwickelungen* mit Hülfe des Symbols der infinitesimalen Transformation der Gruppe geschrieben werden konnten (vgl. § 3 des 3. Kap.), so können wir nun auch die endlichen Gleichungen der eingliedrigen Gruppe Uf des Raumes mit Hülfe des Symbols Uf entwickeln. Reihenentwickelung einer beliebigen Function.

Wie wir wissen, giebt die Integration des simultanen Systems

$$\frac{dx_1}{\xi(x_1, y_1, z_1)} = \frac{dy_1}{\eta(x_1, y_1, z_1)} = \frac{dz_1}{\zeta(x_1, y_1, z_1)} = dt$$

mit den Anfangswerten x, y, z, 0 die endlichen Gleichungen der von der infinitesimalen Transformation

$$Uf \equiv \xi\frac{\partial f}{\partial x} + \eta\frac{\partial f}{\partial y} + \zeta\frac{\partial f}{\partial z}$$

erzeugten eingliedrigen Gruppe, also x_1, y_1, z_1 ausgedrückt als Functionen des Parameters t und der Anfangswerte x, y, z für $t = 0$.

Eine beliebige Function $f_1 \equiv f(x_1, y_1, z_1)$ kann also, wie wir auch schon bemerkten, als Function von t aufgefasst werden, die sich für $t = 0$ auf $f \equiv f(x, y, z)$ reduciert. Die Maclaurin'sche Entwickelung giebt folglich:

$$f_1 \equiv f(x_1, y_1, z_1) = f(x, y, z) + \frac{t}{1}\left(\frac{df_1}{dt}\right)_{t=0} + \frac{t^2}{1 \cdot 2}\left(\frac{d^2 f_1}{dt^2}\right)_{t=0} + \cdots.$$

Nun ist, wie wir früher sahen:

$$\frac{df_1}{dt} \equiv \xi_1 \frac{\partial f_1}{\partial x_1} + \eta_1 \frac{\partial f_1}{\partial y_1} + \zeta_1 \frac{\partial f_1}{\partial z_1} \equiv U_1 f_1,$$

wo der Index 1 überall anzeigt, dass x_1, y_1, z_1 die Veränderlichen sein sollen. Hieraus können wir nun wie in § 3 des 3. Kapitels die allgemeine Formel ableiten:

$$\frac{d^m f_1}{dt^m} \equiv \underbrace{U_1\left(U_1\left(\cdots(U_1 f_1)\cdots\right)\right)}_{m\text{-mal}}.$$

Setzen wir hierin insbesondere $t = 0$, so gehen x_1, y_1, z_1 in x, y, z, f_1 in f, $U_1 f_1$ in Uf u. s. w. über. Es bleibt also:

$$\left(\frac{d^m f_1}{dt^m}\right)_{t=0} = \underbrace{U\left(U\left(\cdots(Uf)\cdots\right)\right)}_{m\text{-mal}}$$

und die obige Entwickelung giebt daher:

$$f_1 \equiv f(x_1, y_1, z_1) = f(x, y, z) + \frac{t}{1} Uf + \frac{t^2}{1 \cdot 2} U(Uf) + \cdots.$$

Diese Formel gilt für jede Function $f(x_1, y_1, z_1)$, insbesondere also auch für x_1, y_1, z_1. Daher können wir sagen:

Theorem 16: *Die endlichen Gleichungen der von der infinitesimalen Transformation*

$$Uf \equiv \xi \frac{\partial f}{\partial x} + \eta \frac{\partial f}{\partial y} + \zeta \frac{\partial f}{\partial z}$$

erzeugten eingliedrigen Gruppe können in Form von Reihenentwickelungen nach dem Parameter t der Gruppe so geschrieben werden:

$$x_1 = x + \frac{t}{1} Ux + \frac{t^2}{1 \cdot 2} U(Ux) + \frac{t^3}{1 \cdot 2 \cdot 3} U(U(Ux)) + \cdots,$$

$$y_1 = y + \frac{t}{1} Uy + \frac{t^2}{1 \cdot 2} U(Uy) + \frac{t^3}{1 \cdot 2 \cdot 3} U(U(Uy)) + \cdots,$$

$$z_1 = z + \frac{t}{1} Uz + \frac{t^2}{1 \cdot 2} U(Uz) + \frac{t^3}{1 \cdot 2 \cdot 3} U(U(Uz)) + \cdots,$$

und jede Function $f(x_1, y_1, z_1)$ hat die Form:

$$f(x_1, y_1, z_1) = f(x, y, z) + \frac{t}{1} Uf + \frac{t^2}{1 \cdot 2} U(Uf) + \frac{t^3}{1 \cdot 2 \cdot 3} U(U(Uf)) + \cdots.$$

An dieser Stelle wollen wir noch eine Ausdrucksweise einführen, die sehr bequem ist: Liegen mehrere infinitesimale Transformationen U_1f, $U_2f \cdots U_rf$ des Raumes vor, so nennen wir sie von einander *unabhängig* dann und nur dann, wenn zwischen ihnen *keine* lineare Relation mit *constanten* Coefficienten besteht, dagegen abhängig, wenn eine solche Relation:

$$c_1 U_1f + c_2 U_2f + \cdots + c_r U_rf = 0$$

identisch stattfindet.

1. Beispiel: Wir wollen die endlichen Gleichungen der von der infinitesimalen Transformation Beispiele.

$$Uf \equiv -y \frac{\partial f}{\partial x} + x \frac{\partial f}{\partial y} + m \frac{\partial f}{\partial z}$$

erzeugten eingliedrigen Gruppe von Schraubungen längs der z-Axe vermöge der Reihenentwickelungen darstellen. Die Entwickelungen von x_1 und y_1 sind hier genau dieselben wie im 1. Beispiel des § 3, 3. Kap., sodass sich ergiebt:

$$x_1 = x\left(1 - \frac{t^2}{1 \cdot 2} + \frac{t^4}{1 \cdot 2 \cdot 3 \cdot 4} - \cdots\right) - y\left(\frac{t}{1} - \frac{t^3}{1 \cdot 2 \cdot 3} + \cdots\right),$$

$$y_1 = x\left(\frac{t}{1} - \frac{t^3}{1 \cdot 2 \cdot 3} + \frac{t^5}{1 \cdot 2 \cdot 3 \cdot 4 \cdot 5} - \cdots\right) + y\left(1 - \frac{t^2}{1 \cdot 2} + \cdots\right)$$

oder:

$$x_1 = x \cos t - y \sin t,$$
$$y_1 = x \sin t + y \cos t.$$

Ferner ist

$$Uz \equiv m, \quad U(Uz) \equiv 0, \quad U(U(Uz)) \equiv 0, \cdots,$$

sodass als dritte Gleichung hinzutritt:

$$z_1 = z + mt,$$

was mit den früheren Ergebnissen übereinstimmt.

2. Beispiel: Man soll die endlichen Gleichungen der von der infinitesimalen Transformation

$$Uf \equiv z \frac{\partial f}{\partial x} + z \frac{\partial f}{\partial y} + \frac{\partial f}{\partial z}$$

erzeugten eingliedrigen Gruppe vermittelst Reihenentwickelung finden. Hier ist:

$$Ux \equiv z, \quad U(Ux) \equiv 1, \quad U(U(Ux)) \equiv 0, \text{ u. s. w.};$$
$$Uy \equiv z, \quad U(Uy) \equiv 1, \quad U(U(Uy)) \equiv 0, \text{ u. s. w.};$$
$$Uz \equiv 1, \quad U(Uz) \equiv 0, \text{ u. s. w.}$$

Also kommt:

$$x_1 = x + zt + \tfrac{1}{2} zt^2,$$
$$y_1 = y + zt + \tfrac{1}{2} zt^2,$$
$$z_1 = z + t.$$

Man verificiere, dass diese Gleichungen eine Gruppe darstellen. Es ist dies die im 2. Beispiel zu Theorem 15 benutzte Gruppe.

3. Beispiel: Man soll die endlichen Gleichungen der von der infinitesimalen Transformation

$$Uf \equiv (y - z)\frac{\partial f}{\partial x} + (z - x)\frac{\partial f}{\partial y} + (x - y)\frac{\partial f}{\partial z}$$

erzeugten eingliedrigen Gruppe durch Reihenentwickelung finden. Wollte man hier Ux, $U(Ux)$, u. s. w. berechnen, so würde die Auffindung der Gesetzmässigkeit dieser Ausdrücke schwierig sein. Bequemer ist es, nicht die Ausdrücke von x_1, y_1, z_1, sondern die gewisser linearer Functionen derselben zu berechnen. Es ist nämlich

$$U(x + y + z) \equiv 0, \quad U(U(x + y + z)) \equiv 0, \text{ u. s. w.},$$

also nach Theorem 16, wenn darin $f \equiv x + y + z$ gesetzt wird:

$$x_1 + y_1 + z_1 = x + y + z.$$

Ferner ist:

$$U(x - y) \equiv y - z - (z - x) \equiv x + y - 2z,$$
$$U(U(x - y)) \equiv y - z + z - x - 2(x - y) \equiv -3x + 3y \equiv -3(x - y).$$

Daher wird:

$$U(U(U(x - y))) \equiv -3\,U(x - y),$$
$$U\big(U(U(U(x - y)))\big) \equiv -3\,U(U(x - y)) \equiv (-3)^2 (x - y),$$

u. s. w. Theorem 16 liefert demnach, wenn darin $f = x - y$ gesetzt wird:

$$\begin{aligned} x_1 - y_1 = x - y &+ \frac{t}{1}(x + y - 2z) + \frac{t^2}{1 \cdot 2}(-3)(x - y) + \\ &+ \frac{t^3}{1 \cdot 2 \cdot 3}(-3)(x + y - 2z) + \\ &+ \frac{t^4}{1 \cdot 2 \cdot 3 \cdot 4}(-3)^2 (x - y) + \cdots \\ = (x - y)&\left(1 - \frac{3t^2}{1 \cdot 2} + \frac{9t^4}{1 \cdot 2 \cdot 3 \cdot 4} - \cdots\right) + \\ &+ (x + y - 2z)\left(\frac{t}{1} - \frac{3t^3}{1 \cdot 2 \cdot 3} + \frac{9t^5}{1 \cdot 2 \cdot 3 \cdot 4 \cdot 5} - \cdots\right) \\ = (x - y)&\cos t\sqrt{3} + \frac{1}{\sqrt{3}}(x + y - 2z)\sin t\sqrt{3}. \end{aligned}$$

Wir haben also gefunden:

$$x_1 - y_1 = x\left(\cos t\sqrt{3} + \frac{1}{\sqrt{3}}\sin t\sqrt{3}\right) +$$
$$+ y\left(-\cos t\sqrt{3} + \frac{1}{\sqrt{3}}\sin t\sqrt{3}\right) - \frac{2}{\sqrt{3}}z\sin t\sqrt{3}.$$

Analog kommt:

$$z_1 - x_1 = z\left(\cos t\sqrt{3} + \frac{1}{\sqrt{3}}\sin t\sqrt{3}\right) +$$
$$+ x\left(-\cos t\sqrt{3} + \frac{1}{\sqrt{3}}\sin t\sqrt{3}\right) - \frac{2}{\sqrt{3}}y\sin t\sqrt{3}.$$

Da ausserdem:

$$x_1 + y_1 + z_1 = x + y + z$$

ist, so giebt die Addition der ersten und dritten und Subtraction der zweiten Gleichung:

$$3x_1 = x(1 + 2\cos t\sqrt{3}) + y(1 - \cos t\sqrt{3} + \sqrt{3}\sin t\sqrt{3}) +$$
$$+ z(1 - \cos t\sqrt{3} - \sqrt{3}\sin t\sqrt{3}).$$

Indem man nun x, y, z cyklisch vertauscht, erhält man auch die Function y_1 und z_1 von x, y, z und t.

Die in diesem Beispiele betrachtete infinitesimale Transformation und eingliedrige Gruppe ist einer einfachen geometrischen Deutung fähig. Man bemerke nämlich, dass bei der infinitesimalen Transformation

$$Uf \equiv (y - z)\frac{\partial f}{\partial x} + (z - x)\frac{\partial f}{\partial y} + (x - y)\frac{\partial f}{\partial z}$$

die Functionen $\sqrt{x^2 + y^2 + z^2}$ und $x + y + z$ das Increment Null erhalten. Erstere Function ist der Abstand des Punktes (x, y, z) vom Anfangspunkt. Der Abstand des Punktes von der Geraden $x = y = z$ ist gleich:

$$\sqrt{(x^2 + y^2 + z^2) - \tfrac{1}{3}(x + y + z)^2}.$$

Er erhält also bei Uf auch das Increment Null. Daher folgt, dass Uf die infinitesimale Rotation um die Gerade $x = y = z$ vorstellt.

4. Beispiel: Man bestimme die endlichen Gleichungen der von der infinitesimalen Transformation

$$Uf \equiv yz\frac{\partial f}{\partial x} + y\frac{\partial f}{\partial y} + z\frac{\partial f}{\partial z}$$

erzeugten eingliedrigen Gruppe durch Reihenentwickelung. Man verificiere schliesslich auch, dass die endlichen Gleichungen eine Gruppe darstellen.

Kapitel 12.

Bestimmung aller bei einer eingliedrigen Gruppe des Raumes invarianten Functionen, Curven und Flächen, insbesondere der Bahncurven.

Die Bestimmung aller bei einer eingliedrigen Gruppe des Raumes *invarianten Functionen* weicht in keiner wesentlichen Hinsicht von dem entsprechenden Problem der Ebene ab (§ 1 des 4. Kap.). Dagegen tritt bei der Bestimmung der invarianten Gebilde insofern ein Unterschied gegen früher auf, als wir jetzt zweierlei Gebilde, nämlich *invariante Flächen* und *invariante Curven,* zu betrachten haben.

§ 1. Die Invarianten einer eingliedrigen Gruppe des Raumes.

Soll eine Function $\Omega(x, y, z)$ bei allen Transformationen der vorgelegten eingliedrigen Gruppe

(1) $$x_1 = \varphi(x, y, z, t), \quad y_1 = \psi(x, y, z, t), \quad z_1 = \chi(x, y, z, t)$$

mit der infinitesimalen Transformation

$$Uf \equiv \xi \frac{\partial f}{\partial x} + \eta \frac{\partial f}{\partial y} + \zeta \frac{\partial f}{\partial z}$$

Invariante Function. *ungeändert* bleiben, also für jedes t stets:

$$\Omega(x_1, y_1, z_1) = \Omega(x, y, z)$$

sein, so liefert die Reihenentwickelung nach Theorem 16 (§ 3 des 11. Kap.) leicht die notwendige und hinreichende Bedingung dafür. Denn nach jener Entwickelung ist:

$$\Omega(x_1, y_1, z_1) = \Omega(x, y, z) + \frac{t}{1}\, U\Omega(x, y, z) + \cdots.$$

Soll dies gleich $\Omega(x, y, z)$ sein für jedes t, so muss zunächst notwendig

$$U\Omega(x, y, z) \equiv 0$$

sein. Dann verschwinden aber auch die höheren Glieder $U(U\Omega)$ u. s. w. in der Entwickelung. Das gefundene notwendige Kriterium ist somit auch hinreichend.

Theorem 17: *Die Invarianten einer eingliedrigen Gruppe Uf in drei Veränderlichen x, y, z sind die Lösungen der linearen partiellen Differentialgleichung $Uf = 0$, und umgekehrt. Es lässt sich also auch jede Invariante der Gruppe als Function zweier beliebiger, aber von einander unabhängiger Invarianten derselben darstellen.*

Beispiele.

1. Beispiel: Die Gruppe der Schraubungen längs der z-Axe:

$$x_1 = x \cos t - y \sin t,$$
$$y_1 = x \sin t + y \cos t,$$
$$z_1 = z + mt$$

hat die infinitesimale Transformation

$$Uf \equiv -y \frac{\partial f}{\partial x} + x \frac{\partial f}{\partial y} + m \frac{\partial f}{\partial z}.$$

Die Invarianten Ω sind also die Lösungen der linearen partiellen Differentialgleichung

$$-y \frac{\partial \Omega}{\partial x} + x \frac{\partial \Omega}{\partial y} + m \frac{\partial \Omega}{\partial z} = 0.$$

Schon im 1. Beispiel zu Theorem 15 (§ 3 des 11. Kap.) fanden wir als Lösungen der partiellen Differentialgleichung:

$$\sqrt{x^2 + y^2} \quad \text{und} \quad \operatorname{arctg} \frac{y}{x} - \frac{z}{m}.$$

Die allgemeinste Invariante unserer Gruppe ist also:

$$\Omega\left(\sqrt{x^2 + y^2},\ \operatorname{arctg} \frac{y}{x} - \frac{z}{m}\right).$$

Dass wir zwei Invarianten schon damals bestimmten, hat seinen Grund: Die in Theorem 15 mit $\mathfrak{x}$ und $\mathfrak{y}$ bezeichneten neuen (canonischen) Veränderlichen sind ja nichts anderes als zwei von einander unabhängige Invarianten der Gruppe.

2. Beispiel: Man soll die allgemeinste Invariante der von der infinitesimalen Rotation

$$Uf \equiv (y - z) \frac{\partial f}{\partial x} + (z - x) \frac{\partial f}{\partial y} + (x - y) \frac{\partial f}{\partial z}$$

erzeugten eingliedrigen Gruppe von Rotationen um die Gerade $x = y = z$ aufstellen. Schon im § 3 des vorigen Kapitels im 3. Beispiel zu Theorem 16 bemerkten wir, dass

$$x + y + z \quad \text{und} \quad \sqrt{x^2 + y^2 + z^2}$$

von Uf ungeändert gelassen werden. Demnach ist die allgemeinste Invariante:

$$\Omega(x + y + z,\ x^2 + y^2 + z^2).$$

3. Beispiel: Man bestimme die allgemeinste Invariante der von der infinitesimalen Transformation

$$Uf \equiv z \frac{\partial f}{\partial x} + z \frac{\partial f}{\partial y} + \frac{\partial f}{\partial z}$$

erzeugten eingliedrigen Gruppe. (Vgl. 2. Beispiel zu Theorem 15 und 2. Beispiel zu Theorem 16 in § 3 des 11. Kap.)

§ 2. Die Bahncurven einer eingliedrigen Gruppe des Raumes.

Zur geometrischen Deutung der Invarianten bedürfen wir des Begriffes der Bahncurven, der auch sonst hervorragende Wichtigkeit besitzt.

Indem wir auf einen beliebigen Punkt p_0 des Raumes mit den Coordinaten x_0, y_0, z_0 alle Transformationen unserer eingliedrigen Gruppe ausführen, gelangt er in ∞^1 Lagen (x, y, z), die sich durch Elimination von t aus den drei Gleichungen:

$$(2)\quad x = \varphi(x_0, y_0, z_0, t), \quad y = \psi(x_0, y_0, z_0, t), \quad z = \chi(x_0, y_0, z_0, t)$$

Bahncurve. ergeben und eine Curve erfüllen. Diese Curve soll die *Bahncurve des Punktes* p_0 heissen.

Wenn p_1 irgend ein Punkt auf der Bahncurve von p_0 ist, so hat p_1 genau dieselbe Curve zur Bahncurve; denn ist T_a die Transformation der Gruppe, welche p_0 nach p_1 führt:

$$(p_0)T_a = (p_1),$$

so ist auch, wenn T_b irgend eine Transformation der Gruppe bezeichnet:

$$(p_0)T_a T_b = (p_1)T_b.$$

Da

$$T_a T_b = T_{(ab)},$$

d. h. gleich einer Transformation der Gruppe ist, so folgt:

$$(p_0)T_{(ab)} = (p_1)T_b;$$

die beliebige Transformation T_b führt also den Punkt p_1 auf der Bahncurve von p_0 in einen Punkt $(p_0)T_{(ab)}$ über, der ebenfalls auf der Bahncurve von p_0 liegt. Wir haben uns hier ganz kurz ausgedrückt, da diese Betrachtung nur eine Wiederholung der in der Ebene angestellten ist. (Vgl. § 2 des 4. Kap.)

Satz 1: *Ist bei einer eingliedrigen Gruppe des Raumes p_1 ein Punkt auf der Bahncurve von p_0, so hat p_1 eben diese Curve auch zur Bahncurve. Die Gruppe besitzt also ∞^2 Bahncurven.*

Es hat ja jeder Punkt, der nicht etwa ausnahmsweise bei allen Transformationen der Gruppe in Ruhe bleibt, eine Bahncurve, während umgekehrt eine Bahncurve für alle ihre ∞^1 Punkte Bahncurve ist.

Denken wir uns nun eine beliebige Transformation T_a der Gruppe auf alle Punkte p einer Bahncurve ausgeführt, so gehen sie in Punkte $(p)T_a$ über, welche auf derselben Bahncurve liegen, denn $(p)T_a$ ist ja ein Punkt der Bahncurve von p und diese Bahncurve ist eben die ursprüngliche Curve. Also folgt

Satz 2: *Jede Bahncurve einer eingliedrigen Gruppe des Raumes bleibt invariant bei allen Transformationen der Gruppe.*

Oben fanden wir, dass sich die Gleichungen der Bahncurven in der Form (2) ergeben. Daraus folgt:

Satz 3: *Kennt man die endlichen Gleichungen einer eingliedrigen Gruppe des Raumes, so kennt man auch ihre Bahncurven.*

Handelt es sich dagegen darum, die Bahncurven zu bestimmen, wenn nur die infinitesimale Transformation

$$Uf \equiv \xi \frac{\partial f}{\partial x} + \eta \frac{\partial f}{\partial y} + \zeta \frac{\partial f}{\partial z}$$

der eingliedrigen Gruppe bekannt ist, so hat man zu beachten, dass ein Punkt (x, y, z) vermöge der infinitesimalen Transformation Uf in einen benachbarten Punkt seiner Bahncurve übergeführt wird, d. h. dass x, y, z auf der Bahncurve um Incremente dx, dy, dz zunehmen, welche proportional ξ, η, ζ sind, was wir in einem Satz aussprechen:

Satz 4: *Die Bahncurven einer eingliedrigen Gruppe des Raumes ordnen ihren Punkten gerade die Richtungen zu, welche ihnen vermöge der infinitesimalen Transformation der Gruppe zugehören.*

Die Bahncurven sind also auch die Integralcurven des simultanen Systems:

$$\frac{dx}{\xi} = \frac{dy}{\eta} = \frac{dz}{\zeta},$$

das gerade ∞^2 Integralcurven besitzt, oder, was dasselbe ist, die ∞^2 Charakteristiken der linearen partiellen Differentialgleichung:

$$Uf \equiv \xi \frac{\partial f}{\partial x} + \eta \frac{\partial f}{\partial y} + \zeta \frac{\partial f}{\partial z} = 0.$$

Satz 5: *Die Bahncurven der von der infinitesimalen Transformation Uf erzeugten eingliedrigen Gruppe des Raumes sind identisch mit den Charakteristiken der linearen partiellen Differentialgleichung $Uf = 0$.*

Betrachten wir endlich die Gleichungen

$$\frac{dx_1}{dt} = \xi(x_1, y_1, z_1), \quad \frac{dy_1}{dt} = \eta(x_1, y_1, z_1), \quad \frac{dz_1}{dt} = \zeta(x_1, y_1, z_1)$$

als Definitionsgleichungen einer stationären Bewegung eines compressibeln Fluidums, so werden *die Strömungscurven der stationären Bewegung die Bahncurven der infinitesimalen Transformation:*

$$\xi(x, y, z) \frac{\partial f}{\partial x} + \eta(x, y, z) \frac{\partial f}{\partial y} + \zeta(x, y, z) \frac{\partial f}{\partial z}.$$

Im Laufe der Bewegung wird *jede Bahncurve in sich verschoben.*

Erinnern wir uns nun daran, dass nach Theorem 17 des vorigen Paragraphen die Invarianten Ω der Gruppe die Lösungen f der linearen partiellen Differentialgleichung $Uf = 0$ sind, so erhellt, dass zwei von einander unabhängige Invarianten der Gruppe gleich Null gesetzt eine Charakteristik dieser Differentialgleichung, also eine Bahncurve darstellen.

Satz 6: *Sind Ω_1 und Ω_2 zwei von einander unabhängige Invarianten einer eingliedrigen Gruppe des Raumes, so stellen die Gleichungen*

$$\Omega_1 = \text{Const.}, \quad \Omega_2 = \text{Const.}$$

die ∞^2 Bahncurven der Gruppe dar.

Beispiel. *Beispiel:* Wir fanden bei der von der infinitesimalen Transformation

$$Uf \equiv -y\frac{\partial f}{\partial x} + x\frac{\partial f}{\partial y} + m\frac{\partial f}{\partial z}$$

erzeugten Gruppe von Schraubungen längs der z-Axe (vgl. 1. Beispiel des § 1) die Invarianten

$$\Omega_1 \equiv \sqrt{x^2 + y^2}, \quad \Omega_2 \equiv \operatorname{arctg}\frac{y}{x} - \frac{z}{m},$$

daher stellen die Gleichungen:

$$x^2 + y^2 = r^2, \quad \operatorname{arctg}\frac{y}{x} - \frac{z}{m} = c,$$

wenn r und c darin Constanten bedeuten, ihre ∞^2 Integralcurven dar. Die erste Gleichung sagt aus, dass die Bahncurven auf Rotationscylindern um die z-Axe liegen, die zweite:

$$\operatorname{arctg}\frac{y}{x} = c + \frac{z}{m},$$

dass der Winkel, den das Lot vom Punkte (x, y, z) einer Bahncurve auf die z-Axe mit der (xy)-Ebene bildet, in arithmetischer Progression mit der Höhe z wächst. Der betreffende Punkt beschreibt also seine Bahncurve, wenn er beständig auf einem Rotationscylinder um die z-Axe gleichförmig längs der z-Axe weitergehend diese mit gleichförmiger Geschwindigkeit umkreist. Die Bahncurve ist also eine Schraubenlinie. Aus den endlichen Gleichungen der Gruppe:

$$x_1 = x\cos t - y\sin t,$$
$$y_1 = x\sin t + y\cos t,$$
$$z_1 = z + mt$$

ergeben sich die Gleichungen der Bahncurven durch Elimination von t. Die beiden ersten liefern die Cylinder

$$x_1^2 + y_1^2 = x^2 + y^2 = \text{Const.}$$

und wegen der letzten ist $t = \frac{z_1 - z}{m}$, also, da die beiden ersten

$$\frac{y_1}{x_1} = \frac{\frac{y}{x} + \operatorname{tg} t}{1 - \frac{y}{x} \operatorname{tg} t}$$

oder

$$\operatorname{arctg} \frac{y_1}{x_1} = \operatorname{arctg} \frac{y}{x} + t$$

ergeben, ist auch:

$$\operatorname{arctg} \frac{y_1}{x_1} = \operatorname{arctg} \frac{y}{x} + \frac{z_1 - z}{m}$$

oder:

$$\operatorname{arctg} \frac{y_1}{x_1} - \frac{z_1}{m} = \text{Const.}$$

§ 3. Die bei allen Transformationen einer eingliedrigen Gruppe des Raumes invarianten Curven und Flächen.

Wie wir schon oben in Satz 2 ausgesprochen haben, sind die ∞^2 Bahncurven der eingliedrigen Gruppe invariante Curven. Wir wollen uns nun die Frage vorlegen, *welche Curven überhaupt bei der eingliedrigen Gruppe invariant bleiben.* Invariante Curve.

Sobald eine derartige Curve wenigstens einen Punkt enthält, der nicht bei allen Transformationen der Gruppe in Ruhe bleibt, ist sie eine *Bahncurve*, denn dann gelangt dieser Punkt bei allen Transformationen der Gruppe nur nach Punkten seiner Bahncurve. Da er aber auf der invarianten Curve bleiben soll, muss diese also auch die Bahncurve des Punktes sein.

Die zweite Möglichkeit ist nun die, *dass alle Punkte der Curve einzeln bei der Gruppe invariant bleiben.* Wenn ein Punkt (x, y, z) bei allen Transformationen der Gruppe in Ruhe bleiben soll, so muss er zunächst bei der infinitesimalen Uf invariant sein, d. h. die seinen Coordinaten x, y, z durch Uf erteilten Incremente $\xi\delta t$, $\eta\delta t$, $\zeta\delta t$ müssen Null sein. Die Coordinaten (x, y, z) eines invarianten Punktes müssen demnach das Gleichungensystem Invarianter Punkt.

$$(3) \qquad \xi(x, y, z) = 0, \quad \eta(x, y, z) = 0, \quad \zeta(x, y, z) = 0$$

erfüllen. Alsdann bleibt er aber auch bei *allen* Transformationen der Gruppe invariant, wie man genau so, wie wir es früher in der Ebene machten, einsieht. (Vgl. § 3 des 4. Kap.). Es kann nun zunächst vorkommen, dass die Gleichungen (3) nicht nur von einer discreten Anzahl von Punkten, sondern von allen Punkten einer oder einiger *Curven* erfüllt werden und in diesem Falle sind diese Curven invariante Curven der gesuchten Art. Aber es kann fernerhin sogar vorkommen, dass die Gleichungen (3) von allen Punkten einer oder einiger *Flächen* erfüllt werden und in diesem Fall ist jede beliebige auf einer dieser Flächen gelegene Curve eine invariante Curve.

Theorem 18: *Dreierlei Curven können bei einer eingliedrigen Gruppe des Raumes, welche von der infinitesimalen Transformation*

$$Uf \equiv \xi \frac{\partial f}{\partial x} + \eta \frac{\partial f}{\partial y} + \zeta \frac{\partial f}{\partial z}$$

erzeugt wird, in Ruhe bleiben. Die einen (stets vorkommenden) sind die ∞^2 Bahncurven, d. h. die Charakteristiken der linearen partiellen Differentialgleichung $Uf = 0$. Zweitens kann es vorkommen, dass die Gleichungen

$$\xi(x, y, z) = \eta(x, y, z) = \zeta(x, y, z) = 0$$

von allen Punkten einer oder einiger Curven erfüllt werden. Alsdann sind diese Curven ebenfalls invariant. Drittens ist es möglich, dass diese drei Gleichungen von allen Punkten einer oder einiger Flächen erfüllt werden. In diesem Falle ist jede Curve auf einer dieser Flächen eine invariante.

Die in den beiden letzten Fällen auftretenden invarianten Curven bestehen aus lauter einzeln invarianten Punkten.

Beispiele. *1. Beispiel:* Fragen wir uns, ob bei der von der infinitesimalen Transformation

$$Uf \equiv -y \frac{\partial f}{\partial x} + x \frac{\partial f}{\partial y} + m \frac{\partial f}{\partial z}$$

erzeugten eingliedrigen Gruppe von Schraubungen längs der z-Axe, deren Bahncurven wir in § 2 als Schraubenlinien bestimmten, invariante Curven der zweiten oder dritten Art existieren. Wir müssten zu dem Zweck

$$x = y = m = 0$$

setzen. Es existieren also einzeln invariante Punkte (im Endlichen) nur dann, wenn $m = 0$ ist. In diesem Falle sind es die Punkte der z-Axe. Dies ist selbstverständlich, denn für $m = 0$ reduciert sich die infinitesimale Schraubung Uf auf die infinitesimale Rotation

$$-y \frac{\partial f}{\partial x} + x \frac{\partial f}{\partial y}$$

um die z-Axe, die natürlich bei ihr invariant bleibt. Die Schraubenlinien, welche früher die Bahncurven waren, sind zu Kreisen degeneriert.

2. Beispiel: Die von der infinitesimalen Transformation

$$Uf \equiv x \frac{\partial f}{\partial x} + y \frac{\partial f}{\partial y} + z \frac{\partial f}{\partial z}$$

erzeugte Gruppe ist die der Ähnlichkeitstransformationen (ähnlicher Vergrösserungen und Verkleinerungen) vom Anfangspunkt aus, bei welchen der Anfangspunkt in Ruhe bleibt. Denn ihre endlichen Gleichungen bestimmen sich durch Integration des simultanen Systems

$$\frac{dx_1}{x_1} = \frac{dy_1}{y_1} = \frac{dz_1}{z_1} = dt$$

mit den Anfangswerten x, y, z, 0 in der Form:

$$x_1 = xe^t, \quad y_1 = ye^t, \quad z_1 = ze^t$$

oder, wenn $e^t = a$ gesetzt wird:

$$x_1 = ax, \quad y_1 = ay, \quad z_1 = az.$$

Die Bahncurven sind die Geraden vom Anfangspunkt aus. Soll ein Punkt (x, y, z) invariant sein, so müssen $\xi \equiv x$, $\eta \equiv y$, $\zeta \equiv z$ für ihn verschwinden. Also bleibt nur der Anfangspunkt einzeln invariant. Es giebt demnach keine invariante Curve der zweiten oder dritten Art.

3. *Beispiel:* Die Bahncurven der von der infinitesimalen Transformation

$$Uf \equiv x\frac{\partial f}{\partial x}$$

erzeugten eingliedrigen Gruppe:

$$x_1 = xt, \quad y_1 = y, \quad z_1 = z$$

sind offenbar die Geraden $y =$ Const., $z =$ Const. parallel der x-Axe. Setzen wir $\xi = \eta = \zeta = 0$, so erhalten wir für die einzeln invarianten Punkte hier die Ebene

$$x = 0.$$

Es giebt also invariante Curven der dritten Art: Jede Curve in dieser Ebene ist invariant.

4. *Beispiel:* Es stellt, wie wir wissen,

$$-y\frac{\partial f}{\partial x} + x\frac{\partial f}{\partial y}$$

eine infinitesimale Rotation um die z-Axe und

$$x\frac{\partial f}{\partial x} + y\frac{\partial f}{\partial y} + z\frac{\partial f}{\partial z}$$

eine infinitesimale Ähnlichkeitstransformation vom Anfangspunkt aus dar. Von Interesse ist nun diejenige infinitesimale Transformation, die wir aus beiden zusammensetzen, indem wir die erste mit -1, die zweite mit einer Constanten $\varkappa$ multiplicieren und darauf beide addieren. Die dadurch entstehende infinitesimale Transformation

$$Uf \equiv (y + \varkappa x)\frac{\partial f}{\partial x} + (-x + \varkappa y)\frac{\partial f}{\partial y} + \varkappa z\frac{\partial f}{\partial z}$$

bewirkt gleichzeitig eine unendlich kleine Rotation und eine ähnliche Vergrösserung oder Verkleinerung vom Anfangspunkt aus. Wir nennen sie eine *infinitesimale Ähnlichkeitsformation im weiteren Sinne des Wortes* oder auch eine *infinitesimale Spiraltransformation.*

Die Bahncurven der zugehörigen eingliedrigen Gruppe sind nämlich doppelt gekrümmte Spiralen. Sie ergeben sich ja als Charakteristiken der linearen partiellen Differentialgleichung $Uf = 0$, d. h. durch Integration des simultanen Systems:

$$\frac{dx}{y + \varkappa x} = \frac{dy}{-x + \varkappa y} = \frac{dz}{\varkappa z}.$$

Einmal folgt hieraus:

$$\frac{x dy - y dx}{x^2 + y^2} = -\frac{dz}{\varkappa z}$$

und dies lässt sich sofort integrieren. Es kommt so die Invariante:

$$\Omega_1 \equiv \operatorname{arctg} \frac{y}{x} + \frac{1}{\varkappa} \lg z.$$

Andererseits ist:

$$\frac{x dx + y dy}{x^2 + y^2} = \frac{dz}{z}$$

und dies liefert integriert die Invariante:

$$\Omega_2 \equiv \lg \sqrt{x^2 + y^2} - \lg z.$$

Setzen wir die beiden Integrale Ω_1 und Ω_2 Constanten gleich, so haben wir die Gleichungen der Bahncurven. Wir können sie offenbar so schreiben:

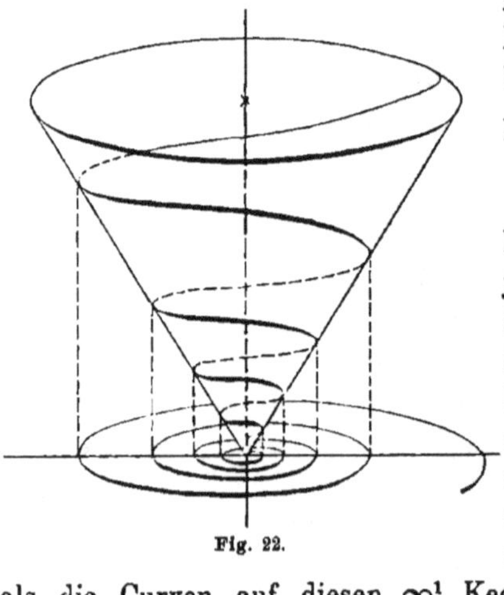

Fig. 22.

$$\lg \sqrt{x^2 + y^2} + \varkappa \operatorname{arctg} \frac{y}{x} = \text{Const.},$$

$$x^2 + y^2 = z^2 \cdot \text{Const.}$$

Die erste Gleichung stellt die Projectionen der Bahncurven auf die (xy)-Ebene dar. Es sind dies ∞^1 einander congruente logarithmische Spiralen. Die zweite Gleichung ist die eines geraden Kreiskegels, dessen Spitze der Anfangspunkt, dessen Axe die z-Axe ist. Man erhält demnach die Bahncurven als die Curven auf diesen ∞^1 Kegeln, deren Projectionen auf die (xy)-Ebene jene logarithmischen Spiralen sind. (Fig. 22.)

Einzeln invariante Punkte müssen in dem jetzigen Beispiel die Gleichungen

$$y + \varkappa x = 0, \quad -x + \varkappa y = 0, \quad z = 0$$

erfüllen. Ist $\varkappa^2 \neq -1$, so liefern sie $x = y = z = 0$, also nur den Anfangspunkt. Wenn aber $\varkappa = i$ ist, wodurch allerdings die Transformationen imaginär werden, so giebt es eine Gerade, die aus lauter einzeln invarianten Punkten besteht, nämlich in der (xy)-Ebene $z = 0$ die Gerade:

$$y + ix = 0.$$

Ist $\varkappa = i$, so bleibt auch die dieser Geraden imaginär conjugierte:

$$y - ix = 0$$

invariant, aber als Bahncurve (eine zur Geraden degenerierte Spirale), indem *nicht* alle ihre Punkte einzeln invariant sind.

Fragen wir nun nach den *Flächen*, welche alle Transformationen der vorgelegten eingliedrigen Gruppe gestatten. Wir betrachten also eine Fläche, deren Punkte bei allen Transformationen der Gruppe immer wieder in Punkte auf ihr selbst übergeführt werden. Invariante Fläche.

Es sind zwei Fälle denkbar. Zunächst ist es möglich, dass alle Punkte der Fläche einzeln invariant bleiben. Dies kann nur dann eintreten, wenn die drei Gleichungen

$$\xi(x, y, z) = \eta(x, y, z) = \zeta(x, y, z) = 0$$

von allen ∞^2 Punkten einer oder einiger Flächen erfüllt werden.

Liegt dieser Fall nicht vor, so wird ein allgemein gewählter Punkt p der invarianten Fläche von allen Transformationen der Gruppe in die Punkte seiner Bahncurve übergeführt und diese muss, da der Punkt die Fläche nicht verlassen soll, ganz auf der Fläche liegen. Zieht man also durch jeden Punkt der Fläche die hindurchgehende Bahncurve, so liegen alle diese Curven auf der Fläche, d. h. die Fläche enthält ∞^1 Bahncurven.

Wenn umgekehrt eine Fläche von ∞^1 Bahncurven der Gruppe erzeugt wird, so leuchtet ein, dass sie bei der Gruppe invariant sein muss, denn alsdann liegt ja die Bahncurve jedes Punktes p der Fläche auf ihr und der Punkt p, der bei den Transformationen der Gruppe immer nur in Punkte seiner Bahncurve übergeführt wird, bleibt beständig auf der Fläche.

Theorem 19: *Es giebt zweierlei Flächen, welche bei allen Transformationen einer eingliedrigen Gruppe des Raumes invariant bleiben. Eine solche Fläche kann entweder aus lauter einzeln invarianten Punkten bestehen — wenn soviele vorhanden* *sind — oder aber sie ist erzeugt von ∞^1 Bahncurven der Gruppe. Umgekehrt ist jede von ∞^1 Bahncurven der Gruppe erzeugte Fläche invariant.*

Beispiele. *1. Beispiel:* Bei unserer oft schon benutzten Gruppe von ∞^1 Schraubungen längs der z-Axe:

$$x_1 = x \cos t - y \sin t,$$
$$y_1 = x \sin t + y \cos t,$$
$$z_1 = z + mt$$

existiert (wenn $m \neq 0$) kein Punkt im Endlichen, der invariant wäre. Es giebt also keine invariante Fläche der ersten Art. Da die Bahncurven Schraubenlinien sind (vgl. § 2), so sind die von solchen Schraubenlinien mit gleicher Steigung erzeugten Flächen die einzigen bei der Gruppe invarianten Flächen. Offenbar kann man eine solche Fläche dadurch herstellen, dass man von einer beliebigen Curve aus alle dieselben schneidenden ∞^1 Schraubenlinien, welche Bahncurven sind, zieht, oder also dadurch, dass man diese beliebige Curve in Schraubenbewegung mit der richtigen Steigung längs der z-Axe hinführt.

2. Beispiel: Anders verhält es sich bei der von $x\frac{\partial f}{\partial x}$ erzeugten eingliedrigen Gruppe:

$$x_1 = xt, \quad y_1 = y, \quad z_1 = z.$$

Die Bahncurven sind hier die Parallelen zur x-Axe. Demnach ist jede Fläche, welche von ∞^1 dieser Geraden erzeugt wird, also jede Cylinderfläche parallel der x-Axe invariant. Es giebt aber noch ∞^2 einzeln invariante Punkte, nämlich die der Ebene $x = 0$, die also auch eine invariante Fläche ist.

Da man aus der Schar der ∞^2 Bahncurven der eingliedrigen Gruppe auf unendlich vielfache Weise je ∞^1 herausgreifen und zur Erzeugung einer invarianten Fläche zusammenfassen kann, so giebt es bei jeder eingliedrigen Gruppe des Raumes ∞^∞ invariante Flächen.

Wenn nun insbesondere die durch

$$\Omega(x, y, z) = \text{Const.}$$

dargestellten ∞^1 Flächen sämtlich invariante Flächen sind, so muss, wenn (x, y, z) ein Punkt einer dieser Flächen, etwa der Fläche

$$\Omega(x, y, z) = c$$

ist, dieser Punkt durch die allgemeine Transformation

$$x_1 = \varphi(x, y, z, t), \quad y_1 = \psi(x, y, z, t), \quad z_1 = \chi(x, y, z, t)$$

der Gruppe in einen Punkt (x_1, y_1, z_1) derselben Fläche übergeführt werden. Es muss also

$$\Omega(x_1, y_1, z_1) = c$$

sein, sobald

$$\Omega(x, y, z) = c$$

ist. Da dies für jede einzelne Fläche $\Omega =$ Const., also für jedes c gelten muss, so folgt, dass für alle x, y, z:

$$\Omega(x_1, y_1, z_1) = \Omega(x, y, z)$$

sein muss. Ω ist daher eine *Invariante* der Gruppe.

Umgekehrt erhellt ohne weiteres, dass jede Invariante Ω der Gruppe, gleich Const. gesetzt, ∞^1 einzeln invariante Flächen darstellt. Hiermit haben wir die Invarianten geometrisch gedeutet:

Satz 7: *Setzt man eine Invariante einer eingliedrigen Gruppe des Raumes gleich Const., so stellt sie ∞^1 einzeln invariante Flächen dar, und umgekehrt ist die linke Seite der Gleichung*

$$\Omega(x, y, z) = \text{Const.}$$

einer Schar von ∞^1 einzeln invarianten Flächen stets eine Invariante der Gruppe. Sind u und v irgend zwei von einander unabhängige Invarianten der Gruppe, so ist $W(u, v) = 0$ die allgemeine Form einer invarianten Fläche, deren Punkte nicht sämtlich einzeln invariant sind.

Selbstverständlich ist im allgemeinen die Fläche

$$\Omega(x, y, z) = c$$

nicht von einzeln invarianten Punkten gebildet, denn sonst würden ja, da jeder Punkt (x, y, z) im allgemeinen auf einer der Flächen $\Omega =$ Const. liegt, alle Punkte des Raumes einzeln invariant sein. Die Fläche $\Omega = c$ enthält also bei allgemein gewähltem c ∞^1 Bahncurven der Gruppe.

Der obige Satz stimmt sonach mit der geometrischen Deutung der linearen partiellen Differentialgleichung

$$Uf \equiv \xi \frac{\partial f}{\partial x} + \eta \frac{\partial f}{\partial y} + \zeta \frac{\partial f}{\partial z} = 0$$

überein, welcher die Invarianten Ω genügen. Denn wir erkannten in § 1 des 10. Kapitels, dass eine Lösung $f = \Omega$ dieser Differentialgleichung, gleich Const. gesetzt, ∞^1 Flächen darstellt, deren jede von ∞^1 Charakteristiken dieser Gleichung erzeugt wird, und diese Charakteristiken sind nach Satz 5 des § 2 die Bahncurven der Gruppe.

Bekanntlich stellen zwei Lösungen Ω_1 und Ω_2 der obigen linearen partiellen Differentialgleichung gleich Const. gesetzt eine Charakteristik, also eine Bahncurve der Gruppe dar. Es ist aber auch geometrisch klar, dass die Schnittlinie der beiden invarianten von je ∞^1 Bahncurven erzeugten Flächen

$$\Omega_1 = c_1, \quad \Omega_2 = c_2$$

eine Bahncurve ist, denn die Bahncurve eines Punktes dieser Schnittlinie muss sowohl der einen als auch der anderen Fläche angehören. Ausnahmsweise kann es natürlich allerdings auch vorkommen, dass alle Punkte der Schnittlinie einzeln invariant sind. Dann ist sie natürlich eine bei der Gruppe invariante Curve der zweiten oder dritten Art des Theorems 18.

Beispiel. *Beispiel:* Bei der Gruppe von ∞^1 Rotationen um die z-Axe:

$$x_1 = x \cos t - y \sin t,$$
$$y_1 = x \sin t + y \cos t,$$
$$z_1 = z,$$

deren infinitesimale Transformation ist:

$$Uf \equiv -y \frac{\partial f}{\partial x} + x \frac{\partial f}{\partial y},$$

sind die Invarianten Lösungen der Differentialgleichung

$$-y \frac{\partial f}{\partial x} + x \frac{\partial f}{\partial y} = 0.$$

Zwei unabhängige Lösungen derselben sind:

$$\Omega_1 \equiv x^2 + y^2, \quad \Omega_2 \equiv z,$$

und jede andere Lösung ist, wie bekannt, eine Function dieser beiden. Mithin wird eine von Bahncurven der Gruppe erzeugte invariante Fläche in allgemeinster Weise dargestellt durch

$$\Phi(x^2 + y^2, z) = 0$$

oder:

$$z = \varphi(x^2 + y^2).$$

Es ist dies die allgemeine Gleichung einer Rotationsfläche um die z-Axe. Zwei solche Rotationsflächen schneiden sich, wenn sie sich überhaupt treffen, in einem Kreise, dessen Ebene zur z-Axe senkrecht ist und dessen Mittelpunkt auf der z-Axe liegt. In der That ist jeder derartige Kreis Bahncurve. Eine aus lauter einzeln invarianten Punkten bestehende Fläche giebt es hier nicht, denn nur die Punkte $x = y = 0$ der z-*Axe* sind invariant.

§ 4. Analytische Kriterien für die Invarianz einer Curve oder Fläche bei einer eingliedrigen Gruppe des Raumes.

In dem vorangehenden Paragraphen bestimmten wir alle Flächen und Curven, die bei allen Transformationen einer eingliedrigen Gruppe invariant bleiben. Wir fanden *zwei* Arten invarianter Curven, nämlich die Bahncurven und die aus lauter invarianten Punkten bestehenden Curven. Andererseits fanden wir *zwei* verschiedene Arten invarianter Flächen, nämlich die von Bahncurven erzeugten Flächen zusammen mit denjenigen Flächen, die aus lauter invarianten Punkten bestehen.

Es ist nun bemerkenswert, dass *alle* invarianten Curven sich durch ein *einziges analytisches Kriterium* definieren lassen; dieses gilt für die beiden Arten invarianter Curven und für keine andere Curve des Raumes. Noch wichtiger ist es, dass sich für die Invarianz einer Fläche ein *einziges* Kriterium aufstellen lässt, welches von *allen* invarianten Flächen und von keiner andern Fläche erfüllt wird. Dies wollen wir jetzt zeigen.

Vorher haben wir jedoch einige Bemerkungen über gewisse zu vermeidende analytische Darstellungsformen von Flächen und Curven zu machen. Unstatthafte Darstellungen von Flächen u. Curven.

Man kann voraussetzen, dass die Gleichung einer beliebigen Fläche

$$\omega(x, y, z) = 0$$

so geschrieben ist, dass nicht $\frac{\partial \omega}{\partial x}, \frac{\partial \omega}{\partial y}, \frac{\partial \omega}{\partial z}$ sämtlich für alle Punkte der Fläche verschwinden. Denn man braucht sich z. B. die Gleichung nur nach einer der darin vorkommenden Veränderlichen, etwa nach z, aufgelöst zu denken:

$$z - F(x, y) = 0,$$

um zu erreichen, dass der Differentialquotient der gleich Null gesetzten Function nach z verschieden von Null, nämlich gleich 1, wird. Für die berührte Ausnahmeform ist dies ein Beispiel: Die Gleichung einer Kugel mit dem Radius 1 um den Anfangspunkt kann offenbar so geschrieben werden:

$$\omega \equiv (x^2 + y^2 + z^2 - 1)^2 = 0.$$

Hier ist:

$$\frac{\partial \omega}{\partial x} \equiv 4x(x^2 + y^2 + z^2 - 1),$$

also gleich Null für alle Punkte der Kugel, analog $\frac{\partial \omega}{\partial y}$ und $\frac{\partial \omega}{\partial z}$. Eine solche Darstellungsform soll also, da sie stets vermieden werden kann, als ausgeschlossen gelten.

Eine ganz ähniche Bemerkung gilt für die Darstellung einer Raumcurve durch zwei Gleichungen

$$\omega_1(x, y, z) = 0, \quad \omega_2(x, y, z) = 0.$$

Wir dürfen voraussetzen, dass die Gleichungen derselben so gewählt sind, dass nicht alle zweireihigen Determinanten der Matrix

$$\begin{vmatrix} \frac{\partial \omega_1}{\partial x} & \frac{\partial \omega_1}{\partial y} & \frac{\partial \omega_1}{\partial z} \\ \frac{\partial \omega_2}{\partial x} & \frac{\partial \omega_2}{\partial y} & \frac{\partial \omega_2}{\partial z} \end{vmatrix}$$

oder also der Ausdruck

$$\frac{\partial \omega_1}{\partial y}\frac{\partial \omega_2}{\partial z} - \frac{\partial \omega_1}{\partial z}\frac{\partial \omega_2}{\partial y}$$

und die beiden durch cyklische Vertauschung von x, y, z daraus hervorgehenden Ausdrücke sämtlich für alle Punkte der Curve verschwinden. In der That kann man dies stets vermeiden, wenn man z. B. die Gleichungen nach zweien der in ihnen vorkommenden Veränderlichen, etwa nach y und z, auflöst:

$$y - F_1(x) = 0, \quad z - F_2(x) = 0,$$

denn dann ist

$$\omega_1 \equiv y - F_1(x), \quad \omega_2 \equiv z - F_2(x)$$

und also

$$\frac{\partial \omega_1}{\partial y}\frac{\partial \omega_2}{\partial z} - \frac{\partial \omega_1}{\partial z}\frac{\partial \omega_2}{\partial y} = 1 \neq 0.$$

Unzulässig ist z. B. das Gleichungenpaar

$$y = 0, \quad yz = 0$$

zur Darstellung der x-Axe.

Nach diesen notwendigen Vorbemerkungen kommen wir nunmehr zur Sache.

Invarianz-Kriterium für eine Fläche.

Eine Fläche

$$\omega(x, y, z) = 0$$

bleibt bei allen Transformationen der von Uf erzeugten eingliedrigen Gruppe, welche x, y, z in x_1, y_1, z_1 überführen, invariant dann und nur dann, wenn die Gleichung

$$\omega(x_1, y_1, z_1) = 0$$

stets nur eine Folge von

$$\omega(x, y, z) = 0$$

ist. Nach Theorem 16 des § 3, 11. Kap. kann die erste Gleichung auch so geschrieben werden:

$$\omega(x, y, z) + \frac{t}{1} U\omega + \frac{t^2}{1 \cdot 2} U(U\omega) + \cdots = 0. \tag{4}$$

Da sie für alle Werte des Parameters t eine Folge von $\omega(x, y, z) = 0$ sein soll, so folgt als eine erste, *notwendige* Bedingung, dass:

$$U\omega(x, y, z) = 0$$

sein muss vermöge $\omega(x, y, z) = 0$.

Diese Bedingung ist nun aber auch *hinreichend.* Zum Nachweis dieser Behauptung deuten wir sie geometrisch. Es soll

$$U\omega \equiv \xi \frac{\partial \omega}{\partial x} + \eta \frac{\partial \omega}{\partial y} + \zeta \frac{\partial \omega}{\partial z} = 0$$

sein für alle Punkte der Fläche. Da wir nach den vorangeschickten Bemerkungen voraussetzen dürfen, dass nicht für alle Punkte der Fläche die Differentialquotienten $\frac{\partial \omega}{\partial x}, \frac{\partial \omega}{\partial y}, \frac{\partial \omega}{\partial z}$ gleichzeitig verschwinden, so sagt diese Gleichung aus, dass *entweder* $\xi = \eta = \zeta = 0$ ist für alle Punkte der Fläche, d. h. alle Punkte der Fläche einzeln invariant sind (nach § 3) — und dann ist auch die ganze Fläche invariant —, *oder aber* dass für einen allgemein gewählten Punkt der Fläche ξ, η, ζ proportional den Richtungscosinus einer Tangente der Fläche in diesem Punkte sind, denn $\frac{\partial \omega}{\partial x}, \frac{\partial \omega}{\partial y}, \frac{\partial \omega}{\partial z}$ sind proportional den Richtungscosinus der Flächennormale des Punktes. In diesem Falle enthält also die Fläche die Richtungen, welche die infinitesimale Transformation Uf der Gruppe ihren Punkten zuordnet, und folglich auch die Bahncurven dieser Punkte (vgl. Satz 4 des § 2). Die Fläche ist daher von ∞^1 Bahncurven erzeugt und invariant.

Also können wir sagen:

Satz 8: *Eine Fläche oder Gleichung* $\omega(x, y, z) = 0$ *gestattet alle Transformationen der von* Uf *erzeugten eingliedrigen Gruppe des Raumes dann und nur dann, wenn* $U\omega = 0$ *ist für alle Punkte der Fläche, resp. Wertsysteme der Gleichung, vorausgesetzt, dass die Gleichung so gewählt ist, dass nicht etwa* $\frac{\partial \omega}{\partial x}, \frac{\partial \omega}{\partial y}, \frac{\partial \omega}{\partial z}$ *sämtlich vermöge* $\omega = 0$ *verschwinden.*

An dieses Kriterium knüpfen wir noch einige Bemerkungen an. Da hiernach das Verschwinden von $U\omega$ vermöge $\omega = 0$ eine rein begriffliche Deutung hat, nämlich die, dass $\omega = 0$ eine bei der Gruppe invariante Fläche ist, und da diese Deutung von der Wahl der Veränderlichen und der speciellen analytischen Darstellungsform der Fläche unabhängig ist, so folgt:

Satz 9: *Ist bei einer infinitesimalen Transformation* Uf *in drei Veränderlichen* x, y, z *der Ausdruck* $U\omega(x, y, z) = 0$ *vermöge* $\omega(x, y, z) = 0$, *so gilt das Entsprechende auch bei Einführung anderer Veränderlicher und unabhängig von der Darstellungsform der Gleichung* $\omega = 0$, *vorausgesetzt nur, dass nicht mit* ω *auch die partiellen Differentialquotienten von* ω *nach den drei Veränderlichen sämtlich verschwinden. Natürlich wird auch angenommen, dass die Transformation für die in Betracht kommenden Wertsysteme regulär ist.*

Das Kriterium $U\omega = 0$ vermöge $\omega = 0$ ergab sich zunächst als notwendig, indem wir die Reihenentwickelung (4) nur in ihren ersten Gliedern betrachteten. Es liegt danach nahe, die Redeweise: eine Fläche $\omega = 0$ gestattet die infinitesimale Transformation Uf, zu gebrauchen, sobald $U\omega = 0$ vermöge $\omega = 0$ ist. Alsdann können wir Satz 8 so aussprechen:

Satz 10: *Eine Fläche gestattet alle Transformationen einer eingliedrigen Gruppe des Raumes, sobald sie ihre infinitesimale Transformation gestattet.*

Invarianz-Kriterium für eine Curve.

Soll die durch die beiden Gleichungen

$$\omega_1(x, y, z) = 0, \quad \omega_2(x, y, z) = 0$$

dargestellte *Curve* alle Transformationen der eingliedrigen Gruppe Uf gestatten, so müssen auch die durch eine beliebige dieser Transformationen nach den Stellen (x_1, y_1, z_1) übergeführten Punkte der Curve auf derselben liegen, d. h. es muss

$$\omega_1(x_1, y_1, z_1) = 0, \quad \omega_2(x_1, y_1, z_1) = 0$$

sein, sobald

$$\omega_1(x, y, z) = 0, \quad \omega_2(x, y, z) = 0$$

ist. Wegen der Reihenentwickelungen:

$$(5) \quad \begin{cases} \omega_1(x, y, z) + \frac{t}{1} U\omega_1(x,y,z) + \frac{t^2}{1 \cdot 2} U(U\omega_1(x, y, z)) + \cdots = 0, \\ \omega_2(x, y, z) + \frac{t}{1} U\omega_2(x,y,z) + \frac{t^2}{1 \cdot 2} U(U\omega_2(x, y, z)) + \cdots = 0 \end{cases}$$

der beiden ersten Gleichungen, und da dies für alle Werte des Parameters t gelten muss, ergiebt sich zunächst als *notwendige* Bedingung, dass

$$U\omega_1(x, y, z) = 0, \quad U\omega_2(x, y, z) = 0$$

sein müssen, sobald gleichzeitig $\omega_1 = \omega_2 = 0$ ist.

Dass dieses Kriterium auch *hinreicht*, wird durch seine geometrische Deutung klar: Die beiden Gleichungen

$$(6) \quad \begin{cases} U\omega_1 \equiv \xi \frac{\partial \omega_1}{\partial x} + \eta \frac{\partial \omega_1}{\partial y} + \zeta \frac{\partial \omega_1}{\partial z} = 0, \\ U\omega_2 \equiv \xi \frac{\partial \omega_2}{\partial x} + \eta \frac{\partial \omega_2}{\partial y} + \zeta \frac{\partial \omega_2}{\partial z} = 0, \end{cases}$$

die für alle Punkte der Curve bestehen sollen, sagen aus, dass *entweder* für alle Punkte der Curve $\xi = \eta = \zeta = 0$ ist, d. h. dass alle Punkte derselben einzeln invariant sind, *oder nicht.* Da wir nach der zweiten der vorangeschickten Bemerkungen annehmen dürfen, dass die zweireihigen Unterdeterminanten der Matrix

$$\begin{vmatrix} \frac{\partial \omega_1}{\partial x} & \frac{\partial \omega_1}{\partial y} & \frac{\partial \omega_1}{\partial z} \\ \frac{\partial \omega_2}{\partial x} & \frac{\partial \omega_2}{\partial y} & \frac{\partial \omega_2}{\partial z} \end{vmatrix}$$

nicht sämtlich für alle Punkte der Curve verschwinden, so sind die Grössen

$$\frac{\partial \omega_1}{\partial x}, \quad \frac{\partial \omega_1}{\partial y}, \quad \frac{\partial \omega_1}{\partial z}$$

und

$$\frac{\partial \omega_2}{\partial x}, \quad \frac{\partial \omega_2}{\partial y}, \quad \frac{\partial \omega_2}{\partial z}$$

proportional den Richtungcosinus zweier *verschiedener* Normalen der Curve. Die Gleichungen (6) sagen demnach in dem zweiten Falle, dass ξ, η und ζ nicht für alle Punkte der Curve verschwinden, das aus, dass ξ, η, ζ den Richtungscosinus der zu diesen beiden Normalen senkrechten Geraden, d. h. der Curventangente, proportional sind. Die Curve hat also in jedem ihrer Punkte die demselben von der infinitesimalen Transformation Uf der Gruppe zugeordnete Richtung, mit anderen Worten: sie ist Bahncurve (vgl. Satz 4 des § 2) und als solche invariant.

Satz 11: *Eine Curve*

$$\omega_1(x, y, z) = 0, \quad \omega_2(x, y, z) = 0$$

gestattet dann und nur dann alle Transformationen der von Uf erzeugten eingliedrigen Gruppe des Raumes, wenn $U\omega_1$ und $U\omega_2$ für alle Punkte der Curve verschwinden, vorausgesetzt, dass die Gleichungen der Curve so gewählt sind, dass nicht etwa alle zweireihigen Unterdeterminanten der Matrix

$$\begin{vmatrix} \frac{\partial \omega_1}{\partial x} & \frac{\partial \omega_1}{\partial y} & \frac{\partial \omega_1}{\partial z} \\ \frac{\partial \omega_2}{\partial x} & \frac{\partial \omega_2}{\partial y} & \frac{\partial \omega_2}{\partial z} \end{vmatrix}$$

für alle Punkte der Curve verschwinden.

Wie oben beim Satze über die Invarianz einer Fläche bemerken wir auch hier, dass, da nach dem eben gefundenen Satze das Verschwinden von $U\omega_1$ und $U\omega_2$ vermöge $\omega_1 = \omega_2 = 0$ eine rein begriffliche Bedeutung hat, dies Verschwinden unabhängig ist von der Wahl der Veränderlichen und der speciellen Darstellungsform der Curve. Also:

Satz 12: *Ist bei einer infinitesimalen Transformation Uf in x, y, z sowohl $U\omega_1(x, y, z)$ als auch $U\omega_2(x, y, z)$ gleich Null vermöge*

$$\omega_1(x, y, z) = \omega_2(x, y, z) = 0,$$

so gilt das Entsprechende, wenn neue Veränderliche eingeführt werden, und bei jeder Darstellungsform des Gleichungssystems $\omega_1 = \omega_2 = 0$, *vorausgesetzt, dass diese Darstellungsform nicht etwa so gewählt ist, dass die Differentialquotienten von* ω_1 *nach den drei Veränderlichen denen von* ω_2 *nach denselben proportional werden vermöge* $\omega_1 = \omega_2 = 0$.

Die Redeweise: eine Curve $\omega_1 = \omega_2 = 0$ gestattet die infinitesimale Transformation Uf, sobald $U\omega_1 = U\omega_2 = 0$ ist für alle Punkte der Curve, liegt auch hier ausserordentlich nahe, da wir ja das Kriterium zunächst als notwendiges ableiteten, indem wir in den Reihenentwickelungen (5) nur die ersten Glieder berücksichtigten. Deshalb sprechen wir Satz 11 auch so aus:

Satz 13: *Eine Curve gestattet die von der infinitesimalen Transformation* Uf *erzeugte eingliedrige Gruppe des Raumes, sobald sie diese infinitesimale Transformation* Uf *zulässt.*

§ 5. Einige geometrische Beispiele.

Im Anschluss an die auseinandergesetzten Theorien wollen wir beispielsweise alle Curven und Flächen bestimmen, welche die von einer infinitesimalen *projectiven* Transformation erzeugte eingliedrige Gruppe gestatten. Unter einer projectiven Transformation des Raumes versteht man eine solche, welche jeden Punkt des Raumes in einen Punkt und alle Punkte einer beliebigen Ebene des Raumes wieder in die Punkte einer Ebene, also auch alle Punkte einer Geraden — als der Schnittlinie zweier Ebenen — wieder in die Punkte einer Geraden überführt. Man kann zeigen — worauf wir jedoch hier nicht eingehen — dass es unter diesen projectiven Transformationen auch solche giebt, welche vier ein Tetraeder bildende Punkte in Ruhe lassen. Wir wählen einen dieser Punkte zum Anfang und die drei anderen als die unendlich fernen Punkte der drei Axen. Man findet dann, dass das Symbol einer derartigen infinitesimalen projectiven Transformation die Form annimmt:

$$Uf \equiv \alpha x \frac{\partial f}{\partial x} + \beta y \frac{\partial f}{\partial y} + \gamma z \frac{\partial f}{\partial z},$$

wie wir ohne nähere Begründung bemerken. (Vgl. die verwandte Betrachtung in § 4 des 4. Kap.)

Wir wollen also die bei dieser infinitesimalen Transformation Uf oder, was nach Satz 10 und 13 des vorigen Paragraphen dasselbe ist, die bei der eingliedrigen Gruppe Uf invarianten Curven und Flächen aufsuchen.

Die endlichen Gleichungen unserer Gruppe ergeben sich durch Integration des simultanen Systems

$$\frac{dx_1}{\alpha x_1} = \frac{dy_1}{\beta y_1} = \frac{dz_1}{\gamma z_1} = dt$$

in der Form

$$x_1 = xe^{\alpha t}, \quad y_1 = ye^{\beta t}, \quad z_1 = ze^{\gamma t}.$$

Daher ergeben sich die Bahncurven durch Elimination von t aus: Bahncurven e. inf. proj. Trf. des Raumes.

$$x = x_0 e^{\alpha t}, \quad y = y_0 e^{\beta t}, \quad z = z_0 e^{\gamma t}$$

in der Form:

$$\left(\frac{x}{x_0}\right)^{\frac{1}{\alpha}} = \left(\frac{y}{y_0}\right)^{\frac{1}{\beta}} = \left(\frac{z}{z_0}\right)^{\frac{1}{\gamma}}$$

oder in der Form:

$$x^{\frac{1}{\alpha}} = Ay^{\frac{1}{\beta}} = Bz^{\frac{1}{\gamma}}$$

und sind im allgemeinen transcendente Curven. Bei besonderer Wahl der im Symbol Uf auftretenden Constanten α, β, γ sind sie jedoch algebraisch, so für $\alpha = 1$, $\beta = 2$, $\gamma = 3$ die Raumcurven dritter Ordnung:

$$y = \text{Const.}\, x^2, \quad z = \text{Const.}\, x^3.$$

Um sich eine Vorstellung vom Verlauf der Bahncurven unserer eingliedrigen Gruppe Uf zu machen, erweist sich folgende Bemerkung als nützlich. Die Gleichung

$$\alpha x^2 + \beta y^2 + \gamma z^2 = \text{Const.}$$

stellt ∞^1 einander ähnliche und ähnlich gelegene Flächen zweiten Grades mit gemeinsamem Mittelpunkt dar, deren Axen die Coordinatenaxen sind. Die Grössen αx, βy, γz sind proportional den Richtungscosinus der Normalen der durch den Punkt (x, y, z) gehenden Fläche aus dieser Schar. Mithin sind die ∞^2 Curven, welche alle jene ∞^1 Flächen senkrecht treffen, die Integralcurven des simultanen Systemes

$$\frac{dx}{\alpha x} = \frac{dy}{\beta y} = \frac{dz}{\gamma z},$$

also die Bahncurven unserer Gruppe*).

---

*) Allgemeine Untersuchungen über gewundene Curven und Flächen, welche unendlich viele vertauschbare projective Transformationen gestatten, wurden zuerst angestellt von Klein und Lie in den Comptes rendus 1870 sowie im dritten Bande der Mathematischen Annalen. Sodann gab Lie die Bestimmung aller Flächen, welche eine continuierliche projective Gruppe gestatten. — Die im Text gegebene einfache geometrische Definition aller gewundenen Curven, die eine allgemeine infinitesimale projective Transformation gestatten, rührt von Scheffers her.

Ausser den Bahncurven könnte es noch invariante Curven geben, die aus lauter invarianten Punkten bestehen. Aber da wegen

$$Uf \equiv \alpha x \frac{\partial f}{\partial x} + \beta y \frac{\partial f}{\partial y} + \gamma z \frac{\partial f}{\partial z}$$

für diese Punkte die Bedingungen

$$\alpha x = \beta y = \gamma z = 0$$

bestehen, so ist klar, dass es im Endlichen nur einen invarianten Punkt, nämlich den Anfang, giebt, sobald α, β, γ alle drei verschieden von Null sind. Ist nur eine dieser Constanten gleich Null, etwa γ, so bleiben alle Punkte der z-Axe einzeln in Ruhe. Die z-Axe ist dann die einzige invariante Curve der gesuchten Art. Sind zwei Constanten gleich Null, etwa β und γ, so bleiben alle Punkte der (yz)-Ebene in Ruhe. Jede in dieser Ebene gezogene Curve ist dann invariant.

Bei einer inf. proj. Trf. invariante Flächen.

Wir fragen nun nach den bei unserer eingliedrigen projectiven Gruppe Uf invarianten *Flächen*.

Zunächst giebt es eine aus lauter invarianten Punkten bestehende Fläche nach unseren letzten Bemerkungen nur dann, wenn zwei der Constanten α, β, γ, etwa β und γ, verschwinden. Es ist dann die Ebene $x = 0$.

Um sonstige invariante Flächen zu construieren, haben wir ∞^1 Bahncurven zu einer Fläche zusammenzufassen. Nun lassen sich die Gleichungen einer Bahncurve so schreiben:

$$y = a x^{\frac{\beta}{\alpha}}, \quad z = b x^{\frac{\gamma}{\alpha}},$$

sobald, wie wir annehmen dürfen, $\alpha \neq 0$ ist. Hier sind $\frac{\beta}{\alpha}$, $\frac{\gamma}{\alpha}$ durch die infinitesimale Transformation Uf gegebene bestimmte Zahlen, a und b dagegen können beliebig angenommen werden. Man erhält insbesondere ∞^1 Bahncurven, wenn man zwischen a und b eine Relation festsetzt:

$$b = \varphi(a).$$

Alsdann erfüllen diese ∞^1 Curven die Fläche:

$$z x^{-\frac{\gamma}{\alpha}} = \varphi\left(y \cdot x^{-\frac{\beta}{\alpha}}\right)$$

oder:

$$z = x^{\frac{\gamma}{\alpha}} \psi(y^{\alpha} \cdot x^{-\beta}).$$

Dies ist also die allgemeine Gleichung einer bei allen Transformationen der vorgelegten eingliedrigen projectiven Gruppe invarianten Fläche.

Wir wollen einige flächentheoretische Bemerkungen in betreff der *Haupttangentencurven dieser Flächengattung* anknüpfen. Leser, welche mit der Flächentheorie noch keine nähere Bekanntschaft gemacht haben, können ohne Beeinträchtigung des Späteren den Rest dieses Kapitels überschlagen. Bekanntlich hat eine Haupttangentenrichtung in einem Flächenpunkt die Eigenschaft, dass, wenn der Punkt sich längs derselben bewegt, seine Tangentialebene um diese Richtung sich dreht. Jede Transformation unserer Gruppe Uf hat nun die Eigentümlichkeit, Geraden in Geraden, Ebenen in Ebenen überzuführen. Da sie die Fläche

$$z = x^{\frac{\gamma}{\alpha}} \psi(y^\alpha \cdot x^{-\beta})$$

in sich überführt, so ergiebt sich, dass sie jede Tangentialebene der Fläche wieder in eine Tangentialebene verwandelt. Wegen der obigen (rein projectiven) Definition der Haupttangentenrichtungen muss die Transformation auch jede Haupttangentencurve der Fläche wieder in eine Haupttangentencurve derselben überführen. Es giebt somit eine bekannte infinitesimale Transformation Uf, welche die ∞^1 Haupttangentencurven der Fläche unter sich vertauscht.

Wir können x und y als Parameter auf der Fläche

$$z = x^{\frac{\gamma}{\alpha}} \psi(y^\alpha \cdot x^{-\beta})$$

betrachten und also die Differentialgleichung der Haupttangentencurven in x, y allein schreiben. Sie ist in dx und dy quadratisch und es sei

$$Xdy - Ydx = 0$$

einer ihrer beiden linearen Factoren. X, Y sind hierin bekannte Functionen von x und y. Da die zu $Xdy - Ydx = 0$ gehörige Schar von Haupttangentencurven unsere projective Transformation Uf gestattet, so folgt, dass die Differentialgleichung:

$$Xdy - Ydx = 0,$$

die ja auch die der Projection jener Haupttangentencurven auf die Ebene $z = 0$ ist, die infinitesimale Transformation:

$$Vf \equiv \alpha x \frac{\partial f}{\partial x} + \beta y \frac{\partial f}{\partial y}$$

zulässt und daher den Integrabilitätsfactor:

$$\frac{1}{\beta X y - \alpha Y x}$$

besitzt (vgl. Theorem 8, § 1 des 6. Kap.).

Man kann also die Haupttangentencurven der Flächen von der Form

$$z = x^{\frac{\gamma}{\alpha}} \psi(y^\alpha \cdot x^{-\beta})$$

durch Quadratur bestimmen.

Bei der praktischen Ausrechnung wird es bequemer sein, so zu verfahren:

Zunächst wollen wir $\frac{\gamma}{\alpha}$ mit δ bezeichnen, also die Haupttangentencurven der Fläche

$$z = x^\delta \psi(x^{-\beta} \cdot y^\alpha)$$

bestimmen. Bekanntlich lautet die Differentialgleichung der Haupttangentencurven:

$$r dx^2 + 2s dx dy + t dy^2 = 0,$$

wo

$$r \equiv \frac{\partial^2 z}{\partial x^2} = \delta(\delta - 1)x^{\delta-2}\psi - \beta(2\delta - \beta - 1)x^{\delta-\beta-2}y^\alpha\psi' + \beta^2 x^{\delta-2\beta-1}y^{2\alpha}\psi'',$$

$$s \equiv \frac{\partial^2 z}{\partial x \partial y} = \alpha(\delta - \beta)x^{\delta-\beta-1}y^{\alpha-1}\psi' - \alpha\beta x^{\delta-2\beta-1}y^{2\alpha-1}\psi'',$$

$$t \equiv \frac{\partial^2 z}{\partial y^2} = \alpha(\alpha - 1)x^{\delta-\beta}y^{\alpha-2}\psi' + \alpha^2 x^{\delta-2\beta}y^{2\alpha-2}\psi''$$

ist. Jeder der beiden linearen Factoren, in welche die Differentialgleichung zerfällt, stellt gleich Null gesetzt eine der beiden Scharen von Haupttangentencurven oder ihre Projectionen auf die (xy)-Ebene dar und gestattet die infinitesimale Transformation:

$$Vf \equiv \alpha x \frac{\partial f}{\partial x} + \beta y \frac{\partial f}{\partial y}.$$

Es ist nun bequem, die Integration durch Einführung canonischer Veränderlicher nach § 5 des 6. Kapitels zu leisten. Es lassen sich nämlich sehr leicht canonische Veränderliche angeben, z. B. diese:

$$\mathfrak{x} = x^{-\beta}y^\alpha, \quad \mathfrak{y} = \frac{\lg x}{\alpha},$$

denn es ist dann:

$$Vf = V\mathfrak{x} \cdot \frac{\partial f}{\partial \mathfrak{x}} + V\mathfrak{y} \cdot \frac{\partial f}{\partial \mathfrak{y}} = \frac{\partial f}{\partial \mathfrak{y}}.$$

In den neuen Veränderlichen $\mathfrak{x}$, $\mathfrak{y}$ wird:

$$x = e^{\alpha\mathfrak{y}}, \quad y = \mathfrak{x}^{\frac{1}{\alpha}} e^{\beta\mathfrak{y}}$$

und also:

$$r = \{\delta(\delta - 1)\psi - \beta(2\delta - \beta - 1)\mathfrak{x}\psi' + \beta^2\mathfrak{x}^2\psi''\} e^{\alpha(\delta-2)\mathfrak{y}},$$

$$s = \{\alpha(\delta - \beta)\mathfrak{x}\psi' - \alpha\beta\mathfrak{x}^2\psi''\} \cdot \mathfrak{x}^{-\frac{1}{\alpha}} e^{(\alpha\delta-\alpha-\beta)\mathfrak{y}},$$

$$
\begin{aligned}
t &= \{\alpha(\alpha - 1)\mathfrak{x}\psi' + \alpha^2\mathfrak{x}^2\psi''\}\,\mathfrak{x}^{-\frac{2}{\alpha}}\, e^{(\alpha\delta - 2\beta)\mathfrak{y}},\\
dx &= \alpha e^{\alpha\mathfrak{y}}\, d\mathfrak{y},\\
dy &= \frac{1}{\alpha}\mathfrak{x}^{\frac{1}{\alpha}-1} e^{\beta\mathfrak{y}}\, d\mathfrak{x} + \beta\mathfrak{x}^{\frac{1}{\alpha}} e^{\beta\mathfrak{y}}\, d\mathfrak{y},
\end{aligned}
$$

sodass die Differentialgleichung der Haupttangentencurven die Form annimmt:

$$A d\mathfrak{x}^2 + 2B d\mathfrak{x}\, d\mathfrak{y} + C d\mathfrak{y}^2 = 0,$$

wo:

$$
\begin{aligned}
A &\equiv \frac{1}{\mathfrak{x}}\,\{(\alpha - 1)\psi' + \alpha\mathfrak{x}\psi''\},\\
B &\equiv (\alpha\delta - \beta)\psi',\\
C &\equiv \alpha\{\alpha\delta(\delta - 1)\psi + \beta(\alpha - \beta)\mathfrak{x}\psi'\}
\end{aligned}
$$

ist. Man bemerke, dass A, B, C frei von $\mathfrak{y}$ sind, denn auch

$$\psi(x^{-\beta} y^{\alpha}) = \psi(\mathfrak{x})$$

enthält nur $\mathfrak{x}$. Die beiden linearen Factoren:

$$d\mathfrak{y} + \left(\frac{B}{C} \pm \frac{\sqrt{B^2 - AC}}{C}\right) d\mathfrak{x} = 0,$$

in welche die Differentialgleichung zerfällt, ist also frei von $\mathfrak{y}$. Dies hätten wir nach Satz 9 des § 5, 6. Kapitel voraussehen können. Die Haupttangentencurven oder ihre Projectionen auf die Ebene $z = 0$ haben also, geschrieben in $\mathfrak{x}$, $\mathfrak{y}$, die Gleichungen:

$$\mathfrak{y} + \int \frac{B \pm \sqrt{B^2 - AC}}{C}\, d\mathfrak{x} = \text{Const.}$$

Setzen wir hierin nach ausgeführter Quadratur wieder

$$\mathfrak{x} = x^{-\beta} y^{\alpha}, \quad \mathfrak{y} = \frac{\lg x}{\alpha}$$

ein, so erhalten wir die Gleichungen geschrieben in den rechtwinkligen Coordinaten x, y.

Wir haben im Vorstehenden eine eingliedrige Gruppe betrachtet, welche von einer infinitesimalen projectiven Transformation erzeugt war. Dabei hatten wir vorausgesetzt, dass diese infinitesimale Transformation vier ein Tetraeder bildende Punkte invariant lasse. Es giebt aber auch projective Transformationen (Transformationen also, welche Ebenen in Ebenen überführen), bei denen es keine vier invarianten Punkte giebt, die ein Tetraeder bilden. Hierher gehört z. B. die *infinitesimale Schraubung* längs der z-Axe:

$$Uf \equiv -y\frac{\partial f}{\partial x} + x\frac{\partial f}{\partial y} + m\frac{\partial f}{\partial z}.$$

Offenbar führt dieselbe jede Ebene wieder in eine Ebene über. Wir fanden im 1. Beispiel zu Theorem 19 (in § 3), dass bei der von Uf erzeugten eingliedrigen Gruppe alle *Schraubenflächen* von gewisser constanter Steigung invariant bleiben, alle Flächen also, welche durch Verschraubung einer beliebigen starr gedachten Curve längs der z-Axe entstehen. Da die Schraubungen projectiv sind, so gilt für die Haupttangentencurven dieser Flächen dasselbe Raisonnement, wie früher für die Flächen $z = x^\delta \psi(x^{-\beta} \cdot y^\alpha)$, d. h.:

Schraubenflächen.

Die Haupttangentencurven einer Schraubenfläche lassen sich durch Quadraturen bestimmen.

Dies lässt sich auch so einsehen: Die Schraubungen längs der z-Axe sind sogenannte *Bewegungen des Raumes*, d. h. bei ihnen bewegen sich alle Punkte so, als ob sie starr mit einander verbunden wären. (Vgl. § 4 des 1. Kapitels.) Wenn eine Fläche bei diesen Schraubungen invariant bleibt, so gestattet sie eine Bewegung in sich und bei einer solchen müssen natürlich die Haupttangentencurven unter einander vertauscht werden. Dasselbe gilt aber offenbar auch von den Krümmungslinien und den Minimalcurven der Schraubenfläche. Also gestatten die Differentialgleichungen dieser drei Curvenscharen, wenn sie in x und y allein geschrieben werden, die infinitesimale Transformation

$$Vf \equiv -y \frac{\partial f}{\partial x} + x \frac{\partial f}{\partial y}.$$

Ihre Integration verlangt demnach nur Quadraturen.

Die Haupttangentencurven, Krümmungslinien und Minimalcurven einer Schraubenfläche lassen sich durch Quadraturen bestimmen.

Wir erinnern, um eine ähnliche geometrische Anwendung zu geben, an die im 4. Beispiel zu Theorem 18 (in § 3) betrachtete *infinitesimale Ähnlichkeitstransformation in weiterem Sinne oder Spiraltransformation:*

Infinit. Spiraltransformation.

$$Uf \equiv (y + \varkappa x) \frac{\partial f}{\partial x} + (-x + \varkappa y) \frac{\partial f}{\partial y} + \varkappa z \frac{\partial f}{\partial z}.$$

Man kann sie in der Weise herstellen, dass man eine unendlich kleine Rotation um die z-Axe und gleichzeitig (oder darauf, was bei unendlich kleinen Änderungen gleichgültig ist) eine unendlich kleine Ähnlichkeitstransformation (ähnliche Vergrösserung oder Verkleinerung) vom Anfangspunkte aus ausführt. Die Flächen, welche bei der Spiraltransformation Uf invariant bleiben, nennen wir *Spiralflächen,**) insofern

Spiralflächen.

*) In den Math. Ann. Bd. 5 bemerkt Lie gelegentlich, dass auf Flächen, die eine infinitesimale projective Transformation gestatten, welche den imaginären Kugelkreis in Ruhe lässt, sich die Krümmungslinien sowie die Haupttangentencurven bestimmen lassen. Gleichzeitig führte er die Bestimmung ihrer geodätischen

als sie von ∞^1 Bahncurven der eingliedrigen Gruppe Uf, die doppeltgekrümmte Spiralen sind (vgl. das citierte Beispiel), erzeugt werden. Natürlich führt die infinitesimale Transformation Uf, als Verbindung einer infinitesimalen Rotation und infinitesimalen Ähnlichkeitstransformation, jede Haupttangentencurve, Krümmungslinie und Minimalcurve der Fläche wieder in eine Curve derselben Art über. Wenn also die Differentialgleichungen dieser Curvenscharen nur in x, y geschrieben werden, so gestatten sie die infinitesimale Transformation, die aus Uf durch Fortlassung der Glieder in $\frac{\partial f}{\partial z}$ hervorgeht:

$$Vf \equiv (y + \varkappa x)\frac{\partial f}{\partial x} + (-x + \varkappa y)\frac{\partial f}{\partial y},$$

und sind also nach Theorem 8 des § 1, 6. Kapitel, durch Quadraturen integrierbar:

Die Haupttangentencurven, Krümmungslinien und Minimalcurven einer Spiralfläche lassen sich durch Quadraturen bestimmen.

Kapitel 13.

Erweiterte Gruppe von Punkttransformationen der Ebene. Endgültige Erledigung der Probleme, betreffend die Differentialgleichungen erster Ordnung, welche eine infinitesimale Punkttransformation zulassen.

Wir erinnern an die zu Beginn des 11. Kapitels gemachte Bemerkung: Damals hoben wir hervor, dass die in der zweiten Abteilung entwickelte Theorie der Differentialgleichungen erster Ordnung in zwei Variabeln x, y, welche eine infinitesimale Transformation gestatten, noch nicht zu einem völlig befriedigenden Abschluss gebracht wurde, dieser vielmehr zunächst noch die Betrachtung von eingliedrigen Gruppen in drei Veränderlichen erfordere. Nunmehr werden wir bald erkennen, inwiefern solche Gruppen in drei Veränderlichen mit der Theorie der Differentialgleichungen erster Ordnung in zwei Veränderlichen zusammenhängen. Wir werden nämlich die drei Variabeln

---

Curven auf die Integration einer gew. Differentialgleichung erster Ordnung zurück. Die Bezeichnung *Spiralfläche* führte er gelegentlich im norwegischen Archiv 1878 ein. Die auf Spiralflächen abwickelbaren Flächen betrachtete zuerst Levy; Darboux zeigte, dass diejenige Differentialgleichung *erster* Ordnung, welche nach Lie's Untersuchungen die geodätischen Curven einer auf eine Spiralfläche abwickelbaren Fläche liefert, *Riccati'sche* Form erhalten kann.

nicht wie bisher als Punktcoordinaten im Raume deuten, sondern von einer eigentümlichen und sehr fruchtbaren Interpretation derselben als Coordinaten eines sogenannten *Linienelementes in der Ebene* Gebrauch machen. Unser Nächstes ist daher, diese Deutung auseinander zu setzen.

§ 1. Erweiterung einer Punkttransformation der Ebene.

Sei

(1) $$x_1 = \varphi(x, y), \quad y_1 = \psi(x, y)$$

eine vorgelegte Transformation der Punkte (x, y) der *Ebene* in die Punkte (x_1, y_1) derselben, indem wir unter x, y rechtwinklige Punktcoordinaten in der Ebene verstehen.

Führen wir diese Transformation (1) auf irgend eine vorgelegte Curve c:

(2) $$y - F(x) = 0$$

aus, so geht diese Curve c in eine in x_1, y_1 geschriebene Curve c_1:

(3) $$y_1 - F_1(x_1) = 0$$

über. Durch die Gleichung (2) aber wird jedem Punkte (x, y) der ersten Curve c eine tangentiale Fortschreitungsrichtung zugeordnet, deren Neigung

$$y' = \frac{dy}{dx} = F'(x)$$

ist. Auch dem Punkte (x_1, y_1), in welchen dieser Punkt (x, y) der ersten Curve c bei der Tranformation (1) übergeht, gehört als Punkt der transformierten Curve c_1 eine gewisse tangentiale Fortschreitungsrichtung zu:

$$y_1' = \frac{dy_1}{dx_1} = F_1'(x_1).$$

Es ist nun zu bemerken, dass sich diese durch x, y und die Neigung y' im ursprünglichen Punkte (x, y) allein ausdrücken lässt.

Es ist nämlich nach (1):

(4) $$y_1' = \frac{dy_1}{dx_1} = \frac{d\psi(x, y)}{d\varphi(x, y)} = \frac{\frac{\partial \psi}{\partial x} dx + \frac{\partial \psi}{\partial y} dy}{\frac{\partial \varphi}{\partial x} dx + \frac{\partial \varphi}{\partial y} dy} = \frac{\frac{\partial \psi}{\partial x} + \frac{\partial \psi}{\partial y} y'}{\frac{\partial \varphi}{\partial x} + \frac{\partial \varphi}{\partial y} y'}.$$

Man kann hiernach y_1' berechnen, sobald die Transformation (1) vorgelegt ist und die Werte von x, y, y' gegeben sind, ohne dabei die Gleichung (2) der ursprünglichen Curve c zu benutzen.

Denken wir uns also eine zweite Curve c' gegeben, welche die erste c in dem betrachteten Punkte (x, y) *berührt*, so hat sie in diesem Punkte dasselbe y'. Durch (4) ergiebt sich daher für die Curve c_1', in welche c' durch die Transformation übergeführt wird, in dem Punkte (x_1, y_1), der den beiden Curven c_1 und c_1' angehört, genau dieselbe tangentiale Fortschreitungsrichtung y_1' wie für die erste transformierte Curve c_1, d. h. auch die transformierten Curven c_1 und c_1' berühren sich daselbst (Fig. 23).

Eine Punkttransformation (1) *führt also Curven, die sich berühren, in ebensolche über.*

Diese Thatsache wird dem Leser schon bekannt sein, wenn wir auch früher nicht ausdrücklich darauf hingewiesen haben (— wohl aber haben wir sie in einigen geometrischen Beispielen bereits stillschweigend als bekannt vorausgesetzt —). Sie erscheint ja auch ziemlich selbstverständlich. Ihre analytische Erklärung liegt in der Formel (4), welche die nicht sofort als ganz selbstverständlich erscheinende Thatsache ausdrückt, das die transformierte Richtung y_1' nur von x, y und y' und natürlich der Transformation (1) selbst, nicht aber von der angenommenen Curve abhängt.

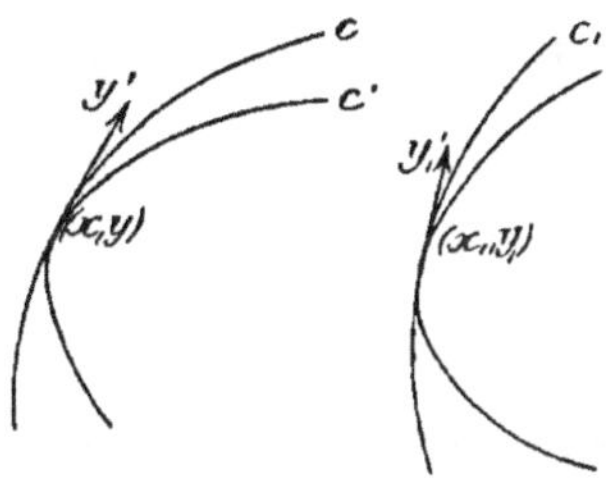

Fig. 23.

Wir werden dies Ergebnis deshalb ganz von der Annahme einer Curve ablösen und bedürfen dazu eines naheliegenden geometrischen Bildes: *Wir wollen den Inbegriff eines Punktes* (x, y) *und einer hin-* Linienelement.
durchgehenden Richtung, deren Winkel mit der x-Axe die trigonometrische Tangente y' *habe, ein Linienelement nennen und* x, y, y' *als die Bestimmungsstücke oder Coordinaten desselben bezeichnen.*

Unter y' haben wir uns also *nicht notwendig* einen Differentialquotienten $\frac{dy}{dx}$ vorzustellsn, sondern nur eine Zahl zur Bestimmung einer Richtung. Z. B. $x = y = y' = 0$ stellt den Inbegriff des Anfangspunktes und der durch ihn gehenden Richtung längs der x-Axe dar, $x = 0$, $y = 1$, $y' = 1$ den Inbegriff des Punktes $y = 1$ der y-Axe und der hindurchgehenden zur x-Axe um einen halben rechten Winkel geneigten Richtung u. s. w.

Das Linienelement (x, y, y') ist, so können wir auch sagen, der Inbegriff des Punktes (x, y) und der hindurchgehenden Richtung längs der Geraden, welche die Gleichung hat:

$$\mathfrak{y} - y - y'(\mathfrak{x} - x) = 0,$$

wo $\mathfrak{x}$, $\mathfrak{y}$ die laufenden Coordinaten bedeuten sollen.

Nunmehr können wir unsere frühere Betrachtung so zusammenfassen: *Bei einer vorgelegten Punkttransformation* (1) *der Ebene werden auch die* ∞^3 *Linienelemente* (x, y, y') *derselben in einer ganz bestimmten Weise transformiert, nämlich durch die drei Gleichungen:*

$$(5) \qquad x_1 = \varphi(x, y), \quad y_1 = \psi(x, y), \quad y_1' = \frac{\frac{\partial \psi}{\partial x} + \frac{\partial \psi}{\partial y} y'}{\frac{\partial \varphi}{\partial x} + \frac{\partial \varphi}{\partial y} y'}.$$

Erweiterte Punkttransformation.

Wir nennen diese Transformation der Linienelemente *die erweiterte Punkttransformation* (1).

Will man bei vorgelegter Transformation (1) den Wert von y_1' bilden, so hat man also zu berechnen:

$$(6) \qquad y_1' = \frac{\frac{d y_1}{d x}}{\frac{d x_1}{d x}},$$

indem man hierbei während der Differentiationen von x_1 und y_1 nach x die Veränderliche y als Function von x auffasst, also $\frac{dy}{dx} = y'$ setzt.

Fassen wir nun alle ∞^1 Linienelemente einer Curve $y = F(x)$ ins Auge. Sie werden dargestellt durch die beiden Gleichungen

$$y = F(x), \quad y' = F'(x).$$

Die vermöge (5) transformierten Linienelemente (x_1, y_1, y_1') werden gegeben durch:

$$x_1 = \varphi(x, F(x)), \quad y_1 = \psi(x, F(x)), \quad y_1' = \left[\frac{\frac{\partial \psi}{\partial x} + \frac{\partial \psi}{\partial y} F'(x)}{\frac{\partial \varphi}{\partial x} + \frac{\partial \varphi}{\partial y} F'(x)}\right]_{y = F(x)}.$$

Die beiden ersten Gleichungen, welche x_1 und y_1 durch eine Variabele x ausdrücken, stellen die Curve dar, in welche die vorgelegte Curve bei der Transformation übergeht. Der Punktort der transformierten Linienelemente ist also der transformierte Punktort der ursprünglichen Linienelemente. Die Richtungen y_1' der neuen Linienelemente werden gegeben durch

$$y_1' = \left[\frac{\frac{\partial \psi(x, y)}{\partial x} + \frac{\partial \psi(x, y)}{\partial y} y'}{\frac{\partial \varphi(x, y)}{\partial x} + \frac{\partial \varphi(x, y)}{\partial y} y'}\right]_{\substack{y = F(x) \\ y' = F'(x)}}.$$

Aber diese Gleichung giebt die Tangentialrichtung der Curve

$$x_1 = \varphi(x, F), \quad y_1 = \psi(x, F).$$

Somit folgt:

Satz 1: *Die Linienelemente einer Curve $y = F(x)$ verwandeln sich bei einer erweiterten Punkttransformation*

$$x_1 = \varphi(x, y), \quad y_1 = \psi(x, y), \quad y_1' = \frac{\frac{\partial \psi}{\partial x} + \frac{\partial \psi}{\partial y} y'}{\frac{\partial \varphi}{\partial x} + \frac{\partial \varphi}{\partial y} y'}$$

in die Linienelemente der Curve, in welche $y = F(x)$ vermöge der Punkttransformation

$$x_1 = \varphi(x, y), \quad y_1 = \psi(x, y)$$

übergeführt wird.

1. Beispiel: Bei der Translation längs der x-Axe Beispiele.

$$x_1 = x + a, \quad y_1 = y$$

wird:

$$y_1' = \frac{\frac{d y_1}{d x}}{\frac{d x_1}{d x}} = y'.$$

Die erweiterte Transformation lautet also:

$$x_1 = x + a, \quad y_1 = y, \quad y_1' = y'.$$

Das Linienelement (x, y, y') wird demnach durch diese Transformation parallel mit sich verschoben, was geometrisch einleuchtet (Fig. 24).

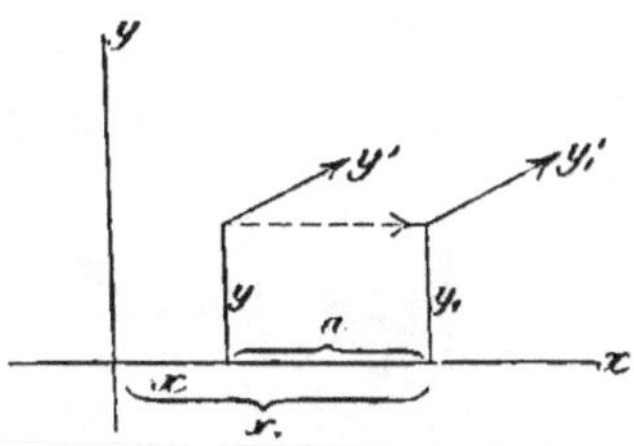

Fig. 24.

2. Beispiel: Bei der Rotation:

$$x_1 = x \cos \alpha - y \sin \alpha,$$
$$y_1 = x \sin \alpha + y \cos \alpha$$

wird

$$y_1' = \frac{\frac{d y_1}{d x}}{\frac{d x_1}{d x}} = \frac{\sin \alpha + y' \cos \alpha}{\cos \alpha - y' \sin \alpha},$$

sodass die erweiterte Transformation lautet:

$$x_1 = x \cos \alpha - y \sin \alpha,$$
$$y_1 = x \sin \alpha + y \cos \alpha,$$
$$y_1' = \frac{\operatorname{tg} \alpha + y'}{1 - y' \operatorname{tg} \alpha}.$$

Man bemerkt, dass hier y_1' ganz frei von x und y ist, d. h. dass alle Linienelemente, welche dasselbe y' haben, also einander parallel sind, durch die Rotation in ebensolche übergeführt werden, was auch geometrisch einzusehen ist.

3. *Beispiel:* Bei der affinen Transformation

$$x_1 = mx, \quad y_1 = y$$

ergiebt sich

$$y_1' = \frac{\frac{dy_1}{dx}}{\frac{dx_1}{dx}} = \frac{y'}{m}.$$

Die erwẹiterte Transformation ist also:

$$x_1 = mx, \quad y_1 = y, \quad y_1' = \frac{y'}{m}.$$

4. *Beispiel:* Bei der Ähnlichkeitstransformation

$$x_1 = mx, \quad y_1 = my$$

ist

$$y_1' = \frac{\frac{dy_1}{dx}}{\frac{dx_1}{dx}} = \frac{my'}{m} = y',$$

also die erweiterte Transformation:

$$x_1 = mx, \quad y_1 = my, \quad y_1' = y'.$$

5. *Beispiel:* Die Transformation:

$$x_1 = x + \frac{xa}{\sqrt{x^2 + y^2}}, \quad y_1 = y + \frac{ya}{\sqrt{x^2 + y^2}}$$

verschiebt alle Punkte um die constante Strecke a auf ihren Radienvectoren. Hier ist

$$y_1' = \frac{\frac{dy_1}{dx}}{\frac{dx_1}{dx}} = \frac{y' \sqrt{x^2 + y^2}^3 + x(xy' - y)a}{\sqrt{x^2 + y^2}^3 - y(xy' - y)a}.$$

Hier hängt also y_1' von y' und auch von x und y ab.

§ 2. Erweiterung einer eingliedrigen Gruppe von Punkttransformationen der Ebene.

Nehmen wir jetzt an, es sei eine eingliedrige *Gruppe* von Punkttransformationen in der Ebene vorgelegt:

(7) $$x_1 = \varphi(x, y, a), \quad y_1 = \psi(x, y, a)$$

mit dem Parameter a. Die Schar dieser ∞^1 Transformationen soll also die Eigentümlichkeit haben, dass zwei Transformationen derselben nacheinander ausgeführt, also etwa (7) mit bestimmtem Parameterwert a und darauf die Transformation

(8) $$x_2 = \varphi(x_1, y_1, a_1), \quad y_2 = \psi(x_1, y_1, a_1)$$

mit dem Parameterwert a_1, äquivalent sind einer gewissen einzigen von a und a_1 abhängigen Transformation der Schar:

(9) $$x_2 = \varphi(x, y, b), \quad y_2 = \psi(x, y, b),$$

wo also b eine gewisse Function von a und a_1 bedeutet:

$$b = \lambda(a, a_1).$$

Wir können alsdann jede dieser ∞^1 Punkttransformationen in der im vorigen Paragraphen auseinandergesetzten Weise erweitern. Jede liefert dann eine Transformation der Linienelemente (x, y, y') der Ebene. Es liegt die Vermutung sehr nahe, *dass diese ∞^1 erweiterten Transformationen ebenfalls eine eingliedrige Gruppe, und zwar in den drei Veränderlichen x, y, y', bilden.*

Zum Beweise dieser Vermutung erweitern wir die beiden nacheinander auszuführenden Punkttransformationen (7) und (8). Dies giebt: Gruppeneigenschaft der Erweiterung der Gruppe.

(7') $$x_1 = \varphi(x, y, a), \quad y_1 = \psi(x, y, a), \quad y_1' = \frac{dy_1}{dx_1} = \frac{d\psi(x, y, a)}{d\varphi(x, y, a)}$$

und

(8') $$x_2 = \varphi(x_1, y_1, a_1), \; y_2 = \psi(x_1, y_1, a_1), \; y_2' = \frac{dy_2}{dx_2} = \frac{d\psi(x_1, y_1, a_1)}{d\varphi(x_1, y_1, a_1)}.$$

Die Differentiationen sind hier natürlich so zu verstehen, dass nach der Bildung der Differentiale $\frac{dy}{dx} = y'$ und $\frac{dy_1}{dx_1} = y_1'$ zu setzen ist. Die Gleichungen (7), (8) und (9) geben nun:

$$\frac{dy_2}{dx_2} = \frac{d\psi(x_1, y_1, a_1)}{d\varphi(x_1, y_1, a_1)} = \frac{d\psi(x, y, b)}{d\varphi(x, y, b)},$$

d. h. eliminiert man aus (7') und (8') die Zwischenwerte x_1, y_1 und $\frac{dy_1}{dx_1} = y_1'$, so kommt:

(9') $$x_2 = \varphi(x, y, b), \quad y_2 = \psi(x, y, b), \quad y_2' = \frac{d\psi(x, y, b)}{d\varphi(x, y, b)}.$$

Also ist die Aufeinanderfolge der erweiterten Transformationen (7') und (8') äquivalent der Erweiterung (9') von (9), mit anderen Worten: Die erweiterten Transformationen der vorgelegten Gruppe bilden wiederum eine Gruppe.

Bezeichnen wir die Transformation unserer vorgelegten Gruppe, welche dem Parameterwert a zugehört, mit T_a, die erweiterte Transformation mit T_a', so haben wir also bewiesen, dass aus

$$T_a T_{a_1} = T_{(a, a_1)}$$

folgt:

$$T_a' T_{a_1}' = T_{(a, a_1)}',$$

in Worten: Ist die Aufeinanderfolge zweier Transformationen T_a und T_{a_1} der ursprünglichen Gruppe äquivalent der Transformation $T_{(a, a_1)}$ derselben, so ist die Aufeinanderfolge der beiden aus T_a und T_{a_1} erweiterten Transformationen T_a' und T_{a_1}' äquivalent der aus $T_{(a\, a_1)}$ erweiterten Transformation $T_{(a\, a_1)}'$.

Es möge insbesondere $\bar{a}$ der Parameter der zu T_a *inversen* Transformation $T_{\bar{a}}$ der gegebenen Gruppe sein. Ihre Reihenfolge $T_a T_{\bar{a}}$ liefert die identische Transformation

$$x_1 = x, \quad y_1 = y.$$

Erweitert man diese, so kommt:

$$y_1' = \frac{dy_1}{dx_1} = \frac{dy}{dx} = y',$$

d. h. die identische Transformation in x, y, y':

$$x_1 = x, \quad y_1 = y, \quad y_1' = y'.$$

Demnach ergiebt sich, dass die Aufeinanderfolge $T_a' T_{\bar{a}}'$ der aus T_a und der dazu inversen $T_{\bar{a}}$ erweiterten Transformationen der identischen Transformation in x, y, y' äquivalent, d. h. dass $T_{\bar{a}}'$ zu T_a' invers ist.

Theorem 20: *Erweitert man eine eingliedrige Gruppe der Ebene mit paarweis inversen Transformationen:*

$$x_1 = \varphi(x, y, a), \quad y_1 = \psi(x, y, a)$$

durch Berücksichtigung der Transformationen des Differentialquotienten $y' = \frac{dy}{dx}$, *so bilden die erweiterten Transformationen*

$$x_1 = \varphi(x, y, a), \quad y_1 = \psi(x, y, a), \quad y_1' = \frac{\frac{\partial \psi}{\partial x} + \frac{\partial \psi}{\partial y} y'}{\frac{\partial \varphi}{\partial x} + \frac{\partial \varphi}{\partial y} y'}$$

wieder eine eingliedrige Gruppe mit paarweis inversen Transformationen im Gebiet der drei Veränderlichen x, y, y'. *Giebt die Reihenfolge zweier Transformationen der ursprünglichen Gruppe, welche den Parameterwerten* a, a_1 *entsprechen, eine Transformation mit dem Parameterwert* $b = \lambda(a, a_1)$, *so gilt dasselbe von den entsprechenden Transformationen der erweiterten Gruppe.*

Unser Theorem kann in mehr geometrischer Einkleidung auch so ausgesprochen werden:

Satz 2: *Werden die Punkte* (x, y) *der Ebene durch eine eingliedrige Gruppe transformiert, so werden gleichzeitig die Linienelemente* (x, y, y') *der Ebene durch eine eingliedrige Gruppe, die sogenannte erweiterte Gruppe, transformiert.*

Wir wollen die obige Beweisführung noch anschaulich geometrisch, wenn auch in nicht ganz scharf formulierter Weise wiedergeben:

Geometrische Veranschaulichung.

Eine Punkttransformation T_a der gegebenen Gruppe von ∞^1 Punkttransformationen der Ebene führt die Punkte p derselben in Punkte p_1 über. Man kann die zugehörige Transformation der Linienelemente geometrisch so herstellen: Ein Linienelement, bestehend aus p und einer beliebig gewählten hindurchgehenden Richtung g, wird durch die erweiterte Transformation T_a' in ein Linienelement, bestehend aus p_1 und einer gewissen durch p_1 gehenden Richtung g_1, transformiert. Um diese Richtung g_1 zu construieren, nehmen wir auf g einen dem Punkte p unendlich benachbarten Punkt q an. Er wird durch T_a in einen dem Punkte p_1 unendlich benachbarten Punkt q_1 auf der gesuchten Richtung g_1 übergeführt, und g_1 kann hiernach bestimmt werden. Sei nun T_{a_1} eine zweite Transformation der gegebenen Gruppe, welche wir nach T_a ausführen. Sie bringt p_1 und q_1 in neue einander unendlich benachbarte Lagen p_2, q_2 und die zu T_{a_1} gehörige erweiterte Transformation T_{a_1}' führt demnach das Linienelement (p_1, g_1) in das Linienelement (p_2, g_2) über, dessen Richtung g_2 die von p_2 nach q_2 ist. (Fig. 25.)

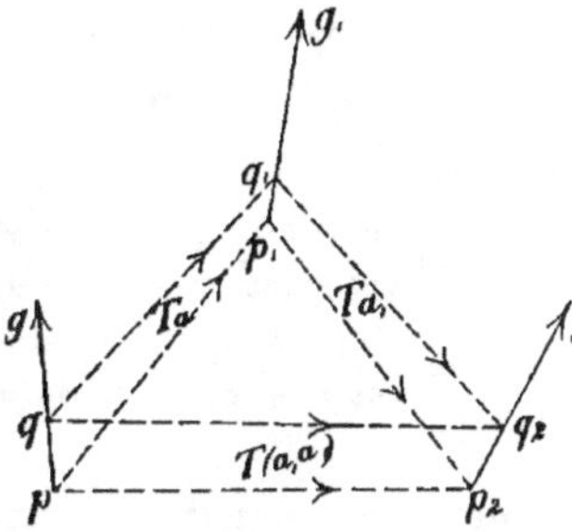

Fig. 25.

Da nun $T_a T_{a_1} = T_{(a, a_1)}$, d. h. äquivalent einer anderen Transformation der vorgelegten Gruppe ist, so wird $T_{(a, a_1)}$ die Punkte p, q direct nach p_2, q_2 führen. Die aus $T_{(a, a_1)}$ erweiterte Transformation $T'_{(a, a_1)}$ muss deshalb notwendig das Linienelement (p, g) in das Linienelement (p_2, g_2) überführen. Dies gilt für alle Linienelemente (p, g) der Ebene, und so folgt, dass mit

$$T_a T_{a_1} = T_{(a, a_1)}$$

auch

$$T_a' T_{a_1}' = T'_{(a, a_1)}$$

ist, was zu beweisen war.

1. Beispiel: Vorgelegt sei die eingliedrige Gruppe von Ähnlichkeitstransformationen: Beispiele.

$$x_1 = ax, \quad y_1 = ay.$$

Die erweiterten Transformationen

$$x_1 = ax, \quad y_1 = ay, \quad y_1' = y'$$

bilden offenbar ebenfalls eine eingliedrige Gruppe.

2. Beispiel: Vorgelegt sei die eingliedrige Gruppe von Rotationen um den Anfangspunkt:

$$x_1 = x \cos \alpha - y \sin \alpha, \quad y_1 = x \sin \alpha + y \cos \alpha.$$

Die erweiterten Transformationen sind hier (vgl. 2. Beispiel des § 1):

$$x_1 = x \cos\alpha - y \sin\alpha, \quad y_1 = x \sin\alpha + y\cos\alpha, \quad y_1' = \frac{\sin\alpha + y'\cos\alpha}{\cos\alpha - y'\sin\alpha}.$$

Wir verificieren, dass sie eine Gruppe bilden und führen zu dem Zwecke diese und die Transformation:

$$x_2 = x_1 \cos\alpha_1 - y_1 \sin\alpha_1, \quad y_2 = x_1 \sin\alpha_1 + y_1 \cos\alpha_1, \quad y_2' = \frac{\sin\alpha_1 + y_1'\cos\alpha_1}{\cos\alpha_1 - y_1'\sin\alpha_1}$$

nach einander aus. Eliminieren wir x_1, y_1, y_1' hieraus vermöge der drei ersten Gleichungen, so kommt zunächst bekanntlich:

$$x_2 = x\cos(\alpha + \alpha_1) - y \sin(\alpha + \alpha_1),$$
$$y_2 = x \sin(\alpha + \alpha_1) + y\cos(\alpha + \alpha_1)$$

und überdies:

$$y_2' = \frac{\sin\alpha_1(\cos\alpha - y'\sin\alpha) + \cos\alpha_1(\sin\alpha + y'\cos\alpha)}{\cos\alpha_1(\cos\alpha - y'\sin\alpha) - \sin\alpha_1(\sin\alpha + y'\cos\alpha)} =$$
$$= \frac{\sin(\alpha + \alpha_1) + y'\cos(\alpha + \alpha_1)}{\cos(\alpha + \alpha_1) - y'\sin(\alpha + \alpha_1)}.$$

§ 3. Die infinitesimale Transformation der erweiterten Gruppe.

Hat man aus einer eingliedrigen Gruppe von Transformationen der Punkte (x, y) die erweiterte eingliedrige Gruppe der Linienelemente (x, y, y') der Ebene construiert, so ist die letztere eine Gruppe in den drei Veränderlichen x, y, y'. Wir stellen uns die Aufgabe, alle Gleichungen $\Omega(x, y, y') = 0$ zu finden, welche die erweiterte Gruppe gestatten. Um diese Aufgabe anschaulich zu erledigen, werden wir bis auf weiteres x, y, y' nicht gerade als Coordinaten eines Linienelementes, sondern als Cartesische Coordinaten eines Punktes im gewöhnlichen Raume auffassen. Natürlich bleibt die erweiterte Gruppe auch dann noch eine Gruppe, und zwar wird sie zu einer eingliedrigen Gruppe von Punkttransformationen des Raumes (x, y, y'). Diese Deutung liefert zu jedem Linienelemente (x, y, y') der (xy)-Ebene einen bestimmten Punkt (x, y, y') des Raumes und umgekehrt. *Die Linienelemente der Ebene sind also dadurch eindeutig auf die Punkte des Raumes bezogen, auf sie abgebildet**). Im Raume besitzt nun die erweiterte Gruppe — diese also aufgefasst als eine Gruppe von Transformationen der *Punkte* (x, y, y') des Raumes — gewisse invariante Curven und Flächen, die wir nach den früher gegebenen Regeln zu bestimmen vermögen. Diesen

*) Diese Abbildung der Linienelemente der Ebene auf den Punktraum benutzte Lie in grosser Ausdehnung in seinen Untersuchungen im norwegischen Archiv, 1878 u. 1879, über Gruppen von Berührungstransformationen. Dass man es hierbei erreichen kann, dass die Linienelemente jeder ebenen Curve sich als die Punkte einer Raumcurve abbilden, deren Tangenten einem *linearen Liniencomplexe* angehören, hatte er schon 1874 in den Göttinger Nachrichten angedeutet.

Curven und Flächen entsprechen vermöge unserer Abbildung gewisse aus Linienelementen (x, y, y') bestehende Gebilde in der Ebene, die bei der erweiterten Gruppe — diese jetzt als eine Gruppe von Transformationen der Linienelemente aufgefasst — invariant sind.

Es eröffnet sich hiermit also ein Weg, die bei einer erweiterten Gruppe vorhandenen invarianten Gebilde von Linienelementen vermöge uns schon bekannter Regeln zu bestimmen. Dazu aber bedürfen wir, wie bekannt, der infinitesimalen Transformation der erweiterten Gruppe; zunächst werden wir daher diese aufsuchen.

Es sei

Berechnung d. inf. Trf. der erweiterten Gruppe.

$$Uf \equiv \xi(x, y)\frac{\partial f}{\partial x} + \eta(x, y)\frac{\partial f}{\partial y}$$

die infinitesimale Transformation der vorgelegten eingliedrigen Gruppe von Punkttransformationen der Ebene. Bekanntlich können wir dann die endlichen Gleichungen der Gruppe in Form von Reihenentwickelungen schreiben (vgl. Theorem 4 des § 3, 3. Kap.):

$$x_1 = x + t\xi + \frac{t^2}{1\cdot 2}U(Ux) + \cdots,$$

$$y_1 = y + t\eta + \frac{t^2}{1\cdot 2}U(Uy) + \cdots.$$

Demnach kommt:

$$y_1' = \frac{dy_1}{dx_1} = \frac{dy + td\eta + \cdots}{dx + td\xi + \cdots} = \frac{y' + t\left(\frac{\partial\eta}{\partial x} + \frac{\partial\eta}{\partial y}y'\right) + \cdots}{1 + t\left(\frac{\partial\xi}{\partial x} + \frac{\partial\xi}{\partial y}y'\right) + \cdots}.$$

Nun lässt sich der reciproke Wert der Potenzreihe nach t:

$$1 + t\left(\frac{\partial\xi}{\partial x} + \frac{\partial\xi}{\partial y}y'\right) + \frac{t^2}{1\cdot 2}(\cdot\cdot) + \cdots$$

bekanntlich ebenfalls in eine Potenzreihe nach t entwickeln und zwar beginnt sie mit den Gliedern:

$$1 - t\left(\frac{\partial\xi}{\partial x} + \frac{\partial\xi}{\partial y}y'\right) + \cdots.$$

Also ergiebt sich:

$$y_1' = \left\{y' + t\left(\frac{\partial\eta}{\partial x} + \frac{\partial\eta}{\partial y}y'\right) + \cdots\right\}\left\{1 - t\left(\frac{\partial\xi}{\partial x} + \frac{\partial\xi}{\partial y}y'\right) + \cdots\right\} =$$

$$= y' + t\left(\frac{\partial\eta}{\partial x} + \frac{\partial\eta}{\partial y}y' - \frac{\partial\xi}{\partial x}y' - \frac{\partial\xi}{\partial y}y'^2\right) + \cdots.$$

Gehen wir nun zur infinitesimalen Transformation der erweiterten Gruppe über, so haben wir den Parameter t unendlich klein, gleich δt, anzunehmen und die Glieder zweiter und höherer Ordnung in δt zu vernachlässigen. Daher folgt dann:

$$y_1' = y' + \delta t\left(\frac{\partial \eta}{\partial x} + \left(\frac{\partial \eta}{\partial y} - \frac{\partial \xi}{\partial x}\right) y' - \frac{\partial \xi}{\partial y} y'^2\right).$$

Bei der infinitesimalen Transformation der erweiterten Gruppe erfahren also x, y und y' die Incremente:

$$\delta x = \xi \delta t, \quad \delta y = \eta \delta t,$$

$$\delta y' = \left(\frac{\partial \eta}{\partial x} + \left(\frac{\partial \eta}{\partial y} - \frac{\partial \xi}{\partial x}\right) y' - \frac{\partial \xi}{\partial y} y'^2\right) \delta t.$$

Mithin hat diese infinitesimale Transformation das Symbol:

$$U'f \equiv \xi \frac{\partial f}{\partial x} + \eta \frac{\partial f}{\partial y} + \left(\frac{\partial \eta}{\partial x} + \left(\frac{\partial \eta}{\partial y} - \frac{\partial \xi}{\partial x}\right) y' - \frac{\partial \xi}{\partial y} y'^2\right) \frac{\partial f}{\partial y'},$$

das wir gelegentlich abkürzend auch so schreiben:

$$U'f \equiv \xi \frac{\partial f}{\partial x} + \eta \frac{\partial f}{\partial y} + \eta' \frac{\partial f}{\partial y'},$$

sodass also η' den Ausdruck bezeichnen soll:

$$\eta' = \frac{\partial \eta}{\partial x} + \left(\frac{\partial \eta}{\partial y} - \frac{\partial \xi}{\partial x}\right) y' - \frac{\partial \xi}{\partial y} y'^2.$$

Satz 3: *Wird eine eingliedrige Gruppe von Punkttransformationen der Ebene (x, y) von der infinitesimalen Transformation*

$$Uf \equiv \xi \frac{\partial f}{\partial x} + \eta \frac{\partial f}{\partial y}$$

erzeugt, so wird die erweiterte Gruppe der Linienelemente (x, y, y') von der infinitesimalen Transformation

$$U'f \equiv \xi \frac{\partial f}{\partial x} + \eta \frac{\partial f}{\partial y} + \eta' \frac{\partial f}{\partial y'}$$

erzeugt, wo

$$\eta' \equiv \frac{\partial \eta}{\partial x} + \left(\frac{\partial \eta}{\partial y} - \frac{\partial \xi}{\partial x}\right) y' - \frac{\partial \xi}{\partial y} y'^2$$

ist.

Man sieht, dass zur Berechnung dieser infinitesimalen Transformation $U'f$ der erweiterten Gruppe nur die Kenntnis von ξ, η, also die Kenntnis der infinitesimalen Transformation Uf der ursprünglichen Gruppe erforderlich ist. Wir können demnach auch sagen, dass die infinitesimale Transformation $U'f$ der erweiterten Gruppe direct als die Erweiterung der infinitesimalen Transformation Uf aufzufassen ist.

Um sich die Form von $U'f$, insbesondere also um sich den Ausdruck η' zu merken und für Berechnungen bequem zur Hand zu haben, ist die Bemerkung von Nutzen, dass η' in der Form geschrieben werden kann:

$$\eta' \equiv \frac{d\eta}{dx} - y' \frac{d\xi}{dx},$$

wenn man nur bei der Differentiation nach x die Veränderliche y als Function von x auffasst, also $\frac{dy}{dx} = y'$ setzt.

Es erscheint zweckmässig, zur Ableitung der erweiterten infinitesimalen Transformation eine zweite Methode zu entwickeln, da sie sich durch Kürze auszeichnet, wenn sie auch nicht so elementar wie die obige ist. Sind Andere Ableitung dieser inf. Transf.

$$x_1 = \varphi(x, y, t), \quad y_1 = \psi(x, y, t)$$

die endlichen Gleichungen der Gruppe Uf, so sind bekanntlich ξ und η als die Ableitungen von x_1 und y_1 nach t für den Wert von t, welcher der identischen Transformation entspricht, also etwa für $t = 0$, aufzufassen. (Vgl. § 5 des 2., § 2 des 3. Kapitels.) In den Incrementen:

$$\delta x = \xi \delta t, \quad \delta y = \eta \delta t$$

oder in

$$\frac{\delta x}{\delta t} = \xi, \quad \frac{\delta y}{\delta t} = \eta$$

kann also das Zeichen δ als Differentiationszeichen nach t für $t = 0$ aufgefasst werden. Nun ist:

$$y' = \frac{dy}{dx},$$

also

$$\frac{\delta y'}{\delta t} = \frac{\delta \frac{dy}{dx}}{\delta t} = \frac{dx \cdot \frac{\delta}{\delta t} dy - dy \cdot \frac{\delta}{\delta t} dx}{dx^2}.$$

Die Operationen d und δ dürfen nach einem Satze der Variationsrechnung vertauscht werden und es kommt also:

$$\frac{\delta y'}{\delta t} = \frac{dx \cdot d\frac{\delta y}{\delta t} - dy \cdot d\frac{\delta x}{\delta t}}{dx^2}$$

oder wegen $\frac{\delta x}{\delta t} = \xi$, $\frac{\delta y}{\delta t} = \eta$:

$$\frac{\delta y'}{\delta t} = \frac{d\eta}{dx} - \frac{dy}{dx}\frac{d\xi}{dx} = \frac{d\eta}{dx} - y'\frac{d\xi}{dx},$$

und dies ist in der That der oben für η' erhaltene Wert.

1. Beispiel: Erweitert man die infinitesimale Translation: Beispiele.

$$\frac{\partial f}{\partial y},$$

so erhält man offenbar genau dieselbe infinitesimale Transformation, da hier $\xi \equiv 0$, $\eta \equiv 1$, also $\eta' \equiv 0$ ist. Andererseits wissen wir, es ist $\frac{\partial f}{\partial y}$ die infinitesimale Transformation der eingliedrigen Gruppe

$$x_1 = x, \quad y_1 = y + t,$$

deren erweiterte Gruppe lautet:

$$x_1 = x, \quad y_1 = y + t, \quad y_1' = y'$$

und auch $\frac{\partial f}{\partial y}$ zur infinitesimalen Transformation hat.

2. *Beispiel:* Die Erweiterung der infinitesimalen Rotation:

$$Uf \equiv -y\frac{\partial f}{\partial x} + x\frac{\partial f}{\partial y}$$

liefert die infinitesimale Transformation der Linienelemente:

$$U'f \equiv -y\frac{\partial f}{\partial x} + x\frac{\partial f}{\partial y} + (1 + y'^2)\frac{\partial f}{\partial y'},$$

denn hier ist $\xi \equiv -y$, $\eta \equiv x$, also $\eta' \equiv \frac{d\eta}{dx} - y'\frac{d\xi}{dx} \equiv 1 + y'^2$. Man kann sie auch so erhalten: Uf ist infinitesimale Transformation der Gruppe von Rotationen:

$$x_1 = x\cos t - y\sin t, \quad y_1 = x\sin t + y\cos t,$$

bei der, wie früher berechnet,

$$y_1' = \frac{\sin t + y'\cos t}{\cos t - y'\sin t}$$

ist. Für $t = \delta t$ giebt dies bis auf unendlich kleine Grössen höherer Ordnung:

$$y_1' = \frac{\delta t + y'}{1 - y'dt} = (\delta t + y')(1 + y'\delta t) = y' + (1 + y'^2)\,\delta t,$$

sodass in der That

$$\delta y' = (1 + y'^2)\delta t$$

wird.

§ 4. Neues Kriterium dafür, dass eine Differentialgleichung erster Ordnung in x, y eine eingliedrige Gruppe gestattet.

Jetzt sind wir soweit, dass wir tiefer auf die Theorie derjenigen gew. Differentialgleichungen erster Ordnung in x, y eingehen können, welche eine gegebene eingliedrige Gruppe von Punkttransformationen gestatten. Wir nehmen also gewisse Probleme der zweiten Abteilung hier wieder auf.

Eine Differentialgleichung erster Ordnung in x, y hat die Form

$$(10) \qquad \Omega(x, y, y') = 0.$$

(Früher nahmen wir sie immer in aufgelöster Form $Xy' - Y = 0$ an.) Wählt man x, y ganz beliebig, so bestimmt sie y'. Diese Gleichung wird daher von ∞^2 der ∞^3 Linienelemente der Ebene erfüllt. Diese hängen mit den Integralcurven eng zusammen, denn die Tangente der durch den Punkt (x, y) gehenden Integralcurve hat eine Neigung y', welche mit x und y zusammen die Differentialgleichung erfüllt, d. h. jene ∞^2 Linienelemente, welche der Gleichung $\Omega = 0$ genügen, stellen sich dar als die ∞^2 Linienelemente, deren Richtungen die Integralcurven in ihren Punkten berühren. (Fig. 26.) Die Integralcurven sind also die ∞^1 Curven, welche von jenen ∞^2 Linienelementen eingehüllt werden.

Wenn insbesondere die Gleichung (10) y' selbst gar nicht enthält, stellt sie allerdings keine Differentialgleichung mehr vor, aber sie definiert dann immer noch ∞^2 Linienelemente. Wählt man nämlich in diesem Falle x beliebig, so wird durch die Gleichung y bestimmt, während y' ganz willkürlich bleibt. Eine Gleichung zwischen x und y

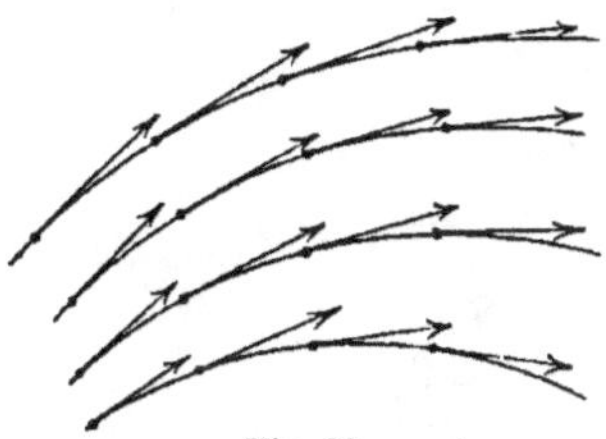

Fig. 26.

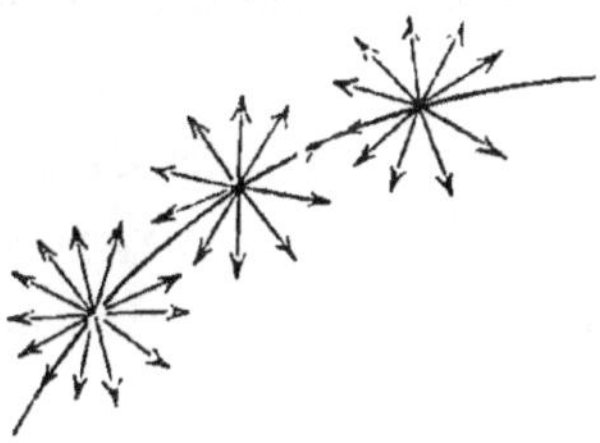

Fig. 27.

allein, die in gewöhnlicher Auffassung eine Curve darstellt, wird also als Gleichung zwischen den Coordinaten der Linienelemente die ∞^2 Linienelemente darstellen, deren Punkte auf jener Curve liegen, deren Richtungen aber beliebig sind. (Fig. 27.)

Wir werden voraussetzen, dass die Gleichung (10) die Variabele y' wirklich enthält.

Verlangen wir nun, dass die vorliegende Differentialgleichung (10) die Punkttransformation

$$x_1 = \varphi(x, y), \quad y_1 = \psi(x, y)$$

gestatte, so soll das heissen, dass die Differentialgleichung, geschrieben in den durch diese Transformation eingeführten Variabeln dieselbe Form wie die ursprüngliche hat. Führen wir aber die neuen Veränderlichen x_1, y_1 ein, so haben wir für x und y die Auflösungen der Transformation zu setzen; ferner ist $y' = \frac{dy}{dx}$ vermöge:

$$y_1' = \frac{dy_1}{dx_1} = \frac{\frac{\partial \psi}{\partial x} + \frac{\partial \psi}{\partial y} y'}{\frac{\partial \varphi}{\partial x} + \frac{\partial \varphi}{\partial y} y'}$$

durch x_1, y_1 und y_1' auszudrücken. Die Gleichung (10) in den drei Veränderlichen x, y, y' muss also invariant sein gegenüber der Transformation:

$$x_1 = \varphi(x, y),\ y_1 = \psi(x, y),\ y_1' = \frac{\frac{\partial \psi}{\partial x} + \frac{\partial \psi}{\partial y} y'}{\frac{\partial \varphi}{\partial x} + \frac{\partial \varphi}{\partial y} y'},$$

Invarianz e. Diffgl. 1. O. bei erweiterter Punkttrf.

die aber nichts anderes ist als die Erweiterung der Punkttransformation.

Dies Ergebnis ist ganz unabhängig davon, ob die betreffende Differentialgleichung in aufgelöster Form

$$Xy' - Y = 0$$

vorliegt, wie in der 2. Abteilung, oder nicht. Es gilt daher allgemein der

Satz 4: *Eine Differentialgleichung erster Ordnung*

$$\Omega(x, y, y') = 0$$

zwischen x, y gestattet die Punkttransformation

$$x_1 = \varphi(x, y), \quad y_1 = \psi(x, y)$$

dann und nur dann, wenn die Gleichung

$$\Omega(x, y, y') = 0$$

in den drei Veränderlichen x, y, y' die erweiterte Transformation

$$x_1 = \varphi(x, y), \quad y_1 = \psi(x, y), \quad y_1' = \frac{\frac{\partial \psi}{\partial x} + \frac{\partial \psi}{\partial y} y'}{\frac{\partial \varphi}{\partial x} + \frac{\partial \varphi}{\partial y} y'}$$

zulässt.

Dieser Satz hat einen einfachen geometrischen Sinn: Dass nämlich die Punkttransformation $x_1 = \varphi$, $y_1 = \psi$ die Differentialgleichung $\Omega = 0$ in sich überführt, bedeutet ja, dass sie ihre Integralcurven unter einander vertauscht. Dass andererseits die erweiterte Transformation die Gleichung $\Omega = 0$ invariant lässt, heisst, dass sie ihre ∞^2 Linienelemente unter einander vertauscht. Der aufgestellte Satz beruht nun darauf, dass die erweiterte Transformation nach Satz 1 (§ 1) die ∞^1 Linienelemente einer Integralcurve in die ∞^1 Linienelemente derjenigen Integralcurve überführt, in welche die erstere Curve vermöge der Punkttransformation $x_1 = \varphi$, $y_1 = \psi$ übergeht.

Wenn wir nunmehr verlangen, dass die vorgelegte Differentialgleichung

(10) $$\Omega(x, y, y') = 0$$

alle Transformationen der von der infinitesimalen Transformation

$$Uf \equiv \xi \frac{\partial f}{\partial x} + \eta \frac{\partial f}{\partial y}$$

erzeugten eingliedrigen *Gruppe* gestatte, so kommt dies nach dem eben Bemerkten darauf hinaus, dass die Gleichung (10), aufgefasst als eine Gleichung zwischen *drei* Veränderlichen x, y, y', bei allen Transformationen der erweiterten Gruppe, die von der infinitesimalen Transformation

Invarianz e. Diffgl. 1. O. bei erweiterter Gruppe.

$$U'f \equiv \xi \frac{\partial f}{\partial x} + \eta \frac{\partial f}{\partial y} + \eta' \frac{\partial f}{\partial y'}$$

erzeugt wird, invariant bleiben soll.

Ein solches Problem aber haben wir schon in der dritten Abteilung behandelt. Fassen wir nämlich x, y, y' als rechtwinklige Punktcoordinaten im Raume auf, so stellt die Gleichung (10) eine gewisse Fläche dar und wir verlangen, dass sie bei allen Transformationen der eingliedrigen von $U'f$ erzeugten Gruppe des Raumes invariant bleibe. Nach Satz 8 des § 4 im 12. Kapitel ist dazu notwendig und hinreichend, dass $U'\Omega$ vermöge $\Omega = 0$ verschwinde. Erinnern wir uns nun noch an die im vorigen Paragraphen entwickelte Form von $U'f$, so können wir also den Satz aussprechen:

Theorem 21: *Die Differentialgleichung erster Ordnung zwischen x und y:*

Invarianz-Kriterium e. Diffgl. 1. O.

$$\Omega(x, y, y') = 0$$

gestattet die eingliedrige Gruppe von Punkttransformationen

$$Uf \equiv \xi \frac{\partial f}{\partial x} + \eta \frac{\partial f}{\partial y}$$

dann und nur dann, wenn der Ausdruck

$$U'\Omega \equiv \xi \frac{\partial \Omega}{\partial x} + \eta \frac{\partial \Omega}{\partial y} + \left(\frac{\partial \eta}{\partial x} + \left(\frac{\partial \eta}{\partial y} - \frac{\partial \xi}{\partial x}\right) y' - \frac{\partial \xi}{\partial y} y'^2\right) \frac{\partial \Omega}{\partial y'}$$

vermöge $\Omega = 0$ verschwindet, vorausgesetzt dabei, dass die Differentialgleichung $\Omega = 0$ nicht in einer solchen Form geschrieben ist, in der $\frac{\partial \Omega}{\partial x}$, $\frac{\partial \Omega}{\partial y}$, $\frac{\partial \Omega}{\partial y'}$ sämtlich vermöge $\Omega = 0$ verschwinden.

Vergleichen wir dies Kriterium mit dem früher gefundenen (Theorem 9, § 2 des 6. Kap.), so erhellt unmittelbar ein bedeutender Vorzug des jetzigen: Damals nahmen wir die Differentialgleichung in aufgelöster Form

$$Xy' - Y = 0$$

an, jetzt kann das Kriterium aufgestellt werden, ohne dass diese Auflösung nach y' nötig wäre. Hiermit findet also auch eine Bemerkung ihre Bestätigung, die wir früher gelegentlich eines Beispiels machten (siehe 2. Beispiel des § 3, 6. Kap.). Wir wollen jenes damals durchgerechnete Beispiel nach der jetzigen Methode behandeln.

Beispiele. *1. Beispiel:* Es handelt sich darum, zu beweisen, dass die Differentialgleichung der Schar der ∞^1 Kreise

$$(x-a)^2+y^2-r^2=0$$

mit gleichem Radius r die infinitesimale Translation

$$Uf \equiv \frac{\partial f}{\partial x}$$

gestattet. Zunächst ist die Differentialgleichung zu bilden. Zu dem Zweck differenzieren wir die Gleichung der Kreisschar:

$$x-a+yy'=0$$

und eliminieren also vermöge $x-a=-yy'$ den Parameter a aus ihr, wodurch die Differentialgleichung in der Form hervorgeht:

$$\Omega \equiv y^2(1+y'^2)-r^2=0.$$

Die aus Uf erweiterte infinitesimale Transformation $U'f$ ist, wie bekannt, gleich $Uf \equiv \frac{\partial f}{\partial x}$, und somit kommt sofort:

$$U'\Omega \equiv \frac{\partial \Omega}{\partial x} \equiv 0,$$

denn Ω enthält x gar nicht. Hiermit ist der Nachweis geliefert und zwar viel kürzer als früher.

Recht deutlich tritt der Vorzug der jetzigen Methode auch bei den beiden folgenden Beispielen zu Tage.

2. Beispiel: Die Schar der ∞^1 Kreise, welche die beiden Coordinatenaxen berühren:

$$(x-c)^2+(y-c)^2=c^2$$

bleibt offenbar bei der infinitesimalen Ähnlichkeitstransformation

$$Uf \equiv x\frac{\partial f}{\partial x}+y\frac{\partial f}{\partial y}$$

invariant. Wir wollen verificieren, dass ihre Differentialgleichung diese infinitesimale Transformation gestattet. Um diese Gleichung zu bilden, haben wir

$$(x-c)^2+(y-c)^2=c^2$$

oder

$$x^2+y^2-2c(x+y)+c^2=0$$

zu differenzieren:

$$x+yy'-c(1+y')=0$$

und c zu eliminieren. Dies giebt die Differentialgleichung:

$$\Omega \equiv (x^2+y)^2(1+y'^2)-2(x+yy')(x+y)(1+y')+(x+yy')^2=0.$$

Uf giebt erweitert wie bekannt:

$$U'f \equiv Uf \equiv x\frac{\partial f}{\partial x}+y\frac{\partial f}{\partial y}.$$

Also ist:

$$U'\Omega \equiv x\frac{\partial \Omega}{\partial x} + y\frac{\partial \Omega}{\partial y} \equiv$$

$$\equiv x\{2x(1+y')^2 - 2(x+y)(1+y') - 2(x+yy')(1+y') + $$
$$+ 2(x+yy')\} +$$
$$+ y\{2y(1+y')^2 - 2y'(x+y)(1+y') - 2(x+yy')(1+y') +$$
$$+ 2y'(x+yy')\}$$
$$\equiv 2\Omega.$$

Also verschwindet in der That $U'\Omega$ vermöge $\Omega = 0$.

3. Beispiel: Die Schar der ∞^1 Tangenten des Kreises $x^2 + y^2 = 1$ gestattet offenbar die eingliedrige Gruppe von Rotationen um den Anfangspunkt:

$$Uf \equiv -y\frac{\partial f}{\partial x} + x\frac{\partial f}{\partial y}.$$

Zur Verification dessen an der Differentialgleichung der Geradenschar haben wir erst diese zu bilden. Die Gleichung der Tangenten ist:

$$ax + by - 1 = 0,$$

wo

$$a^2 + b^2 = 1$$

ist. Wir differenzieren:

$$a + by' = 0$$

und eliminieren aus diesen drei Gleichungen a und b. Dadurch geht als Differentialgleichung der Geraden hervor:

$$\Omega \equiv 1 + y'^2 - (y - xy')^2 = 0.$$

Es ist hier

$$U'f \equiv -y\frac{\partial f}{\partial x} + x\frac{\partial f}{\partial y} + (1 + y'^2)\frac{\partial f}{\partial y'},$$

sodass sich ergiebt:

$$U'\Omega \equiv -y\cdot 2(y - xy')y' - x\cdot 2(y - xy') + (1 + y'^2)(2y' + 2(y - xy')x)$$
$$\equiv 2y'(1 + y'^2 - (y - xy')^2) \equiv 2y'\Omega$$

und dieser Ausdruck verschwindet vermöge $\Omega = 0$.

Selbstverständlich muss das in unserem Theorem 21 aufgestellte Kriterium sich mit dem früheren decken. Wir werden es auf das frühere zurückführen, indem wir die Differentialgleichung $\Omega = 0$ in der aufgelösten Form

Zurückführung des neuen Kriteriums auf das frühere.

$$\Omega \equiv Xy' - Y = 0$$

annehmen. Dann kommt:

$$U'\Omega \equiv \xi\left(\frac{\partial X}{\partial x}y' - \frac{\partial Y}{\partial x}\right) + \eta\left(\frac{\partial X}{\partial y}y' - \frac{\partial Y}{\partial y}\right) + \\ + \left(\frac{\partial \eta}{\partial x} + \left(\frac{\partial \eta}{\partial y} - \frac{\partial \xi}{\partial x}\right)y' - \frac{\partial \xi}{\partial y}y'^2\right)X.$$

Dies soll vermöge $\Omega = 0$, d. h. vermöge $y' = \frac{Y}{X}$ verschwinden. Es soll also die Identität bestehen:

$$\xi\left(\frac{\partial X}{\partial x}Y - \frac{\partial Y}{\partial x}X\right) + \eta\left(\frac{\partial X}{\partial y}Y - \frac{\partial Y}{\partial y}X\right) + \frac{\partial \eta}{\partial x}X^2 + \\ + \left(\frac{\partial \eta}{\partial y} - \frac{\partial \xi}{\partial x}\right)XY - \frac{\partial \xi}{\partial y}Y^2 \equiv 0$$

oder, da

$$UX \equiv \xi\frac{\partial X}{\partial x} + \eta\frac{\partial X}{\partial y}, \quad UY \equiv \xi\frac{\partial Y}{\partial x} + \eta\frac{\partial Y}{\partial y}$$

und, wenn wie früher

$$Af \equiv X\frac{\partial f}{\partial x} + Y\frac{\partial f}{\partial y}$$

gesetzt wird, auch

$$A\xi \equiv X\frac{\partial \xi}{\partial x} + Y\frac{\partial \xi}{\partial y}, \quad A\eta \equiv X\frac{\partial \eta}{\partial x} + Y\frac{\partial \eta}{\partial y}$$

ist:

$$Y \cdot UX - X \cdot UY + X \cdot A\eta - Y \cdot A\xi \equiv 0,$$

d. h.

$$\frac{UX - A\xi}{X} \equiv \frac{UY - A\eta}{Y}.$$

Dies aber ist das Kriterium in der zuerst aufgestellten Form*) (siehe Formel (7) des § 2 im 6. Kapitel).

§ 5. Bestimmung aller Differentialgleichungen erster Ordnung in x, y, welche eine eingliedrige Gruppe gestatten.

Wie wir es schon zu Beginn des § 3 ausgesprochen und auch im vorigen Paragraphen gestreift haben, können wir jedes Linienelement (x, y, y') der Ebene als einen Punkt (x, y, y') des Raumes deuten. Die Differentialgleichung

$$\Omega(x, y, y') = 0$$

stellt in dieser Auffassung eine gewisse Fläche dar. Die Aufgabe, alle Differentialgleichungen erster Ordnung $\Omega = 0$ zu finden, welche eine vorgelegte eingliedrige Gruppe Uf gestatten, kommt also auf das Problem des Raumes (x, y, y') zurück, alle Flächen oder Gleichungen $\Omega = 0$ zu finden, welche die von der erweiterten infinitesimalen Transformation $U'f$ erzeugte Gruppe des Raumes gestatten.

Reduction auf ein früheres Problem.

*) Die im Texte ausgeführte Rechnung ist, wie der Leser leicht übersieht, nicht wesentlich verschieden von der auf Seite 103, 104 durchgeführten.

Erinnern wir uns daher an das Problem, alle Flächen oder Gleichungen $\Omega = 0$ zu finden, welche eine eingliedrige Gruppe des Raumes (x, y, y') gestatten. Wir fanden früher (vgl. Theorem 19 des § 3, 12. Kap.), dass es zweierlei invariante Flächen giebt, einmal die von ∞^1 Bahncurven der Gruppe erzeugten und dann die aus lauter invarianten Punkten bestehenden. Von letzteren kann hier nicht die Rede sein. Da nämlich den Punkten einer solchen Fläche ∞^2 Linienelemente der Ebene entsprechen, so würden die ∞^2 durch die betreffende Gleichung $\Omega(x, y, y') = 0$ definierten Linienelemente bei der infinitesimalen Transformation $U'f$ in Ruhe bleiben. Diese können aber nicht über die ganze Ebene verteilt sein, denn sonst müssten die ∞^2 Punkte dieser Linienelemente, d. h. *alle* Punkte der Ebene bei der infinitesimalen Transformation Uf invariant sein. Die ∞^2 invarianten Linienelemente müssten vielmehr so liegen, dass ihre Punkte nur eine Curve bilden. Dies aber käme, wie wir zu Beginn des § 4 sahen, darauf hinaus, dass die Gleichung $\Omega(x, y, y') = 0$ ganz frei von y', also gar keine Differentialgleichung wäre (vgl. Fig. 27).

Wir haben also nur solche invariante Flächen $\Omega(x, y, y') = 0$ zu suchen, die von ∞^1 Bahncurven der Gruppe $U'f$ des Raumes (x, y, y') erzeugt werden.

Nach dem Früheren (vgl. Satz 7, § 3 und Theorem 17, § 1 des 12. Kap.) ergeben sie sich in allgemeinster Weise, indem wir zwei Invarianten der Gruppe $U'f$, d. h. zwei von einander unabhängige Lösungen u, v der linearen partiellen Differentialgleichung $U'f = 0$ bestimmen und irgend eine Function derselben gleich Null setzen. Die entstehende Gleichung können wir immer so schreiben:

$$v - f(u) = 0.$$

Natürlich kann man *eine* der beiden Lösungen, etwa u, frei von y' wählen, denn nimmt man u frei von y' an, so reduciert sich die Bedingung $U'u = 0$ auf: Erste Invariante.

$$Uu \equiv \xi \frac{\partial u}{\partial x} + \eta \frac{\partial u}{\partial y} = 0$$

und diese lineare partielle Differentialgleichung ist auch frei von y'. Sie bestimmt u als Invariante der eingliedrigen Gruppe Uf von Punkttransformationen, und $u =$ Const. stellt also die *Bahncurven der Gruppe* Uf in der Ebene dar. *Nehmen wir an, diese Bahncurven seien uns bekannt, so können wir eine zweite y' wirklich enthaltende Lösung v der Gleichung $U'f = 0$ immer durch Quadraturen finden.* Wir werden dies auf zwei Wegen beweisen und heben hervor, dass die Beweismethode, die sich zunächst darbietet, theoretisch nicht so einfach ist, wie die zweite, nachher angegebene (S. 284). Zweite Invariante.

Um den ersten Beweis zu liefern, stellen wir das der linearen partiellen Differentialgleichung $U'f = 0$ äquivalente simultane System auf:

$$(11)\qquad \frac{dx}{\xi} = \frac{dy}{\eta} = \frac{dy'}{\frac{\partial\eta}{\partial x} + \left(\frac{\partial\eta}{\partial y} - \frac{\partial\xi}{\partial x}\right)y' - \frac{\partial\xi}{\partial y}y'^2},$$

von dem wir nach Voraussetzung schon ein von y' freies Integral $u(x, y)$ kennen. Vermöge

$$u(x, y) = c$$

können wir etwa y entfernen und erhalten eine Differentialgleichung erster Ordnung von der Form:

$$(12)\qquad \frac{dy'}{dx} = \frac{1}{\xi}\frac{\partial\eta}{\partial x} + \frac{1}{\xi}\left(\frac{\partial\eta}{\partial y} - \frac{\partial\xi}{\partial x}\right)y' - \frac{1}{\xi}\frac{\partial\xi}{\partial y}y'^2$$

zwischen den beiden Veränderlichen y' und x, indem y überall entfernt ist. Diese Gleichung wird aber im allgemeinen die die Rolle einer Constanten spielende Grösse c enthalten.

Bestimmung d. 2. Inv. durch eine Riccati'sche Diffgl.

Diese Differentialgleichung hat die Gestalt:

$$(13)\qquad \frac{dy'}{dx} = X + X_1 y' + X_2 y'^2,$$

wo X, X_1 und X_2 Functionen von x (und c) sind. Wir bezeichnen sie wie üblich als eine Riccati'sche Gleichung.

Particulare Lösung dieser Riccati-schen Diffgl.

Im allgemeinen würde ihre Integration nicht durch Quadraturen allein möglich sein, aber in unserem Falle geht dies doch, weil uns nämlich eine particulare Lösung derselben bekannt ist. Wir wissen ja, dass die Bahncurven der Gruppe Uf der Ebene bei dieser Gruppe invariant bleiben, dass also die Linienelemente längs einer solchen bei der erweiterten Gruppe $U'f$ unter sich vertauscht werden. Mithin erfüllt die Schar aller ∞^2 Linienelemente der ∞^1 Bahncurven der Gruppe Uf eine Gleichung, die bei $U'f$ invariant ist, also eine Integralgleichung des simultanen Systems (11) ist. Diese Integralgleichung lässt sich sofort aufstellen, denn die Linienelemente (x, y, y') der Bahncurven von Uf haben in ihren Punkten (x, y) eben die Fortschreitungsrichtungen y', welche die infinitesimale Transformation Uf den betreffenden Punkten zuordnet. Sie erfüllen also die Gleichung:

$$y' = \frac{\eta}{\xi}$$

oder

$$\xi y' - \eta = 0.$$

Also ist $y' = \frac{\eta}{\xi}$ eine Particularlösung der Differentialgleichung (12) oder (13), sobald nur aus ihr y vermöge $u(x, y) = c$ entfernt wird.

Wir können diese geometrischen Schlüsse auch analytisch darthun. Die Gleichung

$$\xi y' - \eta = 0$$

giebt nämlich nach x, y, y' total differentiiert:

$$\xi dy' + \left(\frac{\partial \xi}{\partial x} y' - \frac{\partial \eta}{\partial x}\right) dx + \left(\frac{\partial \xi}{\partial y} y' - \frac{\partial \eta}{\partial y}\right) dy = 0$$

und diese Gleichung wird vermöge des simultanen Systems (11) und $\xi y' - \eta = 0$ identisch erfüllt.

Von unserer Riccati'schen Gleichung (12) oder, kürzer geschrieben, (13) kennen wir also eine Particularlösung $y' = \frac{\eta}{\xi}$, geschrieben in x und c. Daraus folgt (nach einem allgemeinen Satze über Riccati'sche Differentialgleichungen), dass sich das Integral durch Quadraturen finden lässt. Bezeichnen wir nämlich zur Abkürzung die bekannte Particularlösung $y' = \frac{\eta}{\xi}$ der Gleichung (13) mit $y' = \lambda(x)$, so ist:

Integration d. Riccati-schen Gleichung durch Quadratur.

$$\frac{d\lambda}{dx} \equiv X + X_1 \lambda + X_2 \lambda^2. \tag{14}$$

Wenn wir nun in (13) als neue Veränderliche statt y' diese:

$$\omega = \frac{1}{y' - \lambda}$$

einführen, so vereinfacht sich die Differentialgleichung sehr. Es ist ja dann

$$y' = \lambda + \frac{1}{\omega},$$

also

$$\frac{dy'}{dx} = \frac{d\lambda}{dx} - \frac{1}{\omega^2} \frac{d\omega}{dx}$$

oder nach (13) und (14):

$$\frac{d\omega}{dx} = -(X_1 + 2X_2\lambda)\omega - X_2.$$

ω bestimmt sich mithin durch eine *lineare* Differentialgleichung und kann, wie aus den Elementen der Theorie der Differentialgleichungen bekannt ist oder wie wir früher gelegentlich zeigten (vgl. 5. Beispiel des § 3, 8. Kap.), durch zwei Quadraturen integriert werden. Damit ist dann auch

$$y' = \lambda + \frac{1}{\omega} = \frac{\eta}{\xi} + \frac{1}{\omega}$$

bekannt.

Hat man somit y' als Function von x, c und einer Integrationsconstante γ bestimmt:

$$y' = \Psi(x, c, \gamma),$$

so ergiebt sich, wenn man wieder $c = u(x, y)$ setzt und dann nach γ auflöst, das gesuchte zweite, y' enthaltende Integral $v(x, y, y')$ des simultanen Systems (11) und also auch die allgemeine Gleichung

$$v - f(u) = 0.$$

Theorem 22: *Ist die infinitesimale Transformation Uf einer eingliedrigen Gruppe der Ebene (x, y) gegeben und kennt man die Bahncurven $u(x, y) = Const.$ dieser Gruppe, so kann man durch Quadraturen alle Differentialgleichungen erster Ordnung zwischen x, y aufstellen, welche die eingliedrige Gruppe Uf gestatten. Jede derartige Differentialgleichung lässt sich durch Quadratur integrieren.*

Der letzte Zusatz ist nach Theorem 8 (§ 1 des 6. Kap.) selbstverständlich.

Bestimmung d. 2. Inv. auf anderem Wege.

Dass die Kenntnis der Bahncurven $u = $ Const. zur Bestimmung aller bei Uf invarianten Differentialgleichungen erster Ordnung vermittelst Quadraturen hinreicht, kann man noch einfacher so erkennen.

Wir wissen, dass, wenn die Bahncurven $u = $ Const. der Gruppe Uf bekannt sind, durch Quadratur neue Veränderliche $\mathfrak{x}$, $\mathfrak{y}$ eingeführt werden können, welche Uf auf die canonische Form $\frac{\partial f}{\partial \mathfrak{x}}$ bringen (Satz 4 des § 2, 3. Kapitel). Alle Differentialgleichungen

$$W\left(\mathfrak{x}, \mathfrak{y}, \frac{d\mathfrak{y}}{d\mathfrak{x}}\right) = 0$$

aber, welche die eingliedrige Gruppe $\frac{\partial f}{\partial \mathfrak{x}}$ gestatten, werden, wie wir früher bemerkten (vgl. 1. Beispiel des § 3, 8. Kap.), dargestellt durch die Gleichung:

$$\frac{d\mathfrak{y}}{d\mathfrak{x}} - f(\mathfrak{y}) = 0.$$

Nun sind $\mathfrak{x}$ und $\mathfrak{y}$ bekannte Functionen von x, y; diese Gleichung lässt sich daher so schreiben:

$$\frac{\frac{\partial \mathfrak{y}}{\partial x} + \frac{\partial \mathfrak{y}}{\partial y} y'}{\frac{\partial \mathfrak{x}}{\partial x} + \frac{\partial \mathfrak{x}}{\partial y} y'} - f(\mathfrak{y}) = 0,$$

und dies wäre die allgemeine Form $v - f(u) = 0$ einer Differentialgleichung erster Ordnung, welche die Gruppe Uf gestattet.

Offenbar ist $\mathfrak{y}$ identisch mit dem früheren u und dementsprechend ist die Grösse

$$\frac{\frac{\partial \mathfrak{y}}{\partial x} + \frac{\partial \mathfrak{y}}{\partial y} y'}{\frac{\partial \mathfrak{x}}{\partial x} + \frac{\partial \mathfrak{x}}{\partial y} y'}$$

nichts anderes als die früher mit v bezeichnete. Man sieht, dass die jetzige Bestimmung von v etwas einfacher als die obige ist.

Wir bemerkten schon früher, dass jede bei der eingliedrigen Gruppe Uf invariante Differentialgleichung erster Ordnung erhalten wird, indem man eine Invariante $\Omega(x, y, y')$ der erweiterten Gruppe $U'f$ gleich Null setzt. Bezeichnen wir nun jede Invariante der erweiterten Gruppe $U'f$ als eine *Differentialinvariante* der ursprünglichen Gruppe Uf, so können wir sagen: **Differentialinvariante.**

Theorem 23: *Ist eine eingliedrige Gruppe Uf in den Veränderlichen x, y vorgelegt, so gehören zu derselben unendlich viele Differentialinvarianten, die sich als beliebige Functionen irgend zweier unabhängiger Invarianten der erweiterten Gruppe $U'f$ darstellen lassen. Jede Differentialgleichung $\Omega(x, y, y') = 0$, welche Uf gestattet, kann durch Nullsetzen einer Differentialinvariante erhalten werden.*

Wir ersuchen den Leser, die vorangehenden Methoden zur Aufstellung aller Differentialgleichungen erster Ordnung in x, y, welche eine eingliedrige Gruppe Uf gestatten, mit der früher (in § 2 des 8. Kap.) entwickelten Methode zu vergleichen. Das jetzige Verfahren setzt nur die Kenntnis der Bahncurven, das frühere aber die Kenntnis der endlichen Gleichungen der Gruppe Uf voraus. Wie schon damals hervorgehoben wurde, liefert die frühere Methode überdies die betreffenden Differentialgleichungen in wenig übersichtlichen Formen. Auch hierin ist das jetzige Verfahren dem früheren weit überlegen. **Vergleich mit der früheren Methode.**

Zum Vergleich behandeln wir einige der damaligen (in § 3 des 8. Kap. angegebenen) Beispiele nach der jetzigen Methode. Man wird sehen, wie viel schneller die jetzige Methode dabei zum Ziele führt.

1. Beispiel: Sei Uf die infinitesimale Ähnlichkeitstransformation: **Beispiele.**

$$Uf \equiv x\frac{\partial f}{\partial x} + y\frac{\partial f}{\partial y}.$$

Hier ist die erweiterte infinitesimale Transformation $U'f \equiv Uf$; es müssen also zwei Integrale des simultanen Systems

$$\frac{dx}{x} = \frac{dy}{y} = \frac{dy'}{0}$$

bestimmt werden. Solche sind $u \equiv \frac{y}{x}$, $v \equiv y'$, sodass

$$y' - f\left(\frac{y}{x}\right) = 0$$

die allgemeine Form der Differentialgleichungen ist, welche Uf gestatten.

2. Beispiel: Sei Uf die infinitesimale Rotation

$$Uf \equiv -y\frac{\partial f}{\partial x} + x\frac{\partial f}{\partial y},$$

so ist:

$$U'f \equiv -y\frac{\partial f}{\partial x} + x\frac{\partial f}{\partial y} + (1 + y'^2)\frac{\partial f}{\partial y'};$$

also lautet das simultane System:

$$\frac{dx}{-y} = \frac{dy}{x} = \frac{dy'}{1 + y'^2}.$$

Ein Integral desselben ist $u \equiv x^2 + y^2$. Ein zweites folgt aus:

$$\frac{x\,dy - y\,dx}{x^2 + y^2} = \frac{dy'}{1 + y'^2},$$

nämlich arc tg $\frac{y}{x}$ — arc tg y' oder, wenn man die Tangente hiervon nimmt:

$$v \equiv \frac{xy' - y}{1 + yy'},$$

sodass die gesuchte allgemeine Form der Differentialgleichungen, welche Uf gestatten, diese ist:

$$\frac{xy' - y}{1 + yy'} - f(x^2 + y^2) = 0.$$

Abteilung IV.

Eingliedrige Gruppen und infinitesimale Transformationen in n Veränderlichen. Verwertung dieser Begriffe für Differentialgleichungen.

Da wir von jetzt ab *die allgemeine Theorie der eingliedrigen Gruppen in beliebig vielen Veränderlichen und ihre Anwendungen auf Differentialgleichungen* entwickeln wollen, heben wir sogleich hervor, dass die Theorie für n Veränderliche mit der für zwei und für drei Veränderliche entwickelten so viele und umfangreiche Analogien darbietet, dass es unnötig erscheint, die Beweise so vollständig, wie es früher geschah, auszuführen. Der Leser wird hoffentlich selbst imstande sein, die

Beweise zu reconstruieren, und ihre Unterdrückung an manchen Stellen wird uns vieler ermüdender Wiederholungen überheben.

Noch ist zu erwähnen, dass wir uns genötigt sehen, künftig *die geometrischen Deutungen* aus dem Text in die Noten zu verweisen, da das Operieren in einem *Raume von n Dimensionen* aus dem Gebiet des Elementaren hinausgeht. Doch wird der Leser gut thun, diese Noten, soweit er dazu fähig ist, ebenfalls zu durchlaufen, da er in denselben manche neuen Gesichtspunkte finden wird. Wohlbemerkt wird jedoch der Text selbst niemals die Kenntnis der vorhergehenden Noten voraussetzen, sondern für sich ein geschlossenes Ganzes bilden.

Kapitel 14.

Eingliedrige Gruppe in n Veränderlichen, simultanes System gewöhnlicher Differentialgleichungen und lineare partielle Differentialgleichung in n Veränderlichen.

Wie schon bemerkt, werden wir uns möglichst kurz fassen. Die folgenden Überlegungen sind in der Hauptsache (mit Ausnahme des § 4) bloss Verallgemeinerungen der in den Kapiteln 2, 3, 4 für zwei und in den Kapiteln 11, 12 für drei Veränderliche angestellten Betrachtungen.

§ 1. Eingliedrige Gruppe in n Veränderlichen.

Liegen n Gleichungen vor von der Form:

$$\begin{aligned} x_1' &= \varphi_1(x_1, x_2, \cdots x_n), \\ x_2' &= \varphi_2(x_1, x_2, \cdots x_n), \\ &\cdots\cdots\cdots\cdots \\ x_n' &= \varphi_n(x_1, x_2, \cdots x_n), \end{aligned}$$

von denen vorausgesetzt wird, dass sie auch nach $x_1, x_2 \cdots x_n$ auflösbar seien, so bestimmen sie eine allgemeine *Transformation* der n Veränderlichen $x_1, x_2 \cdots x_n$ in n andere Veränderliche $x_1', x_2' \cdots x_n'$. Transformation.

Enthalten die Gleichungen noch eine beliebig gross annehmbare Constante a, haben sie also die Form:

$$(1) \quad \begin{cases} x_1' = \varphi_1(x_1, x_2 \cdots x_n, a), \\ x_2' = \varphi_2(x_1, x_2 \cdots x_n, a), \\ \cdots\cdots\cdots\cdots \\ x_n' = \varphi_n(x_1, x_2 \cdots x_n, a), \end{cases}$$

so stellen sie eine Schar von ∞^1 Transformationen dar, indem der Parameter a auf ∞^1 Weisen gewählt werden kann. Insbesondere nennen wir diese Schar von ∞^1 Transformationen eine *Gruppe* und

Eingliedrige Gruppe.

zwar eine *eingliedrige Gruppe* von Transformationen, wenn sie die Gruppeneigenschaft besitzt, d. h. wenn die Aufeinanderfolge zweier Transformationen dieser Schar mit einer einzigen Transformation derselben Schar äquivalent ist.

Gruppeneigenschaft.

Um das analytische Kriterium hierfür aufzustellen, führen wir nach der Transformation (1) mit bestimmt gewähltem Parameter a eine zweite Transformation der Schar aus, deren Parameterwert gleich a' sei. Sie führt die Variabeln $x_1' \cdots x_n'$ in neue $x_1'' \cdots x_n''$ über und zwar durch die Gleichungen:

$$(2) \qquad \begin{cases} x_1'' = \varphi_1(x_1', x_2' \cdots x_n', a'), \\ x_2'' = \varphi_2(x_1', x_2' \cdots x_n', a'), \\ \cdot\ \cdot\ \cdot\ \cdot\ \cdot\ \cdot\ \cdot\ \cdot\ \cdot\ \cdot\ \cdot \\ x_n'' = \varphi_n(x_1'\ x_2' \cdots x_n', a'). \end{cases}$$

Die erste Transformation (1) werden wir wie früher mit T_a, die zweite (2) mit $T_{a'}$ bezeichnen. Die Transformation nun, welche der Aufeinanderfolge von T_a und $T_{a'}$ äquivalent ist, also $T_a T_{a'}$, ergiebt sich durch Elimination der Zwischenwerte $x_1', x_2', \cdots x_n'$ aus (2) vermöge (1) in der Form:

$$(3) \qquad \begin{cases} x_1'' = \varphi_1(\varphi_1(x, a), \varphi_2(x, a) \cdots \varphi_n(x, a), a'), \\ x_2'' = \varphi_2(\varphi_1(x, a), \varphi_2(x, a) \cdots \varphi_n(x, a), a'), \\ \cdot\ \cdot\ \cdot\ \cdot\ \cdot\ \cdot\ \cdot\ \cdot\ \cdot\ \cdot\ \cdot\ \cdot\ \cdot\ \cdot\ \cdot \\ x_n'' = \varphi_n(\varphi_1(x, a), \varphi_2(x, a) \cdots \varphi_n(x, a), a'). \end{cases}$$

Hierin ist zur Abkürzung allgemein statt $\varphi_k(x_1, \cdots x_n, a)$ einfach $\varphi_k(x, a)$ geschrieben. Diese Transformation (3) der Variabeln $x_1, \cdots x_n$ in $x_1' \cdots x_n'$ muss nun, wenn unsere ∞^1 Transformationen eine eingliedrige Gruppe bilden sollen, auch eine Transformation der Schar sein, d. h. sich decken mit

$$\begin{aligned} x_1'' &= \varphi_1(x_1, x_2 \cdots x_n, \lambda), \\ x_2'' &= \varphi_2(x_1, x_2 \cdots x_n, \lambda), \\ &\cdot\ \cdot\ \cdot\ \cdot\ \cdot\ \cdot\ \cdot\ \cdot\ \cdot\ \cdot \\ x_n'' &= \varphi_n(x_1, x_2 \cdots x_n, \lambda), \end{aligned}$$

wo λ eine gewisse nur von den Constanten a und a' abhängige Constante ist:

$$\lambda = \lambda(a, a').$$

Es müssen also identisch für alle Werte von $x_1, x_2 \cdots x_n, a$ und a', die n Gleichungen bestehen:

$$\varphi_k(\varphi_1(x_1, x_2, \cdots x_n, a), \varphi_2(x_1, x_2 \cdots x_n, a) \cdots \varphi_n(x_1, x_2 \cdots x_n, a), a')$$
$$= \varphi_k(x_1, x_2 \cdots x_n, \lambda(a, a'))$$
$$(k = 1, 2 \cdots n).$$

Wir werden also voraussetzen, dass die Gleichungen (1) von ∞^1 Transformationen eine eingliedrige Gruppe bilden. Gleichzeitig setzen wir wie früher voraus, dass die Gruppe zu jeder Transformation T_a auch die *inverse* $T_{\bar{a}}$ enthält, sodass die Aufeinanderfolge von T_a und $T_{\bar{a}}$ der identischen Transformation: Inverse Transformation.

$$x_1'' = x_1, \quad x_2'' = x_2, \quad \cdots \quad x_n'' = x_n$$

äquivalent ist, in symbolischer Ausdrucksweise:

$$T_a T_{\bar{a}} = 1.$$

Die inverse Transformation $T_{\bar{a}}$ werden wir auch, wie früher, mit T_a^{-1} bezeichnen können. Führen wir T_a und $T_{\bar{a}}$ nach einander aus, so muss sich wegen der Gruppeneigenschaft wieder eine Transformation der Gruppe ergeben, d. h. unsere Gruppe enthält die *identische* Transformation. Identische Transformation.

Demnach giebt es einen Wert a_0 des Parameters a, für den sich die Gleichungen der Transformation (1) auf die der identischen Transformation reducieren, sodass also:

$$(4) \quad \begin{cases} \varphi_1(x_1, x_2 \cdots x_n, a_0) \equiv x_1, \\ \varphi_2(x_1, x_2 \cdots x_n, a_0) \equiv x_2, \\ \cdot \quad \cdot \quad \cdot \quad \cdot \quad \cdot \quad \cdot \quad \cdot \quad \cdot \quad \cdot \\ \varphi_n(x_1, x_2 \cdots x_n, a_0) \equiv x_n \end{cases}$$

ist.

Geben wir dem Parameter a einen von a_0 nur unendlich wenig verschiedenen Wert $a_0 + \delta a$, so ergiebt sich eine von der identischen nur unendlich wenig verschiedene, also eine *infinitesimale* Transformation der Gruppe zunächst in der Form: Infinitesimale Trf.

$$x_1' = \varphi_1(x_1, x_2 \cdots x_n, a_0 + \delta a) \equiv \varphi_1(x, a_0) + \frac{\partial \varphi_1(x, a_0)}{\partial a_0} \delta a + \cdots,$$
$$x_2' = \varphi_2(x_1, x_2 \cdots x_n, a_0 + \delta a) \equiv \varphi_2(x, a_0) + \frac{\partial \varphi_2(x, a_0)}{\partial a_0} \delta a + \cdots,$$
$$\cdot \quad \cdot \quad \cdot \quad \cdot \quad \cdot \quad \cdot \quad \cdot \quad \cdot \quad \cdot \quad \cdot \quad \cdot \quad \cdot$$
$$x_n' = \varphi_n(x_1, x_2 \cdots x_n, a_0 + \delta a) \equiv \varphi_n(x, a_0) + \frac{\partial \varphi_n(x, a_0)}{\partial a_0} \delta a + \cdots,$$

oder wegen (4) in der Form:

$$x_k' = x_k + \frac{\partial \varphi_k(x_1, x_2 \cdots x_n, a_0)}{\partial a_0} \delta a + \cdots$$
$$(k = 1, 2 \cdots n).$$

Angenommen, von den Coefficienten von δa, $\delta a^2 \cdots$ verschwinden in diesen n Reihenentwickelungen alle bis zu denen von δa^{r-1}, so kann man δa^r als unendlich kleine Grösse δt benutzen und erhält dadurch eine infinitesimale Transformation der Gruppe in der Form:

$$(5) \qquad x_k' = x_k + \xi_k(x_1, x_2 \cdots x_n)\, \delta t + \cdots \qquad (k = 1, 2 \cdots n),$$

wo die nicht hingeschriebenen Glieder unendlich klein von höherer Ordnung sind und im übrigen unterdrückt werden dürfen. Dass diese Reihenentwickelungen nach *ganzen* Potenzen von δt fortschreiten, ist hier nicht unmittelbar evident. Man erkennt es vielmehr, wie früher in § 3 des 2. Kap. und in § 1 des 11. Kap., indem man nach einer Transformation (ε) der Gruppe eine von der inversen Transformation $(\bar{\varepsilon})$ unendlich wenig verschiedene Transformation $(\bar{\varepsilon} + \delta \varepsilon)$ der Gruppe ausführt, wodurch sich in allgemeinerer Weise als oben die infinitesimale Transformation ergiebt.

Satz 1: *Eine eingliedrige Gruppe in n Veränderlichen mit paarweise inversen Transformationen enthält die identische und sicher auch eine infinitesimale Transformation.*

Wir werden wie früher zwei infinitesimale Transformationen:

$$x_1' = x_1 + \xi_1\, \delta t + \cdots, \quad x_2' = x_2 + \xi_2\, \delta t + \cdots, \quad \cdots \; x_n' = x_n + \xi_n\, \delta t + \cdots$$

und

$$x_1' = x_1 + \bar{\xi}_1\, \delta t + \cdots, \quad x_2' = x_2 + \bar{\xi}_2\, \delta t + \cdots, \quad \cdots \; x_n' = x_n + \bar{\xi}_n\, \delta t + \cdots$$

als identisch bezeichnen, sobald die Incremente $\bar{\xi}_1 \delta t, \bar{\xi}_2 \delta t, \cdots \bar{\xi}_n \delta t$ der Veränderlichen $x_1, x_2 \cdots x_n$ bei der zweiten sich nur um einen constanten Factor von den Incrementen $\xi_1 \delta t, \xi_2 \delta t, \cdots \xi_n \delta t$ bei der ersten unterscheiden. Die Berechtigung hierzu liegt darin, dass die Grösse δt nur eine gegen Null convergierende Zahl sein soll, also mit einer Constanten multipliciert wieder eine solche gegen Null convergierende Grösse sein wird.

Der Leser wird sich erinnern, dass wir früher immer für den Nachweis, dass eine Gruppe *nur eine* infinitesimale Transformation besitzt, eine längere Betrachtung anstellten (§ 5 des 2. Kap., § 2 des 11. Kap.). Was den Beweis für n Veränderliche anbetrifft, so wollen wir uns damit begnügen, zu sagen, dass er im allgemeinen Falle ganz ebenso geführt wird, wie in den Fällen $n = 2, 3$. Demnach geben wir den Satz als bewiesen an:

Satz 2: *Jede eingliedrige Gruppe in n Veränderlichen mit paarweis inversen Transformationen enthält eine und nur eine infinitesimale Transformation.*

Nunmehr gehen wir einen entgegengesetzten Weg: Wir nehmen an, nicht eine Gruppe, sondern eine infinitesimale Transformation sei gegeben: Constr. e. eingl. Gr. aus e. inf. Trf.

(6) $x_1' = x_1 + \xi_1 \delta t + \cdots, \quad x_2' = x_2 + \xi_2 \delta t + \cdots, \quad \cdots x_n' = x_n + \xi_n \delta t + \cdots.$

Wir werden eine eingliedrige Gruppe construieren, welche eben diese infinitesimale Transformation besitzt.

Zu dem Zweck integrieren wir das simultane System:

$$(7) \quad \frac{dx_1'}{\xi_1(x_1', x_2' \cdots x_n')} = \frac{dx_2'}{\xi_2(x_1', x_2' \cdots x_n')} = \cdots = \frac{dx_n'}{\xi_n(x_1', x_2' \cdots x_n')} = dt$$

in den $n+1$ Veränderlichen $x_1', x_2' \cdots x_n'$ und t. Ein solches System integrieren heisst, etwa $x_1', x_2' \cdots x_n'$ als Functionen von t bestimmen, sodass sie diese n Gleichungen (7) identisch erfüllen. Wie bekannt, lassen sich über die Anfangswerte, welche $x_1', x_2' \cdots x_n'$ für $t = 0$ haben, noch Voraussetzungen treffen. Wir wollen die Anfangsbedingung vorschreiben, dass sich $x_1', x_2' \cdots x_n'$ für $t = 0$ auf die als Integrationsconstanten zu betrachtenden Grössen $x_1, x_2 \cdots x_n$ reducieren. Alsdann ergeben sich gewisse n Integralgleichungen von der Form:

$$(8) \quad \begin{gathered} x_1' = \Phi_1(x_1, x_2 \cdots x_n, t), \quad x_2' = \Phi_2(x_1, x_2 \cdots x_n, t) \cdots \\ x_n' = \Phi_n(x_1, x_2 \cdots x_n, t). \end{gathered}$$

Diese Gleichungen stellen nun auch eine Transformation der Veränderlichen $x_1, x_2 \cdots x_n$ in die neuen Veränderlichen $x_1', x_2' \cdots x_n'$ dar. Da sie noch t enthalten, so haben wir, weil wir t beliebig als Constante annehmen können, hiermit ∞^1 Transformationen erhalten. $t = 0$ giebt insbesondere die identische $x_k' = x_k$.

Wir behaupten, dass diese ∞^1 Transformationen (8) eine Gruppe bilden. In der That erkennt man dies durch näheres Eingehen auf die Integration des simultanen Systems (7): Zunächst besitzt (7) $n-1$ von einander unabhängige und von t freie Integrale:

$$\Omega_1(x_1', x_2' \cdots x_n'), \quad \cdots \quad \Omega_{n-1}(x_1', x_2' \cdots x_n').$$

Um ein letztes, t enthaltendes Integral zu finden, wird man vermöge:

$$\Omega_1(x_1' \cdots x_n') = c_1, \quad \cdots \quad \Omega_{n-1}(x_1' \cdots x_n') = c_{n-1}$$

etwa $x_2', x_3' \cdots x_n'$ als Functionen von x_1' und den Constanten $c_1, c_2 \cdots c_{n-1}$ darstellen und sie danach aus

$$\frac{dx_1'}{\xi_1(x_1' \cdots x_n')} = dt$$

eliminieren. Dann wird die linke Seite eine Function von x_1' und den Constanten $c_1, c_2 \cdots c_{n-1}$ und eine Quadratur giebt ein Integral von der Form $F(x_1', c_1, c_2 \cdots c_{n-1}) - t$. Wenn man hierin wieder

$c_1, c_2 \cdots c_{n-1}$ durch $\Omega_1, \Omega_2 \cdots \Omega_{n-1}$ ersetzt, so erhält man das gesuchte Integral in der Form:

$$W(x_1', x_2' \cdots x_n') - t.$$

Da sich für $t = 0$ die Variabeln $x_1', x_2' \cdots x_n'$ auf $x_1, x_2 \cdots x_n$ reducieren sollen, so sind die gesuchten Functionen (8) die Auflösungen der n Gleichungen:

$$(9) \quad \begin{cases} \Omega_1(x_1', x_2' \cdots x_n') = \Omega_1(x_1, x_2 \cdots x_n), \\ \Omega_2(x_1', x_2' \cdots x_n') = \Omega_2(x_1, x_2 \cdots x_n), \\ \cdot \quad \cdot \quad \cdot \quad \cdot \quad \cdot \quad \cdot \quad \cdot \quad \cdot \quad \cdot \quad \cdot \quad \cdot \quad \cdot \\ \Omega_{n-1}(x_1', x_2' \cdots x_n') = \Omega_{n-1}(x_1, x_2 \cdots x_n), \\ W(x_1', x_2' \cdots x_n') - t = W(x_1, x_2 \cdots x_n) \end{cases}$$

nach $x_1', x_2' \cdots x_n'$.

Dass diese Auflösungen nun eine *Gruppe* von ∞^1 Transformationen darstellen, erkennt man wie in dem Falle $n = 2$ (vgl. § 4 des 2. Kap.): Die Aufeinanderfolge der Transformationen mit den Parameterwerten t und t' ist äquivalent der Transformation mit dem Parameterwert $t + t'$. Insbesondere ist also die Aufeinanderfolge der Transformationen (t) und $(-t)$ äquivalent der sich für $t = 0$ ergebenden identischen, sie sind also zu einander invers.

Dass die Gruppe, die sich durch Integration des simultanen Systems (7) ergiebt, auch die vorgelegte infinitesimale Transformation (6) enthält, ist ohne weiteres klar, denn die Entwickelungen von $x_1', x_2' \cdots x_n'$ nach Potenzen von t fangen nach dem Maclaurin'schen Satze und, da nach (7):

$$\frac{dx_k'}{dt} = \xi_k(x_1', x_2' \cdots x_n')$$

ist, mit den Gliedern an:

$$x_k' = x_k + \xi_k(x_1, x_2 \cdots x_n)t + \cdots,$$

geben also für $t = \delta t$ eine infinitesimale Transformation, welche mit der vorgelegten in den Gliedern erster Ordnung, auf die allein es hier ankommt, übereinstimmt.

Theorem 24: *Jede infinitesimale Transformation*

$$x_1' = x_1 + \xi_1(x_1 \cdots x_n)\delta t + \cdots, \quad \cdots x_n' = x_n + \xi_n(x_1 \cdots x_n)\delta t + \cdots$$

gehört, wenn von unendlich kleinen Grössen zweiter und höherer Ordnung abgesehen wird, mindestens einer eingliedrigen Gruppe mit paarweis inversen Transformationen an. Die endlichen Gleichungen dieser Gruppe ergeben sich durch Integration des simultanen Systems:

$$\frac{dx_1'}{\xi_1(x_1' \cdots x_n')} = \frac{dx_2'}{\xi_2(x_1' \cdots x_n')} = \cdots = \frac{dx_n'}{\xi_n(x_1' \cdots x_n')} = dt$$

mit der Anfangsbedingung, dass sich $x_1', x_2' \cdots x_n'$ *für* $t = 0$ *auf* $x_1, x_2 \cdots x_n$ *reducieren sollen, in der Form:*

$$\Omega_1(x_1' \cdots x_n') = \Omega_1(x_1 \cdots x_n),$$
$$\Omega_2(x_1' \cdots x_n') = \Omega_2(x_1 \cdots x_n),$$
$$\cdots\cdots\cdots\cdots$$
$$\Omega_{n-1}(x_1' \cdots x_n') = \Omega_{n-1}(x_1 \cdots x_n),$$
$$W(x_1' \cdots x_n') - t = W(x_1 \cdots x_n)$$

oder, nach $x_1' \cdots x_n'$ *aufgelöst und nach* t *entwickelt:*

$$x_k' = x_k + \xi_k(x_1 \cdots x_n)t + \cdots$$
$$(k = 1, 2 \cdots n).$$

Hiernach und nach Satz 2 ergiebt sich wie in den Fällen $n = 2, 3$ das

Theorem 25: *Jede eingliedrige Gruppe in n Veränderlichen mit paarweis inversen Transformationen enthält eine und nur eine infinitesimale Transformation. Jede infinitesimale Transformation gehört umgekehrt einer und nur einer eingliedrigen Gruppe an. Dieselbe besitzt paarweis inverse Transformationen.*

1. Beispiel: Die n Gleichungen Beispiele.

$$x_1' = ax_1, \quad x_2' = ax_2, \quad \cdots \quad x_n' = ax_n$$

stellen offenbar eine eingliedrige Gruppe dar. Ihre identische Transformation ergiebt sich für $a = 1$, ihre infinitesimale für $a = 1 + \delta t$ in der Form:

$$x_1' = x_1 + x_1\delta t, \quad x_2' = x_2 + x_2\delta t, \quad \cdots \quad x_n' = x_n + x_n\delta t,$$

sodass $\xi_1 \equiv x_1, \cdots \xi_n \equiv x_n$ ist und das simultane System hier lautet:

$$\frac{dx_1'}{x_1'} = \frac{dx_2'}{x_2'} = \cdots = \frac{dx_n'}{x_n'} = dt.$$

Es giebt integriert unter der Bedingung, dass sich $x_1', x_2' \cdots x_n'$ für $t = 0$ auf $x_1, x_2 \cdots x_n$ reducieren:

$$x_1' = x_1e^t, \quad x_2' = x_2e^t, \quad \cdots \quad x_n' = x_ne^t$$

als die endlichen Gleichungen der Gruppe. In der That sind dies die obigen Gleichungen mit dem einzigen Unterschiede, dass statt des Parameters a der Parameter $t = \lg a$ benutzt ist.

2. Beispiel: Die n Gleichungen

$$x_1' = x_1 + (\Sigma x - x_1)\delta t, \quad \cdots \quad x_n' = x_n + (\Sigma x - x_n)\delta t$$

stellen eine infinitesimale Transformation dar. Wir suchen die endlichen Gleichungen der von ihr erzeugten eingliedrigen Gruppe. Σx soll die Summe aller $x_1, x_2 \cdots x_n$ bedeuten. Wir haben das simultane System zu integrieren:

$$\frac{dx_k'}{\Sigma x' - x_k'} = dt \quad (k = 1, 2 \cdots n)$$

oder

$$dx_k' = (\Sigma x' - x_k')dt \quad (k = 1, 2 \cdots n).$$

Hiernach ist, wenn alle diese n Gleichungen summiert werden:

$$d\Sigma x' = (n-1)\, \Sigma x' \cdot dt$$

oder:

$$\frac{d\Sigma x'}{\Sigma x'} = (n-1)dt.$$

Dies giebt integriert:

$$\Sigma x' = ce^{(n-1)t}.$$

Setzen wir diesen Wert in:

$$dx_k' = (\Sigma x' - x_k')dt$$

ein, so kommt:

$$dx_k' = (ce^{(n-1)t} - x_k')dt.$$

Es ist dies eine lineare Differentialgleichung für x_k'. Sie giebt nach bekannter Regel integriert:

$$x_k' = \frac{ce^{(n-1)t}}{n} + \gamma_k e^{-t}.$$

Nun haben wir die Constanten $c, \gamma_1, \gamma_2 \cdots \gamma_n$, von denen übrigens eine überzählig ist, so zu wählen, dass allgemein x_k' sich für $t = 0$ auf x_k reduciert. Wir haben also die Relationen:

$$\Sigma x' = ce^{(n-1)t}, \quad \Sigma x = c,$$

$$x_k' = \frac{ce^{(n-1)t}}{n} + \gamma_k e^{-t}, \quad x_k = \frac{c}{n} + \gamma_k.$$

Mithin liefert die Elimination der Constanten:

$$x_k' = \Sigma x \cdot \frac{e^{(n-1)t}}{n} + \left(x_k - \frac{\Sigma x}{n}\right) e^{-t}$$

oder auch:

$$x_k' = \frac{e^{-t}}{n}\left((e^{nt} - 1)\, \Sigma x + nx_k\right)$$

$$(k = 1, 2 \cdots n).$$

Man überzeuge sich davon, dass diese n Gleichungen wirklich eine Gruppe darstellen.

3. *Beispiel:* Gesucht werden die endlichen Gleichungen der von der infinitesimalen Transformation

$$x_1' = x_1 + (x_1 - x_4)\delta t, \quad x_2' = x_2 + (x_2 - x_4)\delta t,$$
$$x_3' = x_3 + (x_3 - x_4)\delta t, \quad x_4' = x_4 + \delta t$$

erzeugten eingliedrigen Gruppe in vier Veränderlichen. Hier lautet das zu integrierende simultane System:

$$\begin{aligned} dx_1' &= (x_1' - x_4')dt, \\ dx_2' &= (x_2' - x_4')dt, \\ dx_3' &= (x_3' - x_4')dt, \\ dx_4' &= dt. \end{aligned}$$

Die letzte Gleichung giebt integriert:

$$x_4' = x_4 + t.$$

Eingesetzt in die drei ersten Gleichungen giebt sie:

$$\begin{aligned} dx_1' &= (x_1' - x_4 - t)dt, \\ dx_2' &= (x_2' - x_4 - t)dt, \\ dx_3' &= (x_3' - x_4 - t)dt. \end{aligned}$$

Hierin spielt der Anfangswert x_4 die Rolle einer Constanten. Es sind dies drei lineare Differentialgleichungen von der Form:

$$\frac{dx'}{dt} = x' - x_4 - t,$$

die nach bekannter Methode das Integral liefert:

$$x' = x_4 + t + 1 + \text{Const.}\, e^t.$$

Die Constante ist so zu bestimmen, dass sich x' für $t = 0$ auf x reduciert, also gleich $x - x_4 - 1$ zu setzen. Sonach kommt:

$$x' = x_4 + t + 1 + (x - x_4 - 1)e^t$$

und also einzeln:

$$\begin{aligned} x_1' &= x_4 + t + 1 + (x_1 - x_4 - 1)e^t, \\ x_2' &= x_4 + t + 1 + (x_2 - x_4 - 1)e^t, \\ x_3' &= x_4 + t + 1 + (x_3 - x_4 - 1)e^t, \\ x_4' &= x_4 + t. \end{aligned}$$

Diese Gleichungen stellen, wie es sein muss, eine eingliedrige Gruppe dar. Denn setzt man noch an:

$$\begin{aligned} x_1'' &= x_4' + t' + 1 + (x_1' - x_4' - 1)e^{t'}, \\ x_2'' &= x_4' + t' + 1 + (x_2' - x_4' - 1)e^{t'}, \\ x_3'' &= x_4' + t' + 1 + (x_3' - x_4' - 1)e^{t'}, \\ x_4'' &= x_4' + t' \end{aligned}$$

und eliminiert hieraus x_1', x_2', x_3', x_4', so kommt:

$$x_1'' = x_4 + (t + t') + 1 + (x_1 - x_4 - 1)e^{t+t'} \qquad \text{u. s. w.}$$

§ 2. Symbol einer infinitesimalen Transformation und Reihenentwickelung der endlichen Gleichungen einer eingliedrigen Gruppe.

Wir verzichten auf die ausführliche Auseinandersetzung, welche wir früher bei Einführung des Symbols der infinitesimalen Transformation gaben (§ 2 des 3. Kap., § 3 des 11. Kap.), an dieser Stelle, indem wir einfach auf das Frühere verweisen. Als *Symbol Uf* der infinitesimalen Transformation:

Symbol einer infin. Trf.

$$x_k' = x_k + \xi_k(x_1, x_2 \cdots x_n)\delta t + \cdots$$
$$(k = 1, 2 \cdots n)$$

benutzen wir das durch δt dividierte Increment, welches eine beliebige Function $f(x_1, x_2 \cdots x_n)$ bei ihr erfährt:

$$\frac{\delta f(x_1 \cdots x_n)}{\delta t} = \xi_1 \frac{\partial f}{\partial x_1} + \xi_2 \frac{\partial f}{\partial x_2} + \cdots + \xi_n \frac{\partial f}{\partial x_n}.$$

Wir setzen also:

$$Uf \equiv \xi_1 \frac{\partial f}{\partial x_1} + \xi_2 \frac{\partial f}{\partial x_2} + \cdots + \xi_n \frac{\partial f}{\partial x_n}.$$

In unseren in § 1 betrachteten drei Beispielen haben wir demnach die infinitesimalen Transformationen untersucht:

$$x_1 \frac{\partial f}{\partial x_1} + x_2 \frac{\partial f}{\partial x_2} + \cdots + x_n \frac{\partial f}{\partial x_n},$$

ferner:

$$(\Sigma x - x_1) \frac{\partial f}{\partial x_1} + (\Sigma x - x_2) \frac{\partial f}{\partial x_2} + \cdots + (\Sigma x - x_n) \frac{\partial f}{\partial x_n}$$

und schliesslich:

$$(x_1 - x_4) \frac{\partial f}{\partial x_1} + (x_2 - x_4) \frac{\partial f}{\partial x_2} + (x_3 - x_4) \frac{\partial f}{\partial x_3} + \frac{\partial f}{\partial x_4}.$$

Indem wir auf die früheren Bemerkungen in den Fällen $n = 2, 3$ zurückdeuten, heben wir nur hervor, dass Uf als der Differentialquotient einer beliebigen Function $f(x_1', x_2' \cdots x_n')$ nach t für $t = 0$ aufgefasst werden kann, wo $x_1', x_2' \cdots x_n'$ die durch die endlichen Gleichungen der Gruppe gegebenen Functionen von t bedeuten:

$$x_k' = \varphi_k(x_1, x_2 \cdots x_n, t)$$
$$(k = 1, 2 \cdots n),$$

die sich für $t = 0$ auf $x_1, x_2 \cdots x_n$ reducieren.

Insbesondere ergiebt sich auch, da $Ux_k \equiv \xi_k$ ist:

$$Uf \equiv Ux_1 \frac{\partial f}{\partial x_1} + Ux_2 \frac{\partial f}{\partial x_2} + \cdots + Ux_n \frac{\partial f}{\partial x_n}.$$

Einführung neuer Variabeln in die Gruppe.

Die Thatsache, dass eine Gruppe durch *Einführung neuer Variabeln* vermöge zweier cogredienter Gleichungensysteme wiederum in eine

Gruppe übergeführt wird, haben wir in den Fällen $n = 2, 3$ geometrisch anschaulich begründet. Wir wollen hier einen analytischen Beweis geben, der für jedes n gilt. Ist irgend eine eingliedrige Gruppe vorgelegt, so kann dieselbe, wie wir fanden, auf die Form

$$\Omega_i(x_1' \cdots x_n') = \Omega_i(x_1 \cdots x_n) \quad (i = 1 \cdots n-1),$$
$$W(x_1' \cdots x_n') = W(x_1 \cdots x_n) + t$$

gebracht werden. Setzen wir nun

$$\mathfrak{x}_k = \Phi_k(x_1 \cdots x_n), \quad \mathfrak{x}_k' = \Phi_k(x_1' \cdots x_n'), \quad (k = 1, 2 \cdots n)$$

so erhalten wir offenbar Gleichungen von der Form

$$\overline{\Omega}_i(\mathfrak{x}_1' \cdots \mathfrak{x}_n') = \overline{\Omega}_i(\mathfrak{x}_1 \cdots \mathfrak{x}_n), \quad (i = 1 \cdots n-1)$$
$$\overline{W}(\mathfrak{x}_1' \cdots \mathfrak{x}_n') = \overline{W}(\mathfrak{x}_1 \cdots \mathfrak{x}_n) + t$$

welche ihrerseits eine Gruppe bilden. Also gilt der

Satz 3: *Führt man in eine eingliedrige Gruppe*

$$x_1' = \varphi_1(x_1, x_2 \cdots x_n, t), \quad \cdots \quad x_n' = \varphi_n(x_1, x_2 \cdots x_n, t)$$

vermöge zweier cogredienten Gleichungensysteme:

$$\mathfrak{x}_1 = \Phi_1(x_1, x_2 \cdots x_n), \quad \cdots \quad \mathfrak{x}_n = \Phi_n(x_1, x_2 \cdots x_n),$$
$$\mathfrak{x}_1' = \Phi_1(x_1', x_2' \cdots x_n'), \quad \cdots \quad \mathfrak{x}_n' = \Phi_n(x_1', x_2' \cdots x_n'),$$

die neuen Veränderlichen $\mathfrak{x}_1, \mathfrak{x}_2 \cdots \mathfrak{x}_n$ *und* $\mathfrak{x}_1', \mathfrak{x}_2' \cdots \mathfrak{x}_n'$ *ein, so stellen die hervorgehenden Gleichungen:*

$$\mathfrak{x}_1' = \overline{\varphi}_1(\mathfrak{x}_1, \cdots \mathfrak{x}_n, t), \quad \cdots \quad \mathfrak{x}_n' = \overline{\varphi}_n(\mathfrak{x}_1, \cdots \mathfrak{x}_n, t)$$

wiederum eine eingliedrige Gruppe dar.

Genau so wie in dem Fall $n = 2$ lässt sich ferner der Satz beweisen: Einführung neuer Variabeln in das Symbol *Uf*.

Satz 4: *Führt man in eine eingliedrige Gruppe*

$$x_1' = \varphi_1(x_1 \cdots x_n, t), \quad \cdots \quad x_n' = \varphi_n(x_1 \cdots x_n, t)$$

anstatt $x_1, x_2 \cdots x_n$ *und* $x_1', x_2' \cdots x_n'$ *durch zwei cogrediente Gleichungensysteme neue Veränderliche* $\mathfrak{x}_1, \mathfrak{x}_2 \cdots \mathfrak{x}_n$ *und* $\mathfrak{x}_1', \mathfrak{x}_2' \cdots \mathfrak{x}_n'$ *ein, so geht das Symbol*

$$Uf \equiv \xi_1 \frac{\partial f}{\partial x_1} + \xi_2 \frac{\partial f}{\partial x_2} + \cdots + \xi_n \frac{\partial f}{\partial x_n}$$

der infinitesimalen Transformation der Gruppe dabei direct in das Symbol $\mathfrak{U}f$ *der infinitesimalen Transformation der neuen Gruppe über. Es ergiebt sich also:*

$$\mathfrak{U}f \equiv U\mathfrak{x}_1 \frac{\partial f}{\partial \mathfrak{x}_1} + U\mathfrak{x}_2 \frac{\partial f}{\partial \mathfrak{x}_2} + \cdots + U\mathfrak{x}_n \frac{\partial f}{\partial \mathfrak{x}_n},$$

wo natürlich $U\mathfrak{x}_1, U\mathfrak{x}_2 \cdots U\mathfrak{x}_n$ *in den neuen Veränderlichen* $\mathfrak{x}_1, \mathfrak{x}_2 \cdots \mathfrak{x}_n$ *zu schreiben sind.*

Hieran schliessen sich unmittelbar die Sätze:

Satz 5: *Durch Einführung neuer Veränderlicher kann man jede eingliedrige Gruppe in jede andere eingliedrige Gruppe verwandeln,* und:

Satz 6: *Jede eingliedrige Gruppe in $x_1, x_2 \cdots x_n$ kann durch passende Wahl neuer Veränderlicher $\mathfrak{x}_1, \mathfrak{x}_2 \cdots \mathfrak{x}_n$ in die Gruppe mit der infinitesimalen Transformation*

$$\mathfrak{U}f \equiv \frac{\partial f}{\partial \mathfrak{x}_n},$$

d. h. in die Gruppe:

$$\mathfrak{x}_1' = \mathfrak{x}_1, \quad \mathfrak{x}_2' = \mathfrak{x}_2, \quad \cdots \quad \mathfrak{x}_{n-1}' = \mathfrak{x}_{n-1}, \quad \mathfrak{x}_n' = \mathfrak{x}_n + t$$

verwandelt werden.

Canon. Veränderl. u. can. Form d. Gr.

Die dazu nötigen neuen Veränderlichen $\mathfrak{x}_1, \mathfrak{x}_2 \cdots \mathfrak{x}_n$ nennen wir *canonische Veränderliche* und die neue Form der Gruppe ihre *canonische Form.*

Was nun schliesslich die *Reihenentwickelung der endlichen Gleichungen* der von der infinitesimalen Transformation Uf erzeugten eingliedrigen Gruppe anbetrifft, so dürfen wir uns auch hierbei ganz kurz fassen, da die Begründung nur in nebensächlichen Dingen von der für die Fälle $n = 2, 3$ gegebenen abweicht (§ 3 des 3. Kap., § 3 des 11. Kap.). Wir erhalten das

Theorem 26: *Die endlichen Gleichungen der von der infinitesimalen Transformation*

$$Uf \equiv \xi_1 \frac{\partial f}{\partial x_1} + \xi_2 \frac{\partial f}{\partial x_2} + \cdots + \xi_n \frac{\partial f}{\partial x_n}$$

erzeugten eingliedrigen Gruppe können in Form von Reihenentwickelungen nach dem Parameter t der Gruppe so geschrieben werden:

$$x_1' = x_1 + \frac{t}{1} Ux_1 + \frac{t^2}{1 \cdot 2} U(Ux_1) + \cdots,$$

$$x_2' = x_2 + \frac{t}{1} Ux_2 + \frac{t^2}{1 \cdot 2} U(Ux_2) + \cdots,$$

$$\cdots\cdots\cdots\cdots$$

$$x_n' = x_n + \frac{t}{1} Ux_n + \frac{t^2}{1 \cdot 2} U(Ux_n) + \cdots,$$

und jede Function f von $x_1', x_2' \cdots x_n'$ kann dementsprechend so entwickelt werden:

$$f(x_1', x_2' \cdots x_n) = f(x_1, x_2 \cdots x_n) + \frac{t}{1} Uf(x_1, x_2 \cdots x_n) + \\ + \frac{t^2}{1 \cdot 2} U(Uf(x_1, x_2 \cdots x_n)) + \cdots.$$

Beispiel: Man soll durch Reihenentwickelung die endlichen Gleichungen der von der infinitesimalen Transformation Beispiel.

$$Uf \equiv (x_1 - x_4)\frac{\partial f}{\partial x_1} + (x_2 - x_4)\frac{\partial f}{\partial x_2} + (x_3 - x_4)\frac{\partial f}{\partial x_3} + \frac{\partial f}{\partial x_4}$$

erzeugten eingliedrigen Gruppe berechnen. Hier ist:

$$Ux_1 \equiv x_1 - x_4, \qquad Ux_4 \equiv 1,$$
$$U(Ux_1) \equiv x_1 - x_4 + 1, \quad U(Ux_4) \equiv 0,$$
$$U(U(Ux_1)) \equiv x_1 - x_4 + 1, \quad \cdot \cdot \cdot \cdot \cdot$$
$$\cdot \cdot \cdot \cdot \cdot \cdot \cdot \cdot \cdot \cdot \cdot$$

demnach:

$$x_1' = x_1 + \frac{t}{1}(x_1 - x_4) + (x_1 - x_4 + 1)\left(\frac{t^2}{1 \cdot 2} + \frac{t^3}{1 \cdot 2 \cdot 3} + \cdots\right),$$

analog x_2' und x_3' und überdies:

$$x_4' = x_4 + t.$$

Summation liefert:

$$x_1' = x_4 + t + 1 + (x_1 - x_4 + 1)e^t.$$

(Vgl. 3. Beispiel des § 1.)

§ 3. Die Bahncurven und Invarianten einer eingliedrigen Gruppe. Lineare partielle Differentialgleichung.

Einige Worte über die *geometrische Deutung* der Transformationen und der eingliedrigen Gruppen in n Veränderlichen mögen hier Platz finden. Wir setzen dabei voraus, dass dem Leser der Begriff eines *Raumes von n Dimensionen* bekannt sei. Jedem Wertesystem $x_1, x_2 \cdots x_n$ entspricht ein Punkt dieses Raumes mit den Coordinaten $x_1, x_2 \cdots x_n$ und umgekehrt. Raum von n Dimensionen.

Eine *Transformation* der Veränderlichen $x_1, x_2 \cdots x_n$ in neue $x_1', x_2' \cdots x_n'$ vermöge

$$x_1' = \varphi_1(x_1, x_2 \cdots x_n), \quad \cdots \quad x_n' = \varphi_n(x_1, x_2 \cdots x_n)$$

ist alsdann eine Überführung aller Punkte des Raumes in neue Lagen, also eine geometrische Operation. Insbesondere bildet eine Schar von ∞^1 Transformationen:

$$x_1' = \varphi_1(x_1, x_2 \cdots x_n, t), \quad \cdots \quad x_n' = \varphi_n(x_1, x_2 \cdots x_n, t)$$

eine *eingliedrige Gruppe*, wenn die Aufeinanderfolge zweier dieser Operationen durch eine einzige Operation aus der Schar ersetzt werden kann. Die *infinitesimale Transformation* der Gruppe: Geometrischer Sinn e. inf. Trf.

$$Uf \equiv \xi_1 \frac{\partial f}{\partial x_1} + \xi_2 \frac{\partial f}{\partial x_2} + \cdots + \xi_n \frac{\partial f}{\partial x_n}$$

erteilt den Coordinaten der Punkte $(x_1, x_2 \cdots x_n)$ die Incremente

$$\delta x_1 = \xi_1 \delta t, \quad \delta x_2 = \xi_2 \delta t, \quad \cdots \delta x_n = \xi_n \delta t,$$

d. h. *sie ordnet jedem Punkte $(x_1, x_2 \cdots x_n)$ eine gewisse infinitesimale Fortschreitungsstrecke:*

$$\sqrt{\delta x_1^2 + \delta x_2^2 + \cdots + \delta x_n^2} = \delta t \cdot \sqrt{\xi_1^2 + \xi_2^2 + \cdots + \xi_n^2}$$

mit den Projectionen $\xi_1 \delta t \cdots \xi_n \delta t$ auf die n Coordinatenaxen zu.

Der geometrische Beweis für den im vorigen Paragraphen angegebenen Satz 3 über die *Einführung neuer Variabeln* in die Gruppe ist ganz analog den früher für die Fälle $n = 2, 3$ gegebenen Beweisen (vgl. § 1 des 3. Kap., § 3 des 11. Kap.): Jede Transformation der Gruppe stellt im Raume von n Dimensionen eine Lagenänderung aller Punkte dar. Die Transformationen einer Schar bilden eine Gruppe, wenn die Aufeinanderfolge zweier dieser Lagenänderungen wiederum eine Lagenänderung liefert, die durch irgend eine Transformation der Schar bewirkt werden kann. Die Einführung neuer Veränderlicher in die Gruppe kann nun als Einführung eines neuen Coordinatensystems in den Raum von n Dimensionen aufgefasst werden, die jene Lagenänderungen durchaus unberührt lässt, also auch die Gruppeneigenschaft nicht vernichtet.

Führt man auf einen Punkt $(x_1^0 \cdots x_n^0)$ oder kurz (x^0) nach einander alle Transformationen der Gruppe aus, so gelangt er dadurch in ∞^1 neue Lagen $(x_1, x_2 \cdots x_n)$ oder (x), die sich aus den Gleichungen:

$$x_1 = \varphi_1(x_1^0 \cdots x_n^0, t), \quad \cdots \quad x_n = \varphi_n(x_1^0 \cdots x_n^0, t)$$

Bahncurve. ergeben. Diese ∞^1 Lagen bilden eine Curve, die *Bahncurve des Punktes* (x^0).

So gehört zu jedem Punkte (x^0) des Raumes eine Bahncurve. Insbesondere erkennt man leicht, dass der Satz gilt:

Satz 7: *Ist bei einer eingliedrigen Gruppe p_1 ein Punkt auf der Bahncurve von p_0, so hat p_1 eben diese Curve auch zur Bahncurve. Eine eingliedrige Gruppe des n-dimensionalen Raumes besitzt also ∞^{n-1} Bahncurven.*

Der Beweis ist genau so wie in den Fällen $n = 2, 3$. (§ 2 des 4. Kap. und § 2 des 12. Kap.)

Denken wir uns nun eine beliebige Transformation T_a der Gruppe auf einen Punkt p einer Bahncurve ausgeführt, so geht er in einen Punkt $(p)T_a$ auf derselben Bahncurve über. Dies gilt für alle Punkte der Bahncurve und für alle Transformationen der Gruppe, daher:

Satz 8: *Jede Bahncurve einer eingliedrigen Gruppe gestattet alle Transformationen der Gruppe.*

Insbesondere ist auch sofort zu beweisen:

Satz 9: *Kennt man die endlichen Gleichungen einer eingliedrigen Gruppe, so kennt man auch ihre Bahncurven.*

Handelt es sich dagegen darum, die Bahncurven zu bestimmen, wenn nur die infinitesimale Transformation

$$Uf \equiv \xi_1 \frac{\partial f}{\partial x_1} + \xi_2 \frac{\partial f}{\partial x_2} + \cdots + \xi_n \frac{\partial f}{\partial x_n}$$

der Gruppe gegeben ist, so hat man zu beachten, dass ein Punkt $(x_1, x_2 \cdots x_n)$ vermöge dieser infinitesimalen Transformation Uf in einen benachbarten Punkt seiner Bahncurve übergeführt wird, d. h. dass $x_1, x_2 \cdots x_n$ auf der Bahncurve um Incremente $dx_1, dx_2 \cdots dx_n$ zunehmen, die proportional $\xi_1, \xi_2 \cdots \xi_n$ sind.

Satz 10: *Die Bahncurven einer eingliedrigen Gruppe ordnen ihren Punkten gerade die Richtungen zu, welche ihnen vermöge der infinitesimalen Transformation der Gruppe zugehören.*

Die Bahncurven sind also die ∞^{n-1} Integralcurven des simultanen Systems:

$$\frac{dx_1}{\xi_1(x_1 \cdots x_n)} = \frac{dx_2}{\xi_2(x_1 \cdots x_n)} = \cdots = \frac{dx_n}{\xi_n(x_1 \cdots x_n)}$$

oder, was auf dasselbe hinauskommt, die ∞^{n-1} Charakteristiken der linearen partiellen Differentialgleichung:

$$Uf \equiv \xi_1 \frac{\partial f}{\partial x_1} + \xi_2 \frac{\partial f}{\partial x_2} + \cdots + \xi_n \frac{\partial f}{\partial x_n} = 0.$$

Allerdings haben wir bisher über die *Interpretation und Integration derartiger simultaner Systeme und linearer partieller Differentialgleichungen* in beliebig vielen Veränderlichen noch nicht gesprochen. Wir werden dies hier kurz nachholen, indem wir die analytische Theorie dieser Gleichungen als bekannt voraussetzen.

Ein simultanes System: Simultanes System.

$$(10) \qquad \frac{dx_1}{\xi_1(x_1 \cdots x_n)} = \frac{dx_2}{\xi_2(x_1 \cdots x_n)} = \cdots = \frac{dx_n}{\xi_n(x_1 \cdots x_n)}$$

integrieren heisst bekanntlich, etwa $x_2 \cdots x_n$ als Functionen von x_1 bestimmen, sodass sie identisch für alle Werte von x_1 die Gleichungen (10) befriedigen. Diese Functionen enthalten noch $n-1$ willkürliche Constanten. Deuten wir $x_1, x_2 \cdots x_n$ als Punktcoordinaten in einem Raume von n Dimensionen, so handelt es sich also darum, gewisse Curven in demselben zu finden, nämlich die, deren Richtungscosinus proportional $\xi_1, \xi_2 \cdots \xi_n$ sind. Geometrisch erhalten wir diese *Integralcurven*, indem wir von einem Punkte ausgehend der ihm jeweils durch das simultane System zugeordneten Richtung folgen. Durch jeden Punkt allgemeiner Lage im Raume geht also eine Integralcurve und es giebt im ganzen ∞^{n-1} Integralcurven. Bekanntlich nennt man eine Function $u(x_1 \cdots x_n)$ ein *Integral* des simultanen Systems (10), wenn *jede* Mannigfaltigkeit $u =$ Const. von Integralcurven erzeugt wird, wenn also jede Integralcurve, die durch einen Punkt dieser Mannigfaltigkeit hindurchgeht, ganz in derselben enthalten ist. Dies tritt ein, wenn die durch einen beliebigen Punkt $(x_1 \cdots x_n)$ der Mannigfaltigkeit $u =$ Const. gehende Integralcurve daselbst eine Tangentialrichtung $(\xi_1, \xi_2 \cdots \xi_n)$ besitzt, welche die Mannigfaltigkeit $u =$ Const. berührt, wenn also *identisch* Integralcurve. Integral.

$$\xi_1 \frac{\partial u}{\partial x_1} + \xi_2 \frac{\partial u}{\partial x_2} + \cdots + \xi_n \frac{\partial u}{\partial x_n} = 0$$

ist. $n-1$ von einander unabhängige Integrale $u_1 \cdots u_{n-1}$ des Systems (10) genügen zur Bestimmung aller ∞^{n-1} Integralcurven, die durch die Gleichungen

$$u_1 = \text{Const.}, \quad u_2 = \text{Const.}, \quad u_{n-1} = \text{Const.}$$

gegeben werden. Die Gleichung

$$\Omega(u_1 \cdots u_{n-1}) = 0$$

stellt die allgemeinste Mannigfaltigkeit dar, welche von Integralcurven erzeugt wird. Demnach ist $\Omega(u_1 \cdots u_{n-1})$ die allgemeine Form eines Integrals von (10), sobald $u_1 \cdots u_{n-1}$ irgend welche $n-1$ von einander unabhängige Integrale bedeuten.

Lin. part. Diffgl. Betrachten wir nun die lineare partielle Differentialgleichung:

$$(11) \qquad Uf \equiv \xi_1 \frac{\partial f}{\partial x_1} + \xi_2 \frac{\partial f}{\partial x_2} + \cdots + \xi_n \frac{\partial f}{\partial x_n} = 0.$$

Lösung. Sie besitzt, wie man weiss, $n-1$ von einander unabhängige *Lösungen* $u_1, u_2 \cdots u_{n-1}$ und jede Lösung f derselben ist eine Function von $u_1, u_2 \cdots u_{n-1}$ allein. Nach dem Obigen ist jede Lösung von (11) ein Integral von (10), und umgekehrt. Natürlich giebt die obige Betrachtung keinen strengen Beweis, sie soll nur diese bekannte Thatsache geometrisch erläutern. Die ∞^{n-1} Integralcurven des simultanen Systems (10) nennen wir auch, eine Bezeichnung von Monge im Fall $n = 3$ auf beliebiges n verallgemeinernd, die *Charakteristiken* der linearen partiellen Differentialgleichung (11). Jede $(n-1)$-fach ausgedehnte Mannigfaltigkeit

Charakteristik.

$$\omega(x_1, x_2 \cdots x_n) = 0,$$

welche von ∞^{n-2} Charakteristiken erzeugt wird, nennen wir eine Integralmannigfaltigkeit des Systems (10). Für eine solche ist

$$U\omega \equiv \xi_1 \frac{\partial \omega}{\partial x_1} + \cdots + \xi_n \frac{\partial \omega}{\partial x_n} = 0$$

vermöge $\omega = 0$.

Nach dieser Einschaltung kehren wir zurück zur Betrachtung einer eingliedrigen Gruppe in n Veränderlichen.

Invariante einer eingl. Gruppe. Die Frage, wann eine *Function* $\Omega(x_1, x_2 \cdots x_n)$ bei allen Transformationen der von der infinitesimalen Transformation Uf erzeugten eingliedrigen Gruppe

$$x_1' = \varphi_1(x_1, x_2 \cdots x_n, t), \quad \cdots \quad x_n' = \varphi_n(x_1, x_2 \cdots x_n, t)$$

invariant bleibt, also eine sogenannte *Invariante* ist, erledigt sich sofort. Soll

$$\Omega(x_1' \cdots x_n') = \Omega(x_1 \cdots x_n)$$

sein bei allen Transformationen der Gruppe, so folgt aus Theorem 26 des § 2, dass für jedes t:

$$\Omega(x_1 \cdots x_n) + \frac{t}{1} U\Omega(x_1 \cdots x_n) + \frac{t^2}{1 \cdot 2} U(U\Omega) + \cdots \equiv \Omega(x_1 \cdots x_n)$$

sein muss, woraus als notwendige, aber, wie man sofort sieht, auch hinreichende Bedingung folgt:

$$U\Omega(x_1 \cdots x_n) \equiv 0.$$

Theorem 27: *Die Invarianten einer eingliedrigen Gruppe Uf sind die Lösungen der linearen partiellen Differential-*

gleichung $Uf = 0$. Jede Invariante ist also darstellbar als Function von irgend welchen $n-1$ von einander unabhängigen Invarianten.

Geometrisch gedeutet stellt die Gleichung $\Omega = \text{Const.}$ eine Schar von ∞^1 $(n-1)$-fach ausgedehnten Mannigfaltigkeiten dar. Ist Ω eine Invariante, so bleibt jede dieser Mannigfaltigkeiten für sich bei allen Transformationen der Gruppe Uf invariant. Jede dieser Mannigfaltigkeiten wird erzeugt von ∞^{n-2} Charakteristiken der linearen partiellen Differentialgleichung $Uf = 0$, d. h. von ∞^{n-2} Integralcurven des simultanen Systems (10) oder also von ∞^{n-2} Bahncurven der eingliedrigen Gruppe Uf.

Wir sagen wie früher, eine *Gleichung* Invariante Gleichung.

$$\Omega(x_1, x_2 \cdots x_n) = 0$$

gestatte eine Transformation, welche die Wertsysteme $(x_1 \cdots x_n)$ in die Wertsysteme $(x_1' \cdots x_n')$ überführt, wenn die Transformation jedes Wertsystem $(x_1 \cdots x_n)$, für das $\Omega = 0$ ist, in ein solches $(x_1' \cdots x_n')$ transformiert, für welches ebenfalls $\Omega(x_1' \cdots x_n') = 0$ ist, mit anderen Worten: Die Gleichung $\Omega(x_1 \cdots x_n) = 0$ ist bei der betreffenden Transformation invariant, wenn die Gleichung diese nach sich zieht:

$$\Omega(x_1' \cdots x_n') = 0.$$

Fragen wir uns, ob und welche Gleichungen $\Omega(x_1 \cdots x_n) = 0$ es giebt, welche alle Transformationen der eingliedrigen Gruppe Uf gestatten. Da bei einer beliebigen Transformation der Gruppe nach Theorem 26 des § 2

$$\Omega(x_1' \cdots x_n') = \Omega(x_1 \cdots x_n) + \frac{t}{1} U\Omega(x_1 \cdots x_n) + \frac{t^2}{1 \cdot 2} U(U\Omega) + \cdots$$

ist und dies also gleich Null sein soll, sobald $\Omega(x_1 \cdots x_n) = 0$ ist, und zwar für jedes t, so ergiebt sich als eine *notwendige* Bedingung, dass $U\Omega(x_1 \cdots x_n) = 0$ sein muss vermöge $\Omega(x_1 \cdots x_n) = 0$. Auch ist dies Kriterium *hinreichend*.

Das Verschwinden von $U\Omega$ vermöge $\Omega = 0$ kann nämlich auf zweierlei Weisen eintreten. Es ist ja

$$U\Omega \equiv \xi_1 \frac{\partial \Omega}{\partial x_1} + \xi_2 \frac{\partial \Omega}{\partial x_2} + \cdots + \xi_n \frac{\partial \Omega}{\partial x_n}.$$

Es ist zunächst denkbar, dass $\xi_1, \xi_2 \cdots \xi_n$ sämtlich verschwinden vermöge $\Omega = 0$. Alsdann ist jedes Wertsystem $(x_1 \cdots x_n)$, welches die Gleichung $\Omega = 0$ erfüllt, für sich invariant; gleichzeitig bleibt auch die Gleichung $\Omega = 0$ invariant. Oder aber $\xi_1, \xi_2 \cdots \xi_n$ verschwinden nicht sämtlich vermöge $\Omega = 0$. In diesem Falle bleibt nicht jedes Wertsystem $(x_1 \cdots x_n)$, welches $\Omega = 0$ macht, für sich invariant, sondern wird durch die Transformationen der Gruppe im allgemeinen in neue Wertsysteme $(x_1' \cdots x_n')$ übergeführt. Sind nun $\Omega_1 \cdots \Omega_n$ ein System Lösungen der linearen partiellen Differentialgleichung

$$Uf \equiv \xi_1 \frac{\partial f}{\partial x_1} + \cdots + \xi_n \frac{\partial f}{\partial x_n} = 0,$$

so kann bekanntlich die Gleichung $\Omega = 0$, die ja $U\Omega = 0$ macht, die Form

$$\Pi(\Omega_1 \cdots \Omega_{n-1}) = 0$$

erhalten. Sie bleibt daher invariant bei jeder endlichen Transformation unserer eingliedrigen Gruppe, die ja auf die Form

$$\Omega_i(x_1' \cdots x_n') = \Omega_i(x_1 \cdots x_n),$$
$$W(x_1' \cdots x_n') = W(x_1 \cdots x_n) + t$$

reducibel ist.

Wir erkennen hiermit, dass das Verschwinden des Ausdrucks $U\Omega$ vermöge $\Omega = 0$ nicht allein ein notwendiges, sondern zugleich ein hinreichendes Kriterium für die Invarianz einer Gleichung $\Omega = 0$ ist.

Theorem 28: *Es giebt zwei Arten von Gleichungen*

$$\Omega(x_1 \cdots x_n) = 0,$$

welche bei einer eingliedrigen Gruppe Uf in den n Veränderlichen $x_1 \cdots x_n$ invariant bleiben. Entweder bleiben alle Wertsysteme $(x_1 \cdots x_n)$, welche $\Omega = 0$ machen, für sich invariant oder nicht. In beiden Fällen ergiebt sich als Invarianzkriterium, dass $U\Omega = 0$ sein muss vermöge $\Omega = 0$.

Geometrisch gedeutet haben diese beiden Möglichkeiten folgenden Sinn: $\Omega = 0$ stellt eine $(n-1)$-fach ausgedehnte Mannigfaltigkeit dar. Soll dieselbe bei der eingliedrigen Gruppe Uf invariant bleiben, so muss diese jeden Punkt $(x_1 \cdots x_n)$ derselben wieder in Punkte derselben überführen. Da aber der Punkt bei allen Transformationen der Gruppe immer nur in Punkte seiner Bahncurve übergeht, so folgt, dass die invariante Mannigfaltigkeit $\Omega = 0$ im allgemeinen von Bahncurven erzeugt sein muss. Nur, wenn kein Punkt der Mannigfaltigkeit eine Bahncurve hat, d. h. wenn alle Punkte der Mannigfaltigkeit für sich invariant bleiben, ist dem nicht so. Es ist dies der Fall, in welchem alle Punkte $(x_1 \cdots x_n)$ von $\Omega = 0$ die Coefficienten $\xi_1 \cdots \xi_n$ einzeln gleich Null machen.

Es ist naturgemäss, zu sagen, dass die Gleichung $\Omega = 0$ bei der *infinitesimalen Transformation Uf* invariant bleibt, sobald die Anderung, welche Uf ihrer linken Seite erteilt, $U\Omega\delta t$, vermöge der Gleichung selbst auch Null ist, d. h. sobald $U\Omega$ vermöge $\Omega = 0$ verschwindet. Unser Kriterium kann daher auch so ausgesprochen werden:

Satz 11: *Die Gleichung $\Omega(x_1 \cdots x_n) = 0$ gestattet alle Transformationen der von der infinitesimalen Transformation Uf erzeugten eingliedrigen*

Gruppe in den n Veränderlichen $x_1 \cdots x_n$ dann und nur dann, wenn sie die infinitesimale Transformation Uf der Gruppe gestattet.

Wir sind nunmehr zu Ende mit der Aufzählung und dem Beweise der wichtigeren mit einer eingliedrigen Gruppe in n Veränderlichen verbundenen Sätze und können dazu übergehen, in ähnlicher Weise, wie dies in der 2. Abteilung für den Fall $n = 2$ geschah, die Beziehungen der eingliedrigen Gruppen zu Differentialgleichungen herzustellen.

Vorher aber wollen wir noch eine Bemerkung über eine gewisse Beziehung zwischen *zwei* infinitesimalen Transformationen einschalten, die wir schon früher an einer Stelle flüchtig berührt haben.

§ 4. Deutung der Beziehung: $(UV) \equiv 0$.

Führt man zwei Transformationen, S und T, nach einander aus, so ist es im allgemeinen nicht gleichgültig, in welcher Reihenfolge dies geschieht; ST ist im allgemeinen verschieden von TS. Wenn man z. B. in der Ebene zuerst eine Rotation und dann eine Translation ausführt, so ist das Ergebnis ein ganz anderes, als wenn man zuerst die Translation und darauf die Rotation ausgeübt hätte. Aufeinanderfolge zweier endlicher Transformationen.

Die Aufeinanderfolge zweier *infinitesimaler* Transformationen ist allerdings gleichgültig, da wir bei diesen nur die unendlich kleinen Grössen niedrigster Ordnung berücksichtigen: Die Function f wird von Uf in $f + Uf\,\delta t$ verwandelt, diese weiterhin von Vf in: Aufeinanderfolge zweier infinitesimaler Transformationen.

$$f + Uf\,\delta t + V(f + Uf\,\delta t)\delta\tau$$

oder also in $f + Uf\delta t + Vf\delta\tau$, denn das mit $\delta t\delta\tau$ behaftete Glied ist zu unterdrücken. Vertauschen wir Uf und Vf mit einander, so ergiebt sich ebenderselbe Wert.

Dem ist nicht stets so, wenn zwei *endliche* Transformationen S und T der von Uf und Vf erzeugten eingliedrigen Gruppen nach einander ausgeführt werden. Die erste Transformation S verwandelt eine Function f allgemein in:

$$f' \equiv f + \frac{t}{1}\,Uf + \frac{t^2}{1 \cdot 2}\,U(Uf) + \cdots,$$

die zweite T dagegen in:

$$\bar{f} \equiv f + \frac{\tau}{1}\,Vf + \frac{\tau^2}{1 \cdot 2}\,V(Vf) + \cdots$$

(vgl. Theorem 26 des § 2). Um also die Function f'' zu erhalten, in welche f vermöge der Aufeinanderfolge ST übergeht, haben wir T auf f' auszuführen, also zu bilden:

$$f'' \equiv f' + \frac{\tau}{1}\,Vf' + \frac{\tau^2}{1 \cdot 2}\,V(Vf') + \cdots.$$

Aber wegen des obigen Wertes von f' ist hierin zu setzen:

$$f' \equiv f + \frac{t}{1} Uf + \frac{t^2}{1\cdot 2} U(Uf) + \cdots,$$

$$Vf' \equiv Vf + \frac{t}{1} V(Uf) + \cdots,$$

$$V(Vf') \equiv V(Vf) + \cdots,$$

$$\ldots\ldots\ldots\ldots\ldots,$$

sodass sich ergiebt:

$$f'' \equiv f + \frac{t}{1} Uf + \frac{t^2}{1\cdot 2} U(Uf) + \cdots$$
$$+ \frac{\tau}{1} Uf + \frac{\tau t}{1\cdot 2} V(Uf) + \cdots$$
$$+ \frac{\tau^2}{1\cdot 2} V(Vf) + \cdots.$$

Hierin haben wir nur die Glieder geschrieben, welche in t und τ vom 0., 1. und 2. Grade sind. Lassen wir die unbequemen Klammern weg und ordnen wir die Glieder anders, so kommt offenbar:

$$f'' \equiv f + \frac{1}{1}(tUf + \tau Vf) + \frac{1}{1\cdot 2}(t^2 UUf + 2t\tau VUf + \tau^2 VVf) +$$
$$+ \frac{1}{1\cdot 2\cdot 3}(t^3 UUUf + 3t^2\tau VUUf + 3t\tau^2 VVUf + \tau^3 VVVf) + \cdots$$

und die Gesetzmässigkeit leuchtet ein.

Wenn wir aber nun umgekehrt auf f zunächst T ausführen, so geht f über in $\bar{f}$. Wird dann erst S ausgeübt, so ergiebt sich eine Function $\bar{\bar{f}}$, die offenbar ganz analog wie f'' gebaut ist, nur dass U und V und t und τ darin zu vertauschen sind. So kommt:

$$\bar{\bar{f}} \equiv f + \frac{1}{1}(\tau Vf + tUf) + \frac{1}{1\cdot 2}(\tau^2 VVf + 2\tau t UVf + t^2 UUf) +$$
$$+ \frac{1}{1\cdot 2\cdot 3}(\tau^3 VVVf + 3\tau^2 t UVVf + 3\tau t^2 UUVf + t^3 UUUf) + \cdots.$$

Wir fragen uns nun, wann f'' und $\bar{\bar{f}}$ für alle Parameterwerte t, τ, d. h. für alle Transformationen S, T der beiden Gruppen Uf, Vf einander gleich sind, wie auch die Function f gewählt sein mag. Zunächst stimmen die erhaltenen Werte in den Gliedern nullter und erster Ordnung in t, τ überein. Die Differenz der Glieder zweiter Ordnung hat den Factor:

$$VUf - UVf.$$

Dies aber ist nichts anderes als der *Klammerausdruck* (VU), den wir in § 3 des 10. Kapitels in n Veränderlichen entwickelt haben.

Als erste notwendige Bedingung dafür, dass $ST = TS$ ist, ergiebt sich also:

$$(UV) \equiv 0.$$

Wenn umgekehrt diese Bedingung erfüllt ist, so ist nun auch $f'' \equiv \bar{f}$. Es stimmen dann nämlich die Glieder nullter, erster und zweiter Ordnung in t, τ überein. Die Differenz des Gliedes dritter Ordnung ist

$$\frac{t^2\tau}{2}(VUUf - UUVf) + \frac{t\tau^2}{2}(VVUf - UVVf).$$

Sie ist Null, weil wegen $(UV) \equiv 0$ überall VU durch UV ersetzt werden kann. Dasselbe gilt für die Differenzen der Glieder höherer Ordnung.

Satz 12: *Die endlichen Transformationen S, T zweier von Uf und Vf erzeugter eingliedriger Gruppen sind dann und nur dann mit einander vertauschbar: $ST = TS$, wenn der Klammerausdruck*

$$(UV) \equiv U(Vf) - V(Uf) \equiv 0$$

ist.

Wie schon bemerkt, ist die Reihenfolge zweier infinitesimaler Transformationen für das Ergebnis stets gleichgültig, solange man die unendlich kleinen Glieder höherer Ordnung nicht berücksichtigt. *Wir wollen nun insbesondere aber Uf und Vf vertauschbar nennen, wenn jede endliche Transformation der von Uf erzeugten Gruppe mit jeder der von Vf erzeugten in der Reihenfolge vertauschbar ist,* d. h. *wenn die Beziehung $(UV) \equiv 0$ besteht.* Vertauschbare inf. Trf.

Wenn $Vf \equiv Uf$ wäre, so würden S, T endliche Transformationen derselben eingliedrigen Gruppe sein. Da $(UU) \equiv 0$ ist für jedes Uf, so folgt, *dass zwei Transformationen ein und derselben eingliedrigen Gruppe stets mit einander vertauschbar sind.* Dies Resultat hätten wir übrigens auch aus Theorem 24 des § 1 ohne weiteres entnehmen können.

1. Beispiel: Sei Beispiele.

$$Uf \equiv -y\frac{\partial f}{\partial x} + x\frac{\partial f}{\partial y}, \quad Vf \equiv x\frac{\partial f}{\partial x} + y\frac{\partial f}{\partial y},$$

so ist:

$$(UV) \equiv -y\frac{\partial f}{\partial x} + x\frac{\partial f}{\partial y} - x\frac{\partial f}{\partial y} + y\frac{\partial f}{\partial x} \equiv 0.$$

Uf ist eine infinitesimale Rotation, Vf eine infinitesimale Ähnlichkeitstransformation vom Anfangspunkt aus. Es ist demnach bei der Aufeinanderfolge einer Rotation um den Anfangspunkt und einer Ähnlichkeitstransformation vom Anfangspunkt aus die Reihenfolge beider gleichgültig. In der That erhellt dies auch sofort geometrisch. (Fig. 28.)

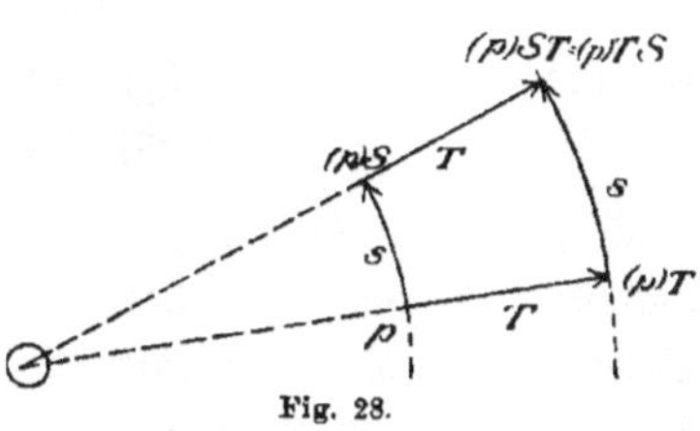

Fig. 28.

2. Beispiel: Wir wollen alle eingliedrigen Gruppen in zwei Veränderlichen x, y aufsuchen, die mit den Translationen längs der y-Axe vertauschbar sind. Hier ist das bekannte

$$Uf \equiv \frac{\partial f}{\partial y},$$

während

$$Vf \equiv \xi \frac{\partial f}{\partial x} + \eta \frac{\partial f}{\partial y}$$

gesucht wird. Es ist:

$$(UV) \equiv \frac{\partial \xi}{\partial y} \frac{\partial f}{\partial x} + \frac{\partial \eta}{\partial y} \frac{\partial f}{\partial y}.$$

Soll dies Null sein für jedes f, so müssen ξ und η frei von y sein: Mit der eingliedrigen Gruppe von Translationen $\frac{\partial f}{\partial y}$ sind also alle eingliedrigen Gruppen

$$Uf \equiv \xi(x) \frac{\partial f}{\partial x} + \eta(x) \frac{\partial f}{\partial y}$$

vertauschbar. Zu diesen Gruppen gehört unter anderen die Gruppe der Translationen $a \frac{\partial f}{\partial x} + b \frac{\partial f}{\partial y}$ nach einer gewissen Richtung hin, ferner die Gruppe der affinen Transformationen $x \frac{\partial f}{\partial x}$, die der projectiven Transformationen von der Form $x \frac{\partial f}{\partial x} + x \frac{\partial f}{\partial y}$ u. a.

Wir erinnern daran, dass die Relation $(UV) \equiv 0$ in zwei Veränderlichen schon in § 3 des 6. Kapitels (Satz 6) aufgetreten ist, und bemerken, dass sie in analoger Weise in n Veränderlichen im nächsten Kapitel wieder vorkommen wird. Wir werden alsdann Gelegenheit nehmen, den Zusammenhang mit der im gegenwärtigen Paragraphen gefundenen geometrischen Deutung der Relation in einer Anmerkung aufzudecken.

Kapitel 15.

Lineare partielle Differentialgleichungen $Af = 0$, welche eingliedrige Gruppen gestatten.

Von jetzt ab entwickeln wir eine ähnliche Theorie, wie im 7. und 8. Kapitel: Wir werden eine lineare partielle Differentialgleichung betrachten, welche alle Transformationen gewisser eingliedriger Gruppen gestattet, und die daraus sich entwickelnden Theorien gelegentlich auch in Zusammenhang mit den sogen. Jacobi'schen Multiplicatoren der Differentialgleichung bringen, — alles aber unter Voraussetzung beliebig vieler Veränderlicher. Doch werden wir mehrere Male die Betrachtungen für den Fall *dreier* Variabeln specialisieren, um sie möglichst anschaulich zu machen.

§ 1. Lineare partielle Differentialgleichungen, welche endliche Transformationen gestatten.

Es sei vorgelegt eine lineare partielle Differentialgleichung

$$\alpha_1 \frac{\partial f}{\partial x_1} + \alpha_2 \frac{\partial f}{\partial x_2} + \cdots + \alpha_n \frac{\partial f}{\partial x_n} = 0,$$

wo $\alpha_1, \alpha_2 \cdots \alpha_n$ gegebene Functionen von $x_1, x_2 \cdots x_n$ bedeuten und die linke Seite, da sie die Form eines Symbols einer infinitesimalen Transformation hat, auch durch das Zeichen einer solchen ausgedrückt werden kann. Wir wollen sie Af nennen, sodass die Gleichung lautet:

$$Af \equiv \alpha_1 \frac{\partial f}{\partial x_1} + \alpha_2 \frac{\partial f}{\partial x_2} + \cdots + \alpha_n \frac{\partial f}{\partial x_n} = 0.$$

Wie bekannt, besitzt sie $n - 1$ von einander unabhängige Lösungen $f = \omega_1, \omega_2 \cdots \omega_{n-1}$ und jede andere ihrer Lösungen ist eine Function dieser. Hervorheben wollen wir noch, dass die Differentialgleichung $Af = 0$ durch Angabe $n - 1$ von einander unabhängiger Lösungen derselben völlig, nämlich bis auf einen unwesentlichen Factor, der sich fortheben lässt, bestimmt wird. Denn es ist ja jedes $A\omega_i \equiv 0$ und also können wir aus den $n - 1$ Gleichungen:

$$\begin{aligned} A\omega_1 &\equiv \alpha_1 \frac{\partial \omega_1}{\partial x_1} + \alpha_2 \frac{\partial \omega_1}{\partial x_2} + \cdots + \alpha_n \frac{\partial \omega_1}{\partial x_n} \equiv 0, \\ &\cdots\cdots\cdots\cdots\cdots \\ A\omega_{n-1} &\equiv \alpha_1 \frac{\partial \omega_{n-1}}{\partial x_1} + \alpha_2 \frac{\partial \omega_{n-1}}{\partial x_2} + \cdots + \alpha_n \frac{\partial \omega_{n-1}}{\partial x_n} \equiv 0 \end{aligned}$$

den Schluss ziehen, dass sich $\alpha_1, \alpha_2 \cdots \alpha_n$ zu einander verhalten wie die $(n - 1)$-reihigen Unterdeterminanten der Matrix:

$$\left| \begin{array}{cccc} \frac{\partial \omega_1}{\partial x_1} & \frac{\partial \omega_1}{\partial x_2} & \cdots & \frac{\partial \omega_1}{\partial x_n} \\ \cdot & \cdot & \cdot & \cdot \\ \frac{\partial \omega_{n-1}}{\partial x_1} & \frac{\partial \omega_{n-1}}{\partial x_2} & \cdots & \frac{\partial \omega_{n-1}}{\partial x_n} \end{array} \right|.$$

Sie sind demnach durch $\omega_1, \omega_2 \cdots \omega_{n-1}$ bis auf einen gemeinsamen Factor völlig bestimmt.

Die betreffende lineare partielle Differentialgleichung $Af = 0$ hat daher die Form

$$\begin{vmatrix} \frac{\partial \omega_1}{\partial x_1} & \frac{\partial \omega_1}{\partial x_2} & \cdots & \frac{\partial \omega_1}{\partial x_n} \\ \frac{\partial \omega_2}{\partial x_1} & \frac{\partial \omega_2}{\partial x_2} & \cdots & \frac{\partial \omega_2}{\partial x_n} \\ \cdot & \cdot & \cdot & \cdot \\ \cdot & \cdot & \cdot & \cdot \\ \frac{\partial \omega_{n-1}}{\partial x_1} & \frac{\partial \omega_{n-1}}{\partial x_2} & \cdots & \frac{\partial \omega_{n-1}}{\partial x_n} \\ \frac{\partial f}{\partial x_1} & \frac{\partial f}{\partial x_2} & \cdots & \frac{\partial f}{\partial x_n} \end{vmatrix} = 0.$$

Einführung neuer Veränderlicher in $Af=0$.

Wir wollen auf unsere lineare partielle Differentialgleichung $Af = 0$ eine Transformation ausführen, indem wir neue Veränderliche $x_1', x_2' \cdots x_n'$ vermöge der n Gleichungen:

$$x_k' = \varphi_k(x_1, x_2 \cdots x_n) \qquad (k = 1, 2 \cdots n)$$

einführen. Dadurch geht Af über in:

$$A'f \equiv Ax_1' \frac{\partial f}{\partial x_1'} + Ax_2' \frac{\partial f}{\partial x_2'} + \cdots + Ax_n' \frac{\partial f}{\partial x_n'}$$

(vgl. § 2 des 14. Kap.). Die neue Differentialgleichung lautet also:

$$A'f \equiv Ax_1' \frac{\partial f}{\partial x_1'} + Ax_2' \frac{\partial f}{\partial x_2'} + \cdots + Ax_n' \frac{\partial f}{\partial x_n'} = 0,$$

worin natürlich $Ax_1' = A\varphi_1, \cdots Ax_n' = A\varphi_n$ durch $x_1', x_2' \cdots x_n'$ auszudrücken sind. Für jede Function f besteht demnach vermöge der n Gleichungen $x_k' = \varphi_k$ die Relation

$$Af = A'f$$

identisch. Insbesondere ist also, wenn ω eine Lösung von $Af = 0$ ist, mit $A\omega \equiv 0$ auch $A'\omega \equiv 0$, sobald ω in den neuen Veränderlichen x' geschrieben wird. Daher:

Satz 1: *Führt man in eine lineare partielle Differentialgleichung $Af = 0$ in den Veränderlichen $x_1 \cdots x_n$ neue Veränderliche $x_1' \cdots x_n'$ ein, so geht jede Lösung der Differentialgleichung $Af = 0$ durch Einführung der neuen Variabeln in eine Lösung der neuen Differentialgleichung über. Erhalten dabei $n-1$ von einander unabhängige Lösungen $\omega_1(x) \cdots \omega_{n-1}(x)$ von $Af = 0$ die Formen $\overline{\omega}_1(x') \cdots \overline{\omega}_{n-1}(x')$, so erhält $A'f = 0$ in den x' die Form*

$$A'f \equiv \sum \pm \frac{\partial \overline{\omega}_1}{\partial x_1} \frac{\partial \overline{\omega}_2}{\partial x_2} \cdots \frac{\partial \overline{\omega}_{n-1}}{\partial x_{n-1}} \frac{\partial f}{\partial x_n} = 0.$$

Wenn nun insbesondere die transformierte Differentialgleichung $A'f = 0$ bis auf einen unwesentlichen Factor ϱ wieder die ursprüngliche Form hat, wenn also

$$A'f \equiv \varrho\left(\alpha_1(x')\frac{\partial f}{\partial x_1'} + \cdots + \alpha_n(x')\frac{\partial f}{\partial x_n'}\right)$$

ist, so hat $A'f = 0$ offenbar die $n-1$ von einander unabhängigen Lösungen $\omega_1(x') \cdots \omega_{n-1}(x')$, die aus $\omega_1(x) \cdots \omega_{n-1}(x)$ einfach dadurch hervorgehen, dass man überall x' statt x schreibt. Da nun auch $\overline{\omega}_1(x') \cdots \overline{\omega}_{n-1}(x')$ $n-1$ von einander unabhängige Lösungen von $A'f = 0$ sind, so müssen diese Functionen von jenen sein, d. h. es bestehen $n-1$ Identitäten von der Form:

$$\overline{\omega}_i(x_1' \cdots x_n') \equiv \Omega_i(\omega_1(x') \cdots \omega_{n-1}(x'))$$
$$(i = 1, 2 \cdots n-1)$$

oder also, es bestehen vermöge der Transformation $x_k' = \varphi_k(x)$ gewisse $n-1$ Relationen von der Form

$$\omega_i(x_1 \cdots x_n) = \Omega_i(\omega_1(x') \cdots \omega_{n-1}(x'))$$
$$(i = 1, 2 \cdots n-1)$$

oder, nach den $\omega(x')$ aufgelöst:

(1)
$$\omega_i(x_1' \cdots x_n') = W_i(\omega_1(x) \cdots \omega_{n-1}(x))$$
$$(i = 1, 2 \cdots n-1).$$

Jede Lösung $\omega(x)$ von $Af = 0$ wird dann durch die Transformation $x_k' = \varphi_k(x)$ wieder in eine Lösung von $Af = 0$ übergeführt, nur ist überall x' statt x geschrieben.

Wenn andererseits $n-1$ solche Relationen (1) bestehen, so hat $A'f = 0$ die Lösungen $\omega_1(x') \cdots \omega_{n-1}(x')$, d. h. $A'f$ muss bis auf einen unwesentlichen Factor ϱ die Form von $Af = 0$ haben, nur dass überall x' statt x geschrieben ist.

Wir können also sagen:

Satz 2: *Eine lineare partielle Differentialgleichung $Af = 0$ bewahrt dann und nur dann bei Einführung neuer Variabeln ihre Form bis auf einen unwesentlichen Factor, wenn diese Transformation jede Lösung von $Af = 0$ wieder in eine Lösung von $Af = 0$ überführt.*

Hiernach ist es gerechtfertigt, zu sagen: *die Differentialgleichung $Af = 0$ gestattet eine vorgelegte Transformation*, sobald diese Transformation ihre Lösungen unter einander vertauscht. Transformation, welche $Af = 0$ zulässt.

Geometrisch gedeutet kommt dies darauf hinaus, dass die Transformation $x_k' = \varphi_k(x_1 \cdots x_n)$ im Raume $(x_1 \cdots x_n)$ die Punkte einer jeden Charakteristik $\omega_1 = \text{Const.}, \cdots \omega_{n-1} = \text{Const.}$ von $Af = 0$ wieder in die Punkte einer ihrer Charakteristiken überführt, kürzer gesagt, die Charakteristiken unter einander vertauscht.

Beispiel: Sei Beispiel.

$$Af \equiv x_1\frac{\partial f}{\partial x_1} + x_2\frac{\partial f}{\partial x_2} - \frac{x_1^2 + x_2^2}{x_3}\frac{\partial f}{\partial x_3} = 0.$$

Führen wir die neuen Veränderlichen

$$x_1' = -x_2, \quad x_2' = x_1, \quad x_3' = x_3$$

ein, so kommt:

$$A'f = -x_2 \frac{\partial f}{\partial x_1'} + x_1 \frac{\partial f}{\partial x_2'} - \frac{x_1^2 + x_2^2}{x_3} \frac{\partial f}{\partial x_3'}$$

oder:

$$A'f \equiv x_1' \frac{\partial f}{\partial x_1'} + x_2' \frac{\partial f}{\partial x_2'} - \frac{x_1'^2 + x_2'^2}{x_3'} \frac{\partial f}{\partial x_3'}.$$

Also bewahrt Af bei Einführung der neuen Veränderlichen seine Form. (Insbesondere ist hier $\varrho = 1$.) Daher führt unsere Transformation jede Lösung in eine ebensolche über. Dies lässt sich verificieren: $Af = 0$ ist äquivalent dem simultanen System:

$$\frac{dx_1}{x_1} = \frac{dx_2}{x_2} = -\frac{x_3\, dx_3}{x_1^2 + x_2^2}$$

und dies giebt integriert zunächst:

$$\frac{x_2}{x_1} = \text{Const.}$$

Ausserdem ist:

$$x_1 dx_1 + x_2 dx_2 = -x_3 dx_3.$$

Integriert:

$$x_1^2 + x_2^2 + x_3^2 = \text{Const.}$$

Deuten wir x_1, x_2, x_3 als rechtwinklige Punktcoordinaten, so stellt:

$$\frac{x_2}{x_1} = \text{Const.}$$

die Ebenen durch die x_3-Axe,

$$x_1^2 + x_2^2 + x_3^2 = \text{Const.}$$

die Kugeln um den Anfangspunkt dar. Ihre ∞^2 Schnittkreise sind die Charakteristiken von $Af = 0$. Die angewandte Transformation:

$$x_1' = -x_2, \quad x_2' = x_1, \quad x_3' = x_3$$

aber ist eine Rotation um die x_3-Axe mit der Amplitude $\frac{\pi}{2}$. Offenbar vertauscht sie die Charakteristiken unter einander. Die allgemeinste Lösung der Differentialgleichung $Af = 0$ lautet:

$$\Omega\left(x_1^2 + x_2^2 + x_3^2, \ \frac{x_2}{x_1}\right).$$

Offenbar wird sie von der Transformation wieder in eine Lösung

$$\Omega\left(x_1'^2 + x_2'^2 + x_3'^2, -\frac{x_1'}{x_2'}\right)$$

verwandelt.

§ 2. Kriterium dafür, dass $Af = 0$ eine eingliedrige Gruppe Uf gestattet.

Es sei wieder die lineare partielle Differentialgleichung

$$Af = 0$$

vorgelegt und es sei Uf die infinitesimale Transformation einer eingliedrigen Gruppe in $x_1, x_2 \cdots x_n$. Die endlichen Gleichungen dieser Gruppe lauten (nach Theorem 26, § 2 des 14. Kap.):

$$(2) \qquad x_k' = x_k + \frac{t}{1} Ux_k + \frac{t^2}{1 \cdot 2} UUx_k + \cdots \qquad (k = 1, 2 \cdots n).$$

Wir werfen die Frage auf, *wann die lineare partielle Differentialgleichung $Af = 0$ alle Transformationen der eingliedrigen Gruppe Uf gestattet.*

Es mögen $\omega_1, \omega_2 \cdots \omega_{n-1}$ $n - 1$ von einander unabhängige Lösungen der Gleichung $Af = 0$ sein. Nach den Entwickelungen des vorigen Paragraphen gestattet $Af = 0$ die allgemeine Transformation (2) der Gruppe Uf dann und nur dann, wenn jedes ω_i, geschrieben in den neuen Veränderlichen $x_1' \cdots x_n'$, die Form hat:

$$\omega_i(x_1' \cdots x_n') = W_i(\omega_1(x_1 \cdots x_n), \cdots \omega_{n-1}(x_1 \cdots x_n)) \qquad (i = 1, 2 \cdots n - 1).$$

Es lässt sich aber die linke Seite nach Theorem 26 entwickeln nach t, sodass kommt:

$$\omega_i(x_1 \cdots x_n) + \frac{t}{1} U\omega_i(x_1 \cdots x_n) + \cdots = W_i(\omega_1(x) \cdots \omega_{n-1}(x)).$$

Da eine solche Relation identisch bestehen soll für jedes t, so folgt zunächst als notwendige Bedingung, dass die $U\omega_i$ die Form haben:

$$(3) \qquad U\omega_i \equiv \Omega_i(\omega_1 \cdots \omega_{n-1}) \qquad (i = 1, 2 \cdots n - 1).$$

Dies Kriterium ist aber auch hinreichend, denn nun ist auch

$$UU\omega_i \equiv U\Omega_i \equiv \sum_1^{n-1} \frac{\partial \Omega_i}{\partial \omega_j} U\omega_j \equiv \sum_1^{n-1} \frac{\partial \Omega_i}{\partial \omega_j} \Omega_j,$$

d. h. ebenfalls eine Function von $\omega_1 \cdots \omega_{n-1}$ allein, u. s. w.

Satz 3: *Die lineare partielle Differentialgleichung $Af = 0$ gestattet alle Transformationen der eingliedrigen Gruppe Uf dann und nur dann, wenn $n - 1$ von einander unabhängige Lösungen $\omega_1 \cdots \omega_{n-1}$ der Differentialgleichungen Relationen erfüllen von der Form:*

$$U\omega_i \equiv \Omega_i(\omega_1 \cdots \omega_{n-1}) \qquad (i = 1, 2 \cdots n - 1).$$

Wie im Falle zweier Veränderlicher (§ 2 des 6. Kap.) liegt offenbar auch hier in n Veränderlichen die Redeweise nahe: Die Differentialgleichung $Af = 0$ gestattet die *infinitesimale* Transformation Uf, sobald $U\omega_1 \cdots U\omega_{n-1}$ sämtlich wieder Lösungen, also Functionen von $\omega_1 \cdots \omega_{n-1}$ sind. Daher können wir Satz 3 auch so aussprechen:

Satz 4: *Die Differentialgleichung $Af = 0$ gestattet die eingliedrige Gruppe Uf, sobald sie ihre infinitesimale Transformation Uf selbst zulässt.*

Beispiele.

1. Beispiel: Die lineare partielle Differentialgleichung

$$Af \equiv \frac{\partial f}{\partial x_1} + \frac{\partial f}{\partial x_2} + \frac{\partial f}{\partial x_3} = 0$$

gestattet die eingliedrige Gruppe:

$$Uf \equiv x_1 \frac{\partial f}{\partial x_1} + x_2 \frac{\partial f}{\partial x_2} + x_3 \frac{\partial f}{\partial x_3},$$

denn Af besitzt das Lösungensystem:

$$\omega_1 \equiv x_1 - x_2, \quad \omega_2 \equiv x_1 - x_3$$

und es ist:

$$U\omega_1 \equiv x_1 - x_2 \equiv \omega_1, \quad U\omega_2 \equiv \omega_2.$$

Auch geometrisch ist dies einzusehen, denn die Charakteristiken von $Af = 0$ sind, wenn x_1, x_2, x_3 rechtwinklige Punktcoordinaten bedeuten, alle Geraden

$$x_1 - x_2 = \text{Const.}, \quad x_1 - x_3 = \text{Const.},$$

d. h. alle Geraden parallel der Geraden

$$x_1 = x_2 = x_3.$$

Die von den Charakteristiken erzeugten Flächen sind also Cylinderflächen. Offenbar werden dieselben von jeder Transformation der eingliedrigen Gruppe Uf, nämlich von den Ähnlichkeitstransformationen vom Anfangspunkt aus, in ebensolche übergeführt.

2. Beispiel: Die lineare partielle Differentialgleichung

$$Af \equiv x_2 \frac{\partial f}{\partial x_1} - x_1 \frac{\partial f}{\partial x_2} = 0$$

gestattet dieselbe eingliedrige Gruppe:

$$Uf \equiv x_1 \frac{\partial f}{\partial x_1} + x_2 \frac{\partial f}{\partial x_2} + x_3 \frac{\partial f}{\partial x_3}.$$

$Af = 0$ besitzt nämlich die Lösungen:

$$\omega_1 \equiv x_1^2 + x_2^2, \quad \omega_2 \equiv x_3$$

und es kommt:

$$U\omega_1 \equiv 2x_1^2 + 2x_2^2 \equiv 2\omega_1, \quad U\omega_2 \equiv x_3 \equiv \omega_2.$$

Interpretiert man die Differentialgleichung $Af = 0$ geometrisch, so findet man, dass ihre Charakteristiken die Kreise sind, deren Mittelpunkte auf der x_3-Axe liegen und deren Ebenen zu dieser Axe senkrecht sind. Jede ähnliche Vergrösserung vom Anfangspunkt aus führt jeden derartigen Kreis in einen ebensolchen über.

3. Beispiel: Sei

$$Af \equiv x_1 \frac{\partial f}{\partial x_1} + x_2 \frac{\partial f}{\partial x_2} + \frac{\partial f}{\partial x_3} + \frac{\partial f}{\partial x_4} = 0$$

die Differentialgleichung. Sie gestattet alle Transformationen der Gruppe:

$$Uf \equiv x_1 \frac{\partial f}{\partial x_1} + x_2 \frac{\partial f}{\partial x_2},$$

denn das zu $Af = 0$ gehörige simultane System:

$$\frac{dx_1}{x_1} = \frac{dx_2}{x_2} = \frac{dx_3}{1} = \frac{dx_4}{1}$$

liefert die Lösungen:

$$\omega_1 \equiv \frac{x_1}{x_2}, \quad \omega_2 \equiv x_3 - x_4, \quad \omega_3 \equiv \lg x_1 - x_3$$

und es ist:

$$U\omega_1 \equiv 0, \quad U\omega_2 \equiv 0, \quad U\omega_3 \equiv 1.$$

Der Satz 3 kann praktisch nur dann angewendet werden, wenn ein System Lösungen von $Af = 0$ schon bekannt ist. Es ist nun leicht, *ein Kriterium von solcher Form zu geben, dass es anwendbar ist, auch wenn man keine Lösung der vorgelegten linearen partiellen Differentialgleichung kennt.* Wir erinnern an das analoge Verfahren im Falle $n = 2$ (§ 2 des 6. Kap.). Wir bilden wie damals den Klammerausdruck (UA). Derselbe hat, da

Kriterium dafür, dass $Af = 0$ die Gruppe Uf gestattet.

$$Uf \equiv \sum_1^n {}_k\, \xi_k \frac{\partial f}{\partial x_k}, \quad Af \equiv \sum_1^n {}_k\, \alpha_k \frac{\partial f}{\partial x_k}$$

ist, die Form (vgl. § 3 des 10. Kap.):

$$(UA) \equiv U(Af) - A(Uf) \equiv \sum_1^n {}_k\, (U\alpha_k - A\xi_k) \frac{\partial f}{\partial x_k}.$$

Gesetzt nun, $Af = 0$ gestatte die eingliedrige Gruppe Uf und es seien $\omega_1 \cdots \omega_{n-1}$ ein System von $(n-1)$ von einander unabhängigen Lösungen von $Af = 0$. Nach Satz 3 ist dann jedes $U\omega_i$ wieder eine Lösung, also $A(U\omega_i) \equiv 0$. Wenn wir in unsere vorstehende Formel $f \equiv \omega_i$ setzen, so kommt daher, indem auch $A\omega_i \equiv 0$ ist:

$$0 \equiv \sum_1^n {}_k\, (U\alpha_k - A\xi_k) \frac{\partial \omega_i}{\partial x_k}$$

$$(i = 1, 2 \cdots n-1),$$

d. h. $\omega_1 \cdots \omega_{n-1}$ sind auch $n-1$ von einander unabhängige Lösungen f der linearen partiellen Differentialgleichung:

$$\sum_1^n k\,(U\alpha_k - A\xi_k)\frac{\partial f}{\partial x_k} = 0,$$

die sich kürzer auch so schreibt:

$$(Uf, Af) = 0.$$

Nach einer zu Anfang des § 1 gemachten Bemerkung kann sich mithin (UA) nur um einen Factor von Af unterscheiden, es ist daher für jedes f:

(4) $$(UA) \equiv \varrho(x_1 \cdots x_n) Af.$$

Wenn nun umgekehrt zwischen Uf und Af eine solche Beziehung (4) für jedes f identisch besteht, so gestattet auch $Af = 0$ die infinitesimale Transformation Uf. Denn dann giebt (4), ausführlich geschrieben:

$$U(Af) - A(Uf) \equiv \varrho Af,$$

für $f \equiv \omega_i$, da $A\omega_i \equiv 0$ ist:

$$A(U\omega_i) \equiv 0,$$

d. h. $U\omega_i$ ist mit ω_i eine Lösung von $Af = 0$.

Theorem 29: *Die lineare partielle Differentialgleichung $Af = 0$ gestattet alle Transformationen der eingliedrigen Gruppe Uf dann und nur dann, wenn eine Relation von der Form:*

$$U(Af) - A(Uf) = \varrho(x_1 \cdots x_n) Af$$

oder, kürzer geschrieben, von der Form:

$$(UA) = \varrho(x_1 \cdots x_n) Af$$

identisch besteht für alle Werte von f.

Verificieren wir dies bei unseren drei obigen Beispielen.

Beispiele *1. Beispiel:*

$$Af \equiv \frac{\partial f}{\partial x_1} + \frac{\partial f}{\partial x_2} + \frac{\partial f}{\partial x_3} = 0,$$

$$Uf \equiv x_1 \frac{\partial f}{\partial x_1} + x_2 \frac{\partial f}{\partial x_2} + x_3 \frac{\partial f}{\partial x_3}.$$

Hier ist, wie die Ausrechnung sofort zeigt:

$$(UA) \equiv -Af,$$

also $\varrho \equiv -1$.

2. Beispiel:

$$Af \equiv x_2 \frac{\partial f}{\partial x_1} - x_1 \frac{\partial f}{\partial x_2} = 0,$$

$$Uf \equiv x_1 \frac{\partial f}{\partial x_1} + x_2 \frac{\partial f}{\partial x_2} + x_3 \frac{\partial f}{\partial x_3}$$

Es kommt hier:

$$(UA) \equiv U(Af) - A(Uf) \equiv - x_1 \frac{\partial f}{\partial x_2} + x_2 \frac{\partial f}{\partial x_1} - x_2 \frac{\partial f}{\partial x_1} + x_1 \frac{\partial f}{\partial x_2} \equiv 0,$$

also $\varrho \equiv 0$.

3. Beispiel:

$$Af \equiv x_1 \frac{\partial f}{\partial x_1} + x_2 \frac{\partial f}{\partial x_2} + \frac{\partial f}{\partial x_3} + \frac{\partial f}{\partial x_4} = 0,$$

$$Uf \equiv x_1 \frac{\partial f}{\partial x_1} + x_2 \frac{\partial f}{\partial x_2}.$$

Augenscheinlich kommt hier ebenfalls:

$$(UA) \equiv 0.$$

In den beiden letzten Beispielen ist $(UA) \equiv 0$. Daraus folgt, dass in diesen Beispielen auch umgekehrt die lineare partielle Differentialgleichung $Uf = 0$ die eingliedrige Gruppe Af gestattet. (Man vergleiche § 3, 6. Kapitel.) Prüfen wir dies: Der Fall $(UA) = 0$.

2. Beispiel: Hier lautet die neue Differentialgleichung:

$$Uf \equiv x_1 \frac{\partial f}{\partial x_1} + x_2 \frac{\partial f}{\partial x_2} + x_3 \frac{\partial f}{\partial x_3} = 0$$

und die infinitesimale Transformation:

$$Af \equiv x_2 \frac{\partial f}{\partial x_1} - x_1 \frac{\partial f}{\partial x_2}.$$

$Uf = 0$ hat die Lösungen:

$$\omega_1 \equiv \frac{x_1}{x_2}, \quad \omega_2 \equiv \frac{x_1}{x_3}$$

und es ist:

$$A\omega_1 \equiv x_2 \frac{1}{x_2} + x_1 \frac{x_1}{x_2^2} \equiv 1 + \omega_1^2,$$

$$A\omega_2 \equiv x_2 \frac{1}{x_3} \equiv \frac{\omega_2}{\omega_1},$$

d. h. $Uf = 0$ gestattet in der That Af. Geometrisch gedeutet im Raume (x_1, x_2, x_3) hat $Uf = 0$ die Geraden durch den Anfangspunkt zu Charakteristiken. Af ist eine infinitesimale Rotation um die x_3-Axe. Sie führt natürlich jede dieser Geraden in eine ebensolche über.

3. Beispiel: Die neue Differentialgleichung

$$Uf \equiv x_1 \frac{\partial f}{\partial x_1} + x_2 \frac{\partial f}{\partial x_2} = 0$$

hat in x_1, x_2, x_3, x_4 die drei Lösungen:

$$\omega_1 \equiv \frac{x_1}{x_2}, \quad \omega_2 \equiv x_3, \quad \omega_3 \equiv x_4.$$

Sie soll

$$Af \equiv x_1 \frac{\partial f}{\partial x_1} + x_2 \frac{\partial f}{\partial x_2} + \frac{\partial f}{\partial x_3} + \frac{\partial f}{\partial x_4}$$

gestatten. In der That ist hier:

$$A\omega_1 \equiv 0, \quad A\omega_2 \equiv 1, \quad A\omega_3 \equiv 1.$$

Der soeben an zwei Beispielen betrachtete Specialfall $(UA) \equiv 0$ kann, wenn der Symmetrie halber statt Af das Zeichen Vf benutzt wird, so in einem Satze ausgesprochen werden:

Satz 5: *Ist der Klammerausdruck (UV) identisch Null, so gestattet die lineare partielle Differentialgleichung $Uf = 0$ die eingliedrige Gruppe Vf ebensowohl, als die lineare partielle Differentialgleichung $Vf = 0$ die eingliedrige Gruppe Uf.*

Geom. Deutung von $(UV) = 0$. Die Relation $(UV) \equiv 0$ bedeutet, wie wir wissen (Satz 12, § 4 des 14. Kap.), dass jede endliche Transformation S der eingliedrigen Gruppe Uf mit jeder endlichen Transformation T der eingliedrigen Gruppe Vf vertauschbar ist. Die Charakteristiken von $Uf = 0$ sind die Bahncurven der Gruppe Uf, die Charakteristiken von $Vf = 0$ die Bahncurven der Gruppe Vf. Betrachten wir nun eine der ersteren Charakteristiken k_1 (Fig. 29). Es sei p ein Punkt derselben. Führen wir auf ihn eine Transformation S der Gruppe Uf aus, so geht er in einen anderen Punkt $(p_1) = (p)S$ auf k_1 über. Wird alsdann eine Transformation T der Gruppe Vf ausgeführt, so geht p_1 in einen Punkt $(p_1') = (p_1)T$ der durch p_1 gehenden Charakteristik k_2' von $Vf = 0$ über. Wechseln wir die Reihenfolge ST in TS, so wird p zunächst in einen Punkt $(p') = (p)T$ der durch p gehenden Charakteristik k_2 von $Uf = 0$ und dann vermöge S, weil $ST = TS$ ist, notwendig nach p_1' gelangen. Es muss also p_1' auch auf der durch p' gehenden Charakteristik k_1' von $Vf = 0$ liegen.

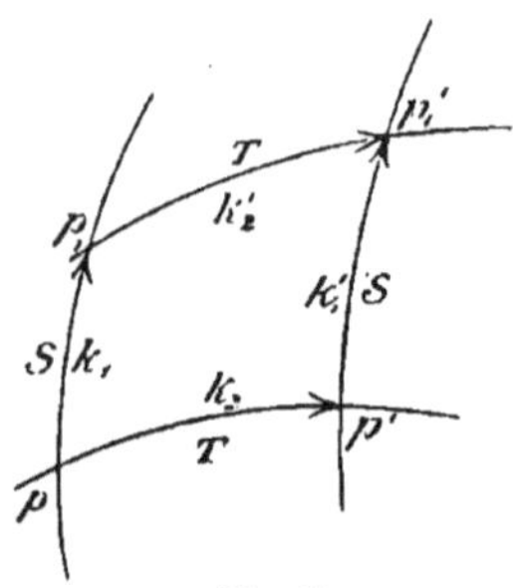

Fig. 29.

Hiernach ist klar, dass jede endliche Transformation T der Gruppe Vf die *ganze* Charakteristik k_1 in die Charakteristik k_1' von $Uf = 0$ überführt, d. h. dass $Uf = 0$ die Gruppe Vf gestattet und umgekehrt.

Damit haben wir eine anschauliche Begründung unseres Satzes 5 gefunden.

§ 3. $Af = 0$ gestatte mehrere infinitesimale Transformationen.

Jetzt nehmen wir an, die lineare partielle Differentialgleichung $Af = 0$ gestatte zwei infinitesimale Transformationen Uf und Vf.

Nach Theorem 29 des vorigen Paragraphen ist dann etwa:

$$(UA) \equiv \varrho\, Af, \quad (VA) \equiv \sigma\, Af.$$

Hieraus können wir nun einen merkwürdigen Schluss ziehen. Wir haben in § 4 des 10. Kapitels die sogenannte Jacobi'sche Identität kennen gelernt, und diese wollen wir jetzt anwenden. Danach ist nämlich:

$$((UV)A) + ((VA)U) + ((AU)V) \equiv 0,$$

also nach Obigem:

$$((UV)A) + (\sigma A, U) + (-\varrho A, V) \equiv 0.$$

Es ist aber, da σ und ϱ von f frei sind:

$$(\sigma A, U) \equiv \quad \sigma(AU) - U\sigma \cdot Af,$$
$$(-\varrho A, V) \equiv -\varrho(AV) + V\varrho \cdot Af$$

oder also:

$$(\sigma A, U) \equiv -\sigma\varrho\, Af - U\sigma \cdot Af,$$
$$(-\varrho A, V) \equiv \quad \varrho\sigma\, Af + V\varrho \cdot Af,$$

sodass die Identität entsteht:

$$((UV)A) \equiv U\sigma \cdot Af - V\varrho \cdot Af$$
$$\equiv (U\sigma - V\varrho)Af.$$

Hierin ist $U\sigma - V\varrho$ eine Function τ von $x_1 \cdots x_n$, sodass kommt:

$$((UV)A) \equiv \tau Af.$$

(UV) ist ebenso wie Uf und Vf eine infinitesimale Transformation. Unsere Relation sagt also nach Theorem 29 aus, dass die Differentialgleichung $Af = 0$ auch die infinitesimale Transformation (UV) gestattet. Klammerausdruck zweier inf. Trf. von $Af = 0$.

Theorem 30: *Gestattet die lineare partielle Differentialgleichung $Af = 0$ die beiden infinitesimalen Transformationen Uf und Vf, so gestattet sie auch die infinitesimale Transformation (UV).*

Wir haben also ein Mittel, um aus zwei infinitesimalen Transformationen Uf, Vf der Gleichung $Af = 0$ eine neue (UV) derselben ohne Schwierigkeit abzuleiten. Es darf nicht überraschen, dass dies überhaupt möglich ist, denn kennt man z. B. zwei endliche Transformationen S, T, welche $Af = 0$ gestattet, so lässt diese Gleichung auch ihre Aufeinanderfolge ST, ferner ST^2, TS, $T^{-1}ST$ u. a. m. zu, also eine ganze Anzahl neuer Transformationen. Jede infinitesimale Transformation Uf, Vf definiert aber ∞^1 endliche Transformationen. Aus diesen endlichen lassen sich neue zusammensetzen, die nicht notwendig von Uf oder Vf erzeugt werden, unter anderen nach unserem Theorem auch alle, die der eingliedrigen Gruppe (UV) angehören. Ableitung neuer inf. Trf. von $Af = 0$ aus schon bekannten.

Doch liefert das in Theorem 30 gegebene Verfahren nicht notwendig stets wirklich neue infinitesimale Transformationen der Gleichung $Af = 0$. Man bedenke nämlich, dass nach Theorem 29 des § 2 die Gleichung $Af = 0$ mit Uf, Vf auch jede infinitesimale Transformation von der Form

$$a\,Uf + b\,Vf + \lambda Af$$

gestattet, wenn a, b Constanten, λ eine beliebige Function von $x_1 \cdots x_n$ bedeuten; denn es ist

$$(aUf + bVf + \lambda Af, Af) \equiv (a\varrho + b\sigma - A\lambda) Af$$

und $a\varrho + b\sigma - A\lambda$ eine Function von $x_1 \cdots x_n$. Wenn wir also den Klammerausdruck (UV) bilden und finden, dass er die Form

$$aUf + bVf + \lambda Af \qquad (a, b = \text{Const.})$$

hat, so werden wir die infinitesimale Transformation (UV) gar nicht als eine neue betrachten.

Wenn nun aber (UV) nicht diese Form hat, so benutzen wir (UV) als neue infinitesimale Transformation Wf der Gleichung $Af = 0$ und können nach Theorem 30 durch Bildung der Klammerausdrücke (UW), (VW) eventuell zu neuen infinitesimalen Transformationen gelangen, welche nicht die Form

$$aUf + bVf + cWf + \lambda Af \qquad (a, b, c = \text{Const.})$$

haben, u. s. w.

Beispiel. *Beispiel:* Die lineare partielle Differentialgleichung

$$Af \equiv \frac{\partial f}{\partial x_1} + \frac{\partial f}{\partial x_2} + \frac{\partial f}{\partial x_3} = 0$$

gestattet die beiden infinitesimalen Transformationen:

$$Uf \equiv x_1 \frac{\partial f}{\partial x_1} + x_2 \frac{\partial f}{\partial x_2} + x_3 \frac{\partial f}{\partial x_3},$$

$$Vf \equiv x_1^2 \frac{\partial f}{\partial x_1} + (x_1^2 - x_2 + x_3) \frac{\partial f}{\partial x_2} + (x_1 x_2 + x_1 x_3 - x_2 x_3) \frac{\partial f}{\partial x_3},$$

denn es ist, wie die Ausrechnung lehrt:

$$(UA) \equiv - Af, \quad (VA) \equiv - 2x_1 Af.$$

Wir bilden nun

$$Wf \equiv (UV) \equiv x_1^2 \frac{\partial f}{\partial x_1} + x_1^2 \frac{\partial f}{\partial x_2} + (x_1 x_2 + x_1 x_3 - x_2 x_3) \frac{\partial f}{\partial x_3}.$$

Diese infinitesimale Transformation ist neu. Dass $Af = 0$ dieselbe, wie es sein muss, gestattet, ergiebt sich aus:

$$(WA) \equiv - 2x_1 Af.$$

Wir können nun (UW) und (VW) bilden. (UW) giebt nichts neues, denn es ist:

$$(UW) \equiv Wf.$$

Aber es kommt, da offenbar

$$Vf \equiv Wf + (x_3 - x_2) \frac{\partial f}{\partial x_2}$$

und $(WW) \equiv 0$ ist:

$$Xf \equiv (VW) \equiv \left((x_3 - x_2)\frac{\partial f}{\partial x_2},\, Wf\right)$$
$$\equiv (x_1 - x_2)(x_1 - x_3)\frac{\partial f}{\partial x_2} - (x_1 - x_3)(x_2 - x_3)\frac{\partial f}{\partial x_3}.$$

Auch diese infinitesimale Transformation Xf lässt $Af = 0$ invariant, denn es ist:

$$(XA) \equiv 0,$$

u. s. w. Es wird zweckmässig sein, statt der beiden umständlichen Transformationen Vf und Wf die einfache $Wf - Vf$ und Wf zu benutzen. Unsere Gleichung gestattet also die folgenden infinitesimalen Transformationen:

$$U_1 f (\equiv Uf) \equiv x_1\frac{\partial f}{\partial x_1} + x_2\frac{\partial f}{\partial x_2} + x_3\frac{\partial f}{\partial x_3},$$
$$U_2 f (\equiv Wf - Vf) \equiv (x_2 - x_3)\frac{\partial f}{\partial x_2},$$
$$U_3 f (\equiv Wf) \equiv x_1^2\frac{\partial f}{\partial x_1} + x_1^2\frac{\partial f}{\partial x_2} + (x_1 x_2 + x_1 x_3 - x_2 x_3)\frac{\partial f}{\partial x_3},$$
$$U_4 f (\equiv Xf) \equiv (x_1 - x_2)(x_1 - x_3)\frac{\partial f}{\partial x_2} - (x_1 - x_3)(x_2 - x_3)\frac{\partial f}{\partial x_3}$$

u. s. w.

Man kann also mit Hülfe des Theorems 30 aus bekannten infinitesimalen Transformationen der Gleichung $Af = 0$ unter Umständen weitere ableiten. Wir wollen annehmen, wir hätten so r infinitesimale Transformationen *r* inf. Trf. von $Af = 0$.

$$U_1 f, \quad U_2 f, \quad \cdots \quad U_r f$$

gefunden, sodass

$$(U_1 A) \equiv \lambda_1 Af, \quad (U_2 A) \equiv \lambda_2 Af, \qquad (U_r A) \equiv \lambda_r Af$$

ist.

Zwischen diesen infinitesimalen Transformationen werden nun möglicherweise Relationen bestehen. Zunächst nehmen wir als selbstverständlich an, dass keine der Transformationen selbst die Form ϱAf hat, denn dann wäre sie *eine triviale Transformation der Gleichung* $Af = 0$, da diese *jede* infinitesimale Transformation ϱAf gestattet. Triviale inf. Trf. von $Af = 0$. Es wird danach zwischen Af und $U_1 f$ keine Relation

$$\lambda Af + \mu U_1 f = 0$$

bestehen, in der λ, μ Functionen der $x_1 \cdots x_n$ bedeuten. Unter den infinitesimalen Transformationen $U_2 f \cdots U_r f$ wird vielleicht keine, eventuell aber auch wenigstens eine, sagen wir $U_2 f$, existieren, die *keine* Relation

$$\lambda Af + \mu_1 U_1 f + \mu_2 U_2 f = 0$$

erfüllt. Alsdann ist unter $U_3 f \cdots U_r f$ vielleicht auch eine, $U_3 f$, vorhanden, die keine Relation

$$\lambda Af + \mu_1 U_1 f + \mu_2 U_2 f + \mu_3 U_3 f = 0$$

erfüllt, u. s. w., kurz wir werden annehmen dürfen: Unter $U_1 f \cdots U_r f$ seien ϱ infinitesimale Transformationen $U_1 f \cdots U_\varrho f$ vorhanden, welche *keine* Relation von der Form

$$\lambda_1 Af + \mu_1 U_1 f + \cdots + \mu_\varrho U_\varrho f = 0,$$

in der $\lambda_1, \mu_1 \cdots \mu_\varrho$ Functionen der $x_1 \cdots x_n$ oder Constanten bedeuten, erfüllen. Dagegen drücke sich *jede* der übrigen $U_{\varrho+1} f \cdots U_r f$ durch Af und $U_1 f \cdots U_\varrho f$ aus:

$$(5) \qquad U_{\varrho+i} f \equiv u_{i,1} U_1 f + u_{i,2} U_2 f + \cdots + u_{i\varrho} U_\varrho f + v_i Af$$
$$(i = 1, 2 \cdots r - \varrho),$$

wo die $u_{i1}, u_{i2} \cdots u_{i\varrho}, v_i$ gewisse Functionen von $x_1 \cdots x_n$, eventuell auch nur Constanten, sind. Diese Relationen lassen sich natürlich immer aufstellen: Man entscheidet durch Determinantenbildung, wie viele der Transformationen $U_1 f \cdots U_r f$ keine derartige Relation erfüllen. Ist nämlich allgemein:

$$U_j f \equiv \xi_{j1} \frac{\partial f}{\partial x_1} + \xi_{j2} \frac{\partial f}{\partial x_2} + \cdots + \xi_{jn} \frac{\partial f}{\partial x_n}$$

und

$$Af \equiv \alpha_1 \frac{\partial f}{\partial x_1} + \alpha_2 \frac{\partial f}{\partial x_2} + \cdots + \alpha_n \frac{\partial f}{\partial x_n},$$

so untersucht man die Unterdeterminanten der Matrix:

$$\begin{vmatrix} \alpha_1 & \alpha_2 & \cdots & \alpha_n \\ \xi_{11} & \xi_{12} & \cdots & \xi_{1n} \\ \xi_{21} & \xi_{22} & \cdots & \xi_{2n} \\ \cdot\cdot & \cdot\cdot & \cdots & \cdot\cdot \\ \xi_{r1} & \xi_{r2} & \cdots & \xi_{rn} \end{vmatrix}.$$

Angenommen, es verschwinden alle mehr als $(\varrho + 1)$-gliedrigen Unterdeterminanten, dagegen nicht alle $(\varrho + 1)$-gliedrigen, so besteht zwischen den zu ihr gehörigen $\varrho + 1$ Ausdrücken aus der Zahl der $Af, U_1 f \cdots U_r f$ keine Relation und die übrigen drücken sich durch diese aus. Würden jene $\varrho + 1$ Ausdrücke nicht auch Af in sich enthalten, so drückte sich Af durch diese aus. Vermöge der betreffenden Relation liesse sich dann einer der $\varrho + 1$ Ausdrücke durch die übrigen und Af und somit auch jeder Ausdruck Uf durch jene ϱ übrigen und Af darstellen.

Demnach können wir immer erreichen, dass zwischen Af und

etwa $U_1 f \cdots U_\varrho f$ keine Relation besteht, während die $U_{\varrho+1} f \cdots U_r f$ die rein algebraisch zu berechnenden Formen (5) haben:

$$(5) \qquad U_{\varrho+i} f \equiv u_{i1} U_1 f + u_{i2} U_2 f + \cdots + u_{i\varrho} U_\varrho f + v_i A f$$
$$(i = 1, 2 \cdots r - \varrho).$$

Wir werden nun zeigen, dass die $u_{i1} \cdots u_{i\varrho}$, wenn sie nicht nur Constanten sind, *Lösungen* unserer Gleichung $Af = 0$ sein müssen. Coefficienten der Relationen zwischen den inf. Trf., die $Af = 0$ gestattet.

Da nämlich $U_1 f \cdots U_r f$ sämtlich von $Af = 0$ gestattet werden, so ist jeder Ausdruck $U_j \omega$, sobald ω eine Lösung von $Af = 0$ ist, ebenfalls eine Lösung (Satz 3, § 2). Seien nun $\omega_1 \cdots \omega_{n-1}$ ein System Lösungen der Gleichung $Af = 0$, so ist jede Lösung von $Af = 0$ eine Function derselben, also auch jedes $U_j \omega_k$ eine Function von $\omega_1 \cdots \omega_{n-1}$.

Wir setzen in (5) f gleich $\omega_1, \omega_2 \cdots \omega_{n-1}$. Dann kommt, da

$$A\omega_1 \equiv A\omega_2 \equiv \cdots \equiv 0$$

ist:

$$(6) \quad \begin{cases} U_{\varrho+i}\omega_1 \equiv u_{i1} U_1 \omega_1 + u_{i2} U_2 \omega_1 + \cdots + u_{i\varrho} U_\varrho \omega_1, \\ U_{\varrho+i}\omega_2 \equiv u_{i1} U_1 \omega_2 + u_{i2} U_2 \omega_2 + \cdots + u_{i\varrho} U_\varrho \omega_2, \\ \cdot \quad \cdot \quad \cdot \quad \cdot \quad \cdot \quad \cdot \quad \cdot \quad \cdot \quad \cdot \quad \cdot \\ U_{\varrho+i}\omega_{n-1} \equiv u_{i1} U_1 \omega_{n-1} + u_{i2} U_2 \omega_{n-1} + \cdots + u_{i\varrho} U_\varrho \omega_{n-1}. \end{cases}$$

Es sind dies $n - 1$ lineare Gleichungen für die Grössen $u_{i1}, u_{i2} \cdots u_{i\varrho}$. Alle Coefficienten, sowie die linken Seiten sind Functionen der Lösungen $\omega_1 \cdots \omega_{n-1}$. Sicherlich sind nicht alle ϱ-reihigen Determinanten der Matrix dieser Gleichungen:

$$\begin{vmatrix} U_1\omega_1 & U_2\omega_1 & \cdots & U_\varrho\omega_1 \\ U_1\omega_2 & U_2\omega_2 & \cdots & U_\varrho\omega_2 \\ \cdots & \cdots & \cdots & \cdots \\ U_1\omega_{n-1} & U_2\omega_{n-1} & \cdots & U_\varrho\omega_{n-1} \end{vmatrix}$$

gleich Null, denn sonst gäbe es ϱ Functionen $\lambda_1, \lambda_2 \cdots \lambda_\varrho$, sodass:

$$\begin{aligned} \lambda_1 U_1 \omega_1 + \lambda_2 U_2 \omega_1 + \cdots + \lambda_\varrho U_\varrho \omega_1 &\equiv 0, \\ \lambda_1 U_1 \omega_2 + \lambda_2 U_2 \omega_2 + \cdots + \lambda_\varrho U_\varrho \omega_2 &\equiv 0, \\ \cdot \quad \cdot \quad \cdot \quad \cdot \quad \cdot \quad \cdot \quad \cdot \quad \cdot \quad \cdot \quad & \\ \lambda_1 U_1 \omega_{n-1} + \lambda_2 U_2 \omega_{n-1} + \cdots + \lambda_\varrho U_\varrho \omega_{n-1} &\equiv 0 \end{aligned}$$

wäre, d. h. sodass die lineare partielle Differentialgleichung:

$$\lambda_1 U_1 f + \lambda_2 U_2 f + \cdots + \lambda_\varrho U_\varrho f = 0$$

dieselben Lösungen $\omega_1 \cdots \omega_{n-1}$ wie $Af = 0$ hätte, ihre linke Seite sich also (vgl. § 1) von Af nur um einen Factor unterscheiden könnte, d. h. gegen die Voraussetzung eine Relation zwischen Af und $U_1 f \cdots U_\varrho f$ bestände. Da also sicherlich eine ϱ-reihige Determinante der Matrix von (6) nicht identisch Null ist, so lassen sich die Gleichungen (6), deren Zahl $n - 1$ hiernach sicher auch $\geqq \varrho$ ist, nach $u_{i1}, u_{i2} \cdots u_{i\varrho}$ auflösen. Da alle Coefficienten und die linken Seiten aber Functionen von $\omega_1 \cdots \omega_{n-1}$ sind, so folgt: Auch $u_{i1}, u_{i2} \cdots u_{i\varrho}$ sind Functionen der Lösungen $\omega_1 \cdots \omega_{n-1}$, d. h. sie sind ebenfalls Lösungen der Gleichung $Af = 0$.

Theorem 31: *Gestattet die lineare partielle Differentialgleichung $Af = 0$ mehrere bekannte infinitesimale Transformationen $U_1f, U_2f \cdots U_rf$ und bestehen zwischen diesen und Af einige lineare Relationen, so kann man immer diese Relationen aufstellen und danach durch Auflösung derselben gewisse Uf, etwa $U_{\varrho+1}f \cdots U_rf$, durch die übrigen $U_1f \cdots U_\varrho f$ und Af ausdrücken:*

$$U_{\varrho+i}f \equiv u_{i1}U_1f + u_{i2}U_2f + \cdots + u_{i\varrho}U_\varrho f + v_iAf$$
$$(i = 1, 2 \cdots r - \varrho),$$

während zwischen $U_1f \cdots U_\varrho f$ und Af keine lineare Relation besteht. Alsdann sind die Coefficienten $u_{i1}, u_{i2} \cdots u_{i\varrho}$, wenn sie sich nicht auf Constanten reducieren, Lösungen der Gleichung $Af = 0$.

Wir wollen *noch einen etwas anderen Beweis* hierfür erbringen. Aus den Relationen

$$U_{\varrho+i}f \equiv u_{i1}U_1f + u_{i2}U_2f + \cdots + u_{i\varrho}U_\varrho f + v_iAf \tag{5}$$
$$(i = 1, 2 \cdots r - \varrho)$$

folgt, wenn wir den Klammerausdruck $(U_{\varrho+i}A)$ bilden:

$$(U_{\varrho+i}A) \equiv u_{i1}(U_1A) + u_{i2}(U_2A) + \cdots + u_{i\varrho}(U_\varrho A) -$$
$$- Au_{i1} \cdot U_1f - Au_{i2} \cdot U_2f - \cdots - Au_{i\varrho} \cdot U_\varrho f - Av_i \cdot Af.$$

$Af = 0$ gestattet nach Voraussetzung $U_1f \cdots U_rf$, d. h. es ist:

$$(U_1A) \equiv \lambda_1 Af, \quad (U_2A) \equiv \lambda_2 Af, \quad \cdots (U_rA) \equiv \lambda_r Af.$$

Demnach kommt:

$$\lambda_{\varrho+i}Af \equiv (u_{i1}\lambda_1 + u_{i2}\lambda_2 + \cdots + u_{i\varrho}\lambda_\varrho) \cdot Af -$$
$$- Au_{i1} \cdot U_1f - Au_{i2} \cdot U_2f - \cdots - Au_{i\varrho} \cdot U_\varrho f - Av_i \cdot Af$$

oder geordnet:

$$(\lambda_{\varrho+i} - u_{i1}\lambda_1 - u_{i2}\lambda_2 - \cdots - u_{i\varrho}\lambda_\varrho + Av_i) \cdot Af +$$
$$+ Au_{i1} \cdot U_1f + Au_{i2} \cdot U_2f + \cdots + Au_{i\varrho} \cdot U_\varrho f \equiv 0.$$

Es ist dies eine lineare Relation zwischen Af und $U_1f, U_2f \cdots U_\varrho f$, deren Coefficienten gewisse Functionen der Veränderlichen $x_1, x_2 \cdots x_n$ sind. Nach Voraussetzung existiert aber *keine* lineare Relation zwischen Af und $U_1f, U_2f \cdots U_\varrho f$. Die gefundene Gleichung kann also nur so bestehen, dass ihre Coefficienten einzeln Null sind. Demnach ist der Coefficient von Af, der uns übrigens nicht weiter interessiert, gleich Null und ausserdem:

$$Au_{i1} \equiv 0, \quad Au_{i2} \equiv 0, \quad \cdots \quad Au_{i\varrho} \equiv 0.$$

Diese Gleichungen aber sagen nichts anderes aus, als: $u_{i1}, u_{i2} \cdots u_{i\varrho}$ sind, wenn sie keine Constanten werden, Lösungen der Gleichung $Af = 0$, was bewiesen werden sollte.

Beispiel: Wir fanden in dem Beispiel zu Theorem 30, dass die Gleichung Beispiel.

$$Af \equiv \frac{\partial f}{\partial x_1} + \frac{\partial f}{\partial x_2} + \frac{\partial f}{\partial x_3} = 0$$

die infinitesimalen Transformationen gestattet:

$$U_1 f \equiv x_1 \frac{\partial f}{\partial x_1} + x_2 \frac{\partial f}{\partial x_2} + x_3 \frac{\partial f}{\partial x_3},$$

$$U_2 f \equiv (x_2 - x_3) \frac{\partial f}{\partial x_2},$$

$$U_3 f \equiv x_1^2 \frac{\partial f}{\partial x_1} + x_1^2 \frac{\partial f}{\partial x_2} + (x_1 x_2 + x_1 x_3 - x_2 x_3) \frac{\partial f}{\partial x_3},$$

$$U_4 f \equiv (x_1 - x_2)(x_1 - x_3) \frac{\partial f}{\partial x_2} - (x_1 - x_3)(x_2 - x_3) \frac{\partial f}{\partial x_3}.$$

Offenbar besteht zwischen Af, $U_1 f$ und $U_2 f$ keine lineare Relation, denn es ist ihre Determinante:

$$\begin{vmatrix} 1 & 1 & 1 \\ x_1 & x_2 & x_3 \\ 0 & x_2 - x_3 & 0 \end{vmatrix} \not\equiv 0.$$

Wohl aber lassen sich $U_3 f$ und $U_4 f$ durch Af, $U_1 f$ und $U_2 f$ ausdrücken. (Hier ist also $n = 3$, $r = 4$, $\varrho = 2$.) Um dies methodisch zu machen, werden wir aus

$$\frac{\partial f}{\partial x_1} + \frac{\partial f}{\partial x_2} + \frac{\partial f}{\partial x_3} \equiv Af,$$

$$x_1 \frac{\partial f}{\partial x_1} + x_2 \frac{\partial f}{\partial x_2} + x_3 \frac{\partial f}{\partial x_3} \equiv U_1 f,$$

$$(x_2 - x_3) \frac{\partial f}{\partial x_2} \equiv U_2 f$$

die Grössen $\frac{\partial f}{\partial x_1}, \frac{\partial f}{\partial x_2}, \frac{\partial f}{\partial x_3}$ berechnen. Es kommt:

$$\frac{\partial f}{\partial x_1} \equiv - \frac{x_3}{x_1 - x_3} Af + \frac{1}{x_1 - x_3} U_1 f - \frac{1}{x_1 - x_3} U_2 f,$$

$$\frac{\partial f}{\partial x_2} \equiv \frac{1}{x_2 - x_3} U_2 f,$$

$$\frac{\partial f}{\partial x_3} \equiv \frac{x_1}{x_1 - x_3} Af - \frac{1}{x_1 - x_3} U_1 f + \frac{x_2 - x_1}{(x_1 - x_3)(x_2 - x_3)} U_2 f.$$

Setzen wir diese Werte in $U_3 f$ und $U_4 f$ ein, so kommt:

$$U_3 f \equiv x_1 x_2 A f + (x_1 - x_2)\, U_1 f + \frac{(x_1 - x_2)^2}{x_2 - x_3}\, U_2 f,$$

$$U_4 f \equiv - x_1 (x_2 - x_3)\, A f + (x_2 - x_3)\, U_1 f + \frac{(x_1 - x_2)(x_1 + x_2 - 2 x_3)}{x_2 - x_3}\, U_2 f.$$

Nach unserem Theorem 31 müssen also hierin die Coefficienten von $U_1 f$ und $U_2 f$ Lösungen von

$$A f \equiv \frac{\partial f}{\partial x_1} + \frac{\partial f}{\partial x_2} + \frac{\partial f}{\partial x_3} = 0$$

sein. In der That sind $x_1 - x_2$, $x_2 - x_3$ Lösungen und $\frac{(x_1 - x_2)^2}{x_2 - x_3}$ und $\frac{(x_1 - x_2)(x_1 + x_2 - 2 x_3)}{x_2 - x_3}$ als Functionen derselben ebenfalls Lösungen.

Wie schon im Laufe des ersten Beweises unseres Theorems 31 bemerkt wurde, ist die Zahl $\varrho \leqq n - 1$. Dies ist aber auch so klar: *Zwischen Af und n beliebigen Ausdrücken $U_1 f$, $U_2 f \cdots U_n f$ besteht stets eine Relation:*

$$\mu_1 U_1 f + \mu_2 U_2 f + \cdots + \mu_n U_n f \equiv \mu A f, \tag{7}$$

denn ist:

$$A f \equiv \sum_1^n {}_k\, \alpha_k \frac{\partial f}{\partial x_k},$$

$$U_j f \equiv \sum_1^n {}_k\, \xi_{jk} \frac{\partial f}{\partial x_k},$$

so liefert die Relation, indem sie in n Gleichungen zerfällt, weil sie für jedes f bestehen soll, zur Bestimmung von $\mu_1, \mu_2 \cdots \mu_n$ und μ das Gleichungensystem:

$$\mu_1 \xi_{1k} + \mu_2 \xi_{2k} + \cdots + \mu_n \xi_{nk} = \mu \alpha_k \tag{7'}$$

$$(k = 1, 2 \cdots n).$$

Ist zunächst die Determinante

$$\begin{vmatrix} \xi_{11} & \xi_{21} & \cdots & \xi_{n1} \\ \xi_{12} & \xi_{22} & \cdots & \xi_{n2} \\ \cdot\cdot & \cdot\cdot & \cdots & \cdot\cdot \\ \xi_{1n} & \xi_{2n} & \cdots & \xi_{nn} \end{vmatrix} \equiv\!\!\!\!/\; 0,$$

so lassen sich $\mu_1 \cdots \mu_n$ aus (7') berechnen in der Form

$$\mu_k \equiv \varrho_k (x_1 \cdots x_n) \mu$$

und zwar sind dann die $\varrho_k (x_1 \cdots x_n)$ ganz bestimmte Functionen von $x_1 \cdots x_n$. Diese Werte erfüllen die Gleichung (7) identisch. Ist nun zweitens die Determinante Null, so nehmen wir $\mu \equiv 0$ an und können

$\mu_1 \cdots \mu_n$ solche Werte erteilen, dass (7′) erfüllt wird. In diesem Falle besteht schon zwischen $U_1 f \cdots U_n f$ allein eine Relation:

$$\mu_1 U_1 f + \mu_2 U_2 f + \cdots + \mu_n U_n f \equiv 0.$$

Jedenfalls muss also zwischen $n+1$ Symbolen in n Veränderlichen stets eine lineare Relation bestehen, und daher ist in unseren obigen Entwickelungen sicher $\varrho \leqq n-1$.

§ 4. Geometrische Ableitung des Ergebnisses, seine Umkehrung und Verwertung.

Unser Theorem 31 kann auch auf anschaulichem Wege gedeutet werden, wenn man von der geometrischen Interpretation der Veränderlichen Gebrauch macht. Wir wollen dies für den Fall $n = 3$ durchführen. Es bedarf dazu jedoch einiger Vorbemerkungen.

Wir betrachten einen Punkt (x, y, z) des Raumes (indem wir x_1, x_2, x_3 jetzt grösserer Übersichtlichkeit der kommenden Formeln halber mit x, y, z bezeichnen). Wir wollen ihm drei infinitesimale Fortschreitungsstrecken $\delta_0 s$, $\delta_1 s$, $\delta_2 s$ zuordnen, deren Projectionen auf die x-Axe $\delta_0 x$, $\delta_1 x$, $\delta_2 x$ seien u. s. w.

Diese drei Strecken liegen nach einem bekannten Satze der analytischen Geometrie dann und nur dann in einer Ebene, wenn

$$\begin{vmatrix} \delta_0 x & \delta_0 y & \delta_0 z \\ \delta_1 x & \delta_1 y & \delta_1 z \\ \delta_2 x & \delta_2 y & \delta_2 z \end{vmatrix} = 0$$

ist.

Drei infinitesimale Transformationen

$$Af \equiv \alpha \frac{\partial f}{\partial x} + \beta \frac{\partial f}{\partial y} + \gamma \frac{\partial f}{\partial z},$$

$$U_1 f \equiv \xi_1 \frac{\partial f}{\partial x} + \eta_1 \frac{\partial f}{\partial y} + \zeta_1 \frac{\partial f}{\partial z},$$

$$U_2 f \equiv \xi_2 \frac{\partial f}{\partial x} + \eta_2 \frac{\partial f}{\partial y} + \zeta_2 \frac{\partial f}{\partial z}$$

ordnen dem Punkte (x, y, z) drei infinitesimale Fortschreitungsstrecken $\delta_0 s$, $\delta_1 s$, $\delta_2 s$ zu, und zwar sind die Projectionen der ersten $\delta_0 s$ auf die x-Axe:

$$\alpha \delta t, \quad \beta \delta t, \quad \gamma \delta t$$

u. s. w. Die drei Fortschreitungsstrecken liegen also dann und nur dann für jeden Punkt (x, y, z) in einer Ebene, wenn die Determinante

$$\begin{vmatrix} \alpha & \beta & \gamma \\ \xi_1 & \eta_1 & \zeta_1 \\ \xi_2 & \eta_2 & \zeta_2 \end{vmatrix} \equiv 0$$

ist. Offenbar lassen sich auch dann und nur dann, wenn diese Determinante identisch verschwindet, drei Functionen μ, μ_1, μ_2 von x, y, z angeben, sodass

$$\mu Af + \mu_1 U_1 f + \mu_2 U_2 f \equiv 0$$

ist. Also:

Geom. Deutung einer lin. Relation zw. 3 inf. Trf. des Raumes.

Satz 6: *Drei infinitesimale Transformationen Af, $U_1 f$, $U_2 f$ im Raume (x, y, z) ordnen einem Punkte allgemeiner Lage dann und nur dann Fortschreitungsstrecken in einer Ebene zu, wenn zwischen ihnen irgend eine lineare Relation*

$$\mu Af + \mu_1 U_1 f + \mu_2 U_2 f \equiv 0$$

besteht. μ, μ_1, μ_2 bedeuten hierbei drei nicht verschwindende Functionen der Veränderlichen.

Geom. Ableitung des Theorems 31 für $n = 3$, $q = 2$.

Es liege eine lineare partielle Differentialgleichung $Af = 0$ in drei Veränderlichen x, y, z vor. Sie besitzt ∞^2 Curven des Raumes (x, y, z) als Charakteristiken. Dieselben werden durch zwei Gleichungen

$$\varphi(x, y, z) = \text{Const.}, \quad \psi(x, y, z) = \text{Const.}$$

definiert. Af kann als eine infinitesimale Transformation aufgefasst werden. Als solche ordnet sie dem Punkt p allgemeiner Lage (x, y, z) eine infinitesimale Fortschreitungsstrecke $\delta_0 s$ längs der durch p gehenden Charakteristik k_0 zu. $Af = 0$ gestatte zwei infinitesimale Transformationen $U_1 f$ und $U_2 f$. Wir wollen zunächst annehmen, es bestehe keine Relation zwischen ihnen und Af, d. h. nach Satz 6 sollen $U_1 f$ und $U_2 f$ dem Punkte p infinitesimale Fortschreitungsstrecken $\delta_1 s$ und $\delta_2 s$ zuordnen, welche nicht zusammen mit $\delta_0 s$ eine Ebene, sondern eine wirkliche räumliche Ecke bestimmen.

Jede beliebige Fortschreitungsstrecke δs lässt sich dann nach dem Parallelogramm der Bewegungen in Componenten längs $\delta_0 s$, $\delta_1 s$, $\delta_2 s$ zerlegen, sich also darstellen in der Form:

$$\delta s = v \delta_0 s + u_1 \delta_1 s + u_2 \delta_2 s, \tag{8}$$

wo v, u_1, u_2 Functionen des Ortes (x, y, z) sein können.

Af erteilt p eine Fortschreitung $\delta_0 s$ längs k_0 mit den Componenten $\delta_0 x$, $\delta_0 y$, $\delta_0 z$ nach den drei Axen. Die Charakteristik k_0 wird etwa durch die Gleichungen

$$\varphi(x, y, z) = a, \quad \psi(x, y, z) = b$$

dargestellt. Es ist dann:

$$\begin{cases} \varphi'(x)\delta_0 x + \varphi'(y)\delta_0 y + \varphi'(z)\delta_0 z = 0, \\ \psi'(x)\delta_0 x + \psi'(y)\delta_0 y + \psi'(z)\delta_0 z = 0. \end{cases} \tag{9}$$

$U_1 f$ führt *alle* Punkte p von k_0 in die Punkte *einer* benachbarten

Charakteristik k_1 über. Sind $\delta_1 x$, $\delta_2 x$, $\delta_3 x$ die Projectionen von $\delta_1 s$ auf die Axen, so muss also mit

$$\varphi(x, y, z) = a$$

auch

$$\varphi(x + \delta_1 x,\ y + \delta_1 y,\ z + \delta_1 z) = \text{Const.} = a + \delta_1 a$$

sein. Ähnliches gilt für $\psi = b$ und wir haben also:

$$(10)\qquad \begin{cases} \varphi'(x)\delta_1 x + \varphi'(y)\delta_1 y + \varphi'(z)\delta_1 z = \delta_1 a, \\ \psi'(x)\delta_1 x + \psi'(y)\delta_1 y + \psi'(z)\delta_1 z = \delta_1 b. \end{cases}$$

Da endlich $U_2 f$ *alle* Punkte p von k_0 in die Punkte *einer anderen* benachbarten Charakteristik k_2 überführt vermöge der Fortschreitung $\delta_2 s$ mit den Projectionen $\delta_2 x$, $\delta_2 y$, $\delta_2 z$, so ist analog:

$$(11)\qquad \begin{cases} \varphi'(x)\delta_2 x + \varphi'(y)\delta_2 y + \varphi'(z)\delta_2 z = \delta_2 a, \\ \psi'(x)\delta_2 x + \psi'(y)\delta_2 y + \psi'(z)\delta_2 z = \delta_2 b. \end{cases}$$

$\delta_1 a$, $\delta_1 b$ und $\delta_2 a$, $\delta_2 b$ müssen unveränderlich längs der ganzen Curve k_0 sein. Da nach dem Obigen die Determinante

$$\begin{vmatrix} \delta_0 x & \delta_0 y & \delta_0 z \\ \delta_1 x & \delta_1 y & \delta_1 z \\ \delta_2 x & \delta_2 y & \delta_2 z \end{vmatrix} \not\equiv 0$$

ist, so folgt aus (9), (10) und (11), dass auch die Determinante

$$(12)\qquad \begin{vmatrix} \delta_1 a & \delta_1 b \\ \delta_2 a & \delta_2 b \end{vmatrix} \not\equiv 0$$

ist.

Wir wollen annehmen, $Af = 0$ gestatte auch die infinitesimale Transformation Uf. Diese erteilt dann den Punkten p von k_0 solche Fortschreitungen δs mit den Projectionen δx, δy, δz, dass k_0 in eine andere benachbarte Charakteristik k

$$\varphi = a + \delta a, \quad \psi = b + \delta b$$

übergeht. Wie gesagt, δs lässt sich zerlegen in

$$(8)\qquad \delta s = v\delta_0 s + u_1 \delta_1 s + u_2 \delta_2 s$$

und es ist also:

$$(13)\qquad \begin{cases} \delta x = v\delta_0 x + u_1 \delta_1 x + u_2 \delta_2 x, \\ \delta y = v\delta_0 y + u_1 \delta_1 y + u_2 \delta_2 y, \\ \delta z = v\delta_0 z + u_1 \delta_1 z + u_2 \delta_2 z. \end{cases}$$

Es kommt also

$$\begin{aligned} \delta\varphi \equiv \varphi'(x)(v\delta_0 x + u_1 \delta_1 x + u_2 \delta_2 x) &+ \\ + \varphi'(y)(v\delta_0 y + u_1 \delta_1 y + u_2 \delta_2 y) &+ \\ + \varphi'(z)(v\delta_0 z + u_1 \delta_1 z + u_2 \delta_2 z) &= \delta a, \end{aligned}$$

d. h. nach (9), (10) und (11):

$$u_1\delta_1 a + u_2\delta_2 a = \delta a.$$

$\delta\psi = \delta b$ giebt analog:

$$u_1\delta_1 b + u_2\delta_2 b = \delta b.$$

Wegen (12) sind diese beiden Gleichungen nach u_1 und u_2 auflösbar und es ergiebt sich, da δa, $\delta_1 a$, $\delta_2 a$ und δb, $\delta_1 b$, $\delta_2 b$ längs der ganzen Charakteristik k_0 unveränderlich sind, dass auch u_1 und u_2 längs k_0 constant sind.

Die Fortschreitung δs führt also dann und nur dann jede Charakteristik k_0 in eine benachbarte über, wenn u_1 und u_2 längs k_0 unveränderlich, d. h. entweder überhaupt unveränderlich oder aber Functionen von φ, ψ allein sind.

Ist nun

$$Uf \equiv \xi\frac{\partial f}{\partial x} + \eta\frac{\partial f}{\partial y} + \zeta\frac{\partial f}{\partial z},$$

so ist auch

$$\delta x = \xi\delta t, \quad \delta y = \eta\delta t, \quad \delta z = \zeta\delta t.$$

Ferner ist

$$\delta_0 x = \alpha\delta t, \quad \delta_1 x = \xi_1\delta t, \quad \delta_2 x = \xi_2\delta t$$

u. s. w. Daher kommt nach (13):

$$\xi \equiv v\alpha + u_1\xi_1 + u_2\xi_2,$$

$$\eta \equiv v\beta + u_1\eta_1 + u_2\eta_2,$$

$$\zeta \equiv v\gamma + u_1\zeta_1 + u_2\zeta_2.$$

Also ergiebt sich, wenn diese drei Gleichungen resp. mit $\frac{\partial f}{\partial x}$, $\frac{\partial f}{\partial y}$, $\frac{\partial f}{\partial z}$ multipliciert und danach addiert werden:

$$Uf \equiv vAf + u_1U_1f + u_2U_2f,$$

wo u_1, u_2 Functionen der Lösungen φ, ψ von $Af = 0$ sind.

Dies ist aber nichts anderes als unser Theorem 31 für den Fall $n = 3$, $\varrho = 2$.

Geom. Ableitung des Theorems 31 für $n = 3$, $\varrho = 1$.

Wir wollen noch kurz die andere Möglichkeit besprechen, dass $Af = 0$ zwei infinitesimale Transformationen U_1f, U_2f gestattet, deren Fortschreitungsstrecken $\delta_1 s$, $\delta_2 s$ mit der Fortschreitungsstrecke $\delta_0 s$ längs k_0 eine *Ebene* bestimmen. In diesem Falle ist $\delta_2 s$ zerlegbar in zwei Componenten längs $\delta_0 s$ und $\delta_1 s$, also etwa:

$$\delta_2 s \equiv v\delta_0 s + u\delta_1 s \tag{14}$$

oder:

$$\delta_2 x \equiv v\delta_0 x + u\delta_1 x$$

u. s. w. oder auch:

$$\xi_2 \equiv v\alpha + u\xi_1$$

u. s. w., d. h. endlich:

$$U_2 f \equiv v A f + u U_1 f.$$

Ferner ist nach (9), (10) und (11) wegen (14):

$$\delta_2 a = u \delta_1 a, \quad \delta_2 b = u \delta_1 b,$$

d. h. u ist constant längs k_0, also eine Lösung von $Af = 0$ oder überhaupt eine Constante. Damit wäre unser Theorem 31 auch für $n = 3$, $\varrho = 1$ bewiesen.

Die hier entwickelten mehr geometrischen Beweise lassen sich ohne Schwierigkeit auf den Fall eines beliebigen n übertragen. Wir haben sie ausführlich entwickelt, um ihre Übertragung auf den allgemeinen Fall eines n-dimensionalen Raumes dem Leser zu erleichtern und die Schlüsse in wünschenswerter Strenge zu ziehen.

Wir wenden uns jetzt wieder den analytischen Entwickelungen zu und zwar für beliebiges n. Es ist sehr leicht, die Umkehrung des Theorems 31 des vorigen Paragraphen zu beweisen. Wir behaupten nämlich, dass, wenn $Af = 0$ die infinitesimalen Transformationen $U_1 f$, $U_2 f \cdots U_\varrho f$ gestattet, alsdann auch die infinitesimale Transformation: Umkehrung des Theorems 31.

$$Uf \equiv u_1 U_1 f + u_2 U_2 f + \cdots + u_\varrho U_\varrho f + v A f$$

die Gleichung $Af = 0$ invariant lässt, sobald $u_1, u_2 \cdots u_\varrho$ irgend welche Functionen der Lösungen von $Af = 0$ sind, während v eine ganz beliebige Function der Veränderlichen $x_1 \cdots x_n$ bezeichnen darf.

Nach Theorem 29 des § 2 ist ja:

$$(U_1 A) \equiv \lambda_1 A f, \cdots (U_\varrho A) \equiv \lambda_\varrho A f$$

und also kommt:

$$(UA) \equiv (u_1 \lambda_1 + u_2 \lambda_2 + \cdots + u_\varrho \lambda_\varrho) A f -$$
$$- A u_1 \cdot U_1 f - \cdots - A u_\varrho \cdot U_\varrho f - A v \cdot A f.$$

Da aber $u_1, u_2 \cdots u_\varrho$ Functionen der Lösungen, also selbst Lösungen oder Constanten sein sollen, so ist $A u_1 \equiv 0, \cdots A u_\varrho \equiv 0$, und es bleibt:

$$(UA) \equiv (u_1 \lambda_1 + u_2 \lambda_2 + \cdots + u_\varrho \lambda_\varrho - A v) \cdot A f \equiv \lambda \cdot A f,$$

d. h. nach Theorem 29 gestattet $Af = 0$ die infinitesimale Transformation Uf.

Satz 7: *Gestattet die lineare partielle Differentialgleichung $Af = 0$ die infinitesimalen Transformationen $U_1 f \cdots U_\varrho f$, so gestattet sie auch jede infinitesimale Transformation von der Form:*

$$Uf \equiv u_1 U_1 f + \cdots + u_\varrho U_\varrho f + v A f,$$

sobald nur $u_1 \cdots u_\varrho$ Lösungen von $Af = 0$ oder auch Constanten sind, während v eine beliebig gewählte Function der Veränderlichen bedeutet.

Zusammenfassung.

Nach den Entwickelungen des vorigen und dieses Paragraphen werden wir aus der Kenntnis einiger infinitesimaler Transformationen $U_j f$ der Differentialgleichung $Af = 0$ und einiger Lösungen ω_i derselben folgenden Nutzen ziehen können:

Erstens: Jedes $(U_j U_l)$ ist wieder eine infinitesimale Transformation von $Af = 0$. (Theorem 30.)

Zweitens: Jedes $U_j \omega_i$ ist eine Lösung von $Af = 0$. (Satz 3 des § 2.)

Drittens: Jede Relation zwischen den $U_j f$ und Af giebt, in passender Weise aufgelöst, als Coefficienten Lösungen von $Af = 0$. (Theorem 31.)

Indem man in dieser Weise möglichst viele infinitesimale Transformationen und Lösungen von $Af = 0$ zu bestimmen sucht, findet man schliesslich — da diese Processe ein Ende haben müssen — eine gewisse Anzahl von Lösungen $\omega_1, \omega_2 \cdots \omega_q$ der Gleichung $Af = 0$ und eine gewisse Anzahl von infinitesimalen Transformationen $U_1 f$, $U_2 f \cdots U_r f$ der Gleichung von der Eigenschaft, dass jedes $U_j \omega_i$ eine Function von $\omega_1 \cdots \omega_q$ allein ist, ferner jede Klammeroperation $(U_j U_l)$ nur eine infinitesimale Transformation liefert, die nichts wesentlich neues giebt, d. h. eine infinitesimale Transformation von der Form:

$$(U_j U_l) \equiv u_1(\omega_1 \cdots \omega_q) U_1 f + \cdots + u_r(\omega_1 \cdots \omega_q) U_r f + v Af,$$

und drittens die Relationen, welche die Uf durch Af und solche Uf ausdrücken, zwischen denen keine lineare Relation mit Af besteht, als Coefficienten der letzteren Uf nur Functionen von $\omega_1 \cdots \omega_q$ besitzen.

Sind $U_1 f \cdots U_\varrho f$ diejenigen der Uf, welche mit Af keine lineare Relation erfüllen, so können wir die übrigen gefundenen Uf ganz bei Seite lassen, denn aus $U_1 f \cdots U_\varrho f$ setzt sich nach Satz 7 ein bekanntes Uf, welches $Af = 0$ gestattet, in viel allgemeinerer Weise zusammen in der Form:

$$\Omega_1(\omega_1 \cdots \omega_q) U_1 f + \cdots + \Omega_\varrho(\omega_1 \cdots \omega_q) U_\varrho f + v(x_1 \cdots x_n) Af.$$

Wir werden also nur die infinitesimalen Transformationen $U_1 f \cdots U_\varrho f$ und die Lösungen $\omega_1 \cdots \omega_q$ berücksichtigen.

Satz 8: *Kennt man einige infinitesimale Transformationen und einige Lösungen der linearen partiellen Differentialgleichung $Af = 0$, so kann man immer durch ausführbare Operationen erreichen, dass man eine Anzahl infinitesimaler Transformationen*

$$U_1 f \cdots U_\varrho f$$

und eine Anzahl von einander unabhängiger Lösungen $\omega_1 \cdots \omega_q$ der Gleichung $Af = 0$ kennt von der Art, dass erstens zwischen $U_1 f \cdots U_\varrho f$

und Af keine lineare Relation besteht, zweitens jedes $U_j\omega_i$ eine Function von $\omega_1 \cdots \omega_q$ allein und drittens jeder Klammerausdruck (U_jU_i) von der Form ist:

$$u_1(\omega_1 \cdots \omega_q)U_1f + \cdots + u_\varrho(\omega_1 \cdots \omega_q)U_\varrho f + v(x_1 \cdots x_n)Af.$$

Wir brechen hiermit die Untersuchung des Integrationsproblems einer Gleichung $Af = 0$, welche bekannte infinitesimale Transformationen gestattet, ab, um diese Betrachtung an einer späteren Stelle zu verwerten.

§ 5. Die Multiplicatoren einer Gleichung $Af = 0$.

Wir wollen jetzt noch auf den Zusammenhang eingehen, welcher zwischen den infinitesimalen Transformationen einer Gleichung $Af = 0$ und den Jacobi'schen Multiplicatoren derselben besteht. Dabei bemerken wir vorweg, dass die Entwickelungen dieses Paragraphen in der Folge nicht benutzt werden, also eine blosse Einschaltung bilden.

Vorgelegt sei wieder die lineare partielle Differentialgleichung:

$$Af \equiv \alpha_1 \frac{\partial f}{\partial x_1} + \alpha_2 \frac{\partial f}{\partial x_2} + \cdots + \alpha_n \frac{\partial f}{\partial x_n} = 0$$

in n Veränderlichen $x_1, x_2 \cdots x_n$. Es seien

$$\omega_1, \omega_2 \cdots \omega_{n-1}$$

$n - 1$ von einander unabhängige Lösungen derselben, durch welche, wie wir wissen (vgl. § 1), die Gleichung $Af = 0$ vollständig bestimmt wird.

Multiplicator M des simultanen Systems Multiplicator von $Af = 0$.

$$\frac{dx_1}{\alpha_1} = \frac{dx_2}{\alpha_2} = \cdots = \frac{dx_n}{\alpha_n}$$

oder der äquivalenten linearen partiellen Differentialgleichung

$$Af \equiv \alpha_1 \frac{\partial f}{\partial x_1} + \cdots + \alpha_n \frac{\partial f}{\partial x_n} = 0$$

heisst jede Function M von $x_1, x_2 \cdots x_n$, für die MAf die Functionaldeterminante der beliebigen Function f und irgend welcher $n - 1$ von einander unabhängiger Lösungen $\omega_1 \cdots \omega_{n-1}$ der Gleichung $Af = 0$ hinsichtlich $x_1, x_2 \cdots x_n$ ist.

Wir wollen die gebräuchliche abkürzende Bezeichnung

$$\begin{pmatrix} f & \omega_1 & \omega_2 \cdots \omega_n \\ x_1 & x_2 & x_3 \cdots x_n \end{pmatrix}$$

für diese Functionaldeterminante

$$\begin{vmatrix} \frac{\partial f}{\partial x_1} & \frac{\partial f}{\partial x_2} & \cdots & \frac{\partial f}{\partial x_n} \\ \frac{\partial \omega_1}{\partial x_1} & \frac{\partial \omega_1}{\partial x_2} & \cdots & \frac{\partial \omega_1}{\partial x_n} \\ \cdots & \cdots & \cdots & \cdots \\ \frac{\partial \omega_{n-1}}{\partial x_1} & \frac{\partial \omega_{n-1}}{\partial x_2} & & \frac{\partial \omega_{n-1}}{\partial x_n} \end{vmatrix}$$

benutzen. Alsdann lautet die Definitionsgleichung des Multiplicators:

$$MAf \equiv \begin{pmatrix} f & \omega_1 & \omega_2 \cdots \omega_{n-1} \\ x_1 & x_2 & x_3 \cdots x_n \end{pmatrix}. \tag{15}$$

Hierin bedeuten, wie bemerkt, $\omega_1 \cdots \omega_{n-1}$ irgend ein System Lösungen der Gleichung $Af = 0$. Benutzen wir an Stelle derselben ein anderes, etwa $\overline{\omega}_1, \overline{\omega}_2 \cdots \overline{\omega}_{n-1}$, so erhalten wir einen im allgemeinen anderen Multiplicator $\overline{M}$, für den

$$\overline{M}Af \equiv \begin{pmatrix} f & \overline{\omega}_1 & \overline{\omega}_2 \cdots \overline{\omega}_{n-1} \\ x_1 & x_2 & x_3 \cdots x_n \end{pmatrix} \tag{16}$$

Quotient zweier Multiplicatoren.

ist. Dass nun das Verhältnis $\frac{\overline{M}}{M}$ eine Lösung von $Af = 0$ oder nur eine Constante ist, lässt sich leicht zeigen:

Da in der Definitionsgleichung (15) des Multiplicators M die Function f arbiträr sein soll, so müssen die Coefficienten von $\frac{\partial f}{\partial x_n}$ rechts und links übereinstimmen. Links ist dies der Coefficient $M\alpha_k$, rechts eine Unterdeterminante. Danach ergiebt sich, dass

$$M\alpha_1, M\alpha_2 \cdots M\alpha_n$$

die $(n-1)$-reihigen Determinanten der Matrix

$$\begin{vmatrix} \frac{\partial \omega_1}{\partial x_1} & \frac{\partial \omega_1}{\partial x_2} & \cdots & \frac{\partial \omega_1}{\partial x_n} \\ \cdots & \cdots & \cdots & \cdots \\ \frac{\partial \omega_{n-1}}{\partial x_1} & \frac{\partial \omega_{n-1}}{\partial x_2} & \cdots & \frac{\partial \omega_{n-1}}{\partial x_n} \end{vmatrix}$$

sind. Es ist also:

$$\begin{aligned} M &\equiv \frac{1}{\alpha_1}\begin{pmatrix} \omega_1 & \omega_2 & \ldots & \omega_{n-1} \\ x_2 & x_3 & \ldots & x_n \end{pmatrix} \equiv \frac{1}{\alpha_2}\begin{pmatrix} \omega_1 & \omega_2 & \ldots & \omega_{n-1} \\ x_3 & x_4 & \ldots & x_1 \end{pmatrix} \equiv \cdots \\ &\equiv \frac{1}{\alpha_n}\begin{pmatrix} \omega_1 & \omega_2 & \ldots & \omega_{n-1} \\ x_1 & x_2 & \ldots & x_{n-1} \end{pmatrix}. \end{aligned} \tag{17}$$

Analog ergeben sich solche Ausdrücke aus (16) für $\overline{M}$. Demnach ist, wenn wir die letzten Ausdrücke benutzen:

(18) $$\frac{\overline{M}}{M} = \frac{\begin{pmatrix} \overline{\omega}_1 & \overline{\omega}_2 & \cdots & \overline{\omega}_{n-1} \\ x_1 & x_2 & \cdots & x_{n-1} \end{pmatrix}}{\begin{pmatrix} \omega_1 & \omega_2 & \cdots & \omega_{n-1} \\ x_1 & x_2 & \cdots & x_{n-1} \end{pmatrix}},$$

indem wir voraussetzen, dass $\omega_1 \cdots \omega_{n-1}$ etwa hinsichtlich $x_1 \cdots x_{n-1}$ von einander unabhängig sind, was dann auch für $\overline{\omega}_1 \cdots \omega_{n-1}$ gilt. $\overline{\omega}_1 \cdots \overline{\omega}_{n-1}$ sind gewisse von einander unabhängige Functionen der Lösungen $\omega_1 \cdots \omega_{n-1}$, und nach einem bekannten Satze über die Functionaldeterminante ist also:

$$\begin{pmatrix} \overline{\omega}_1 & \overline{\omega}_2 & \ldots & \overline{\omega}_{n-1} \\ x_1 & x_2 & \ldots & x_{n-1} \end{pmatrix} = \begin{pmatrix} \overline{\omega}_1 & \overline{\omega}_2 & \ldots & \overline{\omega}_{n-1} \\ \omega_1 & \omega_2 & \ldots & \omega_{n-1} \end{pmatrix} \cdot \begin{pmatrix} \omega_1 & \omega_2 & \ldots & \omega_{n-1} \\ x_1 & x_2 & \ldots & x_n \end{pmatrix},$$

sodass sich (18) reduciert auf

$$\frac{\overline{M}}{M} = \begin{pmatrix} \overline{\omega}_1 & \overline{\omega}_2 & \ldots & \overline{\omega}_{n-1} \\ \omega_1 & \omega_2 & \ldots & \omega_{n-1} \end{pmatrix}.$$

Die rechte Seite hierin ist aber, da $\overline{\omega}_1 \ldots \overline{\omega}_{n-1}$ Functionen von $\omega_1 \ldots \omega_{n-1}$ sind, ebenfalls eine Function von $\omega_1 \ldots \omega_{n-1}$, d. h. eine Lösung von $Af = 0$ oder eine Constante. Indem man $\overline{\omega}_1 \ldots \overline{\omega}_{n-1}$ in zweckmässiger Weise als Functionen von $\omega_1 \ldots \omega_{n-1}$ wählt, kann man offenbar erreichen, dass $\frac{\overline{M}}{M}$ jede beliebige Lösung von $Af = 0$ darstellt.

Der Multiplicator steht nun — und deshalb kommen wir auf ihn zu sprechen — *in sehr enger Beziehung zu den infinitesimalen Transformationen Uf, welche $Af = 0$ gestattet.* Zusammenhang zwischen Mult. u. inf. Trf. von $Af = 0$.

Es mögen $U_1 f, U_2 f \ldots U_{n-1} f$ $n - 1$ infinitesimale Transformationen der Gleichung $Af = 0$ sein, und zwar soll zwischen ihnen und Af keine lineare Relation bestehen. Es sei allgemein:

$$U_j f \equiv \xi_{j1} \frac{\partial f}{\partial x_1} + \xi_{j2} \frac{\partial f}{\partial x_2} + \cdots + \xi_{jn} \frac{\partial f}{\partial x_n} \qquad (j = 1, 2 \cdots n - 1).$$

Wir beweisen in einer späteren Note (vgl. Satz 10 dieses Paragraphen), dass es stets $n - 1$ derartige infinitesimale Transformationen der Gleichung $Af = 0$ giebt. Hier wollen wir diesen übrigens sehr einfachen Beweis der bessern Übersicht halber übergehen.

Wir behaupten nun, dass der reciproke Wert der Determinante

$$\begin{vmatrix} \alpha_1 & \alpha_2 & \ldots & \alpha_n \\ \xi_{11} & \xi_{12} & \ldots & \xi_{1n} \\ \xi_{21} & \xi_{22} & \ldots & \xi_{2n} \\ \ldots & \ldots & \ldots & \ldots \\ \xi_{n-1,1} & \xi_{n-1,2} & \ldots & \xi_{n-1,n} \end{vmatrix}$$

ein Multiplicator der Gleichung $Af = 0$ ist.

Zunächst ist diese Determinante nach den getroffenen Voraussetzungen sicher nicht identisch Null. Wir multiplicieren sie mit der Determinante

$$\begin{vmatrix} \frac{\partial \omega_1}{\partial x_1} & \frac{\partial \omega_1}{\partial x_2} & & \frac{\partial \omega_1}{\partial x_n} \\ \frac{\partial \omega_2}{\partial x_1} & \frac{\partial \omega_2}{\partial x_2} & & \frac{\partial \omega_2}{\partial x_n} \\ \cdots & \cdots & & \cdots \\ \frac{\partial \omega_{n-1}}{\partial x_1} & \frac{\partial \omega_{n-1}}{\partial x_2} & \cdots & \frac{\partial \omega_{n-1}}{\partial x_n} \\ 0 & 0 & \cdots & 1 \end{vmatrix}$$

und erhalten nach der bekannten Productregel offenbar

$$\begin{vmatrix} A\omega_1 & A\omega_2 & \cdots & A\omega_{n-1} & \alpha_n \\ U_1\omega_1 & U_1\omega_2 & \cdots & U_1\omega_{n-1} & \xi_{1n} \\ U_2\omega_1 & U_2\omega_2 & & U_2\omega_{n-1} & \xi_{2n} \\ \cdots & \cdots & & \cdots & \cdots \\ U_{n-1}\omega_1 & U_{n-1}\omega_2 & \cdots & U_{n-1}\omega_{n-1} & \xi_{n-1,n} \end{vmatrix}.$$

Da aber $\omega_1 \ldots \omega_{n-1}$ Lösungen sind, so ist $A\omega_1 \equiv 0, \ldots A\omega_{n-1} \equiv 0$. Die erste Horizontalreihe enthält also lauter Nullen bis auf das letzte Glied α_n und es kommt:

$$\alpha_n \cdot \begin{vmatrix} U_1\omega_1 & U_1\omega_2 & & U_1\omega_{n-1} \\ U_2\omega_1 & U_2\omega_2 & & U_2\omega_{n-1} \\ \cdots & \cdots & & \cdots \\ U_{n-1}\omega_1 & U_{n-1}\omega_2 & \cdots & U_{n-1}\omega_{n-1} \end{vmatrix}.$$

Weil $Af = 0$ die infinitesimalen Transformationen $U_1 f \ldots U_{n-1} f$ gestattet, so ist nach Satz 3 des § 2 die vorstehende Determinante eine Function Ω der Lösungen $\omega_1 \ldots \omega_{n-1}$, sodass sich ergeben hat:

$$\begin{vmatrix} \alpha_1 & \alpha_2 & \cdots & \alpha_n \\ \xi_{11} & \xi_{12} & \cdots & \xi_{1n} \\ \xi_{21} & \xi_{22} & \cdots & \xi_{2n} \\ \cdots & \cdots & \cdots & \cdots \\ \xi_{n-1,1} & \xi_{n-1,2} & \cdots & \xi_{n-1,n} \end{vmatrix} \cdot \begin{vmatrix} \frac{\partial \omega_1}{\partial x_1} & \frac{\partial \omega_1}{\partial x_2} & \cdots & \frac{\partial \omega_1}{\partial x_n} \\ \frac{\partial \omega_2}{\partial x_1} & \frac{\partial \omega_2}{\partial x_2} & \cdots & \frac{\partial \omega_2}{\partial x_n} \\ \cdots & \cdots & \cdots & \cdots \\ \frac{\partial \omega_{n-1}}{\partial x_1} & \frac{\partial \omega_{n-1}}{\partial x_2} & \cdots & \frac{\partial \omega_{n-1}}{\partial x_n} \\ 0 & 0 & \cdots & 1 \end{vmatrix} \equiv \alpha_n \Omega(\omega_1 \ldots \omega_{n-1}).$$

Die zweite Determinante hierin ist die Functionaldeterminante von $\omega_1 \ldots \omega_{n-1}$ nach $x_1 \ldots x_{n-1}$ und darf, wie wir schon einmal bemerkten, verschieden von Null vorausgesetzt werden (sodass auch $\alpha_n \not\equiv 0$ ist). Demnach haben wir:

$$\frac{1}{\alpha_n}\begin{pmatrix}\omega_1 & \omega_2 & \dots & \omega_{n-1}\\ x_1 & x_2 & \dots & x_{n-1}\end{pmatrix} \equiv \frac{\Omega(\omega_1 \cdots \omega_{n-1})}{\begin{vmatrix}\alpha_1 & \alpha_2 & \cdots & \alpha_n\\ \xi_{11} & \xi_{12} & & \xi_{1n}\\ \cdots & & & \cdots\\ \xi_{n-1,1} & \xi_{n-1,2} & \cdots & \xi_{n-1,n}\end{vmatrix}}.$$

Die linke Seite aber ist nach (17) ein Multiplicator von $Af = 0$, die rechte Seite also auch. Da nun ein Multiplicator mit einer Lösung, wie $\Omega(\omega_1 \cdots \omega_{n-1})$, multipliciert wieder einen Multiplicator giebt, so ist in der That bewiesen:

Theorem 32: *Gestattet die lineare partielle Differentialgleichung:*

$$Af \equiv \alpha_1 \frac{\partial f}{\partial x_1} + \alpha_2 \frac{\partial f}{\partial x_2} + \cdots + \alpha_n \frac{\partial f}{\partial x_n} = 0$$

$n - 1$ *infinitesimale Transformationen:*

$$U_j f \equiv \xi_{j1} \frac{\partial f}{\partial x_1} + \xi_{j2} \frac{\partial f}{\partial x_2} + \cdots + \xi_{jn} \frac{\partial f}{\partial x_n}$$
$$(j = 1, 2 \cdots n-1),$$

welche zusammen mit Af keine lineare Relation

$$\mu Af + \mu_1 U_1 f + \cdots + \mu_{n-1} U_{n-1} f \equiv 0$$

erfüllen, in der die μ *Functionen von* $x_1 \cdots x_n$ *oder Constanten sind, so ist*

$$1 : \begin{vmatrix}\alpha_1 & \alpha_2 & & \alpha_n\\ \xi_{11} & \xi_{12} & \cdots & \xi_{1n}\\ \cdots & \cdots & \cdots & \cdots\\ \xi_{n-1,1} & \xi_{n-1,2} & \cdots & \xi_{n-1,n}\end{vmatrix}$$

ein Multiplicator der Gleichung $Af = 0$.

Dieses Theorem ist die directe Verallgemeinerung des Theorems 8 (§ 1 des 6. Kap.) für beliebig viele Veränderliche, denn unser Jacobi'scher Multiplicator reduciert sich für $n = 2$ auf den Euler'schen Multiplicator.

Unser Theorem giebt auch eine schöne anschauliche Deutung des Multiplicators, ähnlich der für $n = 2$ in § 1 des 9. Kapitels gegebenen. Wir wollen dies für $n = 3$ zeigen, und wir bemerken dabei, dass sich diese Deutung auch auf beliebiges n unter Benutzung des Begriffes eines n-dimensionalen Raumes ausdehnen lässt. Geometrische Deutung des Multiplicators.

Es seien also x, y, z die drei Veränderlichen und

$$Af \equiv X \frac{\partial f}{\partial x} + Y \frac{\partial f}{\partial y} + Z \frac{\partial f}{\partial z} = 0$$

eine lineare partielle Differentialgleichung, welche die beiden infinitesimalen Transformationen

$$U_1 f \equiv \xi_1 \frac{\partial f}{\partial x} + \eta_1 \frac{\partial f}{\partial y} + \zeta_1 \frac{\partial f}{\partial z},$$
$$U_2 f \equiv \xi_2 \frac{\partial f}{\partial x} + \eta_2 \frac{\partial f}{\partial y} + \zeta_2 \frac{\partial f}{\partial z}$$

gestattet, von denen vorausgesetzt wird, dass sie mit Af keine lineare Relation eingehen, sodass also die Determinante

$$\begin{vmatrix} X & Y & Z \\ \xi_1 & \eta_1 & \zeta_1 \\ \xi_2 & \eta_2 & \zeta_2 \end{vmatrix} \not\equiv 0$$

ist. Nach unserem Theorem ist der reciproke Wert dieser Determinante ein Multiplicator von $Af = 0$. Sie hat nun auch eine geometrische Bedeutung: $U_1 f$ und $U_2 f$ nämlich erteilen dem Punkte $p_0(x, y, z)$ infinitesimale Fortschreitungsstrecken $\delta_1 s$, $\delta_2 s$ mit den Projectionen

$$\xi_1 \delta t, \quad \eta_1 \delta t, \quad \zeta_1 \delta t,$$
$$\xi_2 \delta t, \quad \eta_2 \delta t, \quad \zeta_2 \delta t$$

auf die Axen. Auch Af, als infinitesimale Transformation aufgefasst, erteilt dem Punkte p_0 eine Fortschreitungsstrecke $\delta_0 s$ mit den Projectionen

$$X\delta t, \quad Y\delta t, \quad Z\delta t.$$

Diese drei Fortschreitungen $\delta_0 s$, $\delta_1 s$, $\delta_2 s$ bilden nach § 4 eine räumliche Ecke und bestimmen daher ein Parallelepiped, dessen Inhalt nach einem Satze der analytischen Geometrie eben jene obige Determinante ist, allerdings noch multipliciert mit δt^3. Der Multiplicator ist demnach, bis auf δt^3, gleich dem reciproken Werte des Inhaltes jenes Parallelepipeds.

Diese geometrische Deutung wollen wir nun gänzlich von der Annahme infinitesimaler Transformationen befreien. Zunächst denken wir uns die Charakteristik k_0 des Punktes p_0 gezogen. $\delta_1 s$ führt p_0 in einen benachbarten Punkt p_1, $\delta_2 s$ in einen benachbarten p_2 über. Auch die durch p_1 und p_2 gehenden Charakteristiken k_1 und k_2 denken wir uns gezogen. Die vierte Ecke des von p_1, p_0, p_2 bestimmten Parallelogramms sei p_3 und die hindurchgehende Charakterisik k_3. Da $\delta_0 s$ Tangente an k_0 ist, so ist unser Parallelepiped zwischen jene vier Charakteristiken k_0, k_1, k_2, k_3 eingelagert (Fig. 30). Wenn wir überhaupt alle Charakteristiken ziehen, welche von den Seiten des Parallelogramms $p_0 p_1 p_3 p_2$ ausgehen, so erhalten wir eine unendlich dünne von Charakteristiken erzeugte Röhrenfläche. Wir bemerken nun, dass wir statt dieser Röhrenfläche, deren Querschnitt ein Parallelogramm ist, jede andere von Charakteristiken erzeugte unendlich dünne Röhrenfläche benutzen können, um einen Multiplicator auf geometrischem Wege zu erhalten. Zu diesem Zweck nehmen wir in der Ebene des Parallogramms $p_0\,p_1\,p_3\,p_4$ eine beliebige unendlich kleine durch p_0 gehende geschlossene Curve c an und ziehen alle Charakteristiken, welche durch die Punkte von c hindurchgehen. Sie bestimmen eine Röhrenfläche, deren Querschnitt in der Ebene $p_0\,p_1\,p_3\,p_2$ die Fläche der Curve c ist. Nehmen wir auf k_0 an Stelle von p_0 einen anderen Punkt $\bar{p}_0$ an, so haben wir daselbst auch den Punkten p_1, p_2, p_3 ana-

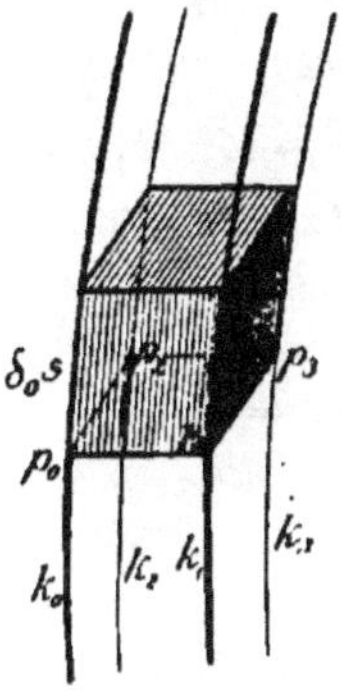

Fig. 30.

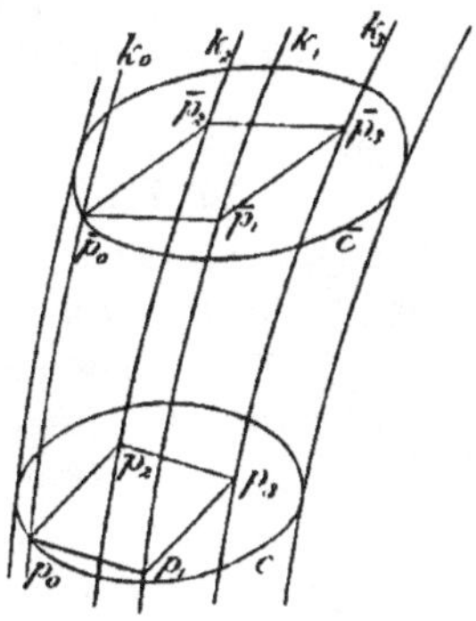

Fig. 31.

loge Punkte $\bar{p}_1$, $\bar{p}_2$, $\bar{p}_3$, indem p_0 von $U_1 f$ nach $\bar{p}_1$ geführt wird u. s. w., und es liegt $\bar{p}_1$ auf k_1, $\bar{p}_2$ auf k_2, $\bar{p}_3$ auf k_3. Die Ebene des Parallelogramms $\bar{p}_0\,\bar{p}_1\,\bar{p}_3\,\bar{p}_2$ schneidet die neue Röhrenfläche in einer Curve $\bar{c}$ (Fig. 31). Es ist aus der anatytischen Geometrie bekannt oder kann auch aus den Entwickelungen des § 4 entnommen werden, dass sich der Inhalt des Parallelogramms $\bar{p}_0\,\bar{p}_1\,\bar{p}_3\,\bar{p}_2$ zu dem der Curve $\bar{c}$ bis auf unendlich kleine Grössen genau so verhält wie der des Parallelogramms $p_0\,p_1\,p_3\,p_2$ zum Inhalt der Curve c.

Wenn man also nicht das Parallelogramm $p_0\,p_1\,p_3\,p_2$, sondern eine beliebige unendlich kleine Fläche c in der Ebene desselben, oder, was an der Sache nichts ändert, überhaupt irgend eine beliebig kleine Fläche c an der Stelle p_0 zur Grundfläche des Raumelementes wählt, so steht das neue Raumelement zum ursprünglichen Parallelepiped (mit derselben Kante $\delta_0 s$) hinsichtlich seines Inhaltes in einem Verhältnis, das längs der ganzen Charakteristik constant, demnach eine Function der Lösungen von $Af = 0$ ist. Der reciproke Wert des Inhaltes des neuen Raumelementes ist folglich gleich dem früheren Multiplicator, multipliciert mit einer Function der Lösungen von $Af = 0$. Bekanntlich ist aber jeder Multiplicator, multipliciert mit einer Function der Lösungen von $Af = 0$, wieder ein Multiplicator der Gleichung, und so erhält man andererseits aus einem Multiplicator alle Multiplicatoren von $Af = 0$. Also hat sich ergeben:

Satz 9: *Zerlegt man den Raum* (x, y, z) *vermöge der* ∞^2 *Charakteristiken der Gleichung*

$$Af \equiv X\frac{\partial f}{\partial x} + Y\frac{\partial f}{\partial y} + Z\frac{\partial f}{\partial z} = 0$$

in irgend welcher Weise in unendlich viele unendlich dünne von Charakteristiken umschlossene Röhrenflächen und schneidet man an der Stelle (x, y, z) *aus der betreffenden Röhrenfläche ein Raumelement von der auf den Charakteristiken gemessenen Länge*

$$\sqrt{X^2 + Y^2 + Z^2}\,\delta t,$$

deren Projectionen auf die Axen gleich $X\delta t$, $Y\delta t$, $Z\delta t$ *sind, heraus, so ist der reciproke Wert des Inhaltes dieses Raumelementes bis auf die unendlich kleine Grösse* δt^3 *ein Multiplicator der Gleichung* $Af = 0$, *und umgekehrt findet man auf diese Weise jeden Multiplicator der Gleichung* $Af = 0$. (Fig. 32.)

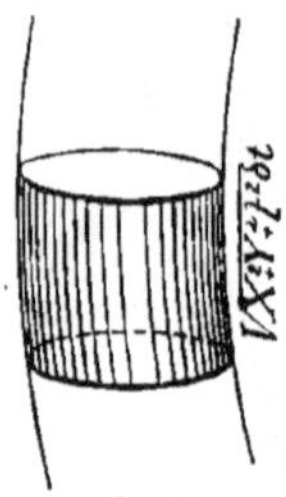

Fig. 32.

Beispiele. *1. Beispiel:* Wir entnehmen ein Beispiel hierzu der Kinematik. Angenommen, der Raum sei von einer *incompressibelen* Flüssigkeit erfüllt und es seien:

$$\frac{dx}{X} = \frac{dy}{Y} = \frac{dz}{Z} = dt$$

die Differentialgleichungen für die Bewegung des Flüssigkeitstheilchens (x, y, z) in der Zeit t. Wir wollen voraussetzen, die Strömung sei *stationär*, d. h. die Geschwindigkeitscomponenten X, Y, Z seien nur Functionen des Ortes, frei also von der Zeit t. Dann bilden die Gleichungen

$$\frac{dx}{X} = \frac{dy}{Y} = \frac{dz}{Z}$$

für sich ein simultanes System mit der zugehörigen linearen partiellen Differentialgleichung

$$Af \equiv X\frac{\partial f}{\partial x} + Y\frac{\partial f}{\partial y} + Z\frac{\partial f}{\partial z} = 0.$$

Um einen Multiplicator derselben zu finden, betrachten wir irgend einen unendlich kleinen an der Stelle (x, y, z) befindlichen Querschnitt c der Flüssigkeit. Durch denselben gehen Strömungslinien (Charakteristiken der Gleichung $Af = 0$) hindurch, die einen Flüssigkeitsfaden bilden. Da die Flüssigkeit incompressibel sein soll, so muss die Flüssigkeitsmenge, die in der Zeit dt durch c hindurchgeht, längs dieses Fadens constant sein. Sie ist aber gleich dem Inhalt des Querschnittes, multipliciert mit der Geschwindigkeit und der Zeit dt, also multipliciert mit:

$$dt\sqrt{\left(\frac{dx}{dt}\right)^2+\left(\frac{dy}{dt}\right)^2+\left(\frac{dz}{dt}\right)^2}=dt\sqrt{X^2+Y^2+Z^2},$$

und daher der Rauminhalt eines nach Satz 9 zu construierenden Raumelementes mit dem Querschnitt c. Mithin besitzt nach unserem Satze die Gleichung $Af=0$ nur solche Multiplicatoren, welche längs jeder Charakteristik constant sind, insbesondere also den Multiplicator 1. Wenn sie umgekehrt den Multiplicator 1 hat, so ist jeder andere Multiplicator, da er aus diesem durch Multiplication mit einer Lösung von $Af=0$ hervorgeht, längs jeder Charakteristik constant und die Bewegung die gewünschte. Damit also unsere Gleichungen eine stationäre Strömung einer incompressibelen Flüssigkeit darstellen, ist notwendig und hinreichend, dass sie den Multiplicator 1 besitzen. Weil die Multiplicatoren auch definiert werden können als die Lösungen M der partiellen Differentialgleichung

$$\frac{\partial MX}{\partial x}+\frac{\partial MY}{\partial y}+\frac{\partial MZ}{\partial z}=0,$$

so ergiebt sich schliesslich als notwendige und hinreichende Bedingung:

$$\frac{\partial X}{\partial x}+\frac{\partial Y}{\partial y}+\frac{\partial Z}{\partial z}\equiv 0,$$

die in der Kinematik in anderer Weise abgeleitet wird.

2. *Beispiel:* Die Differentialgleichung

$$Af\equiv X\frac{\partial f}{\partial x}+Y\frac{\partial f}{\partial y}+Z\frac{\partial f}{\partial z}=0$$

definiere die ∞^2 Curven, welche eine Schar von ∞^1 Ebenen senkrecht durchschneiden. Es ist sehr leicht, einen Jacobi'schen Multiplicator dieser Gleichung anzugeben. Wählt man nämlich den in unseren obigen allgemeinen Entwickelungen mit c bezeichneten Querschnitt irgend wie auf einer jener ∞^1 Ebenen E, so ist der entsprechende Querschnitt c' auf der unendlich benachbarten Ebene E' der Ebenenschar bis auf unendlich kleine Grössen von vierter Ordnung gleich c, da c selbst von zweiter Ordnung und der Cosinus des Neigungswinkels der beiden Ebenen E und E' von 1 nur um eine unendlich kleine Grösse zweiter Ordnung unterschieden ist. Daraus folgt, dass der Querschnitt constant ist längs der ganzen Röhrenfläche. Mithin ist nach Satz 9 die Grösse $1:\sqrt{X^2+Y^2+Z^2}$ selbst ein Multiplicator der vorgelegten Gleichung.

3. *Beispiel:* Man kann sich fragen, unter welcher Bedingung die Charakteristiken der Gleichung

$$Af \equiv X\frac{\partial f}{\partial x} + Y\frac{\partial f}{\partial y} + Z\frac{\partial f}{\partial z} = 0$$

so beschaffen sind, dass eine von Charakteristiken erzeugte unendlich dünne Röhrenfläche überall einen Querschnitt von derselben Grösse hat, der Querschnitt dabei senkrecht zu den Charakteristiken gedacht. Nach Satz 9 hat die Gleichung $Af = 0$ in einem solchen Falle den Multiplicator $1 : \sqrt{X^2 + Y^2 + Z^2}$. Wenn sie umgekehrt diesen Multiplicator hat, so sind die Röhrenflächen überall gleich stark. Notwendige und hinreichende Bedingung ist demnach, dass

$$1 : \sqrt{X^2 + Y^2 + Z^2}$$

Multiplicator sei, d. h. dass

$$\frac{\partial}{\partial x}\frac{X}{\sqrt{X^2 + Y^2 + Z^2}} + \frac{\partial}{\partial y}\frac{Y}{\sqrt{X^2 + Y^2 + Z^2}} + \frac{\partial}{\partial z}\frac{Z}{\sqrt{X^2 + Y^2 + Z^2}} \equiv 0$$

sei. Beispiel 2 ist ein Specialfall hiervon.

Der Zusammenhang zwischen den Multiplicatoren und infinitesimalen Transformationen der Gleichung $Af = 0$ gestattet, in einfacher Weise einen wichtigen Satz aus der Multiplicatortheorie abzuleiten. Wir schicken zunächst folgenden Satz voraus:

Satz 10: *Eine lineare partielle Differentialgleichung $Af = 0$ in n Veränderlichen gestattet sicher $n - 1$ infinitesimale Transformationen $U_1 f \cdots U_{n-1} f$, welche zusammen mit Af keine lineare Relation*

$$\mu Af + \mu_1 U_1 f + \cdots + \mu_{n-1} U_{n-1} f \equiv 0$$

erfüllen.

Zum Beweis dieses schon früher erwähnten und benutzten Satzes seien $\omega_1 \cdots \omega_{n-1}$ ein System von $n - 1$ von einander unabhängigen Lösungen der Gleichung $Af = 0$. Sind sie etwa hinsichtlich $x_1 \cdots x_{n-1}$ von einander unabhängig, so können wir sie als neue Veränderliche zusammen mit x_n benutzen:

$$(19) \qquad \mathfrak{x}_1 = \omega_1, \quad \cdots \quad \mathfrak{x}_{n-1} = \omega_{n-1}, \quad \mathfrak{x}_n = x_n.$$

Die Gleichung $Af = 0$ geht dadurch über in

$$\mathfrak{A}f \equiv \frac{\partial f}{\partial \mathfrak{x}_n} = 0.$$

Nur für diese braucht der Satz 10 bewiesen zu werden, denn die Transformation (19) führt jede infinitesimale Transformation Uf, welche $Af = 0$ invariant lässt, in eine solche $\mathfrak{U}f$ über, die $\mathfrak{A}f = 0$ invariant lässt. Nun gestattet offenbar $\mathfrak{A}f = 0$ die infinitesimalen Transformationen

$$\mathfrak{U}_1 f \equiv \frac{\partial f}{\partial \mathfrak{x}_1}, \quad \cdots \quad \mathfrak{U}_{n-1} f \equiv \frac{\partial f}{\partial \mathfrak{x}_{n-1}},$$

und zwischen diesen und $\mathfrak{A}f$ besteht in der That keine lineare Relation.

Es liege nunmehr eine lineare partielle Differentialgleichung

$$Af \equiv \alpha_1 \frac{\partial f}{\partial x_1} + \cdots + \alpha_n \frac{\partial f}{\partial x_n} = 0$$

vor. Wie wir nach Satz 10 wissen, gestattet sie gewisse $n-1$ infinitesimale Transformationen:

$$U_j f \equiv \xi_{j1} \frac{\partial f}{\partial x_1} + \cdots + \xi_{jn} \frac{\partial f}{\partial x_n}$$
$$(j = 1, 2 \cdots n-1),$$

welche mit Af keine lineare Relation erfüllen.

Wenn wir nun an Stelle von $x_1 \cdots x_n$ irgend welche neue Veränderliche

(20) $$\mathfrak{x}_1 = f_1(x_1 \cdots x_n), \quad \cdots \quad \mathfrak{x}_x = f_n(x_1 \cdots x_n)$$

benutzen, so geht $Af = 0$ in eine lineare partielle Differentialgleichung $\mathfrak{A}f = 0$, geschrieben in $\mathfrak{x}_1 \cdots \mathfrak{x}_n$, über. Die infinitesimalen Transformationen $U_1 f \cdots U_{n-1} f$ gehen gleichzeitig in gewisse in $\mathfrak{x}_1 \cdots \mathfrak{x}_n$ geschriebene infinitesimale Transformationen $\mathfrak{U}_1 f \cdots \mathfrak{U}_{n-1} f$ über, welche $\mathfrak{A}f = 0$ invariant lassen und mit $\mathfrak{A}f$ keine lineare Relation erfüllen. Sei:

$$\mathfrak{A}f \equiv \bar{\alpha}_1 \frac{\partial f}{\partial \mathfrak{x}_1} + \cdots + \bar{\alpha}_n \frac{\partial f}{\partial \mathfrak{x}_n},$$

$$\mathfrak{U}_j f \equiv \bar{\xi}_{j1} \frac{\partial f}{\partial \mathfrak{x}_1} + \cdots + \bar{\xi}_{jn} \frac{\partial f}{\partial \mathfrak{x}_n}.$$

Es ist bekanntlich

$$\mathfrak{A}f = A\mathfrak{x}_1 \frac{\partial f}{\partial \mathfrak{x}_1} + \cdots + A\mathfrak{x}_n \frac{\partial f}{\partial \mathfrak{x}_n},$$

also:

$$\bar{\alpha}_k = A\mathfrak{x}_k \equiv \alpha_1 \frac{\partial \mathfrak{x}_k}{\partial x_1} + \cdots + \alpha_n \frac{\partial \mathfrak{x}_k}{\partial x_n}$$

und analog

$$\bar{\xi}_{jk} = U_j \mathfrak{x}_k \equiv \xi_{j1} \frac{\partial \mathfrak{x}_k}{\partial x_1} + \cdots + \xi_{jn} \frac{\partial \mathfrak{x}_k}{\partial x_n},$$

also identisch:

$$\begin{vmatrix} \bar{\alpha}_1 & \bar{\alpha}_2 & \cdots & \bar{\alpha}_n \\ \bar{\xi}_{11} & \bar{\xi}_{12} & \cdots & \bar{\xi}_{1n} \\ \cdots & \cdots & \cdots & \cdots \\ \bar{\xi}_{n-1,1} & \bar{\xi}_{n-1,2} & \cdots & \bar{\xi}_{n-1,n} \end{vmatrix} =$$

$$= \begin{vmatrix} \alpha_1 & \alpha_2 & \cdots & \alpha_n \\ \xi_{11} & \xi_{12} & \cdots & \xi_{1n} \\ \cdots & \cdots & \cdots & \cdots \\ \xi_{n-1,1} & \xi_{n-1,2} & \cdots & \xi_{n-1,n} \end{vmatrix} \cdot \begin{vmatrix} \frac{\partial \mathfrak{x}_1}{\partial x_1} & \frac{\partial \mathfrak{x}_1}{\partial x_2} & \cdots & \frac{\partial \mathfrak{x}_1}{\partial x_n} \\ \frac{\partial \mathfrak{x}_2}{\partial x_1} & \frac{\partial \mathfrak{x}_2}{\partial x_2} & \cdots & \frac{\partial \mathfrak{x}_2}{\partial x_n} \\ \cdots & \cdots & \cdots & \cdots \\ \frac{\partial \mathfrak{x}_n}{\partial x_1} & \frac{\partial \mathfrak{x}_n}{\partial x_2} & \cdots & \frac{\partial \mathfrak{x}_n}{\partial x_n} \end{vmatrix}$$

vermöge der Gleichungen (20). Nach Theorem 32 ist die linksstehende Determinante der reciproke Wert eines Multiplicators $\mathfrak{M}$ von $\mathfrak{A}f = 0$ und die erste rechtsstehende der reciproke Wert eines solchen M von $Af = 0$, während die letzte Determinante die Functionaldeterminante von $\mathfrak{x}_1 \cdots \mathfrak{x}_n$ hinsichtlich $x_1 \cdots x_n$ ist. Daher kommt:

$$(21) \qquad \mathfrak{M} = \frac{M}{\left(\begin{matrix}\mathfrak{x}_1, \mathfrak{x}_2 \cdots \mathfrak{x}_n \\ x_1, x_2 \cdots x_n\end{matrix}\right)}$$

Der allgemeinste Multiplicator von $Af = 0$ ist gleich M, multipliciert mit irgend einer Lösung von $Af = 0$. Da vermöge (20) jede Lösung von $Af = 0$ in eine solche von $\mathfrak{A}f = 0$ übergeht, so gilt die Formel (21) für irgend einen Multiplicator M von $Af = 0$, und so ist der Jacobi'sche Satz auf einem neuen Wege bewiesen:

Multiplicator bei Einführung neuer Var.

Satz 11: *Ist M ein Multiplicator der linearen partiellen Differentialgleichung $Af = 0$ in den Veränderlichen $x_1, x_2 \cdots x_n$, und führt man in $Af = 0$ vermöge einer Transformation an Stelle von $x_1 \cdots x_n$ neue Veränderliche $\mathfrak{x}_1 \cdots \mathfrak{x}_n$ ein, so besitzt die hervorgehende Differentialgleichung $\mathfrak{A}f = 0$ den Multiplicator:*

$$\frac{M}{\left(\begin{matrix}\mathfrak{x}_1, \mathfrak{x}_2 \cdots \mathfrak{x}_n \\ x_1, x_2 \cdots x_n\end{matrix}\right)},$$

wenn dieser Ausdruck in $\mathfrak{x}_1 \cdots \mathfrak{x}_n$ geschrieben wird.

Eine schöne Anwendung lässt sich von diesem Satze, der übrigens vermöge der geometrischen Deutung des Multiplicators nahezu selbstverständlich erscheint, dann machen, wenn man annimmt, eine vorgelegte Differentialgleichung in $x_1 \cdots x_n$

$$Af \equiv \alpha_1 \frac{\partial f}{\partial x_1} + \cdots + \alpha_n \frac{\partial f}{\partial x_n} = 0$$

besitze einen bekannten Multiplicator M und gestatte eine bekannte infinitesimale Transformation

$$Uf \equiv \xi_1 \frac{\partial f}{\partial x_1} + \cdots + \xi_n \frac{\partial f}{\partial x_n},$$

sodass nach Theorem 29 des § 2

$$(22) \qquad (UA) \equiv \lambda \cdot Af$$

ist.

Die infinitesimale Transformation Uf oder:

$$(23) \qquad \mathfrak{x}_1 = x_1 + \xi_1 \delta t, \quad \cdots \quad \mathfrak{x}_n = x_n + \xi_n \delta t$$

führt die Gleichung $Af = 0$ in eine Gleichung $\mathfrak{A}f = 0$ über, die wir zunächst berechnen müssen. Es ist

$$\mathfrak{A}f = A\mathfrak{x}_1 \frac{\partial f}{\partial \mathfrak{x}_1} + \cdots + A\mathfrak{x}_n \frac{\partial f}{\partial \mathfrak{x}_n}.$$

Nun aber ist

$$A\mathfrak{x}_k = Ax_k + A\xi_k\delta t = \alpha_k + A\xi_k\delta t.$$

Hier sind rechts die neuen Veränderlichen $\mathfrak{x}$ einzuführen. (23) giebt, nach $x_1 \cdots x_n$ aufgelöst:

$$x_1 = \mathfrak{x}_1 - \xi_1\delta t, \quad \cdots \quad x_n = \mathfrak{x}_n - \xi_n\delta t,$$

wobei in $\xi_1 \cdots \xi_n$ überall $\mathfrak{x}$ statt x geschrieben gedacht wird. Demnach wird

$$\alpha_k(x) = \alpha_k(\mathfrak{x}) - \delta t\, U\alpha_k,$$

also:

$$A\mathfrak{x}_k = \alpha_k(\mathfrak{x}) + (A\xi_k - U\alpha_k)\,\delta t.$$

Hierbei wird rechts überall x durch $\mathfrak{x}$ ersetzt gedacht. Mithin ist

$$\mathfrak{A}f \equiv \sum_1^n{}_k\, \alpha_k(\mathfrak{x})\frac{\partial f}{\partial \mathfrak{x}} + (AU)_{\mathfrak{x}}\delta t,$$

oder nach (22):

$$\mathfrak{A}f \equiv [(1 + \lambda\delta t)Af]_{\mathfrak{x}}.$$

Der Index $\mathfrak{x}$ soll natürlich andeuten, dass überall das Zeichen x durch $\mathfrak{x}$ ersetzt werden soll. Die neue Differentialgleichung lautet folglich

$$(1 + \lambda\delta t)Af = 0,$$

wenn jetzt die neuen Veränderlichen $\mathfrak{x}_1 \cdots \mathfrak{x}_n$ wieder mit $x_1 \cdots x_n$ bezeichnet werden. Ferner geht M über in

$$M - UM\delta t$$

und die Functionaldeterminante der $\mathfrak{x}$ hinsichtlich der x lautet bis auf unendlich kleine Grössen höherer Ordnung

$$1 + \left(\frac{\partial \xi_1}{\partial x_1} + \frac{\partial \xi_2}{\partial x_2} + \cdots + \frac{\partial \xi_n}{\partial x_n}\right)\delta t.$$

Nach Satz 11 besitzt mithin die Gleichung

$$(1 + \lambda\delta t)\, Af = 0$$

den Multiplicator

$$\frac{M - UM\,\delta t}{1 + \left(\frac{\partial \xi_1}{\partial x_1} + \cdots + \frac{\partial \xi_n}{\partial x_n}\right)\delta t},$$

d. h. die Gleichung $Af = 0$ selbst den Multiplicator

$$\frac{M - UM\,\delta t}{\left\{1 + \left(\frac{\partial \xi_1}{\partial x_1} + \cdots + \frac{\partial \xi_n}{\partial x_n}\right)\delta t\right\}\{1 + \lambda\delta t\}}.$$

Hierin sind natürlich nur die Glieder nullter und erster Ordnung in δt von Belang. Wir können daher diesen Multiplicator von $Af = 0$ auch so schreiben:

$$M - \left\{UM + M\left(\frac{\partial \xi_1}{\partial x_1} + \cdots + \frac{\partial \xi_n}{\partial x_n}\right) + M\lambda\right\}\delta t.$$

Andererseits besitzt $Af = 0$ schon den Multiplicator M selbst und wir wissen, dass der Quotient zweier Multiplicatoren eine Lösung oder eine Constante ist. (Vgl. Seite 334, 335.) Daher ist

$$1 - \left\{ U(\lg M) + \frac{\partial \xi_1}{\partial x_1} + \cdots + \frac{\partial \xi_n}{\partial x_n} + \lambda \right\} \delta t$$

oder also auch

$$U(\lg M) + \frac{\partial \xi_1}{\partial x_1} + \cdots + \frac{\partial \xi_n}{\partial x_n} + \lambda$$

eine Lösung von $Af = 0$ oder aber eine Constante.

Ableitung einer Lösung aus einem Mult. und einer inf. Trf.

Satz 12:*) *Ist M ein Multiplicator und*

$$Uf \equiv \xi_1 \frac{\partial f}{\partial x_1} + \cdots + \xi_n \frac{\partial f}{\partial x_n}$$

eine infinitesimale Transformation der linearen partiellen Differentialgleichung $Af = 0$, *sodass*

$$(UA) \equiv \lambda\, Af$$

ist, so ist

$$U(\lg M) + \frac{\partial \xi_1}{\partial x_1} + \cdots + \frac{\partial \xi_n}{\partial x_n} + \lambda$$

eine Lösung der Gleichung $Af = 0$ *oder aber eine Constante.*

Die Kenntnis eines Multiplicators und einer infinitesimalen Transformation der Gleichung $Af = 0$ führt also unter Umständen zu einer Lösung dieser Gleichung. Dass dem so sein muss, ergiebt sich kürzer aus der geometrischen Interpretation. Beschränken wir uns auf den Fall $n = 3$, so ist nach Satz 9 der Multiplicator M der reciproke Wert des Inhaltes eines gewissen zwischen Charakteristiken liegenden Raumelementes, bis auf eine Grösse δt^3. Die bekannte infinitesimale Transformation Uf von $Af = 0$ führt diese Charakteristiken wieder in Charakteristiken, das Raumelement also wieder in ein solches über und führt somit zu einem eventuell neuen Multiplicator von $Af = 0$. Der Quotient beider Multiplicatoren aber giebt eine Lösung oder eine Constante. Der hier angedeutete geometrische Beweis ist oben in analytischer Form ausgeführt.

Hierbei wollen wir noch hervorheben, dass die Verwertung der geometrischen Deutung des Multiplicators ohne grosse Mühe auch zu dem sogen. *Princip des letzten Multiplicators* und den übrigen damit zusammenhängenden Multiplicatorsätzen führt.

Beispiel.

Beispiel: Unser Satz 12 soll durch ein einfaches Beispiel illustriert werden. Gegeben sei die Differentialgleichung:

$$Af \equiv x_1 x_3 \frac{\partial f}{\partial x_1} + x_2 x_3 \frac{\partial f}{\partial x_2} - (x_1^2 + x_2^2) \frac{\partial f}{\partial x_3} = 0.$$

Dieselbe besitzt einen leicht zu findenden Multiplicator. Der Multiplicator M muss ja die Gleichung erfüllen:

$$\frac{\partial x_1 x_3 M}{\partial x_1} + \frac{\partial x_2 x_3 M}{\partial x_2} - \frac{\partial (x_1^2 + x_2^2) M}{\partial x_3} = 0$$

*) Lie, Allgemeine Theorie der partiellen Differentialgleichungen erster Ordnung. 2. Abhandlung, Math. Annalen, Bd. 11 (1877), Satz 16, S. 508.

oder ausgerechnet:

$$x_1 \frac{\partial \lg M}{\partial x_1} + x_2 \frac{\partial \lg M}{\partial x_2} - \frac{x_1^2 + x_2^2}{x_3} \frac{\partial \lg M}{\partial x_3} = -2.$$

Hiernach giebt es einen von x_3 freien Multiplicator, der die Gleichung

$$x_1 \frac{\partial \lg M}{\partial x_1} + x_2 \frac{\partial \lg M}{\partial x_2} = -2$$

erfüllt, denn dieser Gleichung wird durch

$$M = \frac{1}{x_1 x_2}$$

genügt.

Ferner gestattet $Af = 0$ die infinitesimale Rotation um die x_3-Axe:

$$Uf \equiv -x_2 \frac{\partial f}{\partial x_1} + x_1 \frac{\partial f}{\partial x_2},$$

da $(UA) \equiv 0$ ist. Daher ist auch nach Satz 12:

$$x_2 \frac{\partial \lg x_1 x_2}{\partial x_1} - x_1 \frac{\partial \lg x_1 x_2}{\partial x_2} - \frac{\partial x_2}{\partial x_1} + \frac{\partial x_1}{\partial x_2}$$

oder also

$$\frac{x_2}{x_1} - \frac{x_1}{x_2}$$

ein Integral von $Af = 0$. Es ist dies eine Function von $\frac{x_1}{x_2}$ allein, und in der That ist $A \frac{x_1}{x_2} \equiv 0$.

Kapitel 16.

Gewöhnliche Differentialgleichungen zweiter Ordnung in x, y, welche eine eingliedrige Gruppe gestatten.

Im 6. bis 8. Kapitel haben wir gewöhnliche Differentialgleichungen *erster* Ordnung in x, y betrachtet, welche eine eingliedrige Gruppe in den Veränderlichen x, y gestatten. Später, im 13. Kapitel, haben wir die betreffenden Theorien in neuer Weise dargestellt, indem wir die Punkttransformationen durch Hinzufügung der Transformationen des Differentialquotienten y' erweiterten.

In entsprechender Weise werden wir im gegenwärtigen Kapitel die gewöhnlichen Differentialgleichungen *zweiter* Ordnung in x, y, welche Transformationen in diesen Veränderlichen gestatten, dadurch behandeln, *dass wir diese Transformationen zweimal erweitern*, d. h. die Transformationen hinzunehmen, welche y' und der zweite Differentialquotient y'' erfahren. Dadurch werden die sich darbietenden Probleme auf schon erledigte Probleme zurückgeführt.

Eine gewöhnliche Differentialgleichung zweiter Ordnung in x, y definiert ∞^2 Curven der Ebene (x, y). Es wird sich daher zum besseren Verständnis empfehlen, zunächst Scharen von ∞^2 Curven der Ebene zu betrachten, welche eine Punkttransformation gestatten.

§ 1. Scharen von ∞^2 Curven der Ebene und Differentialgleichungen zweiter Ordnung, welche eine Punkttransformation gestatten.

Schar von ∞^2 Curven, die eine Trf. gestattet. Eine Schar von ∞^2 Curven der Ebene (x, y) wird durch eine Gleichung in x, y dargestellt, welche *zwei Parameter* a, b enthält:

$$\omega(x, y, a, b) = 0.$$

Natürlich müssen beide Parameter wesentlich sein, d. h. es muss unmöglich sein, $\omega(x, y, a, b)$ auf eine Form $\overline{\omega}(x, y, \lambda(a, b))$ zu bringen, denn sonst würde unsere Gleichung in Wirklichkeit nur einen Parameter λ enthalten, also nur ∞^1 Curven darstellen.

Liegt nun überdies eine Punkttransformation

$$x_1 = \varphi(x, y), \quad y_1 = \psi(x, y)$$

vor, so ist es denkbar, dass diese jede Curve der Schar wieder in eine Curve derselben überführt, mit anderen Worten, *dass die Schar die vorgelegte Transformation gestattet.*

Einige Beispiele werden dies erläutern.

Beispiele. *1. Beispiel:* Die Schar der ∞^2 Geraden der Ebene gestattet eine beliebige Rotation der Ebene um den Anfangspunkt. Einmal ist dies geometrisch klar, denn die Rotation führt jede Gerade wieder in eine Gerade über. Es lässt sich aber auch analytisch nachweisen: Die Schar der ∞^2 Geraden wird dargestellt durch

$$y - ax - b = 0,$$

die vorgelegte Rotation durch:

$$x_1 = x \cos\alpha - y \sin\alpha, \quad y_1 = x \sin\alpha + y \cos\alpha.$$

Stellen wir zwischen x, y die Beziehung

$$y - ax - b = 0$$

her, so besteht auch zwischen x_1 und y_1 eine lineare Gleichung. Es kommt ja zunächst wegen $y = ax + b$:

$$x_1 = x(\cos\alpha - a\sin\alpha) - b\sin\alpha,$$
$$y_1 = x(\sin\alpha + a\cos\alpha) + b\cos\alpha,$$

oder also nach Elimination von x:

$$x_1(\sin\alpha + a\cos\alpha) - y_1(\cos\alpha - a\sin\alpha) = -b\sin\alpha(\sin\alpha + a\cos\alpha) - \\ - b\cos\alpha(\cos\alpha - a\sin\alpha) = -b.$$

d. h. vermöge unserer Rotation geht die Gerade

$$y - ax - b = 0$$

in die Gerade

$$y_1 - \frac{\sin\alpha + a\cos\alpha}{\cos\alpha - a\sin\alpha}x_1 - \frac{b}{\cos\alpha - a\sin\alpha} = 0$$

über.

2. Beispiel: Die Schar aller ∞^2 Kreise mit gleichem Radius 1:

$$(x-a)^2 + (y-b)^2 = 1$$

gestattet auch eine beliebige Rotation. Dies ist augenscheinlich, da die Rotation jeden Kreis mit dem Radius 1 in einen gleichgrossen Kreis überführt. Es lässt sich andererseits auch wie im ersten Beispiel analytisch verificieren.

3. Beispiel: Die Schar der ∞^2 Ellipsen und Hyperbeln

$$\frac{x^2}{a^2} + \frac{y^2}{b^2} = 1,$$

deren Axen auf den Coordinatenaxen liegen, gestatten die affine Transformation:

$$x_1 = mx, \quad y_1 = y,$$

denn diese führt den Kegelschnitt

$$\frac{x^2}{a^2} + \frac{y^2}{b^2} = 1$$

in den Kegelschnitt

$$\frac{x_1{}^2}{(ma)^2} + \frac{y_1{}^2}{b^2} = 1$$

über, der auch der Schar angehört.

Man kann fragen, *wie man analytisch entscheidet, ob eine Schar von ∞^2 Curven, die in der Form vorliegt:* Analytisches Kriterium.

$$\omega(x, y, a, b) = 0,$$

eine Transformation

$$x_1 = \varphi(x, y), \quad y_1 = \psi(x, y)$$

gestattet. Man wird zu dem Zwecke wie in unseren Beispielen diese Transformation auf eine Curve der Schar:

$$\omega(x, y, a, b) = 0,$$

für die a, b bestimmte, aber allgemeine Zahlenwerte haben, ausführen, also aus der letzten Gleichung x, y vermöge der Transformation eliminieren. Dadurch geht eine neue in x_1, y_1 geschriebene Curve hervor, die auch der Schar angehören soll, also eine Gleichung von der Form

$$\omega(x_1, y_1, a_1, b_1) = 0$$

haben muss, wo a_1, b_1 gewisse Zahlenwerte bedeuten. Diese Zahlen a_1, b_1 müssen gewisse Functionen von a, b allein sein, etwa:

$$a_1 = A(a, b), \quad b_1 = B(a, b).$$

Unsere Curve (a, b) wird alsdann in die Curve (a_1, b_1) der Schar übergeführt.

Wir können dies offenbar auch so aussprechen: Die Transformation von x, y, a, b in x_1, y_1, a_1, b_1:

$$x_1 = \varphi(x, y), \quad y_1 = \psi(x, y), \quad a_1 = A(a, b), \quad b_1 = B(a, b)$$

muss die Gleichung

$$\omega(x, y, a, b) = 0$$

invariant lassen, d. h. sie in

$$\omega(x_1, y_1, a_1, b_1) = 0$$

überführen. Daher:

Eine Schar von ∞^2 Curven

$$\omega(x, y, a, b) = 0$$

gestattet dann und nur dann die Transformation

$$x_1 = \varphi(x, y), \quad y_1 = \psi(x, y),$$

wenn es möglich ist, zwei Functionen $A(a, b)$ und $B(a, b)$, die x, y nicht enthalten, derart anzugeben, dass die Gleichung

$$\omega(x, y, a, b) = 0,$$

aufgefasst als Gleichung zwischen vier Veränderlichen x, y, a, b, die Transformation

$$x_1 = \varphi(x, y), \quad y_1 = \psi(x, y), \quad a_1 = A(a, b), \quad b_1 = B(a, b)$$

gestattet.

Beispiel. Betrachten wir das zuerst benutzte *Beispiel:* Die Schar der ∞^2 Geraden

$$\omega \equiv y - ax - b = 0$$

der Ebene gestattet die Rotation:

$$x_1 = x \cos \alpha - y \sin \alpha, \quad y_1 = x \sin \alpha + y \cos \alpha,$$

denn die Transformation von x, y, a, b in x_1, y_1, a_1, b_1:

$$x_1 = x \cos \alpha - y \sin \alpha, \quad y_1 = x \sin \alpha + y \cos \alpha,$$

$$a_1 = \frac{\sin \alpha + a \cos \alpha}{\cos \alpha - a \sin \alpha}, \quad b_1 = \frac{b}{\cos \alpha - a \sin \alpha}$$

führt die Gleichung $y - ax - b = 0$ bis auf einen unwesentlichen Factor über in $y_1 - a_1 x_1 - b_1 = 0$. In der That wird:

$$y_1 - a_1 x_1 - b_1 = x \sin \alpha + y \cos \alpha - \frac{\sin \alpha + a \cos \alpha}{\cos \alpha - a \sin \alpha}(x \cos a - y \sin \alpha) -$$

$$- \frac{b}{\cos \alpha - a \sin \alpha} = \frac{1}{\cos \alpha - a \sin \alpha}(y - ax - b).$$

Eine Schar von ∞^2 Curven der Ebene

$$\omega(x, y, a, b) = 0$$

kann auch durch ihre Differentialgleichung definiert werden. Eine Differentialgleichung zweiter Ordnung zwischen x, y hat ja ∞^2 Integralcurven, und umgekehrt lässt sich jede Schar $\omega(x, y, a, b) = 0$ als die Schar der Integralcurven einer solchen Differentialgleichung auffassen.

Wenn wir nämlich die drei Gleichungen bilden: Diffgl. zweit. Ordn.

$$(1) \qquad \omega(x, y, a, b) = 0, \quad \frac{d\omega}{dx} = 0, \quad \frac{d^2\omega}{dx^2} = 0,$$

indem wir bei der Differentiation die Grösse y als Function von x auffassen, und hieraus a und b eliminieren, so geht die Differentialgleichung

$$\Omega\left(x, y, \frac{dy}{dx}, \frac{d^2y}{dx^2}\right) = 0$$

hervor, deren Integralcurven durch die Schar $\omega = 0$ dargestellt werden.

Wir wollen nun vermöge einer Punkttransformation

$$x_1 = \varphi(x, y), \quad y_1 = \psi(x, y)$$

neue Veränderliche in die Gleichung der Curvenschar $\omega = 0$ einführen. Sie gehe dadurch über in

$$\omega_1(x_1, y_1, a, b) = 0.$$

Die Differentialgleichung zweiter Ordnung zwischen x_1 und y_1:

$$\Omega_1\left(x_1, y_1, \frac{dy_1}{dx_1}, \frac{d^2y_1}{dx_1^2}\right) = 0,$$

deren Integralcurven diese Schar giebt, wird erhalten durch Elimination von a, b aus den drei Gleichungen

$$(1') \qquad \omega_1(x_1, y_1, a, b) = 0, \quad \frac{d\omega_1}{dx_1} = 0, \quad \frac{d^2\omega_1}{dx_1^2} = 0,$$

in denen bei der Differentiation die Grösse y_1 als Function von x_1 aufzufassen ist.

Andererseits können wir auch direct in (1) die neuen Veränderlichen x_1, y_1 einführen. Dadurch geht das Gleichungensystem (1) über in: Einführung neuer Veränderlicher in eine Diffgl. 2. O.

$$(1'') \quad \omega_1(x_1, y_1, a, b) = 0, \quad \frac{d\omega_1}{dx_1}\frac{dx_1}{dx} = 0, \quad \frac{d^2\omega_1}{dx_1^2}\left(\frac{dx_1}{dx}\right)^2 + \frac{d\omega_1}{dx_1}\frac{d^2x_1}{dx^2} = 0.$$

Die Elimination von a und b aus dem Gleichungensysteme (1″) liefert dann diejenige Differentialgleichung zweiter Ordnung

$$\overline{\Omega}\left(x_1, y_1, \frac{dy_1}{\partial x_1}, \frac{d^2y_1}{dx_1^2}\right) = 0,$$

in welche die Gleichung $\Omega = 0$ durch die Einführung der neuen Veränderlichen x_1, y_1 übergeht. Aber offenbar deckt sich das Gleichungensystem (1′) mit dem Gleichungensystem (1″), und daraus folgt:

Satz 1: *Nimmt eine Differentialgleichung zweiter Ordnung zwischen* x, y: $\Omega(x, y, y', y'') = 0$ *vermöge einer Transformation*

$$x_1 = \varphi(x, y), \quad y_1 = \psi(x, y)$$

in den neuen Veränderlichen x_1, y_1 *die Form* $\Omega_1(x_1, y_1, y_1', y_1'') = 0$ *an, so führt diese Transformation die Schar der Integralcurven von* $\Omega = 0$ *in die der Integralcurven von* $\Omega_1 = 0$ *über.*

Hieraus folgt als Zusatz:

Satz 2: *Eine Differentialgleichung* $\Omega(x, y, y', y'') = 0$, *deren Integralcurven durch die Gleichung* $\omega(x, y, a, b) = 0$ *dargestellt werden, kann bei Einführung neuer Veränderlicher vermöge der Transformation*

$$x_1 = \varphi(x, y), \quad y_1 = \psi(x, y)$$

dann und nur dann wieder in der Form $\Omega(x_1, y_1, y_1', y_1'') = 0$ *geschrieben werden, wenn die Schar der Integralcurven* $\omega = 0$ *die Transformation gestattet.*

Wir werden also auch dann die Redeweise gebrauchen können, dass *die Differentialgleichung* $\Omega = 0$ *die Transformation* $x_1 = \varphi(x, y)$, $y_1 = \psi(x, y)$ *gestatte.*

Beispiel. *Beispiel:* Die Differentialgleichung

$$y'' = 0$$

hat die Integralcurven:

$$y = ax + b,$$

d. h. die Geraden der Ebene. Diese Geraden werden bei der Rotation

$$x_1 = x \cos\alpha - y \sin\alpha, \quad y_1 = x \sin\alpha + y \cos\alpha$$

unter einander vertauscht, wie wir schon in früheren Beispielen hervorhoben. Es ist hier:

$$y_1' = \frac{dy_1}{dx_1} = \frac{dx \cdot \sin\alpha + dy \cdot \cos\alpha}{dx \cdot \cos\alpha - dy \cdot \sin\alpha} = \frac{\sin\alpha + y' \cos\alpha}{\cos\alpha - y' \sin\alpha},$$

also

$$y_1'' = \frac{dy_1'}{dx_1} = \frac{d\,\dfrac{\sin\alpha + y'\cos\alpha}{\cos\alpha - y'\sin\alpha}}{dx \cdot \cos\alpha - dy \cdot \sin\alpha} =$$

$$= \frac{1}{(\cos\alpha - y'\sin\alpha)^2} \cdot \frac{(\cos\alpha - y'\sin\alpha) \cdot dy' \cdot \cos\alpha + (\sin\alpha + y'\cos\alpha) \cdot dy' \cdot \sin\alpha}{dx \cdot \cos\alpha - dy \cdot \sin\alpha} =$$

$$= \frac{1}{(\cos\alpha - y'\sin\alpha)^2} \cdot \frac{dy'}{dx \cdot \cos\alpha - dy \cdot \sin\alpha} = \frac{y''}{(\cos\alpha - y'\sin\alpha)^3}.$$

Die aus $y'' = 0$ hervorgehende Differentialgleichung unterscheidet sich also von $y_1'' = 0$ in der That nur um einen unerheblichen Factor.

Bei unserer Transformation

(2) $$x_1 = \varphi(x, y), \quad y_1 = \psi(x, y)$$

ist:

$$y_1' = \frac{dy_1}{dx_1} = \frac{d\psi}{d\varphi} = \frac{\psi'(x) + y'\psi'(y)}{\varphi'(x) + y'\varphi'(y)} \equiv \chi(x, y, y')$$

und also:

$$y_1'' = \frac{dy_1'}{dx_1} = \frac{d\dfrac{\psi'(x) + y'\psi'(y)}{\varphi'(x) + y'\varphi'(y)}}{dx_1} \equiv \frac{d\chi(x, y, y')}{d\varphi}.$$

Rechnet man dies aus, so erhält man, indem man $\frac{dy'}{dx} = y''$ setzt, y_1'' dargestellt als Function von x, y, y', y'', sagen wir etwa so:

$$y_1'' = \vartheta(x, y, y', y'').$$

Um nun die Differentialgleichung zu erhalten, in welche die vorgelegte

$$\Omega(x, y, y', y'') = 0$$

durch Einführung der neuen Veränderlichen x_1, y_1 vermöge (2) übergeht, haben wir aus der vorgelegten x, y, y', y'' vermöge der vier Gleichungen

(3) $\quad x_1 = \varphi(x, y), \quad y_1 = \psi(x, y), \quad y_1' = \chi(x, y, y'), \quad y_1'' = \vartheta(x, y, y', y'')$

zu eliminieren, mit anderen Worten: *Wir haben auf die Gleichung*

$$\Omega(x, y, y', y'') = 0$$

in den vier Veränderlichen x, y, y', y'' *die Transformation* (3), *welche diese vier Veränderliche* x, y, y', y'' *in* x_1, y_1, y_1', y_1'' *überführt, auszuüben.* Wenn dann die hervorgehende Gleichung zwischen x_1, y_1, y_1', y_1'' sich deckt mit

$$\Omega(x_1, y_1, y_1', y_1'') = 0,$$

so gestattet die *Differential*gleichung

$$\Omega(x, y, y', y'') = 0$$

die *Punkt*transformation (2).

In § 1 des 13. Kapitels haben wir schon die Transformation in den drei Veränderlichen x, y, y':

$$x_1 = \varphi(x, y), \quad y_1 = \psi(x, y), \quad y_1' = \chi(x, y, y'),$$

wo

$$\chi \equiv \frac{\psi'(x) + y'\psi'(y)}{\varphi'(x) + y'\varphi'(y)}$$

ist, betrachtet. Wir bezeichneten sie damals als die Transformation der Linienelemente (x, y, y') der Ebene oder als die Erweiterung der Punkttransformation (2). Schärfer wollen wir sie jetzt als die *einmalige oder erste Erweiterung der Punkttransformation* (2) bezeichnen und dementsprechend die Transformation (3) der vier Veränderlichen x, y, y', y'' die *zweimalige oder zweite Erweiterung der Punkttransformation* (2) nennen. Zweite Erweiterung e. Pkttrf.

Wie es damals vom geometrischen Standpunkt als selbstverständlich, aber vom analytischen Standpunkt nicht so sehr als selbstverständlich erschien, dass der Wert von y_1' nur x, y, y' enthält, so können wir auch hier die Thatsache hervorheben, dass in (3) der Wert von y_1'' nur von x, y, y', y'', nicht aber von höheren Differentialquotienten abhängt. *Wenn also in der Ebene zwei Curven sich in einem Punkte* (x, y) *osculieren, d. h. daselbst auch dasselbe* y' *und* y'' *besitzen, so werden sich auch die vermöge einer Punkttransformation* (2) *transformierten Curven in dem entsprechenden Punkte* (x_1, y_1) *osculieren,* denn sie haben daselbst wegen (3) gleiches y_1' und y_1''.

Das Ergebnis dieses Paragraphen können wir nunmehr so aussprechen:

Satz 3: *Die Differentialgleichung zweiter Ordnung zwischen* x, y*:*

$$\Omega(x, y, y', y'') = 0$$

gestattet dann und nur dann die Punkttransformation

$$x_1 = \varphi(x, y), \quad y_1 = \psi(x, y),$$

wenn sie, aufgefasst als Gleichung zwischen den vier Veränderlichen x, y, y', y'' *die zweimalige Erweiterung dieser Punkttransformation:*

$$x_1 = \varphi(x, y), \quad y_1 = \psi(x, y), \quad y_1' = \frac{d\psi}{d\varphi} \equiv \chi(x, y, y'),$$
$$y_1'' = \frac{d\chi}{d\varphi} \equiv \vartheta(x, y, y', y'')$$

gestattet.

Wir gingen oben davon aus, dass die Punkttransformation $x_1 = \varphi(x, y)$, $y_1 = \psi(x, y)$ die Integralcurven der Differentialgleichung untereinander vertausche, also von einer *geometrischen* Vorstellung. Führen wir irgend welche neue Veränderliche ein, so können wir dies als Zugrundelegung eines neuen Coordinatensystems auffassen, bei der alle geometrischen Beziehungen ungeändert bleiben (wie in § 1 des 3. Kapitels). Auf diese Weise erhellt unmittelbar der

Satz 4: *Gestattet eine vorgelegte Differentialgleichung zweiter Ordnung in* x, y*:*

$$\Omega(x, y, y', y'') = 0$$

die Punkttransformation

$$x_1 = \varphi(x, y), \quad y_1 = \psi(x, y),$$

und führt man in die Gleichung sowie in die Transformation irgend welche neue Veränderliche $\mathfrak{x}, \mathfrak{y}$ *ein, so gestattet auch die neue Differentialgleichung in* $\mathfrak{x}, \mathfrak{y}$ *die neue Transformation der Punkte* $(\mathfrak{x}, \mathfrak{y})$.

§ 2. Zweimal erweiterte eingliedrige Gruppe.

Die Frage nach einem Kriterium dafür, dass eine Differentialgleichung zweiter Ordnung zwischen x, y alle Transformationen einer eingliedrigen Gruppe gestatte, verlangt zunächst, wie aus den Entwickelungen des vorigen Paragraphen hervorgeht, eine *Betrachtung aller Transformationen, welche durch zweimalige Erweiterung aus den Transformationen einer eingliedrigen Gruppe in x, y hervorgehen.* Diese Untersuchung ist der in § 2 und 3 des 13. Kapitels gegebenen sehr ähnlich.

Es sei eine eingliedrige Gruppe von Punkttransformationen der Ebene (x, y) in ihren endlichen Gleichungen vorgelegt:

$$(4) \qquad x_1 = \varphi(x, y, a), \quad y_1 = \psi(x, y, a).$$

Wir erweitern die allgemeine Transformation T_a derselben, indem wir die Transformation berücksichtigen, welche y' erfährt. Die dadurch hervorgehenden Gleichungen:

$$(5) \qquad x_1 = \varphi(x, y, a), \quad y_1 = \psi(x, y, a), \quad y_1' = \frac{d\psi}{d\varphi} \equiv \chi(x, y, y', a)$$

stellen, wie in § 2 des 13. Kapitels bewiesen wurde, wieder eine eingliedrige Gruppe und zwar eine eingliedrige Gruppe von Transformationen der Linienelemente x, y, y' dar. Wenn also die Reihenfolge der beiden Transformationen T_a und T_{a_1} der Gruppe (4) die Transformationen $T_{\lambda(a, a_1)}$ derselben liefert, so ist auch die Reihenfolge der beiden Transformationen T_a' und T_{a_1}' der Gruppe (5), die den Parameterwerten a und a_1 entsprechen, äquivalent der Transformation $T'_{\lambda(a,a_1)}$ der Gruppe (5), die zum Parameterwert $\lambda(a, a_1)$ gehört, d. h. die Gleichungen:

$$(5) \qquad x_1 = \varphi(x, y, a), \quad y_1 = \psi(x, y, a), \quad y_1' = \chi(x, y, y', a)$$

und

$$(5') \quad x_2 = \varphi(x_1, y_1, a_1), \quad y_2 = \psi(x_1, y_1, a_1), \quad y_2' = \chi(x_1, y_1, y_1', a_1)$$

liefern, wenn aus ihnen x_1, y_1, y_1' eliminiert werden:

$$(5'') \quad x_2 = \varphi(x, y, \lambda(a, a_1)), \quad y_2 = \psi(x, y, \lambda(a, a_1)), \quad y_2' = \chi(x, y, y', \lambda(a, a_1)).$$

Erweitern wir nun die gegebene Gruppe (4) zweimal, indem wir auch die Transformationen von y'' berücksichtigen, so ergeben sich ∞^1 Transformationen in x, y, y', y'':

$$(6) \qquad x_1 = \varphi(x, y, a), \quad y_1 = \psi(x, y, a), \quad y_1' = \chi(x, y, y', a),$$
$$y_1'' = \frac{d\chi}{d\varphi} \equiv \vartheta(x, y, y', y'', a).$$

Wir behaupten, dass auch diese eine eingliedrige Gruppe bilden.

Zum Nachweis führen wir nach der Transformation T_a'', die zum Parameterwert a gehört, die zum Wert a_1 derselben gehörige T_{a_1}'' der Schar (6) aus, setzen also:

(6′) $x_2 = \varphi(x_1, y_1, a_1), \quad y_2 = \psi(x_1, y_1, a_1), \quad y_2' = \chi(x_1, y_1, y_1', a_1),$

$$y_2'' = \frac{d\chi(x_1, y_1, y_1', a_1)}{d\varphi(x_1, y_1, a_1)} \equiv \vartheta(x_1, y_1, y_1', y_1'', a_1)$$

und eliminieren nun x_1, y_1, y_1', y_1'' aus (6) und (6′). Dabei erhalten x_2, y_2, y_2' die Formen (5″). Zu beweisen bleibt also nur noch, dass y_2'' die Form erhält:

$$y_2'' = \vartheta(x, y, y', y'', \lambda(a, a_1)).$$

Dies ist offenbar, denn es ist nach (5′) und (5″):

$$y_2' = \chi(x_1, y_1, y_1', a_1) = \chi(x, y, y', \lambda(a, a_1))$$

und

$$x_2 = \varphi(x_1, y_1, a_1) = \varphi(x, y, \lambda(a, a_1)),$$

also

$$y_2'' = \frac{d\chi(x_1, y_1, y_1', a_1)}{d\varphi(x_1, y_1, a_1)} = \frac{d\chi(x, y, y', \lambda(a, a_1))}{d\varphi(x, y, \lambda(a, a_1))} \equiv \vartheta(x, y, y', y'', \lambda(a, a_1))$$

vermöge unserer Transformationen (6) und (6′).

Mit

(7) $$\begin{cases} T_a T_{a_1} = T_{\lambda(a, a_1)} \\ \text{oder} \\ T_a' T_{a_1}' = T_{\lambda(a, a_1)}' \\ \text{ist demnach auch} \\ T_a'' T_{a_1}'' = T_{\lambda(a, a_1)}''. \end{cases}$$

Theorem 33: *Erweitert man eine eingliedrige Gruppe mit paarweis inversen Transformationen*

$$x_1 = \varphi(x, y, a), \quad y_1 = \psi(x, y, a)$$

durch Mitberücksichtigung der Transformationen des ersten und zweiten Differentialquotienten $y' = \frac{dy}{dx}$, $y'' = \frac{d^2y}{dx^2}$, *so bilden die erweiterten Transformationen*

$$x_1 = \varphi(x, y, a), \quad y_1 = \psi(x, y, a), \quad y_1' = \chi(x, y, y', a),$$
$$y_1'' = \vartheta(x, y, y', y'', a)$$

wieder eine eingliedrige Gruppe mit paarweis inversen Transformationen. Giebt die Reihenfolge zweier Transformationen der ursprünglichen Gruppe, welche den Parameterwerten a, a_1 *entsprechen, eine Transformation mit dem Parameterwert* $\lambda(a, a_1)$, *so gilt dasselbe von den entsprechenden Transformationen der zweimal erweiterten Gruppe.*

Was hier von den inversen Transformationen gesagt ist, liegt in den Formeln (7).

Zweite erweiterte Gr. Hiernach ist klar, was unter *der zweiten erweiterten Gruppe einer Gruppe von Punkttransformationen der Ebene* zu verstehen ist.

Natürlich enthält die neue Gruppe die *identische* Transformation

$$x_1 = x, \quad y_1 = y, \quad y_1' = \frac{dy}{dx} = y', \quad y_1'' = \frac{dy'}{dx} = y'',$$

die durch Erweiterung der identischen Transformation

$$x_1 = x, \quad y_1 = y$$

der ursprünglichen Gruppe entsteht, und eine *infinitesimale* Transformation. Diese wollen wir bestimmen. Infin. Trf. der zweimal erw. Gruppe.

Wir wissen, dass die erste erweiterte Gruppe die infinitesimale Transformation

$$\xi \frac{\partial f}{\partial x} + \eta \frac{\partial f}{\partial y} + \eta' \frac{\partial f}{\partial y'}$$

besitzt, welche durch Erweiterung aus der infinitesimalen Transformation

$$\xi \frac{\partial f}{\partial x} + \eta \frac{\partial f}{\partial y}$$

hervorgeht, indem

$$\eta' \equiv \frac{\partial \eta}{\partial x} + \left(\frac{\partial \eta}{\partial y} - \frac{\partial \xi}{\partial x}\right) y' - \frac{\partial \xi}{\partial y} y'^2$$

ist. (Vgl. § 3 des 13. Kap.) Die einmal erweiterte Gruppe besitzt demnach endliche Transformationen, deren Reihenentwickelungen nach dem Parameter t der Gruppe, der für $t = 0$ die identische Transformation liefert, die Form haben:

$$x_1 = x + \xi t + \cdots, \quad y_1 = y + \eta t + \cdots, \quad y_1' = y' + \eta' t + \cdots,$$

wo η' obige Bedeutung hat. Indem wir diese endlichen Transformationen noch einmal erweitern wollen, haben wir zu berechnen:

$$y_1'' = \frac{dy_1'}{dx_1} = \frac{dy' + d\eta' \cdot t + \cdots}{dx + d\xi \cdot t + \cdots} = \frac{y'' + \frac{d\eta'}{dx} t + \cdots}{1 + \frac{d\xi}{dx} t + \cdots}.$$

Hierin sind unter $\frac{d\eta'}{dx}$, $\frac{d\xi}{dx}$ Differentiationen zu verstehen, während deren y als Function von x betrachtet, also $\frac{dy}{dx} = y'$, $\frac{dy'}{dx} = y''$ gesetzt wird. Anstatt durch die Reihe

$$1 + \frac{d\xi}{dx} t + \cdots$$

zu dividieren, können wir mit einer gewissen Potenzreihe nach t multiplicieren, die so anfängt:

$$1 - \frac{d\xi}{dx} t + \cdots.$$

Somit kommt:

$$y_1'' = \left(y'' + \frac{d\eta'}{dx} t + \cdots\right)\left(1 - \frac{d\xi}{dx} t + \cdots\right) =$$
$$= y'' + \left(\frac{d\eta'}{dx} - y'' \frac{d\xi}{dx}\right) t + \cdots.$$

Nunmehr wollen wir zur infinitesimalen Transformation übergehen, also t unendlich klein annehmen, etwa gleich δt. Dann ergiebt sich, dass sich y'' ändert um das Increment:

$$\left(\frac{d\eta'}{dx} - y'\frac{d\xi}{dx}\right)\delta t.$$

Infolgedessen lautet die infinitesimale Transformation der zweimal erweiterten Gruppe:

$$U''f \equiv \xi\frac{\partial f}{\partial x} + \eta\frac{\partial f}{\partial y} + \eta'\frac{\partial f}{\partial y'} + \eta''\frac{\partial f}{\partial y''}, \tag{8}$$

wo η' und η'' die Bedeutungen haben:

$$\begin{cases} \eta' \equiv \dfrac{d\eta}{dx} - y'\dfrac{d\xi}{dx}, \\ \eta'' \equiv \dfrac{d\eta'}{dx} - y''\dfrac{d\xi}{dx}, \end{cases} \tag{9}$$

oder ausführlich geschrieben:

$$\begin{cases} \eta' \equiv \dfrac{\partial\eta}{\partial x} + \left(\dfrac{\partial\eta}{\partial y} - \dfrac{\partial\xi}{\partial x}\right)y' - \dfrac{\partial\xi}{\partial y}y'^2 \\ \text{und} \\ \eta'' \equiv \dfrac{\partial\eta'}{\partial x} + \dfrac{\partial\eta'}{\partial y}y' + \dfrac{\partial\eta'}{\partial y'}y'' - y''\left(\dfrac{\partial\xi}{\partial x} + \dfrac{\partial\xi}{\partial y}y'\right) \equiv \\ \equiv \dfrac{\partial^2\eta}{\partial x^2} + \left(\dfrac{\partial^2\eta}{\partial x\partial y} - \dfrac{\partial^2\xi}{\partial x^2}\right)y' - \dfrac{\partial^2\xi}{\partial x\partial y}y'^2 + \\ + \left\{\dfrac{\partial^2\eta}{\partial x\partial y} + \left(\dfrac{\partial^2\eta}{\partial y^2} - \dfrac{\partial^2\xi}{\partial x\partial y}\right)y' - \dfrac{\partial^2\xi}{\partial y^2}y'^2\right\}y' + \\ + \left(\dfrac{\partial\eta}{\partial y} - \dfrac{\partial\xi}{\partial x} - 2\dfrac{\partial\xi}{\partial y}y'\right)y'' - \left(\dfrac{\partial\xi}{\partial x} + \dfrac{\partial\xi}{\partial y}y'\right)y'' \equiv \\ \equiv \dfrac{\partial^2\eta}{\partial x^2} + \left(2\dfrac{\partial^2\eta}{\partial x\partial y} - \dfrac{\partial^2\xi}{\partial x^2}\right)y' + \left(\dfrac{\partial^2\eta}{\partial y^2} - 2\dfrac{\partial^2\xi}{\partial x\partial y}\right)y'^2 - \dfrac{\partial^2\xi}{\partial y^2}y'^3 + \\ + \left(\dfrac{\partial\eta}{\partial y} - 2\dfrac{\partial\xi}{\partial x} - 3\dfrac{\partial\xi}{\partial y}y'\right)y''. \end{cases} \tag{10}$$

Man wird zur praktischen Berechnung diese ausführlichen Formeln nicht benutzen, sondern nur die Formeln (9), und namentlich wird man η' und η'' successive und nicht η'' unabhängig von η' ausrechnen.

Zu beachten ist, dass η'' in y'' *linear* ist, während doch η' in y' *quadratisch* ist. Diese Thatsache ist an einer späteren Stelle von Bedeutung. (Vgl. S. 375.)

Wir haben gefunden:

Satz 5: *Ist*

$$Uf \equiv \xi\frac{\partial f}{\partial x} + \eta\frac{\partial f}{\partial y}$$

die infinitesimale Transformation einer eingliedrigen Gruppe von Punkt-

transformationen der Ebene (x, y), *so wird die zweite erweiterte Gruppe dieser Gruppe erzeugt von der infinitesimalen Transformation:*

$$U''f \equiv \xi \frac{\partial f}{\partial x} + \eta \frac{\partial f}{\partial y} + \eta' \frac{\partial f}{\partial y'} + \eta'' \frac{\partial f}{\partial y''},$$

wo

$$\eta' \equiv \frac{d\eta}{dx} - y' \frac{d\xi}{dx},$$

$$\eta'' \equiv \frac{d\eta'}{dx} - y'' \frac{d\xi}{dx}$$

ist. Hierbei ist zu beachten, dass bei der Berechnung von η' *und* η'' *nach diesen Formeln während der Differentiationen nach* x *die Veränderliche* y *als Function von* x *zu betrachten, also* $\frac{dy}{dx} = y'$, $\frac{d^2y}{dx^2} = \frac{dy'}{dx} = y''$ *zu setzen ist.*

Da hiernach aus der Kenntnis allein der infinitesimalen Transformation Uf der ursprünglichen Gruppe die von $U''f$ sich ergiebt, so werden wir $U''f$ direct *die zweite Erweiterung der infinitesimalen Transformation* Uf nennen. Zweite Erweiterung d. inf. Trf.

Wir können die Formel für η'' auch wie früher in § 3 des 13. Kapitels die für η' auf kürzerem, aber weniger elementaren Wege durch Benutzung eines Satzes der Variationsrechnung ableiten. Indem wir auf die betreffenden Bemerkungen an jener früheren Stelle zurückverweisen, geben wir hier nur die Formeln dazu an. Es ist das Increment $\delta\eta'' = \eta''\delta t$ von y'' zu berechnen. Wegen $y'' = \frac{dy'}{dx}$ kommt: Andere Ableitung dieser inf. Trf.

$$\frac{\delta y''}{\delta t} = \frac{\delta \frac{dy'}{dx}}{\delta t} = \frac{dx \cdot \frac{\delta dy'}{\delta t} - dy' \cdot \frac{\delta dx}{\delta t}}{dx^2}$$

oder, wenn die Reihenfolge der Operationen δ und d geändert wird:

$$\frac{\delta y''}{\delta t} = \frac{dx \cdot d\frac{\delta y'}{\delta t} - dy' \cdot d\frac{\delta x}{\delta t}}{dx^2}.$$

Nun ist $\delta y' = \eta'\delta t$, $\delta x = \xi\delta t$, demnach kommt:

$$\eta'' \equiv \frac{\delta y''}{\delta t} \equiv \frac{d\eta'}{dx} - y'' \frac{d\xi}{dx},$$

also in der That die zweite Formel (9).

1. Beispiel: Die infinitesimale Translation Beispiele.

$$Uf \equiv \frac{\partial f}{\partial y}$$

soll zweimal erweitert werden. Hier ist:

$$\xi \equiv 0, \quad \eta \equiv 1,$$

also:

$$\eta' \equiv \frac{d\eta}{dx} - y'\frac{d\xi}{dx} \equiv 0$$

und

$$\eta'' \equiv \frac{d\eta'}{dx} - y''\frac{d\xi}{dx} \equiv 0.$$

Somit ist $U''f \equiv Uf$. In der That, Uf erzeugt die eingliedrige Gruppe von Translationen:

$$x_1 = x, \quad y_1 = y + t$$

und hier ist:

$$y_1' = \frac{dy_1}{dx_1} = \frac{dy}{dx} = y',$$

$$y_1'' = \frac{dy_1'}{dx_1} = \frac{dy'}{dx} = y'',$$

d. h. die zweimal erweiterte Gruppe lautet:

$$x_1 = x, \quad y_1 = y + t, \quad y_1 = y', \quad y_1'' = y''$$

und hat offenbar die infinitesimale Transformation

$$U''f \equiv \frac{\partial f}{dy} \equiv Uf.$$

2. Beispiel: Die infinitesimale Rotation

$$Uf \equiv -y\frac{\partial f}{\partial x} + x\frac{\partial f}{\partial y}$$

soll zweimal erweitert werden. Da hier

$$\xi \equiv -y, \quad \eta \equiv x$$

ist, so kommt:

$$\eta' \equiv \frac{d\eta}{dx} - y'\frac{d\xi}{dx} \equiv 1 + y'^2,$$

$$\eta'' \equiv \frac{d\eta'}{dx} - y''\frac{d\xi}{dx} \equiv 2y'y'' + y''y' \equiv 3y'y''.$$

Es wird also:

$$U''f \equiv -y\frac{\partial f}{\partial x} + x\frac{\partial f}{\partial y} + (1 + y'^2)\frac{\partial f}{\partial y'} + 3y'y''\frac{\partial f}{\partial y''}.$$

Um auch dies zu verificieren, erinnern wir an das Beispiel des § 1, in welchem wir die zweimalige Erweiterung der von

$$Uf \equiv -y\frac{\partial f}{\partial x} + x\frac{\partial f}{\partial y}$$

erzeugten Gruppe von Rotationen:

$$x_1 = x\cos t - y\sin t, \quad y_1 = x\sin t + y\cos t$$

schon ausgeführt haben (wenn auch ohne die Rechnung so aufzufassen). Danach ist bei unserer Gruppe:

$$y_1' = \frac{\sin t + y'\cos t}{\cos t - y'\sin t},$$

$$y_1'' = \frac{y''}{(\cos t - y'\sin t)^3}.$$

Um zur infinitesimalen Transformation zu gelangen, haben wir t unendlich klein, gleich δt, anzunehmen. Es ist aber:

$$\cos \delta t - y' \sin \delta t = 1 - y'\delta t,$$

d. h.

$$\frac{1}{\cos \delta t - y' \sin \delta t} = 1 + y'\delta t$$

bis auf unendlich kleine Grössen höherer Ordnung, und somit kommt:

$$y_1' = (\delta t + y')(1 + y'\delta t) = y' + (1 + y'^2)\delta t,$$

$$y_1'' = y''(1 + y'\delta t)^3 = y''(1 + 3y'\delta t) = y'' + 3y'y''\delta t,$$

sodass die Incremente von y' und y'' in der That die Werte haben:

$$\delta y' = \eta'\delta t \equiv (1 + y'^2)\delta t,$$

$$\delta y'' = \eta''\delta t \equiv 3y'y''\delta t,$$

die sich oben direct ergaben.

3. Beispiel: Bei der infinitesimalen Ähnlichkeitstransformation

$$Uf \equiv x \frac{\partial f}{\partial x} + y \frac{\partial f}{\partial y}$$

ist:

$$\xi \equiv x, \quad \eta \equiv y,$$

also:

$$\eta' \equiv \frac{d\eta}{dx} - y' \frac{d\xi}{dx} \equiv y' - y' \equiv 0,$$

$$\eta'' \equiv \frac{d\eta'}{dx} - y'' \frac{d\xi}{dx} \equiv - y'',$$

sodass

$$U''f \equiv x \frac{\partial f}{\partial x} + y \frac{\partial f}{\partial y} - y'' \frac{\partial f}{\partial y''}$$

wird. Uf erzeugt die eingliedrige Gruppe:

$$x_1 = xe^t, \quad y_1 = ye^t,$$

bei der:

$$y_1' = \frac{dy_1}{dx_1} = \frac{e^t \cdot dy}{e^t \cdot dx} = y',$$

und

$$y_1'' = \frac{dy_1'}{dx_1} = \frac{dy'}{e^t \cdot dx} = e^{-t} \cdot y''$$

ist. Die endlichen Gleichungen der zweimal erweiterten Gruppe sind also:

$$x_1 = xe^t, \quad y_1 = ye^t, \quad y_1' = y', \quad y_1'' = y''e^{-t}.$$

$t = \delta t$ giebt in der That die oben erhaltene infinitesimale Transformation

$$U''f \equiv x \frac{\partial f}{\partial x} + y \frac{\partial f}{\partial y} - y'' \frac{\partial f}{\partial y''}.$$

§ 3. Kriterium dafür, dass eine Differentialgleichung zweiter Ordnung in x, y eine eingliedrige Gruppe gestattet.

Nach Satz 3 des § 1 gestattet die vorgelegte Differentialgleichung zweiter Ordnung in x, y:

$$\Omega(x, y, y', y'') = 0$$

die Punkttransformation

$$x_1 = \varphi(x, y), \quad y_1 = \psi(x, y),$$

sobald die Gleichung $\Omega = 0$, aufgefasst als Gleichung zwischen den vier Veränderlichen x, y, y', y'', die zweite erweiterte Transformation von x, y, y', y'' in x_1, y_1, y_1', y_1'' zulässt.

Die Differentialgleichung

$$\Omega(x, y, y', y'') = 0$$

gestattet demnach alle Transformationen der von der infinitesimalen Transformation

$$Uf \equiv \xi \frac{\partial f}{\partial x} + \eta \frac{\partial f}{\partial y}$$

erzeugten eingliedrigen Gruppe von Punkttransformationen der Ebene, sobald sie, aufgefasst als Gleichung zwischen den vier Veränderlichen x, y, y', y'', die zweimal erweiterte Gruppe zulässt, deren infinitesimale Transformation $U''f$ wir im vorigen Paragraphen berechnet haben. Nach Theorem 28, § 3 des 14. Kapitels, ist dazu notwendig und hinreichend, dass $U''\Omega$ vermöge $\Omega = 0$ ebenfalls verschwinde. Also hat sich ergeben:

Invarianz-kriterium.

Theorem 34: *Die Differentialgleichung zweiter Ordnung in x, y:*

$$\Omega(x, y, y', y'') = 0$$

gestattet alle Transformationen der von der infinitesimalen Transformation

$$Uf \equiv \xi(x, y) \frac{\partial f}{\partial x} + \eta(x, y) \frac{\partial f}{\partial y}$$

erzeugten eingliedrigen Gruppe dann und nur dann, wenn der Ausdruck

$$U''\Omega \equiv \xi \frac{\partial \Omega}{\partial x} + \eta \frac{\partial \Omega}{\partial y} + \eta' \frac{\partial \Omega}{\partial y'} + \eta'' \frac{\partial \Omega}{\partial y''}$$

vermöge $\Omega = 0$ ebenfalls verschwindet. Hierin bedeuten η' und η'' die Ausdrücke, welche nach den Formeln

$$\eta' \equiv \frac{d\eta}{dx} - y' \frac{d\xi}{dx}, \quad \eta'' \equiv \frac{d\eta'}{dx} - y'' \frac{d\xi}{dx}$$

zu berechnen sind, in denen die Differentiationen nach x totale, also $\frac{dy}{dx} = y'$, $\frac{dy'}{dx} = y''$ *sein sollen.*

Mit Rücksicht auf Satz 11 des § 3, 14. Kapitel, erscheint es naturgemäss, zu sagen, $\Omega = 0$ *gestatte die infinitesimale Transformation* Uf, sobald $U''\Omega = 0$ vermöge $\Omega = 0$ ist, und danach unser Theorem so auszusprechen: Diffgl. 2. O., die eine inf. Trf. gestattet.

Satz 6: *Die Differentialgleichung zweiter Ordnung in x, y:*

$$\Omega(x, y, y', y'') = 0$$

gestattet alle Transformationen einer eingliedrigen Gruppe in x, y, sobald sie ihre infinitesimale Transformation zulässt.

In Theorem 34 haben wir die Differentialgleichung zweiter Ordnung in irgend welcher Form vorgelegt gedacht. Wir wollen nun insbesondere annehmen, sie liege in aufgelöster Form Besondere Form des Kriteriums.

$$y'' - \omega(x, y, y') = 0$$

vor. Alsdann ist zu setzen:

$$\Omega \equiv y'' - \omega(x, y, y')$$

und $U''\Omega$ wird:

$$U''\Omega \equiv -\xi \frac{\partial \omega}{\partial x} - \eta \frac{\partial \omega}{\partial y} - \eta' \frac{\partial \omega}{\partial y'} + \eta''$$

oder wegen der in § 2 angegebenen Werte (10) von η' und η'', wenn wir die partielle Differentiation nach x oder y durch angehängten Index x resp. y bezeichnen, um die Formel etwas abzukürzen:

$$\begin{aligned} U''\Omega \equiv & -\xi \frac{\partial \omega}{\partial x} - \eta \frac{\partial \omega}{\partial y} - (\eta_x + (\eta_y - \xi_x)y' - \xi_y y'^2) \frac{\partial \omega}{\partial y'} + \\ & + \eta_{xx} + (2\eta_{xy} - \xi_{xx})y' + (\eta_{yy} - 2\xi_{xy})y'^2 - \\ & - \xi_{yy}y'^3 + (\eta_y - 2\xi_x - 3\xi_y y')y''. \end{aligned}$$

Dies soll verschwinden vermöge $\Omega = 0$, d. h. vermöge $y'' = \omega$. Wenn wir also hierin $y'' = \omega$ setzen, so muss der hervorgehende Ausdruck identisch verschwinden. Daher:

Theorem 35: *Die Differentialgleichung zweiter Ordnung* $y'' = \omega(x, y, y')$ *gestattet dann und nur dann die eingliedrige Gruppe* $\xi(x, y) \frac{\partial f}{\partial x} + \eta(x, y) \frac{\partial f}{\partial y}$, *wenn der Ausdruck*

$$\begin{aligned} & (\eta_y - 2\xi_x - 3\xi_y y')\omega - \xi_{yy}y'^3 + (\eta_{yy} - 2\xi_{xy})y'^2 + \\ & + (2\eta_{xy} - \xi_{xx})y' + \eta_{xx} - \xi \frac{\partial \omega}{\partial x} - \eta \frac{\partial \omega}{\partial y} - \\ & - (\eta_x + (\eta_y - \xi_x)y' - \xi_y y'^2) \frac{\partial \omega}{\partial y'} \equiv 0 \end{aligned}$$

ist für alle Werte von x, y, y'.

Dritte Form des Kriteriums. Man kann diesem Kriterium eine Form geben, die oft ungleich zweckmässiger ist. Die Differentialgleichung:

$$y'' - \omega(x, y, y') = 0$$

ist ja äquivalent einem simultanen System in den drei Veränderlichen x, y, y', denn es ist

$$y' \equiv \frac{dy}{dx}, \quad y'' \equiv \frac{dy'}{dx} = \omega(x, y, y'),$$

das äquivalente System lautet also:

$$\frac{dx}{1} = \frac{dy}{y'} = \frac{dy'}{\omega(x, y, y')}.$$

Diesem simultanen System in x, y, y' wiederum ist die lineare Differentialgleichung:

$$\frac{\partial f}{\partial x} + y' \frac{\partial f}{\partial y} + \omega(x, y, y') \frac{\partial f}{\partial y'} = 0$$

zugeordnet. Soll also unsere ursprüngliche Gleichung

$$y'' - \omega(x, y, y') = 0$$

die infinitesimale Transformation

$$Uf \equiv \xi \frac{\partial f}{\partial x} + \eta \frac{\partial f}{\partial y} + \eta' \frac{\partial f}{\partial y'} + \eta'' \frac{\partial f}{\partial y''}$$

gestatten, so kommt dies darauf hinaus, dass die lineare partielle Differentialgleichung in x, y, y' allein:

$$Af \equiv \frac{\partial f}{\partial x} + y' \frac{\partial f}{\partial y} + \omega(x, y, y') \frac{\partial f}{\partial y'} = 0$$

die infinitesimale Transformation

$$U'f \equiv \xi \frac{\partial f}{\partial x} + \eta \frac{\partial f}{\partial y} + \eta' \frac{\partial f}{\partial y'},$$

also die einmal erweiterte infinitesimale Transformation Uf gestatten muss. Daher:

Satz 7: *Die gewöhnliche Differentialgleichung zweiter Ordnung*

$$y'' = \omega(x, y, y')$$

gestattet alle Transformationen der eingliedrigen Gruppe

$$Uf \equiv \xi(x, y) \frac{\partial f}{\partial x} + \eta(x, y) \frac{\partial f}{\partial y}$$

dann und nur dann, wenn die lineare partielle Differentialgleichung in x, y, y':

$$Af \equiv \frac{\partial f}{\partial x} + y' \frac{\partial f}{\partial y} + \omega(x, y, y') \frac{\partial f}{\partial y'} = 0$$

die einmal erweiterte infinitesimale Transformation Uf, *nämlich:*

$$U'f \equiv \xi \frac{\partial f}{\partial x} + \eta \frac{\partial f}{\partial y} + \left(\frac{\partial \eta}{\partial x} + \left(\frac{\partial \eta}{\partial y} - \frac{\partial \xi}{\partial x}\right) y' - \frac{\partial \xi}{\partial y} y'^2\right) \frac{\partial f}{\partial y'},$$

zulässt.

Man kann leicht verificieren, dass dies Kriterium sich mit dem früheren deckt. $Af = 0$ gestattet ja nach Theorem 29 (§ 2 des 15. Kap.) die infinitesimale Transformation $U'f$, wenn Zurückführung auf das vorige Kriterium.

$$(U'A) \equiv \lambda Af$$

ist. Da nun f willkürlich ist, so zerfällt diese Relation in drei einzelne, indem die Coefficienten von $\frac{\partial f}{\partial x}$, die von $\frac{\partial f}{\partial y}$ und die von $\frac{\partial f}{\partial y'}$ links und rechts einander gleich sein müssen. Dies liefert, wie sich durch Ausrechnung von $(U'A)$ ergiebt, die drei Gleichungen:

$$-\xi_x - y'\xi_y = \lambda,$$

$$\eta_x + (\eta_y - \xi_x)y' - \xi_y y'^2 - \eta_x - y'\eta_y = \lambda y',$$

$$\xi\frac{\partial\omega}{\partial x} + \eta\frac{\partial\omega}{\partial y} + (\eta_x + (\eta_y - \xi_x)y' - \xi_y y'^2)\frac{\partial\omega}{\partial y'} -$$

$$-(\eta_{xx} + (\eta_{xy} - \xi_{xx})y' - \xi_{xy}y'^2) - y'(\eta_{xy} + (\eta_{yy} - \xi_{xy})y' - \xi_{yy}y'^2) -$$

$$-\omega(\eta_y - \xi_x - 2\xi_y y') = \lambda\omega.$$

Substituiert man den aus der ersten Gleichung sich ergebenden Wert von λ in die zweite und dritte, so wird die zweite identisch erfüllt, während die dritte das in Theorem 35 angegebene Kriterium liefert.

1. Beispiel: Die Schar der ∞^2 Kreise durch den Anfangspunkt Beispiele.

$$x^2 + 2ax + y^2 + 2by = 0$$

gestattet offenbar die infinitesimale Rotation

$$Uf \equiv -y\frac{\partial f}{\partial x} + x\frac{\partial f}{\partial y}.$$

Wir wollen dies zur Einübung unserer Theorien mit Hülfe der erhaltenen Kriterien nachweisen. Um zunächst die Differentialgleichung der Kreisschar zu erhalten, haben wir die Gleichung

$$x^2 + 2ax + y^2 + 2by = 0$$

zweimal zu differenzieren:

$$x + a + yy' + by' = 0,$$

$$1 + y'^2 + yy'' + by'' = 0$$

und aus den drei letzten Gleichungen a und b zu eliminieren. Dies liefert die Differentialgleichung zweiter Ordnung:

$$\begin{vmatrix} x^2 + y^2 & 2x & 2y \\ x + yy' & 1 & y' \\ 1 + y'^2 + yy'' & 0 & y'' \end{vmatrix} = 0$$

oder ausgerechnet:

$$\Omega \equiv (x^2 + y^2)y'' - 2xy'^3 + 2yy'^2 - 2xy' + 2y = 0.$$

Dieselbe soll die infinitesimale Rotation

$$Uf \equiv -y\frac{\partial f}{\partial x} + x\frac{\partial f}{\partial y}$$

gestatten. Dies nachzuweisen, benutzen wir das Theorem 34. Es ist, wie im 2. Beispiel zu § 2 ausgerechnet wurde, die erweiterte infinitesimale Transformation:

$$U''f \equiv -y\frac{\partial f}{\partial x} + x\frac{\partial f}{\partial y} + (1+y'^2)\frac{\partial f}{\partial y'} + 3y'y''\frac{\partial f}{\partial y''},$$

also

$$\begin{aligned} U''\Omega \equiv & -y(2xy''-2y'^3-2y') + x(2yy''+2y'^2+2) + \\ & + (1+y'^2)(-6xy'^2+4yy'-2x) + \\ & + 3y'y''(x^2+y^2) \equiv 3y'\Omega, \end{aligned}$$

d. h. $U''\Omega$ ist in der That vermöge $\Omega = 0$ auch Null.

2. Beispiel: Die Schar der ∞^2 Geraden der Ebene gestattet offenbar die Ähnlichkeitstransformation:

$$Uf \equiv x\frac{\partial f}{\partial x} + y\frac{\partial f}{\partial y}.$$

Die Differentialgleichung der Geraden ist:

$$\Omega \equiv y'' = 0,$$

während nach dem 3. Beispiel des § 2:

$$U''f \equiv x\frac{\partial f}{\partial x} + y\frac{\partial f}{\partial y} - y''\frac{\partial f}{\partial y''},$$

also

$$U''\Omega \equiv U''y'' \equiv -y'' \equiv -\Omega,$$

d. h. Null vermöge $\Omega = 0$ ist.

Wir könnten hier auch das Kriterium des Theorems 35 anwenden, denn es ist offenbar jetzt $\omega \equiv 0$ und die Bedingung reduciert sich auf

$$-\xi_{yy}y'^3 + (\eta_{yy} - 2\xi_{xy})y'^2 + (2\eta_{xy} - \xi_{xx})y' + \eta_{xx} \equiv 0,$$

die in der That wegen

$$\xi \equiv x, \quad \eta \equiv y$$

erfüllt ist.

Oder endlich, wenn wir Satz 7 anwenden wollen, ist zu setzen:

$$Af \equiv \frac{\partial f}{\partial x} + y'\frac{\partial f}{\partial y},$$

$$U'f \equiv x\frac{\partial f}{\partial x} + y\frac{\partial f}{\partial y},$$

und in der That kommt:

$$(U'A) \equiv -\frac{\partial f}{\partial x} - y'\frac{\partial f}{\partial y} \equiv -Af,$$

d. h. $Af = 0$ gestattet $U'f$.

3. Beispiel: Die Schar der ∞^2 Kegelschnitte

$$ax^2 + by^2 = 1,$$

deren Axen die Coordinatenaxen sind, gestattet, wie wir gelegentlich bemerkten (3. Beispiel des § 1), affine Transformationen, insbesondere die infinitesimale:

$$Uf \equiv x\frac{\partial f}{\partial x}.$$

Die Differentialgleichung der Kegelschnitte ergiebt sich, indem wir

$$ax^2 + by^2 - 1 = 0$$

zweimal differenzieren:

$$ax + byy' = 0,$$
$$a + b(y'^2 + yy'') = 0,$$

und dann a und b eliminieren, in der Form:

$$\begin{vmatrix} x^2 & y^2 & -1 \\ x & yy' & 0 \\ 1 & y'^2 + yy'' & 0 \end{vmatrix} = 0$$

oder

$$\Omega \equiv xy'^2 + xyy'' - yy' = 0.$$

Hier ist:

$$U''f \equiv x\frac{\partial f}{\partial x} - y'\frac{\partial f}{\partial y'} - 2y''\frac{\partial f}{\partial y''},$$

also:

$$U''\Omega \equiv x(y'^2 + yy'') - y'(2xy' - y) - 2y''xy \equiv -\Omega,$$

sodass in der That $U''\Omega = 0$ ist vermöge $\Omega = 0$.

4. Beispiel: Die Schar aller ∞^2 logarithmischen Spiralen um den Anfangspunkt:

$$x^2 + y^2 = ae^{b \operatorname{arctg} \frac{y}{x}}$$

gestattet die infinitesimale Ähnlichkeitstransformation

$$Uf \equiv x\frac{\partial f}{\partial x} + y\frac{\partial f}{\partial y}.$$

Um dies zu verificieren, bilden wir ihre Differentialgleichung

$$\Omega \equiv x^2y'' - xy' + y = 0$$

und die zweite erweiterte infinitesimale Transformation:

$$U''f \equiv x\frac{\partial f}{\partial x} + y\frac{\partial f}{\partial y} - y''\frac{\partial f}{\partial y''}.$$

Offenbar ist $U''\Omega \equiv \Omega$.

Um das Kriterium des Theorems 35 anzuwenden, haben wir zu setzen:

$$\omega \equiv \frac{y'}{x} - \frac{y}{x^2}, \quad \xi \equiv x, \quad \eta \equiv y,$$

wodurch wirklich die Identität des Theorems 34 erfüllt wird.

Um das Kriterium des Satzes 7 zu verwenden, setzen wir

$$Af \equiv \frac{\partial f}{\partial x} + y' \frac{\partial f}{\partial y} + \left(\frac{y'}{x} - \frac{y}{x^2}\right) \frac{\partial f}{\partial y'}$$

und

$$U'f \equiv x \frac{\partial f}{\partial x} + y \frac{\partial f}{\partial y},$$

sodass sich ergiebt:

$$(U'A) \equiv - Af.$$

§ 4. Ein Beispiel aus der Flächentheorie.

Flächen, deren geod. Curven eine inf. Trf. gestatten.

Wir verwerten das Obige in einem Probleme der Flächentheorie: Wir fragen *nach allen Flächen, deren* ∞^2 *geodätische Curven eine infinitesimale Transformation gestatten*. Dabei bemerken wir vorweg, dass dieser Paragraph überschlagbar ist.

Die Punkte der Fläche seien durch zwei Parameter x, y bestimmt, sodass das Quadrat des Bogenelementes der Fläche die Form annimmt:

$$ds^2 = F(x, y) dx dy.$$

$x =$ Const., $y =$ Const. sollen also die Minimalcurven der Fläche darstellen. Bequemer ist es, $\lg F = w(x, y)$ an Stelle von F zu benutzen, also zu setzen:

$$ds^2 = e^w dx dy. \tag{11}$$

Nach Gauss werden alsdann die geodätischen Linien der Fläche bestimmt durch die Differentialgleichung zweiter Ordnung in x, y:

$$y'' = \frac{\partial w}{\partial x} y' - \frac{\partial w}{\partial y} y'^2.$$

Wir suchen nun die Function $w(x, y)$ so zu bestimmen, dass die Differentialgleichung der geodätischen Curven eine infinitesimale Punkttransformation gestatte, d. h. dass es möglich wird, alle Punkte der Fläche auf ihr um infinitesimale Strecken zu verschieben, sodass jede geodätische Linie wieder in eine solche übergeht. In den Parametern x, y sei das Symbol der betreffenden infinitesimalen Punkttransformation:

$$Uf \equiv \xi \frac{\partial f}{\partial x} + \eta \frac{\partial f}{\partial y}.$$

Wir wenden nun das Kriterium des Theorems 35 an. Im vorliegenden Falle ist

$$\omega \equiv \frac{\partial w}{\partial x} y' - \frac{\partial w}{\partial y} y'^2$$

oder in bequemerer Bezeichnung

$$\omega \equiv w_x y' - w_y y'^2$$

zu setzen, sodass sich die Bedingung ergiebt:

$$(\eta_y - 2\xi_x - 3\xi_y y')(w_x y' - w_y y'^2) - \xi_{yy} y'^3 +$$
$$+ (\eta_{yy} - 2\xi_{xy})y'^2 + (2\eta_{xy} - \xi_{xx})y' + \eta_{xx} -$$
$$- \xi(w_{xx}y' - w_{xy}y'^2) - \eta(w_{xy}y' - w_{yy}y'^2) -$$
$$- (\eta_x + (\eta_y - \xi_x)y' - \xi_y y'^2)(w_x - 2w_y y') = 0.$$

Diese Bedingung soll identisch bestehen für alle Werte von x, y, y'. Da ξ, η und w frei von y' sind, so müssen einzeln die Relationen bestehen:

$$(12)\quad \begin{cases} \eta_{xx} - \eta_x w_x = 0, \\ 2\eta_{xy} - \xi_{xx} - \xi_x w_x + 2\eta_x w_y - \xi w_{xx} - \eta w_{xy} = 0, \\ \eta_{yy} - 2\xi_{xy} - 2\xi_y w_x + \eta_y w_y + \xi w_{xy} + \eta w_{yy} = 0, \\ \xi_{yy} - \xi_y w_y = 0. \end{cases}$$

Dies sind vier Bedingungsgleichungen für die drei Functionen w, ξ, η. Die weitere Discussion wird darauf hinauskommen, diese Bedingungen in allgemeinster Weise zu erfüllen. Dabei kann man drei Fälle von einander trennen, je nachdem ξ_y und η_x beide Null oder nur ξ_y oder η_x gleich Null oder keins von beiden Null ist. Nur den ersten dieser drei Fälle wollen wir hier behandeln*). Er lässt sich leicht geometrisch deuten. Wenn nämlich in

$$Uf \equiv \xi \frac{\partial f}{\partial x} + \eta \frac{\partial f}{\partial y}$$

ξ frei von y und η frei von x, also $\xi_y \equiv \eta_x \equiv 0$ ist, so heisst das: die Minimalcurven $x = $ Const. werden unter einander durch Uf vertauscht, ebenso wie die Minimalcurven $y = $ Const. Eine Transformation aber, welche jede Minimalcurve der Fläche wieder in eine Minimalcurve überführt, ist bekanntlich eine conforme. Diese Überlegung lässt sich umkehren.

Wir fragen demnach nach den *Flächen, deren geodätische Curven durch eine infinitesimale conforme Transformation unter einander vertauscht werden.* Flächen, deren geod. Curven eine inf. conforme Trf. gestatten.

Setzen wir in (12)

$$\xi_y \equiv 0, \quad \eta_x \equiv 0,$$

so wird die erste und letzte Gleichung identisch erfüllt, während die zweite und dritte übergehen in:

$$\frac{d^2\xi}{dx^2} + \frac{d\xi}{dx}\frac{\partial w}{\partial x} + \xi \frac{\partial^2 w}{\partial x^2} + \eta \frac{\partial^2 w}{\partial x \partial y} = 0,$$
$$\frac{d^2\eta}{dy^2} + \frac{d\eta}{dy}\frac{\partial w}{\partial y} + \xi \frac{\partial w^2}{\partial x \partial y} + \eta \frac{\partial^2 w}{\partial y^2} = 0.$$

*) Eine eingehende Behandlung des allgemeinen im Texte formulierten Problems findet sich in den Math. Annalen Bd. 20 in einer Abhandlung über geodätische Curven von Sophus Lie.

Ihre linken Seiten sind, weil ξ nur x, η nur y enthält, vollständige Differentialquotienten:

$$\frac{\partial}{\partial x}\left(\frac{d\xi}{dx} + \xi\frac{\partial w}{\partial x} + \eta\frac{\partial w}{\partial y}\right) = 0,$$

$$\frac{\partial}{\partial y}\left(\frac{d\eta}{dy} + \xi\frac{\partial w}{\partial x} + \eta\frac{\partial w}{\partial y}\right) = 0.$$

Integriert kommt also:

$$(13)\qquad \begin{cases} \dfrac{d\xi}{dx} + \xi\dfrac{\partial w}{\partial x} + \eta\dfrac{\partial w}{\partial y} = \psi(y), \\ \dfrac{d\eta}{dy} + \xi\dfrac{\partial w}{\partial x} + \eta\dfrac{\partial w}{\partial y} = \varphi(x). \end{cases}$$

Hier können nun verschiedene Fälle eintreten, indem ξ oder η gleich Null oder weder ξ noch η gleich Null ist. Der Fall $\xi \equiv \eta \equiv 0$ ist natürlich ausgeschlossen, denn dann würde sich ja Uf auf die Identität reducieren.

Sind ξ und η beide von Null verschieden, so können wir eine passende Function von x resp. von y als neues x resp. y benutzen, nämlich $\int\frac{dx}{\xi}$ und $\int\frac{dy}{\eta}$, wodurch die Form (11) des Quadrates des Bogenelementes nicht wesentlich geändert wird, sodass ξ und η gleich 1 gesetzt werden dürfen ohne Beschränkung der Allgemeinheit. Alsdann giebt (13):

$$\frac{\partial w}{\partial x} + \frac{\partial w}{\partial y} = \psi(y),$$

$$\frac{\partial w}{\partial x} + \frac{\partial w}{\partial y} = \varphi(x),$$

woraus folgt, dass $\psi(y) = \varphi(x) = \text{Const.} = c$ sein muss und also w die Gleichung

$$\frac{\partial w}{\partial x} + \frac{\partial w}{\partial y} = c$$

erfüllen muss. Wäre $f(w, x, y) = \text{Const.}$, so müsste hiernach

$$\frac{\partial f}{\partial x} + \frac{\partial f}{\partial y} + c\frac{\partial f}{\partial w} = 0$$

sein. Diese lineare partielle Differentialgleichung hat die Lösungen $x - y$ und $w - cx$, d. h. es ist:

$$\lambda(x - y, w - cx) = 0$$

oder also w hat die Form

$$w = \varrho(x - y) + cx,$$

sodass

$$e^w = e^{cx}\Phi(x - y)$$

ist. Das Quadrat des Bogenelementes (11) hat somit die Form:

$$(14)\qquad ds^2 = e^{cx}\Phi(x - y)\,dx\,dy.$$

Nun sei zweitens

$$\xi \equiv 0, \quad \eta \not\equiv 0.$$

Alsdann können wir durch Benutzung von $\int \frac{dy}{\eta}$ als neues y erreichen, dass $\eta \equiv 1$ gesetzt werden darf. Daher giebt (13):

$$\frac{\partial w}{\partial y} = \psi(y) = \varphi(x) = c(= \text{Const.}),$$

woraus

$$w = cy + \chi(x),$$
$$e^w = X(x)e^{cy}$$

folgt. Das Quadrat des Bogenelementes (11) wird in diesem Falle also, wenn man wieder eine beliebige Function von y als neues y einführt:

$$(15) \qquad ds^2 = X(x)\,Y(y)\,dx\,dy.$$

Wenn also die geodätischen Linien einer Fäche eine infinitesimale conforme Transformation gestatten sollen, so muss sich das Quadrat ihres Bogenelementes auf die Form (14) oder (15) bringen lassen.

Die Form (15) ist leicht gedeutet: Die Fundamentalgrössen erster Ordnung der Fläche sind in diesem Falle $e \equiv 0$, $f \equiv \frac{1}{2}XY$, $g \equiv 0$. Bekanntlich kann man das Krümmungsmaass der Fläche durch e, f, g und ihre Ableitungen ausdrücken. In dem vorliegenden Falle ergiebt sich dann sofort, dass das Krümmungsmaass Null ist. Die Fläche ist also developpabel. Breiten wir sie in die Ebene aus, so gehen ihre geodätischen Linien in die ∞^2 Geraden der Ebene über, und diese gestatten offenbar mehrere conforme Transformationen (Translation, Rotation, Ähnlichkeitstransformation). Es ist demnach klar, dass *jede* developpabele Fläche zu den gesuchten Flächen gehört. Dieser Fall bietet nichts besonders Interessantes.

Die Form (14) des Quadrates des Bogenelementes dagegen kommt einer bemerkenswerten Flächengattung zu. Zunächst gehören hierher die gelegentlich schon früher besprochenen *Spiralflächen* (§ 5 des 12. Kapitels), von denen wir zeigten, dass sich ihre Krümmungslinien, Haupttangentencurven und Minimalcurven durch Quadraturen bestimmen lassen. Eine solche Fläche entsteht bekanntlich durch fortwährende Ausführung einer infinitesimalen Spiraltransformation auf eine beliebige Curve. Unter infinitesimaler Spiraltransformation verstanden wir eine infinitesimale Rotation um eine Axe, verbunden mit einer infinitesimalen Ähnlichkeitstransformation von dieser Axe aus. Natürlich ist sie eine conforme Transformation. Da sie die Spiralfläche in sich überführt, muss sie die geodätischen Curven derselben unter sich vertauschen, Spiralflächen.

denn offenbar führt sie notwendig eine geodätische Curve wieder in eine solche über. Demnach gehören die Spiralflächen zu denen, deren Quadrat des Bogenelementes sich auf die Form (14) bringen lässt, insbesondere also auch die Rotationsflächen als specieller Fall der Spiralflächen. Es ist andererseits auch nicht schwer zu erkennen, dass jede Fläche, deren Bogenelement diese Form besitzt, auf eine Spiralfläche abgewickelt werden kann. Darauf gehen wir jedoch nicht ein.

Wir wollen nur noch eine interessante Eigenschaft unserer infinitesimalen conformen Transformation

$$Uf \equiv \xi \frac{\partial f}{\partial x} + \eta \frac{\partial f}{\partial y}$$

ableiten. Aus (13) folgt nämlich zunächst:

$$\xi \frac{\partial w}{\partial x} + \eta \frac{\partial w}{\partial y} = \psi(y) - \frac{d\xi}{dx} = \varphi(x) - \frac{d\eta}{dy}.$$

Also ist auch

$$\varphi(x) + \frac{d\xi}{dx} = \psi(y) + \frac{d\eta}{dy} = \text{Const.} = a,$$

daher:

$$\xi \frac{\partial w}{\partial x} + \eta \frac{\partial w}{\partial y} + \frac{d\xi}{dx} + \frac{d\eta}{dy} = a. \tag{16}$$

Nach dieser Vorbemerkung wollen wir die Änderung berechnen, die das Bogenelement durch unsere infinitesimale Transformation erfährt. Es ist nach (11):

$$ds^2 = e^w dx dy,$$

also die Änderung von ds^2:

$$\begin{aligned} \delta ds^2 &= \delta(e^w) \cdot dx dy + e^w \delta(dx dy) \\ &= e^w \delta w \cdot dx dy + e^w(\delta dx \cdot dy + dx \cdot d\delta y) \end{aligned}$$

oder, da die Zeichen δ und d in ihrer Reihenfolge vertauscht werden können:

$$\delta ds^2 = e^w \delta w \cdot dx dy + e^w(d\delta x \cdot dy + dx \cdot d\delta y).$$

Wegen

$$Uf \equiv \xi \frac{\partial f}{\partial x} + \eta \frac{\partial f}{\partial y}$$

erhalten aber w, x, y die Incremente:

$$\delta w = \left(\xi \frac{\partial w}{\partial x} + \eta \frac{\partial w}{dy}\right) \delta t,$$

$$\delta x = \xi \delta t, \quad \delta y = \eta \delta t,$$

sodass sich ergiebt:

$$\delta ds^2 = e^w dx dy \left(\xi \frac{\partial w}{\partial x} + \eta \frac{\partial w}{\partial y} + \frac{d\xi}{dx} + \frac{d\eta}{dy}\right) \delta t$$

oder nach (16):

$$\delta ds^2 = e^{\psi} dx dy \cdot a \delta t,$$

also nach (11):

$$\delta ds^2 = a ds^2 \cdot \delta t$$

oder, da $\delta ds^2 = 2ds \cdot \delta ds$ ist:

$$\frac{\delta ds}{ds} = \frac{a}{2} \delta t,$$

d. h. *durch unsere infinitesimale conforme Transformation werden alle Längen auf der Fläche nach demselben Verhältnis geändert*)*.

§ 5. Bestimmung und Integration aller Differentialgleichungen zweiter Ordnung in x, y, welche eine gegebene eingliedrige Gruppe gestatten.

Bisher haben wir darüber noch gar nichts ausgesagt, *welchen Nutzen man aus der Kenntnis einer infinitesimalen Transformation einer Differentialgleichung zweiter Ordnung für die Integration derselben ziehen kann.* Darüber werden wir uns jedoch im Laufe dieses und des nächsten Paragraphen Klarheit verschaffen. Wir werden finden, dass man stets in einem solchen Falle das Integrationsgeschäft vermittelst Quadraturen darauf zurückführen kann, nach einander *zwei* gewöhnliche Differentialgleichungen *erster* Ordnung zu integrieren. An einer späteren Stelle werden wir zeigen, dass die Integration einer dieser beiden Differentialgleichungen erster Ordnung erspart werden kann.

Wir wollen annehmen, es sei uns eine infinitesimale Punkttransformation

$$Uf \equiv \xi \frac{\partial f}{\partial x} + \eta \frac{\partial f}{\partial y}$$

vorgelegt. ξ und η seien also bekannte Functionen von x, y. *Wir fragen nach allen Differentialgleichungen zweiter Ordnung*

*) Vgl. hierzu die Fussnote S. 260. In den Comptes Rendus für 1879 bestimmte Lévy die allgemeine Form des Bogenelementes aller auf Spiralflächen abwickelbaren Flächen. Ferner zeigte Lie, der schon in Bd. 5 der Math. Annalen, 1872, die geodätischen Curven der Spiralflächen durch eine gew. Differentialgleichung erster Ordnung bestimmt hatte, dass auch auf jeder auf eine Spiralfläche abwickelbaren Fläche die Bestimmung der geodätischen Curven nur die Integration einer gew. Differentialgleichung erster Ordnung verlangt. Die Bahncurven der betreffenden infinitesimalen Transformation auf diesen Flächen sind nämlich Isothermen, also durch Quadratur bestimmbar, ebenso wie ihre Orthogonalcurven (vgl. Satz 5, § 2, Kap. 9). In dem Coordinatensystem dieser Curven geschieht alsdann die Bestimmung der geodätischen Linien durch eine einzige gewöhnliche Differentialgleichung erster Ordnung. Darboux führte alsdann diese Gleichung auf eine *Riccati*'sche Gleichung zurück.

$$\Omega(x, y, y', y'') = 0,$$

welche die von Uf erzeugte eingliedrige Gruppe gestatten. Nach Theorem 34 (§ 3) muss die Gleichung $\Omega = 0$, aufgefasst als Gleichung zwischen vier Veränderlichen x, y, y', y'', die von der zweiten erweiterten infinitesimalen Transformation

$$U''f \equiv \xi \frac{\partial f}{\partial x} + \eta \frac{\partial f}{\partial y} + \eta' \frac{\partial f}{\partial y'} + \eta'' \frac{\partial f}{\partial y''}$$

erzeugte eingliedrige Gruppe gestatten. Da Ω natürlich y'' selbst enthalten soll, so können ξ, η, η', η'' nicht sämtlich vermöge $\Omega = 0$ verschwinden, denn ξ, η, η' enthalten y'' gar nicht. Folglich erhalten wir nach § 3 des 14. Kapitels die allgemeinste Gleichung $\Omega = 0$ der gesuchten Art, indem wir drei von einander unabhängige Lösungen u, v, w der linearen partiellen Differentialgleichung

$$(17) \qquad U''f \equiv \xi \frac{\partial f}{\partial x} + \eta \frac{\partial f}{\partial y} + \eta' \frac{\partial f}{\partial y'} + \eta'' \frac{\partial f}{\partial y''} = 0$$

bestimmen und eine Function derselben gleich Null setzen:

$$F(u, v, w) = 0.$$

Es handelt sich also noch darum, drei von einander unabhängige Lösungen der linearen partiellen Differentialgleichung (17) zu finden. Da ξ und η nur x, y enthalten, η' ausserdem y' und η'' überdies y'' enthält, so ist klar, dass es eine Lösung u von (17) giebt, die frei von y' und y'' ist, und eine andere v, die frei von y'' ist. Die erstere u ist Lösung der Gleichung

$$Uf \equiv \xi \frac{\partial f}{\partial x} + \eta \frac{\partial f}{\partial y} = 0,$$

also die Invariante der eingliedrigen Gruppe Uf, die andere v Lösung der Gleichung

$$U'f \equiv \xi \frac{\partial f}{\partial x} + \eta \frac{\partial f}{\partial y} + \eta' \frac{\partial f}{\partial y'} = 0,$$

während die dritte Lösung w wirklich y'' enthalten muss.

Zur Bestimmung von u dient die gewöhnliche Differentialgleichung

$$\frac{dx}{\xi} = \frac{dy}{\eta},$$

deren Integral u ist. Wie sich nach berechnetem u auch v finden lässt, haben wir in § 5 des 13. Kapitels gezeigt. Wir fanden damals, dass sich die Grösse v, die wir damals eine *Differentialinvariante* der Gruppe Uf nannten und jetzt präciser als eine Differentialinvariante *erster* Ordnung bezeichnen werden, aus einer *Riccati*'schen Gleichung, welche eine bekannte Particularlösung besitzt, durch Quadraturen bestimmen lässt. Die Gleichung ist deshalb eine Riccati'sche, weil η' quadratisch in y' ist.

Hat man so u und v gefunden, so lässt sich die Grösse w, die wir eine *Differentialinvariante erster Ordnung* der Gruppe Uf nennen, sehr leicht berechnen. Zunächst ist a priori klar, dass die Berechnung von w höchstens Quadraturen erfordert, denn η'' ist linear in y''. (Vgl. Formel (10) des § 2.) Wenn man also aus dem der Gleichung $U''f = 0$ äquivalenten simultanen System Best. der Differentialinv. zweiter Ord. der Gruppe Uf.

$$\frac{dx}{\xi} = \frac{dy}{\eta} = \frac{dy'}{\eta'} = \frac{dy''}{\eta''},$$

von dem u und v zwei Integrale sind, etwa die Gleichung

$$\frac{dx}{\xi} = \frac{dy''}{\eta''}$$

herausgreift und daraus y und y' vermöge

$$u = a, \quad v = b$$

eliminirt, so erhält man für y'' eine *lineare* Differentialgleichung zwischen y'' und x, welche ausserdem die Integrationsconstanten a, b enthält. Weil sie linear ist, findet man ihr Integral $W(y'', x, a, b)$ in bekannter Weise durch Quadraturen. Wenn man dann a und b wieder durch u und v ersetzt, so erhält man die gewünschte Lösung

$$w = W(y'', x, u, v).$$

Ist sonach von vornherein klar, dass sich w bloss durch Quadraturen bestimmen lassen muss, so können wir auf anderem Wege zeigen, *dass sich w durch Differentiationsprocesse allein angeben lässt.* Wir verfahren so: Verstehen wir unter a, b zwei Constanten, so stellt Best. derselben durch Differentiation.

$$v - au - b = 0$$

eine Differentialgleichung erster Ordnung zwischen x und y dar, welche bei der eingliedrigen Gruppe Uf invariant bleibt, denn u und v sind Lösungen von $U''f = 0$, und also ist auch $v - au$ eine Lösung von $U''f = 0$. Halten wir in der Gleichung $v - au = b$ die Constante a fest, während wir die Constante b variieren lassen, so ergeben sich ∞^1 bei der Gruppe Uf invariante Differentialgleichungen. Jede derselben besitzt eine bei der Gruppe invariante Schar von ∞^1 Integralcurven, insgesamt liegen also ∞^1 invariante Scharen von je ∞^1 Curven vor. Natürlich bleibt auch der Inbegriff aller dieser bei der Gruppe Uf invariant. Dieser Inbegriff aber besteht aus ∞^2 Curven, und diese Curven erfüllen eine bei der Gruppe *Uf invariante* Differentialgleichung *zweiter* Ordnung. Wir erhalten sie, indem wir die Gleichung

$$v - au = b$$

nach x total differenzieren, wodurch das variierende b herausfällt, in der Gestalt:

$$\frac{dv}{dx} - a\frac{du}{dx} = 0$$

oder ausführlich geschrieben:

$$\frac{\partial v}{\partial x} + \frac{\partial v}{\partial y}y' + \frac{\partial v}{\partial y'}y'' - a\left(\frac{\partial u}{\partial x} + \frac{\partial u}{\partial y}y'\right) = 0.$$

Diese Differentialgleichung zweiter Ordnung bleibt also bei der Gruppe Uf invariant, wenn a eine Constante vorstellt, aber eine beliebige. Wir kennen demnach ∞^1 invariante Differentialgleichungen zweiter Ordnung. Wir schreiben sie in nach a aufgelöster Form:

$$\frac{\frac{\partial v}{\partial x} + \frac{\partial v}{\partial y}y' + \frac{\partial v}{\partial y'}y''}{\frac{\partial u}{\partial x} + \frac{\partial u}{\partial y}y'} - a = 0$$

oder abgekürzt:

$$W(x, y, y', y'') - a = 0.$$

Da sie invariant sind, so ist also

$$U''(W - a) = 0$$

vermöge $W - a = 0$. Nun aber ist

$$U''(W - a) \equiv U''W,$$

also frei von a. Mithin ist notwendig $U''W \equiv 0$, nicht nur Null vermöge $W - a = 0$. W ist demnach eine Lösung von $U''f = 0$ und zwar, da

$$W \equiv \frac{\frac{\partial v}{\partial x} + \frac{\partial v}{\partial y}y' + \frac{\partial v}{\partial y'}y''}{\frac{\partial u}{\partial x} + \frac{\partial u}{\partial y}y'} \tag{18}$$

und $\frac{\partial v}{\partial y'} \not\equiv 0$ ist, eine Lösung, die y'' wirklich enthält. Wir können sie also als die gesuchte dritte Lösung w der Gleichung $U''f = 0$ benutzen.

Wie man sieht, erfordert die Berechnung von w nur Differentiationen. Ein anderer analytischer Beweis hierfür wird später in einer Note gegeben werden. (Siehe S. 399.)

Nach allem diesen hat die allgemeinste Differentialgleichung zweiter Ordnung in x, y, welche die Gruppe Uf gestattet, die Form

$$F(u, v, w) = 0$$

oder

$$w - \Phi(u, v) = 0,$$

wo w den obigen Wert (18) hat, der sich kürzer so schreiben lässt:

$$w \equiv \frac{dv}{du},$$

sodass

$$\frac{dv}{du} - \Phi(u, v) = 0$$

diese allgemeinste Differentialgleichung wird.

Theorem 36: *Die allgemeinste Differentialgleichung zweiter Ordnung in x, y, welche die vorgelegte Gruppe*

$$Uf \equiv \xi \frac{\partial f}{\partial x} + \eta \frac{\partial f}{\partial y}$$

in x, y gestattet, hat die Form

$$\frac{dv}{du} - \Phi(u, v) = 0,$$

wo Φ eine arbiträre Function von u und v ist. Hier bedeutet u eine Invariante der Gruppe Uf, d. h. ein Integral der Differentialgleichung erster Ordnung

$$\frac{dx}{\xi} = \frac{dy}{\eta},$$

während v eine Differentialinvariante erster Ordnung der Gruppe Uf ist, die sich durch Quadratur aus einer gewissen Riccati'schen Gleichung bestimmt.

Die Form der allgemeinen Differentialgleichung zweiter Ordnung, die sich ergeben hat: Integrationsmeth. der Diffgl. zweiter Ord.

$$\frac{dv}{du} - \Phi(u, v) = 0$$

lehrt unmittelbar, dass ihre Integration sich auf die einer Differentialgleichung erster Ordnung und ausserdem auf eine Quadratur zurückführen lässt. Denn man kann sie als eine Differentialgleichung erster Ordnung zwischen den Veränderlichen u und v auffassen. Ist diese Differentialgleichung erster Ordnung integriert, hat man also etwa

$$v = \varphi(u, a) \qquad (a = \text{Const.})$$

gefunden, so stellt diese Integralgleichung, da v die Grösse y' enthält, eine Differentialgleichung erster Ordnung zwischen x und y dar. Nach § 5, Kap. 13, gestattet dieselbe die infinitesimale Transformation

$$Uf \equiv \xi \frac{\partial f}{\partial x} + \eta \frac{\partial f}{\partial y},$$

d. h. nach Theorem 8 (§ 1 des 6. Kap.) verlangt ihre Integration nur eine Quadratur.

Liegt andererseits eine Differentialgleichung zweiter Ordnung

$\Omega(x, y, y', y'') = 0$ vor, von der man weiss, dass sie eine bekannte infinitesimale Transformation Uf gestattet, so wird man demnach zu ihrer Integration so verfahren: Man bestimmt die Invariante u und die Differentialinvariante erster Ordnung v der Gruppe Uf und drückt dann etwa y, y', y'' als Functionen von x, u, v und $w \equiv \frac{dv}{du}$ aus. Indem man diese Functionen in $\Omega = 0$ substituiert, muss, wie nach dem Vorstehenden a priori klar ist, die Variabele x jedenfalls bei Auflösung der neuen Gleichung nach w sich ganz fortheben. Dann hat die vorgelegte Differentialgleichung zweiter Ordnung die Form

$$\frac{dv}{du} - \Phi(u, v) = 0$$

und ihre Integration ist in der oben angegebenen Weise reduciert. Sie erfordert nach dieser Methode also die Integration einer Differentialgleichung erster Ordnung zur Bestimmung von u, darauf eine Quadratur zur Bestimmung von v, alsdann die Integration der Differentialgleichung erster Ordnung zwischen u und v und schliesslich noch eine Quadratur.

Eine vollkommenere Integrationsmethode werden wir an einer späteren Stelle entwickeln.

Beispiele. *1. Beispiel:* Sei

$$Uf \equiv \frac{\partial f}{\partial y}.$$

Wir suchen alle Differentialgleichungen zweiter Ordnung, welche Uf gestatten. Hier ist offenbar

$$U''f \equiv \frac{\partial f}{\partial y} = 0$$

die Differentialgleichung für u, v, w. Es kann $u \equiv x$, $v \equiv y'$ gesetzt werden, also

$$w \equiv \frac{dv}{du} \equiv \frac{dy'}{dx} \equiv y''.$$

Sonach lautet die gesuchte Differentialgleichung allgemein

$$y'' - \Phi(x, y') = 0.$$

Schreiben wir sie so:

$$\frac{dy'}{dx} - \Phi(x, y') = 0,$$

so stellt sie eine Differentialgleichung erster Ordnung zwischen y' und x vor. Ihre Integration liefert etwa:

$$y' = \varphi(x, a)$$

und darauf eine Quadratur:

$$y = \int \varphi(x, a)\,dx + b.$$

2. Beispiel: Sei

$$Uf \equiv x\frac{\partial f}{\partial x} + y\frac{\partial f}{\partial y},$$

so ist $u \equiv \frac{y}{x}$ zu setzen, da $U\frac{y}{x} \equiv 0$ ist. Ferner bestimmt sich v aus $U'f = 0$. Aber offenbar ist $U'f \equiv Uf$, sodass $v \equiv y'$ gesetzt werden darf. Daher ist drittens:

$$w \equiv \frac{dv}{du} \equiv \frac{x^2 dy'}{x dy - y dx} \equiv \frac{xy''}{y' - \frac{y}{x}}$$

zu setzen, sodass die allgemeinste Differentialgleichung zweiter Ordnung, welche Uf gestattet, die Form hat:

$$\frac{xy''}{y' - \frac{y}{x}} - \Phi\left(\frac{y}{x}, y'\right) = 0$$

oder auch

$$W\left(\frac{y}{x}, y', xy''\right) = 0.$$

In der zuerst geschriebenen Form kann sie als Differentialgleichung erster Ordnung

$$\frac{dy'}{d\frac{y}{x}} - \Phi\left(\frac{y}{x}, y'\right) = 0$$

zwischen y' und $\frac{y}{x}$ aufgefasst werden. Ihre Integration liefert etwa:

$$y' - \varphi\left(\frac{y}{x}, c\right) = 0.$$

Diese gestattet, wie wir wissen, $Uf \equiv x\frac{\partial f}{\partial x} + y\frac{\partial f}{\partial y}$. Das sieht man auch unmittelbar, da sie homogen in x und y ist. (Vgl. 3. Beispiel des § 3, 8. Kapitel.) Sie besitzt danach den Multiplicator

$$\frac{1}{y - \varphi\left(\frac{y}{x}, c\right)}$$

und ihre Integration verlangt somit nur noch eine Quadratur.

Die Integration einer Differentialgleichung von der Form

$$W\left(\frac{y}{x}, y, xy''\right) = 0$$

verlangt also die Integration einer Differentialgleichung erster Ordnung und darauf eine Quadratur, was übrigens längst bekannt ist.

3. Beispiel: Sei

$$Uf \equiv x\frac{\partial f}{\partial x},$$

so ist:

$$U''f \equiv x\frac{\partial f}{\partial x} - y'\frac{\partial f}{\partial y'} - 2y''\frac{\partial f}{\partial y''}.$$

Wir können

$$u \equiv y, \quad v \equiv xy'$$

setzen und also:

$$w \equiv \frac{dv}{du} \equiv \frac{x\,dy' + y'\,dx}{dy} \equiv \frac{xy'' - y'}{y'} \equiv \frac{xy''}{y'} - 1,$$

oder auch kürzer $w \equiv \frac{xy''}{y'}$. In der That ist dann

$$U''w \equiv x\frac{y''}{y'} + y'\frac{xy''}{y'^2} - 2y''\frac{x}{y'} \equiv 0.$$

Die allgemeinste Differentialgleichung zweiter Ordnung, welche das jetzige Uf gestattet, hat demnach die Form

$$\frac{xy''}{y'} - \Phi(y, xy') = 0$$

oder

$$\frac{d(xy')}{dy} - \Phi(y, xy') - 1 = 0.$$

Sie ist als Differentialgleichung erster Ordnung zwischen xy' und y aufzufassen, deren Integration etwa liefert:

$$xy' - \varphi(y, a) = 0.$$

Diese Differentialgleichung erster Ordnung zwischen x und y gestattet $Uf \equiv x\frac{\partial f}{\partial x}$ und besitzt mithin den Multiplicator $\frac{1}{x\varphi(y, a)}$. Ihre Integration verlangt also noch eine Quadratur.

Jede Differentialgleichung zweiter Ordnung von der Form

$$\frac{xy''}{y'} - \Phi(y, xy') = 0$$

verlangt zur Integration die einer Differentialgleichung erster Ordnung und eine Quadratur, was natürlich längst bekannt ist.

Um auch einmal ein Beispiel rechnerisch durchzuführen, sei

$$xy'' - xy'^2 + y' = 0$$

vorgelegt. Diese Differentialgleichung hat die obige Form, denn sie lässt sich so schreiben

$$\frac{xy''}{y'} - xy' + 1 = 0$$

oder

$$\frac{d(xy')}{dy} = xy'$$

oder

$$d\lg(xy') = dy$$

und giebt einmal integriert:

$$xy' = ae^y$$

oder

$$e^{-y}dy = \frac{a\,dx}{x}.$$

Integrieren wir nochmals, so kommt

$$-e^{-y} = a \lg x - b$$

oder

$$y = -\lg(b - a \lg x).$$

4. Beispiel: Wir wollen zeigen, *dass jede lineare Differentialgleichung zweiter Ordnung:* Lineare Diffgl. zweit. O.

(19) $$y'' + X_1(x)y' + X(x)y + X_0(x) = 0,$$

sobald eine particulare Lösung der sogenannten verkürzten Gleichung zwischen z und x:

(20) $$z'' + X_1(x)z' + X(x)z = 0$$

bekannt ist, auf eine lineare Differentialgleichung erster Ordnung reduciert werden kann. Diese bekannte Theorie lässt sich nämlich folgendermassen aus unseren allgemeinen Principien ableiten:

Ist y irgend eine Lösung von (19) und z eine bekannte particulare Lösung von (20), so ist offenbar auch $y + z \cdot \text{Const.}$ eine Lösung von (19). Dies können wir auch so aussprechen: Die Differentialgleichung (19) gestattet die Transformationen:

$$x_1 = x, \quad y_1 = y + z(x)t,$$

die eine eingliedrige Gruppe mit der infinitesimalen Transformation

$$Uf \equiv z(x)\frac{\partial f}{\partial y}$$

bilden. Da also (19) diese bekannte infinitesimale Transformation zulässt, so verfahren wir nunmehr nach den oben gefundenen Regeln. Es ist hier $u \equiv x$ anzunehmen. Da ferner

$$U'f \equiv z(x)\frac{\partial f}{\partial y} + z'(x)\frac{\partial f}{\partial y'},$$

also v Integral des simultanen Systems

$$\frac{dx}{0} = \frac{dy}{z(x)} = \frac{dy'}{z'(x)}$$

ist, so kann

$$v \equiv zy' - z'y$$

angenommen werden. Dann wird

$$w \equiv \frac{dv}{du} \equiv \frac{z\,dy' - z'dy + z'y'dx - z''y\,dx}{dx} \equiv zy'' - z''y.$$

Die Gleichung (19) muss sich demnach auf die Form bringen lassen:

$$zy'' - z''y - \Phi(x, zy' - z'y) = 0.$$

In der That brauchen wir zu dem Zweck nur Φ linear in $zy' - z'y$ anzunehmen. Dann haben wir nämlich

(21) $$zy'' - z''y + \lambda(x)(zy' - z'y) + \mu(x) = 0.$$

Der Vergleich von (19) mit (21) giebt wegen der Identität (20):

(22) $$\lambda \equiv X_1(x), \quad \mu \equiv z(x) X_0(x).$$

Da (21) die Form

$$\frac{dv}{du} + \lambda(u)v + \mu(u) = 0$$

hat und dies eine lineare Differentialgleichung erster Ordnung in u, v ist, so ergiebt sich in bekannter Weise (vgl. 5. Beispiel des § 3, 8. Kap.):

$$v \equiv zy' - z'y = e^{-\int\lambda dx}\left(-\int \mu e^{\int\lambda dx} dx + a\right)$$

oder nach (22):

$$zy' - z'y = e^{-\int X_1 dx}\left(-\int z X_0 e^{\int X_1 dx} dx + a\right).$$

Dies ist eine Differentialgleichung erster Ordnung zwischen x und y, die, weil sie $Uf \equiv z(x)\frac{\partial f}{\partial y}$ gestattet, linear sein muss (vgl. das citierte Beispiel), was auch wirklich der Fall ist. Sie giebt also integriert

$$y = z\left\{\int e^{-\int X_1 dx}\left(-\int z X_0 e^{\int X_1 dx} dx + a\right)\frac{dx}{z^2} + b\right\}.$$

Verkürzte lineare Diffgl. 2. O. 5. *Beispiel:* Die sogenannte *verkürzte lineare Differentialgleichung zweiter Ordnung*

$$y'' + X_1(x)y' + X(x)y = 0$$

gestattet offenbar jede Transformation

$$x_1 = x, \quad y_1 = cy,$$

also auch die infinitesimale

$$Uf \equiv y\frac{\partial f}{\partial y}.$$

Sie kann daher auf eine Differentialgleichung erster Ordnung zurückgeführt werden. Bei dem jetzigen Uf ist $u \equiv x$ und wegen

$$U'f \equiv y\frac{\partial f}{\partial y} + y'\frac{\partial f}{\partial y'}$$

auch $v \equiv \frac{y'}{y}$ zu setzen. Nun ist

$$w \equiv \frac{dv}{du} \equiv \frac{yy'' - y'^2}{y^2}.$$

Die vorgelegte Differentialgleichung muss auf die Form

$$\frac{dv}{du} - \Phi(u, v) = 0$$

reducibel sein. In der That geht sie, wenn

$$x \equiv u, \quad y' \equiv yv, \quad y'' \equiv y(w + v^2) \equiv y\left(\frac{dv}{du} + v^2\right)$$

substituiert wird, über in

$$\frac{dv}{du} + v^2 + X_1(u)v + X(u) = 0.$$

Dies ist eine *Riccati'sche* Gleichung zwischen u und v. Ist sie integriert, so findet man alsdann durch eine Quadratur das Integral der vorgelegten Differentialgleichung zweiter Ordnung. Diese Reduction ist übrigens längst bekannt.

§ 6. Andere Integrationsmethode für Differentialgleichungen zweiter Ordnung mit bekannter infinitesimaler Transformation. Weitere Ausführungen und Beispiele.

Wir gaben im vorigen Paragraphen eine Methode an, wie man zur Integration einer vorgelegten Differentialgleichung $\Omega(x, y, y', y'') = 0$ mit einer bekannten infinitesimalen Transformation Uf verfahren kann.

Ein zweiter Weg ist nun dieser: Wir führen *canonische Veränderliche* der Gruppe Uf ein. Dies verlangt ausser der Integration der Differentialgleichung

$$\frac{dx}{\xi} = \frac{dy}{\eta}$$

nur eine Quadratur (vgl. Satz 4, § 2, Kap. 3). Seien $\mathfrak{x}$, $\mathfrak{y}$ die neuen Veränderlichen. Uf nimmt durch Einführung derselben die Form $\frac{\partial f}{\partial \mathfrak{y}}$ an. Nach dem 1. Beispiel des § 5 (und nach Satz 4, § 1 dieses Kapitels) muss alsdann $\Omega(x, y, y', y'') = 0$ notwendig übergehen in eine Gleichung von der Form

$$\frac{d\mathfrak{y}'}{d\mathfrak{x}} - \Phi(\mathfrak{x}, \mathfrak{y}') = 0,$$

die wir durch Auflösung der in $\mathfrak{x}$, $\mathfrak{y}$ geschriebenen Gleichung $\Omega = 0$ nach $\mathfrak{y}'' \equiv \frac{d\mathfrak{y}'}{d\mathfrak{x}}$ erhalten. Es ist dies eine Differentialgleichung erster Ordnung zwischen $\mathfrak{y}'$ und $\mathfrak{x}$, nach deren Integration eine Quadratur $\mathfrak{y}$ liefert.

Demnach verlangt dies zweite Verfahren zur Integration von $\Omega = 0$ nach einander die Integration einer Differentialgleichung erster Ordnung, eine Quadratur, die Integration einer zweiten Differentialgleichung erster Ordnung und endlich noch eine Quadratur, d. h. *genau ebensolche Operationen wie das erste.* Factisch ist ja auch diese Methode nur ein specieller Fall der früheren, denn $\mathfrak{x}$ ist genau dasselbe wie das frühere u und

$$\mathfrak{y}' \equiv \frac{d\mathfrak{y}}{d\mathfrak{x}}$$

ist eine Differentialinvariante (vgl. S. 284).

Theorem 37: *Gestattet eine vorgelegte Differentialgleichung zweiter Ordnung zwischen x und y: $\Omega(x, y, y', y'') = 0$ eine bekannte infinitesimale Transformation in x, y, so kann man ihre Integration leisten durch die Integration einer Differentialgleichung erster Ordnung in x, y, eine darauf folgende Quadratur, die alsdann auszuführende Integration einer zweiten Differentialgleichung erster Ordnung in zwei Veränderlichen und schliesslich noch eine Quadratur.*

Später wird, wie wir schon bemerkten, die Integration von $\Omega = 0$ auf die *einer* Differentialgleichung erster Ordnung und Quadratur zurückgeführt werden.

Hervorheben wollen wir noch, dass die Methode des vorigen Paragraphen, bestehend in der Verwertung einer Invariante v von $U'f$, noch einen gewissen Grad von Beweglichkeit besitzt. An Stelle von v nämlich kann offenbar jede Function von u und v, die v wirklich enthält, benutzt werden. Es gereicht dies der Methode zum Vorteil, denn man ist dann in der Lage, unter den verschiedenen Functionen v eine solche auszuwählen, deren Benutzung am bequemsten zum Resultate führt. So hätten wir im vorigen Paragraphen bei der Integration der linearen Differentialgleichung (4. Beispiel) an Stelle von

$$v \equiv zy' - z'y$$

irgend eine Function von u und v, also von x und $zy' - z'y$ benutzen können, z. B. auch $\frac{d\frac{y}{z}}{dx} = \frac{zy' - yz'}{z^2}$. Die damals benutzte Function v aber führt am bequemsten zum Ziele.

Diffgl. zweit. Ord., die keine inf. Tfr. zulassen.

Schliesslich machen wir noch auf den wichtigen Umstand aufmerksam, *dass nicht jede Differentialgleichung zweiter Ordnung zwischen x und y eine infinitesimale Transformation in x, y gestattet*, während, wie wir wissen, jede Differentialgleichung erster Ordnung immer eine solche, ja unendlich viele zulässt (vgl. Satz 8, § 4 des 6. Kap.). Z. B. gestattet:

$$y'' - e^{y'} - e^{-y'} - xy = 0$$

keine infinitesimale Transformation. Dies ist leicht nach Theorem 35 des § 3 einzusehen. In dem damals gegebenen Kriterium wäre nämlich

$$\omega \equiv e^{y'} + e^{-y'} + xy$$

zu setzen. Alsdann lautet die Bedingung:

$$(\eta_y - 2\xi_x - 3\xi_y y')(e^{y'} + e^{-y'} + xy) - \cdots$$
$$\cdots - \xi y - \eta x - (\eta_x + (\eta_y - \xi_x)y' - \xi_y y'^2)(e^{y'} - e^{-y'}) = 0.$$

Die hier nicht mitgeschriebenen Glieder sind frei von y' oder mit y' oder y'^2 behaftet und enthalten ausserdem nur die Differentialquotienten von ξ und η. Diese Relation soll für jedes x, y, y' bestehen. Da ξ und η andererseits nur x, y enthalten, so resultieren offenbar zunächst die beiden Bedingungen:

$$\eta_y - 2\xi_x - 3\xi_y y' = 0,$$
$$\eta_x + (\eta_y - \xi_x)y' - \xi_y y'^2 = 0,$$

deren erste liefert $\xi_y = 0$, $\eta_y = 2\xi_x$, deren zweite $\eta_x = 0$, $\eta_y = \xi_x$, d. h. es ist $\xi_x \equiv \eta_y \equiv 0$ und ξ und η sind Constanten. Nun schrumpft unsere Relation zusammen auf

$$\xi y + \eta x = 0$$

d. h. $\xi \equiv \eta \equiv 0$. Es giebt demnach keine infinitesimale Transformation $\xi \frac{\partial f}{\partial x} + \eta \frac{\partial f}{\partial y}$ in x, y, welche die Differentialgleichung:

$$y'' - e^{y'} - e^{-y'} - xy = 0$$

invariant lässt.

Der analytische Grund dafür, dass es zwar stets infinitesimale Transformationen giebt, welche eine vorgelegte Differentialgleichung erster Ordnung invariant lassen, dagegen nicht stets eine solche, die eine vorgelegte Differentialgleichung zweiter Ordnung invariant lässt, ist leicht einzusehen.

Dafür nämlich, dass die Differentialgleichung erster Ordnung

$$y' = \frac{Y(x, y)}{X(x, y)} \equiv \varphi(x, y)$$

die infinitesimale Transformation $\xi \frac{\partial f}{\partial x} + \eta \frac{\partial f}{\partial y}$ gestattet, ergab sich das Kriterium:

$$\frac{-X\frac{\partial \xi}{\partial x} - Y\frac{\partial \xi}{\partial y} + \xi\frac{\partial X}{\partial x} + \eta\frac{\partial X}{\partial y}}{X} = \frac{-X\frac{\partial \eta}{\partial x} - Y\frac{\partial \eta}{\partial y} + \xi\frac{\partial Y}{\partial x} + \eta\frac{\partial Y}{\partial y}}{Y}$$

(vgl. § 2 des 6. Kap.) oder:

$$\eta_x + (\eta_y - \xi_x)\varphi - \xi_y \varphi^2 - \xi\frac{\partial \varphi}{\partial x} - \eta\frac{\partial \varphi}{\partial y} = 0.$$

Es enthält dies nur x und y, nicht y'. Nimmt man also ξ irgendwie an, so ist dies eine partielle Differentialgleichung erster Ordnung für η, welche sich stets erfüllen lässt. Dagegen enthält das Kriterium des Theorems 35 des § 3 für die Invarianz von

$$y'' - \omega(x, y, y') = 0$$

bei der infinitesimalen Transformation $\xi \frac{\partial f}{\partial x} + \eta \frac{\partial f}{\partial y}$ ausser x, y noch y. Es sollen aber ξ und η frei von y' sein. Dies Kriterium zerfällt also in eine Anzahl von Differentialgleichungen zur Bestimmung von ξ und η, da es für jedes y' bestehen muss, und es ist, wie unser obiges Beispiel lehrt, wohl möglich, dass diese Gleichungen sich nur durch $\xi \equiv \eta \equiv 0$ erfüllen lassen.

Weil jene Bedingung bei gegebenem ω in eine Anzahl Relationen zwischen ξ, η und ihren Differentialquotienten zerfällt, ist es andererseits häufig leicht, eine oder einige infinitesimale Transformationen anzugeben, welche $y'' - \omega = 0$ gestattet. Wir werden dies an einem unten folgenden Beispiele sehen.

Verallgemeinerung der Ergebnisse. Wir geben hier in aller Kürze die Verallgemeinerung des Theorems 36 des § 5 für Differentialgleichungen höherer Ordnung an. Es liege eine infinitesimale Punkttransformation

$$Uf \equiv \xi(x, y) \frac{\partial f}{\partial x} + \eta(x, y) \frac{\partial f}{\partial y}$$

vor. Wir können nach allen Differentialgleichungen m^{ter} Ordnung:

$$y^m - \Omega(x, y, y' \cdots y^{(m-1)}) = 0$$

fragen, welche Uf gestatten. Wir fanden, dass man, um alle Differentialgleichungen zweiter Ordnung zu erhalten, welche bei Uf invariant bleiben, so vorgehen kann: Man bestimmt die Invariante u von Uf und eine y' enthaltende Invariante v der einmal erweiterten Gruppe $U'f$. Alsdann ist $\frac{dv}{du}$ eine Invariante der zweimal erweiterten Gruppe $U''f$ und

$$\frac{dv}{du} - \Phi(u, v) = 0$$

die allgemeinste gesuchte Differentialgleichung zweiter Ordnung. Um nun invariante Differentialgleichungen *dritter* Ordnung zu erhalten, hat man die eine Invariante der dreimal erweiterten Gruppe $U'''f$ gleich Null zu setzen. Nun kann man zeigen, dass $\frac{d\frac{dv}{du}}{du} = \frac{d^2v}{du^2}$ eine solche y''' enthaltende Invariante ist, also jede andere eine Function von u, v, $\frac{dv}{du}$ und $\frac{d^2v}{du^2}$ sein muss. Demnach ist:

$$\frac{d^2v}{du^2} - \Phi\left(u, v, \frac{dv}{du}\right) = 0$$

die allgemeinste gesuchte Differentialgleichung dritter Ordnung.

So findet man überhaupt, dass die allgemeinste Differentialgleichung m^{ter} Ordnung

$$y^{(m)} - \Omega(x, y, y' \cdots y^{(m-1)}) = 0,$$

welche Uf gestattet, die Form hat:

$$\frac{d^{m-1}v}{du^{m-1}} - \Phi\left(u, v, \frac{dv}{du}, \cdots \frac{d^{m-2}v}{du^{m-2}}\right) = 0.$$

Aufgefasst als Differentialgleichung in u und v ist sie nur von $(m-1)^{\text{ter}}$ Ordnung.

Liegt eine *Differentialgleichung* m^{ter} *Ordnung*

$$y^{(m)} - \Omega(x, y, y' \cdots y^{(m-1)}) = 0$$

vor, welche eine bekannte infinitesimale Punkttransformation Uf *gestattet*, so wird man also durch Integration der gewöhnlichen Differentialgleichung *erster* Ordnung

$$\frac{dx}{\xi} = \frac{dy}{\eta}$$

ihr Integral u bestimmen, alsdann in bekannter Weise vermöge einer *Quadratur* v berechnen und nun die vorgelegte Differentialgleichung auf die Form

$$\frac{d^{m-1}v}{du^{m-1}} - \Phi\left(u, v, \frac{dv}{du}, \cdots \frac{d^{m-2}v}{du^{m-2}}\right) = 0$$

bringen, was nur ausführbare Operationen erfordert. Es ist dies eine *Differentialgleichung* $(m-1)^{\text{ter}}$ *Ordnung* in u und v. Hat man sie integriert, also etwa gefunden:

$$v - f(u, c_1, c_2 \cdots c_{m-1}) = 0,$$

so stellt diese Integralgleichung, aufgefasst als Differentialgleichung erster Ordnung zwischen x und y, eine bei Uf invariante Gleichung vor. Mithin bestimmt sich schliesslich y als Function von x und m Constanten durch eine weitere *Quadratur*.

1. Beispiel: Vorgelegt sei Beispiele

$$Uf \equiv \frac{\partial f}{\partial y}.$$

Hier kann, wie wir wissen:

$$u \equiv x, \quad v \equiv y'$$

gesetzt werden, also:

$$\frac{dv}{du} \equiv y'',$$

$$\frac{d^2v}{du^2} \equiv y''',$$

$$\cdots\cdots$$

sodass die allgemeinste Differentialgleichung m^{ter} Ordnung, welche Uf gestattet, die Form hat:

$$y^{(m)} - \Phi(x, y', y'' \cdots y^{(m-1)}) = 0,$$

d. h. frei von y ist. In der Form geschrieben:

$$\frac{d^{m-1}y'}{dx^{m-1}} - \Phi\left(x, y', \frac{dy'}{dx}, \cdots \frac{d^{m-2}y'}{dx^{m-2}}\right) = 0$$

ist sie eine Differentialgleichung $(m-1)^{\text{ter}}$ Ordnung zwischen x und y'.

Lineare Diffgl. m^{ter} Ordn. 2. *Beispiel:* Sei

(23) $$y^{(m)} + X_{m-1}y^{(m-1)} + \cdots + X_1 y + X_0 = 0,$$

wo $X_{m-1} \cdots X_1$, X_0 Functionen von x allein bedeuten, eine vorgelegte *lineare Differentialgleichung m^{ter} Ordnung* und z eine bekannte particulare Lösung der sogenannten verkürzten Gleichung zwischen x, z:

(24) $$z^{(m)} + X_{m-1}z^{(m-1)} + \cdots + X_1 z = 0.$$

Alsdann ist mit y auch $y + z \cdot \text{Const.}$ eine Lösung von (23), d. h. die Differentialgleichung (23) gestattet die infinitesimale Transformation

$$Uf \equiv z(x)\frac{\partial f}{\partial x},$$

welche y um $z\delta t$ vermehrt. Uf hat die Invariante $u \equiv x$ und die Differentialinvariante $v \equiv zy' - z'y$. Die Gleichung (23) lässt sich daher als Differentialgleichung $(m-1)^{ter}$ Ordnung zwischen u und v schreiben. Da

$$u \equiv x, \quad v \equiv zy' - z'y, \quad \frac{dv}{du} \equiv zy'' - z''y, \quad \frac{d^2v}{du^2} \equiv zy''' - z'''y + z'y'' - z''y'$$

u. s. w. und somit

$$y' \equiv \frac{v}{z} + \frac{z'}{z}y, \quad y'' \equiv \frac{1}{z}\frac{dv}{du} + \frac{z''}{z}y, \quad y''' \equiv \frac{1}{z}\frac{d^2v}{du^2} - \frac{z'}{z^2}\frac{dv}{du} + \frac{z''}{z^2}v + \frac{z'''}{z}y$$

u. s. w. ist, und da z überdies die Gleichung (24) identisch erfüllt, so stellt sich die neue Gleichung als eine *lineare Differentialgleichung $(m-1)^{ter}$ Ordnung zwischen u und v* dar. Diese Reduction ist längst bekannt.

Verkürzte lin. Diffgl. m^{ter} Ordn. 3. *Beispiel: Die verkürzte lineare Differentialgleichung*

$$y^{(m)} + X_{m-1}y^{(m-1)} + \cdots + X_1 y = 0$$

gestattet die infinitesimale Transformation

$$Uf \equiv y\frac{\partial f}{\partial y},$$

denn mit y ist auch $y \cdot \text{Const.}$ eine Lösung derselben. Uf hat die Invariante $u \equiv x$ und die Differentialinvariante $v \equiv \frac{y'}{y}$. Also lässt sich die vorgelegte Gleichung auf eine Differentialgleichung $(m-1)^{ter}$ Ordnung zwischen u und v zurückführen. Es ist zu setzen

$$x \equiv u, \quad y' \equiv vy, \quad y'' \equiv y\frac{dv}{du} + vy' \equiv y\left(\frac{dv}{du} + v^2\right),$$

$$y''' \equiv y\left(\frac{d^2v}{du^2} + 3v\frac{dv}{du} + v^3\right)$$

u. s. w. Macht man diese Substitutionen, so hebt sich der Factor y überall fort und es ergiebt sich in der That eine Differentialgleichung $(m-1)^{ter}$ Ordnung zwischen u und v, die aber nicht linear ist. Auch diese Reduction ist lange bekannt.

Was für die Differentialgleichungen zweiter Ordnung schon galt, gilt in noch höherem Grade für die höherer Ordnung: *Es giebt Differentialgleichungen m^{ter} Ordnung, welche keine infinitesimale Punkttransformation gestatten.*

Wir wollen nunmehr noch einige Beispiele zu den Entwickelungen dieses Kapitels überhaupt geben.

1. Beispiel: Die ∞^2 Geraden der Ebene sind die Integralcurven der Differentialgleichung Beispiele.

$$y'' = 0.$$

Wir fragen nach allen infinitesimalen Punkttransformationen, welche diese Differentialgleichung invariant lassen, also jede Gerade der Ebene wieder in eine Gerade überführen, d. h. nach *allen infinitesimalen projectiven Transformationen der Ebene.* Infinites. project. Trf.

Nach Theorem 35 des § 3 haben wir, weil in unserem Falle $\omega \equiv 0$ ist, ξ und η der Bedingung zu unterwerfen:

$$-\xi_{yy}y'^3 + (\eta_{yy} - 2\xi_{xy})y'^2 + (2\eta_{xy} - \xi_{xx})y' + \eta_{xx} = 0.$$

Sie zerfällt, da ξ und η nur x und y enthalten sollen, in die vier einzelnen:

$$\xi_{yy} = 0, \quad \eta_{yy} - 2\xi_{xy} = 0, \quad 2\eta_{xy} - \xi_{xx} = 0, \quad \eta_{xx} = 0.$$

Die erste und letzte lehren, dass ξ und η die Form haben:

$$\xi = Xy + X_0, \quad \eta = Yx + Y_0,$$

wo X, X_0 nur x und Y, Y_0 nur y enthalten. Die beiden mittleren Bedingungen lassen sich einmal integrieren und geben:

$$\eta_y - 2\xi_x = X_1(x), \quad \xi_x - 2\eta_y = Y_1(y),$$

sodass

$$3\xi_x = -2X_1 - Y_1, \quad 3\eta_y = -2Y_1 - X_1$$

wird. Vergleichen wir dies mit den obigen Ausdrücken für ξ und η, so kommen die Forderungen:

$$3X'y + 3X_0' = -2X_1 - Y_1,$$
$$3Y'x + 3Y_0' = -2Y_1 - X_1.$$

In der ersten kommt y links linear und rechts nur in Y_1 vor. Demnach ist Y_1 linear in y und also von der Form

$$Y_1 = -3cy - 3d,$$

wo c und d constant sind. Ganz analog wird

$$X_1 = -3ax - 3b.$$

Nunmehr hat y in der ersten unserer beiden Bedingungen links den Coefficienten $3X'$, rechts $3c$, daher ist

$$X' = c \text{ und analog } Y' = a,$$

also

$$X = cx + \gamma, \quad Y = ay + \alpha.$$

Jetzt liefern unsere Forderungen noch:

$$X_0' = 2ax + 2b + d,$$
$$Y_0' = 2cy + 2d + b,$$

also:

$$X_0 = ax^2 + (2b + d)x + \beta,$$
$$Y_0 = cy^2 + (2d + b)y + \delta.$$

Wir haben also zu setzen:

$$\xi \equiv (cx + \gamma)y + ax^2 + (2b + d)y + \beta,$$
$$\eta \equiv (ay + \alpha)x + cy^2 + (2d + b)x + \delta.$$

Bezeichnen wir die Constanten anders, so finden wir folglich, dass jede infinitesimale projective Transformation der Ebene die Form hat:

$$Uf \equiv (a + cx + dy + hx^2 + kxy)\frac{\partial f}{\partial x} +$$
$$+ (b + ex + gy + hxy + ky^2)\frac{\partial f}{\partial y}.$$

Sie enthält acht willkürlich annehmbare Constanten, setzt sich also linear mit arbiträren constanten Coefficienten aus den acht besonderen zusammen:

$$\frac{\partial f}{\partial x}, \quad \frac{\partial f}{\partial y}, \quad x\frac{\partial f}{\partial x}, \quad y\frac{\partial f}{\partial x}, \quad x\frac{\partial f}{\partial y}, \quad y\frac{\partial f}{\partial y},$$
$$x^2\frac{\partial f}{\partial x} + xy\frac{\partial f}{\partial y}, \quad xy\frac{\partial f}{\partial x} + y^2\frac{\partial f}{\partial y}.$$

Man vergleiche hiermit die in § 4 des 4. Kap. über die infinitesimalen projectiven Transformationen gemachten Bemerkungen. Die jetzige Ableitung hat den Vorzug, dass sie keinerlei Sätze aus der projectiven Geometrie entlehnt.

2. Beispiel: Eine gewöhnliche Differentialgleichung zweiter Ordnung zwischen den Coordinaten x, y in der Ebene definiert ∞^2 Curven. Wenn x_1, y_1 die Coordinaten des zum Punkte (x, y) gehörigen Krümmungsmittelpunktes einer Integralcurve sind, so drücken sich bekanntlich x_1 und y_1 durch x, y, y' y'' aus, und umgekehrt lassen sich y' und y'' durch x_1 und y_1 ausdrücken. Demnach können aus einer vorgelegten Differentialgleichung

$$\Omega(x, y, y', y'') = 0$$

y' und y'' entfernt und dafür x_1 und y_1 eingeführt werden. Die Integralcurven sind alsdann definiert durch eine gewisse Relation zwischen den Coordinaten der Curvenpunkte (x, y) und ihrer Krümmungsmittelpunkte (x_1, y_1). Unter Umständen kann man aus dem geometrischen Sinn dieser Relation ohne weiteres erkennen, dass die Curvenschar eine bekannte infinitesimale Transformation gestattet und die Integration also nach unseren Regeln zu vereinfachen ist. Natürlich kann jene Relation noch in mannigfacher Weise abgeändert werden, je nachdem man diese oder jene Bestimmungsstücke als Coordinaten der Punkte (x, y) und (x_1, y_1) benutzt. Einige Beispiele sollen dies erläutern.

Man soll alle Curven finden, welche durch eine Relation zwischen Radiusvector r des Curvenpunktes, Krümmungsradius ϱ desselben und dem Winkel ψ des Radiusvectors r mit dem Krümmungsradius ϱ definiert werden:

$$\Omega(r, \varrho, \psi) = 0.$$

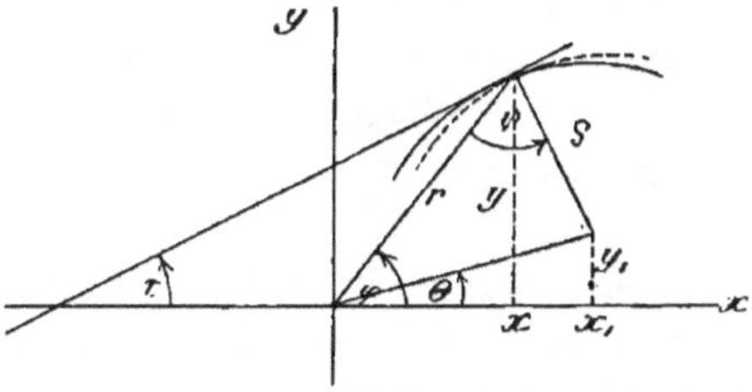

Fig. 33.

(Fig. 33.) Es ist klar, dass eine solche Curve bei einer *Rotation* um den Anfangspunkt in eine ebensolche übergehen muss. Ihre Differentialgleichung gestattet mithin die infinitesimale Rotation $-y\frac{\partial f}{\partial x} + x\frac{\partial f}{\partial y}$. Zur Integration werden wir canonische Veränderliche dieser Rotation einführen, also Polarcoordinaten, den Radiusvector r und den Winkel φ desselben mit der x-Axe. Nach den zu Anfang dieses Paragraphen gemachten Bemerkungen muss alsdann die Differentialgleichung, geschrieben in r, φ, die Form haben

$$\varphi'' - \Phi(r, \varphi') = 0,$$

wo $\varphi' = \frac{d\varphi}{dr}$, $\varphi'' = \frac{d\varphi'}{dr}$ ist. Sie stellt sich also als Differentialgleichung *erster* Ordnung zwischen r und φ' dar. Ihre Integration liefert etwa:

$$\varphi' = \omega(r, a)$$

und eine Quadratur:

$$\varphi = \int \omega(r, a)dr + b,$$

daher: *Ist eine Curvenschar in der Ebene dadurch definiert, dass eine Relation zwischen Radiusvector, Krümmungsradius und dem Winkel beider besteht, so verlangt ihre Bestimmung nur die Integration einer Differentialgleichung erster Ordnung und eine Quadratur.*

Wir wollen mit τ den Winkel der Tangente der Curve mit der x-Axe bezeichnen. Angenommen, es bestehe eine Relation zwischen x, τ und ϱ:

$$\Omega(x, \tau, \varrho) = 0.$$

Wenn wir eine solche Curve längs der y-Axe verschieben, so bleiben x, τ und ϱ ungeändert, d. h. sie geht in eine ebensolche Curve über. Mithin gestattet die Differentialgleichung der Curvenschar die infinitesimale *Translation* $\frac{\partial f}{\partial y}$. Sie ist mithin, geschrieben in x, y, frei von y, also von der Form:

$$\frac{dy'}{dx} - \Phi(x, y') = 0.$$

Demnach: *Ist eine Curvenschar in der Ebene durch eine Relation zwischen der Abscisse, der Tangentialneigung und der Krümmung im allgemeinen Curvenpunkte definiert, so verlangt ihre Bestimmung nur die Integration einer Differentialgleichung erster Ordnung und eine Quadratur.*

Sei Θ der Winkel, den der Strahl von O nach dem Krümmungsmittelpunkte mit der x-Axe bildet. Es bestehe eine Beziehung

$$\Omega(\varphi, \tau, \Theta) = 0$$

zwischen den drei Winkeln φ, τ, Θ. Eine Curve möge also dieser Relation genügen. Vergrössern wir dieselbe vom Anfangspunkt aus, so bleiben φ, τ und Θ ungeändert, d. h. auch die neue Curve erfüllt die Relation. Demnach gestattet die Differentialgleichung aller derartigen Curven die infinitesimale *Ähnlichkeitstransformation*

$$x\frac{\partial f}{\partial x} + y\frac{\partial f}{\partial y}.$$

Die Grössen $\varphi = \operatorname{arctg}\frac{y}{x}$ und $u = \lg\sqrt{x^2+y^2}$ sind canonische Veränderliche derselben. Wenn wir also die Differentialgleichung in φ und u schreiben, so wird sie von der Form:

$$\frac{du'}{d\varphi} - \Phi(\varphi, u') = 0,$$

wo $u' = \frac{du}{d\varphi}$ ist. Also sehen wir: *Wird eine Schar von ∞^2 Curven durch eine Relation zwischen der Richtung des Radiusvectors eines allgemeinen Curvenpunktes, der Richtung der Tangente desselben und der Richtung des Radiusvectors des zugehörigen Krümmungsmittelpunktes definiert, so verlangt ihre Bestimmung nur die Integration einer Differentialgleichung erster Ordnung und eine Quadratur.*

Kapitel 17.

Differentialgleichungen zweiter Ordnung in x, y, welche mehrere infinitesimale Transformationen gestatten. Gruppen von infinitesimalen Transformationen.

Im vorigen Kapitel entwickelten wir eine Integrationstheorie einer Differentialgleichung zweiter Ordnung mit einer bekannten infinitesimalen Transformation. Nun aber ist es wohl möglich, dass eine solche Gleichung *mehrere* bekannte infinitesimale Transformationen gestattet, und man wird es plausibel finden, dass in einem solchen Falle das Integrationsgeschäft noch weiter vereinfacht werden kann.

Demnach werden wir in diesem Kapitel überhaupt den Inbegriff der bekannten infinitesimalen Punkttransformationen betrachten, welche eine vorgelegte Differentialgleichung zweiter Ordnung in x, y gestattet, und werden dadurch zu *einem sehr wichtigen neuen Begriff, zu den Gruppen von infinitesimalen Transformationen geführt werden.*

In den folgenden Kapiteln werden wir diese Theorien weiter entwickeln und verwerten.

In § 1 werden wir zunächst einen wichtigen Hülfssatz ableiten, den wir in § 2 anwenden müssen.

§ 1. Erweiterung eines Klammerausdruckes.

Eine infinitesimale Transformation:

$$Uf \equiv \xi \frac{\partial f}{\partial x} + \eta \frac{\partial f}{\partial y}$$

kann, wie wir wissen, durch Mitberücksichtigung der Transformationen des ersten, zweiten u. s. w. Differentialquotienten y', $y'' \cdots$ erweitert werden. Die erweiterte Transformation bezeichneten wir — und wollen das auch jetzt thun — mit $U'f$, $U''f$ u. s. w.

Liegen nun zwei infinitesimale Transformationen $U_1 f$ und $U_2 f$ vor, so kann man den Klammerausdruck $(U_1 U_2)$ bilden, der wiederum eine infinitesimale Transformation in x, y darstellt, und ihn der Erweiterung unterwerfen. Wir werden die erweiterten Klammerausdrücke mit $(U_1 U_2)'$, $(U_1 U_2)''$ u. s. w. bezeichnen. Andererseits kann man nun auch mit den erweiterten infinitesimalen Transformationen $U_1'f$, $U_2'f$; $U_1''f$, $U_2''f$ u. s. w. die Klammerausdrücke $(U_1' U_2')$, $(U_1'' U_2'')$ u. s. w. bilden.

Nahe liegt die Vermutung, dass dann

$$(U_1 U_2)' \equiv (U_1' U_2'),$$
$$(U_1 U_2)'' \equiv (U_1'' U_2'')$$

u. s. w. ist, denn es stimmen die Ausdrücke links und rechts sicher in den Coefficienten von $\frac{\partial f}{\partial x}$ und $\frac{\partial f}{\partial y}$ überein, die nur x, y enthalten. Wir werden beweisen, dass jene Identitäten in der That richtig sind.

Um den Beweis durchzuführen, brauchen wir einen Satz, den wir gleich jetzt angeben: Hülfssatz.

Satz 1: *Stehen q symbolische Ausdrücke $V_1 f$, $V_2 f \cdots V_q f$ zu zwei Symbolen $W_1 f$, $W_2 f$ in Beziehungen von der Form:*

$$(V_i W_1) \equiv \alpha_{i1} V_1 f + \cdots + \alpha_{iq} V_q f,$$
$$(V_i W_2) \equiv \beta_{i1} V_1 f + \cdots + \beta_{iq} V_q f$$
$$(i = 1, 2 \cdots q),$$

wo die α *und* β *irgend welche Functionen der Veränderlichen bedeuten sollen, so besteht auch zwischen jedem* Vf *und* $(W_1 W_2)$ *eine solche Relation:*

$$(V_i(W_1 W_2)) \equiv \gamma_{i1} V_1 f + \cdots + \gamma_{iq} V_q f$$
$$(i = 1, 2 \cdots q),$$

wo die γ *Functionen der Veränderlichen sind.*

Der Beweis liegt in der Jacobi'schen Identität (vgl. § 4 des 10. Kapitels). Es besteht nämlich identisch die Relation:

$$((V_i W_1) W_2) + ((W_1 W_2) V_i) + ((W_2 V_i) W_1) \equiv 0.$$

$(V_i W_1)$ und $(V_i W_2)$ sind nach den Voraussetzungen unseres Satzes linear ausdrückbar durch $V_1 f \cdots V_q f$, sodass:

$$((V_i W_1) W_2) \equiv \alpha_{i1}(V_1 W_2) + \cdots + \alpha_{iq}(V_q W_2) -$$
$$- W_2 \alpha_{i1} \cdot V_1 f - \cdots - W_2 \alpha_{iq} \cdot V_q f$$

wird. Hierin sind nach den gemachten Voraussetzungen die

$$(V_1 W_2) \cdots (V_q W_2)$$

lineare Ausdrücke der $V_1 f \cdots V_q f$ und die $W_2 \alpha_{ij}$ gewisse Functionen der Veränderlichen, d. h. auch $((V_i W_2) W_1)$ drückt sich linear durch $V_1 f \cdots V_q f$ aus. Dasselbe gilt von $((W_2 V_i) W_1)$ oder $-((V_i W_2) W_1)$. Die obige Jacobi'sche Identität zeigt mithin, dass sich auch $((W_1 W_2) V_i)$ oder $(V_i(W_1 W_2))$ linear durch $V_1 f \cdots V_q f$ ausdrückt, womit Satz 1 bewiesen ist.

Wir kommen nun zum Nachweis dafür, dass der Klammerausdruck $(U_1' U_2')$ zweier erweiterter infinitesimaler Transformationen $U_1' f$ und $U_2' f$ gleich der Erweiterung des Klammerausdruckes $(U_1 U_2)$ zwischen den ursprünglichen Transformationen $U_1 f$ und $U_2 f$ ist. Man könnte den Nachweis direct führen, indem man $(U_1' U_2')$ wirklich berechnete und zeigte, dass dieser Ausdruck die Erweiterung von $(U_1 U_2)$ ist. Aber das erfordert ausserordentlich lange Formeln. Deshalb schlagen wir einen kürzeren Weg ein, indem wir ein Verfahren benutzen, das freilich zunächst wie ein Kunstgriff aussieht, während es in Wirklichkeit nur ein specieller Fall einer allgemeinen Methode ist*).

*) Insbesondere sei bemerkt, dass man in dieser Weise eine wesentlich einfachere Begründung der Theorie der Differentialinvarianten als in Lie's „Theorie der Transformationsgruppen", Abschn. I, bearbeitet unter Mitwirkung von Engel, Leipzig 1888, geben kann.

Nachweis, dass $(U_1' U_2') \equiv (U_1 U_2)'$ ist.

Sei

$$Uf \equiv \xi \frac{\partial f}{\partial x} + \eta \frac{\partial f}{\partial y}$$

eine vorgelegte infinitesimale Punkttransformation, die wir einmal erweitern, sodass sich ergiebt:

$$U'f \equiv \xi \frac{\partial f}{\partial x} + \eta \frac{\partial f}{\partial y} + \eta' \frac{\partial f}{\partial y'},$$

wo η' der bekannte Ausdruck in den ersten Differentialquotienten von ξ, η und in y' ist; wie wir wissen (vgl. § 3 des 13. Kapitels) lässt sich η' kurz so schreiben:

$$\eta' \equiv \frac{d\eta}{dx} - y' \frac{d\xi}{dx},$$

wenn hierin die Differentiation nach x total aufgefasst wird, d. h. allgemein:

$$\frac{df}{dx} \equiv \frac{\partial f}{\partial x} + y' \frac{\partial f}{\partial y}$$

gesetzt wird. Bezeichnen wir dieses Operationssymbol mit Bf, setzen wir also:

$$Bf \equiv \frac{\partial f}{\partial x} + y' \frac{\partial f}{\partial y},$$

so wird folglich:

$$\eta' \equiv B\eta - y'B\xi$$

und $U'f$ kann nunmehr so geschrieben werden:

(1) $$U'f \equiv \xi \frac{\partial f}{\partial x} + \eta \frac{\partial f}{\partial y} + (B\eta - y'B\xi) \frac{\partial f}{\partial y'}.$$

Das Zeichen Bf kann ebenso wie Uf als das Symbol einer infinitesimalen Transformation aufgefasst werden, und in dieser Auffassung wollen wir den Ausdruck $B(U'f) - U'(Bf)$, also den Klammerausdruck (BU'), berechnen. Offenbar kommt:

$$B(U'f) - U'(Bf) \equiv \left(\frac{\partial \xi}{\partial x} + y' \frac{\partial \xi}{\partial y}\right) \frac{\partial f}{\partial x} + \left(\frac{\partial \eta}{\partial x} + y' \frac{\partial \eta}{\partial y}\right) \frac{\partial f}{\partial y} -$$
$$- (B\eta - y'B\xi) \frac{\partial f}{\partial y} + \varrho \frac{\partial f}{\partial y'}.$$

Den Coefficienten ϱ von $\frac{\partial f}{\partial y'}$ haben wir nicht ausgerechnet, weil er nicht gebraucht wird. Der Coefficient von $\frac{\partial f}{\partial x}$ ist nun $B\xi$, der von $\frac{\partial f}{\partial y}$ ist $y'B\xi$, sodass sich ergiebt:

$$(BU') \equiv B\xi \left(\frac{\partial f}{\partial x} + y' \frac{\partial f}{\partial y}\right) + \varrho \frac{\partial f}{\partial y'},$$

oder also, wenn noch der Ausdruck

$$Cf \equiv \frac{\partial f}{\partial y'}$$

gesetzt wird:

(2) $$(BU') \equiv B\xi \cdot Bf + \varrho Cf.$$

Ferner ist nun

$$(CU') \equiv C(U'f) - U'(Cf) \equiv - B\xi \frac{\partial f}{\partial y'},$$

d. h.:

(3) $$(CU') \equiv \sigma Cf.$$

Nach (2) und (3) drücken sich also (BU') und (CU') linear durch Bf und Cf aus.

Liegt nun nicht eine infinitesimale Transformation Uf, sondern liegen zwei vor: $U_1 f$ und $U_2 f$, so werden sich (BU_1'), (CU_1') und (BU_2'), (CU_2') alle vier linear durch Bf und Cf ausdrücken.

Nach unserem Satz 1 (in welchem jetzt Bf, Cf die Rolle der $V_i f$ und $U_1'f$, $U_2'f$ die der $W_1 f$, $W_2 f$ spielen und $q = 2$ ist) ergiebt sich demnach, dass auch

$$(B(U_1'U_2')) \text{ und } (C(U_1'U_2'))$$

sich linear durch Bf und Cf ausdrücken.

Es sei nun etwa:

$$(U_1 U_2) \equiv \bar{\xi} \frac{\partial f}{\partial x} + \bar{\eta} \frac{\partial f}{\partial y},$$

sodass nach (1):

$$(U_1 U_2)' \equiv \bar{\xi} \frac{\partial f}{\partial x} + \bar{\eta} \frac{\partial f}{\partial y} + (B\bar{\eta} - y'B\bar{\xi}) \frac{\partial f}{\partial y'}$$

ist. Da nun $(U_1'U_2')$ mit $(U_1 U_2)'$ jedenfalls in den Coefficienten von $\frac{\partial f}{\partial x}$ und $\frac{\partial f}{\partial y}$ übereinstimmt, so ist $(U_1'U_2')$ von der Form:

$$(U_1'U_2') \equiv \bar{\xi} \frac{\partial f}{\partial x} + \bar{\eta} \frac{\partial f}{\partial y} + \omega \frac{\partial f}{\partial y'}.$$

Bedenken wir, dass $Bf \equiv \frac{\partial f}{\partial x} + y' \frac{\partial f}{\partial y}$ ist, so kommt also:

$$(B(U_1'U_2')) \equiv B\bar{\xi} \cdot \frac{\partial f}{\partial x} + (B\bar{\eta} - \omega) \frac{\partial f}{\partial y} + \bar{\varrho} \frac{\partial f}{\partial y'},$$

wo wir den Coefficienten $\bar{\varrho}$ von $\frac{\partial f}{\partial y'}$ nicht ausgerechnet haben. Dieser Klammerausdruck muss sich aber, wie bewiesen, durch Bf und Cf ausdrücken, also die Form haben:

$$(B(U_1'U_2')) \equiv \lambda Bf + \mu Cf \equiv \lambda \left(\frac{\partial f}{\partial x} + y' \frac{\partial f}{\partial y}\right) + \mu \frac{\partial f}{\partial y'}.$$

Es ist deshalb, wie der Vergleich lehrt,

$$\lambda \equiv B\bar{\xi}$$

und

$$y'B\bar{\xi} \equiv B\bar{\eta} - \omega$$

oder:

$$\omega \equiv B\bar{\eta} - y'B\bar{\xi},$$

sodass

$$(U_1'U_2') \equiv \bar{\xi}\frac{\partial f}{\partial x} + \bar{\eta}\frac{\partial f}{\partial y} + (B\bar{\eta} - y'B\bar{\xi})\frac{\partial f}{\partial y'},$$

d. h.

$$(U_1'U_2') \equiv (U_1U_2)'$$

ist.

Satz 2: *Liegen zwei infinitesimale Punkttransformationen U_1f und U_2f in x, y vor, so ist der Klammerausdruck der einmal erweiterten infinitesimalen Transformationen $(U_1'U_2')$ gleich der Erweiterung des Klammerausdruckes der ursprünglichen Transformationen, also:*

$$(U_1'U_2') \equiv (U_1U_2)'.$$

Ganz ähnlich stellt sich der Beweis für die zweimalige Erweiterung dar. In diesem Falle benutzen wir als Hülfsausdrücke die Symbole: Nachweis dass $(U_1''U_2'') \equiv (U_1U_2)''$ ist.

$$B'f \equiv \frac{\partial f}{\partial x} + y'\frac{\partial f}{\partial y} + y''\frac{\partial f}{\partial y'},$$

und

$$C'f \equiv \frac{\partial f}{\partial y''}.$$

Alsdann lautet die zweimal erweiterte infinitesimale Transformation

$$U''f \equiv \xi\frac{\partial f}{\partial x} + \eta\frac{\partial f}{\partial y} + \eta'\frac{\partial f}{\partial y'} + \eta''\frac{\partial f}{\partial y''}$$

mit Hülfe der neuen Zeichen so:

$$U''f \equiv \xi\frac{\partial f}{\partial x} + \eta\frac{\partial f}{\partial y} + \eta'\frac{\partial f}{\partial y'} + (B'\eta' - y''B'\xi)\frac{\partial f}{\partial y''},$$

denn es ist ja (vgl. § 2 des 16. Kapitels):

$$\eta'' = \frac{d\eta'}{dx} - y''\frac{d\xi}{dx},$$

wenn die Differentiation nach x total ist, d. h.

$$\frac{d\eta'}{dx} \equiv \frac{\partial\eta'}{\partial x} + y'\frac{\partial\eta'}{\partial y} + y''\frac{\partial\eta'}{\partial y'} \equiv B'\eta',$$

$$\frac{d\xi}{dx} \equiv \frac{\partial\xi}{\partial x} + y'\frac{\partial\xi}{\partial y} \equiv B'\xi.$$

Bildet man nun

$$(B'U'') \equiv B'(U''f) - U''(B'f),$$

so kommt:

$$(B'U'') \equiv B'\xi\frac{\partial f}{\partial x} + B'\eta\frac{\partial f}{\partial y} + B'\eta'\frac{\partial f}{\partial y'} -$$

$$- \eta'\frac{\partial f}{\partial y} - (B'\eta' - y''B'\xi)\frac{\partial f}{\partial y'} + \sigma\frac{\partial f}{\partial y''}$$

oder, da

$$\eta' \equiv B\eta - y'B\xi$$

war, also auch (weil ξ und η frei von y' sind):

$$\eta' \equiv B'\eta - y'B'\xi$$

ist:

$$(B'U'') \equiv B'\xi \left(\frac{\partial f}{\partial x} + y' \frac{\partial f}{\partial y} + y'' \frac{\partial f}{\partial y'}\right) + \sigma \frac{\partial f}{\partial y''}$$
$$\equiv B'\xi \cdot B'f + \sigma C'f.$$

Ferner ist:

$$(C'U'') \equiv - B'\xi \cdot C'f.$$

Liegen also zwei infinitesimale Transformationen $U_1 f$ und $U_2 f$ vor, so können wir auf diese Weise zeigen, dass $(B'U_1'')$, $(B'U_2'')$, $(C'U_1'')$, $(C'U_2'')$ sich linear durch $B'f$ und $C'f$ ausdrücken, sodass nach Satz 1 auch

(4) $$(B'(U_1'U_2'')) \equiv \lambda B'f + \mu C'f$$

sein muss. $(U_1''U_2'')$ stimmt mit $(U_1 U_2)''$ in den Coefficienten von $\frac{\partial f}{\partial x}$, $\frac{\partial f}{\partial y}$, $\frac{\partial f}{\partial y'}$ überein. Mit Hülfe der letzten Formel findet man in ähnlicher Weise wie oben, dass auch die Coefficienten von $\frac{\partial f}{\partial y''}$ dieselben sind. Wenn nämlich

$$(U_1 U_2)'' \equiv \bar{\xi} \frac{\partial f}{\partial x} + \bar{\eta} \frac{\partial f}{\partial y} + \bar{\eta}' \frac{\partial f}{\partial y'} + (B'\bar{\eta}' - y'' B'\bar{\xi}) \frac{\partial f}{\partial y''}$$

und

$$(U_1''U_2'') \equiv \bar{\xi} \frac{\partial f}{\partial x} + \bar{\eta} \frac{\partial f}{\partial y} + \bar{\eta}' \frac{\partial f}{\partial y'} + \varphi \frac{\partial f}{\partial y''}$$

ist, so kommt:

$$(B'(U_1''U_2'')) \equiv B'\bar{\xi} \frac{\partial f}{\partial x} + (B'\bar{\eta} - \bar{\eta}') \frac{\partial f}{\partial y} + (B'\bar{\eta}' - \varphi) \frac{\partial f}{\partial y'} + \psi \frac{\partial f}{\partial y''}$$

und der Vergleich mit (4) lehrt:

$$\lambda \equiv B'\bar{\xi},$$

also:

$$y'' B'\bar{\xi} \equiv B'\bar{\eta}' - \varphi$$

oder

$$\varphi \equiv B'\bar{\eta}' - y'' B'\bar{\xi},$$

mithin

$$(U_1''U_2'') \equiv (U_1 U_2)''.$$

Satz 3: *Liegen zwei infinitesimale Punkttransformationen $U_1 f$ und $U_2 f$ in x, y vor, so ist der Klammerausdruck der zweimal erweiterten infinitesimalen Transformationen $(U_1''U_2'')$ gleich der Erweiterung des Klammerausdruckes der ursprünglichen Transformationen, also*

$$(U_1''U_2'') \equiv (U_1 U_2)''.$$

In ähnlicher Weise lässt sich der entsprechende Satz für beliebig oftmalige Erweiterung beweisen. Wir wollen ihn deshalb hier angeben, obgleich wir ihn nicht gebrauchen werden:

Satz 4: *Liegen zwei infinitesimale Punkttransformationen $U_1 f$ und $U_2 f$ in x, y vor und bezeichnet der Index m die m-malige Erweiterung, so ist*

$$(U_1^m U_2^m) \equiv (U_1 U_2)^m.$$

An dieser Stelle wollen wir den früher versprochenen rein analytischen Beweis dafür führen, dass, wenn u die Invariante und v eine Differentialinvariante erster Ordnung von Uf ist, alsdann $\frac{dv}{du}$ eine Differentialinvariante zweiter Ordnung von Uf, d. h. Neuer Nachweis dafür, dass $U''\left(\frac{dv}{du}\right) = 0$, wenn $Uu = 0$, $U'v = 0$ ist.

$$U''\left(\frac{dv}{du}\right) \equiv 0$$

ist. (Vgl. § 5 des 16. Kap.)

Da u frei von y' ist, so ist wegen $Uu \equiv 0$ auch $U'u \equiv 0$, andererseits ist $U'v \equiv 0$, also auch

$$U'(v - au) \equiv 0,$$

wo a eine beliebige Constante bedeutet. Wir bilden nun

$$\frac{dv}{du} \equiv \frac{v_x + v_y y' + v_{y'} y''}{u_x + u_y y'}$$

und setzen wie oben

$$Bf \equiv \frac{\partial f}{\partial x} + y' \frac{\partial f}{\partial y}, \quad B'f \equiv \frac{\partial f}{\partial x} + y' \frac{\partial f}{\partial y} + y'' \frac{\partial f}{\partial y'},$$

sodass

$$\frac{dv}{du} \equiv \frac{B'v}{Bu}$$

wird. Nun ist

$$U''\left(\frac{dv}{du}\right) \equiv U''\left(\frac{B'v}{Bu}\right) \equiv \frac{Bu \cdot U''(B'v) - B'v \cdot U''(Bu)}{(Bu)^2}.$$

Nach dem Obigen aber ist

$$U''(B'f) - B'(U''f) \equiv (U''B') \equiv - B'\xi \cdot B'f - \sigma \frac{\partial f}{\partial y''}$$

oder, da ξ gar nicht y' enthält:

$$U''(B'f) - B'(U''f) \equiv - B\xi \cdot B'f - \sigma \frac{\partial f}{\partial y''}.$$

Dementsprechend war auch

$$U'(Bf) - B(U'f) \equiv - B\xi \cdot Bf - \varrho \frac{\partial f}{\partial y'}.$$

Also ist, wenn hierin v und u für f eingesetzt werden:

$$U''(B'v) \equiv B'(U''v) - B\xi \cdot B'v,$$
$$U'(Bu) \equiv B(U'u) - B\xi \cdot Bu,$$

oder, da $U''v \equiv U'v \equiv 0$, $U'u \equiv Uu \equiv 0$ und $U'(Bu) \equiv U''(Bu)$ ist:

$$U''(B'v) \equiv - B\xi \cdot B'v, \quad U''(Bu) \equiv - B\xi \cdot Bu$$

und demnach wird nunmehr:

$$U''\left(\frac{dv}{du}\right) \equiv \frac{- Bu \cdot B\xi \cdot B'v + B'v \cdot B\xi \cdot Bu}{(Bu)^2} \equiv 0,$$

was zu beweisen war. $\frac{dv}{du}$ ist also in der That Differentialinvariante zweiter Ordnung.

§ 2. Differentialgleichungen zweiter Ordnung in x, y, welche mehrere infinitesimale Transformationen gestatten.

Angenommen, die vorgelegte Differentialgleichung zweiter Ordnung:

$$y'' - \omega(x, y, y') = 0$$

gestatte mehrere infinitesimale Punkttransformationen U_1f, U_2f, $U_3f\cdots$. Dies deckt sich nach Satz 7 des § 3, 16. Kapitel, damit, dass die lineare partielle Differentialgleichung in x, y, y':

$$Af \equiv \frac{\partial f}{\partial x} + y'\frac{\partial f}{\partial y} + \omega(x, y, y')\frac{\partial f}{\partial y'} = 0$$

die einmal erweiterten infinitesimalen Transformationen $U_1'f$, $U_2'f$, $U_3'f\cdots$ gestattet. Dies wieder findet nach Theorem 29 (§ 2 des 15. Kapitels) seinen Ausdruck darin, dass Relationen bestehen von der Form:

$$(U_1'A) \equiv \varrho_1 Af, \quad (U_2'A) \equiv \varrho_2 Af, \quad \cdots,$$

wo ϱ_1, $\varrho_2\cdots$ irgendwelche Functionen der Veränderlichen bedeuten. Hiernach ist aber auch, wenn c_1, $c_2\cdots$ Constanten bezeichnen:

$$(c_1 U_1'f + c_2 U_2'f + \cdots, Af) \equiv (c_1\varrho_1 + c_2\varrho_2 + \cdots)Af,$$

d. h. die Gleichung $Af = 0$ gestattet auch die infinitesimale Transformation

$$c_1 U_1'f + c_2 U_2'f + \cdots.$$

Wir hoben dies schon früher gelegentlich hervor (vgl. § 3 des 15. Kapitels). Eine infinitesimale Transformation $U'f$ nun, die sich linear mit *constanten* Coefficienten aus einer Anzahl von infinitesimalen Transformationen $U_1'f$, $U_2'f\cdots$ zusammensetzt:

$$U'f \equiv c_1 U_1'f + c_2 U_2'f + \cdots,$$

haben wir als von $U_1'f$, $U_2'f\cdots$ *abhängig* bezeichnet (vgl S. 233). Demnach können wir sagen, dass $Af = 0$ alle von $U_1'f$, $U_2'f\cdots$ abhängigen infinitesimalen Transformationen

$$U'f \equiv c_1 U_1'f + c_2 U_2'f + \cdots$$

gestattet. Eine solche ist aber die Erweiterung einer Punkttransformation

$$Uf \equiv c_1 U_1f + c_2 U_2f + \cdots,$$

und so folgt rückwärts, dass die vorgelegte Differentialgleichung

$$y'' - \omega(x, y, y') = 0$$

auch Uf, d. h. jede von U_1f, $U_2f\cdots$ abhängige infinitesimale Transformation gestattet.

Satz 5: *Gestattet eine Differentialgleichung zweiter Ordnung in x, y*

mehrere infinitesimale Punkttransformationen $U_1 f$, $U_2 f \cdots$, *so gestattet sie auch jede von ihnen abhängige von der Form*

$$c_1 U_1 f + c_2 U_2 f + \cdots,$$

wo $c_1, c_2 \cdots$ *Constanten bedeuten.*

Es genügt demnach, *nur von einander unabhängige infinitesimale Transformationen* $U_1 f$, $U_2 f \cdots$ zu suchen, welche die Differentialgleichung gestattet, also nur solche, zwischen denen keine Relation mit constanten Coefficienten besteht. Denn mit diesen kennen wir auch die von ihnen abhängigen, die also trivial sind. Von einander unabh. inf. Trf., welche eine Diffgl. zweit. O. gestattet.

Nach Theorem 30 (§ 3 des 15. Kapitels) gestattet $Af = 0$ mit $U_1' f$ und $U_2' f$ auch die infinitesimale Transformation $(U_1' U_2')$. Nach Satz 2 des vorigen Paragraphen ist diese die einmalige Erweiterung der Punkttransformation $(U_1 U_2)$, und somit muss $y'' - \omega(x, y, y') = 0$ diese letztere gestatten.

Theorem 38: *Gestattet die Differentialgleichung zweiter Ordnung in* x, y: Der Klammerausdruck $(U_1 U_2)$.

$$y'' - \omega(x, y, y') = 0$$

die beiden infinitesimalen Punkttransformationen $U_1 f$ *und* $U_2 f$, *so gestattet sie auch die infinitesimale Punkttransformation* $(U_1 U_2)$ *oder* $U_1(U_2 f) - U_2(U_1 f)$.*)

Hiernach können wir aus zwei bekannten infinitesimalen Transformationen $U_1 f$ und $U_2 f$ unserer Differentialgleichung zweiter Ordnung die infinitesimale Transformation $(U_1 U_2)$ derselben ableiten. Nun ist es wohl möglich, dass sich $(U_1 U_2)$ linear mit constanten Coefficienten durch $U_1 f$ und $U_2 f$ ausdrückt:

$$(U_1 U_2) \equiv c_1 U_1 f + c_2 U_2 f,$$

d. h. abhängig von $U_1 f$ und $U_2 f$ ist. In diesem Falle hat sich nach dem Obenbemerkten nicht Neues ergeben.

Es kann aber auch vorkommen, dass $(U_1 U_2)$ von $U_1 f$ und $U_2 f$ unabhängig ist. In diesem Falle würden wir also hiermit eine dritte infinitesimale Transformation unserer Gleichung construieren können:

$$U_3 f \equiv (U_1 U_2).$$

Nun liesse sich Theorem 38 auf $U_1 f$ und $U_3 f$ sowie auf $U_2 f$ und $U_3 f$ anwenden, d. h. unsere Gleichung würde auch $(U_1 U_3)$ und $(U_2 U_3)$ ge-

*) Dieser Satz ist ein specieller Fall des allgemeineren: Enthält eine Gruppe von endlichen Transformationen die beiden infinitesimalen Transformationen $U_1 f$ und $U_2 f$, so enthält sie auch die infinitesimale Transformation $(U_1 U_2)$. Ein besonders *einfacher* Beweis dieses Satzes findet sich in den Math. Ann., Bd. 24.

statten. Sind diese von U_1f, U_2f, U_3f unabhängig, so haben wir neue infinitesimale Transformationen U_4f, U_5f der Gleichung gefunden u. s. w.

Man sieht, dass man unter Umständen aus zwei bekannten infinitesimalen Transformationen einer Differentialgleichung zweiter Ordnung durch Differentiationsprocesse eine Reihe weiterer infinitesimaler Transformationen derselben herleiten kann, die nicht von den ursprünglichen und von einander abhängig sind.

Ein Beispiel wollen wir hierfür angeben.

Beispiel. *Beispiel:* Wir haben schon in § 6 des 16. Kapitels ausgerechnet, dass

$$y'' = 0$$

acht von einander unabhängige infinitesimale Transformationen gestattet. So gestattet sie z. B. diese beiden:

$$U_1f \equiv \frac{\partial f}{\partial x} + y\frac{\partial f}{\partial y}, \quad U_2f \equiv x^2\frac{\partial f}{\partial x} + (xy+1)\frac{\partial f}{\partial y},$$

wovon man sich auch direct überzeugen kann. Denn bei U_1f hat y' das Increment $\delta y = y'\delta t$, d. h. y'' das Increment $\delta y'' = y''\delta t$. Es verschwindet also vermöge $y'' = 0$. Bei U_2f ist $\delta y' = (y - xy')\delta t$, daher $\delta y'' = -3xy''\delta t$, d. h. auch gleich Null vermöge $y'' = 0$. Durch Klammeroperation leiten wir nun aus U_1f und U_2f die infinitesimale Transformation ab:

$$U_3f \equiv (U_1U_2) \equiv 2x\frac{\partial f}{\partial x} + (y-1)\frac{\partial f}{\partial y},$$

die von U_1f und U_2f unabhängig ist. In der That ist hier wegen $\delta y' = -y'\delta t$ auch $\delta y'' = -3y''\delta t$, d. h. $\delta y'' = 0$ vermöge $y'' = 0$. U_3f lässt also wirklich die Differentialgleichung $y'' = 0$ invariant. Wir bilden nun:

$$U_4f \equiv (U_1U_3) \equiv 2\frac{\partial f}{\partial x} + \frac{\partial f}{\partial y},$$

wo $\delta y' = 0$, $\delta y'' = 0$ ist, und

$$U_5f \equiv (U_2U_3) \equiv -2x^2\frac{\partial f}{\partial x} + (1 + x - 2xy)\frac{\partial f}{\partial y}.$$

Dies U_5f kann auch durch das kürzere:

$$\overline{U}_5f \equiv U_5f + 2U_2f \equiv (3+x)\frac{\partial f}{\partial y}$$

ersetzt werden. Wirklich ist wegen $\delta y' \equiv \delta t$ auch $\delta y'' \equiv 0$, u. s. w.

§ 3. Über die Anzahl der unabhängigen infinitesimalen Punkttransformationen einer Differentialgleichung zweiter Ordnung in x, y.

In § 6 des vorigen Kapitels fanden wir, dass die Differentialgleichung $y''=0$ *acht* und *nur* acht von einander unabhängige infinitesimale Transformationen gestattet. Es besteht nun der Satz, dass eine Differentialgleichung zweiter Ordnung

$$y''-\omega(x, y, y')=0$$

überhaupt höchstens acht von einander unabhängige infinitesimale Transformationen gestatten kann. Dass diese Maximalzahl wirklich erreicht werden kann, lehrt das Beispiel $y''=0$.

Der Beweis des genannten Satzes stützt sich auf einen functionentheoretischen Hülfssatz:

Ist eine Differentialgleichung zweiter Ordnung $y''-\omega(x, y, y')=0$ vorgelegt, so ist es immer möglich, in der Ebene (x, y) einen solchen Bereich abzugrenzen, dass durch zwei beliebige Punkte desselben immer eine und nur eine Integralcurve der Differentialgleichung hindurchgeht.

Der Beweis dieses Satzes gehört nicht hierher.

Wir wollen annehmen, die Differentialgleichung

Nachweis, d. e. Diffgl. zweit. Ord. höchstens acht inf. Trf. zulässt.

$$y''-\omega(x, y, y')=0$$

gestatte mehr als acht, also mindestens neun von einander unabhängige Punkttransformationen $U_1 f$, $U_2 f \cdots U_8 f$, $U_9 f$, wo allgemein

$$U_i f \equiv \xi_i(x, y)\frac{\partial f}{\partial x}+\eta_i(x, y)\frac{\partial f}{\partial y}$$

sei. Wir wählen alsdann in dem im Hülfssatze erwähnten Bereiche vier Punkte p_1, p_2, p_3, p_4, unter denen nicht drei auf derselben Integralcurve der Differentialgleichung gelegen sind. Nach Satz 5 des § 2 gestattet $y''-\omega=0$ jede von $U_1 f$, $U_2 f \cdots U_9 f$ abhängige infinitesimale Transformation

$$Uf \equiv c_1 U_1 f + c_2 U_2 f + \cdots c_8 U_8 f + c_9 U_9 f.$$

Wir wollen nun die neun Constanten c_1, $c_2 \cdots c_9$ so wählen, dass Uf die vier Punkte p_1, p_2, p_3, p_4 invariant lässt. Sind x_k, y_k die Coordinaten des Punktes p_k, so ist dazu notwendig und hinreichend, dass:

$$c_1\xi_1(x_k, y_k)+c_2\xi_2(x_k, y_k)+\cdots+c_9\xi_9(x_k, y_k)=0,$$
$$c_1\eta_1(x_k, y_k)+c_2\eta_2(x_k, y_k)+\cdots+c_9\eta_9(x_k, y_k)=0$$
$$(k=1, 2, 3, 4)$$

sei. Dies sind acht Gleichungen für die neun Grössen c_1, $c_2 \cdots c_9$. Sie lassen sich immer erfüllen, sodass also bei den gemachten Voraussetzungen stets eine Transformation

$$Uf \equiv \xi \frac{\partial f}{\partial x} + \eta \frac{\partial f}{\partial y}$$

vorhanden ist, die $y'' - \omega = 0$ und die vier Punkte p_1, p_2, p_3, p_4 invariant lässt. Durch Erweiterung derselben kommt:

$$U'f \equiv \xi \frac{\partial f}{\partial x} + \eta \frac{\partial f}{\partial y} + \left(\frac{\partial \eta}{\partial x} + \left(\frac{\partial \eta}{\partial y} - \frac{\partial \xi}{\partial x}\right) y' - \frac{\partial \xi}{\partial y} y'^2\right) \frac{\partial f}{\partial y'}.$$

Dies ist die Transformation, welche die Linienelemente (x, y, y') bei Ausführung von Uf erfahren. Die ∞^1 Linienelemente durch einen der vier festen Punkte p_k werden dabei notgedrungen unter sich vertauscht, indem sie ihren Punktort (x_k, y_k) beibehalten, aber ihre Richtungen y' transformiert werden. Angenommen,

$$\frac{\partial \eta}{\partial x}, \quad \frac{\partial \eta}{\partial y} - \frac{\partial \xi}{\partial x}, \quad -\frac{\partial \xi}{\partial y}$$

reducieren sich im Punkte p_k auf die Zahlen a, b, c, so werden die Richtungen y' der Linienelemente (x_k, y_k, y') vermöge:

$$\delta y' = (a + by' + cy'^2)\, \delta t$$

bei Ausführung von Uf transformiert. Drei dieser Richtungen bleiben in Ruhe, nämlich die Richtungen y_1', y_2', y_3', welche auf den drei Integralcurven liegen, die durch p_k und je einen der drei anderen invarianten Punkte nach unserem Hülfssatz hindurchgehen (Fig. 34). Nach der getroffenen Voraussetzung, dass nicht drei dieser vier Punkte auf einer Integralcurve liegen sollen, sind y_1', y_2', y_3' von einander verschiedene Zahlen.

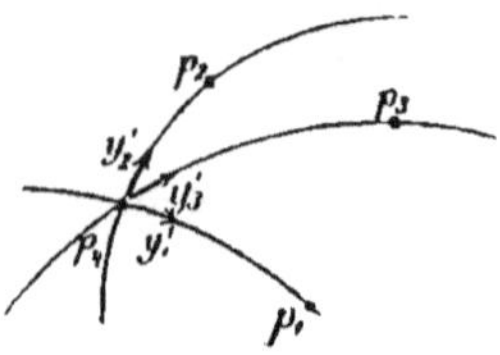

Fig. 34.

Demnach liefern die drei sicher bestehenden Gleichungen:

$$a + by_1' + cy_1'^2 = 0,$$
$$a + by_2' + cy_2'^2 = 0,$$
$$a + by_3' + cy_3'^2 = 0,$$

da ihre Determinante

$$\begin{vmatrix} 1 & y_1' & y_1'^2 \\ 1 & y_2' & y_2'^2 \\ 1 & y_3' & y_3'^2 \end{vmatrix} = (y_1' - y_2')(y_2' - y_3')(y_3' - y_1') \neq 0$$

ist:

$$a = b = c = 0,$$

d. h. es ist

$$\delta y' = (a + by' + cy'^2)\, \delta t = 0$$

für jede Richtung y' durch den Punkt p_k.

Ohne Rechnung wäre dies so einzusehen: Da $\delta y'$ in y' quadratisch ist, so werden die Richtungen y' durch p_k vermöge einer infinitesimalen projectiven Transformation untereinander vertauscht. Hierbei bleibt das Doppelverhältnis von vier beliebigen Strahlen dieses Büschels invariant, also auch das von y_1', y_2', y_3' und irgend einer Richtung y'. Da nun y_1', y_2', y_3' selbst invariant sind, so ist deshalb notwendig auch diese beliebige Richtung y' invariant.

Somit hat sich ergeben: Bei der infinitesimalen Transformation Uf bleiben die Linienelemente durch jeden der vier invarianten Punkte ebenfalls invariant. Nun hat jede durch p_k gehende Integralcurve in p_k ein Linienelement (x_k, y_k, y'), und zu zwei verschiedenen Linienelementen gehören auch verschiedene Integralcurven. Da die Linienelemente bei $U'f$ invariant bleiben, so folgt mithin, dass auch jede durch p_k gehende Integralcurve bei Uf invariant ist. Ist nun schliesslich p ein beliebiger Punkt unseres Bereiches, so gehen durch ihn nach unserem Hülfssatz und nach der Voraussetzung, dass keine drei der vier Punkte p_k auf einer Integralcurve liegen, mindestens zwei Integralcurven nach den invarianten Punkten, also zwei invariante Curven. p muss deshalb als Schnittpunkt der beiden invarianten Curven auch invariant sein. Eine Transformation unserer Gleichung $y'' - \omega = 0$, welche vier Punkte jenes Bereiches invariant lässt, lässt also alle Punkte desselben und — wie durch analytische Fortsetzung folgt — überhaupt alle Punkte der Ebene in Ruhe, d. h. sie ist die Identität.

Demnach kann es höchstens acht von einander unabhängige infinitesimale Transformationen unserer Gleichung geben, denn die Voraussetzung, dass es neun gebe, führte zu einer wirklichen Transformation Uf, welche die vier Punkte in Ruhe lässt, und nicht zur Identität.

Theorem 39: *Eine gewöhnliche Differentialgleichung zweiter Ordnung in x, y:*

$$\Omega(x, y, y', y'') = 0$$

gestattet höchstens acht von einander unabhängige infinitesimale Transformationen in x, y.

Es möge hier ohne Beweis angeführt werden, dass jede Differentialgleichung zweiter Ordnung, welche wirklich acht unabhängige infinitesimale Transformationen gestattet, durch Einführung neuer Veränderlicher auf die Form $y'' = 0$ reducibel ist. Diese Gleichung hat zu Integralcurven die ∞^2 geraden Linien der Ebene. Sobald also eine Differentialgleichung zweiter Ordnung acht von einander unabhängige infinitesimale Transformationen zulässt, können ihre ∞^2 Integralcurven in die Geraden der Ebene transformiert werden.

§ 4. Gruppen von infinitesimalen Transformationen und ihre zweigliedrigen Untergruppen.

Aus unserem Theorem 39 folgt, dass eine Differentialgleichung zweiter Ordnung nur $r \leqq 8$ von einander unabhängige infinitesimale Transformationen $U_1 f, U_2 f \cdots U_r f$ gestatten kann, d. h. dass jede infinitesimale Transformation, welche sie zulässt, linear mit constanten Coefficienten durch $U_1 f, U_2 f \cdots U_r f$ ausdrückbar sein muss. Nach Theorem 38 (§ 2) gestattet sie aber auch jeden Klammerausdruck $(U_i U_k)$. Diese Klammerausdrücke müssen demnach die Form haben:

$$(U_i U_k) \equiv \sum_1^r {}_s\, c_{iks} U_s f$$

$$(i, k = 1, 2 \cdots r).$$

Es liegen demnach r von einander unabhängige infinitesimale Transformationen $U_1 f \cdots U_r f$ unserer Gleichung vor, sodass die allgemeinste infinitesimale Transformation derselben sich linear mit constanten Coefficienten durch diese r ausdrückt, und dass jeder Ausdruck $(U_i U_k)$ sich ebenfalls in dieser Weise darstellt.

Hiermit werden wir zu *einem wichtigen neuen Begriff* geführt, den wir sogleich *in voller Allgemeinheit* (ohne Rücksicht auf die Zahl der Veränderlichen und die Grenze $r \leqq 8$) definieren wollen:

Gruppe von infinitesimalen Transformationen.

Stehen r von einander unabhängige infinitesimale Transformationen $U_1 f, U_2 f \cdots U_r f$ in solchen Beziehungen zu einander, dass jedes $(U_i U_k)$ sich linear mit constanten Coefficienten durch $U_1 f \cdots U_r f$ ausdrückt:

$$U_i(U_k f) - U_k(U_i f) \equiv \sum_1^r {}_s\, c_{iks} U_s f$$

$$(i, k = 1, 2 \cdots r, \quad c_{iks} = \text{Const.}),$$

*so nennen wir den Inbegriff dieser infinitesimalen Transformationen und der von ihnen abhängigen, d. h. aus ihnen linear mit constanten Coefficienten zusammensetzbaren infinitesimalen Transformationen eine r-gliedrige Gruppe von infinitesimalen Transformationen**).

*) Der im Texte gegebene Begriff einer *Gruppe von infinitesimalen Transformationen* wurde ausdrücklich und in voller Allgemeinheit eingeführt am Schlusse der Abhandlung: Begründung einer Invariantentheorie der Berührungstransformationen von Sophus Lie, Math. Ann. Bd. 8. Die Identität dieses Begriffes mit dem Begriffe einer endlichen continuierlichen Transformationsgruppe wurde in den Göttinger Nachrichten, December 1874, angegeben. Im Übrigen findet man in den Verhandlungen der Gesellsch. d. W. zu Christiania für 1870, 71, 72 und 73, sowie in den Math. Annalen Bd. 5 mehrere specielle Anwendungen der beiden besprochenen Begriffe.

Obzwar dieser Begriff eng mit dem früher in § 2 des 2. Kapitels auseinandergesetzten Begriff einer r-gliedrigen Gruppe von (endlichen und infinitesimalen) Transformationen zusammenhängt, wollen wir uns doch um diesen Zusammenhang jetzt nicht weiter kümmern und den Begriff einer Gruppe von *infinitesimalen* Transformationen nur in obiger Weise definieren.

1. Beispiel: In zwei Veränderlichen x, y bilden die beiden infinitesimalen Transformationen: **Beispiele.**

$$U_1 f \equiv x\frac{\partial f}{\partial x} + y\frac{\partial f}{\partial y}, \quad U_2 f \equiv -y\frac{\partial f}{\partial x} + x\frac{\partial f}{\partial y}$$

eine zweigliedrige Gruppe von infinitesimalen Transformationen, denn sie sind zunächst von einander unabhängig, d. h. es ist $r = 2$, und ausserdem ist

$$(U_1 U_2) \equiv 0.$$

2. Beispiel: Auch

$$U_1 f \equiv \frac{\partial f}{\partial x}, \quad U_2 f \equiv x\frac{\partial f}{\partial x} + y\frac{\partial f}{\partial y}$$

geben eine zweigliedrige Gruppe von infinitesimalen Transformationen, da hier $r = 2$ und

$$(U_1 U_2) \equiv \frac{\partial f}{\partial x} \equiv U_1 f$$

ist.

3. Beispiel: Um zu entscheiden, ob

$$U_1 f \equiv (x^2 + x)\frac{\partial f}{\partial x} + (xy + y)\frac{\partial f}{\partial y}, \quad U_2 f \equiv x\frac{\partial f}{\partial x} + y\frac{\partial f}{\partial y}$$

eine Gruppe von infinitesimalen Transformationen bilden, bemerken wir, dass sie von einander unabhängig sind, also $r = 2$ ist, und dass

$$(U_1 U_2) \equiv -x^2\frac{\partial f}{\partial x} - xy\frac{\partial f}{\partial y}$$

ist. Dies aber zeigt, dass

$$(U_1 U_2) \equiv U_2 f - U_1 f$$

wird. $(U_1 U_2)$ ist mithin von $U_1 f$ und $U_2 f$ abhängig, d. h. $U_1 f$ und $U_2 f$ erzeugen eine zweigliedrige Gruppe von infinitesimalen Transformationen. Dieselbe enthält alle von $U_1 f$ und $U_2 f$ abhängigen infinitesimalen Transformationen, also, was auf dasselbe hinauskommt, alle von

$$U_1 f \equiv U_1 f - U_2 f \equiv x^2\frac{\partial f}{\partial x} + xy\frac{\partial f}{\partial y}$$

und

$$U_2 f \equiv x\frac{\partial f}{\partial x} + y\frac{\partial f}{\partial y}$$

abhängigen. Wir können also auch an Stelle von $U_1 f$ das bequemere $\overline{U}_1 f$ benutzen und haben dann

$$(\overline{U}_1 U_2) \equiv -\overline{U}_1 f.$$

4. *Beispiel:* In drei Veränderlichen x, y, z bilden die beiden Transformationen:

$$U_1 f \equiv \frac{\partial f}{\partial x} + \frac{\partial f}{\partial y} + \frac{\partial f}{\partial z}, \quad U_2 f \equiv x\frac{\partial f}{\partial x} + y\frac{\partial f}{\partial y} + z\frac{\partial f}{\partial z}$$

eine zweigliedrige Gruppe von infinitesimalen Transformationen, denn sie sind von einander unabhängig und es ist

$$(U_1 U_2) \equiv U_1 f.$$

5. *Beispiel:* Die vier infinitesimalen Transformationen:

$$U_1 f \equiv x\frac{\partial f}{\partial x}, \quad U_2 f \equiv x\frac{\partial f}{\partial y}, \quad U_3 f \equiv y\frac{\partial f}{\partial x}, \quad U_4 f \equiv y\frac{\partial f}{\partial y}$$

sind von einander unabhängig, und es ist:

$$(U_1 U_2) \equiv U_2 f, \quad (U_1 U_3) \equiv -U_3 f, \quad (U_1 U_4) \equiv 0,$$
$$(U_2 U_3) \equiv U_1 f - U_4 f, \quad (U_2 U_4) \equiv U_2 f, \quad (U_3 U_4) \equiv -U_3 f.$$

Mithin bilden sie eine viergliedrige Gruppe von infinitesimalen Transformationen.

Liegt eine r-gliedrige Gruppe von infinitesimalen Transformationen $U_1 f$, $U_2 f \cdots U_r f$ vor, so kann es möglich sein, dass schon eine geringere Anzahl von einander unabhängiger infinitesimaler Transformationen $c_1 U_1 f + c_2 U_2 f + \cdots + c_r U_r f$ für sich eine Gruppe bildet. In diesem Falle nennen wir diese weniger als r-, etwa s-gliedrige Gruppe eine *s-gliedrige Untergruppe* der vorgelegten Gruppe von infinitesimalen Transformationen. Einige Beispiele werden dies besser als theoretische Erläuterungen klar machen.

Untergruppe.

Beispiele.

1. *Beispiel:* Die drei infinitesimalen Transformationen:

$$U_1 f \equiv x^2\frac{\partial f}{\partial x} + xy\frac{\partial f}{\partial y}, \quad U_2 f \equiv xy\frac{\partial f}{\partial x} + y^2\frac{\partial f}{\partial y},$$
$$U_3 f \equiv x\frac{\partial f}{\partial x} + y\frac{\partial f}{\partial y}$$

bilden eine dreigliedrige Gruppe, denn sie sind von einander unabhängig und es ist:

$$(U_1 U_2) \equiv 0, \quad (U_1 U_3) \equiv -U_1 f, \quad (U_2 U_3) \equiv -U_2 f.$$

Hier bilden $U_1 f$ und $U_2 f$ für sich eine zweigliedrige Gruppe, ebenso $U_1 f$ und $U_3 f$ sowie analog $U_2 f$ und $U_3 f$. Unsere dreigliedrige Gruppe besitzt demnach unter anderen die zweigliedrigen Untergruppen

$$U_1 f, U_2 f; \quad U_1 f, U_3 f; \quad U_2 f, U_3 f.$$

2. Beispiel: Die drei infinitesimalen Transformationen:

$$U_1f \equiv \frac{\partial f}{\partial x} + \frac{\partial f}{\partial y}, \quad U_2f \equiv x\frac{\partial f}{\partial x} + y\frac{\partial f}{\partial y},$$
$$U_3f \equiv x^2\frac{\partial f}{\partial x} + y^2\frac{\partial f}{\partial y}$$

bilden eine dreigliedrige Gruppe. Sie sind nämlich von einander unabhängig und es ist:

$$(U_1U_2) \equiv U_1f, \quad (U_1U_3) \equiv 2U_2f, \quad (U_2U_3) \equiv U_3f.$$

Offenbar bilden U_1f und U_2f für sich eine zweigliedrige Untergruppe, ebenso U_2f und U_3f, denn im einen Fall ist $(U_1U_2) \equiv U_1f$, im andern $(U_2U_3) \equiv U_3f$. Dagegen bilden U_1f und U_3f keine Untergruppe, denn (U_1U_3) drückt sich nicht linear mit constanten Coefficienten durch U_1f und U_3f allein aus.

3. Beispiel: Die viergliedrige Gruppe von infinitesimalen Transformationen:

$$U_1f \equiv x\frac{\partial f}{\partial x}, \quad U_2f \equiv x\frac{\partial f}{\partial y}, \quad U_3f \equiv y\frac{\partial f}{\partial x}, \quad U_4f \equiv y\frac{\partial f}{\partial y},$$

wo

$$(U_1U_2) \equiv U_2f, \quad (U_1U_3) \equiv -U_3f, \quad (U_1U_4) \equiv 0,$$
$$(U_2U_3) \equiv U_1f - U_4f, \quad (U_2U_4) \equiv U_2f, \quad (U_3U_4) \equiv -U_3f$$

ist, enthält unter anderen die drei infinitesimalen Transformationen:

$$U_2f \equiv x\frac{\partial f}{\partial y}, \quad U_3f \equiv y\frac{\partial f}{\partial x}, \quad Uf \equiv x\frac{\partial f}{\partial x} - y\frac{\partial f}{\partial y} \; (\equiv U_1f - U_4f),$$

welche eine dreigliedrige Untergruppe bilden, denn sie sind von einander unabhängig und es ist

$$(U_2U_3) \equiv Uf, \quad (U_2U) \equiv -2U_2f, \quad (U_3U) \equiv 2U_3f.$$

Es gilt nunmehr der Satz, dass jede r-gliedrige Gruppe von infinitesimalen Transformationen ($r > 2$) sicher *mindestens eine zweigliedrige Untergruppe* enthält, d. h. dass sich aus den infinitesimalen Transformationen Zweigliedrige Untergruppe.

$$c_1U_1f + c_2U_2f + \cdots + c_rU_rf$$

der Gruppe zwei auswählen lassen, deren Klammerausdruck sich linear mit constanten Coefficienten aus diesen selben beiden zusammensetzen lässt.

Diesen Satz, der für unsere Theorie der Differentialgleichungen zweiter Ordnung von besonderer Bedeutung ist, beweisen wir, indem wir nur von der Definition der r-gliedrigen Gruppe von infinitesimalen Transformationen Gebrauch machen. Der Satz gilt deshalb nicht nur für infinitesimale Transformationen in zwei Veränderlichen oder für $r \leq 8$, sondern für *jede* durch unsere Definition gegebene r-gliedrige Gruppe von infinitesimalen Transformationen in n Veränderlichen. Es ist dies zu bemerken deshalb wichtig, weil eben der Begriff einer solchen Gruppe nicht auf Gruppen von infinitesimalen Transformationen einer Differentialgleichung zweiter Ordnung in x, y beschränkt ist, sondern eine viel grössere Bedeutung hat, die wir freilich hier noch nicht benutzen werden.

Zum Beweise unseres Satzes seien $U_1 f$, $U_2 f \cdots U_r f$ r von einander unabhängige infinitesimale Transformationen der r-gliedrigen Gruppe und also jedes

$$(5) \qquad (U_i U_k) \equiv \sum_1^r {}_s\, c_{iks}\, U_s f \qquad (i, k = 1, 2 \cdots r),$$

wo die c_{iks} Constanten sein sollen. Wir werden zeigen, dass es eine zweigliedrige Untergruppe dieser Gruppe giebt, welcher z. B. die infinitesimale Transformation $U_1 f$ angehört.

Soll dies der Fall sein, so muss sich eine infinitesimale Transformation

$$Uf \equiv e_2 U_2 f + \cdots + e_r U_r f$$

angeben lassen, in der erstens die Grössen $e_2 \cdots e_r$ Constanten sind, und für welche zweitens $(U_1 f,\ Uf)$ sich linear mit constanten Coefficienten durch $U_1 f$ und Uf allein ausdrückt:

$$(U_1 f,\ e_2 U_2 f + \cdots + e_r U_r f) = a\, U_1 f + b(e_2 U_2 f + \cdots + e_r U_r f) \qquad (a,\ b = \text{Const.}).$$

Zunächst giebt diese Relation:

$$\sum_2^r {}_k\, e_k (U_1 U_k) = a\, U_1 f + b(e_2 U_2 f + \cdots + e_r U_r f),$$

also nach (5):

$$\sum_2^r {}_k\, e_k \sum_1^r {}_s\, c_{1ks} U_s f = a\, U_1 f + b(e_2 U_2 f + \cdots + e_r U_r f).$$

Beide Seiten sind nun linear in $U_1 f \cdots U_r f$ und haben constante Coefficienten. Nach Voraussetzung sollen jedoch $U_1 f \cdots U_r f$ von einander unabhängig sein. Diese Relation kann also nur dann bestehen, wenn sie eine Identität ist, indem links und rechts jedes $U_s f$ denselben Coefficienten hat. Die Coefficientenvergleichung liefert demnach die r Forderungen:

$$(6)\quad \begin{cases} \sum_2^r {}_k e_k c_{1k1} = a, \\ \sum_2^r {}_k e_k c_{1k2} = b e_2, \\ \sum_1^r {}_k e_k c_{1k3} = b e_3, \\ \cdot\ \cdot\ \cdot\ \cdot \\ \sum_2^r {}_k e_k c_{1kr} = b e_r. \end{cases}$$

Wenn umgekehrt $e_2 \cdots e_r$ r solche Gleichungen erfüllen, in denen a und b Constanten sind, und natürlich nicht $e_2 \cdots e_r$ sämtlich verschwinden, so bestimmen $U_1 f$ und

$$Uf \equiv e_2 U_2 f + \cdots + e_r U_r f$$

in der That eine zweigliedrige Gruppe von infinitesimalen Transformationen, indem dann

$$(U_1 U) \equiv a U_1 f + b Uf$$

wird.

Wir haben also nur noch die r Forderungen (6) zu untersuchen. Die erste dient zur Bestimmung von a und stellt also für $e_2, e_3 \cdots e_r$ keine Bedingung dar. Es bleiben die $r - 1$ übrigen. Dieselben lassen sich so schreiben:

$$(7)\quad \begin{cases} (c_{122} - b)e_2 + c_{132} e_3 + \cdots + c_{1r2} e_r = 0, \\ c_{123} e_2 + (c_{133} - b) e_3 + \cdots + c_{1r3} e_r = 0, \\ \cdot\ \cdot\ \cdot\ \cdot\ \cdot\ \cdot\ \cdot\ \cdot\ \cdot\ \cdot\ \cdot\ \cdot\ \cdot\ \cdot \\ c_{12r} e_2 + c_{13r} e_3 + \cdots + (c_{1rr} - b) e_r = 0. \end{cases}$$

Dies sind $r - 1$ in $e_2 \cdots e_r$ lineare und homogene Gleichungen. Da $e_2 \cdots e_r$ nicht sämtlich Null sein sollen, so muss ihre Determinante verschwinden:

$$(8)\quad \begin{vmatrix} c_{122} - b & c_{132} & \cdots & c_{1r2} \\ c_{123} & c_{133} - b & \cdots & c_{1r3} \\ \cdots & \cdots & \cdots & \cdots \\ c_{12r} & c_{13r} & \cdots & c_{1rr} - b \end{vmatrix} = 0.$$

Dies lässt sich immer erreichen, da wir noch über b verfügen können. Die Gleichung (8) ist ja eine Gleichung $(r-1)^{\text{ten}}$ Grades für b, deren höchstes Glied $(-1)^{r-1} b^{r-1}$ sicher nicht wegfällt. Eine solche Gleichung hat immer mindestens eine Wurzel b. Wählen wir eine Wurzel für b aus, so lassen sich nunmehr die Gleichungen (7) durch Constanten $e_2, e_3 \cdots e_r$ befriedigen, welche nicht sämtlich Null sind. (Ist b Doppel- oder mehrfache Wurzel von (8), so giebt es unter Umständen sogar unendlich viele Wertsysteme $e_2 \cdots e_r$, welche das System (7) erfüllen.)

Mithin können wir für $e_2 \cdots e_r$ nicht sämtlich verschwindende Constanten finden, welche Relationen von der Form (6) erfüllen.

$U_1 f$ und $Uf = e_2 U_2 f + \cdots + e_r U_r f$ bilden dann in der That eine zweigliedrige Untergruppe unserer gegebenen r-gliedrigen Gruppe von infinitesimalen Transformationen. $U_1 f \cdots U_r f$ bezeichneten irgend welche r von einander unabhängige infinitesimale Transformationen der r-gliedrigen Gruppe. Statt für $U_1 f$ hätten wir also auch dasselbe Raisonnement für irgend eine infinitesimale Transformation der Gruppe durchführen können, und demnach ist bewiesen:

Theorem 40: *Jede r-gliedrige Gruppe von infinitesimalen Transformationen enthält zweigliedrige Untergruppen. Jede infinitesimale Transformation der r-gliedrigen Gruppe gehört mindestens einer zweigliedrigen Untergruppe derselben an.*

Kapitel 18.

Zurückführung der zweigliedrigen Gruppen von infinitesimalen Transformationen der Ebene auf canonische Formen.

Im letzten Paragraphen des vorhergehenden Kapitels haben wir uns anscheinend von unserem eigentlichen Probleme der Integration einer Differentialgleichung zweiter Ordnung, welche mehrere bekannte infinitesimale Transformationen gestattet, abgewendet. Auch im gegenwärtigen Kapitel werden wir scheinbar fremdartige Gegenstände zur Sprache bringen. Erst im nächsten Kapitel wird sich zeigen, inwiefern die hier zu entwickelnden Theorien mit jenem Integrationsprobleme zusammenhängen.

Im vorliegenden Kapitel beschäftigen wir uns nur mit der Zurückführung der zweigliedrigen Gruppen von infinitesimalen Transformationen der Ebene auf gewisse einfache, sogenannte *canonische* Formen.

§ 1. Die vier Typen von zweigliedrigen Gruppen von infinitesimalen Transformationen der Ebene.

Nach Theorem 40 des letzten Paragraphen werden unter allen r-gliedrigen Gruppen von infinitesimalen Transformationen die zweigliedrigen besondere Wichtigkeit besitzen, da jede r-gliedrige Gruppe zweigliedrige Untergruppen enthält.

Wir betrachten daher in diesem Kapitel die zweigliedrigen Gruppen von infinitesimalen Transformationen und zwar die der Ebene, indem wir uns von jetzt ab wieder auf zwei Veränderliche x, y beschränken.

Zwei infinitesimale Transformationen $U_1 f$ und $U_2 f$ bilden dann und nur dann eine zweigliedrige Gruppe von infinitesimalen Transformationen, wenn sie erstens von einander unabhängig sind, d. h. nicht etwa

$$U_2 f \equiv c U_1 f$$

ist, wo c eine Constante bedeutet, und zweitens eine Relation erfüllen von der Form:

$$(U_1 U_2) \equiv c_1 U_1 f + c_2 U_2 f,$$

in der c_1 und c_2 Constanten sind.

Diese Relation lässt sich vereinfachen. An Stelle von $U_1 f$ und $U_2 f$ können wir irgend welche lineare Ausdrücke derselben mit constanten Coefficienten benutzen (vgl. die Definition der r-gliedrigen Gruppe, § 4 des 17. Kap.), und davon wollen wir Gebrauch machen. Dabei macht es einen wesentlichen Unterschied aus, ob c_1 und c_2 beide Null sind oder nicht. Im ersteren Falle Reduction der Relation für $(U_1 U_2)$.

$$(U_1 U_2) \equiv 0$$

ist offenbar auch jedes

$$(a_1 U_1 + a_2 U_2,\ b_1 U_1 + b_2 U_2) \equiv 0 \quad (a, b = \text{Const.}).$$

Die Gruppe besteht also aus lauter *vertauschbaren* infinitesimalen Transformationen (vgl. § 4 des 14. Kap.). Wenn jedoch im anderen Falle etwa $c_1 \neq 0$ ist, so benutzen wir an Stelle von $U_1 f$ und $U_2 f$ die von einander unabhängigen, aber von $U_1 f$ und $U_2 f$ abhängigen infinitesimalen Transformationen der Gruppe:

$$\overline{U}_1 f \equiv U_1 f + \frac{c_2}{c_1} U_2 f,$$
$$\overline{U}_2 f \equiv \frac{1}{c_1} U_2 f$$

und erhalten:

$$(\overline{U}_1 \overline{U}_2) \equiv \frac{1}{c_1} (U_1 U_2) + \frac{c_2}{c_1^2} (U_2 U_2) \equiv$$
$$\equiv \frac{1}{c_1} (c_1 U_1 f + c_2 U_2 f) \equiv \overline{U}_1 f,$$

also:

$$(\overline{U}_1 \overline{U}_2) \equiv \overline{U}_1 f.$$

Satz 1: *Jede zweigliedrige Gruppe von infinitesimalen Transformationen $U_1 f$, $U_2 f$ kann durch passende Auswahl der infinitesimalen Transformationen eine solche Form erhalten, dass entweder*

$$(U_1 U_2) \equiv 0$$

oder

$$(U_1 U_2) \equiv U_1 f$$

ist. Die eine Form schliesst die andere aus.

Hiermit haben wir alle zweigliedrigen Gruppen in zwei Classen eingeteilt. Jede dieser Classen kann nun noch nach einem zweiten Gesichtspunkt in zwei Unterclassen zerteilt werden. Es ist nämlich allerdings von vornherein ausgeschlossen, dass zwischen $U_1 f$ und $U_2 f$ eine Relation mit constanten Coefficienten bestehe, wohl aber kann zwischen ihnen eine Relation mit *variabeln* Coefficienten stattfinden:

Relation zwischen $U_1 f$ und $U_2 f$.

$$\varphi_1(x, y)\, U_1 f + \varphi_2(x, y)\, U_2 f \equiv 0.$$

Natürlich soll sich $\varphi_1 : \varphi_2$ nicht auf eine Constante reducieren. Eine derartige Relation sagt bekanntlich aus, dass $U_1 f$ und $U_2 f$ dem Punkte (x, y) infinitesimale Fortschreitungsstrecken in derselben Richtung zuordnen, d. h. dass die Bahncurven der von $U_1 f$ und von $U_2 f$ erzeugten eingliedrigen Gruppen von endlichen Transformationen übereinstimmen. (Vgl. § 1 des 6. Kapitels.) In diesem Falle hat auch die von einer beliebigen infinitesimalen Transformation

$$\text{Const. } U_1 f + \text{Const. } U_2 f$$

erzeugte eingliedrige Gruppe diese selben Bahncurven. Wenn dagegen zwischen $U_1 f$ und $U_2 f$ keine solche Relation besteht, so besteht auch keine zwischen irgend zweien von einander unabhängigen infinitesimalen Transformationen

$$a_1 U_1 f + a_2 U_2 f, \quad b_1 U_1 f + b_2 U_2 f \quad (a, b = \text{Const.})$$

unserer zweigliedrigen Gruppe $U_1 f$, $U_2 f$. Das Bestehen oder Nicht-Bestehen einer derartigen Beziehung kann deshalb als Unterscheidungsmerkmal der zweigliedrigen Gruppen benutzt werden.

Vier Arten von zweigliedrigen Gruppen.

Demnach giebt es vier Arten von zweigliedrigen Gruppen von infinitesimalen Transformationen $U_1 f$, $U_2 f$ der Ebene, entsprechend den vier Fällen:

$$\begin{array}{lll} \text{I.} & (U_1 U_2) \equiv 0, & \varphi_1 U_1 f + \varphi_2 U_2 f \not\equiv 0, \\ \text{II.} & (U_1 U_2) \equiv 0, & \varphi_1 U_1 f + \varphi_2 U_2 f \equiv 0, \\ \text{III.} & (U_1 U_2) \equiv U_1 f, & \varphi_1 U_1 f + \varphi_2 U_2 f \not\equiv 0, \\ \text{IV.} & (U_1 U_2) \equiv U_1 f, & \varphi_1 U_1 f + \varphi_2 U_2 f \equiv 0. \end{array}$$

Jeder dieser vier Fälle schliesst die drei anderen aus.

Wir werden nunmehr diese vier Formen nach einander betrachten und jedesmal durch zweckmässige Wahl der Veränderlichen die betreffende Gruppe auf eine *canonische Form* oder einen *Typus* bringen.

§ 2. **Erster Typus:** $(U_1 U_2) \equiv 0$ **und** $\varphi_1 U_1 f + \varphi_2 U_2 f \not\equiv 0$.

Vorgelegt seien zwei von einander unabhängige infinitesimale Transformationen $U_1 f$ und $U_2 f$ der Ebene, deren eingliedrige Gruppen *verschiedene Bahncurven* haben und für welche

$$(U_1 U_2) \equiv 0$$

ist.

Nach Satz 4 (§ 2 des 3. Kap.) lassen sich die Veränderlichen x, y so wählen, dass $U_1 f$ die Form einer Translation erhält: Reduction auf die erste canonische Form.

$$U_1 f \equiv \frac{\partial f}{\partial x},$$

während alsdann $U_2 f$ etwa die Form hat:

$$U_2 f \equiv \xi \frac{\partial f}{\partial x} + \eta \frac{\partial f}{\partial y}.$$

Dann ist:

$$0 \equiv (U_1 U_2) \equiv \frac{\partial \xi}{\partial x} \cdot \frac{\partial f}{\partial x} + \frac{\partial \eta}{\partial x} \cdot \frac{\partial f}{\partial y},$$

d. h. ξ und η sind Functionen von y allein, sodass

$$U_2 f \equiv Y(y) \frac{\partial f}{\partial x} + Y_1(y) \frac{\partial f}{\partial y}$$

wird. Nach unserer Voraussetzung, dass $U_1 f$ und $U_2 f$ verschiedene Bahncurven haben sollen, d. h. dass zwischen $U_1 f$ und $U_2 f$ keine lineare Relation bestehen soll, ist sicher $Y_1 \not\equiv 0$, denn sonst wäre $Y U_1 f - U_2 f \equiv 0$. Nun lässt sich eine Function $\mathfrak{y}$ von y berechnen, sodass

$$Y_1(y) \frac{\partial f}{\partial y} \equiv \frac{\partial f}{\partial \mathfrak{y}}$$

wird. Es muss nämlich

$$\mathfrak{y} \equiv \int \frac{dy}{Y_1(y)}$$

gesetzt werden. In x und $\mathfrak{y}$ haben nunmehr $U_1 f$ und $U_2 f$ die Formen:

$$U_1 f \equiv \frac{\partial f}{\partial x}, \quad U_2 f \equiv \varphi(\mathfrak{y}) \frac{\partial f}{\partial x} + \frac{\partial f}{\partial \mathfrak{y}}.$$

Führen wir

$$\mathfrak{x} \equiv x - \psi(\mathfrak{y})$$

als neue Variabele an Stelle von x ein, so wird

$$U_1 f \equiv \frac{\partial f}{\partial \mathfrak{x}}, \quad U_2 f \equiv (\varphi(\mathfrak{y}) - \psi'(\mathfrak{y})) \frac{\partial f}{\partial \mathfrak{x}} + \frac{\partial f}{\partial \mathfrak{y}}.$$

Wenn wir also $\psi(\mathfrak{y}) \equiv \int \varphi(\mathfrak{y}) d\mathfrak{y}$ wählen, so wird

$$U_1 f \equiv \frac{\partial f}{\partial \mathfrak{x}}, \quad U_2 f \equiv \frac{\partial f}{\partial \mathfrak{y}}.$$

Damit sind wir zu dem Satz gelangt (in welchem $\mathfrak{x}$ und $\mathfrak{y}$ mit x, y bezeichnet sind):

Satz 2: *Stehen zwei infinitesimale Transformationen $U_1 f$ und $U_2 f$ der Ebene in der Beziehung $(U_1 U_2) \equiv 0$, und haben sie dabei verschiedene Bahncurven, so können sie immer gleichzeitig durch passende Coordinatenwahl auf die Form zweier Translationen* $\frac{\partial f}{\partial x}, \frac{\partial f}{\partial y}$ *gebracht werden.*

Dieser einfache Satz, der sich auch auf den Fall zweier oder mehrerer infinitesimaler Transformationen in n Veränderlichen ausdehnen lässt, besitzt eine hervorragende Bedeutung.

Ausführung der Reduction durch Quadraturen.

Wir haben gezeigt, *dass* $U_1 f$ und $U_2 f$ auf die Form $\frac{\partial f}{\partial \mathfrak{x}}, \frac{\partial f}{\partial \mathfrak{y}}$ gebracht werden können, aber nicht, *wie* wir es in einem gegebenen Fall thun werden. Um auch dies zu erledigen, seien

$$U_1 f \equiv \xi_1 \frac{\partial f}{\partial x} + \eta_1 \frac{\partial f}{\partial y}, \quad U_2 f \equiv \xi_2 \frac{\partial f}{\partial x} + \eta_2 \frac{\partial f}{\partial y}$$

unsere beiden infinitesimalen Transformationen, geschrieben in irgend welchen Veränderlichen x, y. Nach dem Obigen lassen sich immer zwei Functionen $\mathfrak{x}$ und $\mathfrak{y}$ von x, y angeben, sodass

$$\xi_1 \frac{\partial f}{\partial x} + \eta_1 \frac{\partial f}{\partial y} = \frac{\partial f}{\partial \mathfrak{x}},$$

$$\xi_2 \frac{\partial f}{\partial x} + \eta_2 \frac{\partial f}{\partial y} = \frac{\partial f}{\partial \mathfrak{y}}$$

wird und zwar für jede Function f. Setzt man $f \equiv \mathfrak{x}$, so kommt:

$$\xi_1 \frac{\partial \mathfrak{x}}{\partial x} + \eta_1 \frac{\partial \mathfrak{x}}{\partial y} = 1,$$

$$\xi_2 \frac{\partial \mathfrak{x}}{\partial x} + \eta_2 \frac{\partial \mathfrak{x}}{\partial y} = 0.$$

Hieraus lassen sich $\frac{\partial \mathfrak{x}}{\partial x}, \frac{\partial \mathfrak{x}}{\partial y}$ berechnen, denn die Determinante $\xi_1 \eta_2 - \xi_2 \eta_1$ ist nicht identisch Null, weil zwischen $U_1 f$ und $U_2 f$ keine lineare Relation besteht. $\mathfrak{x}$ selbst wird mithin durch Quadratur eines vollständigen Differentials gefunden. Indem man $f \equiv \mathfrak{y}$ setzt, erhält man analog zwei Gleichungen, aus denen sich $\frac{\partial \mathfrak{y}}{\partial x}$ und $\frac{\partial \mathfrak{y}}{\partial y}$ als Functionen von x, y berechnen lassen. Also wird auch $\mathfrak{y}$ durch eine Quadratur gefunden. Zu beachten ist, dass die Bestimmung von $\mathfrak{y}$ ganz unabhängig von der des $\mathfrak{x}$ erfolgt: beide erforderliche Quadraturen sind von einander unabhängig. (Abhängig würden wir sie nennen, wenn die Durchführung der einen die vorherige Berechnung der anderen verlangte.)

Satz 3: *Stehen zwei infinitesimale Transformationen $U_1 f$, $U_2 f$ der Ebene mit verschiedenen Bahncurven in der Beziehung $(U_1 U_2) \equiv 0$, so* *verlangt ihre gleichzeitige Reduction auf die Formen* $\frac{\partial f}{\partial \mathfrak{x}}, \frac{\partial f}{\partial \mathfrak{y}}$ *zwei von einander unabhängige Quadraturen.*

Man kommt hier mit Quadraturen aus, während die Zurückführung einer einzigen infinitesimalen Transformation $U_1 f$ auf die Form $\frac{\partial f}{\partial \mathfrak{x}}$ bekanntlich die Integration einer gewöhnlichen Differentialgleichung erster Ordnung und eine Quadratur verlangt (vgl. § 2 des 3. Kap.). Der Grund liegt darin, dass uns hier die besondere Eigenschaft von $U_1 f$ bekannt ist, dass $(U_1 U_2) \equiv 0$ ist, dass also mit anderen Worten die Differentialgleichung $U_1 f = 0$ die infinitesimale Transformation $U_2 f$ gestattet, also die Bahncurven von $U_1 f$ durch Quadratur bestimmbar sind (nach Theorem 8, § 1 des 6. Kap.). Ebenso lässt die Differentialgleichung $U_2 f = 0$ die infinitesimale Transformation $U_1 f$ zu, also können auch die Bahncurven von $U_2 f$ durch Quadratur gefunden werden.

Beispiel: Sei: Beispiel.

$$U_1 f \equiv - y \frac{\partial f}{\partial x} + x \frac{\partial f}{\partial y}, \quad U_2 f \equiv x \frac{\partial f}{\partial x} + y \frac{\partial f}{\partial y},$$

so ist $(U_1 U_2) \equiv 0$, während keine Relation zwischen $U_1 f$ und $U_2 f$ besteht. Also liegt der soeben besprochene Fall vor. Man kann neue Veränderliche $\mathfrak{x}$, $\mathfrak{y}$ angeben, wodurch $U_1 f \equiv \frac{\partial f}{\partial \mathfrak{x}}$, $U_2 f \equiv \frac{\partial f}{\partial \mathfrak{y}}$ wird. Um sie zu finden, haben wir die Gleichungen zu bilden:

$$- y \frac{\partial \mathfrak{x}}{\partial x} + x \frac{\partial \mathfrak{x}}{\partial y} = 1, \quad x \frac{\partial \mathfrak{x}}{\partial x} + y \frac{\partial \mathfrak{x}}{\partial y} = 0$$

und

$$- y \frac{\partial \mathfrak{y}}{\partial x} + x \frac{\partial \mathfrak{y}}{\partial y} = 0, \quad x \frac{\partial \mathfrak{y}}{\partial x} + y \frac{\partial \mathfrak{y}}{\partial y} = 1.$$

Die beiden ersten liefern:

$$\frac{\partial \mathfrak{x}}{\partial x} = \frac{-y}{x^2 + y^2}, \quad \frac{\partial \mathfrak{x}}{\partial y} = \frac{x}{x^2 + y^2},$$

d. h.

$$\mathfrak{x} = \int \frac{-y\,dx + x\,dy}{x^2 + y^2} = \operatorname{arctg} \frac{y}{x} + \text{Const.}$$

und die beiden letzten:

$$\frac{\partial \mathfrak{y}}{\partial x} = \frac{x}{x^2 + y^2}, \quad \frac{\partial \mathfrak{y}}{\partial y} = \frac{y}{x^2 + y^2},$$

d. h.

$$\mathfrak{y} = \int \frac{x\,dx + y\,dy}{x^2 + y^2} = \lg \sqrt{x^2 + y^2} + \text{Const.}$$

Dass diese Functionen $\mathfrak{x}$ und $\mathfrak{y}$ die gewünschten Formen $\frac{\partial f}{\partial \mathfrak{x}}, \frac{\partial f}{\partial \mathfrak{y}}$ liefern, geht schon aus ihrer geometrischen Bedeutung hervor, wenn man bedenkt, dass $U_1 f$ die infinitesimale Rotation um den Anfangspunkt, $U_2 f$ die infinitesimale Ähnlichkeitstransformation vom Anfangspunkt aus vorstellt.

§ 3. Zweiter Typus: $(U_1 U_2) \equiv 0$ und $\varphi_1 U_1 f + \varphi_2 U_2 f \equiv 0$.

Vorgelegt seien nunmehr zwei infinitesimale Punkttransformationen $U_1 f$ und $U_2 f$ der Ebene, für die wieder $(U_1 U_2) \equiv 0$ ist, und welche nunmehr auch *dieselben Bahncurven* haben sollen, sodass $U_2 f$ sich in der Form darstellt:

$$U_2 f \equiv \varrho(x, y)\, U_1 f.$$

Reduction auf die zweite canonische Form.

Wir können annehmen, dass die Veränderlichen x, y schon so gewählt sind, dass $U_1 f \equiv \frac{\partial f}{\partial y}$ ist. Alsdann ist also:

$$U_2 f \equiv \varrho \frac{\partial f}{\partial y}$$

und

$$0 \equiv (U_1 U_2) \equiv \frac{\partial \varrho}{\partial y} \cdot \frac{\partial f}{\partial y},$$

d. h. ϱ enthält nur x. Da ϱ sicher keine Constante ist, denn sonst wäre $U_2 f$ von $U_1 f$ abhängig, so kann es als neues x benutzt werden und so kommt denn:

$$U_1 f \equiv \frac{\partial f}{\partial y}, \quad U_2 f \equiv x \frac{\partial f}{\partial y}.$$

Satz 4: *Zwei infinitesimale Transformationen $U_1 f$ und $U_2 f$ der Ebene, welche dieselben Bahncurven haben, und für die $(U_1 U_2) \equiv 0$ ist, lassen sich durch passende Coordinatenwahl gleichzeitig auf die Formen bringen:* $\frac{\partial f}{\partial y}$, $x \frac{\partial f}{\partial y}$.

Ausführung der Reduction durch eine Quadratur.

Wir fragen uns nun, wie wir dies praktisch durchführen werden. Sei in beliebigen Veränderlichen x, y vorgelegt:

$$U_1 f \equiv \xi_1 \frac{\partial f}{\partial x} + \eta_1 \frac{\partial f}{\partial y},$$

so hat $U_2 f$ nach Voraussetzung die Form

$$U_2 f \equiv \varrho \left(\xi_1 \frac{\partial f}{\partial x} + \eta_1 \frac{\partial f}{\partial y}\right).$$

Nun wissen wir, dass sich neue Veränderliche $\mathfrak{x}$, $\mathfrak{y}$ einführen lassen, sodass

$$\xi_1 \frac{\partial f}{\partial x} + \eta_1 \frac{\partial f}{\partial y} \equiv \frac{\partial f}{\partial \mathfrak{y}},$$

$$\varrho \left(\xi_1 \frac{\partial f}{\partial x} + \eta_1 \frac{\partial f}{\partial y}\right) \equiv \mathfrak{x} \frac{\partial f}{\partial \mathfrak{y}}$$

wird. Demnach ist zunächst

$$\mathfrak{x} \equiv \varrho.$$

Wenn $f \equiv \mathfrak{y}$ gesetzt wird, so ergiebt sich für $\mathfrak{y}$ nur die eine Differentialgleichung:

$$(1) \qquad \xi_1 \frac{\partial \mathfrak{y}}{\partial x} + \eta_1 \frac{\partial \mathfrak{y}}{\partial y} = 1.$$

Dieselbe lässt sich nun durch eine Quadratur integrieren, weil man ein Integral von

$$\frac{dx}{\xi_1} = \frac{dy}{\eta_1}$$

kennt. Es soll ja $(U_1 U_2) \equiv 0$ sein und deshalb ist wegen $U_2 \equiv \varrho U_1$ auch $U_1 \varrho \equiv 0$, d. h.:

$$\xi_1 \frac{\partial \varrho}{\partial x} + \eta_1 \frac{\partial \varrho}{\partial y} = 0.$$

Die Gleichung (1) ist dem simultanen System

$$\frac{dx}{\xi_1} = \frac{dy}{\eta_1} = \frac{d\mathfrak{y}}{1}$$

äquivalent. Entfernen wir hieraus vermöge des bekannten Integrals $\varrho = c$ (= Const.) etwa y, so kommt durch eine Quadratur

$$\mathfrak{y} = \varphi(x, c) + \gamma \quad (\gamma = \text{Const.})$$

und, wenn nun wieder $c = \varrho$ gesetzt wird, etwa

$$\mathfrak{y} = \psi(x, y) + \gamma$$

als allgemeinste Lösung $\mathfrak{y}$ von (1).

Satz 5: *Stehen zwei infinitesimale Transformationen $U_1 f$ und $U_2 f$ der Ebene mit denselben Bahncurven in der Beziehung $(U_1 U_2) \equiv 0$, so verlangt ihre gleichzeitige Reduction auf die Formen $\frac{\partial f}{\partial \mathfrak{y}}$, $\mathfrak{x} \frac{\partial f}{\partial \mathfrak{y}}$ nur eine Quadratur.*

1. Beispiel: Sei Beispiele.

$$U_1 f \equiv x^2 \frac{\partial f}{\partial x} + xy \frac{\partial f}{\partial y}, \quad U_2 f \equiv xy \frac{\partial f}{\partial x} + y^2 \frac{\partial f}{\partial y},$$

so ist offenbar

$$U_2 f \equiv \frac{y}{x} U_1 f$$

und

$$(U_1 U_2) \equiv 0.$$

Es liegt also der soeben betrachtete Fall vor. Hier ist daher zu setzen:

$$\mathfrak{x} \equiv \frac{y}{x},$$

während $\mathfrak{y}$ die Gleichung

$$x^2 \frac{\partial \mathfrak{y}}{\partial x} + xy \frac{\partial \mathfrak{y}}{\partial y} = 1$$

erfüllen soll. Das zugehörige simultane System lautet:

$$\frac{dx}{x^2} = \frac{dy}{xy} = \frac{d\mathfrak{y}}{1}$$

und besitzt das bekannte Integral $\frac{y}{x}$. Aber in diesem Beispiel brauchen wir es gar nicht, weil aus

$$\frac{dx}{x^2} = d\mathfrak{y}$$

direct durch Quadratur folgt:

$$\mathfrak{y} \equiv -\frac{1}{x} + \text{Const.}$$

In der That ist nun:

$$U_1 f \equiv U_1\mathfrak{x} \frac{\partial f}{\partial \mathfrak{x}} + U_1\mathfrak{y} \frac{\partial f}{\partial \mathfrak{y}} \equiv \frac{\partial f}{\partial \mathfrak{y}},$$

$$U_2 f \equiv U_2\mathfrak{x} \frac{\partial f}{\partial \mathfrak{x}} + U_2\mathfrak{y} \frac{\partial f}{\partial \mathfrak{y}} \equiv \mathfrak{x} \frac{\partial f}{\partial \mathfrak{y}}.$$

2. Beispiel: Sei

$$U_1 f \equiv -y \frac{\partial f}{\partial x} + x \frac{\partial f}{\partial y}, \quad U_2 f \equiv (x^2 + y^2)\left(-y \frac{\partial f}{\partial x} + x \frac{\partial f}{\partial y}\right),$$

so ist

$$U_2 f \equiv (x^2 + y^2)\, U_1 f$$

und

$$(U_1 U_2) \equiv 0,$$

sodass unser Fall vorliegt. Demnach ist zu setzen:

$$\mathfrak{x} \equiv x^2 + y^2$$

und $\mathfrak{y}$ bestimmt sich aus

$$\frac{dx}{-y} = \frac{dy}{x} = d\mathfrak{y}$$

vermöge einer Quadratur. Diese ist bequemer ohne Benutzung des bekannten Integrals $\mathfrak{x}$ zu leisten, denn es kommt:

$$\frac{-y\,dx + x\,dy}{x^2 + y^2} = d\mathfrak{y},$$

also ist zu setzen:

$$\mathfrak{y} = \operatorname{arctg} \frac{y}{x} + \text{Const.}$$

Man möge verificieren, dass in $\mathfrak{x}$ und $\mathfrak{y}$ geschrieben $U_1 f$ und $U_2 f$ die Formen $\frac{\partial f}{\partial \mathfrak{y}}$ und $\mathfrak{x} \frac{\partial f}{\partial \mathfrak{y}}$ annehmen.

In diesem und dem vorigen Paragraphen haben wir die beiden Möglichkeiten betrachtet, die statthaben können, wenn $(U_1 U_2) \equiv 0$ ist. Das Verschwinden des Klammerausdrucks sagt nach Satz 12, § 4 des 14. Kapitels aus, dass jede *endliche* Transformation der von $U_1 f$ erzeugten eingliedrigen Gruppe und jede der von $U_2 f$ erzeugten eingliedrigen Gruppe in ihrer Reihenfolge vertauschbar sind.

Durch die Sätze 2 und 4 des vorigen und dieses Paragraphen haben wir einen neuen Beweis hierfür erbracht, wenigstens im Falle zweier Veränderlicher. Denn entweder lassen sich U_1f und U_2f auf die Formen bringen

$$\frac{\partial f}{\partial x}, \quad \frac{\partial f}{\partial y},$$

und dies sind zwei infinitesimale Translationen und die zugehörigen endlichen Translationen sind offenbar vertauschbar, oder aber auf die Formen

$$\frac{\partial f}{\partial y}, \quad x\frac{\partial f}{\partial y}.$$

Die endlichen Gleichungen der beiden zugehörigen eingliedrigen Gruppen sind hier:

$$x_1 = x, \quad y_1 = y + t \quad \text{und} \quad x_1 = x + t, \quad y_1 = y + xt + \tfrac{1}{2}t^2.$$

Führen wir zuerst

$$x_1 = x, \quad y_1 = y + t$$

und darauf

$$x_2 = x_1 + \tau, \quad y_2 = y_1 + x_1\tau + \tfrac{1}{2}\tau^2$$

aus, so kommt als Endergebnis:

$$x_2 = x + \tau, \quad y_2 = y + t + x\tau + \tfrac{1}{2}\tau^2.$$

Wenn wir zuerst

$$x_1 = x + \tau, \quad y_1 = y + x\tau + \tfrac{1}{2}\tau^2$$

und darauf

$$x_2 = x_1, \quad y_2 = y_1 + t$$

ausführen, so kommt dasselbe Ergebnis.

§ 4. **Dritter Typus:** $(U_1U_2) \equiv U_1f$ **und** $\varphi_1U_1f + \varphi_2U_2f \not\equiv 0$.

Vorgelegt seien zwei infinitesimale Transformationen U_1f und U_2f der Ebene mit *verschiedenen Bahncurven*, und es sei:

$$(U_1U_2) = U_1f.$$

Wir dürfen annehmen, die Variabeln seien schon so gewählt, dass

Reduction auf die dritte canonische Form

$$U_1f \equiv \frac{\partial f}{\partial y}$$

ist. Sei:

$$U_2f \equiv \xi\frac{\partial f}{\partial x} + \eta\frac{\partial f}{\partial y},$$

so kommt wegen $(U_1U_2) \equiv U_1f$:

$$\frac{\partial \xi}{\partial y}\frac{\partial f}{\partial x} + \frac{\partial \eta}{\partial y}\frac{\partial f}{\partial y} \equiv \frac{\partial f}{\partial y}$$

oder:

$$\frac{\partial \xi}{\partial y} \equiv 0, \quad \frac{\partial \eta}{\partial y} \equiv 1,$$

d. h. U_2f hat die Form:

$$U_2f \equiv X_1(x)\frac{\partial f}{\partial x} + (y + X(x))\frac{\partial f}{\partial y}.$$

Sicher ist hierin $X_1 \not\equiv 0$, denn sonst wäre U_2f von der Form $(y + X)\,U_1f$, d. h. U_1f und U_2f hätten dieselben Bahncurven. Da $X_1 \not\equiv 0$ ist, kann man durch Einführung einer passenden Function von x als neues x mit Leichtigkeit erreichen, dass insbesondere $X_1 \equiv x$ wird. Benutzt man dann noch als neues y die Grösse $y + X(x)$, wodurch U_1f nicht geändert wird, so kommen die Formen:

$$U_1f \equiv \frac{\partial f}{\partial y}, \quad U_2f \equiv x\frac{\partial f}{\partial x} + y\frac{\partial f}{\partial y}.$$

Satz 6: *Stehen zwei infinitesimale Transformationen U_1f und U_2f der Ebene mit verschiedenen Bahncurven in der Beziehung $(U_1U_2) \equiv U_1f$, so kann man immer durch passende Coordinatenwahl gleichzeitig U_1f und U_2f auf die Formen $\frac{\partial f}{\partial y}$, $x\frac{\partial f}{\partial x} + y\frac{\partial f}{\partial y}$ bringen.*

Ausführung der Reduction durch Quadraturen.

Um zu erkennen, welche Operationen diese Zurückführung in der Praxis verlangt, seien U_1f und U_2f in beliebigen Veränderlichen x, y vorgelegt:

$$U_1f \equiv \xi_1\frac{\partial f}{\partial x} + \eta_1\frac{\partial f}{\partial y}, \quad U_2f \equiv \xi_2\frac{\partial f}{\partial x} + \eta_2\frac{\partial f}{\partial y}.$$

Alsdann ist es, wie bewiesen, möglich, zwei Functionen $\mathfrak{x}$ und $\mathfrak{y}$ anzugeben, sodass

$$\xi_1\frac{\partial f}{\partial x} + \eta_1\frac{\partial f}{\partial y} \equiv \frac{\partial f}{\partial \mathfrak{y}},$$

$$\xi_2\frac{\partial f}{\partial x} + \eta_2\frac{\partial f}{\partial y} \equiv \mathfrak{x}\frac{\partial f}{\partial \mathfrak{x}} + \mathfrak{y}\frac{\partial f}{\partial \mathfrak{y}}$$

wird. Setzen wir hierin $f \equiv \mathfrak{x}$, so kommt:

$$\xi_1\frac{\partial \mathfrak{x}}{\partial x} + \eta_1\frac{\partial \mathfrak{x}}{\partial y} \equiv 0,$$

$$\xi_2\frac{\partial \mathfrak{x}}{\partial x} + \eta_2\frac{\partial \mathfrak{x}}{\partial y} \equiv \mathfrak{x}.$$

Wenn wir beide Gleichungen noch durch $\mathfrak{x}$ dividieren, treten $\frac{\partial \lg \mathfrak{x}}{\partial x}$ und $\frac{\partial \lg \mathfrak{x}}{\partial y}$ auf, die sich also algebraisch berechnen lassen. Dann ist $\lg \mathfrak{x}$ durch eine Quadratur zu finden und damit auch $\mathfrak{x}$ zu bestimmen. Setzen wir dagegen $f \equiv \mathfrak{y}$, so kommt:

$$\xi_1\frac{\partial \mathfrak{y}}{\partial x} + \eta_1\frac{\partial \mathfrak{y}}{\partial y} \equiv 1,$$

$$\xi_2\frac{\partial \mathfrak{y}}{\partial x} + \eta_2\frac{\partial \mathfrak{y}}{\partial y} \equiv \mathfrak{y}.$$

Hieraus lassen sich $\frac{\partial \mathfrak{y}}{\partial x}$ und $\frac{\partial \mathfrak{y}}{\partial y}$ berechnen in der Form:

$$\frac{\partial \mathfrak{y}}{\partial x} = \alpha \mathfrak{y} + \beta,$$

$$\frac{\partial \mathfrak{y}}{\partial y} = \gamma \mathfrak{y} + \delta,$$

wo α, β, γ, δ Functionen von x, y sind. Dies sind zwei simultane lineare partielle Differentialgleichungen, aus denen sich bekanntlich $\mathfrak{x}$ durch Quadraturen finden lässt. (Man vergleiche die in § 5 des 9. Kap. über ein solches Systems — damals mit (29) bezeichnet — gemachten Bemerkungen.) Man kann die Zahl der hier nötigen Quadraturen noch reducieren: Setzen wir nämlich $y = \lambda x$, wo λ eine Constante bedeute, so wird $\mathfrak{y}$ eine Function von x allein und es kommt

$$\frac{d\mathfrak{y}}{dx} = \frac{\partial y}{\partial x} + \lambda \frac{\partial \mathfrak{y}}{\partial y} = \alpha \mathfrak{y} + \beta + \lambda(\gamma \mathfrak{y} + \delta).$$

Hier ist auch in α, β, γ, δ jedes $y = \lambda x$ zu setzen. Es ist dies dann eine lineare Differentialgleichung für $\mathfrak{y}$. Die verkürzte Gleichung

$$\frac{d\omega}{dx} = (\alpha + \lambda\gamma)\omega$$

besitzt, wie man leicht sieht, die oben bestimmte Function $\mathfrak{x}$ als Lösung ω, wenn nur in ihr $y = \lambda x$ gesetzt wird. Mithin bestimmt sich $\mathfrak{y}$ durch nur eine Quadratur (vgl. S. 150 oben), allerdings als Function von x und der Constanten λ. Setzt man dann wieder $\lambda = \frac{y}{x}$, so ergiebt sich die gesuchte Function $\mathfrak{y}$ von x und y.

Satz 7: *Stehen zwei infinitesimale Transformationen $U_1 f$ und $U_2 f$ der Ebene mit verschiedenen Bahncurven in der Beziehung $(U_1 U_2) \equiv U_1 f$, so kann man sie vermöge zweier Quadraturen durch Einführung neuer Variabeln gleichzeitig auf die Formen $\frac{\partial f}{\partial \mathfrak{x}}$, $\mathfrak{x}\frac{\partial f}{\partial \mathfrak{x}} + \mathfrak{y}\frac{\partial f}{\partial \mathfrak{y}}$ bringen.*

§ 5. Vierter Typus: $(U_1 U_2) \equiv U_1 f$ und $\varphi_1 U_1 f + \varphi_2 U_2 f \equiv 0$.

Wir kommen nun zum letzten Fall: Die beiden infinitesimalen Transformationen $U_1 f$ und $U_2 f$ der Ebene sollen *dieselben Bahncurven* haben und in der Beziehung

$$(U_1 U_2) \equiv U_1 f$$

stehen.

Es darf zunächst $U_1 f \equiv \frac{\partial f}{\partial y}$ vorausgesetzt werden. Da $U_2 f$ dieselben Bahncurven wie $U_1 f$ haben soll, so ist etwa

Reduction auf die vierte canonische Form.

$$U_2 f \equiv \varrho U_1 f \equiv \varrho \frac{\partial f}{\partial y},$$

sodass aus $(U_1 U_2) \equiv U_1 f$ folgt:

$$\frac{\partial \varrho}{\partial y} \equiv 1,$$

d. h. $\varrho \equiv y + X(x)$ und

$$U_2 f \equiv (y + X(x)) \frac{\partial f}{\partial y}.$$

Benutzen wir $y + X(x)$ als neues y, so bleibt $U_1 f$ ungeändert, während sich $U_2 f$ auf $y \frac{\partial f}{\partial y}$ reduciert.

Satz 8: *Stehen zwei infinitesimale Transformationen $U_1 f$ und $U_2 f$ der Ebene mit denselben Bahncurven in der Beziehung $(U_1 U_2) \equiv U_1 f$, so kann man immer durch passende Coordinatenwahl beide gleichzeitig auf die Formen $\frac{\partial f}{\partial y}$, $y \frac{\partial f}{\partial y}$ bringen.*

Ausführung der Reduction durch Integration e. gew. Diffgl. 1. Ordnung.

Noch ist zu untersuchen, wie wir dies in Wirklichkeit durchführen werden. Es seien also in irgend welchen Veränderlichen x, y geschrieben

$$U_1 f \equiv \xi_1 \frac{\partial f}{\partial x} + \eta_1 \frac{\partial f}{\partial y}, \quad U_2 f \equiv \varrho \left(\xi_1 \frac{\partial f}{\partial x} + \eta_1 \frac{\partial f}{\partial y}\right)$$

die beiden infinitesimalen Transformationen. Bewiesen ist, dass es zwei Functionen $\mathfrak{x}$, $\mathfrak{y}$ von x, y giebt, sodass:

$$\xi_1 \frac{\partial f}{\partial x} + \eta_1 \frac{\partial f}{\partial y} \equiv \frac{\partial f}{\partial \mathfrak{y}}$$

und

$$\varrho \left(\xi_1 \frac{\partial f}{\partial x} + \eta_1 \frac{\partial f}{\partial y}\right) \equiv \mathfrak{y} \frac{\partial f}{\partial \mathfrak{y}}$$

wird. Hieraus folgt zunächst

$$\mathfrak{y} \equiv \varrho(x, y).$$

Zur Bestimmung von $\mathfrak{x}$ ergiebt sich, indem wir $f \equiv \mathfrak{x}$ setzen, nur die eine Differentialgleichung:

$$\xi_1 \frac{\partial \mathfrak{x}}{\partial x} + \eta_1 \frac{\partial \mathfrak{x}}{\partial y} = 0,$$

die der gewöhnlichen Differentialgleichung

$$\frac{dx}{\xi_1} = \frac{dy}{\eta_1}$$

äquivalent ist. Ihre Integration würde $\mathfrak{x}$ liefern, und $\mathfrak{x} =$ Const. stellt dann die gemeinsamen Bahncurven von $U_1 f$ und $U_2 f$ dar. Somit hat sich hier ergeben:

Satz 9: *Stehen zwei infinitesimale Transformationen $U_1 f$ und $U_2 f$ der Ebene mit gemeinsamen Bahncurven in der Beziehung $(U_1 U_2) \equiv U_1 f$, so verlangt ihre gleichzeitige Reduction auf die Formen $\frac{\partial f}{\partial \mathfrak{y}}$, $\mathfrak{y} \frac{\partial f}{\partial \mathfrak{y}}$ im allgemeinen die Integration einer gewöhnlichen Differentialgleichung erster Ordnung, nämlich der Differentialgleichung der Bahncurven.*

Hiermit sind alle vier Fälle erledigt. Wir haben, um es zusammenzufassen, in diesem Kapitel Folgendes gefunden:

Theorem 41: *Jede zweigliedrige Gruppe von infinitesimalen Transformationen der Ebene lässt sich auf eine der vier canonischen Formen bringen:*

$$1)\quad \frac{\partial f}{\partial x}, \quad \frac{\partial f}{\partial y};$$

$$2)\quad \frac{\partial f}{\partial y}, \quad x\frac{\partial f}{\partial y};$$

$$3)\quad \frac{\partial f}{\partial y}, \quad x\frac{\partial f}{\partial x} + y\frac{\partial f}{\partial y};$$

$$4)\quad \frac{\partial f}{\partial y}, \quad y\frac{\partial f}{\partial y}.$$

Die dazu nötigen neuen Veränderlichen x, y ergeben sich in den drei ersten Fällen stets durch höchstens zwei Quadraturen. Im letzten Fall dagegen bedarf es der Integration der Differentialgleichung der Bahncurven.

Kapitel 19.

Integration der gewöhnlichen Differentialgleichungen zweiter Ordnung in x, y, welche zwei bekannte infinitesimale Transformationen gestatten.

Jetzt sind wir genügend vorbereitet, um das Problem der *Integration einer gewöhnlichen Differentialgleichung zweiter Ordnung, welche mehrere bekannte infinitesimale Transformationen gestattet*, wieder in Angriff zu nehmen. Wir erkannten mit Hülfe des Satzes 5 und Theorems 38 des § 2, 17. Kap., dass wir aus den bekannten infinitesimalen Transformationen der Gleichung durch blosse Differentiationsprocesse in jedem Falle so viele infinitesimale Transformationen der Gleichung ableiten können, dass dieselben eine nach Theorem 39, § 3 des 17. Kap., höchstens 8-gliedrige Gruppe von infinitesimalen Transformationen bilden. Diese Gruppe enthält nach Theorem 40, § 4 des 17. Kap., sicher zweigliedrige Untergruppen, und diese lassen sich, wie wir sahen, auf rein algebraischem Wege bestimmen. Demnach können wir in allen Fällen, in denen uns mehrere infinitesimale Transformationen der Differentialgleichung bekannt sind, insbesondere *voraussetzen, dass uns zwei infinitesimale Transformationen der Gleichung, etwa U_1f und U_2f, bekannt seien, die eine zweigliedrige Gruppe bilden, d. h.*

für die entweder $(U_1 U_2) \equiv 0$ *oder* $(U_1 U_2) \equiv U_1 f$ *ist* (vgl. § 1 des 18. Kap.).

Hiernach werden wir entsprechend den vier canonischen Formen der zweigliedrigen Gruppen nacheinander vier einzelne Probleme behandeln.

§ 1. $\Omega(x, y, y', y'') = 0$ gestatte $U_1 f$ und $U_2 f$, und es sei $(U_1 U_2) \equiv 0$ und $\varphi_1 U_1 f + \varphi_2 U_2 f \mathrel{\not\equiv} 0$.

Wenn die vorgelegte Differentialgleichung zweiter Ordnung

$$\Omega(x, y, y', y'') = 0$$

eine bekannte zweigliedrige Gruppe $U_1 f$, $U_2 f$ der *ersten canonischen Form* gestattet, so kann man nach Satz 3, § 2 des vorigen Kapitels, vermöge *zweier von einander unabhängiger Quadraturen* neue Veränderliche $\mathfrak{x}$, $\mathfrak{y}$ bestimmen, in denen geschrieben $U_1 f$ und $U_2 f$ die Formen annehmen:

$$\frac{\partial f}{\partial \mathfrak{x}}, \quad \frac{\partial f}{\partial \mathfrak{y}}.$$

Die Differentialgleichung werde dabei etwa in

$$\mathfrak{y}'' - \omega(\mathfrak{x}, \mathfrak{y}, \mathfrak{y}') = 0$$

umgewandelt. Nunmehr muss sie (vgl. Satz 4, § 1 des 16. Kap.) $\frac{\partial f}{\partial \mathfrak{x}}$ und $\frac{\partial f}{\partial \mathfrak{y}}$ gestatten. Nach Theorem 35, § 3 des 16. Kap., muss daher ω frei von $\mathfrak{x}$ und $\mathfrak{y}$ sein. Durch Benutzung der neuen Veränderlichen $\mathfrak{x}$, $\mathfrak{y}$ erhält demnach die Differentialgleichung die Gestalt:

$$\mathfrak{y}'' - \omega(\mathfrak{y}') = 0$$

und *eine Quadratur* giebt:

$$\int \frac{d\mathfrak{y}'}{\omega(\mathfrak{y}')} = \mathfrak{x} + a \qquad (a = \text{Const.})$$

oder, ausgeführt und nach $\mathfrak{y}'$ aufgelöst:

$$\mathfrak{y}' = \varphi(\mathfrak{x} + a),$$

sodass *eine zweite Quadratur*

$$\mathfrak{y} = \int \varphi(\mathfrak{x} + a) d(\mathfrak{x} + a) + b \qquad (b = \text{Const.})$$

ergiebt.

Satz 1: *Gestattet eine Differentialgleichung zweiter Ordnung*

$$\Omega(x, y, y', y'') = 0$$

zwei bekannte vertauschbare infinitesimale Transformationen mit verschiedenen Bahncurven, so verlangt ihre Integration höchstens vier Quadraturen.

Wir werden später erkennen, dass das Integrationsgeschäft vermöge einer anderen Methode sogar nur zwei von einander unabhängige Quadraturen verlangt. Allerdings treten dann unter den Integralzeichen noch arbiträre Constanten auf.

In den neuen Veränderlichen $\mathfrak{x}$, $\mathfrak{y}$ geht jede Integralcurve durch die Translationen längs der $\mathfrak{x}$- und $\mathfrak{y}$-Axe, also durch jede Translation überhaupt, wieder in eine Integralcurve über. *Die betrachtete Classe von Differentialgleichungen ist also dadurch charakterisiert, dass es gelingt, ihre ∞^2 Integralcurven durch Einführung neuer Variabeln in ∞^2 einander congruente und gleichgestellte Curven zu verwandeln.*

§ 2. $\Omega(x, y, y', y'') = 0$ gestatte $U_1 f$ und $U_2 f$, und es sei $(U_1 U_2) \equiv 0$ und $\varphi_1 U_1 f + \varphi_2 U_2 f \equiv 0$.

Wenn die Differentialgleichung

$$\Omega(x, y, y', y'') = 0$$

zwei bekannte infinitesimale Transformationen $U_1 f$, $U_2 f$ von der *zweiten canonischen Form* zulässt, so führen wir nach Satz 5, § 3 des vorigen Kapitels, vermöge *einer Quadratur* neue Veränderliche $\mathfrak{x}$, $\mathfrak{y}$ ein, sodass $U_1 f$ und $U_2 f$ die Formen annehmen:

$$\frac{\partial f}{\partial \mathfrak{y}}, \quad \mathfrak{x}\frac{\partial f}{\partial \mathfrak{y}}.$$

Wenn die Differentialgleichung durch Einführung von $\mathfrak{x}$ und $\mathfrak{y}$ etwa diese Gestalt

$$\mathfrak{y}'' - \omega(\mathfrak{x}, \mathfrak{y}, \mathfrak{y}') = 0$$

erhält, so muss sie (nach Satz 4, § 1 des 16. Kapitels) $\frac{\partial f}{\partial \mathfrak{y}}$ und $\mathfrak{x}\frac{\partial f}{\partial \mathfrak{y}}$ gestatten. Die erstere Bedingung liefert durch Verwertung des Kriteriums in Theorem 35, § 3 des 16. Kapitels, dass ω frei von $\mathfrak{y}$ sein muss. Alsdann giebt die zweite Bedingung, dass ω auch $\mathfrak{y}'$ nicht enthält. Somit lautet die in $\mathfrak{x}$, $\mathfrak{y}$ geschriebene Differentialgleichung:

$$\mathfrak{y}'' - \omega(\mathfrak{x}) = 0.$$

Sie lässt sich ohne weiteres durch *zwei Quadraturen* integrieren:

$$\mathfrak{y} = \iint \omega(\mathfrak{y})\, d\mathfrak{x}\, d\mathfrak{x} + a\mathfrak{x} + b \qquad (a, b = \text{Const.})$$

Hier ergiebt sich somit

Satz 2: *Gestattet die Differentialgleichung $\Omega(x, y, y', y'') = 0$ zwei bekannte vertauschbare infinitesimale Transformationen mit denselben Bahncurven, so verlangt ihre Integration höchstens drei Quadraturen.*

Auch in diesem Falle wird die später zu entwickelnde Methode zeigen, dass nur zwei von einander unabhängige Quadraturen nötig sind.

Beispiel. Lin. Diffgl. 2. Ordn.

Beispiel: Sei vorgelegt die *lineare Differentialgleichung zweiter Ordnung*

$$y'' + X_1(x)y' + X(x)y + X_0(x) = 0$$

und seien z_1, z_2 *zwei bekannte von einander unabhängige Particularlösungen der sogenannten verkürzten Gleichung*

$$z'' + X_1(x)z' + X(x)z = 0.$$

Ist dann y irgend eine Lösung der ersteren, so ist auch $y + c_1 z_1 + c_2 z_2$ eine Lösung derselben, wenn c_1, c_2 Constanten bedeuten. Mit anderen Worten: Die unverkürzte Gleichung gestattet die infinitesimalen Transformationen

$$U_1 f \equiv z_1(x)\frac{\partial f}{\partial y}, \quad U_2 f \equiv z_2(x)\frac{\partial f}{\partial y},$$

denn diese erteilen y die Incremente $z_1 \delta t$ und $z_2 \delta t$. Hier ist $(U_1 U_2) \equiv 0$ und $U_1 f$ und $U_2 f$ haben dieselben Bahncurven. Es liegt also der soeben betrachtete Fall vor. Wir benutzen demnach neue Veränderliche $\mathfrak{x}$, $\mathfrak{y}$, indem wir setzen:

$$z_1 \frac{\partial f}{\partial y} \equiv \frac{\partial f}{\partial \mathfrak{y}}, \quad z_2 \frac{\partial f}{\partial y} \equiv \mathfrak{x}\frac{\partial f}{\partial \mathfrak{y}}.$$

Es kommt zunächst $\mathfrak{x} \equiv \frac{z_2}{z_1}$. Ferner kann offenbar $\mathfrak{y} \equiv \frac{y}{z_1}$ gesetzt werden. Diese neuen Veränderlichen sind nun in die vorgelegte Differentialgleichung einzuführen. Wir wissen, dass sie dann frei von $\mathfrak{y}$ und $\mathfrak{y}'$ werden muss. Es kommt:

$$\mathfrak{y}' \equiv \frac{d\frac{y}{z_1}}{d\frac{z_2}{z_1}} \equiv \frac{z_1 y' - z_1' y}{z_1 z_2' - z_1' z_2},$$

$$\frac{d\mathfrak{y}'}{dx} \equiv \frac{(z_1 z_2' - z_1' z_2)(z_1 y'' - z_1'' y) - (z_1 y' - z_1' y)(z_1 z_2'' - z_1'' z_2)}{(z_1 z_2' - z_1' z_2)^2}$$

$$\equiv \frac{z_1}{z_1 z_2' - z_1' z_2} y'' - \frac{z_1 z_2'' - z_1'' z_2}{(z_1 z_2' - z_1' z_2)^2} z_1 y' + \frac{z_1 z_2'' - z_1'' z_2}{(z_1 z_2' - z_1' z_2)^2} z_1' y.$$

Nun aber ist:

$$z_1'' + X_1 z_1' + X z_1 \equiv 0, \quad z_2'' + X_1 z_2' + X z_2 \equiv 0$$

und danach:

$$X_1 \equiv -\frac{z_1 z_2'' - z_1'' z_2}{z_1 z_2' - z_1' z_2}, \qquad X \equiv \frac{z_1' z_2'' - z_1'' z_2'}{z_1 z_2' - z_1' z_2}.$$

Es wird also:

$$\frac{d\mathfrak{y}'}{dx} \equiv \frac{z_1}{z_1 z_2' - z_1' z_2}(y'' + X_1 y' + Xy)$$

oder, da

$$y'' + X_1 y' + Xy = -X_0$$

sein soll:

$$\mathfrak{y}'' \equiv \frac{d\mathfrak{y}'}{dx} : \frac{d\mathfrak{x}}{dx} \equiv \frac{-z_1^3 X_0(x)}{(z_1 z_2' - z_1' z_2)^2}.$$

Dies ist die gesuchte neue Differentialgleichung, wenn daraus nur noch x vermöge

$$\mathfrak{x} \equiv \frac{z_2}{z_1}$$

eliminiert wird. Ihre Integration liefert

$$\mathfrak{y} = -\int d\left(\frac{z_2}{z_1}\right)\int d\left(\frac{z_2}{z_1}\right)\frac{z_1{}^3 X_0(x)}{(z_1 z_2' - z_1' z_2)^2} + c\frac{z_2}{z_1} + \gamma,$$

wo c und γ die Integrationsconstanten bedeuten, oder, da $\mathfrak{y} = \frac{y}{z_1}$ ist:

$$y = -z_1\int d\left(\frac{z_2}{z_1}\right)\int d\left(\frac{z_2}{z_1}\right)\frac{z_1{}^3 X_0(x)}{(z_1 z_2' - z_1' z_2)^2} + cz_2 + \gamma z_1.$$

Wir heben noch eine interessante Bemerkung hervor: Gestattet eine Differentialgleichung zweiter Ordnung die infinitesimalen Transformationen Reduction auf die Form $y'' = 0$.

$$\frac{\partial f}{\partial y}, \quad x\frac{\partial f}{\partial y},$$

so ist, wenn

$$y = f(x)$$

irgend eine Particularlösung bedeutet, auch

$$y = f(x) + ax + b$$

eine Lösung der Gleichung, denn die beiden infinitesimalen Transformationen lassen x ungeändert, während sie y die Incremente δt und $x\delta t$ erteilen. Die Lösung

$$y = f(x) + ax + b$$

ist dann die allgemeinste, da sie zwei willkürliche Constanten a, b enthält. Führt man nun die neuen Veränderlichen

$$\mathfrak{x} = x, \quad \mathfrak{y} = y - f(x)$$

ein, so nimmt die Integralgleichung die Form an:

$$\mathfrak{y} = a\mathfrak{x} + b.$$

Die transformierte Differentialgleichung ist daher die Gleichung

$$\mathfrak{y}'' = 0,$$

da diese die soeben angegebene allgemeine Lösung hat.

Eine Differentialgleichung zweiter Ordnung in zwei Veränderlichen, welche zwei vertauschbare infinitesimale Transformationen mit denselben Bahncurven gestattet, lässt sich also durch Einführung passender neuer Variabeln auf die Form

$$y'' = 0$$

bringen; oder auch: Ihre ∞^2 Integralcurven lassen sich in die ∞^2 Geraden der Ebene überführen.

Da die Gleichung $y'' = 0$ gerade acht von einander unabhängige infinitesimale Transformationen gestattet, so folgt rückwärts, dass eine Differentialgleichung zweiter Ordnung, welche zwei vertauschbare infinitesimale Transformationen mit denselben Bahncurven zulässt, ausser diesen noch sechs unabhängige infinitesimale Transformationen gestattet.

§ 3. $\Omega(x, y, y', y'') = 0$ gestatte $U_1 f$ und $U_2 f$, und es sei $(U_1 U_2) \equiv U_1 f$ und $\varphi_1 U_1 f + \varphi_2 U_2 f \equiv 0$.

Die vorgelegte Differentialgleichung

$$\Omega(x, y, y', y'') = 0$$

soll nunmehr zwei bekannte infinitesimale Transformationen $U_1 f$, $U_2 f$ *vom dritten Typus* gestatten. Wie Satz 7, § 4 des 18. Kapitels, lehrt, gelingt es uns alsdann, durch *zwei Quadraturen* neue Veränderliche $\mathfrak{x}$, $\mathfrak{y}$ einzuführen, in denen $U_1 f$, $U_2 f$ die Formen haben:

$$\frac{\partial f}{\partial \mathfrak{y}}, \quad \mathfrak{x}\frac{\partial f}{\partial \mathfrak{x}} + \mathfrak{y}\frac{\partial f}{\partial \mathfrak{y}}.$$

Gleichzeitig wird $\Omega = 0$ etwa in die Gleichung

$$\mathfrak{y}'' = \omega(\mathfrak{x}, \mathfrak{y}, \mathfrak{y}')$$

verwandelt. Wir wissen dann, dass sie $\frac{\partial f}{\partial \mathfrak{y}}$ und $\mathfrak{x}\frac{\partial f}{\partial \mathfrak{x}} + \mathfrak{y}\frac{\partial f}{\partial \mathfrak{y}}$ gestattet. Da sie $\frac{\partial f}{\partial \mathfrak{y}}$ zulässt, so ist sie nach Theorem 35 frei von $\mathfrak{y}$. Ferner, da sie $\mathfrak{x}\frac{\partial f}{\partial \mathfrak{x}} + \mathfrak{y}\frac{\partial f}{\partial \mathfrak{y}}$ zulässt, muss nach demselben Satze sein:

$$\omega + \mathfrak{x}\frac{\partial \omega}{\partial \mathfrak{x}} \equiv 0,$$

d. h.

$$\frac{\partial \lg \omega}{\partial \mathfrak{x}} \equiv -\frac{1}{\mathfrak{x}}$$

oder, da ω schon von $\mathfrak{y}$ frei ist:

$$\omega \equiv \frac{\varphi(\mathfrak{y}')}{\mathfrak{x}},$$

sodass die Differentialgleichung in den neuen Veränderlichen $\mathfrak{x}$, $\mathfrak{y}$ die Form hat:

$$\mathfrak{y}'' = \frac{\varphi(\mathfrak{y}')}{\mathfrak{x}}.$$

Diese aber ist durch Quadraturen integrabel. Sie lässt sich nämlich so schreiben:

$$\frac{d\mathfrak{y}'}{\varphi(\mathfrak{y}')} = \frac{d\mathfrak{x}}{\mathfrak{x}},$$

sodass *eine Quadratur* liefert:

$$\int \frac{d\mathfrak{y}'}{\varphi(\mathfrak{y}')} = \lg \mathfrak{x} + a \qquad (a = \text{Const.}).$$

Führt man die Quadratur aus und löst nach $\mathfrak{y}'$ auf, so kommt etwa

$$\mathfrak{y}' = \psi(\lg \mathfrak{x} + a)$$

und *eine Quadratur* giebt

$$\mathfrak{y} = \int \psi(\lg \mathfrak{x} + a)\, d\mathfrak{x} + b \qquad (b = \text{Const.}).$$

Satz 3: *Gestattet die Differentialgleichung zweiter Ordnung*

$$\Omega(x, y, y', y'') = 0$$

zwei bekannte infinitesimale Transformationen $U_1 f$, $U_2 f$, zwischen denen die Beziehung $(U_1 U_2) \equiv U_1 f$ besteht, und welche verschiedene Bahncurven haben, so verlangt ihre Integration höchstens vier Quadraturen.

Auch in diesem Falle leistet eine spätere Methode mehr, indem sie die Integration vermöge zweier Quadraturen erledigt.

§ 4. $\Omega(x, y, y' y'') = 0$ gestatte $U_1 f$ und $U_2 f$, und es sei $(U_1 U_2) \equiv U_1 f$ und $\varphi_1 U_1 f + \varphi_2 U_2 f \equiv 0$.

Wir kommen zum letzten Fall, dem *vierten Typus*. Wenn die Differentialgleichung

$$\Omega(x, y, y', y'') = 0$$

zwei infinitesimale Transformationen $U_1 f$, $U_2 f$ des vierten Typus zulässt, so können wir zunächst nach Satz 9 des § 5, 18. Kapitel durch Bestimmung der Bahncurven von $U_1 f$, also durch *Integration einer gewöhnlichen Differentialgleichung erster Ordnung* solche neue Veränderliche $\mathfrak{x}$, $\mathfrak{y}$ einführen, dass $U_1 f$ und $U_2 f$ die Formen erhalten:

$$\frac{\partial f}{\partial \mathfrak{y}}, \quad \mathfrak{y}\frac{\partial f}{\partial \mathfrak{y}},$$

während etwa $\Omega = 0$ übergehe in

$$\mathfrak{y}'' = \omega(\mathfrak{x}, \mathfrak{y}, \mathfrak{y}').$$

Diese Gleichung muss $\frac{\partial f}{\partial \mathfrak{y}}$ gestatten, d. h. nach Theorem 35 ist sie frei von $\mathfrak{y}$. Auch soll sie $\mathfrak{y}\frac{\partial f}{\partial \mathfrak{y}}$ zulassen. Daher giebt dasselbe Theorem noch die Bedingung

$$\omega - \mathfrak{y}'\frac{\partial \omega}{\partial \mathfrak{y}'} \equiv 0$$

oder:

$$\frac{\partial \lg \omega}{\partial \mathfrak{y}'} \equiv \frac{1}{\mathfrak{y}'},$$

d. h. es ist

$$\omega \equiv \varphi(\mathfrak{x})\mathfrak{y}'.$$

Durch Einführung der neuen Veränderlichen $\mathfrak{x}$, $\mathfrak{y}$ nimmt somit unsere Differentialgleichung die Form an:

$$\mathfrak{y}'' = \varphi(\mathfrak{x})\mathfrak{y}',$$

und *eine Quadratur* liefert:

$$\lg \mathfrak{y}' = \int \varphi(\mathfrak{x})d\mathfrak{x} + \lg a \qquad (a = \text{Const.})$$

oder

$$\mathfrak{y}' = a e^{\int \varphi(\mathfrak{x})d\mathfrak{x}},$$

sodass *eine zweite Quadratur* giebt:

$$\mathfrak{y} = a\int e^{\int \varphi(\mathfrak{x})d\mathfrak{x}} d\mathfrak{x} + b \qquad (b = \text{Const.}).$$

Satz 4: *Gestattet die Differentialgleichung zweiter Ordnung*

$$\Omega(x, y, y', y'') = 0$$

zwei bekannte infinitesimale Transformationen $U_1 f$, $U_2 f$ mit denselben Bahncurven, und besteht zwischen $U_1 f$ und $U_2 f$ die Beziehung $(U_1 U_2) \equiv U_1 f$, so verlangt ihre Integration höchstens die Integration einer Differentialgleichung erster Ordnung und zwei Quadraturen.

Zu bemerken ist, dass auch in diesem hier schwierigsten Falle unsere später zu entwickelnde Methode die Integration durch zwei Quadraturen völlig erledigt.

Beispiel. Verkürzte lin. Diffgl. 2. Ordn.

Beispiel: Vorgelegt sei die *sogen. verkürzte lineare Differentialgleichung zweiter Ordnung:*

$$y'' + X_1(x)y' + X(x)y = 0.$$

Ferner sei *eine Particularlösung $y = z(x)$ derselben bekannt.* Ist dann y irgend eine Lösung der Gleichung, so sind auch $y + cz$ und cy Lösungen, d. h. die Differentialgleichung gestattet die infinitesimalen Transformationen

$$U_1 f \equiv z(x)\frac{\partial f}{\partial y}, \quad U_2 f \equiv y\frac{\partial f}{\partial y}.$$

Hier ist $(U_1 U_2) \equiv U_1 f$ und $U_1 f$ und $U_2 f$ haben dieselben Bahncurven. Es liegt demnach der soeben betrachtete Fall vor. Wir führen nach unserer Methode neue Veränderliche $\mathfrak{x}$, $\mathfrak{y}$ ein, indem wir setzen:

$$z\frac{\partial f}{\partial y} \equiv \frac{\partial f}{\partial \mathfrak{y}}, \quad y\frac{\partial f}{\partial y} \equiv \mathfrak{y}\frac{\partial f}{\partial \mathfrak{y}}.$$

Offenbar können wir hier $\mathfrak{x} \equiv x$ und $\mathfrak{y} \equiv \frac{y}{z(x)}$ setzen. Die Differentialgleichung erster Ordnung, von der im Satz 4 die Rede war, ist also hier sofort integriert. Nun wird:

$$y \equiv z(\mathfrak{x})\,\mathfrak{y}$$

und daher, da $\mathfrak{x} = x$ ist:

$$y' \equiv z'\,\mathfrak{y} + z\mathfrak{y}',$$
$$y'' \equiv z''\mathfrak{y} + 2z'\mathfrak{y}' + z\mathfrak{y}'',$$

sodass

$$y'' + X_1 y' + Xy \equiv (z'' + X_1 z' + Xz)\,\mathfrak{y} + (2z' + X_1 z)\mathfrak{y}' + z\mathfrak{y}''$$

wird. Da aber z eine Particularlösung ist, so fällt das erste Glied rechts fort. In den neuen Veränderlichen lautet die Differentialgleichung daher:

$$\mathfrak{y}'' + \left(2\frac{z'}{z} + X_1(\mathfrak{x})\right)\mathfrak{y}' = 0.$$

Der in Klammer stehende Ausdruck enthält nur $\mathfrak{x}$. Daher giebt die Integration:

$$\mathfrak{y} = \int c e^{-\int\left(2\frac{z'}{z} + X_1\right)d\mathfrak{x}} d\mathfrak{x} + \gamma,$$

wo c und γ die Integrationsconstanten bedeuten. Mithin kommt schliesslich, da $\mathfrak{x} \equiv x$ und $\mathfrak{y} \equiv \frac{y}{z}$ ist:

$$y = z(x)\int c e^{-\int\left(2\frac{z'}{z} + X_1\right)dx} dx + \gamma z(x).$$

Eine Differentialgleichung zweiter Ordnung, welche Reduction auf die Form $y'' = 0$.

$$\frac{\partial f}{\partial y}, \quad y\frac{\partial f}{\partial y}$$

gestattet, besitzt, wenn $y = f(x)$ irgend eine Particularlösung ist, die allgemeine Integralgleichung:

$$y = f(x) + ay + b.$$

Setzt man $y - f(x) = \mathfrak{y}$, $y = \mathfrak{x}$, so kommt die Integralgleichung

$$\mathfrak{y} = a\mathfrak{x} + b,$$

deren zugehörige Differentialgleichung lautet

$$\mathfrak{y}'' = 0.$$

Mithin folgt wie in § 2: *Jede Differentialgleichung zweiter Ordnung in zwei Veränderlichen, welche eine zweigliedrige Gruppe von nicht vertauschbaren infinitesimalen Transformationen mit denselben Bahncurven gestattet, lässt sich durch Einführung passender neuer Variabeln auf die Form $y'' = 0$ bringen.*

Auch hier können wir weiter schliessen: Eine Differentialgleichung zweiter Ordnung, welche zwei nicht vertauschbare infinitesimale Transformationen zulässt, gestattet ausserdem noch sechs unabhängige infinitesimale Transformationen.

Kapitel 20.

Integration einer linearen partiellen Differentialgleichung in drei Veränderlichen, welche bekannte infinitesimale Transformationen gestattet.

Wir haben im vorhergehenden Kapitel des öfteren auf eine später zu entwickelnde bessere Integrationsmethode der Differentialgleichungen $\Omega(x, y, y', y'') = 0$ hingewiesen, welche zwei bekannte Transformationen zulassen. Diese Methode stützt sich darauf, dass wir an Stelle der Gleichung $\Omega = 0$ die äquivalente lineare partielle Differentialgleichung in den drei Veränderlichen x, y, y' betrachten, die wir schon in Satz 7, § 3 des 16. Kapitels, benutzt haben.

Aus diesem Grunde wird es dem Leser verständlich sein, weshalb wir hier eingehend ein Problem behandeln, mit dem wir uns schon früher, allerdings in allgemeinerer Fassung, beschäftigt haben, nämlich mit der *Integration einer beliebigen linearen partiellen Differentialgleichung in drei Veränderlichen, welche bekannte infinitesimale Transformationen gestattet.*

§ 1. Integration einer partiellen Differentialgleichung $Af = 0$ in x, y, z, welche eine bekannte infinitesimale Transformation gestattet.

Es sei vorgelegt die lineare partielle Differentialgleichung

$$Af \equiv X \frac{\partial f}{\partial x} + Y \frac{\partial f}{\partial y} + Z \frac{\partial f}{\partial z} = 0$$

in x, y, z. Wie wir wissen, lässt sie jede infinitesimale Transformation von der Form ϱAf zu (nach Theorem 29, § 2 des 15. Kapitels). Eine solche infinitesimale Transformation, die ja nichts neues aussagt, nennen wir *trivial.*

Es möge nun

$$Uf \equiv \xi \frac{\partial f}{\partial x} + \eta \frac{\partial f}{\partial y} + \zeta \frac{\partial f}{\partial z}$$

eine bekannte nicht triviale infinitesimale Transformation der Gleichung $Af = 0$ sein. Wir fragen uns, wie wir sie zur Integration von $Af = 0$ verwerten können.

Nach Theorem 29 (§ 2 des 15. Kapitels) hat (UA) die Form

$$U(Af) - A(Uf) \equiv \lambda Af,$$

wo λ eine Function von x, y, z ist. Betrachten wir nun die beiden linearen partiellen Differentialgleichungen

$$Af = 0, \quad Uf = 0,$$

so lehrt vorstehende Beziehung nach Theorem 12 (§ 3 des 10. Kapitels), *dass sie eine gemeinsame Lösung* $f = \varphi(x, y, z)$ *besitzen oder also ein sogenanntes vollständiges System bilden.*

Diese gemeinsame Lösung φ lässt sich nach einem von Dubois-Reymond angegebenen Principe durch *Integration einer gewöhnlichen Differentialgleichung erster Ordnung zwischen zwei Veränderlichen* bestimmen. Denn interpretieren wir, um diese Integrationsmethode anschaulich zu machen, x, y, z als Punktcoordinaten des Raumes, so definiert das vollständige System $Af = 0$, $Uf = 0$ ∞^1 Flächen: Erste Lösung von $Af = 0$ durch Integr. einer gew. Diffgl. 1. O. zw. x, y.

$$\varphi(x, y, z) = \text{Const.}$$

des Raumes. Wie wir schon in Satz 4, § 3 des 10. Kapitels, bemerkt haben, lassen sich diese ∞^1 Flächen auch dadurch definieren, dass auf einer beliebigen derselben x, y, z solche Incremente dx, dy, dz haben, welche der totalen Differentialgleichung

$$(1) \qquad (Y\zeta - Z\eta)dx + (Z\xi - X\zeta)dy + (X\eta - Y\xi)dz = 0$$

genügen. Schneiden wir nun diese ∞^1 Flächen $\varphi = \text{Const.}$ durch die Ebene

$$(2) \qquad z = x + ay,$$

wo a irgend eine Constante sei, so erhalten wir ∞^1 Curven, und diese werden eine gewisse Differentialgleichung zwischen x, y erfüllen. Um diese Differentialgleichung zu finden, eliminieren wir vermöge (2) und

$$dz = dx + a\,dy$$

z und dz aus (1) und erhalten sie dadurch in der Form

$$(3) \qquad u(x, y, a)dx + v(x, y, a)dy = 0.$$

Hat man diese Differentialgleichung bei beliebigem Werte der Constanten a integriert, so findet man auch leicht alle jene ∞^1 Flächen, da man dann ihre ∞^2 Schnittlinien mit allen Ebenen $z = x + ay$ kennt. Fasst man nämlich unter den ∞^2 Curven alle zusammen, welche durch einen Punkt der Axe des Ebenenbüschels $z = x + ay$ hindurchgehen, so bilden dieselben im allgemeinen eine der gesuchten Integralflächen.

Ist also etwa

$$\psi(x, y, a) = \text{Const.}$$

das Integral von (3), so ist, wenn a durch (2) eliminiert wird:

$$\varphi \equiv \psi\left(x, y, \frac{z - x}{y}\right) = \text{Const.}$$

die Gleichung der ∞^1 Flächen, und somit ist die gemeinsame Lösung $\varphi(x, y, z)$ von $Af = 0$ und $Uf = 0$ durch Integration der gewöhnlichen Differentialgleichung (3) von erster Ordnung in x, y gefunden.

Der Leser bemerke, dass das in § 4 des 18. Kap. benutzte Integrationsverfahren auf einem ähnlichen geometrischen Gedankengange beruht.

Wir können also nunmehr die gemeinsame Lösung $\varphi(x, y, z)$ von $Af = 0$ und $Uf = 0$ als gefunden betrachten. Es handelt sich zur vollständigen Integration von $Af = 0$ nun noch um die Bestimmung einer zweiten Lösung der Gleichung $Af = 0$. Dies verlangt, wie wir sehen werden, nur eine Quadratur.

Zweite Lösung von $Af = 0$ durch eine Quadratur.

Zu diesem Zwecke sei vorausgesetzt, φ enthalte etwa z wirklich. Alsdann können x, y, φ an Stelle von x, y, z als Veränderliche benutzt werden. In diesen neuen Veränderlichen wird Af zu

$$\overline{A}f = Ax\frac{\partial f}{\partial x} + Ay\frac{\partial f}{\partial y} + A\varphi\frac{\partial f}{\partial \varphi}$$

oder, da $A\varphi = 0$ ist und aus Ax, Ay die Veränderliche z zu eliminieren ist, etwa:

$$\overline{A}f \equiv \alpha(x, y, \varphi)\frac{\partial f}{\partial x} + \beta(x, y, \varphi)\frac{\partial f}{\partial y} = 0$$

und analog nimmt Uf etwa diese Form an:

$$\overline{U}f \equiv \gamma(x, y, \varphi)\frac{\partial f}{\partial x} + \delta(x, y, \varphi)\frac{\partial f}{\partial y}.$$

In der Gleichung $\overline{A}f = 0$ kommt kein Differentialquotient nach φ vor. Auch transformiert $\overline{U}f$ diese Variabele nicht. Mithin spielt sie nur noch die Rolle einer arbiträren Constanten, und x, y allein treten als wirkliche Veränderliche auf.

Jetzt liegt folglich das Problem vor, die Gleichung $\overline{A}f = 0$ in x, y, die noch φ enthält, zu integrieren, welche die bekannte infinitesimale Transformation $\overline{U}f$ in x, y, die auch φ enthält, gestattet. Dies verlangt nach Theorem 8 (§ 1 des 6. Kapitels) nur eine *Quadratur*, indem die zu $\overline{A}f = 0$ äquivalente gewöhnliche Differentialgleichung

$$\alpha dy - \beta dx = 0$$

den Integrabilitätsfactor

$$\frac{1}{\alpha\delta - \beta\gamma}$$

besitzt, indem $\alpha\delta - \beta\gamma \mathrel{\not\equiv} 0$ ist, sodass

$$\chi \equiv \int \frac{\alpha(x, y, \varphi)dy - \beta(x, y, \varphi)dx}{\alpha(x, y, \varphi)\delta(x, y, \varphi) - \beta(x, y, \varphi)\gamma(x, y, \varphi)}$$

die gesuchte zweite Lösung ist. Hierin ist die Integration so auszuführen, als ob φ eine Constante wäre, und erst nachher ist unter φ die früher gefundene Function $\varphi(x, y, z)$ zu verstehen.

Also hat sich ergeben:

Theorem 42: *Gestattet eine lineare partielle Differentialgleichung*

$$Af \equiv X\frac{\partial f}{\partial x} + Y\frac{\partial f}{\partial y} + Z\frac{\partial f}{\partial z} = 0$$

in drei Veränderlichen x, y, z eine bekannte nicht triviale infinitesimale Transformation, so verlangt ihre Integration nur die Integration einer gewissen gewöhnlichen Differentialgleichung erster Ordnung in x, y und eine Quadratur.

1. Beispiel: Die lineare partielle Differentialgleichung Beispiele

$$Af \equiv (x^2 + y^2 + yz)\frac{\partial f}{\partial x} + (x^2 + y^2 - xz)\frac{\partial f}{\partial y} + (xz + yz)\frac{\partial f}{\partial z} = 0$$

gestattet die infinitesimale Transformation

$$Uf \equiv x\frac{\partial f}{\partial x} + y\frac{\partial f}{\partial y} + z\frac{\partial f}{\partial z},$$

denn es ist

$$(UA) \equiv Af.$$

$Af = 0$ und $Uf = 0$ bilden also ein vollständiges System, das der totalen Differentialgleichung

$$\begin{vmatrix} dx & dy & dz \\ x^2 + y^2 + yz & x^2 + y^2 - xz & xz + yz \\ x & y & z \end{vmatrix} = 0$$

äquivalent ist, das ausgeschrieben so lautet:

$$xzdx + yzdy - (x^2 + y^2)dz = 0.$$

Um diese zu integrieren, setzen wir

$$z = x + ay$$

und erhalten

$$x(x + ay)dx + y(x + ay)dy - (x^2 + y^2)(dx + ady) = 0$$

oder

$$ydx - xdy = 0.$$

Diese Gleichung ist frei von a und nützt deshalb zur Integration nichts, denn sie sagt nur aus, dass die Integralflächen die Ebenen $z = x + ay$ in den Geraden $\frac{x}{y} = \text{Const.}$ schneiden, welche sämtlich die Axe des Ebenenbüschels in demselben Punkt treffen.

Wir werden also andere Schnittebenen benutzen, etwa diese:

$$y = x + a.$$

Wenn wir diesen Wert und $dy = dx$ in die totale Gleichung einführen, so kommt:

$$z(2x + a)dx - (2x^2 + 2ax + a^2)dz = 0$$

oder

$$\frac{2x + a}{2x^2 + 2ax + a^2}\,dx - \frac{dz}{z} = 0$$

d. h. integriert:

$$\tfrac{1}{2}\lg(2x^2 + 2ax + a^2) - \lg z = \text{Const.}$$

oder:

$$\psi \equiv \frac{\sqrt{2x^2 + 2ax + a^2}}{z} = \text{Const.}$$

Um hieraus das Integral der totalen Gleichung zu finden, haben wir wieder $a = y - x$ zu eliminieren und erhalten:

$$\varphi \equiv \frac{\sqrt{x^2 + y^2}}{z}.$$

In der That ist $A\varphi \equiv 0$, $U\varphi \equiv 0$.

Nunmehr benutzen wir x, y und φ als Veränderliche, indem wir

$$z \equiv \frac{\sqrt{x^2 + y^2}}{\varphi}$$

eliminieren. Dadurch kommt:

$$\overline{A}f \equiv \left(x^2 + y^2 + \frac{y}{\varphi}\sqrt{x^2 + y^2}\right)\frac{\partial f}{\partial x} + \left(x^2 + y^2 - \frac{x}{\varphi}\sqrt{x^2 + y^2}\right)\frac{\partial f}{\partial y} = 0$$

und

$$\overline{U}f \equiv x\frac{\partial f}{\partial x} + y\frac{\partial f}{\partial y},$$

sodass die zweite Lösung χ von $Af = 0$ lautet:

$$\chi \equiv \int \frac{\left(x^2 + y^2 + \frac{y}{\varphi}\sqrt{x^2 + y^2}\right)dy - \left(x^2 + y^2 - \frac{x}{\varphi}\sqrt{x^2 + y^2}\right)dx}{\left(x^2 + y^2 + \frac{y}{\varphi}\sqrt{x^2 + y^2}\right)y - \left(x^2 + y^2 - \frac{x}{\varphi}\sqrt{x^2 + y^2}\right)x}$$

$$\equiv \lg\left(\sqrt{x^2 + y^2} - \varphi(x - y)\right).$$

Setzt man nun für φ seinen Wert ein, so kommt:

$$\chi \equiv \lg\sqrt{x^2 + y^2} - \lg z + \lg(z - x + y).$$

2. *Beispiel:* Die geometrische Bedeutung unserer Theorie tritt an folgendem Beispiel deutlich hervor. Angenommen, es sei uns bekannt, dass die lineare partielle Differentialgleichung:

$$Af \equiv X\frac{\partial f}{\partial x} + Y\frac{\partial f}{\partial y} + Z\frac{\partial f}{\partial z} = 0$$

die infinitesimale Verschraubung längs der z-Axe:

$$Uf \equiv -y\frac{\partial f}{\partial x} + x\frac{\partial f}{\partial y} + m\frac{\partial f}{\partial z}$$

gestatte. Jede Charakteristik von $Af = 0$ wird bei fortwährender Ausübung von Uf in Schraubenbewegung längs der z-Axe hingeführt, indem sie immer wieder in eine Charakteristik übergeht. Sie beschreibt dadurch eine Fläche, welche ∞^1 Charakteristiken von $Af = 0$ und ∞^1 Bahncurven von Uf, nämlich Schraubenlinien oder Charakteristiken von $Uf = 0$, enthält. Jede solche Fläche, deren es ∞^1 giebt, ist demnach gemeinsame Integralfläche von $Af = 0$ und $Uf = 0$. Ist ω die Lösung des vollständigen Systems $Af = 0$, $Uf = 0$, so stellt $\omega =$ Const. jene ∞^1 Flächen, die wir Schraubenflächen nennen, dar. Nach unserer Theorie lässt sich ω durch Integration einer gewöhnlichen Differentialgleichung erster Ordnung zwischen zwei Veränderlichen auffinden. Wir schneiden nämlich die ∞^1 Flächen $\omega =$ Const. durch ∞^1 Ebenen und stellen die Differentialgleichung für die ∞^1 Schnittcurven mit einer beliebigen dieser Ebenen auf. Oben wählten wir als schneidende Ebenen die Schar $z = x + ay$. Wir könnten auch die Ebenen $y = ax$ benutzen, die durch die z-Axe gehen. Alsdann würde sich eine gewöhnliche Differentialgleichung erster Ordnung zwischen x und z ergeben.

Betrachten wir nun diese ∞^1 Schraubenflächen als gefunden, so ist es auch geometrisch klar, dass wir dann die Charakteristiken von $Af = 0$, also auch die allgemeinste Lösung von $Af = 0$, durch eine Quadratur bestimmen können, denn die ∞^1 auf einer dieser Schraubenflächen gelegenen Charakteristiken gestatten die infinitesimale Verschraubung Uf längs der z-Axe. Ihre Projectionen auf die (xy)-Ebene, die durch eine gewöhnliche Differentialgleichung erster Ordnung zwischen x und y gegeben werden, gestatten demnach die infinitesimale Rotation um den Anfangspunkt:

$$\overline{U}f \equiv -y\frac{\partial f}{\partial x} + x\frac{\partial f}{\partial y}.$$

Nach Theorem 8 (§ 1 des 6. Kapitels) ist also ihre Differentialgleichung durch Quadratur integrierbar.

§ 2. Integration einer partiellen Differentialgleichung $Af = 0$ in x, y, z, welche zwei bekannte infinitesimale Transformationen gestattet.

Noch mehr wird sich natürlich die Integration einer linearen partiellen Differentialgleichung in x, y, z:

$$Af \equiv X\frac{\partial f}{\partial x} + Y\frac{\partial f}{\partial y} + Z\frac{\partial f}{\partial z} = 0$$

vereinfachen lassen, wenn sie *zwei wesentlich verschiedene* bekannte infinitesimale Transformationen U_1f und U_2f gestattet. Dabei nennen wir, wie in § 3 des 15. Kapitels, U_1f und U_2f *wesentlich verschieden*, wenn keine Relation zwischen U_1f, U_2f und Af besteht von der Form: Wesentlich verschiedene inf. Trf. von $Af = 0$.

$$\text{Const. } U_1f + \text{Const. } U_2f + \varrho(x, y, z)\, Af \equiv 0;$$

denn mit $U_1 f$ gestattet $Af = 0$ auch jede infinitesimale Transformation von der Form Const. $U_1 f + \varrho Af$.

Wohl aber kann zwischen $U_1 f$, $U_2 f$ und Af eine Relation mit *variabeln* Coefficienten bestehen:

$$\beta_1 U_1 f + \beta_2 U_2 f + \alpha Af \equiv 0,$$

in der also β_1, β_2, α Functionen von x, y, z sind und $\frac{\beta_1}{\beta_2}$ keine blosse Constante ist. Demnach unterscheiden wir zwei Fälle, die wir nach einander betrachten.

Erster Hauptfall: Keine Relation zw. $U_1 f$, $U_2 f$, Af.

Erstens: *Es bestehe keine lineare Relation zwischen $U_1 f$, $U_2 f$ und Af.* Nach Theorem 30 (§ 3 des 15. Kap.) gestattet $Af = 0$ auch die infinitesimale Transformation $(U_1 U_2)$. Da sich jede infinitesimale Transformation in x, y, z in ganz bestimmter Weise linear durch $U_1 f$, $U_2 f$ und Af ausdrückt, weil zwischen diesen dreien selbst keine lineare Relation besteht, so ist auch etwa:

$$(4) \qquad (U_1 U_2) \equiv \mu_1 U_1 f + \mu_2 U_2 f + \nu Af.$$

Hier sind also μ_1, μ_2, ν *bekannte* Functionen von x, y, z. Nach Theorem 31 (§ 3 des 15. Kap.) sind nun μ_1 und μ_2 Lösungen von $Af = 0$ oder Constanten. Auch sind dann, weil $Af = 0$ die infinitesimalen Transformationen $U_1 f$ und $U_2 f$ gestattet, $U_1 \mu_1$, $U_1 \mu_2$, $U_2 \mu_1$, $U_2 \mu_2$ Lösungen oder Constanten. Auch wenn wir $(U_1 U_2)$ auf μ_1 oder μ_2 ausführen, müssen sich solche ergeben. Aber wegen (4) ergiebt sich dadurch keine von der vorher angegebenen unabhängige Lösung. Ferner gestattet $Af = 0$ nun auch $(U_1(U_1 U_2))$ und $(U_2(U_1 U_2))$. Nach (4) ist:

$$(U_1(U_1 U_2)) \equiv U_1 \mu_1 \cdot U_1 f + U_1 \mu_2 \cdot U_2 f + \mu_2 (U_1 U_2) + \varrho Af,$$

wo ϱ eine gewisse für uns gleichgültige Function bedeutet. Dieser Ausdruck, aus dem sich noch nach (4) $(U_1 U_2)$ eliminieren lässt, giebt:

$$(U_1(U_1 U_2)) \equiv (U_1 \mu_1 + \mu_1 \mu_2) U_1 f + (U_1 \mu_2 + \mu_2^2) U_2 f + \sigma Af.$$

Nach dem Theorem 31 sind also $U_1 \mu_1 + \mu_1 \mu_2$ und $U_1 \mu_2 + \mu_2^2$ Lösungen von $Af = 0$ oder Constanten. Offenbar sind sie von den oben angegebenen Lösungen abhängig, sagen also nichts neues aus. Dasselbe ergiebt sich, wenn wir $(U_2(U_1 U_2))$ bilden. Somit folgt, dass in dem vorliegenden Falle nur die sechs Grössen

$$\mu_1, \mu_2; \quad U_1 \mu_1, \; U_1 \mu_2; \quad U_2 \mu_1, \; U_2 \mu_2$$

als eventuelle Lösungen von $Af = 0$ berücksichtigt zu werden brauchen, indem die in §§ 3, 4 des 15. Kapitels entwickelten Hülfsmittel zur Aufstellung neuer Lösungen nichts weiter ergeben.

Erster Unterfall.

Da $Af = 0$ nur zwei von einander unabhängige Lösungen besitzt, so folgt, dass sich jene sechs Grössen notwendig auf höchstens zwei von einander unabhängige reducieren. Sind es gerade *zwei*, so ist das Integrationsgeschäft beendet.

Es kann aber auch eintreten, dass sich so *nur eine Lösung* ergiebt, oder aber, dass alle jene sechs Grössen nur *Constanten* sind.

Ergiebt sich *eine* Lösung φ, so verfahren wir am einfachsten so: Es sind in diesem Falle $U_1\varphi$ und $U_2\varphi$ Functionen von φ allein: Zweiter Unterfall

$$U_1\varphi \equiv \Omega_1(\varphi), \quad U_2\varphi \equiv \Omega_2(\varphi).$$

Wir bilden die infinitesimale Transformation

$$Vf \equiv \Omega_2(\varphi)\cdot U_1f - \Omega_1(\varphi)\cdot U_2f,$$

welche $Af = 0$ gestattet. In der That ist wegen $A\varphi \equiv 0$:

$$(VA) \equiv \Omega_2(U_1A) - \Omega_1(U_2A),$$

d. h. da nach Theorem 29 (§ 2 des 15. Kap.) (U_1A) und (U_2A) die Form λAf haben, so hat auch (VA) diese Form. Dass $Af = 0$ die infinitesimale Transformation Vf gestattet, folgt auch aus den in § 4 des 15. Kap. gemachten Bemerkungen ohne weiteres. Auch ist jetzt:

$$V\varphi \equiv \Omega_2 \cdot U_1\varphi - \Omega_1\cdot U_2\varphi \equiv \Omega_2\Omega_1 - \Omega_1\Omega_2 \equiv 0.$$

Die beiden Gleichungen:

$$Af = 0, \quad Vf = 0$$

bilden demnach ein vollständiges System mit der Lösung φ, die uns schon bekannt ist. Indem man etwa x, y, φ als Veränderliche an Stelle von x, y, z einführt, findet man wie in § 1 eine *zweite Lösung* von $Af = 0$ *durch eine Quadratur*.

Dass sich eine zweite Lösung durch Quadratur ergiebt, folgt kürzer, aber weniger elementar, auch so: Ist

$$U_1f \equiv \xi_1\frac{\partial f}{\partial x} + \eta_1\frac{\partial f}{\partial y} + \zeta_1\frac{\partial f}{\partial z}, \quad U_2f \equiv \xi_2\frac{\partial f}{\partial x} + \eta_2\frac{\partial f}{\partial y} + \zeta_2\frac{\partial f}{\partial z},$$

so besitzt $Af = 0$ nach Theorem 32 (§ 5 des 15. Kap.) den Multiplicator

$$1 : \begin{vmatrix} X & Y & Z \\ \xi_1 & \eta_1 & \zeta_1 \\ \xi_2 & \eta_2 & \zeta_2 \end{vmatrix},$$

d. h. nach *Jacobi's* Theorie lässt sich zur bekannten Lösung φ eine zweite durch Quadratur angeben.

Nun bleibt noch die Annahme übrig, dass alle sechs Grössen $\mu_1, \mu_2, U\mu$ bloss Constanten sind, also insbesondere Dritter Unterfall.

$$(U_1U_2) \equiv c_1U_1f + c_2U_2f + \nu Af$$

wird ($c_1, c_2 =$ Const.). Bei dieser Annahme sind wieder zwei Möglichkeiten zu unterscheiden: Entweder sind c_1 und c_2 beide Null oder nicht. Im letzteren Falle können wir (wie in § 1 des 18. Kapitels bei den zweigliedrigen Gruppen) leicht erreichen, dass $c_1 = 1$, $c_2 = 0$ wird, indem wir nämlich, wenn etwa $c_1 \neq 0$ ist, $U_1 f + \frac{c_2}{c_1} U_2 f$ und $\frac{1}{c_1} U_2 f$ an Stelle von $U_1 f$ und $U_2 f$ als die beiden infinitesimalen Transformationen benutzen. Demnach liegen die beiden Möglichkeiten vor:

$$(U_1 U_2) \equiv \nu A f \quad \text{und} \quad (U_1 U_2) \equiv U_1 f + \nu A f.$$

Erste Möglichkeit in diesem Unterfalle.

Sei also zunächst:

$$(U_1 U_2) \equiv \nu A f.$$

Sicherlich bilden

$$Af = 0 \quad \text{und} \quad U_1 f = 0$$

wegen $(U_1 A) \equiv \lambda_1 A f$ (nach Theorem 29, § 2 des 15. Kap.) ein vollständiges System. (Vgl. § 3 des 10. Kap.) Es sei φ die unbekannte Lösung desselben. Es ist etwa:

$$(U_2 A) \equiv \lambda_2 A f$$

und wir haben also:

$$U_2(Af) - A(U_2 f) \equiv \lambda_2 A f,$$
$$U_1(U_2 f) - U_2(U_1 f) \equiv \nu A f.$$

Setzen wir hierin $f \equiv \varphi$, so ergiebt sich, da $A\varphi \equiv U_1 \varphi \equiv 0$ ist:

$$A(U_2 \varphi) \equiv 0, \quad U_1(U_2 \varphi) \equiv 0,$$

d. h. $U_2 \varphi$ ist Lösung des vollständigen Systems, mithin eine Function von φ allein:

$$U_2 \varphi \equiv \Omega(\varphi),$$

denn es ist die allgemeinste Lösung des vollständigen Systems eine arbiträre Function von φ. Wir können uns unter φ immer die Lösung des Systems vorstellen, für die $U_2 \varphi \equiv 1$ ist. Denn ist dies nicht der Fall, so ist:

$$U_2(\omega(\varphi)) \equiv \omega'(\varphi) \Omega(\varphi),$$

und dies lässt sich durch passende Wahl von $\omega(\varphi)$ immer gleich Eins machen, da $\Omega(\varphi) \not\equiv 0$ ist. Wäre nämlich $\Omega(\varphi) \equiv 0$, so hätten wir $U_1 \varphi \equiv 0$, $U_2 \varphi \equiv 0$, $A\varphi \equiv 0$, d. h. zwischen Af, $U_1 f$, $U_2 f$ bestände gegen die Voraussetzung eine lineare Relation, indem die Determinante

$$\begin{vmatrix} X & Y & Z \\ \xi_1 & \eta_1 & \zeta_1 \\ \xi_2 & \eta_2 & \zeta_2 \end{vmatrix} \equiv 0$$

sein würde. Es hat sich also ergeben, dass eine Function φ existiert, für welche:

$$A\varphi \equiv X\frac{\partial\varphi}{\partial x} + Y\frac{\partial\varphi}{\partial y} + Z\frac{\partial\varphi}{\partial z} \equiv 0,$$

$$U_1\varphi \equiv \xi_1\frac{\partial\varphi}{\partial x} + \eta_1\frac{\partial\varphi}{\partial y} + \zeta_1\frac{\partial\varphi}{\partial z} \equiv 0,$$

$$U_2\varphi \equiv \xi_2\frac{\partial\varphi}{\partial x} + \eta_2\frac{\partial\varphi}{\partial y} + \zeta_2\frac{\partial\varphi}{\partial z} \equiv 1$$

ist. Hieraus lassen sich $\frac{\partial\varphi}{\partial x}, \frac{\partial\varphi}{\partial y}, \frac{\partial\varphi}{\partial z}$ bestimmen, und es ergiebt sich mithin φ selbst durch eine Quadratur in der Form:

$$\varphi \equiv \int \frac{\begin{vmatrix} dx & dy & dz \\ X & Y & Z \\ \xi_1 & \eta_1 & \zeta_1 \end{vmatrix}}{\begin{vmatrix} X & Y & Z \\ \xi_1 & \eta_1 & \zeta_1 \\ \xi_2 & \eta_2 & \zeta_2 \end{vmatrix}}.$$

Ganz analog hätten wir zeigen können, dass es eine Function ψ geben muss, für die $A\psi \equiv 0$, $U_1\psi \equiv -1$, $U_2\psi \equiv 0$ ist, sodass dieselbe sicher von φ unabhängig ist, da sonst $U_1\psi \equiv 0$ wäre, und sich durch eine Quadratur ergiebt in der Form:

$$\psi \equiv \int \frac{\begin{vmatrix} dx & dy & dz \\ X & Y & Z \\ \xi_2 & \eta_2 & \zeta_2 \end{vmatrix}}{\begin{vmatrix} X & Y & Z \\ \xi_1 & \eta_1 & \zeta_1 \\ \xi_2 & \eta_2 & \zeta_2 \end{vmatrix}}.$$

Bemerkenswert ist, dass die *beiden Quadraturen*, welche die Lösungen φ und ψ von $Af = 0$ ergeben, *von einander unabhängig* sind.

Nun kommen wir zu dem Fall, dass Zweite Möglichkeit im dritten Unterfalle.

$$(U_1 U_2) = U_1 f + \nu Af$$

ist. Alsdann bilden

$$Af = 0, \quad U_1 f = 0$$

ein vollständiges System, dessen unbekannte Lösung φ heissen möge. Es ist etwa $(U_2 A) \equiv \lambda_2 Af$, und aus den Gleichungen:

$$U_2(Af) - A(U_2 f) \equiv \lambda_2 Af,$$
$$U_1(U_2 f) - U_2(U_1 f) \equiv U_1 f + \nu Af$$

folgt, wenn wir darin $f \equiv \varphi$ setzen, wegen $A\varphi \equiv U_1\varphi \equiv 0$, dass (wie im vorigen Falle) $U_2\varphi$ eine Function von φ allein ist, und demnach ergiebt sich (wie im vorigen Falle) φ selbst durch *eine Quadratur* in der Form:

$$\varphi \equiv \int \frac{\begin{vmatrix} dx & dy & dz \\ X & Y & Z \\ \xi_1 & \eta_1 & \zeta_1 \end{vmatrix}}{\begin{vmatrix} X & Y & Z \\ \xi_1 & \eta_1 & \zeta_1 \\ \xi_2 & \eta_2 & \zeta_2 \end{vmatrix}}.$$

Somit ist eine Lösung von $Af = 0$ gefunden. Diese führen wir, wenn sie etwa von z nicht unabhängig ist, neben x und y als Veränderliche ein. Dadurch geht $Af = 0$ über in:

$$\overline{A}f \equiv Ax \frac{\partial f}{\partial x} + Ay \frac{\partial f}{\partial y} = 0,$$

weil $A\varphi \equiv 0$ ist, und $U_1 f$ in:

$$\overline{U}_1 f \equiv U_1 x \frac{\partial f}{\partial x} + U_1 y \frac{\partial f}{\partial y},$$

weil auch $U_1 \varphi \equiv 0$ ist. Hierin sind die Coefficienten Functionen von x, y, φ, und φ spielt die Rolle eines Parameters, da φ von $\overline{U}_1 f$ nicht transformiert wird. $\overline{A}f = 0$ ist einer gewöhnlichen Differentialgleichung erster Ordnung zwischen x, y äquivalent, die auch φ enthält, und diese gestattet $\overline{U}f$, sodass sich das Integral (wie in § 1) durch *eine Quadratur* nach Theorem 8 (§ 1 des 6. Kap.) ergiebt. Man bemerke, dass in diesem Falle die *beiden Quadraturen nicht von einander unabhängig* sind, wie im vorigen.

Fassen wir alles zusammen, so hat sich also ergeben:

Theorem 43: *Gestattet die lineare partielle Differentialgleichung*

$$Af \equiv X \frac{\partial f}{\partial x} + Y \frac{\partial f}{\partial y} + Z \frac{\partial f}{\partial z} = 0$$

zwei bekannte infinitesimale Transformationen $U_1 f$ und $U_2 f$, welche keine lineare Relation

$$\beta_1(x, y, z)\, U_1 f + \beta_2(x, y, z)\, U_2 f + \alpha(x, y, z) Af \equiv 0$$

erfüllen, so verlangt die Integration von $Af \equiv 0$ höchstens zwei Quadraturen.

Begriffliche Deutung des dritten Unterfalles.

In betreff der beiden zuletzt betrachteten Fälle, in denen

$$(U_1 U_2) \equiv c_1 U_1 f + c_2 U_2 f + \nu Af$$

ist, bemerken wir noch Folgendes: Sind φ und ψ zwei von einander unabhängige Lösungen von $Af = 0$, und ist χ eine Function, für die $A\chi \equiv 1$ ist (und die es immer giebt), so sind φ, ψ, χ von einander unabhängig, und man kann sie als neue Veränderliche an Stelle von x, y, z einführen. Alsdann wird

$$Af \equiv \frac{\partial f}{\partial \chi},$$
$$U_1 f \equiv U_1\varphi \frac{\partial f}{\partial \varphi} + U_1\psi \frac{\partial f}{\partial \psi} + U_1\chi \frac{\partial f}{\partial \chi},$$
$$U_2 f \equiv U_2\varphi \frac{\partial f}{\partial \varphi} + U_2\psi \frac{\partial f}{\partial \psi} + U_2\chi \frac{\partial f}{\partial \chi}.$$

Auch sind $U_1\varphi$, $U_1\psi$, $U_2\varphi$, $U_2\psi$ als Lösungen von $Af = 0$ Functionen von φ und ψ allein; also ist etwa:

$$U_1\varphi \equiv \Omega_{11}(\varphi, \psi), \quad U_1\psi \equiv \Omega_{12}(\varphi, \psi),$$
$$U_2\varphi \equiv \Omega_{21}(\varphi, \psi), \quad U_2\psi \equiv \Omega_{22}(\varphi, \psi),$$

sodass:

$$U_1 f \equiv \Omega_{11} \frac{\partial f}{\partial \varphi} + \Omega_{12} \frac{\partial f}{\partial \psi} + U_1\chi \frac{\partial f}{\partial \chi},$$
$$U_2 f \equiv \Omega_{21} \frac{\partial f}{\partial \varphi} + \Omega_{22} \frac{\partial f}{\partial \psi} + U_2\chi \frac{\partial f}{\partial \chi}$$

wird. Lassen wir hierin die letzten Glieder fort, so sind die *verkürzten* infinitesimalen Transformationen:

$$\overline{U}_1 f \equiv \Omega_{11} \frac{\partial f}{\partial \varphi} + \Omega_{12} \frac{\partial f}{\partial \psi},$$
$$\overline{U}_2 f \equiv \Omega_{21} \frac{\partial f}{\partial \varphi} + \Omega_{22} \frac{\partial f}{\partial \psi}$$

immer noch solche, welche $Af = 0$ gestattet, denn sie vertauschen die Charakteristiken $\varphi =$ Const., $\psi =$ Const. von $Af = 0$ unter einander, da die Ω Functionen von φ und ψ allein sind. Es war nun

$$(U_1 U_2) \equiv c_1 U_1 f + c_2 U_2 f + \nu A f.$$

Die neuen Formen von $U_1 f$, $U_2 f$, Af, geschrieben in φ, ψ, χ, zeigen, dass alsdann auch

$$(\overline{U}_1 \overline{U}_2) \equiv c_1 \overline{U}_1 f + c_2 \overline{U}_2 f$$

ist, d. h. die verkürzten infinitesimalen Transformationen $\overline{U}_1 f$, $\overline{U}_2 f$ bilden *eine zweigliedrige Gruppe*. Dies ist die begriffliche Deutung der beiden zuletzt betrachteten Fälle.

Nachdem nunmehr der erste Hauptfall erledigt ist, kommen wir zum zweiten. Also:

Zweitens: *Es bestehe eine lineare Relation zwischen Af, $U_1 f$ und $U_2 f$:* Zweiter Hauptfall: Eine Relation zw. $U_1 f$, $U_2 f$, Af.

$$\beta_1 U_1 f + \beta_2 U_2 f + \alpha A f = 0,$$

wo also $\frac{\beta_1}{\beta_2} \equiv \varphi$ *keine blosse Constante sein soll*, da sonst eine der infinitesimalen Transformationen trivial wäre.

In diesem Falle ist, indem wir $\beta_2 \neq 0$ voraussetzen dürfen:

$$U_2 f \equiv -\varphi U_1 f - \frac{\alpha}{\beta_2} A f \equiv -\varphi U_1 f + \varrho A f$$

und also nach Theorem 31 (§ 3 des 15. Kap.) φ eine Lösung von $Af = 0$. Sicher ist, da $Af = 0$ die infinitesimale Transformation $U_1 f$

gestattet, $U_1\varphi$ eine Lösung von $Af=0$ oder eine Constante. (Dasselbe gilt von $U_2\varphi$, aber es ist offenbar $U_2\varphi \equiv -\varphi U_1\varphi$, d. h. es ist abhängig von φ und $U_1\varphi$, giebt also nichts neues.) Ist $U_1\varphi$ eine von φ unabhängige Function, so ist sie eine zweite Lösung von $Af=0$, und das Integrationsgeschäft ist zu Ende.

Erster Unterfall.

Zweiter Unterfall.

Wenn aber $U_1\varphi$ nur eine Function von φ oder eine Constante ist, so liefern die in § 4 des 15. Kap. gegebenen Mittel keine neue Lösung, denn es ist dann $U_2\varphi$ eine Function von φ allein und ferner ist (U_1U_2) von der Form $\lambda(\varphi)\,U_1f+\sigma Af$. Um eine zweite Lösung zu finden, verfahren wir vielmehr so: Wenn φ etwa z wirklich enthält, so können wir x, y und φ als neue Veränderliche einführen. Dadurch geht Af über in:

$$\bar{A}f \equiv Ax\,\frac{\partial f}{\partial x}+Ay\,\frac{\partial f}{\partial y},$$

weil $A\varphi\equiv 0$ ist, und U_1f geht über in:

$$\bar{U}_1f \equiv U_1x\,\frac{\partial f}{\partial x}+U_1y\,\frac{\partial f}{\partial y}+U_1\varphi\,\frac{\partial f}{\partial \varphi}.$$

Erste Möglichkeit in diesem Unterfalle.

U_2f hat keinen Nutzen weiter, da wegen der Kenntnis von U_1f und φ nunmehr U_2f als trivial zu betrachten ist. Ist nun $U_1\varphi \not\equiv 0$, so hat $\bar{U}_1f$ zur Integration der Gleichung $\bar{A}_1f=0$, welche $\bar{U}_1f$ gestattet, keinerlei Wert, denn $\bar{U}_1f$ transformiert ausser x, y auch φ, das in $\bar{A}f=0$ nur die Rolle eines Parameters spielt. Es wird dies einleuchtend sein, wenn wir ein Beispiel nehmen: Z. B. gestattet die Differentialgleichung

$$X(x,y)\,\frac{\partial f}{\partial x}+Y(x,y)\,\frac{\partial f}{\partial y}=0$$

die infinitesimale Transformation $\frac{\partial f}{\partial z}$, wenn wir sie als Differentialgleichung in x, y, z auffassen, aber offenbar kann dies zur Integration der Differentialgleichung nichts beitragen. Ähnlich verhält es sich überhaupt, sobald $\bar{U}_1f$ die Veränderliche φ wirklich transformiert. Wenn also $U_1\varphi \not\equiv 0$ ist, so haben wir noch $\bar{A}f=0$, d. h. *eine gewöhnliche Differentialgleichung erster Ordnung in zwei Veränderlichen*, zu integrieren.

Zweite Möglichkeit des letzten Unterfalles.

Ist dagegen $U\varphi\equiv 0$, so transformiert $\bar{U}f$ die Veränderliche φ gar nicht und kann als infinitesimale Transformation in x, y aufgefasst werden, welche $\bar{A}f=0$ invariant lässt. Nach Theorem 8 (§ 1 des 6. Kap.) erhalten wir dann eine Lösung von $\bar{A}f=0$ durch *eine Quadratur*.

Sonach hat sich ergeben:

Theorem 44: *Gestattet die lineare partielle Differentialgleichung*

$$Af \equiv X\frac{\partial f}{\partial x} + Y\frac{\partial f}{\partial y} + Z\frac{\partial f}{\partial z} = 0$$

zwei bekannte infinitesimale Transformationen $U_1 f$, $U_2 f$, welche eine Relation

$$\beta_1(x, y, z)\,U_1 f + \beta_2(x, y, z)\,U_2 f + \alpha(x, y, z)\,Af = 0$$

erfüllen, in der sich $\beta_1 : \beta_2$ nicht auf eine Constante reduciert, so verlangt die Integration von $Af = 0$ im ungünstigsten Falle die Integration einer Differentialgleichung erster Ordnung zwischen zwei Veränderlichen.

§ 3. Beispiele.

Wir wollen die Integrationstheorien des vorhergehenden Paragraphen durch eine Reihe von Beispielen erläutern.

1. Beispiel: Die lineare partielle Differentialgleichung

$$Af \equiv (x - y - z + 2)\frac{\partial f}{\partial x} + 2(y - x + z)\frac{\partial f}{\partial y} + (x - y - z)\frac{\partial f}{\partial z} = 0$$

gestattet die beiden infinitesimalen Transformationen

$$U_1 f \equiv \frac{\partial f}{\partial x} + \frac{\partial f}{\partial z}, \quad U_2 f \equiv (y + 2z + 1)\left(\frac{\partial f}{\partial x} + 2\frac{\partial f}{\partial y} - \frac{\partial f}{\partial z}\right),$$

wovon man sich überzeugen möge. Hier besteht zwischen $U_1 f$, $U_2 f$ und Af keine lineare Relation, während

$$(U_1 U_2) \equiv 2\left(\frac{\partial f}{\partial x} + 2\frac{\partial f}{\partial y} - \frac{\partial f}{\partial z}\right) = \frac{2\,U_2 f}{y + 2z + 1}$$

ist. Demnach ist $\frac{2}{y + 2z + 1}$, oder also

$$\varphi \equiv y + 2z$$

eine Lösung von $Af = 0$. Nun ist

$$U_1\varphi \equiv 2, \quad U_2\varphi \equiv 0.$$

Nach der allgemeinen Theorie des vorliegenden Falles in § 2 bilden wir demnach

$$Vf \equiv 0 \cdot U_1 f - 2 \cdot U_2 f,$$

d. h. wir werden als Vf direct $U_2 f$ benutzen.

Die beiden Gleichungen

$$Af = 0 \quad \text{und} \quad U_2 f = 0$$

bilden ein vollständiges System. Statt der zweiten Gleichung thun wir besser die einfachere

$$U_3 f \equiv \frac{\partial f}{\partial x} + 2\frac{\partial f}{\partial y} - \frac{\partial f}{\partial z} = 0$$

zu benutzen, die beim Wegstreichen des Factors $y + 2z + 1$ übrig bleibt. Wir benutzen als Veränderliche x, y und $\varphi \equiv y + 2z$. Dadurch gehen Af und $U_3 f$ über in:

$$\overline{A}f \equiv \left(x - \frac{y}{2} - \frac{\varphi}{2} + 2\right)\frac{\partial f}{\partial x} + (y - 2x + \varphi)\frac{\partial f}{\partial y},$$

$$\overline{U}_3 f \equiv \frac{\partial f}{\partial x} + 2\frac{\partial f}{\partial y}.$$

Also ergiebt sich die gesuchte zweite Lösung in der Form

$$\psi = \int \frac{\begin{vmatrix} dx & dy \\ x - \frac{y}{2} - \frac{\varphi}{2} + 2 & y - 2x + \varphi \end{vmatrix}}{\begin{vmatrix} x - \frac{y}{2} - \frac{\varphi}{2} + 2 & y - 2x + \varphi \\ 1 & 2 \end{vmatrix}} =$$

$$= \tfrac{1}{2}\int\left(-dx - \tfrac{1}{2}dy + \frac{d(2x - y - \varphi + 2)}{2x - y - \varphi + 2}\right)$$

$$= -\frac{x}{2} - \frac{y}{4} + \tfrac{1}{2}\lg(2x - y - \varphi + 2).$$

Hierin ist nun der Wert $\varphi \equiv y + 2z$ zu substituieren, sodass kommt:

$$\psi \equiv -\frac{x}{2} - \frac{y}{4} + \tfrac{1}{2}\lg 2(x - y - z + 1).$$

2. *Beispiel:* Die lineare partielle Differentialgleichung:

$$Af \equiv (xz + e^{y-xz})\frac{\partial f}{\partial x} - z(1 + x)\frac{\partial f}{\partial y} + z(e^{y-xz} - z)\frac{\partial f}{\partial z} = 0$$

gestattet die beiden infinitesimalen Transformationen

$$U_1 f \equiv \frac{x\frac{\partial f}{\partial x} - z\frac{\partial f}{\partial z}}{1 + x}, \quad U_2 f \equiv \frac{\frac{\partial f}{\partial x} + z(1 + x)\frac{\partial f}{\partial y} + z\frac{\partial f}{\partial z}}{z(1 + x)}.$$

Man möge dies verificieren. Zwischen $U_1 f$, $U_2 f$ und Af besteht keine lineare Relation, und es ist

$$(U_1 U_2) \equiv 0.$$

Nach unserer allgemeinen Theorie sind

$$\varphi \equiv \int \frac{1}{\varDelta}\begin{vmatrix} dx & dy & dz \\ xz + e^{y-xz} & -z(1 + x) & ze^{y-xz} - z^2 \\ \frac{x}{1 + x} & 0 & \frac{-z}{1 + x} \end{vmatrix}$$

und

$$\psi \equiv \int \frac{1}{\Delta} \begin{vmatrix} dx & dy & dz \\ xz + e^{y-xz} & -z(1+x) & ze^{y-xz} - z^2 \\ \frac{1}{z(1+x)} & 1 & \frac{1}{1+x} \end{vmatrix}$$

Lösungen von $Af = 0$. Es bedeutet hierin Δ die Determinante

$$\Delta \equiv \begin{vmatrix} xz + e^{y-xz} & -z(1+x) & ze^{y-xz} - z^2 \\ \frac{x}{1+x} & 0 & \frac{-z}{1+x} \\ \frac{1}{z(1+x)} & 1 & \frac{1}{1+x} \end{vmatrix} \equiv (1 + e^{y-xz})z.$$

Man findet:

$$\varphi \equiv \int \frac{z\,dx + e^{y-xz}dy + x\,dz}{1 + e^{y-xz}} \equiv \int \frac{e^{xz}d(xz) + e^y dy}{e^{xz} + e^y} \equiv \lg(e^{xz} + e^y).$$

Es ist daher einfacher $e^{xz} + e^y$ eine Lösung von $Af = 0$. Weiter ist

$$\psi \equiv \int \frac{-z\big((1-z)e^{xz} + e^y\big)dx - ze^{xz}dy + \big((1+xz)e^{xz} + e^y\big)dz}{z(e^{xz} + e^y)}$$

$$\equiv \int \left(-dx - dy + \frac{1}{z}\,dz + \frac{e^y dy + e^{xz}d(xz)}{e^y + e^{xz}}\right)$$

$$\equiv -x - y + \lg z + \lg(e^y + e^{xz}).$$

Demnach werden wir als zweite Lösung die Function $x + y - \lg z$ benutzen können.

3. Beispiel: Die lineare partielle Differentialgleichung

$$Af \equiv 2(y-z)e^{y+z}\frac{\partial f}{\partial x} + (1 + y - z)\frac{\partial f}{\partial y} + (1 - y + z)\frac{\partial f}{\partial z} = 0$$

gestattet die beiden infinitesimalen Transformationen

$$U_1 f \equiv \frac{\partial f}{\partial x}, \quad U_2 f \equiv 2x\frac{\partial f}{\partial x} + \frac{\partial f}{\partial y} + \frac{\partial f}{\partial z}.$$

Zwischen $U_1 f$, $U_2 f$ und Af besteht keine lineare Relation, während

$$(U_1 U_2) \equiv 2\,U_1 f$$

ist. Nach unserer allgemeinen Theorie für den vorliegenden Fall ist also

$$\varphi \equiv 2 \int \frac{\begin{vmatrix} dx & dy & dz \\ 2(y-z)e^{y+z} & 1+y-z & 1-y+z \\ 1 & 0 & 0 \end{vmatrix}}{\begin{vmatrix} 2(y-z)e^{y+z} & 1+y-z & 1-y+z \\ 1 & 0 & 0 \\ 2x & 1 & 1 \end{vmatrix}}$$

eine Lösung von $Af = 0$. Es kommt:

$$\begin{aligned}\varphi &\equiv \int \frac{(1-y+z)d(y-z)-2(y-z)dz}{z-y}\\ &\equiv \int\left(2dz-\frac{1-y+z}{y-z}d(y-z)\right)\\ &\equiv 2z-(\lg(y-z)-(y-z))\\ &\equiv y+z-\lg(y-z).\end{aligned}$$

Würden wir nun entsprechend der allgemeinen Theorie x, y und φ als Veränderliche benutzen, so entständen algebraische Schwierigkeiten, indem sich z nicht algebraisch durch x, y und φ ausdrücken lässt. Wir benutzen deshalb

$$x,\quad y+z\equiv u,\quad \varphi$$

als neue Veränderliche und finden, dass Af und U_1f übergeben in

$$\begin{aligned}\overline{A}f &\equiv 2e^{2u-\varphi}\frac{\partial f}{\partial x}+2\frac{\partial f}{\partial u},\\ \overline{U}f &\equiv \frac{\partial f}{\partial x}.\end{aligned}$$

Nach der Theorie ist demnach

$$\psi\equiv\int\frac{\begin{vmatrix} dx & du\\ e^{2u-\varphi} & 1\end{vmatrix}}{\begin{vmatrix} e^{2u-\varphi} & 1\\ 1 & 0\end{vmatrix}}\equiv\int(-dx+e^{2u-\varphi}du)$$

$$\equiv -x+\tfrac{1}{2}e^{2u-\varphi}$$

eine zweite Lösung von $Af=0$, wenn darin

$$u\equiv y+z,\quad \varphi\equiv y+z-\lg(y-z)$$

eingesetzt wird. Demnach kommt:

$$\psi\equiv -x+\tfrac{1}{2}(y-z)e^{y+z}.$$

4. Beispiel: Die Gleichung

$$Af\equiv(x+y)\frac{\partial f}{\partial x}+(x+y)\frac{\partial f}{\partial y}-(x+y+2z)\frac{\partial f}{\partial z}=0$$

gestattet die beiden infinitesimalen Transformationen

$$\begin{aligned}U_1f &\equiv \frac{x+y+4z}{xy+yz+zx}\frac{\partial f}{\partial z},\\ U_2f &\equiv (x+y)\frac{\partial f}{\partial x}+(x+y)\frac{\partial f}{\partial y}+2z\frac{\partial f}{\partial z}.\end{aligned}$$

Hier besteht zwischen U_1f, U_2f, Af eine lineare Relation, nämlich:

$$U_2f\equiv(xy+yz+zx)U_1f+Af.$$

Demnach ist:

$$\varphi\equiv xy+yz+zx$$

eine Lösung von $Af = 0$. Nun ist:

$$U_1\varphi \equiv \frac{x+y+4z}{\varphi}(x+y)$$

auch eine Lösung, oder also es ist

$$(x+y+4z)(x+y)$$

eine Lösung von $Af = 0$. Diese lässt sich so schreiben:

$$(x-y)^2 + 4\varphi$$

und demnach werden wir

$$\psi \equiv x - y$$

als zweite Lösung annehmen.

5. *Beispiel:* Die Gleichung

$$Af \equiv x(y-z)\frac{\partial f}{\partial x} + y(z-x)\frac{\partial f}{\partial y} + z(x-y)\frac{\partial f}{\partial z} = 0$$

gestattet die beiden infinitesimalen Transformationen

$$U_1 f \equiv x\frac{\partial f}{\partial x} + y\frac{\partial f}{\partial y} + z\frac{\partial f}{\partial z},$$

$$U_2 f \equiv \frac{1}{yz}\frac{\partial f}{\partial x} + \frac{1}{zx}\frac{\partial f}{\partial y} + \frac{1}{xy}\frac{\partial f}{\partial z}.$$

Es ist hier

$$U_2 f \equiv \frac{1}{xyz} U_1 f$$

und demnach

$$\varphi \equiv xyz$$

eine Lösung. Es ist $U_1\varphi \equiv 3\varphi$, $U_2\varphi \equiv 3$, sie geben also keine neue Lösung. Daher führen wir x, y, φ als Veränderliche ein, wodurch $Af = 0$ übergeht in:

$$\overline{A}f \equiv \left(xy - \frac{\varphi}{y}\right)\frac{\partial f}{\partial x} + \left(\frac{\varphi}{x} - xy\right)\frac{\partial f}{\partial y} = 0.$$

Da $U_1\varphi \not\equiv 0$ ist, so nützen die infinitesimalen Transformationen nichts mehr zur Integration. Es handelt sich noch darum, die Gleichung $\overline{A}f = 0$ zu integrieren. Sie ist äquivalent der gewöhnlichen Differentialgleichung

$$\frac{dx}{xy - \frac{\varphi}{y}} = \frac{dy}{\frac{\varphi}{x} - xy}$$

oder

$$\frac{dx}{x^2y^2 - \varphi x} = \frac{dy}{\varphi y - x^2y^2}$$

oder auch:

$$\varphi d(xy) - x^2y^2 d(x+y) = 0$$

oder endlich:

$$\varphi\frac{d(xy)}{x^2y^2} - d(x+y) = 0.$$

Also ist

$$\psi \equiv \frac{\varphi}{xy} + x + y$$

oder, da $\varphi \equiv xyz$ ist:

$$\psi \equiv x + y + z$$

die gesuchte zweite Lösung von $Af = 0$.

6. *Beispiel:* Die Differentialgleichung

$$Af \equiv (y - z)\frac{\partial f}{\partial x} + (y - z)\frac{\partial f}{\partial y} + (x - y)(x - z)\frac{\partial f}{\partial z} = 0$$

lässt die beiden infinitesimalen Transformationen

$$U_1 f \equiv \frac{\partial f}{\partial x} + \frac{\partial f}{\partial y} + \frac{\partial f}{\partial z},$$

$$U_2 f \equiv (x - y)\left(\frac{\partial f}{\partial x} + \frac{\partial f}{\partial y} + \frac{\partial f}{\partial z}\right)$$

zu. Hier ist

$$U_2 f \equiv (x - y)U_1 f$$

und demnach

$$\varphi \equiv x - y$$

eine Lösung von $Af = 0$. $U_1\varphi \equiv 0$ liefert keine zweite Lösung. Demnach führen wir x, φ und z (da φ von x und y abhängt) als neue Veränderliche ein. Dadurch geht die Differentialgleichung über in

$$\bar{A}f \equiv (x - \varphi - z)\frac{\partial f}{\partial x} + \varphi(x - z)\frac{\partial f}{\partial z} = 0,$$

während $U_1 f$ in

$$\bar{U}_1 f \equiv \frac{\partial f}{\partial x} + \frac{\partial f}{\partial z}$$

übergeführt wird. Weil $U_1\varphi \equiv 0$ ist, so trägt $\bar{U}_1 f$ im jetzigen Falle zur Integration von $\bar{A}f = 0$ bei. Es ist also

$$\psi \equiv \int \frac{\begin{vmatrix} dx & dz \\ x - \varphi - z & \varphi(x - z) \end{vmatrix}}{\begin{vmatrix} x - \varphi - z & \varphi(x - z) \\ 1 & 1 \end{vmatrix}} \equiv \int \frac{\varphi(x - z)dx - (x - \varphi - z)dz}{x - \varphi - z - \varphi(x - z)}$$

$$\equiv \int \frac{\varphi(x - z)(dx - dz) - (x - \varphi - z - \varphi(x - z))dz}{x - \varphi - z - \varphi(x - z)}$$

$$\equiv -z + \varphi \int \frac{(x - z)\,d(x - z)}{(x - z)(1 - \varphi) - \varphi}$$

$$\equiv -z + \varphi\left(\frac{x - z}{1 - \varphi} + \frac{\varphi}{(1 - \varphi)^2}\lg\{(1 - \varphi)(x - z) - \varphi\}\right)$$

$$\equiv -z + \frac{(x - y)(x - z)}{1 - x + y} + \left(\frac{x - y}{1 - x + y}\right)^2 \lg\{(1 - x + y)(x - z) - x + y\}$$

eine zweite Lösung von $Af = 0$.

Zur eigenen Durchrechnung empfehlen wir dem Leser noch ein

7. Beispiel: Die lineare partielle Differentialgleichung:

$$Af \equiv (xz - y)\frac{\partial f}{\partial x} + (yz - x)\frac{\partial f}{\partial y} + (1 - z^2)\frac{\partial f}{\partial z} = 0$$

gestattet die beiden infinitesimalen Transformationen:

$$U_1 f \equiv x\frac{\partial f}{\partial x} + y\frac{\partial f}{\partial y},$$

$$U_2 f \equiv (x^2 + y^2)\frac{\partial f}{\partial x} + 2xy\frac{\partial f}{\partial y} - y(1 - z^2)\frac{\partial f}{\partial z}.$$

Man verificiere dies und integriere die Differentialgleichung in Gemässheit der einschlägigen Methode des § 2. Man findet die Lösungen $x + yz$ und $y + xz$.

Die vorstehenden Beispiele sind sehr einfacher Natur. In den meisten derselben kann man die Integration auch ohne Benutzung unserer Theorie ausführen. Diese Beispiele sollten aber überhaupt nur dazu dienen, den Leser in der Anwendung jener Theorie zu üben.

Wir geben nun noch einige Beispiele in geometrischer Einkleidung.

8. Beispiel: Eine Schar von ∞^2 Curven des Raumes sei durch folgende Angaben definiert: Sie sollen sämtlich eine beliebige Ebene $\frac{y}{z} =$ Const. durch die x-Axe in Punkten mit parallelen Tangenten schneiden, und zwar soll die Richtung der betreffenden Tangente für jede der Ebenen gegeben sein. Man soll die Curven finden.

Wir verfahren so: Ist (x, y, z) ein Punkt einer dieser Curven und sind dx, dy, dz die Incremente der Coordinaten längs derselben, so sind $\frac{dy}{dx}$ und $\frac{dz}{dx}$ die Tangenten zweier Winkel, durch welche die Richtung der Curve im Punkt (x, y, z) bestimmt wird. Da alle Curven eine Ebene $\frac{y}{x} =$ Const. in Punkten mit parallelen Tangenten schneiden sollen, so sind mithin $\frac{dy}{dx}$ und $\frac{dz}{dx}$ gewisse gegebene Functionen $Y\left(\frac{y}{x}\right)$ und $Z\left(\frac{y}{x}\right)$. Demnach lautet das simultane System, welches die Curven definiert:

$$\frac{dy}{dx} = Y\left(\frac{y}{z}\right), \quad \frac{dz}{\partial x} = Z\left(\frac{y}{x}\right)$$

oder

$$\frac{dx}{1} = \frac{dy}{Y} = \frac{dz}{Z}.$$

Die zugehörige partielle Differentialgleichung ist diese:

$$Af \equiv \frac{\partial f}{\partial x} + Y\left(\frac{y}{z}\right)\frac{\partial f}{\partial y} + Z\left(\frac{y}{z}\right)\frac{\partial f}{\partial z} = 0.$$

Ihre Charakteristiken sind jene ∞^2 Curven. Aus der geometrischen Vorstellung erhellt sofort, dass jede dieser Curven in eine ebensolche übergeht, wenn eine Verschiebung längs der x-Axe ausgeführt wird. $Af = 0$ gestattet demnach die infinitesimale Translation

$$U_1 f \equiv \frac{\partial f}{\partial x}.$$

Ebenso ist klar, dass die Curven unter sich vertauscht werden, wenn alle Radienvectoren vom Anfangspunkt aus proportional vergrössert werden, d. h. $Af = 0$ gestattet auch die infinitesimale Ähnlichkeitstransformation

$$U_2 f \equiv x\frac{\partial f}{\partial x} + y\frac{\partial f}{\partial y} + z\frac{\partial f}{\partial z}.$$

Man kann nachträglich die Richtigkeit dieser Schlüsse analytisch verificieren. Es besteht nun zwischen Af, $U_1 f$ und $U_2 f$ keine lineare Relation, denn ihre Determinante

$$\varDelta \equiv \begin{vmatrix} 1 & Y & Z \\ 1 & 0 & 0 \\ x & y & z \end{vmatrix} \equiv Zy - Yz$$

ist im allgemeinen nicht identisch Null. Den Fall $\varDelta \equiv 0$ betrachten wir nicht, denn in demselben sind die gesuchten Curven offenbar Geraden in den Ebenen $\frac{y}{z} = \text{Const.}$ Sei also:

$$\varDelta \mathrel{\not\equiv} 0.$$

Es ist ferner

$$(U_1 U_2) \equiv U_1 f.$$

Nach unserer Theorie in § 2 ist demnach:

$$\varphi \equiv \int \frac{1}{\varDelta} \begin{vmatrix} dx & dy & dz \\ 1 & Y & Z \\ 1 & 0 & 0 \end{vmatrix} \equiv \int \frac{Zdy - Ydz}{Zy - Yz}$$

eine Lösung von $Af = 0$. Sie lässt sich auch so schreiben:

$$\varphi \equiv \lg z + \int \frac{Z\left(\frac{y}{z}\right) d\left(\frac{y}{z}\right)}{Z\left(\frac{y}{z}\right)\frac{y}{z} - Y\left(\frac{y}{z}\right)}.$$

Nunmehr werden x, z und φ als Veränderliche benutzt. Dadurch geht $Af = 0$ über in:

$$\bar{A}f \equiv \frac{\partial f}{\partial x} + Z\frac{\partial f}{\partial z} = 0,$$

wo aber in $Z\left(\frac{y}{z}\right)$ statt $\frac{y}{z}$ die betreffende Function von φ und z zu setzen ist. $U_1 f$ geht in

$$U_1 f \equiv \frac{\partial f}{\partial x}$$

über. Also ergiebt sich die zweite Lösung:

$$\psi \equiv \int \left(dx - \frac{dz}{Z} \right) \equiv x - \int \frac{dz}{Z}.$$

Hierin ist vor der Quadratur Z als Function von φ und z auszudrücken und während der Quadratur φ als Constante zu behandeln. Alsdann sind

$$\varphi = \text{Const.}, \quad \psi = \text{Const.}$$

die gesuchten Gleichungen der Curvenschar.

9. Beispiel: Eine Schar von ∞^2 Curven im Raume sei dadurch definiert, dass in jedem Curvenpunkte die Neigung der Tangente zur x-Axe und ihre Neigung zum Lote vom Curvenpunkt auf die x-Axe Functionen der Länge dieses Lotes allein sind. Man soll die Curven berechnen.

Der Cosinus der ersteren Neigung wird durch

$$\frac{dx}{\sqrt{dx^2 + dy^2 + dz^2}},$$

der der letzteren durch

$$\frac{y\,dy + z\,dz}{\sqrt{y^2 + z^2}} \cdot \frac{1}{\sqrt{dx^2 + dy^2 + dz^2}}$$

gemessen. Demnach sind

$$\frac{dx}{\sqrt{dx^2 + dy^2 + dz^2}} \quad \text{und} \quad \frac{y\,dy + z\,dz}{dx}$$

gegeben als Functionen von $y^2 + z^2$ allein. Sei also etwa:

$$\frac{dx^2 + dy^2 + dz^2}{dx^2} = 1 + \frac{dy^2 + dz^2}{dx} = 1 + \varphi(y^2 + z^2),$$

$$\frac{y\,dy + z\,dz}{dx} = \psi(y^2 + z^2).$$

Dann ist:

$$\frac{dy}{dx} = \frac{1}{y^2 + z^2}\left(y\psi + z\sqrt{\varphi \cdot (y^2 + z^2) - \psi^2}\right),$$

$$\frac{dz}{dx} = \frac{1}{y^2 + z^2}\left(z\psi - y\sqrt{\varphi \cdot (y^2 + z^2) - \psi^2}\right),$$

und die gesuchten Curven genügen dem simultanen System:

$$\frac{dx}{y^2 + z^2} = \frac{dy}{y\psi + z\sqrt{\varphi \cdot (y^2 + z^2) - \psi^2}} = \frac{dz}{z\psi - y\sqrt{\varphi \cdot (y^2 + z^2) - \psi^2}}.$$

Die zugehörige lineare partielle Differentialgleichung lautet:

$$Af \equiv (y^2 + z^2)\frac{\partial f}{\partial x} + (y\psi + zR)\frac{\partial f}{\partial y} + (z\psi - yR)\frac{\partial f}{\partial z} = 0,$$

wo zur Abkürzung

$$\sqrt{\varphi \cdot (y^2 + z^2) - \psi^2} \equiv R$$

gesetzt ist.

Es handelt sich um die Integration der Gleichung $Af = 0$, deren Charakteristiken die gesuchten Curven sind. Aus der geometrischen Anschauung erhellt, dass jede unserer Curven durch eine Verschiebung längs der x-Axe in eine ebensolche übergeht, ebenso durch eine Rotation um dieselbe. Daher gestattet $Af = 0$ die beiden infinitesimalen Transformationen:

$$U_1 f \equiv \frac{\partial f}{\partial x}, \quad U_2 f \equiv z\frac{\partial f}{\partial y} - y\frac{\partial f}{\partial z}:$$

Zwischen Af, $U_1 f$ und $U_2 f$ besteht keine lineare Relation, denn ihre Determinante:

$$\varDelta \equiv \begin{vmatrix} y^2 + z^2 & y\psi + zR & z\psi - yR \\ 1 & 0 & 0 \\ 0 & z & -y \end{vmatrix} \equiv (y^2 + z^2)\psi$$

ist nicht identisch Null, es sei denn $\psi \equiv 0$. Dies aber ergäbe, dass unsere Curven zu den Loten zur x-Axe senkrecht verlaufen, also auf Rotationscylindern um die x-Axe liegen, d. h. Schraubenlinien sind. Wir setzen also voraus, es sei $\varDelta \not\equiv 0$ oder also $\psi \not\equiv 0$. Nach unserer allgemeinen Theorie sind nunmehr

$$\begin{aligned} \varphi &\equiv \int \frac{1}{\varDelta} \begin{vmatrix} dx & dy & dz \\ y^2 + z^2 & y\psi + zR & z\psi - yR \\ 1 & 0 & 0 \end{vmatrix} \\ &\equiv \int \frac{(z\psi - yR)dy - (y\psi + zR)\,dz}{(y^2 + z^2)\psi} \\ &\equiv -\frac{1}{2}\int \frac{R\,d(y^2 + z^2)}{(y^2 + z^2)\psi} + \operatorname{arctg}\frac{y}{z} \end{aligned}$$

und

$$\begin{aligned} \psi &\equiv \int \frac{1}{\varDelta} \begin{vmatrix} dx & dy & dz \\ y^2 + z^2 & y\psi + zR & z\psi - yR \\ 0 & z & -y \end{vmatrix} \\ &\equiv -x + \frac{1}{2}\int \frac{d(y^2 + z^2)}{\psi} \end{aligned}$$

Lösungen von $Af = 0$. Die unter den Integralzeichen verbliebenen Functionen R und ψ enthalten nur $y^2 + z^2$. Die gesuchten Curven haben dann die Gleichungen

$$\varphi = \text{Const.}, \quad \psi = \text{Const.}$$

§ 4. Zweite Integrationsmethode für eine gewöhnliche Differentialgleichung zweiter Ordnung in x, y, welche zwei bekannte infinitesimale Transformationen gestattet.

Wir werden nunmehr die in § 2 durchgeführte Integrationstheorie verwerten zur Integration einer gewöhnlichen Differentialgleichung zweiter Ordnung in x, y und dadurch zu derjenigen Integrationsmethode derselben gelangen, auf die im 19. Kapitel mehrfach hingewiesen wurde.

Eine gewöhnliche Differentialgleichung zweiter Ordnung in x, y: Diffgl. 2. O. in x, y mit 2 inf. Trf. U_1f, U_2f.

$$y'' - \omega(x, y, y') = 0$$

sei vorgelegt, welche zwei bekannte infinitesimale Transformationen in x, y zulässt:

$$U_1f \equiv \xi_1 \frac{\partial f}{\partial x} + \eta_1 \frac{\partial f}{\partial y},$$

$$U_2f \equiv \xi_2 \frac{\partial f}{\partial x} + \eta_2 \frac{\partial f}{\partial y}.$$

Wie wir wissen (vgl. Einleitung des 19. Kapitels), können wir immer annehmen, dass U_1f und U_2f eine zweigliedrige Gruppe von infinitesimalen Transformationen bilden, und dass insbesondere der Klammerausdruck

$$(U_1U_2) \equiv 0 \quad \text{oder} \quad (U_1U_2) \equiv U_1f$$

ist.

Die Differentialgleichung

$$y'' - \omega(x, y, y') = 0$$

oder

$$\frac{dy'}{dx} = \omega(x, y, y'),$$

wo $\frac{dy}{dx} \equiv y'$ ist, ist der linearen partiellen Differentialgleichung in drei Veränderlichen x, y, y':

$$Af \equiv \frac{\partial f}{\partial x} + y' \frac{\partial f}{\partial y} + \omega(x, y, y') \frac{\partial f}{\partial y'} = 0$$

äquivalent, welche die aus U_1f und U_2f erweiterten infinitesimalen Transformationen

$$U_1'f \equiv \xi_1 \frac{\partial f}{\partial x} + \eta_1 \frac{\partial f}{\partial y} + \left(\frac{\partial \eta_1}{\partial x} + y' \left(\frac{\partial \eta_1}{\partial y} - \frac{\partial \xi_1}{\partial x}\right) - y'^2 \frac{\partial \xi_1}{\partial y}\right) \frac{\partial f}{\partial y'},$$

$$U_2'f \equiv \xi_2 \frac{\partial f}{\partial x} + \eta_2 \frac{\partial f}{\partial y} + \left(\frac{\partial \eta_2}{\partial x} + y' \left(\frac{\partial \eta_2}{\partial y} - \frac{\partial \xi_2}{\partial x}\right) - y'^2 \frac{\partial \xi_2}{\partial y}\right) \frac{\partial f}{\partial y'}$$

gestattet. Das Problem der Integration der Differentialgleichung $y'' - \omega(x, y, y') = 0$ reduciert sich auf das der Integration der Gleichung $Af = 0$. Auf diese Gleichung wenden wir die Integrationstheorie des § 2 an.

Erster Hauptfall: $(U_1U_2)\equiv 0$. Wir beginnen mit dem *Fall, dass U_1f und U_2f mit einander vertauschbar sind:*

$$(U_1U_2)\equiv 0$$

oder, was nach Satz 2, § 1 des 17. Kapitels, dasselbe ist, dass

$$(U_1'U_2')\equiv 0$$

ist. Es fragt sich zunächst, ob zwischen Af, $U_1'f$, $U_2'f$ eine lineare Relation

$$\beta_1 U_1'f+\beta_2 U_2'f+\alpha Af=0$$

besteht, in der $\beta_1:\beta_2$ keine blosse Constante ist (denn sonst wäre eine der beiden infinitesimalen Transformationen trivial).

Erster Unterfall. Wir werden zunächst die Möglichkeit untersuchen und erledigen, dass zwischen $U_1'f$, $U_2'f$ und Af eine Relation besteht. Dabei sind die beiden Annahmen, dass zwischen U_1f und U_2f eine oder keine lineare Relation besteht, d. h. dass U_1f und U_2f dieselben oder verschiedene Bahncurven in der Ebene (x, y) besitzen, verschieden zu behandeln.

Sei also zunächst:

$$U_2f\equiv\varrho U_1f \quad (\varrho \not\equiv \text{Const.}).$$

Wir untersuchen, ob dann zwischen $U_1'f$, $U_2'f$ und Af eine Relation bestehen kann. Da in U_1f und U_2f die Coefficienten von $\frac{\partial f}{\partial x}$ und $\frac{\partial f}{\partial y}$ frei von y' und nicht sämtlich Null sind, so enthält ϱ nur x und y. $U_2'f$ ist die Erweiterung von ϱU_1f oder von

$$\varrho\xi_1\frac{\partial f}{\partial x}+\varrho\eta_1\frac{\partial f}{\partial y}$$

und diese hat die Form

$$U_2'f\equiv\varrho U_1'f+\left(\eta_1\frac{\partial\varrho}{\partial x}+y'\left(\eta_1\frac{\partial\varrho}{\partial y}-\xi_1\frac{\partial\varrho}{\partial x}\right)-y'^2\xi_1\frac{\partial\varrho}{\partial y}\right)\frac{\partial f}{\partial y'}.$$

Daher lautet die Determinante von Af, $U_1'f$ und $U_2'f$:

$$\begin{vmatrix} 1 & y' & \omega(x,y,y') \\ \xi_1 & \eta_1 & \frac{\partial\eta_1}{\partial x}+y'\left(\frac{\partial\eta_1}{\partial y}-\frac{\partial\xi_1}{\partial x}\right)-y'^2\frac{\partial\xi_1}{\partial y} \\ \varrho\xi_1 & \varrho\eta_1 & \varrho\left(\frac{\partial\eta_1}{\partial x}+y'\left(\frac{\partial\eta_1}{\partial y}-\frac{\partial\xi_1}{\partial x}\right)-y'^2\frac{\partial\xi_1}{\partial y}\right)+ \\ & & +\eta_1\frac{\partial\varrho}{\partial x}+y'\left(\eta_1\frac{\partial\varrho}{\partial y}-\xi_1\frac{\partial\varrho}{\partial x}\right)-y'^2\xi_1\frac{\partial\varrho}{\partial y} \end{vmatrix}.$$

Dieselbe reduciert sich auf:

$$\begin{vmatrix} 1 & y' \\ \xi_1 & \eta_1 \end{vmatrix}\left(\eta_1\frac{\partial\varrho}{\partial x}+y'\left(\eta_1\frac{\partial\varrho}{\partial y}-\xi_1\frac{\partial\varrho}{\partial x}\right)-y'^2\xi_1\frac{\partial\varrho}{\partial y}\right).$$

Hierin ist der erste Factor $\eta_1 - y'\xi_1$ sicher nicht Null. Der zweite wäre nur dann Null, wenn einzeln

$$\eta_1 \frac{\partial \varrho}{\partial x} \equiv 0, \quad \eta_1 \frac{\partial \varrho}{\partial y} - \xi_1 \frac{\partial \varrho}{\partial x} \equiv 0, \quad \xi_1 \frac{\partial \varrho}{\partial y} \equiv 0$$

wäre. Dies aber würde, da ξ_1 und η_1 nicht beide Null sind, $\frac{\partial \varrho}{\partial x} \equiv 0$ und $\frac{\partial \varrho}{\partial y} \equiv 0$ liefern, d. h. ϱ wäre eine Constante, was, wie gesagt, ausgeschlossen ist. Im vorliegendem Falle ist somit die Determinante nicht Null und es besteht keine lineare Relation zwischen Af, $U_1'f$ und $U_2'f$. Dieser Fall kommt also nicht in Betracht.

Wir wollen nunmehr annehmen, dass $U_2 f$ nicht dieselben Bahncurven wie $U_1 f$ habe, also keine lineare Relation zwischen $U_1 f$ und $U_2 f$ bestehe. Um alsdann zu entscheiden, in welchem Fall zwischen Af, $U_1 f$ und $U_2 f$ eine lineare Relation besteht, d. h. wann die Determinante

$$\varDelta \equiv \begin{vmatrix} 1 & y' & \omega(x, y, y') \\ \xi_1 & \eta_1 & \frac{\partial \eta_1}{\partial x} + y'\left(\frac{\partial \eta_1}{\partial y} - \frac{\partial \xi_1}{\partial x}\right) - y'^2 \frac{\partial \xi_1}{\partial y} \\ \xi_2 & \eta_2 & \frac{\partial \eta_2}{\partial x} + y'\left(\frac{\partial \eta_2}{\partial y} - \frac{\partial \xi_2}{\partial x}\right) - y'^2 \frac{\partial \xi_2}{\partial y} \end{vmatrix}$$

identisch verschwindet, denken wir uns wie in § 2 des 18. Kapitels canonische Veränderliche $\mathfrak{x}$, $\mathfrak{y}$ der zweigliedrigen Gruppe von infinitesimalen vertauschbaren Transformationen $U_1 f$, $U_2 f$ mit verschiedenen Bahncurven eingeführt, wodurch

$$U_1 f = \frac{\partial f}{\partial \mathfrak{x}}, \quad U_2 f = \frac{\partial f}{\partial \mathfrak{y}},$$

also auch, wenn erweitert wird durch Hinzunahme von $\mathfrak{y}' \equiv \frac{d\mathfrak{y}}{d\mathfrak{x}}$:

$$U_1' f = \frac{\partial f}{\partial \mathfrak{x}}, \quad U_2' f = \frac{\partial f}{\partial \mathfrak{y}}$$

wird. In den neuen Veränderlichen $\mathfrak{x}$, $\mathfrak{y}$ lautet unsere Differentialgleichung zweiter Ordnung etwa:

$$\mathfrak{y}'' - w(\mathfrak{x}, \mathfrak{y}, \mathfrak{y}') = 0.$$

Da sie $\frac{\partial f}{\partial \mathfrak{x}}$ und $\frac{\partial f}{\partial \mathfrak{y}}$ gestattet, ist hierin w eine Function von $\mathfrak{y}'$ allein. Die Determinante $\varDelta$ hat nunmehr die Form

$$\begin{vmatrix} 1 & \mathfrak{y}' & w(\mathfrak{y}') \\ 1 & 0 & 0 \\ 0 & 1 & 0 \end{vmatrix}$$

und verschwindet nur dann, wenn $w \equiv 0$ ist, d. h. die Differentialgleichung die einfache Form

$$\mathfrak{y}'' = 0$$

annimmt, deren Integralgleichung lautet:

$$\mathfrak{y} = \text{Const.} \cdot \mathfrak{x} + \text{Const.}$$

Die Curven $\mathfrak{y} = \text{Const.}$ sind die Bahncurven von $U_1 f$, die Curven $\mathfrak{x} = \text{Const.}$ die von $U_2 f$ und jede infinitesimale Transformation von der Form $c_1 U_1' f + c_2 U_2' f$ ($c_1, c_2 = \text{Const.}$) oder $c_1 \frac{\partial f}{\partial \mathfrak{x}} + c_2 \frac{\partial f}{\partial \mathfrak{y}}$ hat offenbar Bahncurven von der Form

$$\mathfrak{y} = \text{Const.} \cdot \mathfrak{x} + \text{Const.},$$

d. h.: Im vorliegenden Fall sind die Integralcurven der Differentialgleichung die ∞^2 Bahncurven aller ∞^1 infinitesimalen Transformationen der zweigliedrigen Gruppe $U_1 f$, $U_2 f$ von infinitesimalen Transformationen.

In diesem Fall ist die Differentialgleichung $y'' - \omega(x, y, y') = 0$ sofort integrierbar durch Einführung der canonischen Veränderlichen $\mathfrak{x}$, $\mathfrak{y}$. Da die Bestimmung derselben nach § 2 des 18. Kapitels zwei von einander unabhängige Quadraturen erfordert, so sehen wir:

Wenn $y'' - \omega(x, y, y') = 0$ zwei infinitesimale vertauschbare Transformationen $U_1 f$, $U_2 f$ mit verschiedenen Bahncurven gestattet und zwischen $U_1' f$, $U_2' f$ und Af eine lineare Relation besteht, so verlangt die Integration *zwei von einander unabhängige Quadraturen.* Damit ist der Ausnahmefall, dass die Determinante identisch verschwindet, erledigt.

In dem soeben besprochenen Fall können die zwei Quadraturen sogar auf *eine einzige* reduciert werden. Wenn eine Relation

$$\beta_1 U_1' f + \beta_2 U_2' f + \alpha A f = 0$$

besteht, so heisst dies nach den geometrischen Auseinandersetzungen des § 4, 15. Kap., dass jede Charakteristik von $Af = 0$ für sich im Raume (x, y, y') eine infinitesimale Transformation von der Form $U_1' f + c U_2' f$ gestattet, wo c eine Constante ist, die von Charakteristik zu Charakteristik eine andere sein wird. Jede Charakteristik von $Af = 0$ wird also eine Bahncurve einer infinitesimalen Transformation $U_1' f + c U_2' f$ sein. Kehren wir nun zur gewöhnlichen Differentialgleichung

$$y'' - \omega(x, y, y') = 0$$

in der Ebene (x, y) zurück, so lehrt dies, dass, wie wir schon oben auf andere Weise einsahen, jede der ∞^2 Integralcurven dieser Gleichung Bahncurve einer gewissen infinitesimalen Punkttransformation $U_1 f + c U_2 f$ der Ebene ist. Das Integrationsproblem kommt also darauf zurück, diese zu bestimmen. Ist φ eine Invariante von

$$U_1 f + c\,U_2 f,$$

so stellt $\varphi =$ Const. die ∞^1 Bahncurven dieser Transformation dar. Da $U_1 f$ und $U_2 f$ vertauschbar sind, so gestattet die Gleichung

$$U_1 f + c\,U_2 f = 0,$$

der φ genügt, die infinitesimale Transformation $U_1 f$, d. h. $U_1 \varphi$ ist eine Function von φ allein und, sobald nicht $c = 0$ ist, nicht Null (denn $U_1 f$ und $U_2 f$ haben verschiedene Bahncurven). Demnach kann φ immer so gewählt werden, dass $U_1 f \equiv 1$ wird, und φ genügt also den beiden Relationen:

$$U_1 \varphi + c\,U_2 \varphi = 0,$$
$$U_1 \varphi = 1,$$

oder:

$$U_1 \varphi = 1, \quad U_2 \varphi = a$$

($a =$ Const.), woraus sich $\frac{\partial \varphi}{\partial x}$ und $\frac{\partial \varphi}{\partial y}$ berechnen lassen. Daher ergiebt sich φ durch eine Quadratur in der Form

$$\varphi \equiv \int \frac{1}{\xi_1 \eta_2 - \xi_2 \eta_1} \begin{vmatrix} dx & dy & 0 \\ \xi_1 & \eta_1 & 1 \\ \xi_2 & \eta_2 & a \end{vmatrix}.$$

Allerdings kommt unter dem Integralzeichen eine arbiträre Constante a vor. Ist $\varphi(x, y, a)$ dies Integral, so stellt

$$\varphi(x, y, a) = b$$

die ∞^2 Integralcurven von $y'' - \omega(x, y, y') = 0$ vor.

Von dem Ausnahmefall, das zwischen $U_1' f$, $U_2' f$ und Af eine lineare Relation besteht, können wir nunmehr absehen. Wir nehmen also jetzt an: Die Determinante von $U_1' f$, $U_2' f$ und Af sei verschieden von Null, während es für die weitere Behandlung gleichgültig ist, ob zwischen $U_1 f$ und $U_2 f$ eine lineare Relation besteht oder nicht. Denn bei beiden Annahmen giebt die Theorie des § 2, da $(U_1' U_2') \equiv 0$ ist, durch zwei von einander unabhängige Quadraturen die Integrale: Zweiter Unterfall.

$$\varphi \equiv \int \frac{1}{\Delta} \begin{vmatrix} dx & dy & dy' \\ 1 & y' & \omega(x, y, y') \\ \xi_1 & \eta_1 & \frac{\partial \eta_1}{\partial x} + y' \left(\frac{\partial \eta_1}{\partial y} - \frac{\partial \xi_1}{\partial x} \right) - y'^2 \frac{\partial \xi_1}{\partial y} \end{vmatrix},$$

$$\psi \equiv \int \frac{1}{\Delta} \begin{vmatrix} dx & dy & dy' \\ 1 & y' & \omega(x, y, y') \\ \xi_2 & \eta_2 & \frac{\partial \eta_2}{\partial x} + y' \left(\frac{\partial \eta_2}{\partial y} - \frac{\partial \xi_2}{\partial x} \right) - y'^2 \frac{\partial \xi_2}{\partial y} \end{vmatrix},$$

in denen Δ die Determinante von $A_1 f$, $U_1' f$ und $U_2' f$ bedeutet:

$$\Delta \equiv \begin{vmatrix} 1 & y' & \omega(x, y, y') \\ \xi_1 & \eta_1 & \frac{\partial \eta_1}{\partial x} + y' \left(\frac{\partial \eta_1}{\partial y} - \frac{\partial \xi_1}{\partial x} \right) - y'^2 \frac{\partial \xi_1}{\partial y} \\ \xi_2 & \eta_2 & \frac{\partial \eta_2}{\partial x} + y' \left(\frac{\partial \eta_2}{\partial y} - \frac{\partial \xi_2}{\partial x} \right) - y'^2 \frac{\partial \xi_2}{\partial y} \end{vmatrix}.$$

Unsere Ergebnisse sprechen wir in folgendem, auch den oben betrachteten Ausnahmefall umfassenden Satze aus:

Satz 1: *Gestattet eine gewöhnliche Differentialgleichung zweiter Ordnung in x, y:*

$$W(x, y, y', y'') = 0$$

zwei bekannte vertauschbare infinitesimale Transformationen

$$U_1 f \equiv \xi_1 \frac{\partial f}{\partial x} + \eta_1 \frac{\partial f}{\partial y}, \quad U_2 f \equiv \xi_2 \frac{\partial f}{\partial x} + \eta_2 \frac{\partial f}{\partial y},$$

von denen keine trivial ist, so verlangt die Integration der Differentialgleichung höchstens zwei von einander unabhängige Quadraturen.

Zweiter Hauptfall: $(U_1 U_2) \not\equiv 0$.

Es steht jetzt noch der *zweite Hauptfall* zurück, *dass $U_1 f$ und $U_2 f$ nicht vertauschbar sind,* also etwa

$$(U_1 U_2) \equiv U_1 f$$

und daher auch

$$(U_1' U_2') \equiv U_1' f$$

ist. Wir erkennen genau so wie früher, dass, wenn $U_1 f$ und $U_2 f$ dieselben Bahncurven haben, die Determinante von $U_1 f$, $U_2 f$, $A f$ nicht verschwindet. Haben sie verschiedene Bahncurven, d. h. besteht keine lineare Relation zwischen $U_1 f$ und $U_2 f$, so verfahren wir analog wie oben: Wir führen wie in § 4 des 18. Kapitels durch *zwei successive Quadraturen* solche canonische Veränderliche $\mathfrak{x}$, $\mathfrak{y}$ ein, dass

$$U_1 f \equiv \frac{\partial f}{\partial \mathfrak{y}}, \quad U_2 f \equiv \mathfrak{x} \frac{\partial f}{\partial \mathfrak{x}} + \mathfrak{y} \frac{\partial f}{\partial \mathfrak{y}}$$

wird. Alsdann geht die Differentialgleichung $y'' - \omega(x, y, y') = 0$ etwa über in:

$$\mathfrak{y}'' - w(\mathfrak{x}, \mathfrak{y}, \mathfrak{y}') = 0.$$

Da sie $\frac{\partial f}{\partial \mathfrak{y}}$ gestattet, ist w frei von $\mathfrak{y}$, und da sie $\mathfrak{x} \frac{\partial f}{\partial \mathfrak{x}} + \mathfrak{y} \frac{\partial f}{\partial \mathfrak{y}}$ zulässt, so hat w die Form:

$$w \equiv \frac{\mathfrak{f}(\mathfrak{y}')}{\mathfrak{x}}$$

(vgl. § 3 des 19. Kapitels). Die Determinante von Af, $U_1' f$, $U_2' f$ lautet nun in den neuen Veränderlichen $\mathfrak{x}$, $\mathfrak{y}$, da jetzt:

$$Af = \frac{\partial f}{\partial \mathfrak{x}} + \mathfrak{y}' \frac{\partial f}{\partial \mathfrak{y}} + \frac{\mathfrak{f}(\mathfrak{y}')}{\mathfrak{x}} \frac{\partial f}{\partial \mathfrak{y}'},$$

$$U_1' f = \frac{\partial f}{\partial \mathfrak{y}'},$$

$$U_2' f = \mathfrak{x} \frac{\partial f}{\partial \mathfrak{x}} + \mathfrak{y} \frac{\partial f}{\partial \mathfrak{y}}$$

ist:

$$\begin{vmatrix} 1 & \mathfrak{y}' & \frac{\mathfrak{f}(\mathfrak{y}')}{\mathfrak{x}} \\ 0 & 1 & 0 \\ \mathfrak{x} & \mathfrak{y} & 0 \end{vmatrix}.$$

Sie soll Null sein, d. h. es ist $\mathfrak{f}(\mathfrak{y}') \equiv 0$, und die Differentialgleichung reduciert sich auf

$$\mathfrak{y}'' = 0$$

und giebt integriert:

$$\mathfrak{y} = \text{Const.} \cdot \mathfrak{x} + \text{Const.}$$

Hieraus folgt wie in einem früheren Falle, dass die Integralcurven der Differentialgleichung die ∞^2 Bahncurven der ∞^1 infinitesimalen Transformationen $c_1 U_1 f + c_2 U_2 f$ ($c_1, c_2 =$ Const.) sind.

Der Ausnahmefall, dass die Determinante verschwindet, ist somit durch *zwei successive Quadraturen* zur Einführung von $\mathfrak{x}$ und $\mathfrak{y}$ erledigt.

Jetzt bleibt nur noch die allgemeine Annahme übrig, dass keine lineare Relation zwischen Af, $U_1'f$ und $U_2'f$ besteht, während

$$(U_1' U_2') \equiv U_1' f$$

ist. Nach der allgemeinen Theorie des § 2 ergiebt sich eine Lösung φ sofort durch Quadratur:

$$\varphi \equiv \int \frac{1}{\Delta} \begin{vmatrix} dx & dy & dy' \\ 1 & y' & \omega(x, y, y') \\ \xi_1 & \eta_1 & \frac{\partial \eta_1}{\partial x} + y' \left(\frac{\partial \eta_1}{\partial y} - \frac{\partial \xi_1}{\partial x} \right) - y'^2 \frac{\partial \xi_1}{\partial y} \end{vmatrix},$$

wo wieder Δ die Determinante von Af, $U_1'f$, $U_2'f$ vorstellt. Um eine zweite Lösung ψ zu finden, hat man etwa x, y und φ als neue Veränderliche zu benutzen. Dadurch reduciert sich $Af = 0$ auf eine Gleichung $\overline{A}f = 0$ in x und y allein und $U_1 f$ auf eine infinitesimale Transformation $\overline{U}_1 f$ in x und y allein. Beide enthalten noch φ, doch ist φ wie eine Constante zu behandeln. Da $\overline{A}f = 0$ die infinitesimale Transformation $\overline{U}_1 f$ gestattet, so ergiebt sich die zweite Lösung ψ durch eine Quadratur.

Es gilt demnach der auch den Ausnahmefall umfassende

Satz 2: *Gestattet eine gewöhnliche Differentialgleichung zweiter Ordnung in x, y:*

$$\omega(x, y, y', y'') = 0$$

zwei bekannte infinitesimale Transformationen $U_1 f$ und $U_2 f$ in x, y, für die $(U_1 U_2) \equiv U_1 f$ und von denen keine trivial ist, so verlangt die Integration der Differentialgleichung höchstens zwei successive Quadraturen.

Die beiden Sätze 1 und 2 können wir noch in folgendes Theorem zusammenfassen:

Gesamt-ergebnis. **Theorem 45:** *Gestattet die gewöhnliche Differentialgleichung zweiter Ordnung in x, y:*

$$W(x, y, y', y'') = 0$$

zwei bekannte infinitesimale Transformationen $U_1 f$, $U_2 f$ in x, y, die eine zweigliedrige Gruppe von infinitesimalen Transformationen bilden und von denen keine trivial ist, so verlangt die Integration der Differentialgleichung nur zwei Quadraturen. Dieselben sind unabhängig von einander, wenn $U_1 f$ und $U_2 f$ vertauschbar sind; andernfalls sind sie von einander abhängig.

Man bemerkt, dass dies Ergebnis einfacher ist, als das des 19. Kapitels, in welchem wir eine nicht so vollkommene Integrationstheorie entwickelten.

§ 5. Beispiele und Ausblicke auf weitergehende Theorien.

Nunmehr werden wir zu der im vorhergehenden Paragraphen entwickelten Integrationstheorie der gewöhnlichen Differentialgleichungen zweiter Ordnung mit zwei bekannten infinitesimalen Transformationen eine Reihe von Beispielen geben.

Beispiele. *1. Beispiel:* Die Differentialgleichung

$$y'' - \frac{(y - xy')^3}{x^3} \mathfrak{f}\left(\frac{y}{x}\right) = 0$$

gestattet die beiden infinitesimalen Transformationen:

$$U_1 f \equiv x^2 \frac{\partial f}{\partial x} + xy \frac{\partial f}{\partial y},$$

$$U_2 f \equiv xy \frac{\partial f}{\partial x} + y^2 \frac{\partial f}{\partial y}.$$

Man soll sie integrieren.

Da $(U_1 U_2) \equiv 0$ ist und $U_1 f$ und $U_2 f$ dieselben Bahncurven haben, so ist die Determinante:

$$\Delta \equiv \begin{vmatrix} 1 & y' & \left(\frac{y-xy'}{x}\right)^3 \mathfrak{f}\left(\frac{y}{x}\right) \\ x^2 & xy & y - xy' \\ xy & y^2 & y'(y-xy') \end{vmatrix}$$
$$\equiv -(y-xy')^3$$

verschieden von Null. Demnach ergeben sich sofort durch zwei von einander unabhängige Quadraturen die Zwischenintegrale:

$$\varphi \equiv \int \frac{1}{\Delta} \begin{vmatrix} dx & dy & dy' \\ 1 & y' & \left(\frac{y-xy'}{x}\right)^3 \mathfrak{f}\left(\frac{y}{x}\right) \\ x^2 & xy & y-xy' \end{vmatrix}$$
$$\equiv \int \left(-\mathfrak{f}\left(\frac{y}{x}\right) \frac{x\,dy - y\,dx}{x^2} + \frac{dy - x\,dy' - y'\,dx}{(y-xy')^2} \right)$$
$$\equiv \int -\mathfrak{f}\left(\frac{y}{x}\right) d\left(\frac{y}{x}\right) - \frac{1}{y-xy'}$$

und

$$\psi \equiv \int \frac{1}{\Delta} \begin{vmatrix} dx & dy & dy' \\ 1 & y' & \left(\frac{y-xy'}{x}\right)^3 \mathfrak{f}\left(\frac{y}{x}\right) \\ xy & y^2 & y'(y-xy') \end{vmatrix}$$
$$\equiv \int \left(-\frac{dx}{x^2} - \left(\frac{y}{x}\mathfrak{f} + \frac{1}{x-xy'}\right) \frac{x\,dy - y\,dx}{x^2} + \right.$$
$$\left. + \frac{y}{x} \frac{dy - x\,dy' - y'\,dx}{(y-xy')^2} \right)$$
$$\equiv \frac{1}{x} - \frac{y}{x(y-xy')} - \int \frac{y}{x} \mathfrak{f}\left(\frac{y}{x}\right) d\left(\frac{y}{x}\right).$$

Setzt man φ und ψ Constanten a und b gleich und eliminiert y', so ergiebt sich die gesuchte Integralgleichung:

$$1 + y\int \mathfrak{f}\left(\frac{y}{x}\right) d\left(\frac{y}{x}\right) - x\int \frac{y}{x} \mathfrak{f}\left(\frac{y}{x}\right) d\left(\frac{y}{x}\right) = -ax + by$$

der vorgelegten Differentialgleichung zweiter Ordnung.

2. Beispiel: Vorgelegt sei *die lineare Differentialgleichung zweiter Ordnung* Lineare Diffgl. 2. Ordnung.

$$y'' + X_1(x)y' + X(x)y + X_0(x) = 0,$$

und es seien $z_1(x)$, $z_2(x)$ *zwei bekannte von einander unabhängige Particularlösungen der verkürzten Gleichung*

$$z'' + X_1 z' + Xz = 0.$$

Alsdann gestattet die erstere Gleichung, wie wir schon in einem früheren Beispiel (§ 2 des 19. Kap.) bemerkten, die miteinander vertauschbaren infinitesimalen Transformationen mit denselben Bahncurven:

$$U_1 f \equiv z_1 \frac{\partial f}{\partial y}, \quad U_2 f \equiv z_2 \frac{\partial f}{\partial y}.$$

Hier ist also nach unserer Theorie ein Integral dieses:

$$\varphi \equiv \int \frac{1}{\Delta} \begin{vmatrix} dx & dy & dy' \\ 1 & y' & -X_1 y' - Xy - X_0 \\ 0 & z_1 & z_1' \end{vmatrix},$$

da die Determinante

$$\Delta \equiv \begin{vmatrix} 1 & y' & -X_1 y' - Xy - X_0 \\ 0 & z_1 & z_1' \\ 0 & z_2 & z_2' \end{vmatrix} \equiv z_1 z_2' - z_1' z_2 \neq 0$$

ist. Es kommt daher:

$$\varphi \equiv \int \frac{(y' z_1' + X_1 y' z_1 + X y z_1 + X_0 z_1) dx - z_1' dy + z_1 dy'}{z_1 z_2' - z_1' z_2}.$$

Da aber z_1 und z_2 die Identitäten erfüllen:

$$z_1'' + X_1 z_1' + X z_1 \equiv 0, \quad z_2'' + X_1 z_2' + X z_2 \equiv 0,$$

so lassen sich vermöge derselben X_1 und X aus φ eliminieren und es kommt, da sich die Quadratur zum Teil durchführen lässt, als erstes Integral

$$\varphi \equiv \frac{z_1 y' - z_1' y}{z_1 z_2' - z_1' z_2} + \int \frac{z_1 X_0(x)}{z_1 z_2' - z_1' z_2} dx = \text{Const.}$$

Analog ergiebt sich das Integral:

$$\psi \equiv \frac{z_2 y' - z_2' y}{z_1 z_2' - z_1' z_2} + \int \frac{z_2 X_0(x)}{z_1 z_2' - z_1' z_2} dx = \text{Const.}$$

Eliminiert man aus beiden Gleichungen y', so erhält man die definitive Integralgleichung zwischen x und y allein:

$$y = z_1 \int \frac{z_2 X_0}{z_1 z_2' - z_1' z_2} dx - z_2 \int \frac{z_1 X_0}{z_1 z_2' - z_1' z_2} dx + \text{Const.} z_1 + \text{Const.} z_2.$$

Natürlich lässt sich die in dem früheren Beispiele gefundene Form auf diese zurückführen.

Die gewöhnliche *Methode der Variation der Constanten* beruht bekanntlich darauf, dass man

$$y \equiv \omega_1 z_1 + \omega_2 z_2$$

setzt und ω_1 und ω_2 passend zu bestimmen sucht. Dies führt auf die beiden Bedingungen

$$\omega_1' z_1 + \omega_2' z_2 = 0, \quad \omega_1' z_1' + \omega_2' z_2' = -X_0.$$

Hieraus bestimmt sich

$$\omega_1' = \frac{z_2 X_0}{z_1 z_2' - z_1' z_2},$$

d. h.

$$\omega_1 = \int \frac{z_2 X_0}{z_1 z_2' - z_1' z_2} dx + \text{Const.}$$

und analog ω_2, sodass $y = \omega_1 z_1 + \omega_2 z_2$ in der That die obige Form erhält.

Eine vierte Integrationsmethode ist schliesslich diese: Der linearen Differentialgleichung ist die partielle:

$$Af \equiv \frac{\partial f}{\partial x} + y' \frac{\partial f}{\partial y} - (X_1 y' + Xy + X_0) \frac{\partial f}{\partial y'} = 0$$

äquivalent, welche die aus $U_1 f$ und $U_2 f$ erweiterten infinitesimalen Transformationen

$$U_1' f \equiv z_1 \frac{\partial f}{\partial y} + z_1' \frac{\partial f}{\partial y'}, \quad U_2' f \equiv z_2 \frac{\partial f}{\partial y} + z_2' \frac{\partial f}{\partial y'}$$

gestattet. Die drei Symbole in x, y, y': Af, $U_1' f$, $U_2' f$ haben nun die beiden Eigentümlichkeiten, dass sie erstens mit einander vertauschbar sind: $(A U_1') \equiv 0$ u. s. w., und dass zweitens ihre Determinante verschieden von Null ist. Ein Satz der Theorie der Transformationsgruppen, dessen Beweis wir hier nicht beibringen wollen, lehrt, dass es alsdann möglich ist, an Stelle von x, y, y' solche neue Veränderliche $\mathfrak{x}$, $\mathfrak{y}$, $\mathfrak{z}$ einzuführen, dass

$$Af \equiv \frac{\partial f}{\partial \mathfrak{x}}, \quad U_1' f \equiv \frac{\partial f}{\partial \mathfrak{y}}, \quad U_2' f \equiv \frac{\partial f}{\partial \mathfrak{z}}$$

wird. Da dann $A\mathfrak{y} \equiv 0$, $A\mathfrak{z} \equiv 0$ ist, so sind $\mathfrak{y}$ und $\mathfrak{z}$ Lösungen von $Af = 0$. Wir werden also nur $\mathfrak{y}$ und $\mathfrak{z}$ zu bestimmen suchen aus den Forderungen:

$$\frac{\partial f}{\partial x} + y' \frac{\partial f}{\partial y} - (X_1 y' + Xy + X_0) \frac{\partial f}{\partial y'} = \frac{\partial f}{\partial \mathfrak{x}},$$

$$z_1 \frac{\partial f}{\partial y} + z_1' \frac{\partial f}{\partial y'} = \frac{\partial f}{\partial \mathfrak{y}}, \quad z_2 \frac{\partial f}{\partial y} + z_2' \frac{\partial f}{\partial y'} = \frac{\partial f}{\partial \mathfrak{z}}.$$

Die Veränderliche $\mathfrak{x}$ dagegen hat kein Interesse für unseren Zweck. $\mathfrak{y}$ genügt also den drei Bedingungen:

$$\frac{\partial \mathfrak{y}}{\partial x} + y' \frac{\partial \mathfrak{y}}{\partial y} - (X_1 y' + Xy + X_0) \frac{\partial \mathfrak{y}}{\partial y'} = 0,$$

$$z_1 \frac{\partial \mathfrak{y}}{\partial y} + z_1' \frac{\partial \mathfrak{y}}{\partial y'} = 1, \quad z_2 \frac{\partial \mathfrak{y}}{\partial y} + z_2' \frac{\partial \mathfrak{y}}{\partial y'} = 0.$$

Hieraus folgt

$$\frac{\partial \mathfrak{y}}{\partial x} = \frac{-y' z_2' + (X_1 y' + Xy + X_0) z_2}{z_1 z_2' - z_1' z_2}, \quad \frac{\partial \mathfrak{y}}{\partial y} = \frac{z_2'}{z_1 z_2' - z_1' z_2},$$

$$\frac{\partial \mathfrak{y}}{\partial y'} = \frac{-z_2}{z_1 z_2' - z_1' z_2},$$

und weiter, wenn wir vermöge

$$z_1'' + X_1 z_1' + X z_1 \equiv 0, \quad z_2'' + X_1 z_2' + X z_2 \equiv 0$$

X_1 und X eliminieren, vermöge einer Quadratur für $\mathfrak{y}$ derselbe Wert wie oben für $-\psi$. Entsprechend kommt $\mathfrak{z} = -\varphi$, sodass $\varphi = \text{Const.}$, $\psi = \text{Const.}$ wieder als Integralgleichungen hervorgehen.

3. *Beispiel:* Man kann, von zwei infinitesimalen Transformationen ausgehend, die eine zweigliedrige Gruppe bilden, nach den Differentialgleichungen zweiter Ordnung fragen, welche diese beiden gestatten.

Liegen z. B. die beiden infinitesimalen Transformationen vor:

$$U_1 f \equiv \frac{\partial f}{\partial y},$$

$$U_2 f \equiv \frac{\partial f}{\partial x} + x \frac{\partial f}{\partial y},$$

wo $(U_1 U_2) \equiv 0$ ist, so verfährt man so: Nach § 5 des 15. Kapitels suchen wir die Form einer Differentialgleichung zweiter Ordnung, welche $U_1 f$ gestattet. Zu dem Zweck erweitern wir $U_1 f$ einmal und bilden die lineare partielle Differentialgleichung in x, y, y':

$$U_1' f \equiv \frac{\partial f}{\partial y} = 0,$$

deren Lösungen x und y' sind. Nach dem Früheren hat folglich die allgemeinste Differentialgleichung zweiter Ordnung, welche $U_1 f$ gestattet, die Form

$$\frac{dy'}{dx} = \omega(x, y')$$

oder

$$y'' = \omega(x, y').$$

Nun soll sie noch $U_2 f$ gestatten, d. h. es soll der Klammerausdruck von

$$U_2' f \equiv \frac{\partial f}{\partial x} + x \frac{\partial f}{\partial y} + \frac{\partial f}{\partial y'}$$

und

$$A f \equiv \frac{\partial f}{\partial x} + y' \frac{\partial f}{\partial y} + \omega(x, y') \frac{\partial f}{\partial y'}$$

ein Vielfaches von Af sein. Es kommt:

$$(U_2' A) \equiv \left(\frac{\partial \omega}{\partial x} + \frac{\partial \omega}{d y'}\right) \frac{\partial f}{\partial y'} = 0,$$

d. h. ω ist eine Function von $x - y'$ allein. Daher lautet die Differentialgleichung:

$$y'' - \omega(x - y') = 0.$$

Da sie zwei infinitesimale vertauschbare Transformationen $U_1 f$, $U_2 f$ gestattet, und da die Determinante $\varDelta$ von $U_1' f$, $U_2' f$ und Af nicht Null ist, so lange nicht $\omega \equiv 1$ ist, so verlangt ihre Integration zwei von einander unabhängige Quadraturen, nämlich

$$\varphi \equiv \int \frac{1}{\Delta} \begin{vmatrix} dx & dy & dy' \\ 1 & y' & \omega(x-y') \\ 0 & 1 & 0 \end{vmatrix} \equiv \int \frac{\omega(x-y')\cdot d(x-y')}{\omega(x-y')-1} + y'$$

und

$$\psi \equiv \int \frac{1}{\Delta} \begin{vmatrix} dx & dy & dy' \\ 1 & y' & \omega(x-y') \\ 1 & x & 1 \end{vmatrix} = \frac{x^2}{2} - y + \int \frac{(x-y')\cdot d(x-y')}{\omega(x-y')-1}.$$

Indem man nach Ausführung der Quadraturen y' aus $\varphi = \text{Const.}$, $\psi = \text{Const.}$ eliminiert, erhält man die allgemeine Integralgleichung.

4. Beispiel: Eine Schar von Curven in der Ebene sei dadurch definiert, dass der Krümmungsradius ϱ eines Curvenpunktes als Function der Tangentialrichtung in dem betreffenden Curvenpunkte gegeben ist. Man soll diese Curven bestimmen.

Da sich der Krümmungsradius des Punktes (x, y) einer der gesuchten Curven durch y' und y'', die Tangentialneigung durch y' ausdrückt, so ist also y'' als Function von y' definiert:

$$y'' - \omega(y') = 0.$$

Es handelt sich um die Integration dieser Gleichung. Offenbar geht eine der gesuchten Curven, wenn sie durch eine Translation fortgeführt wird, immer wieder in eine solche Curve über, d. h. die Differentialgleichung gestattet die Translationen $\frac{\partial f}{\partial x}$ und $\frac{\partial f}{\partial y}$. Die Integration reduciert sich demnach auf die beiden von einander unabhängigen Quadraturen:

$$\varphi \equiv \int \frac{\omega dy - y' dy'}{\omega} \equiv y - \int \frac{y' dy'}{\omega(y')},$$

$$\psi \equiv \int \frac{\omega dx - dy'}{\omega} \equiv x - \int \frac{dy'}{\omega(y')}.$$

5. Beispiel: Eine Curvenschar in der Ebene sei dadurch definiert, dass das Verhältnis aus Krümmungsradius ϱ und Ordinate y eine gegebene Function der Tangentialrichtung τ ist:

$$\Omega\left(\frac{\varrho}{y}, \tau\right) = 0.$$

In diesem Falle ist y'' gegeben als eine Function von y', mulipliciert mit $\frac{1}{y}$:

$$y'' - \frac{1}{y}\,\omega(y') = 0.$$

Bei einer Verschiebung längs der x-Axe bleiben ϱ, y und τ ungeändert,

d. h. jede derartige Curve geht dabei in eine ebensolche über, die Differentialgleichung gestattet demnach die Translation

$$U_1 f \equiv \frac{\partial f}{\partial x}.$$

Bei einer ähnlichen Vergrösserung der Figur vom Anfangspunkt aus bleibt τ ungeändert, während ϱ und y in proportionaler Weise wachsen, sodass auch $\frac{\varrho}{y}$ dasselbe bleibt. Demnach führt auch die infinitesimale Ähnlichkeitstransformation

$$U_2 f \equiv x\frac{\partial f}{\partial x} + y\frac{\partial f}{\partial y}$$

jede Curve der gesuchten Art in eine ebensolche über. Da hier $(U_1 U_2) \equiv U_1 f$ und die Determinante von

$$Af \equiv \frac{\partial f}{\partial x} + y'\frac{\partial f}{\partial y} + \frac{1}{y}\,\omega(y')\frac{\partial f}{\partial y'},$$

$$U_1' f \equiv \frac{\partial f}{\partial x},$$

$$U_2' f \equiv x\frac{\partial f}{\partial x} + y\frac{\partial f}{\partial y}$$

nicht verschwindet, sondern den Wert

$$\varDelta \equiv \omega(y')$$

besitzt, so verlangt die Integration nach unserer Theorie zwei successive Quadraturen. Zunächst diese:

$$\varphi \equiv \int \frac{1}{\varDelta}\begin{vmatrix} dx & dy & dy' \\ 1 & y' & \frac{1}{y}\,\omega(y') \\ 1 & 0 & 0 \end{vmatrix} \equiv \lg y - \int \frac{y'\,dy'}{\omega(y')}.$$

Hat man die Quadratur ausgeführt, so hat man etwa gefunden:

$$\varphi \equiv \lg y - \vartheta(y').$$

Nun werden x, y, φ als neue Veränderliche benutzt. Sei etwa

$$y' = \chi(\lg y - \varphi)$$

die Auflösung der letzten Gleichung nach y', so geht $Af = 0$ über in

$$\bar{A}f \equiv \frac{\partial f}{\partial x} + \chi(\lg y - \varphi)\frac{\partial f}{\partial y} = 0.$$

Sie gestattet

$$\bar{U}_1 f \equiv \frac{\partial f}{\partial x}$$

und wird sofort integriert, wodurch sich ergiebt:

$$\psi \equiv x - \int \frac{dy}{\chi(\lg y - \varphi)}.$$

Während der Integration ist hierin φ als Constante zu behandeln. Durch Elimination von y' aus $\varphi =$ Const., $\psi =$ Const. ergiebt sich die gewünschte Gleichung unserer Curvenschar.

6. *Beispiel:* Alle Curven werden gesucht, längs deren das Verhältnis aus Krümmungsradius ϱ und Radiusvector r eine gegebene Function des Winkels Θ, den r und ϱ bilden, ist. Diese Curven sind definiert durch eine Gleichung

$$\Omega\left(\frac{\varrho}{r}, \Theta\right) = 0.$$

Offenbar wird jede derartige Curve durch eine Rotation

$$U_1 f \equiv -y\frac{\partial f}{\partial x} + x\frac{\partial f}{\partial y}$$

in eine solche Curve übergeführt, ebenso durch eine Ähnlichkeitstransformation

$$U_2 f \equiv x\frac{\partial f}{\partial x} + y\frac{\partial f}{\partial y}.$$

Da

$$r = \sqrt{x^2 + y^2}, \quad \varrho = \frac{\sqrt{(1 + y'^2)^3}}{y''},$$

$$\operatorname{tg}\Theta = \frac{x + yy'}{y - xy'}$$

ist, so hat die Differentialgleichung der Curvenschar die Form

$$y'' - \sqrt{\frac{(1 + y'^2)^3}{x^2 + y^2}} \cdot \omega\left(\frac{x + yy'}{xy' - y}\right) = 0.$$

Sie gestattet $U_1 f$, $U_2 f$, und es ist $(U_1 U_2) \equiv 0$. Ferner haben wir hier:

$$Af \equiv \frac{\partial f}{\partial x} + y'\frac{\partial f}{\partial y} + \sqrt{\frac{(1 + y'^2)^3}{x^2 + y^2}}\,\omega\,\frac{\partial f}{\partial y'},$$

$$U_1' f \equiv -y\frac{\partial f}{\partial x} + x\frac{\partial f}{\partial y} + (1 + y'^2)\frac{\partial f}{\partial y'},$$

$$U_2' f \equiv x\frac{\partial f}{\partial x} + y\frac{\partial f}{\partial y},$$

und es ist die Determinante

$$\varDelta \equiv \begin{vmatrix} 1 & y' & \sqrt{\frac{(1 + y'^2)^3}{x^2 + y^2}} \cdot \omega \\ -y & x & 1 + y'^2 \\ x & y & 1 \end{vmatrix}$$

im allgemeinen verschieden von Null. Demnach reduciert sich die Integration auf die beiden von einander unabhängigen Quadraturen

$$\varphi \equiv \int \frac{1}{\Delta} \begin{vmatrix} dx & dy & dy' \\ 1 & y' & \sqrt{\frac{(1+y'^2)^3}{x^2+y^2}} \cdot \omega \\ -y & x & 1+y'^2 \end{vmatrix}$$

und

$$\psi \equiv \int \frac{1}{\Delta} \begin{vmatrix} dx & dy & dy' \\ 1 & y' & \sqrt{\frac{(1+y'^2)^3}{x^2+y^2}} \cdot \omega \\ x & y & 0 \end{vmatrix}.$$

Bequemer wird übrigens die Integration, wenn man statt rechtwinkliger Polarcoordinaten r, φ benutzt.

Weitergehende Integrationstheorien.

Im vorigen Paragraphen haben wir den Fall ins Auge gefasst, dass die Differentialgleichung zweiter Ordnung zwischen x, y, um deren Integration es sich handelte, nur zwei bekannte infinitesimale Transformationen gestatte. Gestattet die vorgelegte Differentialgleichung mehr als zwei bekannte infinitesimale Transformationen, so kann man das Integrationsgeschäft noch weiter vereinfachen.

Entsprechend kann man, wenn eine Differentialgleichung dritter oder höherer Ordnung vorliegt und einige infinitesimale Transformationen derselben bekannt sind, die Integration auf einfachere Integrationen zurückführen. Allerdings gestattet nicht jede Differentialgleichung zwischen x, y infinitesimale Punkttransformationen. Wir gaben ja früher ein Beispiel dazu an. (Vgl. S. 384.) Wenn eine Differentialgleichung in x, y vorliegt, so wird man sich also zuerst fragen, ob sie infinitesimale Transformationen gestattet. Diese Frage lässt sich immer beantworten. Gestattet sie infinitesimale Transformationen, so ist es zweckmässig, zunächst diese zu bestimmen und darauf durch Benutzung derselben das Integrationsgeschäft zu vereinfachen. Diese wenigen Andeutungen, deren weitere Ausführung hier nicht am Platze ist, zeigen schon, dass sich auf dem skizzierten Wege eine ganz besimmte *Integrationsmethode* der gewöhnlichen Differentialgleichungen in x, y, welche infinitesimale Transformationen gestatten, ergeben wird.

Abteilung V.

Integration von gewöhnlichen Differentialgleichungen zweiter Ordnung, welche eine dreigliedrige Gruppe gestatten, und verwandte Probleme.

In der vorhergehenden Abteilung gaben wir eine Integrationstheorie für gewöhnliche Differentialgleichungen zweiter Ordnung in x, y mit zwei bekannten infinitesimalen Transformationen, welche eine zweigliedrige Gruppe bestimmen. Lag eine solche Differentialgleichung mit mehr als zwei bekannten infinitesimalen Transformationen vor, welche eine Gruppe bilden, so führten wir diesen Fall auf den obigen zurück, indem wir eine zweigliedrige Untergruppe jener Gruppe auswählten. Man kann aber in diesem letzteren Falle einen grösseren Vorteil aus den bekannten infinitesimalen Transformationen für das Integrationsgeschäft ziehen. Wir werden in dieser Abteilung insbesondere annehmen, *die Differentialgleichung gestatte drei bekannte infinitesimale Transformationen, welche eine Gruppe bilden.*

Von jetzt ab wollen wir auch für $\frac{\partial f}{\partial x}$, $\frac{\partial f}{\partial y}$ die schon früher erwähnten Abkürzungen p und q gebrauchen (vgl. S. 122), also die infinitesimale Transformation $\xi \frac{\partial f}{\partial x} + \eta \frac{\partial f}{\partial y}$ mit $\xi p + \eta q$ bezeichnen.

Kapitel 21.

Bestimmung der Zusammensetzung aller dreigliedrigen Gruppen von infinitesimalen Transformationen.

Im 18. Kapitel haben wir alle Typen von zweigliedrigen Gruppen von infinitesimalen Transformationen bestimmt. Dabei war es zunächst (in § 1) gleichgültig, wie gross die Anzahl der Veränderlichen war. Wir fanden daselbst, dass die zweigliedrigen Gruppen jedenfalls zwei von einander unabhängige infinitesimale Transformationen $U_1 f$, $U_2 f$ enthalten, für die entweder

$$(U_1 U_2) \equiv 0$$

oder

$$(U_1 U_2) \equiv U_1 f$$

ist. In entsprechender Weise werden wir in diesem Kapitel die Klammerausdrücke bei den *dreigliedrigen* Gruppen von infinitesimalen Transformationen auf einfache typische Form zurückführen. Dabei müssen wir aber zuvörderst einige wichtige allgemeinere Begriffe besprechen.

§ 1. Begriff der Zusammensetzung und Begriff der invarianten Untergruppen einer Gruppe von infinitesimalen Transformationen.

Unter einer Gruppe von infinitesimalen Transformationen verstehen wir nach § 4 des 17. Kapitels eine Schar von infinitesimalen Transformationen von dieser Art: Ist sie r-gliedrig, so enthält sie r von einander unabhängige infinitesimale Transformationen $U_1 f, U_2 f \cdots U_r f$ und mit diesen auch jede infinitesimale Transformation von der Form

$$c_1 U_1 f + c_2 U_2 f + \cdots + c_r U_r f,$$

in der $c_1, c_2 \cdots c_r$ irgend welche constante Werte haben. Ferner ist jeder Klammerausdruck zwischen zwei infinitesimalen Transformationen der Gruppe wiederum eine infinitesimale Transformation derselben, d. h. linear mit constanten Coefficienten durch $U_1 f, U_2 f \cdots U_r f$ ausdrückbar. Dazu ist offenbar notwendig und hinreichend, dass dies für die r infinitesimalen Transformationen $U_1 f \cdots U_r f$ selbst eintrifft, d. h. dass jedes $(U_i U_k)$ die Form hat:

$$(1) \qquad (U_i U_k) \equiv \sum_1^r {}_s\, c_{iks} U_s f \qquad (i, k = 1, 2 \cdots r).$$

Dies tritt z. B. ein bei den drei infinitesimalen Transformationen in x, y:

$$U_1 f \equiv p + q, \quad U_2 f \equiv xp + yq, \quad U_3 f \equiv x^2 p + y^2 q,$$

denn hier ist:

$$(U_1 U_2) \equiv U_1 f, \quad (U_1 U_3) \equiv 2 U_2 f, \quad (U_2 U_3) \equiv U_3 f,$$

d. h. es ist hier:

$$\begin{aligned} c_{121} &= 1, & c_{122} &= 0, & c_{123} &= 0; \\ c_{131} &= 0, & c_{132} &= 2, & c_{133} &= 0; \\ c_{231} &= 0, & c_{232} &= 0, & c_{233} &= 1. \end{aligned}$$

Mithin bilden die infinitesimalen Transformationen

$$c_1(p + q) + c_2(xp + yq) + c_3(x^2 p + y^2 q)$$

oder:

$$(c_1 + c_2 x + c_3 x^2)p + (c_1 + c_2 y + c_3 y^2)q$$

in ihrer Gesamtheit eine dreigliedrige Gruppe.

An Stelle der r infinitesimalen Transformationen $U_1 f \cdots U_r f$ können wir irgend welche r von einander unabhängige infinitesimale Transformationen der Gruppe, etwa:

$$(2)\quad \begin{cases} \overline{U}_1 f \equiv \gamma_{11} U_1 f + \cdots + \gamma_{1r} U_r f, \\ \overline{U}_2 f \equiv \gamma_{21} U_2 f + \cdots + \gamma_{2r} U_r f, \\ \cdot\ \cdot\ \cdot\ \cdot\ \cdot\ \cdot\ \cdot\ \cdot\ \cdot\ \cdot\ \cdot\ \cdot \\ \overline{U}_r f \equiv \gamma_{r1} U_1 f + \cdots + \gamma_{rr} U_r f \end{cases}$$

benutzen, in denen die γ irgend welche Constanten bedeuten, deren Determinante $\Sigma \pm \gamma_{11}\gamma_{22} \cdots \gamma_{rr} \neq 0$ ist. Alsdann treten an Stelle der Relationen (1) andere. Es ist ja:

$$(\overline{U}_\iota \overline{U}_\varkappa) \equiv (\gamma_{\iota 1} U_1 f + \cdots + \gamma_{\iota r} U_r f,\ \gamma_{\varkappa 1} U_1 f + \cdots + \gamma_{\varkappa r} U_r f)$$

$$\equiv \sum_1^r{}^i \sum_1^r{}^k \gamma_{\iota i}\gamma_{\varkappa k}(U_i U_k),$$

d. h. nach (1):

$$(\overline{U}_\iota \overline{U}_\varkappa) \equiv \sum_1^r{}^i \sum_1^r{}^k \gamma_{\iota i}\gamma_{\varkappa k} \sum_1^r{}^s c_{iks} U_s f,$$

und hieraus können wir die $U_s f$, die sich nach (2) linear mit constanten Coefficienten durch die $\overline{U}f$ ausdrücken lassen, entfernen, sodass sich schliesslich zu (1) analoge Relationen ergeben:

$$(\overline{U}_\iota \overline{U}_\varkappa) \equiv \sum_1^r{}^\sigma \gamma_{\iota\varkappa\sigma} \overline{U}_\sigma f.$$

Man sieht also, dass durch Benutzung anderer r von einander unabhängiger infinitesimaler Transformationen der Gruppe die Relationen für die Klammerausdrücke abgeändert werden können, und es stellt sich damit das *Problem, in einem vorliegenden Falle solche infinitesimale Transformationen der Gruppe auszuwählen, dass diese Relationen eine möglichst einfache Gestalt annehmen.* Dies Problem haben wir für zweigliedrige Gruppen $U_1 f$, $U_2 f$ schon in § 1 des 18. Kapitels erledigt. Wir erhielten dort die beiden Formen $(U_1 U_2) \equiv 0$ und $(U_1 U_2) \equiv U_1 f$. Dasselbe Problem werden wir nachher für dreigliedrige Gruppen erledigen.

Wir sagen, dass die Coefficienten c_{iks} in den Relationen (1) die *Zusammensetzung* der r-gliedrigen Gruppe vorstellen, ihre Kenntnis zieht die der Relationen (1) selbst nach sich. Das zu erledigende Problem ist also dies: *Alle möglichen Zusammensetzungen von dreigliedrigen Gruppen von infinitesimalen Transformationen auf möglichst einfache typische Formen zu bringen.* Zusammensetzung einer Gruppe v. inf. Trf.

Hierbei wird sich der schon in § 4 des 17. Kapitels eingeführte Begriff der *Untergruppen* als nützlich erweisen, den wir kurz recapitulieren: Wir sagen, dass in der Gruppe $U_1 f \cdots U_r f$ etwa $U_1 f \cdots U_\varrho f$ eine ϱ-gliedrige Untergruppe bilden, sobald jeder Klammerausdruck zwischen $U_1 f \cdots U_\varrho f$ allein sich linear mit constanten Coefficienten durch $U_1 f \cdots U_\varrho f$ allein ausdrücken lässt, d. h. sobald $U_1 f \cdots U_\varrho f$ für sich eine Gruppe bilden.

Invariante Untergruppe.

Insbesondere nennen wir diese Untergruppe $U_1 f \cdots U_\varrho f$ eine *invariante Untergruppe,* wenn auch die Klammerausdrücke dieser $U_1 f \cdots U_\varrho f$ mit *allen* $U_1 f \cdots U_r f$ sich linear mit constanten Coefficienten durch $U_1 f \cdots U_\varrho f$ allein darstellen lassen. In der oben als Beispiel angegebenen dreigliedrigen Gruppe

$$p + q, \quad xp + yq, \quad x^2 p + y^2 q$$

ist offenbar

$$p + q, \quad xp + yq$$

eine zweigliedrige Untergruppe, denn ihre Klammeroperation giebt $p + q$. Ebenso ist

$$xp + yq, \quad x^2 p + y^2 q$$

eine zweigliedrige Untergruppe. Dagegen ist

$$p + q, \quad x^2 p + y^2 q$$

keine Untergruppe, denn ihr Klammerausdruck giebt $2xp + 2yq$ und diese infinitesimale Transformation lässt sich nicht linear mit *constanten* Coefficienten durch $p + q$ und $x^2 p + y^2 q$ ausdrücken. Keine der beiden angegebenen Untergruppen ist übrigens eine sogenannte invariante Untergruppe.

Dagegen besitzt die dreigliedrige Gruppe von infinitesimalen Transformationen in zwei Veränderlichen x, y:

$$p, \quad q, \quad xq,$$

wo

$$(p, q) \equiv 0, \quad (p, xq) \equiv q, \quad (q, xq) \equiv 0$$

ist, zweigliedrige invariante Untergruppen, nämlich die von der Form:

$$q, \quad p + axq.$$

Hierin bedeutet a irgend eine Constante. In der That ist

$$(q, p) \equiv 0, \quad (q, q) \equiv 0, \quad (q, xq) \equiv 0;$$

$$(p + axq, p) \equiv - aq, \quad (p + axq, q) \equiv 0, \quad (p + axq, xq) \equiv q.$$

Liegt eine r-gliedrige Gruppe von infinitesimalen Transformationen $U_1 f \cdots U_r f$ vor, so ist leicht einzusehen, dass die $(U_i U_k)$, die ja auch infinitesimale Transformationen der r-gliedrigen Gruppe sind, für sich eine invariante Untergruppe bilden. Es giebt nämlich jedes

$(U_i U_k)$, combiniert mit irgend einem $U_j f$, eine aus den $(U_i U_k)$ allein linear mit constanten Coefficienten zusammensetzbare infinitesimale Transformation, denn nach (1) ist:

$$((U_i U_k) U_j) \equiv \sum_1^r c_{iks} (U_s U_j).$$

Also gilt das

Theorem 46: *Ist $U_1 f \cdots U_r f$ eine r-gliedrige Gruppe von infinitesimalen Transformationen, so bilden die $(U_i U_k)$ eine invariante Untergruppe derselben.*

Es sind zwei Fälle denkbar: Entweder sind unter den $(U_i U_k)$ gerade r von einander unabhängige enthalten oder weniger. Der erste Fall tritt z. B. bei der Gruppe

$$p + q, \quad xp + yq, \quad x^2 p + y^2 q$$

ein. Allgemein nennen wir die Gruppe der $(U_i U_k)$ die *erste derivierte Gruppe*. Man kann von dieser derivierten Gruppe wieder die erste derivierte Gruppe suchen u. s. w. Die sich dadurch ergebenden Untergruppen heissen dann die zweite, dritte u. s. w. derivierte Gruppe der gegebenen Gruppe $U_1 f \cdots U_r f$. So hat die fünfgliedrige Gruppe | Erste derivierte Gruppe.

$$p, \quad xp, \quad q, \quad xq, \quad x^2 q$$

als erste derivierte die viergliedrige:

$$p, \quad q, \quad xq, \quad x^2 q,$$

als zweite die zweigliedrige:

$$q, \quad xq,$$

während eine dritte derivierte Gruppe wegen $(q, xq) \equiv 0$ nicht vorhanden ist.

Die hier eingeführte Terminologie hat tiefer liegende Gründe, die an dieser Stelle noch nicht erörtert werden können. Wir wollen nur die Bezeichnung der *Gruppen von infinitesimalen Transformationen* etwas näher begründen und gehen dazu von Beispielen aus. (Vgl. dabei § 2 des 2. Kap.) Im 18. Kapitel fanden wir vier Typen von zweigliedrigen Gruppen von infinitesimalen Transformationen in der Ebene. Der erste derselben war dieser: | Zusammenhang zw. Gruppen v. inf. Trf. und Gruppen v. endlichen Trf.

$$p, \quad q.$$

Dieser Gruppe gehört allgemein die infinitesimale Transformation

$$p + aq \quad (a = \text{Const.})$$

an. Dieselbe erzeugt, wie wir wissen, eine eingliedrige Gruppe von *endlichen* Transformationen:

$$x_1 = x + t, \quad y_1 = y + at.$$

Wenn wir nun zu jeder beliebigen infinitesimalen Transformation $p + aq$ unserer zweigliedrigen Gruppe die zugehörige eingliedrige Gruppe von *endlichen* Transformationen aufsuchen, so haben wir a beliebig zu lassen, und wir haben also ∞^1 Scharen von je ∞^1 endlichen Transformationen, also insgesamt ∞^2 endliche Transformationen von obiger Form, in denen t und a willkürliche Parameter sind, und die sich daher auch in der Form schreiben lassen:

$$x_1 = x + \alpha, \quad y_1 = y + \beta.$$

Diese ∞^2 Transformationen bilden, wir wir wissen, eine *Gruppe von endlichen Transformationen* und zwar eine *zweigliedrige.* (§ 1 des 1. Kap.)

Der zweite Typus von zweigliedrigen Gruppen von *infinitesimalen* Transformationen der Ebene war dieser:

$$q, \quad xq.$$

Hier lautet die allgemeine infinitesimale Transformation:

$$q + axq,$$

und die von ihr erzeugte eingliedrige Gruppe von *endlichen* Transformationen stellt sich so dar:

$$x_1 = x, \quad y_1 = y + (1 + ax)t.$$

Lassen wir a alle möglichen constanten Werte annehmen, so ergeben sich ∞^2 endliche Transformationen, die sich auch so schreiben lassen:

$$x_1 = x, \quad y_1 = y + \alpha + \beta x.$$

Dieselben bilden eine *zweigliedrige Gruppe*, denn eliminieren wir x_1, y_1 vermöge dieser Gleichungen aus den Gleichungen:

$$x_2 = x_1, \quad y_2 = y_1 + \alpha_1 + \beta_1 x_1,$$

so kommt:

$$x_2 = x, \quad y_2 = y + (\alpha + \alpha_1) + (\beta + \beta_1)x.$$

Der dritte Typus war dieser:

$$q, \quad xp + yq,$$

und hier lautet die von der allgemeinen infinitesimalen Transformation

$$q + a(xp + yq)$$

erzeugte eingliedrige Gruppe von *endlichen* Transformationen:

$$x_1 = xe^{at}, \quad y_1 = ye^{at} + \frac{e^{at} - 1}{a}.$$

Hierin lassen wir wieder die Constante a variieren und erhalten dadurch ∞^2 Transformationen, die sich auch schreiben lassen:

$$x_1 = \alpha x, \quad y_1 = \alpha y + \beta.$$

Offenbar stellen sie eine *zweigliedrige Gruppe von endlichen Transformationen* dar.

Ganz ähnlich ergiebt sich beim vierten Typus

$$q, \quad yq$$

mit der allgemeinen infinitesimalen Transformation

$$q + ayq$$

die *zweigliedrige Gruppe von endlichen Transformationen*

$$x_1 = x, \quad y_1 = ye^{at} + \frac{e^{at} - 1}{a}$$

oder anders geschrieben:

$$x_1 = x, \quad y_1 = \alpha y + \beta.$$

Ähnlich verhält es sich nun, wie wir ohne Beweis angeben, bei jeder Gruppe von infinitesimalen Transformationen. Bilden $U_1 f \cdots U_r f$ eine r-gliedrige Gruppe von infinitesimalen Transformationen, so ist

$$U_1 f + a_2 U_2 f + a_3 U_3 f + \cdots + a_r U_r f$$

die allgemeine infinitesimale Transformation derselben, wenn $a_2, a_3 \cdots a_r$ irgend welche Constanten bedeuten. Diese infinitesimale Transformation erzeugt eine gewisse eingliedrige Gruppe von *endlichen* Transformationen mit einem Parameter t. Die Gleichungen derselben enthalten $a_2, a_3 \cdots a_r$ und lauten etwa, wenn $x_1 \cdots x_n$ die in den Uf vorkommenden Veränderlichen sind:

$$x_i' = \varphi_i(x_1 \cdots x_n, a_2 \cdots a_r, t) \qquad (i = 1, 2 \cdots n).$$

Variieren wir hierin nicht nur t, sondern auch $a_2, a_3 \cdots a_r$, so ergeben sich ∞^r *endliche* Transformationen und dieselben bilden eine *r-gliedrige Gruppe*, wie man allgemein beweisen kann.

Hiernach wird es der Leser gerechtfertigt finden, dass wir den Begriff einer r-gliedrigen Gruppe von *infinitesimalen* Transformationen eingeführt haben.

§ 2. Erster Typus von dreigliedrigen Zusammensetzungen.

Wir gehen nunmehr daran, alle Zusammensetzungen von dreigliedrigen Gruppen von infinitesimalen Transformationen $U_1 f, U_2 f, U_3 f$ zu bestimmen. Dabei kümmert uns zunächst die Zahl der Veränderlichen, die in der Gruppe vorkommen, gar nicht.

Nach den Bemerkungen des vorigen Paragraphen können wir das Problem in die folgenden einzelnen zerlegen: Alle Zusammensetzungen von dreigliedrigen Gruppen zu bestimmen, deren erste derivierte Gruppe dreigliedrig (d. h. sie selbst ist) oder zweigliedrig oder eingliedrig oder nullgliedrig ist. Im gegenwärtigen Paragraphen erledigen wir den ersten Fall.

Die erste derivierte Gruppe sei eingliedrig.

Vorausgesetzt wird also, dass $U_1 f$, $U_2 f$, $U_3 f$ eine eingliedrige Gruppe bilden, d. h. dass $(U_1 U_2)$, $(U_1 U_3)$ und $(U_2 U_3)$ sich linear mit constanten Coefficienten durch $U_1 f$, $U_2 f$ und $U_3 f$ selbst ausdrücken lassen und dass diese drei Klammerausdrücke *drei von einander unabhängige* infinitesimale Transformationen seien. Wir werden auf zwei Wegen erkennen, dass sich die Zusammensetzung einer solchen Gruppe immer durch passende Auswahl dreier von einander unabhängiger aus der Schar der infinitesimalen Transformationen

$$\text{Const.}\, U_1 f + \text{Const.}\, U_2 f + \text{Const.}\, U_3 f$$

auf eine gewisse canonische Form bringen lässt.

Der erste Weg, um dies zu beweisen, ist rein elementar. Der zweite, elegantere, setzt die Kenntnis homogener Punkt- und Liniencoordinaten in der Ebene, sowie einige Sätze aus der projectiven Geometrie voraus und ist deshalb von Wichtigkeit, weil er typisch ist für die Bestimmung von Zusammensetzungen von Gruppen überhaupt.

Erste Art der Reduction.

Zunächst schlagen wir den *elementaren* Weg ein: Nach Theorem 40 (§ 4 des 17. Kap.) gehört jede infinitesimale Transformation der Gruppe, also etwa $U_1 f$, wenigstens einer zweigliedrigen Untergruppe an und diese kann, wenn $U_2 f$ eine von $U_1 f$ unabhängige Transformation derselben ist, nach Satz 1, § 1 des 18. Kapitels, auf eine der beiden Formen

$$(U_1 U_2) \equiv U_1 f, \quad (U_1 U_2) \equiv 0$$

gebracht werden. Der zweite Fall ist auszuschliessen, da $(U_1 U_2)$, $(U_1 U_3)$ und $(U_2 U_3)$ *drei* von einander unabhängige infinitesimale Transformationen sein sollen. Wir nehmen daher an

$$(U_1 U_2) \equiv U_1 f.$$

Sei nun etwa

$$(U_1 U_3) \equiv \alpha_1 U_1 f + \alpha_2 U_2 f + \alpha_3 U_3 f,$$
$$(U_2 U_3) \equiv \beta_1 U_1 f + \beta_2 U_2 f + \beta_3 U_3 f,$$

wo die α und β Constanten bedeuten. Wir wenden auf $U_1 f$, $U_2 f$, $U_3 f$ die Jacobi'sche Identität, die wir in § 4 des 10. Kapitels kennen lernten, an. Es ist danach

$$((U_1 U_2) U_3) + ((U_2 U_3) U_1) + ((U_3 U_1) U_2) \equiv 0,$$

also, wenn wir ausrechnen:

$$\alpha_1 U_1 + \alpha_2 U_2 + \alpha_3 U_3 - \beta_2 U_1 - \beta_3(\alpha_1 U_1 + \alpha_2 U_2 + \alpha_3 U_3) -$$
$$- \alpha_1 U_1 + \alpha_3(\beta_1 U_1 + \beta_2 U_2 + \beta_3 U_3) \equiv 0$$

oder, da zwischen $U_1 f$, $U_2 f$, $U_3 f$ keine lineare Relation mit constanten Coefficienten besteht:

$$\alpha_3 = 0, \quad -\beta_2 - \beta_3 \alpha_1 = 0, \quad \alpha_2(1 - \beta_3) = 0.$$

Sicher ist $\alpha_2 \neq 0$, denn sonst wäre $(U_1 U_3) \equiv \alpha_1 U_1 \equiv \alpha_1 (U_1 U_2)$, d. h. die drei Ausdrücke $(U_1 U_2)$, $(U_1 U_3)$, $(U_2 U_3)$ wären nicht von einander unabhängig. Da α_2 also $\neq 0$ ist, so folgt $\beta_3 = 1$ und $\beta_2 = -\alpha_1$, sodass wir haben, wenn $U_i f$ von nun an kurz mit U_i bezeichnet wird:

$$(U_1 U_2) \equiv U_1,$$
$$(U_1 U_3) \equiv \alpha_1 U_1 + \alpha_2 U_2 \quad (\alpha_2 \neq 0),$$
$$(U_2 U_3) \equiv \beta_1 U_1 - \alpha_1 U_2 + U_3.$$

An Stelle von $U_3 f$ können wir nun eine infinitesimale Transformation

$$U_3' f \equiv U_3 f + \lambda_1 U_1 f + \lambda_2 U_2 f,$$

in der λ_1, λ_2 irgend welche Constanten bedeuten, und die sicher $U_3 f$ enthält, einführen. Dann haben wir:

$$(U_1 U_3') \equiv \alpha_1 U_1 + \alpha_2 U_2 + \lambda_2 U_1,$$
$$(U_2 U_3') \equiv \beta_1 U_1 - \alpha_1 U_2 + U_3 - \lambda_1 U_1 \equiv$$
$$\equiv (\beta_1 - 2\lambda_1) U_1 - (\alpha_1 + \lambda_2) U_2 + U_3'.$$

Nehmen wir also

$$\lambda_1 = \frac{\beta_1}{2}, \quad \lambda_2 = -\alpha_1$$

an, so kommt

$$(U_1 U_3') \equiv \alpha_2 U_2, \quad (U_2 U_3') \equiv U_3'.$$

Die von Null verschiedene Zahl α_2 kann leicht gleich irgend einer von Null verschiedenen Zahl gemacht werden. Setzt man nämlich

$$\overline{U}_1 f \equiv a U_1 f, \quad \overline{U}_2 f \equiv U_2 f, \quad \overline{U}_3 f \equiv a U_3' f \quad (a \neq 0),$$

so kommt

$$(\overline{U}_1 \overline{U}_2) \equiv \overline{U}_1, \quad (\overline{U}_1 \overline{U}_3) \equiv a^2 \alpha_2 \overline{U}_2, \quad (\overline{U}_2 \overline{U}_3) \equiv U_3.$$

Durch passende Wahl der von Null verschiedenen Constanten a können wir hier dem Factor $a^2 \alpha_2$ jeden von Null verschiedenen Wert geben. Insbesondere wollen wir $a^2 \alpha_2 = 2$ machen. Wir finden demnach die Klammerausdrücke

$$(\overline{U}_1 \overline{U}_2) \equiv \overline{U}_1, \quad (\overline{U}_1 \overline{U}_3) \equiv 2 \overline{U}_2, \quad (\overline{U}_2 \overline{U}_3) \equiv \overline{U}_3.$$

Jede dreigliedrige Gruppe von infinitesimalen Transformationen, deren infinitesimale Transformationen durch die Klammeroperationen sämtlich reproduciert werden, kann also durch passende Auswahl der drei von einander unabhängigen Transformationen auf die Zusammensetzung

$$\boxed{(U_1 U_2) \equiv U_1 \quad (U_1 U_3) \equiv 2 U_2 \quad (U_2 U_3) \equiv U_3}$$

gebracht werden.

Beispiele hierzu sind in einer und in zwei Veränderlichen diese drei Gruppen:

$$p, \quad xp, \quad x^2p;$$
$$2(p + xq), \quad xp + 2yq, \quad (x^2 - y)p + xyq;$$
$$p + q, \quad xp + yq, \quad x^2p + y^2q.$$

Zweite Art der Reduction auf dieselbe Form.

Nunmehr betreten wir zum Nachweis jener Zusammensetzung den *zweiten*, eleganteren Weg.

Deutung der inf. Trf. als Punkte der Ebene.

Dabei bedienen wir uns einer eigentümlichen, in der Gruppentheorie äusserst fruchtbaren *geometrischen Deutung*. Wir wollen nämlich der allgemeinen infinitesimalen Transformation

$$\alpha_1 U_1 + \alpha_2 U_2 + \alpha_3 U_3$$

unserer dreigliedrigen Gruppe U_1, U_2, U_3 als Bildpunkt einen Punkt in einer Ebene zuordnen, der, bezogen auf ein Coordinatendreieck, die homogenen Coordinaten a_1, a_2, a_3 hat. Hiernach wird jede infinitesimale Transformation der Gruppe symbolisch durch einen Punkt dieser Ebene dargestellt, und umgekehrt entspricht jedem Punkte dieser Ebene mit den homogenen Punktcoordinaten a_1, a_2, a_3 eine infinitesimale Transformation

$$a_1 U_1 + a_2 U_2 + a_3 U_3$$

der Gruppe. Da die homogenen Coordinaten nur ihren Verhältnissen nach bestimmt sind, so wird dem Punkte (a_1, a_2, a_3) zwar auch jede infinitesimale Transformation von der Form

$$\lambda(a_1 U_1 + a_2 U_2 + a_3 U_3)$$

zugeordnet sein, aber diese sind wir schon gewöhnt als mit der obigen identisch anzusehen, da sie sich von ihr nur um einen constanten Factor λ unterscheidet.

Es ist ohne weiteres einzusehen, dass dreien von einander unabhängigen infinitesimalen Transformationen die Ecken eines wirklichen Dreiecks, dreien von einander abhängigen aber drei Punkte einer Geraden entsprechen.

Durch die Klammeroperation wird zwei infinitesimalen Transformationen

$$\alpha_1 U_1 + \alpha_2 U_2 + \alpha_3 U_3, \quad \beta_1 U_1 + \beta_2 U_2 + \beta_3 U_3$$

wegen der Relationen

$$(U_i U_k) \equiv c_{ik1} U_1 + c_{ik2} U_2 + c_{ik3} U_3 \qquad (3)$$
$$(i, k = 1, 2, 3)$$

eine dritte infinitesimale Transformation

$$\begin{aligned}\varepsilon_1 U_1 + \varepsilon_2 U_2 + \varepsilon_3 U_3 &\equiv (\Sigma\alpha U,\ \Sigma\beta U) \equiv \\ &\equiv (\alpha_1\beta_2 - \alpha_2\beta_1)(U_1 U_2) + \\ &+ (\alpha_2\beta_3 - \alpha_3\beta_2)(U_2 U_3) + \\ &+ (\alpha_3\beta_1 - \alpha_1\beta_3)(U_3 U_1) \\ &\equiv (\alpha_1\beta_2 - \alpha_2\beta_1)(c_{121}U_1 + c_{122}U_2 + c_{123}U_3) + \\ &+ (\alpha_2\beta_3 - \alpha_3\beta_2)(c_{231}U_1 + c_{232}U_2 + c_{233}U_3) + \\ &+ (\alpha_3\beta_1 - \alpha_1\beta_3)(c_{311}U_1 + c_{312}U_2 + c_{313}U_3)\end{aligned}$$

zugeordnet, wo also:

$$(4)\quad \begin{cases}\varepsilon_1 = (\alpha_1\beta_2 - \alpha_2\beta_1)c_{121} + (\alpha_2\beta_3 - \alpha_3\beta_2)c_{231} + (\alpha_3\beta_1 - \alpha_1\beta_3)c_{311}, \\ \varepsilon_2 = (\alpha_1\beta_2 - \alpha_2\beta_1)c_{122} + (\alpha_2\beta_3 - \alpha_3\beta_2)c_{232} + (\alpha_3\beta_1 - \alpha_1\beta_3)c_{312}, \\ \varepsilon_3 = (\alpha_1\beta_2 - \alpha_2\beta_1)c_{123} + (\alpha_2\beta_3 - \alpha_3\beta_2)c_{233} + (\alpha_3\beta_1 - \alpha_1\beta_3)c_{313}\end{cases}$$

ist. Entsprechend gehört danach jedem Punktepaar $(\alpha_1, \alpha_2, \alpha_3)$, $(\beta_1, \beta_2, \beta_3)$ der Bildebene ein Punkt $(\varepsilon_1, \varepsilon_2, \varepsilon_3)$ derselben zu, dessen Coordinaten $\varepsilon_1, \varepsilon_2, \varepsilon_3$ sich vermöge (4) durch die der ursprünglichen beiden Punkte ausdrücken. Die beiden ersten Punkte — wir bezeichnen sie kurz mit (α) und (β) — bestimmen eine Gerade. Zwei beliebige Punkte $(\bar\alpha)$ und $(\bar\beta)$ derselben haben die Coordinaten:

$$\bar\alpha_1 = \alpha_1 + \varrho\beta_1,\quad \bar\alpha_2 = \alpha_2 + \varrho\beta_2,\quad \bar\alpha_3 = \alpha_3 + \varrho\beta_3;$$

$$\bar\beta_1 = \alpha_1 + \sigma\beta_1,\quad \bar\beta_2 = \alpha_2 + \sigma\beta_2,\quad \bar\beta_3 = \alpha_3 + \sigma\beta_3;$$

ihnen gehören die infinitesimalen Transformationen

$$\alpha_1 U_1 + \alpha_2 U_2 + \alpha_3 U_3 + \varrho(\beta_1 U_1 + \beta_2 U_2 + \beta_3 U_3),$$
$$\alpha_1 U_1 + \alpha_2 U_2 + \alpha_3 U_3 + \sigma(\beta_1 U_1 + \beta_2 U_2 + \beta_3 U_3)$$

zu. Der Klammerausdruck derselben ist offenbar gleich

$$(\sigma - \varrho)(\alpha_1 U_1 + \alpha_2 U_2 + \alpha_3 U_3,\quad \beta_1 U_1 + \beta_2 U_2 + \beta_3 U_3).$$

Die Coordinaten des dieser infinitesimalen Transformation zugeordneten Punktes $(\bar\varepsilon)$ unterscheiden sich demnach von den obigen $\varepsilon_1, \varepsilon_2, \varepsilon_3$ nur um den Factor $(\sigma - \varrho)$, d. h. dieser neue Punkt $(\bar\varepsilon)$ deckt sich mit dem Punkt (ε).

Wenn also zwei Punkten (α), (β) der Bildebene ein dritter Punkt (ε) derselben vermöge der Klammeroperation zugeordnet ist, so ist jedem Punktepaar $(\bar\alpha)$, $(\bar\beta)$ der von (α) und (β) bestimmten Geraden eben dieser Punkt (ε) zugeordnet. Daher rechtfertigt es sich, zu sagen, dass die Klammeroperation jeder *Geraden* der Bildebene einen *Punkt* derselben zuordnet. Es fragt sich nun, welches der geometrische Charakter dieser Zuordnung ist.

Die durch die Punkte (α) und (β) bestimmte Gerade hat die Liniencoordinaten

$$\alpha_1\beta_2 - \alpha_2\beta_1, \quad \alpha_2\beta_3 - \alpha_3\beta_2, \quad \alpha_3\beta_1 - \alpha_1\beta_3,$$

und die Punktcoordinaten ε_1, ε_2, ε_3 des dieser Geraden zugeordneten Punktes drücken sich nach (4) linear und homogen durch dieselben aus. Die Determinante dieser Ausdrücke ist diese:

$$\varDelta = \begin{vmatrix} c_{121} & c_{122} & c_{123} \\ c_{231} & c_{232} & c_{233} \\ c_{311} & c_{312} & c_{313} \end{vmatrix} = \begin{vmatrix} c_{123} & c_{121} & c_{122} \\ c_{233} & c_{231} & c_{232} \\ c_{313} & c_{311} & c_{312} \end{vmatrix}.$$

Wir wollten nun nur den Fall im vorliegenden Paragraphen ins Auge fassen, in welchem

$$(3') \quad \begin{cases} (U_1U_2) \equiv c_{121}U_1 + c_{122}U_2 + c_{123}U_3, \\ (U_2U_3) \equiv c_{231}U_1 + c_{232}U_2 + c_{233}U_3, \\ (U_3U_1) \equiv c_{311}U_1 + c_{312}U_2 + c_{313}U_3 \end{cases}$$

von einander unabhängig sind, d. h. die Determinante

$$\varDelta \neq 0$$

ist.

Benutzen wir die Jacobi'sche Identität:

$$((U_1U_2)U_3) + ((U_2U_3)U_1) + ((U_3U_1)U_2) \equiv 0,$$

so liefert sie nach (3'):

$$\sum_1^3 {}^s c_{12s}(U_sU_3) + \sum_1^3 {}^s c_{23s}(U_sU_1) + \sum_1^3 {}^s c_{31s}(U_sU_2) \equiv 0$$

oder, da $(U_iU_i) \equiv 0$ und $(U_iU_k) \equiv -(U_kU_i)$ ist:

$$(c_{122} - c_{313})(U_2U_3) + (c_{233} - c_{121})(U_3U_1) + (c_{311} - c_{232})(U_1U_2) \equiv 0.$$

Da nun (U_2U_3), (U_3U_1) und (U_1U_2) nach Voraussetzung von einander unabhängig sind, so folgt, dass einzeln

$$c_{122} = c_{313}, \quad c_{233} = c_{121}, \quad c_{311} = c_{232}$$

ist. Mithin ist auch die Determinante $\varDelta$ *symmetrisch*.

Die projective Geometrie lehrt, dass hieraus folgt, dass die durch (4) hergestellte Zuordnung von Gerade und Punkt die durch einen (nicht ausgearteten) Kegelschnitt vermittelte Beziehung zwischen Polare und Pol ist.

In der Bildebene existiert also ein gewisser Kegelschnitt von der Art, dass der Bildpunkt des Klammerausdruckes aus zwei infinitesimalen Transformationen der Gruppe der Pol der Geraden ist, welche die Bildpunkte dieser beiden letzteren infinitesimalen Transformationen verbindet. Die Gleichung dieses Kegelschnittes lautet übrigens nach den Lehren der projectiven Geometrie in den homogenen Punktcoordinaten $\mathfrak{x}_1$, $\mathfrak{x}_2$, $\mathfrak{x}_3$:

$$\begin{vmatrix} \mathfrak{x}_1 & \mathfrak{x}_2 & \mathfrak{x}_3 & 0 \\ c_{231} & c_{311} & c_{121} & \mathfrak{x}_1 \\ c_{232} & c_{312} & c_{122} & \mathfrak{x}_2 \\ c_{233} & c_{313} & c_{123} & \mathfrak{x}_3 \end{vmatrix} = 0.$$

Da nun die Abbildung eine ein-eindeutige ist, so können wir diese geometrische Eigentümlichkeit gruppentheoretisch verwerten: Wir construieren irgend ein Dreieck, bestimmt durch eine Sehne und die Tangenten des Kegelschnittes in den Schnittpunkten der Sehne und bezeichnen diese Schnittpunkte als Bildpunkte der neuen infinitesimalen Transformationen U_1, U_3 und den Schnittpunkt der Tangenten als Bildpunkt der neuen U_2. (Figur 35.) Sicher sind diese neuen drei infinitesimalen Transformationen der Gruppe von einander unabhängig, da ihre Bildpunkte ein wirkliches Dreieck bestimmen.

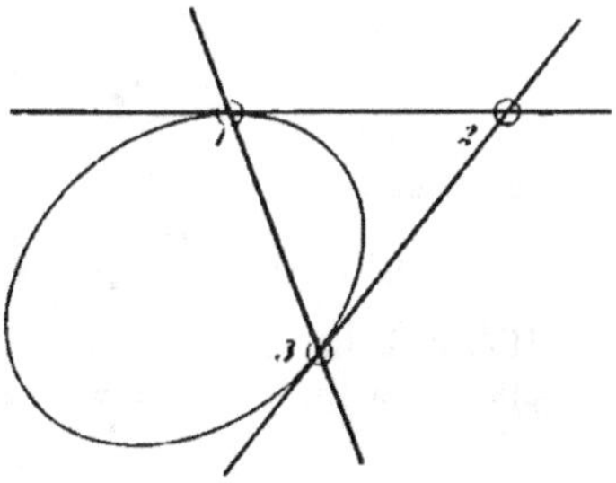

Fig. 35.

Der Sehne ist der Tangentenschnittpunkt als Pol zugeordnet, und es ist daher jetzt

$$(U_1 U_3) \equiv \beta U_2.$$

Ferner hat jede Tangente ihren Berührpunkt als Pol. Demnach ist auch jetzt:

$$(U_1 U_2) \equiv \alpha U_1, \quad (U_2 U_3) \equiv \gamma U_3.$$

Sicher sind die Constanten α, β, γ sämtlich verschieden von Null, da sonst $\Delta = 0$ wäre. Die Jacobi'sche Identität liefert noch:

$$\alpha(U_1 U_3) + \gamma(U_3 U_1) \equiv 0,$$

d. h.

$$\alpha = \gamma.$$

Benutzen wir schliesslich an Stelle von U_1, U_2, U_3 die infinitesimalen Transformationen

$$\overline{U}_1 \equiv a U_1, \quad \overline{U}_2 \equiv b U_2, \quad \overline{U}_3 \equiv c U_3,$$

so kommt:

$$(\overline{U}_1 \overline{U}_2) \equiv b\alpha \overline{U}_1, \quad (\overline{U}_1 \overline{U}_3) \equiv \frac{ac\beta}{b} \overline{U}_2, \quad (\overline{U}_2 \overline{U}_3) \equiv b\alpha \overline{U}_3.$$

Über die Constanten a, b, c können wir beliebig (doch so, dass keine Null wird) verfügen. Wir setzen also:

$$b = \frac{1}{\alpha}, \quad ac = \frac{2}{\alpha\beta}$$

und dann kommt

$$(\overline{U}_1\overline{U}_2)\equiv\overline{U}_1,\quad(\overline{U}_1\overline{U}_3)\equiv 2\overline{U}_2,\quad(\overline{U}_2\overline{U}_3)\equiv\overline{U}_3,$$

und wir sind in der That zu der oben auf anderem Wege gefundenen Zusammensetzung unserer dreigliedrigen Gruppe gelangt.

Wählt man an Stelle von $\overline{U}_1f$, $\overline{U}_2f$, $\overline{U}_3f$ drei infinitesimale Transformationen V_1f, V_2f, V_3f, deren Bildpunkte die Ecken eines Polardreieckes unseres Kegelschnittes sind, indem man etwa setzt:

$$V_1f\equiv\lambda(\overline{U}_1f+i\overline{U}_3f),$$
$$V_2f\equiv\mu\overline{U}_2,$$
$$V_3f\equiv\nu(\overline{U}_1f-i\overline{U}_3f),$$

so kommt

$$(V_1V_2)\equiv\frac{\lambda\mu}{\nu}V_3,\quad(V_2V_3)\equiv-\frac{\mu\nu}{\lambda}V_1,\quad(V_3V_1)\equiv\frac{4i\lambda\nu}{\mu}V_2.$$

Hierin kann man durch passende Wahl der von Null verschiedenen Constanten λ, μ, ν erreichen, dass inbesondere

$$(V_1V_2)\equiv V_3,\quad(V_2V_3)\equiv V_1,\quad(V_3V_1)\equiv V_2$$

wird.

Es ist dies eine symmetrischere Form der Zusammensetzung unserer dreigliedrigen Gruppe. Ein Beispiel hierzu ist dies:

$$-xq+yp,\quad q+xyp+y^2q,\quad -p-x^2p-xyq.$$

Wir werden jedoch in diesem Buche die weniger symmetrische frühere Form der Zusammensetzung benutzen.

§ 3. Die übrigen Typen von dreigliedrigen Zusammensetzungen.

Nachdem wir im vorhergehenden Paragraphen die dreigliedrigen Zusammensetzungen für den Fall bestimmt haben, dass die Determinante $\varDelta$ der Coefficienten c_{iks} verschieden von Null ist, kommen wir jetzt zur Erledigung der übrigen Fälle.

Es sei also die Determinante

$$\varDelta=0,$$

dagegen sollen zunächst nicht sämtliche zweireihigen Unterdeterminanten von $\varDelta$ verschwinden, d. h. es sollen von den drei infinitesimalen Transformationen (U_1U_2), (U_2U_3), (U_3U_1) zwei und nur zwei von einander unabhängig sein, mit anderen Worten, *die erste derivierte Gruppe der Gruppe U_1f, U_2f, U_3f soll gerade zweigliedrig sein.*

Die erste derivierte Gruppe sei zweigliedr.

In diesem Falle wählen wir als U_1f und U_2f zwei von einander unabhängige infinitesimale Transformationen der derivierten Gruppe und können, wie wir nach Satz 1, § 1 des 18. Kapitels, wissen, insbesondere $(U_1U_2)\equiv 0$ oder $(U_1U_2)\equiv U_1$, also allgemein

$$(U_1U_2)\equiv c_{121}U_1$$

annehmen. Dann müssen sich $(U_2 U_3)$ und $(U_3 U_1)$ linear mit constanten Coefficienten durch U_1 und U_2 ausdrücken, d. h. es ist:

$$(U_1 U_2) \equiv c_{121} U_1,$$
$$(U_2 U_3) \equiv c_{231} U_1 + c_{232} U_2,$$
$$(U_3 U_1) \equiv c_{311} U_1 + c_{312} U_2.$$

Die Jacobi'sche Identität

$$((U_1 U_2) U_3) + ((U_2 U_3) U_1) + ((U_3 U_1) U_2) \equiv 0$$

liefert nun:

$$c_{121}(-c_{311} U_1 - c_{312} U_2) + c_{232}(-c_{121} U_1) + c_{311} c_{121} U_1 \equiv 0$$

oder also:

$$c_{232} c_{121} = 0, \quad c_{312} c_{121} = 0.$$

Wäre $c_{121} \neq 0$, also $c_{232} = c_{312} = 0$, so würden in

$$\Delta = \begin{vmatrix} c_{121} & 0 & 0 \\ c_{231} & c_{232} & 0 \\ c_{311} & c_{312} & 0 \end{vmatrix}$$

alle zweireihigen Unterdeterminanten verschwinden, was der Voraussetzung zuwiderläuft. Also ist $c_{121} = 0$ und

$$(U_1 U_2) \equiv 0,$$

während die Determinante

$$\begin{vmatrix} c_{231} & c_{232} \\ c_{311} & c_{312} \end{vmatrix} \neq 0$$

ist. Bedeuten nun $\varkappa$ und λ zwei Constanten, so ist

$$(\varkappa U_1 + \lambda U_2, U_3) \equiv \varkappa(U_1 U_3) + \lambda(U_2 U_3) \equiv$$
$$\equiv (-\varkappa c_{311} + \lambda c_{231}) U_1 + (-\varkappa c_{312} + \lambda c_{232}) U_2,$$

und dies lässt sich wegen des Nichtverschwindens der vorstehenden Determinante durch passende Wahl der beiden nicht gleichzeitig verschwindenden Constanten $\varkappa$, λ immer auf die Form

$$\alpha(\varkappa U_1 + \lambda U_2)$$

bringen. Diese Forderung führt nämlich zu den Bedingungen:

$$-\varkappa c_{311} + \lambda c_{231} = \alpha\varkappa, \quad -\varkappa c_{312} + \lambda c_{232} = \alpha\lambda.$$

Es sind dies zwei lineare homogene Gleichungen für $\varkappa$, λ, welche nur dann nicht-verschwindende Werte für $\varkappa$, λ liefern, wenn ihre Determinante

$$\begin{vmatrix} -c_{311} - \alpha & c_{231} \\ -c_{312} & c_{232} - \alpha \end{vmatrix} = 0$$

ist. Dies aber ist eine quadratische Gleichung für α, welche sich immer durch passende Wahl von α erfüllen lässt. Da bisher U_1 und

U_2 ganz symmetrisch aufgetreten sind, weil $(U_1 U_2) \equiv 0$ ist, so können wir insbesondere $\varkappa \neq 0$ voraussetzen, und dann verwerten wir $\varkappa U_1 + \lambda U_2$ als neues U_1 und erhalten:

$$\begin{aligned}(U_1 U_2) &\equiv 0,\\ (U_1 U_3) &\equiv \alpha U_1,\\ (U_2 U_3) &\equiv \beta_1 U_1 + \beta_2 U_2.\end{aligned}$$

Hier sind die Constanten α und β_2 beide $\neq 0$, da sonst die erste derivierte Gruppe nicht mehr zweigliedrig wäre.

Benutzen wir an Stelle von $U_2 f$:

$$\overline{U}_2 f \equiv U_2 f + a U_1 f,$$

wo a eine noch verfügbare Constante ist, so erhalten wir

$$(U_1 \overline{U}_2) \equiv 0$$

und

$$(\overline{U}_2 U_3) \equiv \beta_1 U_1 + \beta_2 U_2 + a\alpha U_1 \equiv \beta_2 \overline{U}_2 + (\beta_1 + (\alpha - \beta_2)a) U_1.$$

Sobald $\alpha \neq \beta_2$ ist, können wir hiernach a so wählen, dass

$$(\overline{U}_2 U_3) \equiv \beta_2 \overline{U}_2$$

wird; ebenso dann, wenn zwar $\alpha = \beta_2$, aber auch $\beta_1 = 0$ ist. Es ergiebt sich somit in diesen Fällen, wenn $\overline{U}_2 f$ von jetzt ab mit $U_2 f$ bezeichnet wird, die Zusammensetzung:

$$\begin{aligned}(U_1 U_2) &\equiv 0,\\ (U_1 U_3) &\equiv \alpha U_1,\\ (U_2 U_3) &\equiv \beta_2 U_2,\end{aligned}$$

wo α und $\beta_2 \neq 0$ sind. Benutzen wir schliesslich an Stelle von U_3 noch $\frac{1}{\alpha} U_3$, so erreichen wir insbesondere diese Form:

$$(U_1 U_2) \equiv 0 \quad (U_1 U_3) \equiv U_1 \quad (U_2 U_3) \equiv c U_2$$

$$c \neq 0.$$

Ein Beispiel hierzu ist die dreigliedrige Gruppe in x, y:

$$p, \quad q, \quad xp + cyq.$$

Wenn dagegen $\alpha = \beta_2$ und $\beta_1 \neq 0$ ist, so haben wir zunächst:

$$\begin{aligned}(U_1 U_2) &\equiv 0,\\ (U_1 U_3) &\equiv \alpha U_1,\\ (U_2 U_3) &\equiv \beta_1 U_1 + \alpha U_2\end{aligned}$$

und hier sind α und $\beta_1 \neq 0$. Nehmen wir auch hier $\frac{1}{\alpha} U_3$ als neues U_3, so ergiebt sich:

$$(U_1 U_2) \equiv 0,$$
$$(U_1 U_3) \equiv U_1,$$
$$(U_2 U_3) \equiv U_2 + c U_1,$$

wo $c \neq 0$ ist. Noch können wir cU_1 als neues U_1 benutzen, und dadurch geht der Typus hervor:

$$\boxed{(U_1 U_2) \equiv 0 \quad (U_1 U_3) \equiv U_1 \quad (U_2 U_3) \equiv U_1 + U_2},$$

der sich nicht auf den vorher gefundenen zurückführen lässt. Ein Beispiel hierzu ist die dreigliedrige Gruppe in x, y:

$$p, \quad q, \quad (x + y)p + yq.$$

Wir sind also zu zwei verschiedenen Typen gelangt und heben noch hervor, dass sich die Constante c im ersten nicht durch passende Wahl der infinitesimalen Transformationen U_1, U_2, U_3 specialisieren lässt. Nur lässt sich dadurch, dass man

$$\overline{U}_1 = U_2, \quad \overline{U}_2 = U_1, \quad \overline{U}_3 = \frac{1}{c} U_3$$

setzt, jene Zusammensetzung überführen in:

$$(\overline{U}_1 \overline{U}_2) \equiv 0, \quad (\overline{U}_1 \overline{U}_3) \equiv \overline{U}_1, \quad (\overline{U}_2 \overline{U}_3) \equiv \frac{1}{c} \overline{U}_2,$$

also c in $\frac{1}{c}$ verwandeln. Je zwei jener Zusammensetzungen sind also in einander überführbar, mit Ausnahme derjenigen, für die $c = \frac{1}{c}$, d. h. $c = \pm 1$ ist.

Wir wollen nunmehr annehmen, für unsere dreigliedrige Gruppe U_1, U_2, U_3 seien alle zweireihigen Unterdeterminanten von Δ gleich Null, während nicht alle Glieder der Determinante einzeln verschwinden. Es sollen sich also $(U_1 U_2)$, $(U_2 U_3)$, $(U_3 U_1)$ alle durch eine einzige infinitesimale Transformation, die wir als U_1 benutzen, darstellen lassen und nicht sämtlich verschwinden, d. h. *die erste derivierte Gruppe soll eingliedrig sein.* In diesem Falle ist: **Die erste derivierte Gruppe sei eingliedrig.**

$$(U_1 U_2) \equiv \alpha U_1, \quad (U_1 U_3) \equiv \beta U_1, \quad (U_2 U_3) \equiv \gamma U_1$$

und α, β, γ verschwinden nicht sämtlich. Die Jacobi'sche Identität liefert hier für α, β, γ keine Bedingungen. Wohl aber können wir durch passende Einführung von $\varkappa U_2 + \lambda U_3$ als neues U_2 erreichen, dass insbesondere $(U_1 U_2) \equiv 0$, d. h. $\alpha = 0$ wird.

Ist dann $\beta \neq 0$, so setzen wir nachträglich

$$\overline{U}_2 \equiv U_2 - \frac{\gamma}{\beta} U_1$$

und erhalten

$$(U_1\overline{U_2}) \equiv 0, \quad (\overline{U_2}U_3) \equiv \gamma U_1 - \frac{\gamma}{\beta}\cdot\beta U_1 \equiv 0.$$

Dann können wir also durch Benutzung von $\overline{U_2}$ an Stelle von U_2 auch $\gamma = 0$ machen. $\frac{1}{\beta}U_3$ als neues U_3 macht schliesslich noch $\beta = 1$, und so ergiebt sich die Zusammensetzung:

$$\boxed{(U_1U_2) \equiv 0 \quad (U_1U_3) \equiv U_1 \quad (U_2U_3) \equiv 0}\,.$$

Als Beispiel hierzu diene die Gruppe

$$p, \quad q, \quad xp.$$

Ist dagegen $\beta = 0$, so ist $\gamma \neq 0$ und γU_1 als neues U_1 macht $\gamma = 1$, sodass wir den Typus erhalten:

$$\boxed{(U_1U_2) \equiv 0 \quad (U_1U_3) \equiv 0 \quad (U_2U_3) \equiv U_1}\,.$$

Diese Zusammensetzung besitzt z. B. die Gruppe:

$$q, \quad p, \quad xq.$$

Die erste derivierte Gruppe sei nullgliedrig.

Wir kommen nun zur letzten Annahme, dass nämlich alle Glieder der Determinante Δ verschwinden, d. h. *die erste derivierte Gruppe nullgliedrig*, gar nicht vorhanden ist:

$$\boxed{(U_1U_2) \equiv 0 \quad (U_1U_3) \equiv 0 \quad (U_2U_3) \equiv 0}\,.$$

Hier diene als Beispiel:

$$q, \quad xq, \quad x^2q.$$

Fassen wir die Ergebnisse des vorigen und dieses Paragraphen übersichtlich zusammen, so ergiebt sich

Satz 1: *Jede dreigliedrige Gruppe von infinitesimalen Transformationen lässt sich durch passende Auswahl dreier von einander unabhängiger U_1f, U_2f, U_3f aus der Schar ihrer infinitesimalen Transformationen auf eine und nur eine der folgenden Formen bringen:*

A.	1)	$(U_1U_2) \equiv U_1$	$(U_1U_3) \equiv 2U_2$	$(U_2U_3) \equiv U_3$,
B.	2)	$(U_1U_2) \equiv 0$	$(U_1U_3) \equiv U_1$	$(U_2U_3) \equiv cU_2$ $(c \neq 0, \neq 1)$,
	2′)	$(U_1U_2) \equiv 0$	$(U_1U_3) \equiv U_1$	$(U_2U_3) \equiv U_2$,
	3)	$(U_1U_2) \equiv 0$	$(U_1U_3) \equiv U_1$	$(U_2U_3) \equiv U_1 + U_2$,
C.	4)	$(U_1U_2) \equiv 0$	$(U_1U_3) \equiv U_1$	$(U_2U_3) \equiv 0$,
	5)	$(U_1U_2) \equiv 0$	$(U_1U_3) \equiv 0$	$(U_2U_3) \equiv U_1$,
D.	6)	$(U_1U_2) \equiv 0$	$(U_1U_3) \equiv 0$	$(U_2U_3) \equiv 0$.

Wir haben hier den Typus 2') vom Typus 2) abgetrennt, weil er aus gewissen Gründen eine bemerkenswerte selbständige Bedeutung besitzt.

1. Beispiel: Die drei infinitesimalen Transformationen in zwei Veränderlichen: Beispiele.

$$U_1 f \equiv p, \quad U_2 f \equiv \sin x \cdot p + \cos x \cdot q, \quad U_3 f \equiv \cos x \cdot p - \sin x \cdot q$$

bilden eine dreigliedrige Gruppe von infinitesimalen Transformationen, denn es ist:

$$(U_1 U_2) \equiv U_3, \quad (U_1 U_3) \equiv -U_2, \quad (U_2 U_3) \equiv -U_1.$$

Offenbar ist die erste derivierte Gruppe dreigliedrig. Die vorliegende Gruppe gehört daher zum ersten Typus. Um sie darauf zurückzuführen, denken wir uns wieder U_1, U_2, U_3 als Punkte einer Bildebene interpretiert, wie in § 2. Sie bilden alsdann sicher ein *Polardreieck* jenes daselbst auftretenden Kegelschnittes, da die Combination zweier U jedesmal das dritte U giebt. (Vgl. die Note zum Schluss des § 2.) Nach § 2 handelt es sich nun darum, statt dieses Polardreiecks ein Dreieck aus zwei Tangenten und ihrer Berührsehne einzuführen. Als Tangentenschnittpunkt wählen wir den Bildpunkt von U_2 selbst. Die Berührsehne ist alsdann die Gerade, welche die Bildpunkte von U_1 und U_3 verbindet. Auf ihr müssen die neuen $\overline{U}_1$ und $\overline{U}_3$ liegen. Wir setzen daher:

$$\overline{U}_1 \equiv \alpha U_1 + \beta U_3, \quad \overline{U}_3 \equiv \gamma U_1 + \delta U_3$$

und müssen nun die Constanten α, β, γ, δ so wählen, dass

$$(\overline{U}_1 U_2) \equiv \varrho \overline{U}_1, \quad (U_2 \overline{U}_3) \equiv \sigma \overline{U}_3$$

wird. Dies liefert die Bedingungen:

$$\alpha = \varrho\beta, \qquad \beta = \varrho\alpha,$$
$$-\gamma = \sigma\delta, \quad -\delta = \sigma\gamma.$$

Überdies muss die Determinante

$$\begin{vmatrix} \alpha & \beta \\ \gamma & \delta \end{vmatrix} = \begin{vmatrix} \alpha & \varrho\alpha \\ -\sigma\delta & \delta \end{vmatrix} = (1 + \varrho\sigma)\alpha\delta \neq 0$$

sein. Dies erreichen wir, wenn wir etwa setzen:

$$\varrho = 1, \quad \alpha = 1, \quad \beta = 1,$$
$$\sigma = 1, \quad \gamma = 1, \quad \delta = -1.$$

Wir nehmen somit an:

$$\overline{U}_1 \equiv U_1 + U_3 \equiv (1 + \cos x) \cdot p - \sin x \cdot q,$$
$$\overline{U}_3 \equiv U_1 - U_3 \equiv (1 - \cos x) \cdot p + \sin x \cdot q$$

und erhalten dann

$$(\overline{U}_1 U_2) \equiv \overline{U}_1, \quad (U_2 \overline{U}_3) \equiv \overline{U}_3,$$

während

$$(U_1 U_3) \equiv U_2 + U_2 \equiv 2\, U_2$$

wird. Somit ist

$$(1 + \cos x) \cdot p - \sin x \cdot q, \quad \sin x \cdot p + \cos x \cdot q,$$
$$(1 - \cos x) \cdot p + \sin x \cdot q$$

eine solche Gestalt unserer Gruppe, wie wir sie suchten.

2. Beispiel: Die drei infinitesimalen Transformationen in x, y:

$$U_1 f \equiv p, \quad U_2 f \equiv yp, \quad U_3 f \equiv xyp + (1 + y^2) q$$

bilden eine dreigliedrige Gruppe von infinitesimalen Transformationen, denn es ist

$$(U_1 U_2) \equiv 0, \quad (U_1 U_3) \equiv U_2, \quad (U_2 U_3) \equiv -U_1.$$

Sie soll auf ihren Typus zurückgeführt werden. Da die erste derivierte Gruppe zweigliedrig, nämlich U_1, U_2 ist, so ist der Typus entweder der zweite oder der dritte. Wir bestimmen:

$$\overline{U}_1 \equiv \alpha U_1 + \beta U_2$$

so, dass

$$(\overline{U}_1 U_3) \equiv \varrho \overline{U}_1$$

wird. Dies liefert:

$$\alpha = \varrho\beta, \quad \beta = -\varrho\alpha,$$

und wir setzen daher $\varrho = i$, $\alpha = 1$, $\beta = -i$, sodass

$$\overline{U}_1 = U_1 - i U_2$$

ist. Dann kommt:

$$(\overline{U}_1 U_2) \equiv 0, \quad (\overline{U}_1 U_3) \equiv i \overline{U}_1.$$

Indem wir alsdann

$$\overline{U}_3 \equiv -i U_3$$

setzen, kommt:

$$(\overline{U}_1 U_2) \equiv 0, \quad (\overline{U}_1 \overline{U}_3) \equiv \overline{U}_1, \quad (U_2 \overline{U}_3) = i \overline{U}_1 - U_2.$$

Wir setzen noch

$$\overline{U}_2 \equiv \lambda \overline{U}_1 + \mu U_2 \quad (\mu \neq 0)$$

und bekommen:

$$(\overline{U}_1 \overline{U}_2) \equiv 0, \quad (\overline{U}_2 \overline{U}_3) \equiv (\lambda + \mu i) \overline{U}_1 - \mu U_2 \equiv (2\lambda + \mu i) \overline{U}_1 - \overline{U}_2.$$

Indem wir also etwa

$$\lambda = i, \quad \mu = -2$$

annehmen, erhalten wir insbesondere

$$(\overline{U}_2 \overline{U}_3) \equiv -\overline{U}_2.$$

Mithin hat unsere Gruppe in der Gestalt:

$$\overline{U}_1 \equiv (1 - iy)p, \quad \overline{U}_2 \equiv (i - y)p, \quad \overline{U}_3 \equiv - ixyp - i(1 + y^2)q$$

die gewünschte Form. Sie gehört zum Typus 2 des Satzes 1.

Kapitel 22.

Bestimmung aller Typen von dreigliedrigen Gruppen von infinitesimalen Transformationen in zwei Veränderlichen.

Die Bestimmung aller möglichen Zusammensetzungen von dreigliedrigen Gruppen von infinitesimalen Transformationen, die im 21. Kapitel durch Reduction derselben auf gewisse typische Formen geleistet wurde, war, wie bemerkt, ganz unabhängig von der Zahl der Veränderlichen. Gleichwohl haben wir damals jeder typischen Form als Beispiel eine derartige Gruppe in zwei Veränderlichen hinzugefügt. Jetzt werden wir in systematischer Weise *alle dreigliedrigen Gruppen von infinitesimalen Transformationen in zwei Veränderlichen* x, y, also in der Ebene, dadurch bestimmen, dass wir alle derartigen Gruppen der Ebene von den gefundenen sechs Zusammensetzungen durch Einführung zweckmässiger neuer Variabeln *auf möglichst einfache, von arbiträren Grössen freie Typen zurückführen.*

Es ist dann klar, dass sich jede dreigliedrige Gruppe der Ebene durch passende Auswahl der infinitesimalen Transformationen und passende Wahl des Coordinatensystems auf eine der zu findenden Formen zurückführen lassen muss.

§ 1. Bestimmung aller Typen von dreigliedrigen Gruppen der Ebene, deren erste derivierte Gruppen dreigliedrig sind.

Es handelt sich zunächst um die Bestimmung der betreffenden Gruppen von der Zusammensetzung 1 des Satzes 1 (§ 3 des 21. Kap.):

$$(U_1 U_2) \equiv U_1, \quad (U_1 U_3) \equiv 2\,U_2, \quad (U_2 U_3) \equiv U_3.$$

Erster Fall: $U_1 f$ u. $U_2 f$ haben versch. Bahncurven.

Nach § 4 des 18. Kapitels lässt sich die zweigliedrige Gruppe, welche hier U_1 und U_2 bilden, durch Benutzung zweckmässiger Variabeln auf die Form bringen:

$$U_1 \equiv p, \quad U_2 \equiv xp + yq,$$

sobald U_1 und U_2, wie wir zunächst annehmen, verschiedene Bahncurven haben. Ist dann:

$$U_3 \equiv \xi p + \eta q,$$

so wird

$$(U_1 U_3) \equiv \frac{\partial \xi}{\partial x} p + \frac{\partial \eta}{\partial x} q$$

$$(U_2 U_3) \equiv x\left(\frac{\partial \xi}{\partial x} p + \frac{\partial \eta}{\partial x} q\right) + y\left(\frac{\partial \xi}{\partial y} p + \frac{\partial \eta}{\partial y} q\right) - \xi p - \eta q.$$

Da ersteres gleich $2U_2$, letzteres gleich U_3 sein soll, so kommt:

$$\frac{\partial \xi}{\partial x} \equiv 2x, \quad \frac{\partial \eta}{\partial x} \equiv 2y,$$

$$x\frac{\partial \xi}{\partial x} + y\frac{\partial \xi}{\partial y} \equiv 2\xi, \quad x\frac{\partial \eta}{\partial x} + y\frac{\partial \eta}{\partial y} \equiv 2\eta.$$

Hieraus folgt, dass ξ und η die Formen haben:

$$\xi \equiv x^2 + \alpha y^2, \quad \eta \equiv 2xy + \beta y^2,$$

wo α und β Constanten sind. Es wird also:

$$U_3 \equiv (x^2 + \alpha y^2)p + (2xy + \beta y^2)q.$$

Führen wir nun die neuen Veränderlichen

$$\bar{x} = x + \gamma y, \quad \bar{y} = y$$

ein, so wird

$$U_1 = \bar{p}, \quad U_2 = (x + \gamma y)\bar{p} + y\bar{q} = \bar{x}\bar{p} + \bar{y}\bar{q}$$

und

$$U_3 = (x^2 + \alpha y^2 + 2\gamma xy + \beta\gamma y^2)\bar{p} + (2xy + \beta y^2)\bar{q}$$
$$= (\bar{x}^2 + (\alpha + \beta\gamma - \gamma^2)\bar{y}^2)\bar{p} + (2\bar{x}\bar{y} - 2\gamma\bar{y}^2 + \beta\bar{y}^2)\bar{q}.$$

Nehmen wir also die Constante γ, über die wir verfügen können, so an, dass

$$\alpha + \beta\gamma - \gamma^2 = 0$$

wird, so kommt:

$$U_3 = \bar{x}^2\bar{p} + (2\bar{x}\bar{y} + \varrho\bar{y}^2)\bar{q}.$$

Jetzt also hat unsere Gruppe, wenn wir $\bar{x}$, $\bar{y}$ nunmehr mit x, y bezeichnen, die Gestalt:

$$p, \quad xp + yq, \quad x^2p + (2xy + \varrho y^2)q.$$

Wenn nun $\varrho \neq 0$ ist, so lässt sich durch Einführung von Vielfachen von x und y als neuen Variabeln erreichen, dass schliesslich $\varrho = 1$ wird. Sonach ergeben sich die beiden Typen:

$$\boxed{p \quad xp + yq \quad x^2p + (2xy + y^2)q},$$

$$\boxed{p \quad xp + yq \quad x^2p + 2xyq}.$$

Diese beiden Typen sind wesentlich von einander verschieden: es giebt keine Transformation, welche den ersten in den zweiten überführen könnte. Der Grund hierfür wird in § 2 des 23. Kap. gegeben werden.

Wir hatten oben angenommen, dass $U_1 f$ und $U_2 f$ verschiedene Bahncurven haben. Besitzen sie dagegen dieselben Bahncurven, so können wir wegen $(U_1 U_2) \equiv U_1$ nach § 5 des 18. Kapitels solche Veränderliche x, y annehmen, dass insbesondere

Zweit. Fall: $U_1 f$ u. $U_2 f$ haben dieselben Bahncurven.

$$U_1 \equiv q, \quad U_2 \equiv yq$$

wird. Sei dann

$$U_3 \equiv \xi p + \eta q,$$

so ist:

$$(U_1 U_3) \equiv \frac{\partial \xi}{\partial y} p + \frac{\partial \eta}{\partial y} q,$$

$$(U_2 U_3) \equiv y \left(\frac{\partial \xi}{\partial y} p + \frac{\partial \eta}{\partial y} q \right) - \eta q.$$

Der erstere Klammerausdruck soll gleich $2 U_2$, der letztere gleich U_3 sein. Demnach folgt:

$$\frac{\partial \xi}{\partial y} \equiv 0, \qquad \frac{\partial \eta}{\partial y} \equiv 2y,$$

$$y \frac{\partial \xi}{\partial y} \equiv \xi, \qquad y \frac{\partial \eta}{\partial y} \equiv 2\eta.$$

Also ist $\xi \equiv 0$ und $\eta \equiv y^2$, sodass die Gruppe lautet:

$$\boxed{q \quad yq \quad y^2 q}\,.$$

Wir haben also gefunden, dass sich jede dreigliedrige Gruppe von infinitesimalen Transformationen der Ebene, deren erste derivierte Gruppe auch dreigliedrig ist, auf eine der drei typischen Formen bringen lässt:

1) $\boxed{p \quad xp + yq \quad x^2 p + (2xy + y^2) q}$,

2) $\boxed{p \quad xp + yq \quad x^2 p + 2xyq}$,

3) $\boxed{q \quad yq \quad y^2 q}$.

Für die beiden ersten Typen wollen wir noch einige andere Formen angeben, die sich durch Einfachheit auszeichnen. Um Typus 1) zu erhalten, führten wir schliesslich die neuen Variabeln

$$\bar{x} = x + \gamma y, \quad \bar{y} = y$$

in die Gruppe

$$p, \quad xp + yq, \quad (x^2 + \alpha y^2) p + (2xy + \beta y^2) q$$

ein, indem wir γ als Wurzel der quadratischen Gleichung

$$\alpha + \beta\gamma - \gamma^2 = 0$$

wählten. Da diese Gleichung zwei Wurzeln γ, etwa γ_1 und γ_2 besitzt, so können wir auch, sobald $\gamma_1 \neq \gamma_2$ ist,

$$\bar{x} = x + \gamma_1 y, \quad \bar{y} = x + \gamma_2 y$$

einführen, wodurch sich ergiebt

$$\bar{p} + \bar{q}, \quad \bar{x}\bar{p} + \bar{y}\bar{q}, \quad \bar{x}^2\bar{p} + \bar{y}^2\bar{q}.$$

Diese typische Form hätten wir auch direct aus der Form 1) ableiten können, indem wir

$$\bar{x} = x, \quad \bar{y} = x + y$$

in dieselbe einführten. Wir sind also zu dem Typus gelangt:

$$p + q, \quad xp + yq, \quad x^2p + y^2q.$$

Wenn wir dagegen in Typus 1 die neuen Veränderlichen

$$\bar{x} = 2x + y, \quad \bar{y} = 2x^2 + 2xy$$

einführen, so kommt:

$$2(p + xq), \quad xp + 2yq, \quad (x^2 - y)p + xyq,$$

wo wir natürlich in der ersten infinitesimalen Transformation den Factor 2 weglassen können.

Führen wir in Typus 2) die neuen Veränderlichen

$$\bar{x} = x, \quad \bar{y} = \sqrt{y}$$

ein und bezeichnen dann $\bar{x}$, $\bar{y}$ einfach mit x, y, so kommt die aus gewissen Gründen vorzuziehende Form

$$p, \quad \tfrac{1}{2}(2xp + yq), \quad x^2p + xyq,$$

wo natürlich der Factor $\frac{1}{2}$ gestrichen werden darf. Wenn wir noch in diese neue Form die Veränderlichen

$$\bar{x} = \frac{1}{y}, \quad \bar{y} = -\frac{x}{y}$$

einführen, so ergiebt sich die noch einfachere Gestalt:

$$-xq, \quad yq - xp, \quad yp.$$

§ 2. Bestimmung der übrigen Typen von dreigliedrigen Gruppen der Ebene.

Typen von der Zusammensetzung 2.

Es ist jetzt unsere Aufgabe, die Gruppen zu bestimmen, deren Zusammensetzung die in Satz 1 des 21. Kapitels mit 2) bezeichnete ist:

$$(U_1U_2) \equiv 0, \quad (U_1U_3) \equiv U_1, \quad (U_2U_3) \equiv cU_2$$
$$(c \mathrel{=\!\!|\!\!=} 0).$$

Wenn zunächst U_1 und U_2 verschiedene Bahncurven haben, so können wir nach § 2 des 18. Kapitels wegen $(U_1U_2) \equiv 0$ solche Veränderliche eingeführt denken, dass

$$U_1 \equiv p, \quad U_2 \equiv q$$

wird. Sei dann

$$U_3 \equiv \xi p + \eta q,$$

so haben wir wegen $(U_1 U_3) \equiv U_1$ und $(U_2 U_3) \equiv c U_2$ zu verlangen:

$$\frac{\partial \xi}{\partial x} p + \frac{\partial \eta}{\partial x} q \equiv p, \quad \frac{\partial \xi}{\partial y} p + \frac{\partial \eta}{\partial y} q \equiv cq.$$

Hiernach ist

$$\frac{\partial \xi}{\partial x} \equiv 1, \quad \frac{\partial \xi}{\partial y} \equiv 0, \quad \text{d. h.} \quad \xi \equiv x + a,$$

$$\frac{\partial \eta}{\partial x} \equiv 0, \quad \frac{\partial \eta}{\partial y} \equiv c, \quad \text{d. h.} \quad \eta \equiv cy + b,$$

sodass

$$U_3 \equiv (x + a)p + (cy + b)q$$

wird. Da die Gruppe schon $U_1 \equiv p$ und $U_2 \equiv q$ enthält, so können wir statt U_3 einfach:

$$U_3 - a U_1 - b U_2 \equiv xp + cyq$$

benutzen, sodass sich der Typus ergiebt:

$$\boxed{p \quad q \quad xp + cyq \quad (c \mathrel{=}\!\!\!|\, 0)}\,.$$

Haben aber U_1 und U_2 dieselben Bahncurven, so können wir wegen $(U_1 U_2) \equiv 0$ nach § 3 des 18. Kapitels annehmen:

$$U_1 \equiv q, \quad U_2 \equiv xq$$

und haben, wenn

$$U_3 \equiv \xi p + \eta q$$

ist, zu fordern:

$$\frac{\partial \xi}{\partial y} p + \frac{\partial \eta}{\partial y} q \equiv q, \quad x\left(\frac{\partial \xi}{\partial y} p + \frac{\partial \eta}{\partial y} q\right) - \xi q \equiv cxq,$$

d. h.

$$\frac{\partial \xi}{\partial y} \equiv 0, \quad \frac{\partial \eta}{\partial y} \equiv 1, \quad x \frac{\partial \eta}{\partial y} - \xi \equiv cx,$$

also

$$\xi \equiv (1 - c)x, \quad \eta \equiv y + \varphi(x).$$

Daher lautet der Typus zunächst so:

$$q, \quad xq, \quad (1 - c)xp + (y + \varphi(x))q.$$

Führen wir $y + \psi(x)$ statt y ein, wobei ψ die Gleichung

$$(1 - c)x\psi'(x) + \varphi = \psi$$

erfüllen soll, so kommt:

$$\boxed{q \quad xq \quad (1 - c)xp + yq \quad (c \mathrel{=}\!\!\!|\, 0)}\,.$$

Man sieht, dass der Fall $c = 1$ besonders ausgezeichnet ist, denn nur für $c = 1$ haben alle infinitesimalen Transformationen der Gruppe dieselben Bahncurven $y =$ Const., da dann der Typus lautet:

$$q \quad xq \quad yq.$$

Typen von der Zusammensetzung 3.

Wir gelangen zu den Gruppen mit der *dritten* Zusammensetzung des Satzes 1:

$$(U_1 U_2) \equiv 0, \quad (U_1 U_3) \equiv U_1, \quad (U_2 U_3) \equiv U_1 + U_2.$$

Haben U_1 und U_2 verschiedene Bahncurven, so können wir

$$U_1 \equiv p, \quad U_2 \equiv q$$

setzen und müssen von

$$U_3 \equiv \xi p + \eta q$$

verlangen, dass

$$\frac{\partial \xi}{\partial x} p + \frac{\partial \eta}{\partial x} q \equiv p, \quad \frac{\partial \xi}{\partial y} p + \frac{\partial \eta}{\partial y} q \equiv p + q,$$

d. h.

$$\frac{\partial \xi}{\partial x} \equiv 1, \quad \frac{\partial \xi}{\partial y} \equiv 1, \quad \text{also} \quad \xi \equiv x + y + a,$$

$$\frac{\partial \eta}{\partial x} \equiv 0, \quad \frac{\partial \eta}{\partial y} \equiv 1, \quad \text{also} \quad \eta \equiv y + b$$

wird. Somit kommt

$$U_3 \equiv (x + y + a)p + (y + b)q$$

oder, da p und q schon in der Gruppe auftreten:

$$(x + y)p + yq.$$

Der Typus ist folglich:

$$\boxed{p \quad q \quad (x + y)p + yq}.$$

Wenn dagegen U_1 und U_2 dieselben Bahncurven haben, so können wir annehmen:

$$U_1 \equiv q, \quad U_2 \equiv xq$$

und erhalten die Forderungen für U_3:

$$\frac{\partial \xi}{\partial y} p + \frac{\partial \eta}{\partial y} q \equiv q, \quad x\left(\frac{\partial \xi}{\partial y} p + \frac{\partial \eta}{\partial y} q\right) - \xi q \equiv q + xq,$$

sodass

$$\frac{\partial \xi}{\partial y} \equiv 0, \quad \frac{\partial \eta}{\partial y} \equiv 1, \quad x \frac{\partial \eta}{\partial y} - \xi \equiv 1 + x,$$

d. h.

$$\xi \equiv -1, \quad \eta \equiv y + \varphi(x)$$

also

$$U_3 \equiv -p + (y + \varphi(x))q,$$

wird. Statt x wird $-x$, statt y die Function $e^{-x}\int \varphi e^x dx$ benutzt. Dann folgt:

$$\boxed{q \quad -xq \quad p + yq}.$$

Wenden wir uns zur *vierten* Zusammensetzung:

Typen von der Zusammensetzung 4.

$$(U_1 U_2) \equiv 0, \quad (U_1 U_3) \equiv U_1, \quad (U_2 U_3) \equiv 0.$$

Wie früher können wir zunächst annehmen:

$$U_1 \equiv p, \quad U_2 \equiv q$$

und haben für U_3 die Bedingungen:

$$\frac{\partial \xi}{\partial x} p + \frac{\partial \eta}{\partial x} q \equiv p, \quad \frac{\partial \xi}{\partial y} p + \frac{\partial \eta}{\partial y} q \equiv 0,$$

d. h.

$$\xi \equiv x + a, \quad \eta \equiv b,$$

sodass

$$U_3 \equiv (x + a)p + bq$$

oder, da p und q schon als U_1 und U_2 auftreten:

$$U_3 \equiv xp$$

gesetzt werden darf. Also finden wir:

$$\boxed{p \quad q \quad xp}\,.$$

Ist dagegen anzunehmen:

$$U_1 \equiv q, \quad U_2 \equiv xq,$$

so kommt:

$$\frac{\partial \xi}{\partial y} p + \frac{\partial \eta}{\partial y} q \equiv q, \quad x\left(\frac{\partial \xi}{\partial y} p + \frac{\partial \eta}{\partial y} q\right) - \xi q \equiv 0,$$

d. h.

$$\frac{\partial \xi}{\partial y} \equiv 0, \quad \frac{\partial \eta}{\partial y} \equiv 1, \quad x \frac{\partial \eta}{\partial y} - \xi \equiv 0,$$

also

$$\xi \equiv x, \quad \eta \equiv y + \varphi(x),$$

daher

$$U_3 \equiv xp + (y + \varphi(x))q.$$

$y - x\int \frac{\varphi}{x^2}\, dx$ als neues y macht

$$U_3 \equiv xp + yq,$$

sodass wir erhalten:

$$\boxed{q \quad xq \quad xp + yq}\,.$$

Die *fünfte* Zusammensetzung ist nach Satz 1, § 3 des 21. Kap., diese:

Typen von der Zusammensetzung 5.

$$(U_1 U_2) \equiv 0, \quad (U_1 U_3) \equiv 0, \quad (U_2 U_3) \equiv U_1.$$

Zunächst haben wir

$$U_1 \equiv p, \quad U_2 \equiv q,$$

also

$$\frac{\partial \xi}{\partial x} p + \frac{\partial \eta}{\partial x} q \equiv 0, \quad \frac{\partial \xi}{\partial y} p + \frac{\partial \eta}{\partial y} q \equiv p,$$

d. h.

$$\xi \equiv y + a, \quad \eta \equiv b,$$
$$U_3 \equiv (y + a)p + bq$$

oder, da p und q schon in der Gruppe vorkommen:

$$U_3 \equiv yp.$$

$$\boxed{p \quad q \quad yp}.$$

Wenn wir andererseits haben:

$$U_1 \equiv q, \quad U_2 \equiv xq,$$

so kommt:

$$\frac{\partial \xi}{\partial y} p + \frac{\partial \eta}{\partial y} q \equiv 0, \quad x\left(\frac{\partial \xi}{\partial y} p + \frac{\partial \eta}{\partial y} q\right) - \xi q \equiv q,$$
$$\xi \equiv -1, \quad \eta \equiv \varphi(x),$$
$$U_3 \equiv -p + \varphi(x)q.$$

Benutzen wir $y + \int \varphi(x) dx$ als neues y, so bleibt:

$$U_3 \equiv -p$$

und es kommt der Typus (in dem $-U_3$ statt U_3 geschrieben ist):

$$\boxed{q \quad xq \quad p}.$$

Er deckt sich aber mit dem vorhergehenden Typus, wie sich durch Vertauschung von x mit y ergiebt. Dass dies eintreten kann, liegt darin, dass im vorliegenden Falle U_2 und U_3 völlig äquivalente Rollen spielen. In allen übrigen bisherigen Fällen sind die erhaltenen Typen wesentlich von einander verschieden.

Typen von der Zusammensetzung 6.

Jetzt haben wir nur noch die letzte Zusammensetzung zu erledigen:

$$(U_1 U_2) \equiv 0, \quad (U_1 U_3) \equiv 0, \quad (U_2 U_3) \equiv 0.$$

Hier würde die Annahme:

$$U_1 \equiv p, \quad U_2 \equiv q$$

für U_3 ergeben:

$$\frac{\partial \xi}{\partial x} \equiv 0, \quad \frac{\partial \xi}{\partial y} \equiv 0, \quad \frac{\partial \eta}{\partial x} \equiv 0, \quad \frac{\partial \eta}{\partial y} \equiv 0,$$

d. h. $\xi =$ Const., $\eta =$ Const. und

$$U_3 \equiv \text{Const.}\, p + \text{Const.}\, q,$$

wäre nicht von U_1 und U_2 unabhängig. Diese Möglichkeit ist also ausgeschlossen. Es bleibt die andere:

$$U_1 \equiv q, \quad U_2 \equiv xq,$$

in welcher sich für U_3 ergiebt:

$$\frac{\partial \xi}{\partial y} \equiv 0, \quad \frac{\partial \eta}{\partial y} \equiv 0, \quad \xi \equiv 0,$$

d. h.

$$U_3 \equiv X(x) q.$$

Also haben wir als letzten den Typus:

$$\boxed{q \quad xq \quad X(x)q}.$$

In demselben ist $X(x)$ eine arbiträre Function von x.

Die bemerkenswerte Thatsache, dass die Annahme $U_1 \equiv p$, $U_2 \equiv q$ in dem jetzigen Falle, wo alle Klammerausdrücke Null sind, keine dreigliedrige Gruppe liefert, können wir mit Benutzung der in § 4 des 14. Kapitels eingeführten Bezeichnung so aussprechen:

Satz 2: *Sind drei infinitesimale Transformationen $U_1 f$, $U_2 f$, $U_3 f$ der Ebene mit einander vertauschbar, so sind sie von einander abhängig.*

§ 3. Zusammenstellung aller Typen von dreigliedrigen Gruppen von infinitesimalen Transformationen der Ebene.

Die in §§ 1 und 2 gefundenen Typen sollen nun in einem Schema zusammengestellt werden. Dabei bemerken wir Folgendes:

Zwei Typen ergaben sich, die eine arbiträre Constante c enthielten, die $\neq 0$ war. Die speciellen Formen, für die $c = 1$ ist, besitzen aus gewissen Gründen besondere Bedeutung und sollen deshalb besonders angegeben werden. Wir sehen übrigens, dass, wenn $c = 0$ gesetzt wird, Typen hervorgehen, die später besonders aufgestellt wurden.

Für die beiden ersten Typen haben wir in § 1 mehrere Formen abgeleitet. Einige derselben sind in dem folgenden Schema angegeben. Dabei bedeutet das Zeichen $\equiv$ die Worte: „durch Einführung neuer Veränderlicher überführbar in".

A. Die erste derivierte Gruppe ist dreigliedrig.

1) $$\boxed{p + q \quad xp + yq \quad x^2 p + y^2 q} \equiv$$
$$\equiv \boxed{p + xq \quad xp + 2yq \quad (x^2 - y)p + xyq},$$

2) $$\boxed{p \quad 2xp + yq \quad x^2 p + xyq} \equiv$$
$$\equiv \boxed{xq \quad xp - yq \quad yp},$$

3) $$\boxed{q \quad yq \quad y^2 q}.$$

B. Die erste derivierte Gruppe ist zweigliedrig.

4) $p \quad q \quad xp + cyq \quad {\scriptstyle c \neq 0,\ \neq 1}$

5) $q \quad xq \quad (1 - c)xp + yq \quad {\scriptstyle c \neq 0,\ \neq 1}$

---

6) $p \quad q \quad xp + yq$

7) $q \quad xq \quad yq$

8) $p \quad q \quad (x + y)p + yq$

9) $q \quad xq \quad p + yq$.

C. Die erste derivierte Gruppe ist eingliedrig.

10) $p \quad q \quad xp$

11) $q \quad xq \quad xp + yq$.

---

12) $p \quad q \quad xq$.

D. Die erste derivierte Gruppe ist nullgliedrig.

13) $q \quad xq \quad X(x)q$.

Nach § 4 des 4. Kapitels sind fast alle Typen *projective* Gruppen, nämlich Typus 1 in seiner zweiten und die übrigen in den hingeschriebenen Formen mit Ausnahme der beiden Typen 3 und 13, von denen man beweisen kann, dass sie sich nicht durch Einführung neuer Variabeln auf eine solche Form bringen lassen, dass ihre infinitesimalen Transformationen projectiv werden. Obgleich wir von dieser Thatsache keinen Gebrauch machen werden, wollen wir ihren Beweis kurz angeben: Da eine infinitesimale projective Transformation die Differentialgleichung zweiter Ordnung $y'' = 0$ invariant lässt (vgl. das Beispiel zu § 6, Kap. 16, S. 389), so müssten auch die drei infinitesimalen Transformationen q, yq, y^2q gemeinsam eine Differentialgleichung zweiter Ordnung invariant lassen, wenn der Typus 3 durch

Einführung neuer Variabeln projectiv gemacht werden könnte. Es müsste also eine Schar von ∞^2 Curven existieren, welche durch q, yq, y^2q unter einander vertauscht würden. Wäre $y = f(x)$ eine dieser Curven, so würden die endlichen Translationen der eingliedrigen Gruppe q diese in die Curven $y = f(x) + a$ überführen, die auch der Schar angehören müssten. Ferner würden die endlichen Transformationen der Gruppe yq die Curven $y = f(x) + a$ offenbar in die Curven $by = f(x) + a$ überführen, und die endlichen Transformationen der Gruppe y^2q würden diese in die Curven

$$y = \frac{\frac{1}{b}f(x) + \frac{a}{b}}{1 - c\left(\frac{1}{b}f(x) + \frac{a}{b}\right)}$$

oder also in die Curven

$$y = \frac{f(x) + a}{\alpha f(x) + \beta}$$

verwandeln. Dies aber sind ∞^3 Curven. Jede Curve wird also bei q, yq, y^2q in ∞^3 Curven übergeführt, niemals in nur ∞^2. Es existiert demnach auch keine invariante Differentialgleichung zweiter Ordnung beim Typus 3. Beim Typus 13 wird eine Curve $y = f(x)$ auch stets in ∞^3 Curven

$$y = f(x) + a + bx + cX(x)$$

transformiert, sodass auch dieser Typus keine Differentialgleichung zweiter Ordnung invariant lassen kann.

Kapitel 23.

Zurückführung der dreigliedrigen Gruppen von infinitesimalen Transformationen der Ebene auf ihre canonischen Formen.

Das Ziel aller unserer jetzigen Betrachtungen ist, wie schon hervorgehoben werde, die Integration derjenigen gewöhnlichen Differentialgleichungen zweiter Ordnung in x, y, welche eine bekannte dreigliedrige Gruppe von infinitesimalen Transformationen gestatten. Durch die Aufstellung der canonischen Formen der dreigliedrigen Gruppen, wie sie in § 3 des vorhergehenden Kapitels angegeben ist, sind wir diesem Ziel schon bedeutend näher gerückt. Die Schritte, die noch nötig sind, werden nun in diesem und dem nächsten Kapitel gethan.

§ 1. Differentialgleichungen zweiter Ordnung in x, y, welche eine dreigliedrige Gruppe von infinitesimalen Transformationen gestatten.

Nachweis, dass jede Integralcurve eine Bahncurve oder inv. Curve ist.

Nehmen wir an, die Differentialgleichung

$$\Omega(x, y, y', y'') = 0$$

gestatte die drei infinitesimalen Punkttransformationen $U_1 f$, $U_2 f$, $U_3 f$, welche eine dreigliedrige Gruppe bilden. Alsdann ist die Schar der ∞^2 Integralcurven:

$$\omega(x, y, a, b) = 0 \quad (a, b = \text{Const.})$$

der Differentialgleichung invariant gegenüber diesen dreien und überhaupt jeder infinitesimalen Transformation

$$\text{Const. } U_1 f + \text{Const. } U_2 f + \text{Const. } U_3 f$$

der dreigliedrigen Gruppe.

Betrachten wir insbesondere eine bestimmte, aber beliebige unter diesen Integralcurven, erteilen wir also a und b bestimmte Werte. $U_1 f$ führt diese Curve

$$\omega(x, y, a, b) = 0$$

in die Curve

$$\omega(x, y, a, b) - U_1 \omega \delta t = 0$$

über. Diese muss zur Schar der Integralcurven gehören und also auch eine Gleichung von der Form haben:

$$\omega(x, y, a - \delta_1 a, b - \delta_1 b) = 0$$

oder:

$$\omega(x, y, a, b) - \frac{\partial \omega}{\partial a} \delta_1 a - \frac{\partial \omega}{\partial b} \delta_1 b = 0.$$

Hier sind $\delta_1 a$ und $\delta_1 b$ gewisse unendlich kleine Zahlen. Es ist also:

$$U_1 \omega \equiv \frac{\partial \omega}{\partial a} \frac{\delta_1 a}{\delta t} + \frac{\partial \omega}{\partial b} \frac{\delta_1 b}{\delta t}.$$

Analog führen $U_2 f$ und $U_3 f$ die Curve $\omega = 0$ in benachbarte Curven

$$\omega(x, y, a - \delta_2 a, b - \delta_2 b) = 0,$$

$$\omega(x, y, a - \delta_3 a, b - \delta_3 b) = 0$$

über, und es ist

$$U_2 \omega \equiv \frac{\partial \omega}{\partial a} \frac{\delta_2 a}{\delta t} + \frac{\partial \omega}{\partial b} \frac{\delta_2 b}{\delta t},$$

$$U_3 \omega \equiv \frac{\partial \omega}{\partial a} \frac{\delta_3 a}{\delta t} + \frac{\partial \omega}{\partial b} \frac{\delta_3 b}{\delta t}.$$

Nun ist es leicht, eine infinitesimale Transformation

$$c_1 U_1 f + c_2 U_2 f + c_3 U_3 f$$

der dreigliedrigen Gruppe anzugeben, welche die Integralcurve

$$\omega(x, y, a, b) = 0$$

invariant lässt. Wir haben ja nur c_1, c_2, c_3 so zu bestimmen, dass

$$c_1 U_1 \omega + c_2 U_2 \omega + c_3 U_3 \omega \equiv 0$$

für alle Punkte (x, y) der Curve wird, d. h. wegen der obigen Werte von $U_1\omega$, $U_2\omega$, $U_3\omega$ haben wir c_1, c_2, c_3 so zu bestimmen, dass

$$c_1 \frac{\delta_1 a}{\delta t} + c_2 \frac{\delta_2 a}{\delta t} + c_3 \frac{\delta_3 a}{\delta t} = 0,$$

$$c_1 \frac{\delta_1 b}{\delta t} + c_2 \frac{\delta_2 b}{\delta t} + c_3 \frac{\delta_3 b}{\delta t} = 0$$

wird. Es lassen sich aber stets solche Constanten c_1, c_2, c_3 angeben, denn $\frac{\delta_1 a}{\delta t}$ u. s. w. sind ja sämtlich bestimmte Zahlen. Unter den infinitesimalen Transformationen der dreigliedrigen Gruppe giebt es also sicher mindestens eine, welche eine beliebig ausgewählte, aber bestimmte Integralcurve invariant lässt, d. h.:

Satz 1: *Gestattet die Differentialgleichung zweiter Ordnung*

$$\Omega(x, y, y', y'') = 0$$

eine dreigliedrige Gruppe von infinitesimalen Transformationen in x, y, so ist jede Integralcurve bei mindestens einer infinitesimalen Transformation der dreigliedrigen Gruppe invariant.

Auch aus diesem Satze kann man schliessen, dass die beiden dreigliedrigen Gruppen

$$q, \quad yq, \quad y^2 q;$$

$$q, \quad xq, \quad X(x)q$$

keine Differentialgleichung zweiter Ordnung invariant lassen. Denn die erste hat nur ∞^1 Bahncurven $x = \text{Const.}$ und ausser diesen bleiben nur gewisse Geraden $y = \text{Const.}$ bei irgend einer infinitesimalen Transformation der Gruppe invariant, sodass also keine ∞^2 solche Curven existieren, deren jede wenigstens eine der infinitesimalen Transformationen zulässt. Die zweite Gruppe besitzt die ∞^1 Bahncurven $x = \text{Const.}$ und ausser diesen giebt es keine Curve, welche irgend eine ihrer infinitesimalen Transformationen gestattet. Hiermit ist die zum Schluss des § 3 des Kap. 22 gemachte Bemerkung in etwas anderer Weise begründet, als dort geschehen.

Handelt es sich nun darum, *eine vorgelegte Differentialgleichung zweiter Ordnung* Zerlegung des Integrationsproblems.

$$\Omega(x, y, y', y'') = 0$$

zu integrieren, welche eine bekannte dreigliedrige Gruppe von infinitesimalen Transformationen $U_1 f$, $U_2 f$, $U_3 f$ gestattet, so bietet sich die folgende Integrationsmethode dar: Man führt in die Gruppe solche neue Veränderliche ein, dass sie ihre canonische Form annimmt. Dabei geht die Differentialgleichung in eine solche über, welche eine der oben bestimmten Typen von dreigliedrigen Gruppen gestattet, und vereinfacht sich deshalb bedeutend, da jene Typen selbst sehr einfache Gestalt haben.

Die Integration wäre also geleistet, wenn man

1) jede dreigliedrige Gruppe auf ihre canonische Form zurückführen und

2) jede Differentialgleichung zweiter Ordnung, welche eine jener canonischen Gruppen gestattet, integrieren könnte.

Mit dem ersten Problem beschäftigen wir uns in diesem, mit dem zweiten im nächsten Kapitel. Eine andere Integrationsmethode, nach der die Zurückführung auf die canonischen Formen in den meisten Fällen vermieden werden kann, soll zum Schluss des nächsten Kapitels entwickelt werden.

Problem der Reduction einer dreigl. Gruppe auf ihren Typus.

Unsere Aufgabe ist also jetzt die, *eine vorgelegte dreigliedrige Gruppe* U_1f, U_2f, U_3f *auf ihren Typus durch Benutzung passender Variabeln zurückzuführen.* Dabei bemerken wir, dass dies Problem eigentlich zwei einzelne enthält. *Erstens* nämlich handelt es sich darum, überhaupt zu erkennen, welche von den obigen 13 Gruppen der zugehörige Typus ist, und *zweitens* darum, wie man die zur Überführung nötigen neuen Variabeln bestimmt. In bezug auf das erste Problem, das wir

Normierung der Gruppe.

das der *Normierung* der Gruppe nennen, können wir Folgendes von vornherein aussagen: Indem wir (U_1U_2), (U_1U_3) und (U_2U_3) bilden, erkennen wir, ob die erste derivierte Gruppe 3-, 2-, 1- oder 0-gliedrig ist, d. h. ob der gesuchte Typus in der Zusammenstellung des § 3 des vorigen Kapitels unter *A*, *B*, *C* oder *D* vorkommt. Dadurch wird die Zahl der Typen in jedem Fall erheblich verringert. Auch können wir die Gruppen 3 und 13 nach dem Obigen von vornherein ausschliessen.

Wie sich die weitere Normierung des Typus und die Überführung in den Typus in jedem einzelnen Falle gestaltet, soll in den folgenden Paragraphen entwickelt werden.

Dabei wird von einer einfachen Bemerkung mehrfach Gebrauch gemacht, die wir hier vorausschicken wollen.

Bestimmung der inv. Diffgl. 1. O.

Bilden U_1f, U_2f, U_3f eine dreigliedrige Gruppe und sind $U_1'f$, $U_2'f$, $U_3'f$ die einmal erweiterten infinitesimalen Transformationen, also etwa

$$U_i' f \equiv \xi_i p + \eta_i q + \eta_i' q' \qquad (i = 1, 2, 3),$$

wo $q' \equiv \frac{\partial f}{\partial y'}$, so können wir nach den Differentialgleichungen *erster* Ordnung

$$W(x, y, y') = 0$$

fragen, welche U_1, U_2 und U_3 gestatten. Für diese müssen

$$U_1' W \equiv \xi_1 \frac{\partial W}{\partial x} + \eta_1 \frac{\partial W}{\partial y} + \eta_1' \frac{\partial W}{\partial y'},$$

$$U_2' W \equiv \xi_2 \frac{\partial W}{\partial x} + \eta_2 \frac{\partial W}{\partial y} + \eta_2' \frac{\partial W}{\partial y'},$$

$$U_3' W \equiv \xi_3 \frac{\partial W}{\partial x} + \eta_3 \frac{\partial W}{\partial y} + \eta_3' \frac{\partial W}{\partial y'}$$

sämtlich vermöge $W = 0$ verschwinden, d. h. es muss, da $\frac{\partial W}{\partial x}$, $\frac{\partial W}{\partial y}$ und $\frac{\partial W}{\partial y'}$ nicht sämtlich vermöge $W = 0$ verschwinden oder wenigstens $W = 0$ immer so geschrieben werden kann, dass dies vermieden wird, die Determinante

$$\Delta \equiv \begin{vmatrix} \xi_1 & \eta_1 & \eta_1' \\ \xi_2 & \eta_2 & \eta_2' \\ \xi_3 & \eta_3 & \eta_3' \end{vmatrix} = 0$$

sein vermöge $W = 0$. Ist sie nun nicht *identisch* Null, so muss $\Delta = 0$ völlig die Gleichung $W = 0$ ersetzen, d. h. $\Delta = 0$ ist die gesuchte Differentialgleichung erster Ordnung.

Man kann nun umgekehrt beweisen, dass $\Delta = 0$ immer die dreigliedrige Gruppe $U_1 f$, $U_2 f$, $U_3 f$ gestattet. Doch brauchen wir diesen Satz nicht. Es genügt, durch Nullsetzen der Determinante überhaupt ein *Mittel zu haben, alle eventuell existierenden invarianten Differentialgleichungen erster Ordnung zu finden.* Zerfällt Δ in einzelne Factoren, so kann man in einem concret vorliegenden Fall, wie dies unten geschehen wird, immer verificieren, dass jeder Factor gleich Null gesetzt eine invariante Differentialgleichung erster Ordnung darstellt, vorausgesetzt, dass er y' enthält. Doch entgeht bei dieser Ableitung unter Umständen eine invariante Differentialgleichung der Aufmerksamkeit, nämlich die der ∞^1 Geraden $x = \text{Const.}$ mit der Gleichung

$$\frac{1}{y'} = 0.$$

Es liegt dies in einem Mangel des Cartesischen Coordinatensystems. In jedem Fall ist also noch besonders zu untersuchen, ob die Schar $x = \text{Const.}$ invariant bleibt. Dies tritt dann und nur dann ein, wenn die Incremente von x sämtlich nur von x abhängen.

§ 2. Zurückführung einer dreigliedrigen Gruppe, deren erste derivierte dreigliedrig ist, auf ihre canonische Form.

Angenommen, es handelt sich um die gegebene dreigliedrige Gruppe U_1, U_2, U_3, deren erste derivierte auch dreigliedrig ist, und deren infinitesimale Transformationen nicht sämtlich dieselben Bahncurven haben. Nach dem Früheren muss sie auf einen der Typen reducierbar sein:

$$1)\quad p+q,\quad xp+yq,\quad x^2p+y^2q;$$

$$2)\quad p,\quad 2xp+yq,\quad x^2p+xyq.$$

Normierung. Um zu entscheiden, auf welchen, suchen wir die Anzahl der invarianten Differentialgleichungen erster Ordnung. Zu dem Zweck bilden wir nach der Schlussbemerkung des vorigen Paragraphen die Determinante $\varDelta$. Beim Typus 1 lautet sie:

$$\begin{vmatrix} 1 & 1 & 0 \\ x & y & 0 \\ x^2 & y^2 & 2(y-x)y' \end{vmatrix} \equiv 2(y-x)^2y'.$$

In der That ist, wie man verificieren mag, $y'=0$ eine invariante Differentialgleichung erster Ordnung. Offenbar ist auch

$$\frac{1}{y'}=0$$

beim ersten Typus eine solche. Beim Typus 2 lautet die Determinante

$$\begin{vmatrix} 1 & 0 & 0 \\ 2x & y & -y' \\ x^2 & xy & y-xy' \end{vmatrix} \equiv y^2.$$

Sie liefert also keine invariante Differentialgleichung. Aber offenbar ist auch hier

$$\frac{1}{y'}=0$$

invariant. Typus 1 und 2 unterscheiden sich mithin dadurch, dass der erste zwei, der zweite nur eine Differentialgleichung erster Ordnung invariant lässt, weshalb sie auch wesentlich verschieden sind.

Nun suchen wir in derselben Weise die bei U_1, U_2, U_3 invarianten Differentialgleichungen erster Ordnung. Sind es zwei, so ist die vorgelegte Gruppe auf die erste Form, ist es nur eine, so ist sie auf die zweite Form reducierbar.

Reduction auf Typus 1. Zunächst mögen es zwei sein, d. h. U_1, U_2, U_3 sei auf Typus 1 reducierbar. Dieser Typus hat die Zusammensetzung:

$$(V_1 V_2) \equiv V_1, \quad (V_1 V_3) \equiv 2 V_2, \quad (V_2 V_3) \equiv V_3,$$

wenn seine infinitesimalen Transformationen mit V_1, V_2, V_3 bezeichnet werden. Wir bringen daher die gegebene Gruppe auf dieselbe Zusammensetzung und zwar in der allgemeinsten Weise, in der dies möglich ist. Zu dem Ende setzen wir etwa:

$$\overline{U}_1 \equiv a_1 U_1 + a_2 U_2 + a_3 U_3,$$
$$\overline{U}_2 \equiv b_1 U_1 + b_2 U_2 + b_3 U_3,$$
$$\overline{U}_3 \equiv c_1 U_1 + c_2 U_2 + c_3 U_3$$

und bestimmen die Constanten a, b, c in allgemeinster Weise so, dass

$$(\overline{U}_1 \overline{U}_2) \equiv \overline{U}_1, \quad (\overline{U}_1 \overline{U}_3) \equiv 2 \overline{U}_2, \quad (\overline{U}_2 \overline{U}_3) \equiv \overline{U}_3$$

wird. Dies ist offenbar ein rein algebraisches Problem und immer zu erledigen. Ist dies geschehen und ist etwa:

$$\overline{U}_1 \equiv \xi_1 p + \eta_1 q, \quad \overline{U}_2 \equiv \xi_2 p + \eta_2 q, \quad \overline{U}_3 \equiv \xi_3 p + \eta_3 q,$$

so können die ξ und η noch einige der Constanten a, b, c als arbiträr enthalten. Es muss nun notwendig solche Functionen $\bar{x}$ und $\bar{y}$ von x und y geben, dass $\overline{U}_1$ in V_1, $\overline{U}_2$ in V_2 und $\overline{U}_3$ in V_3, geschrieben in $\bar{x}$ und $\bar{y}$ statt x und y, übergeht, und zwar, wie man allgemein beweisen könnte, bei ganz beliebiger Wahl der noch arbiträren Constanten. Wir setzen also an:

$$\xi_1 \frac{\partial f}{\partial x} + \eta_1 \frac{\partial f}{\partial y} = \frac{\partial f}{\partial \bar{x}} + \frac{\partial f}{\partial \bar{y}},$$
$$\xi_2 \frac{\partial f}{\partial x} + \eta_2 \frac{\partial f}{\partial y} = \bar{x} \frac{\partial f}{\partial \bar{x}} + \bar{y} \frac{\partial f}{\partial \bar{y}},$$
$$\xi_3 \frac{\partial f}{\partial x} + \eta_3 \frac{\partial f}{\partial y} = \bar{x}^2 \frac{\partial f}{\partial \bar{x}} + \bar{y}^2 \frac{\partial f}{\partial \bar{y}}.$$

Hieraus liessen sich $\bar{x}$ und $\bar{y}$ durch Integrationen bestimmen, denn setzen wir $f \equiv \bar{x}$ oder $\equiv \bar{y}$, so ergeben sich jedesmal Differentialgleichungen für $\bar{x}$, $\bar{y}$. Aber wir können einfacher verfahren: Es sind dies drei Gleichungen, welche das Verschwinden der Determinante nach sich ziehen:

$$\begin{vmatrix} \xi_1 p + \eta_1 q & 1 & 1 \\ \xi_2 p + \eta_2 q & \bar{x} & \bar{y} \\ \xi_3 p + \eta_3 q & \bar{x}^2 & \bar{y}^2 \end{vmatrix} = 0$$

oder:

$$(\bar{y} - \bar{x})(\xi_3 p + \eta_3 q) + \bar{x}\bar{y}(\bar{y} - \bar{x})(\xi_1 p + \eta_1 q) - (\bar{y}^2 - \bar{x}^2)(\xi_2 p + \eta_2 q) = 0$$

oder:

$$(\xi_3 p + \eta_3 q) + \bar{x}\bar{y}(\xi_1 p + \eta_1 q) - (\bar{x} + \bar{y})(\xi_2 p + \eta_2 q) = 0.$$

Andererseits besteht aber zwischen den drei infinitesimalen Transformationen die Relation (vgl. § 1 des 7. Kap.):

$$\begin{vmatrix} \xi_1 p + \eta_1 q & \xi_1 & \eta_1 \\ \xi_2 p + \eta_2 q & \xi_2 & \eta_2 \\ \xi_3 p + \eta_3 q & \xi_3 & \eta_3 \end{vmatrix} = 0$$

oder:

$$(\xi_1\eta_2 - \xi_2\eta_1)(\xi_3 p + \eta_3 q) + (\xi_2\eta_3 - \xi_3\eta_2)(\xi_1 p + \eta_1 q) + \\ + (\xi_3\eta_1 - \xi_1\eta_3)(\xi_2 p + \eta_2 q) \equiv 0.$$

Sicher besteht keine andere Relation als diese zwischen ihnen, denn zwischen

$$p + q, \quad xp + yq, \quad x^2 p + y^2 q$$

besteht nur eine, und auf diese Gruppe soll ja die gegebene reducierbar sein. Wir fanden aber vorher eine Relation. Dieselbe muss sich also mit der jetzigen decken und der Vergleich giebt:

$$\bar{x}\bar{y} = \frac{\xi_2\eta_3 - \xi_3\eta_2}{\xi_1\eta_2 - \xi_2\eta_1},$$

$$\bar{x} + \bar{y} = -\frac{\xi_3\eta_1 - \xi_1\eta_3}{\xi_1\eta_2 - \xi_2\eta_1}.$$

Also lassen sich $\bar{x}$ und $\bar{y}$ rein algebraisch als Functionen von x, y bestimmen.

Damit ist die Reduction geleistet und zwar in der allgemeinsten Weise, in der sie überhaupt möglich ist.

Reduction auf Typus 2.

Gesetzt nun, die Gruppe U_1, U_2, U_3 lasse nur *eine* Differentialgleichung erster Ordnung invariant, sei also auf den zweiten Typus reducierbar:

$$p, \quad 2xp + yq, \quad x^2 p + xyq.$$

Wir schlagen dann denselben Weg ein wie vorher: Dieser Typus hat die Zusammensetzung

$$(V_1 V_2) \equiv 2V_1, \quad (V_1 V_3) \equiv V_2, \quad (V_2 V_3) \equiv 2V_3,$$

und wir bringen zunächst die vorgelegte Gruppe in allgemeinster Weise auf eine solche Form

$$\overline{U_1} \equiv \xi_1 p + \eta_1 q, \quad \overline{U_2} \equiv \xi_2 p + \eta_2 q, \quad \overline{U_3} \equiv \xi_3 p + \eta_3 q,$$

dass sie dieselbe Zusammensetzung hat. Dies erfordert, wie wir wissen, nur algebraische Operationen. Alsdann giebt es Functionen $\bar{x}$ und $\bar{y}$ von x, y, so dass:

$$(1) \qquad \begin{cases} \xi_1 \dfrac{\partial f}{\partial x} + \eta_1 \dfrac{\partial f}{\partial y} = \dfrac{\partial f}{\partial \bar{x}}, \\ \xi_2 \dfrac{\partial f}{\partial x} + \eta_2 \dfrac{\partial f}{\partial y} = 2\bar{x}\dfrac{\partial f}{\partial \bar{x}} + \bar{y}\dfrac{\partial f}{\partial \bar{y}}, \\ \xi_3 \dfrac{\partial f}{\partial x} + \eta_3 \dfrac{\partial f}{\partial y} = \bar{x}^2\dfrac{\partial f}{\partial \bar{x}} + \bar{x}\bar{y}\dfrac{\partial f}{\partial \bar{y}} \end{cases}$$

wird. Also besteht die Relation:

$$\begin{vmatrix} \xi_1 p + \eta_1 q & 1 & 0 \\ \xi_2 p + \eta_2 q & 2\bar{x} & \bar{y} \\ \xi_3 p + \eta_3 q & \bar{x}^2 & \bar{x}\bar{y} \end{vmatrix} = 0$$

oder:

$$(\xi_3 p + \eta_3 q) + \bar{x}^2(\xi_1 p + \eta_1 q) - \bar{x}(\xi_2 p + \eta_2 q) = 0,$$

während doch zwischen den drei infinitesimalen Transformationen nur die Relation

$$(\xi_3 p + \eta_3 q) + \frac{\xi_2\eta_3 - \xi_3\eta_2}{\xi_1\eta_2 - \xi_2\eta_1}(\xi_1 p + \eta_1 q) + \frac{\xi_3\eta_1 - \xi_1\eta_3}{\xi_1\eta_2 - \xi_2\eta_1}(\xi_2 p + \eta_2 q) \equiv 0$$

bestehen kann. Somit ist, wie der Vergleich lehrt:

$$\bar{x} = -\frac{\xi_3\eta_1 - \xi_1\eta_3}{\xi_1\eta_2 - \xi_2\eta_1}, \quad \bar{x}^2 = \frac{\xi_2\eta_3 - \xi_3\eta_2}{\xi_1\eta_2 - \xi_2\eta_1}.$$

Diese Relationen geben $\bar{x}$, aber nicht $\bar{y}$. Dass sie sich nicht widersprechen, ist von vornherein sicher. Um auch $\bar{y}$ zu finden, benutzen wir die drei Gleichungen (1). Setzen wir darin $f \equiv \bar{x}$, so ergiebt sich keine Bestimmungsgleichung für $\bar{y}$, wohl aber, wenn wir $f \equiv \bar{y}$ setzen. Dann kommt:

$$\xi_1 \frac{\partial \bar{y}}{\partial x} + \eta_1 \frac{\partial \bar{y}}{\partial y} = 0,$$

$$\xi_2 \frac{\partial \bar{y}}{\partial x} + \eta_2 \frac{\partial \bar{y}}{\partial y} = \bar{y},$$

$$\xi_3 \frac{\partial \bar{y}}{\partial x} + \eta_3 \frac{\partial \bar{y}}{\partial y} = \bar{x}\bar{y}.$$

Die letzte Gleichung muss sich natürlich, wenn in ihr für $\bar{x}$ der gefundene Wert eingesetzt wird, auf die vorletzte reducieren, kommt also nicht in betracht. Die beiden ersten geben $\frac{\partial \lg \bar{y}}{\partial x}$ und $\frac{\partial \lg \bar{y}}{\partial y}$ als bekannte Functionen und daher $\lg \bar{y}$, also $\bar{y}$ selbst durch *eine Quadratur*.

Die Reduction ist also vermittelst einer Quadratur zu leisten.

Das in beiden Fällen zuerst zu erledigende Problem, die vorgelegte Gruppe in allgemeinster Weise auf die betreffende Zusammensetzung zu bringen, deckt sich wegen der in § 2 des 21. Kapitels gegebenen geometrischen Deutung mit dem Problem der analytischen Geometrie, als Grunddreieck des homogenen Coordinatensystems in *allgemeinster* Weise ein aus zwei Tangenten jenes Kegelschnittes und ihrer Berührsehne gebildetes Dreieck einzuführen. Doch wird man, wenn es nur darauf ankommt, überhaupt auf irgend eine Weise die Reduction zu leisten, bequemer verfahren, indem man versucht, ob nicht irgend eine leichter zu findende *speciellere* Auswahl der infinitesimalen Transformationen $\overline{U}_1$, $\overline{U}_2$, $\overline{U}_3$ zum Ziele führt.

Nach einem allgemeinen Satze, den wir jedoch hier nicht entwickeln, ist dies bei jeder Annahme der Fall.

Beispiele. *1. Beispiel:* Man soll die dreigliedrige Gruppe

$$x^2p + q, \quad -xp + yq, \quad p + y^2q$$

auf ihre canonische Form bringen. Da ihre erste derivierte dreigliedrig ist, muss sie sich auf Typus 1 oder 2 reducieren lassen. Die Determinante aus den erweiterten infinitesimalen Transformationen lautet:

$$\varDelta \equiv \begin{vmatrix} x^2 & 1 & -2xy' \\ -x & y & 2y' \\ 1 & y^2 & 2yy' \end{vmatrix} \equiv (xy+1)^2 \cdot 2y'.$$

Die Gruppe lässt also die Differentialgleichung erster Ordnung $y' = 0$ invariant (wie noch verificiert werden mag) und überdies offenbar diese:

$$\frac{1}{y'} = 0,$$

im ganzen mithin zwei, und sie ist daher auf Typus 1 zurückzuführen. Man erkennt, dass sie überdies schon genau dieselbe Zusammensetzung wie dieser hat. Versuchen wir daher, direct anzusetzen:

$$x^2p + q = \bar{p} + \bar{q},$$
$$-xp + yq = \bar{x}\bar{p} + \bar{y}\bar{q},$$
$$p + y^2q = \bar{x}^2\bar{p} + \bar{y}^2\bar{q}.$$

Es würde sich hieraus ergeben:

$$\begin{vmatrix} x^2p + q & 1 & 1 \\ -xp + yq & \bar{x} & \bar{y} \\ p + y^2q & \bar{x}^2 & \bar{y}^2 \end{vmatrix} = 0$$

oder:

$$(\bar{y} - \bar{x})(p + y^2q) + \bar{x}\bar{y}(\bar{y} - \bar{x})(x^2p + q) - (\bar{y}^2 - \bar{x}^2)(-xp + yq) = 0$$

oder also:

$$(p + y^2q) + \bar{x}\bar{y}(x^2p + q) - (\bar{x} + \bar{y})(-xp + yq) = 0.$$

Andererseits besteht aber die Identität:

$$\begin{vmatrix} x^2p + q & x^2 & 1 \\ -xp + yq & -x & y \\ p + y^2q & 1 & y^2 \end{vmatrix} \equiv 0$$

oder:

$$(x^2y + x)(p + y^2q) - (xy^2 + y)(x^2p + q) - (x^2y^2 - 1)(-xp + yq) \equiv 0,$$

also:

$$(p + y^2q) - \frac{y}{x}(x^2p + q) - \frac{xy - 1}{x}(-xp + yq) \equiv 0.$$

Der Vergleich giebt:

$$\bar{x}\bar{y} = -\frac{y}{x}, \quad \bar{x} + \bar{y} = \frac{xy - 1}{x},$$

also:

$$\bar{x} - \bar{y} = \pm \frac{xy + 1}{x}.$$

Wir können also entweder setzen:

$$\bar{x} = y, \quad \bar{y} = -\frac{1}{x}$$

oder:

$$\bar{x} = -\frac{1}{x}, \quad \bar{y} = y.$$

In der That führen beide Variabelnpaare die vorgelegte Gruppe auf Typus 1 zurück.

2. Beispiel: Man soll die dreigliedrige Gruppe

$$p, \quad \sin x \cdot p + \cos x \cdot q, \quad \cos x \cdot p - \sin x \cdot q$$

auf ihre canonische Form bringen. Ihre erste derivierte Gruppe ist dreigliedrig, sie ist also auf Typus 1 oder 2 zurückzuführen. Wir bilden die Determinante der erweiterten Transformationen. Sie ist:

$$\varDelta \equiv \begin{vmatrix} 1 & 0 & 0 \\ \sin x & \cos x & -\sin x - y' \cos x \\ \cos x & -\sin x & -\cos x + y' \sin x \end{vmatrix} \equiv -1.$$

Daher lässt die Gruppe nur die eine Differentialgleichung erster Ordnung $\frac{1}{y'} = 0$ invariant, die Gruppe ist mithin auf Typus 2 zu reducieren. In § 3 des 21. Kapitels haben wir schon dies Beispiel betrachtet. Danach nehmen wir die Gruppe in der Form an:

$$\overline{U}_1 \equiv (1 + \cos x) \cdot p - \sin x \cdot q, \quad \overline{U}_2 \equiv 2 \sin x \cdot p + 2 \cos x \cdot q,$$
$$\overline{U}_3 \equiv (1 - \cos x) \cdot p + \sin x \cdot q.$$

Wir stellen nun die Relation auf:

$$\begin{vmatrix} \overline{U}_1 & 1 + \cos x & -\sin x \\ \overline{U}_2 & 2 \sin x & 2 \cos x \\ \overline{U}_3 & 1 - \cos x & \sin x \end{vmatrix} \equiv 0$$

oder:

$$(1 + \cos x)\overline{U}_3 + (1 - \cos x)\overline{U}_1 - \sin x\overline{U}_2 \equiv 0,$$

während andererseits

$$\overline{U}_3 + \bar{x}^2 \overline{U}_1 - \bar{x}\overline{U}_2 = 0$$

sein soll, wie oben in der allgemeinen Entwickelung. Somit haben wir:

$$\bar{x} = \frac{\sin x}{1 + \cos x}, \quad \bar{x}^2 = \frac{1 - \cos x}{1 + \cos x}.$$

In der That ist die zweite Gleichung eine blosse Folge der ersten. Zur Bestimmung von $\bar{y}$ haben wir nun die Gleichungen:

$$(1 + \cos x)\frac{\partial \bar{y}}{\partial x} - \sin x \quad \frac{\partial \bar{y}}{\partial y} = 0,$$

$$2 \sin x \frac{\partial \bar{y}}{\partial x} + 2 \cos x \frac{\partial \bar{y}}{\partial y} = \bar{y},$$

woraus folgt:

$$\frac{\partial \lg \bar{y}}{\partial x} = \frac{\sin x}{2(1 + \cos x)}, \quad \frac{\partial \lg \bar{y}}{\partial y} = \frac{1}{2},$$

und eine Quadratur giebt:

$$\lg \bar{y} = \frac{y}{2} - \lg \cos \tfrac{1}{2} x,$$

also setzen wir:

$$\bar{x} = \frac{\sin x}{1 + \cos x}, \quad \bar{y} = \frac{e^{\frac{y}{2}}}{\cos \frac{1}{2} x}.$$

In der That gehen $\bar{U}_1$, U_2, $\bar{U}_3$ durch Benutzung dieser neuen Variabeln über in

$$\bar{p}, \quad 2\bar{x}\bar{p} + \bar{y}\bar{q}, \quad \bar{x}^2\bar{p} + \bar{x}\bar{y}\bar{q},$$

womit die Reduction durchgeführt ist.

§ 3. **Zurückführung einer dreigliedrigen Gruppe, deren erste derivierte zweigliedrig ist, auf ihre canonische Form.**

Es liege nunmehr eine dreigliedrige Gruppe U_1, U_2, U_3 in x, y vor, deren erste derivierte zweigliedrig ist, und die überhaupt Differentialgleichungen zweiter Ordnung invariant lassen kann. Dieselbe muss sich nach dem in § 3 des 22. Kapitels gegebenen Schema auf einen der folgenden Typen zurückführen lassen:

$$\begin{array}{llll} p & q & xp + cyq, & (c \neq 0) \\ q & xq & (1 - c)xp + yq, & (c \neq 0, \neq 1) \\ q & xq & yq, & \\ p & q & (x + y)p + yq, & \\ q & xq & p + yq. & \end{array}$$

Der damals mit 6 bezeichnete Typus ist hier in dem ersten Typus enthalten, da bei diesem nur der Fall $c = 0$ ausgeschlossen wird, nicht auch $c = 1$.

Normierung. Zunächst ist leicht zu entscheiden, wann die vorgelegte Gruppe auf die *dritte* Form gebracht werden kann, nämlich dann und nur dann, wenn ihre infinitesimalen Transformationen sämtlich dieselben Bahncurven haben. Vom dritten Typus kann daher weiterhin bei der Normierung abgesehen werden.

Um nun zu unterscheiden, auf welchen der übrigen Typen die vorgelegte Gruppe reducierbar ist, werden wir die ersten derivierten

Gruppen betrachten. Sie sind die Gruppen p, q und q, xq. Im ersten und vierten Fall haben die infinitesimalen Transformationen der ersten derivierten Gruppe verschiedene, im zweiten und letzten Falle dieselben Bahncurven. Indem wir auch die erste derivierte Gruppe der vorgelegten Gruppe U_1, U_2, U_3 daraufhin betrachten, entscheiden wir sofort, ob die Gruppe auf den 1. oder 4. oder aber auf den 2. oder 5. Typus reducierbar sein muss, denn es ist klar, dass eine dreigliedrige Gruppe jene Eigentümlichkeit nicht ändert, wenn neue Veränderliche in dieselbe eingeführt werden.

Nun fragen wir weiterhin nach der Anzahl derjenigen infinitesimalen Transformationen Vf der Typen, welche sich bei jeder Klammeroperation reproducieren. Bei allen Typen geben ja die Klammeroperationen nur infinitesimale Transformationen der ersten derivierten Gruppe, so z. B. beim ersten nur p, q. Wir suchen daher z. B. bei diesem eine Transformation $\alpha p + \beta q$, sodass jedes

$$(\alpha p + \beta q, \lambda p + \mu q + \nu(xp + cyq))$$

die Form $\varrho(\alpha p + \beta q)$ hat, welche constanten Werte auch λ, μ, ν haben mögen. Da die erste derivierte Gruppe aus vertauschbaren infinitesimalen Transformationen besteht — wie auch bei den andern Typen —, so brauchen wir offenbar nur zu verlangen:

$$(\alpha p + \beta q, xp + cyq) = \varrho(\alpha p + \beta q).$$

Ausrechnung giebt:

$$\alpha p + \beta c q = \varrho(\alpha p + \beta q),$$

d. h.

$$(1 - \varrho)\alpha = 0, \quad (c - \varrho)\beta = 0.$$

Ist $c \neq 1$, so liefert dies $\varrho = 1$ oder $\varrho = c$. Für $\varrho = 1$ kommt $\beta = 0$, die gesuchte Transformation ist also p. $\varrho = c$ liefert $\alpha = 0$, d. h. die Transformation q. Im Falle $c \neq 1$ giebt es also gerade zwei infinitesimale Transformationen der gesuchten Art. Wenn dagegen $c = 1$ ist, so ist $\varrho = 1$ (weil sonst $\alpha = \beta = 0$ wäre) und α und β sind beliebig, d. h. alsdann sind alle unendlich vielen Transformationen $\alpha p + \beta q$ solche der gewünschten Art.

Beim zweiten Typus reproducieren sich analog nur q und xq.

Beim vierten Typus fordern wir:

$$(\alpha p + \beta q, (x + y)p + yq) = \varrho(\alpha p + \beta q).$$

Ausrechnung giebt:

$$\alpha p + \beta(p + q) = \varrho(\alpha p + \beta q),$$

d. h.

$$(1 - \varrho)\alpha + \beta = 0, \quad (1 - \varrho)\beta = 0.$$

Mithin ist $\varrho = 1$ und $\beta = 0$, d. h. hier ergiebt sich nur eine infinitesimale Transformation der gewünschten Art, nämlich p.

Beim fünften Typus endlich ergiebt sich analog auch nur eine, nämlich q.

Dieselbe Rechnung führen wir bei der gegebenen Gruppe durch und entscheiden dadurch, ob sie zu Typus 1 für $c \neq 1$ oder zu Typus 2 oder aber zu Typus 1 für $c = 1$ oder endlich zu Typus 4 oder 5 gehört, denn die Anzahl solcher sich bei den Klammeroperationen reproducierender infinitesimaler Transformationen bleibt unverändert, wenn auch neue Variabeln in die Gruppe eingeführt werden.

Da wir schon oben entschieden haben, ob sie auf Typus 3 oder aber auf Typus 1 oder 4 oder aber auf Typus 2 oder 5 reducierbar ist, so ist nunmehr der Typus, auf den sich die vorgelegte Gruppe zurückführen lassen muss, bekannt.

Es erübrigt jetzt noch, die Reduction für die einzelnen Möglichkeiten wirklich durchzuführen.

Reduction auf den ersten Typus.

Angenommen sei also *erstens*, dass die Gruppe U_1, U_2, U_3 auf den Typus

$$p, \quad q, \quad xp + cyq$$

zurückführbar sei, wo allerdings die Constante c, die sicher $\neq 0$ ist, noch unbekannt ist. Der Typus hat die Zusammensetzung:

$$(p, q) \equiv 0, \quad (p, xp + cyq) \equiv p, \quad (q, xp + cyq) \equiv cq.$$

Entsprechend werden wir die infinitesimalen Transformationen der vorgelegten Gruppe in allgemeinster Weise so auswählen, dass:

$$(\overline{U}_1 \overline{U}_2) \equiv 0, \quad (\overline{U}_1 \overline{U}_3) \equiv \overline{U}_1, \quad (\overline{U}_2 \overline{U}_3) \equiv \text{Const.}\, \overline{U}_2$$

wird. Dies erfordert nur algebraische und verhältnismässig einfache Überlegungen. Die Constante, die bei der letzten Klammeroperation auftritt, benutzen wir als die Grösse c. Wenn nun etwa:

$$\overline{U}_i f \equiv \xi_i \frac{\partial f}{\partial x} + \eta_i \frac{\partial f}{\partial y}$$
$$(i = 1, 2, 3)$$

ist, so giebt es sicher solche Functionen $\bar{x}$ und $\bar{y}$ von x, y, dass:

$$\xi_1 \frac{\partial f}{\partial x} + \eta_1 \frac{\partial f}{\partial y} = \frac{\partial f}{\partial \bar{x}},$$
$$\xi_2 \frac{\partial f}{\partial x} + \eta_2 \frac{\partial f}{\partial y} = \frac{\partial f}{\partial \bar{y}},$$
$$\xi_3 \frac{\partial f}{\partial x} + \eta_3 \frac{\partial f}{\partial y} = \bar{x} \frac{\partial f}{\partial \bar{x}} + c\bar{y} \frac{\partial f}{\partial \bar{y}}$$

wird. Zwischen den drei infinitesimalen Transformationen besteht daher notwendig die Relation

$$\begin{vmatrix} \overline{U}_1 & 1 & 0 \\ \overline{U}_2 & 0 & 1 \\ \overline{U}_3 & \bar{x} & c\bar{y} \end{vmatrix} = 0$$

oder:

$$\overline{U}_3 - \bar{x}\overline{U}_1 - c\bar{y}\overline{U}_2 = 0.$$

Bekanntlich besteht aber zwischen ihnen nur eine lineare Relation, nämliche diese:

$$\overline{U}_3 + \frac{\xi_2\eta_3 - \xi_3\eta_2}{\xi_1\eta_2 - \xi_2\eta_1}\overline{U}_1 - \frac{\xi_1\eta_3 - \xi_3\eta_1}{\xi_1\eta_2 - \xi_2\eta_1}\overline{U}_2 \equiv 0.$$

Demnach ist:

$$\bar{x} = -\frac{\xi_2\eta_3 - \xi_3\eta_2}{\xi_1\eta_2 - \xi_2\eta_1}, \quad \bar{y} = \frac{1}{c}\frac{\xi_1\eta_3 - \xi_3\eta_1}{\xi_1\eta_2 - \xi_2\eta_1}.$$

Die Reduction ist hiernach rein algebraisch durchführbar.

Nicht so im *zweiten* Falle: Die vorgelegte Gruppe U_1, U_2, U_3 sei auf den Typus Reduction auf den zweiten Typus.

$$q, \quad xq, \quad (1 - c)xp + yq$$

reducierbar. Wie vorher bestimmen wir auch hier drei von einander unabhängige infinitesimale Transformationen

$$\overline{U}_i f \equiv \xi_i \frac{\partial f}{\partial x} + \eta_i \frac{\partial f}{\partial y}$$

der vorgelegten Gruppe in allgemeinster Weise so, dass sie dieselbe Zusammensetzung liefern, wie der Typus, d. h. dass:

$$(\overline{U}_1\overline{U}_2) \equiv 0, \quad (\overline{U}_1\overline{U}_3) \equiv \overline{U}_1, \quad (\overline{U}_2\overline{U}_3) \equiv \text{Const.}\,\overline{U}_2$$

wird. Die zuletzt auftretende Constante nehmen wir als das c an. Nun giebt es Functionen $\bar{x}$, $\bar{y}$ von x, y, sodass:

$$(2) \qquad \begin{cases} \xi_1 \dfrac{\partial f}{\partial x} + \eta_1 \dfrac{\partial f}{\partial y} = \dfrac{\partial f}{\partial \bar{y}}, \\ \xi_2 \dfrac{\partial f}{\partial x} + \eta_2 \dfrac{\partial f}{\partial y} = \bar{x}\dfrac{\partial f}{\partial \bar{y}}, \\ \xi_3 \dfrac{\partial f}{\partial x} + \eta_3 \dfrac{\partial f}{\partial y} = (1 - c)\bar{x}\dfrac{\partial f}{\partial \bar{x}} + \bar{y}\dfrac{\partial f}{\partial \bar{y}} \end{cases}$$

wird. Hiernach besteht zwischen den $\overline{U}$ die lineare Relation:

$$\begin{vmatrix} \overline{U}_1 & 0 & 1 \\ \overline{U}_2 & 0 & \bar{x} \\ \overline{U}_3 & (1 - c)\bar{x} & \bar{y} \end{vmatrix} = 0$$

oder

$$\overline{U}_2 = \bar{x}\overline{U}_1,$$

d. h. es ist:

$$\xi_2 p + \eta_2 q = \bar{x}(\xi_1 p + \eta_1 q),$$

also:

$$\bar{x} = \frac{\xi_2}{\xi_1} = \frac{\eta_2}{\eta_1}.$$

(Dass diese beiden Werte dieselben sind, ist von vornherein sicher.) Um $\bar{y}$ zu bestimmen, setzen wir in (2) $f \equiv \bar{x}, y$. Die erste Annahme giebt für $\bar{y}$ keine Bestimmungsgleichung, hat also keinen Zweck. Setzen wir aber $f \equiv \bar{y}$, so kommt:

$$\xi_1 \frac{\partial \bar{y}}{\partial x} + \eta_1 \frac{\partial \bar{y}}{\partial y} = 1,$$

$$\xi_3 \frac{\partial \bar{y}}{\partial x} + \eta_3 \frac{\partial \bar{y}}{\partial y} = \bar{y}.$$

(Die zweite Gleichung giebt offenbar nichts neues.) Hieraus lassen sich $\frac{\partial \bar{y}}{\partial x}$ und $\frac{\partial \bar{y}}{\partial y}$ berechnen als lineare Functionen von $\bar{y}$, deren Coefficienten von x, y abhängen. Bekanntlich erfordert alsdann die Bestimmung von $\bar{y}$ nur Quadraturen.

Die Reduction verlangt also nur Quadraturen.

Reduction auf den dritten Typus.

Wenn die vorgelegte Gruppe U_1, U_2, U_3 *drittens* auf die Form

$$q, \quad xq, \quad yq$$

gebracht werden kann, so wählen wir wieder drei von einander unabhängige infinitesimale Transformationen der gegebenen Gruppe:

$$\overline{U}_i f \equiv \xi_i \frac{\partial f}{\partial x} + \eta_i \frac{\partial f}{\partial y}$$
$$(i = 1, 2, 3)$$

in allgemeinster Weise so, dass die $\overline{U}$ dieselbe Zusammensetzung haben wie der bekannte Typus, dass also

$$(\overline{U}_1 \overline{U}_2) \equiv 0, \quad (\overline{U}_1 \overline{U}_3) \equiv \overline{U}_1, \quad (\overline{U}_2 \overline{U}_3) \equiv \overline{U}_2$$

wird. Alsdann setzen wir:

$$\xi_1 \frac{\partial f}{\partial x} + \eta_1 \frac{\partial f}{\partial y} = \frac{\partial f}{\partial \bar{y}},$$

$$\xi_2 \frac{\partial f}{\partial x} + \eta_2 \frac{\partial f}{\partial y} = \bar{x} \frac{\partial f}{\partial \bar{y}},$$

$$\xi_3 \frac{\partial f}{\partial x} + \eta_3 \frac{\partial f}{\partial y} = \bar{y} \frac{\partial f}{\partial \bar{y}}.$$

Zunächst ist hiernach

$$\overline{U}_2 = \bar{x}\overline{U}_1, \quad \overline{U}_3 = \bar{y}\overline{U}_1.$$

Andererseits müssen $\overline{U}_2$ und $\overline{U}_3$ sich notwendig in den Formen darstellen lassen:

$$\overline{U}_2 \equiv \varrho(x, y)\overline{U}_1, \quad \overline{U}_3 \equiv \sigma(x, y)\overline{U}_1,$$

da die infinitesimalen Transformationen $\overline{U}_1$, $\overline{U}_2$, $\overline{U}_3$ sämtlich dieselben Bahncurven haben. Also ergiebt sich sofort

$$\bar{x} = \varrho(x, y), \quad \bar{y} = \sigma(x, y).$$

Die Reduction erfordert demnach weder Integration noch Quadraturen.

Sei die vorgelegte Gruppe U_1, U_2, U_3 *viertens* auf die Form Reduction auf den vierten Typus.

$$p, \quad q, \quad (x + y)p + yq$$

reducierbar. Wir wählen zunächst wieder drei von einander unabhängige infinitesimale Transformationen der gegebenen Gruppe:

$$\overline{U}_i f \equiv \xi_i \frac{\partial f}{\partial x} + \eta_i \frac{\partial f}{\partial y}$$
$$(i = 1, 2, 3)$$

in allgemeinster Weise so aus, dass die $\overline{U}$ dieselbe Zusammensetzung ergeben wie der bekannte Typus, d. h. dass

$$(\overline{U}_1 \overline{U}_2) \equiv 0, \quad (\overline{U}_1 \overline{U}_3) \equiv \overline{U}_1, \quad (\overline{U}_2 \overline{U}_3) \equiv \overline{U}_1 + \overline{U}_2$$

ist. Darauf setzen wir an:

$$\xi_1 \frac{\partial f}{\partial x} + \eta_1 \frac{\partial f}{\partial y} = \frac{\partial f}{\partial \bar{x}},$$
$$\xi_2 \frac{\partial f}{\partial x} + \eta_2 \frac{\partial f}{\partial y} = \frac{\partial f}{\partial \bar{y}},$$
$$\xi_3 \frac{\partial f}{\partial x} + \eta_3 \frac{\partial f}{\partial y} = (\bar{x} + \bar{y}) \frac{\partial f}{\partial \bar{x}} + \bar{y} \frac{\partial f}{\partial \bar{y}}.$$

Hiernach ergiebt sich:

$$\overline{U}_3 = (\bar{x} + \bar{y}) \overline{U}_1 + \bar{y} \overline{U}_2,$$

während doch

$$\overline{U}_3 \equiv \frac{\xi_3 \eta_2 - \xi_2 \eta_3}{\xi_1 \eta_2 - \xi_2 \eta_1} \overline{U}_1 + \frac{\xi_1 \eta_3 - \xi_3 \eta_1}{\xi_1 \eta_2 - \xi_2 \eta_1} \overline{U}_2$$

ist. Demnach kommt:

$$\bar{x} + \bar{y} = \frac{\xi_3 \eta_2 - \xi_2 \eta_3}{\xi_1 \eta_2 - \xi_2 \eta_1}, \quad \bar{y} = \frac{\xi_1 \eta_3 - \xi_3 \eta_1}{\xi_1 \eta_2 - \xi_2 \eta_1}.$$

Die Reduction erfordert also keinerlei Quadraturen oder Integrationen.

Endlich wenden wir uns zum *fünften* Fall: U_1, U_2, U_3 sei reducierbar auf Reduction auf den fünften Typus.

$$q, \quad xq, \quad p + yq.$$

Nachdem die infinitesimalen Transformationen

$$\overline{U}_i f \equiv \xi_i \frac{\partial f}{\partial x} + \eta_i \frac{\partial f}{\partial y}$$
$$(i = 1, 2, 3)$$

in allgemeinster Weise aus der vorgelegten Gruppe so ausgewählt sind, dass sie auch die Zusammensetzung des Typus geben, nämlich diese:

$$(\overline{U}_1\overline{U}_2) \equiv 0, \quad (\overline{U}_1\overline{U}_3) \equiv \overline{U}_1, \quad (\overline{U}_2\overline{U}_3) \equiv \overline{U}_2 - \overline{U}_1,$$

so setzen wir:

$$\xi_1 \frac{\partial f}{\partial x} + \eta_1 \frac{\partial f}{\partial y} = \frac{\partial f}{\partial \overline{y}},$$

$$\xi_2 \frac{\partial f}{\partial x} + \eta_2 \frac{\partial f}{\partial y} = \overline{x} \frac{\partial f}{\partial \overline{y}},$$

$$\xi_3 \frac{\partial f}{\partial x} + \eta_3 \frac{\partial f}{\partial y} = \frac{\partial f}{\partial \overline{x}} + \overline{y} \frac{\partial f}{\partial \overline{y}}$$

und erhalten hieraus:

$$\xi_2 \frac{\partial f}{\partial x} + \eta_2 \frac{\partial f}{\partial y} = \overline{x} \left(\xi_1 \frac{\partial f}{\partial x} + \eta_1 \frac{\partial f}{\partial y}\right),$$

also:

$$\overline{x} = \frac{\xi_2}{\xi_1} = \frac{\eta_2}{\eta_1}.$$

Um $\overline{y}$ zu finden, setzen wir $f \equiv \overline{y}$ und unsere drei obigen Gleichungen geben (indem die zweite überflüssig wird):

$$\xi_1 \frac{\partial \overline{y}}{\partial x} + \eta_1 \frac{\partial \overline{y}}{\partial y} = 1,$$

$$\xi_3 \frac{\partial \overline{y}}{\partial x} + \eta_3 \frac{\partial \overline{y}}{\partial y} = \overline{y}.$$

Wie bekannt, lässt sich hieraus $\overline{y}$ durch Quadraturen als Function von x, y berechnen.

Diese Reduction fordert also nur Quadraturen.

In allen fünf Fällen kann mithin die Zurückführung der vorgelegten Gruppe auf ihre canonische Form durch algebraische Operationen und höchstens einige Quadraturen geleistet werden. Doch ist in jedem Falle eine ähnliche Bemerkung wie im vorigen Paragraphen zu machen. Sicher existiert jedesmal *eine* Form $\overline{U}_1$, $\overline{U}_2$, $\overline{U}_3$ der gegebenen Gruppe derart, dass $\overline{U}_1$, $\overline{U}_2$, $\overline{U}_3$ direct in die drei infinitesimalen Transformationen des betreffenden Typus übergeführt werden können. Diese Form suchten wir, indem wir in *allgemeinster* Weise $\overline{U}_1$, $\overline{U}_2$, $\overline{U}_3$ so bestimmten, dass sie dieselbe Zusammensetzung liefern, wie der Typus. Bei dieser Bestimmung treten völlig willkürliche Constanten auf. Für gewisse Zahlenwerte derselben muss die Überführung zu leisten sein. Dass sie für alle zu leisten ist, folgt aus allgemeinen Sätzen, die hier nicht erörtert werden können. Man mag sich in jedem Beispiele davon überzeugen.

1. Beispiel: Man soll die dreigliedrige Gruppe Beispiele.

$$U_1 \equiv xp, \quad U_2 \equiv yq, \quad U_3 \equiv x \lg x \cdot p + y \lg y \cdot q$$

auf ihre canonische Form bringen. Hier ist

$$(U_1 U_2) \equiv 0, \quad (U_1 U_3) \equiv U_1, \quad (U_2 U_3) \equiv U_2.$$

Die erste derivierte Gruppe ist also zweigliedrig, nämlich U_1, U_2. Ihre infinitesimalen Transformationen haben verschiedene Bahncurven. Mithin kann die Gruppe nur auf den ersten oder vierten Typus reducierbar sein. Da nun

$$(\alpha U_1 + \beta U_2, U_3) \equiv \alpha U_1 + \beta U_2$$

ist, so giebt es unendlich viele sich bei den Klammeroperationen reproducierende infinitesimale Transformationen $\alpha_1 U_1 + \alpha_2 U_2$, die Gruppe ist demnach auf Typus 1 für $c = 1$, also auf

$$p, \quad q, \quad xp + yq$$

reducierbar. Um das allgemeinste neue Veränderlichenpaar $\bar{x}$, $\bar{y}$ zu finden, welches die Reduction vermittelt, nehmen wir

$$\overline{U}_1 \equiv \alpha_1 U_1 + \alpha_2 U_2,$$
$$\overline{U}_2 \equiv \beta_1 U_1 + \beta_2 U_2,$$
$$\overline{U}_3 \equiv \gamma_1 U_1 + \gamma_2 U_2 + \gamma_3 U_3,$$

wo die α, β, γ Constanten mit nicht verschwindender Determinante, d. h.

$$\gamma_3 \neq 0 \quad \text{und} \quad \alpha_1 \beta_2 - \alpha_2 \beta_1 \neq 0$$

sein sollen, so an, dass

$$(\overline{U}_1 \overline{U}_2) \equiv 0, \quad (\overline{U}_1 \overline{U}_3) \equiv \overline{U}_1, \quad (\overline{U}_2 \overline{U}_3) \equiv \overline{U}_2$$

wird. Dies liefert für die α, β, γ nur die Bestimmungen:

$$(1 - \gamma_3)\alpha_1 = 0, \quad (1 - \gamma_3)\alpha_2 = 0,$$
$$(1 - \gamma_3)\beta_1 = 0, \quad (1 - \gamma_3)\beta_2 = 0.$$

Also ist $\gamma_3 = 1$ anzunehmen, während die α, β und γ_1, γ_2 willkürlich sind. Nun setzen wir

$$\overline{U}_1 \equiv \alpha_1 xp + \alpha_2 yq = \frac{\partial f}{\partial \bar{x}},$$

$$\overline{U}_2 \equiv \beta_1 xp + \beta_2 yq = \frac{\partial f}{\partial \bar{y}},$$

$$\overline{U}_3 \equiv \gamma_1 xp + \gamma_2 yq + x \lg x \cdot p + y \lg y \cdot q = \bar{x} \frac{\partial f}{\partial \bar{x}} + \bar{y} \frac{\partial f}{\partial \bar{y}},$$

d. h.:

$$(\gamma_1 x + x \lg x) p + (\gamma_2 y + y \lg y) q = \bar{x}(\alpha_1 xp + \alpha_2 yq) + \bar{y}(\beta_1 xp + \beta_2 yq),$$

sodass

$$(\gamma_1 + \lg x)x = (\alpha_1\bar{x} + \beta_1\bar{y})x,$$
$$(\gamma_2 + \lg y)y = (\alpha_2\bar{x} + \beta_2\bar{y})y$$

sein muss. Dies giebt:

$$\bar{x} = \frac{1}{\alpha_1\beta_2 - \alpha_2\beta_1}\begin{vmatrix} \gamma_1 + \lg x & \beta_1 \\ \gamma_2 + \lg y & \beta_2 \end{vmatrix}, \quad \bar{y} = \frac{1}{\alpha_1\beta_2 - \alpha_2\beta_1}\begin{vmatrix} \alpha_1 & \gamma_1 + \lg x \\ \alpha_2 & \gamma_2 + \lg y \end{vmatrix}.$$

Die neuen Veränderlichen führen also U_1, U_2, U_3 in

$$\frac{\partial f}{\partial \bar{x}}, \quad \frac{\partial f}{\partial \bar{y}}, \quad \bar{x}\frac{\partial f}{\partial \bar{x}} + \bar{y}\frac{\partial f}{\partial \bar{y}}$$

über. Dabei sind α_1, α_2; β_1, β_2; γ_1, γ_2 ganz willkürlich. Nimmt man z. B. diese alle gleich Null an mit Ausnahme von $\alpha_1 = \beta_2 = 1$, so kommt:

$$\bar{x} = \lg x, \quad \bar{y} = \lg y.$$

In der That wird dann:

$$xp = x\frac{\partial \lg x}{\partial x}\cdot\frac{\partial f}{\partial \bar{x}} + x\frac{\partial \lg y}{\partial x}\frac{\partial f}{\partial \bar{y}} = \frac{\partial f}{\partial \bar{x}} = \bar{p},$$

$$yq = y\frac{\partial \lg x}{\partial y}\cdot\frac{\partial f}{\partial \bar{x}} + y\frac{\partial \lg y}{\partial y}\frac{\partial f}{\partial \bar{y}} = \frac{\partial f}{\partial \bar{y}} = \bar{q},$$

$$x\lg x\cdot p + y\lg y\cdot q = \lg x\cdot\bar{p} + \lg y\cdot\bar{q} = \bar{x}\bar{p} + \bar{y}\bar{q}.$$

2. *Beispiel:* Die Gruppe

$$q, \quad \frac{1}{x}q, \quad x^2p - yq$$

soll auf ihre canonische Form gebracht werden. Hier ist

$$(U_1U_2) \equiv 0, \quad (U_1U_3) \equiv -U_1, \quad (U_2U_3) \equiv U_1 - U_2.$$

Die erste derivierte Gruppe ist demnach zweigliedrig: U_1U_2 und die infinitesimalen Transformationen U_1, U_2 haben dieselben Bahncurven, nicht aber hat auch U_3 eben diese Bahncurven. Also ist die Gruppe auf den zweiten oder fünften Typus reducierbar. Wir fragen nach der Anzahl der infinitesimalen Transformationen $\alpha_1U_1 + \beta_2U_2$, welche sich bei den Klammeroperationen reproducieren:

$$(\alpha U_1 + \beta U_2, U_3) = \varrho(\alpha U_1 + \beta U_2).$$

Es kommt hier:

$$-\alpha U_1 + \beta(U_1 - U_2) = \varrho(\alpha U_1 + \beta U_2),$$

also

$$(\varrho + 1)\alpha + \beta = 0, \quad \beta(\varrho + 1) = 0.$$

Wäre $\varrho \neq -1$, so käme $\alpha = \beta = 0$. Also ist $\varrho = -1$ und $\beta = 0$, d. h. es giebt nur eine infinitesimale Transformation der gesuchten Art, nämlich U_1; die Gruppe ist sonach auf den letzten Typus

$$q, \quad xq, \quad p + yq$$

zurückführbar. Zunächst setzen wir nun allgemein an:

$$\overline{U}_1 \equiv \alpha_1 U_1 + \alpha_2 U_2,$$
$$\overline{U}_2 \equiv \beta_1 U_1 + \beta_2 U_2,$$
$$\overline{U}_3 \equiv \gamma_1 U_1 + \gamma_2 U_2 + \gamma_3 U_3$$

und nehmen an, dass $\gamma_3 \neq 0$ und $\alpha_1\beta_2 - \alpha_2\beta_1 \neq 0$ sei. Die $\overline{U}_i$ sind so zu bestimmen, dass

$$(\overline{U}_1\overline{U}_2) \equiv 0, \quad (\overline{U}_1\overline{U}_3) \equiv \overline{U}_1, \quad (\overline{U}_2\overline{U}_3) \equiv \overline{U}_2 - \overline{U}_1$$

wird. Dies giebt für die α, β, γ die Bedingungen:

$$-\alpha_1\gamma_3 + \alpha_2\gamma_3 = \alpha_1, \qquad -\alpha_2\gamma_3 = \alpha_2;$$
$$-\beta_1\gamma_3 + \beta_2\gamma_3 = \beta_1 - \alpha_1, \quad -\beta_2\gamma_3 = \beta_2 - \alpha_2.$$

Wäre $\gamma_3 \neq -1$, so käme $\alpha_2 = 0$, d. h. $\alpha_1 = 0$, was auszuschliessen ist. Somit ist $\gamma_3 = -1$ zu setzen, d. h. $\alpha_2 = 0$, $\beta_2 = \alpha_1$. Also haben wir die Relationen aufzustellen:

$$\overline{U}_1 \equiv \alpha_1 q = \frac{\partial f}{\partial \bar{y}},$$
$$\overline{U}_2 \equiv \left(\beta_1 + \frac{\alpha_1}{x}\right) q = \bar{x}\frac{\partial f}{\partial \bar{y}},$$
$$\overline{U}_3 \equiv \left(\gamma_1 + \frac{\gamma_2}{x} + y\right) q - x^2 p = \frac{\partial f}{\partial \bar{x}} + \bar{y}\frac{\partial f}{\partial \bar{y}}.$$

Demnach ist:

$$\bar{x} = \frac{\beta_1}{\alpha_1} + \frac{1}{x},$$

während $f \equiv \bar{y}$ liefert:

$$\alpha_1\frac{\partial \bar{y}}{\partial y} = 1, \quad \left(\gamma_1 + \frac{\gamma_2}{x} + y\right)\frac{\partial \bar{y}}{\partial y} - x^2\frac{\partial \bar{y}}{\partial x} = \bar{y}.$$

Es ist daher $\bar{y}$ zunächst von der Form:

$$\bar{y} = \frac{y}{\alpha_1} + \varphi(x),$$

also nach der zweiten Gleichung

$$\left(\gamma_1 + \frac{\gamma_2}{x} + y\right)\frac{1}{\alpha_1} - x^2\frac{d\varphi}{dx} = \frac{y}{\alpha_1} + \varphi,$$

d. h.

$$\frac{d\varphi}{dx} = -\frac{\varphi}{x^2} + \left(\frac{\gamma_1}{x^2} + \frac{\gamma_2}{x^3}\right)\frac{1}{\alpha_1},$$

daher

$$\varphi = \frac{\gamma_1 + \gamma_2}{\alpha_1} + \frac{\gamma_2}{\alpha_1}\cdot\frac{1}{x} + ce^{\frac{1}{x}},$$

wo c eine beliebige Constante bedeutet, sodass also

$$\bar{x} = \frac{1}{x} + \frac{\beta_1}{\alpha_1}, \quad \bar{y} = \frac{y}{\alpha_1} + \frac{\gamma_2}{\alpha_1}\cdot\frac{1}{x} + ce^{\frac{1}{x}} + \frac{\gamma_1 + \gamma_2}{\alpha_1}$$

die neuen Veränderlichen sind, welche die Transformation in die canonische Form leisten. In der That ist wegen:

$$p \equiv \frac{\partial f}{\partial x} = \frac{\partial \bar{x}}{\partial x} \cdot \frac{\partial f}{\partial \bar{x}} + \frac{\partial \bar{y}}{\partial x} \cdot \frac{\partial f}{\partial \bar{y}} = -\frac{1}{x^2}\bar{p} + \left(-\frac{\gamma_2}{\alpha_1 x^2} - c\,\frac{e^{\frac{1}{x}}}{x^2}\right)\bar{q},$$

$$q \equiv \frac{\partial f}{\partial y} = \frac{\partial \bar{x}}{\partial y} \cdot \frac{\partial f}{\partial \bar{x}} + \frac{\partial \bar{y}}{\partial y} \cdot \frac{\partial f}{\partial \bar{y}} = \frac{1}{\alpha_1}\bar{q}$$

auch

$$\overline{U_1} \equiv \alpha_1 q = \bar{q},$$

$$\overline{U_2} \equiv \left(\beta_1 + \frac{\alpha_1}{x}\right) q = \left(\frac{\beta_1}{\alpha_1} + \frac{1}{x}\right)\bar{q} = \bar{x}\bar{q},$$

$$\overline{U_3} \equiv \left(\gamma_1 + \frac{\gamma_2}{x} + y\right) q - x^2 p = \left(\frac{\gamma_1}{\alpha_1} + \frac{\gamma_2}{\alpha_1} \cdot \frac{1}{x} + \frac{y}{\alpha_1}\right)\bar{q} + \bar{p} + \left(\frac{\gamma_2}{\alpha_1} + c e^{\frac{1}{x}}\right)\bar{q} =$$
$$= \bar{p} + \bar{y}\bar{q}.$$

Natürlich kann man die Constanten specialisieren, z. B. $\alpha_1 = 1$, $\beta_1 = \gamma_1 = \gamma_2 = c = 0$ setzen, sodass

$$\bar{x} = \frac{1}{x}, \quad \bar{y} = y$$

wird.

§ 4. Zurückführung einer dreigliedrigen Gruppe, deren erste derivierte eingliedrig ist, auf ihre canonische Form.

Eine dreigliedrige Gruppe U_1, U_2, U_3 in x, y, deren erste derivierte Gruppe eingliedrig ist, lässt sich nach dem Schema in § 3 des 22. Kapitels auf eine der drei folgenden canonischen Formen zurückführen:

$$p, \quad q, \quad xp;$$
$$q, \quad xq, \quad xp + yq;$$
$$q, \quad p, \quad xq.$$

Normierung. In allen drei Fällen stellt die erste infinitesimale Transformation die erste derivierte Gruppe dar, also im ersten p, in den beiden anderen q. Im dritten Falle ist q mit p und xq vertauschbar, im ersten und zweiten Fall ist die erste infinitesimale Transformation nicht mit allen übrigen vertauschbar. Ferner besteht im ersten Falle zwischen den drei infinitesimalen Transformationen die Relation:

$$(xp) - x(p) \equiv 0,$$

im zweiten diese:

$$(xq) - x(q) \equiv 0$$

und es ist im ersten

$$(p, xp) \equiv p,$$

im zweiten

$$(q, xq) \equiv 0.$$

Um also für U_1, U_2, U_3 den zugehörigen Typus zu bestimmen, bilden wir $(U_1 U_2)$, $(U_1 U_3)$, $(U_2 U_3)$ und erhalten dadurch die infinitesimale Transformation der ersten derivierten Gruppe. Sie sei etwa $\overline{U}_1$. Alsdann untersuchen wir, ob sie mit allen Transformationen der Gruppe vertauschbar ist oder nicht. Ist sie es, so ist die Gruppe auf Typus 3 reducierbar. Ist sie es nicht, so kommen nur die beiden ersten Typen in Frage. Dann bilden wir die sicher bestehende Relation von der Form:

$$\alpha_1 U_1 + \alpha_2 U_2 + \alpha_3 U_3 - \varphi(x, y)\overline{U}_1 = 0,$$

wo φ eine wirkliche Function, nicht aber, wie α_1, α_2, α_3, nur eine Constante sein soll. Ist dann

$$(\overline{U}_1, \alpha_1 U_1 + \alpha_2 U_2 + \alpha_3 U_3) \equiv 0,$$

so ist die Gruppe auf Typus 2 zurückzuführen, andernfalls auf Typus 1.

Sei — nach Beendigung dieser Normierung — die vorgelegte Gruppe auf den *ersten* Typus Reduction auf den ersten Typus.

$$p, \quad q, \quad xp$$

reducierbar. Auch sei $\overline{U}_1$ die erste derivierte Gruppe. Sicher lassen sich dann in allgemeinster Weise $\overline{U}_2$ und $\overline{U}_3$ so aus der Gruppe auswählen, dass sie von $\overline{U}_1$ und von einander unabhängig sind, und dass sie dieselbe Zusammensetzung wie der Typus geben:

$$(\overline{U}_1 \overline{U}_2) \equiv 0, \quad (\overline{U}_1 \overline{U}_3) \equiv \overline{U}_1, \quad (\overline{U}_2 \overline{U}_3) \equiv 0.$$

Ist etwa:

$$\overline{U}_i f \equiv \xi_i p + \eta_i q$$
$$(i = 1, 2, 3),$$

so können wir dann $\overline{x}$, $\overline{y}$ so als Functionen von x, y bestimmen, dass

$$\xi_1 p + \eta_1 q = \frac{\partial f}{\partial \overline{x}},$$

$$\xi_2 p + \eta_2 q = \frac{d f}{\partial \overline{y}},$$

$$\xi_3 p + \eta_3 q = \overline{x}\frac{\partial f}{\partial \overline{x}}$$

wird. Zunächst kommt hiernach sofort:

$$\overline{x} = \frac{\xi_3}{\xi_1} = \frac{\eta_3}{\eta_1}.$$

Indem wir $f \equiv \overline{y}$ setzen, kommt ferner:

$$\xi_1 \frac{\partial \overline{y}}{\partial x} + \eta_1 \frac{\partial \overline{y}}{\partial y} = 0,$$

$$\xi_2 \frac{\partial \overline{y}}{\partial x} + \eta_2 \frac{\partial \overline{y}}{\partial y} = 1,$$

woraus sich $\bar{y}$ durch eine Quadratur bestimmt. Die Reduction erfordert also eine Quadratur.

Reduction auf den zweiten Typus.

Ist *zweitens*

$$q, \quad xq, \quad xp + yq$$

der Typus, auf den die vorgelegte Gruppe reducierbar sein muss, und $\overline{U}_1$ ihre erste derivierte Gruppe, so wählen wir wieder in allgemeinster Weise $\overline{U}_2$, $\overline{U}_3$ so, dass die Zusammensetzung der vorgelegten Gruppe in der neuen Form genau die des Typus, d. h.

$$(\overline{U}_1 \overline{U}_2) \equiv 0, \quad (\overline{U}_1 \overline{U}_3) \equiv \overline{U}_1, \quad (\overline{U}_2 \overline{U}_3) \equiv 0$$

ist. Ist etwa

$$\overline{U}_i \equiv \xi_i p + \eta_i q$$
$$(i = 1, 2, 3),$$

so kommt das Gleichungensystem:

$$\xi_1 p + \eta_1 q = \frac{\partial f}{\partial \bar{y}},$$

$$\xi_2 p + \eta_2 q = \bar{x} \frac{\partial f}{\partial \bar{y}},$$

$$\xi_3 p + \eta_3 q = \bar{x} \frac{\partial f}{\partial \bar{x}} + \bar{y} \frac{\partial f}{\partial \bar{y}}.$$

Daraus folgt:

$$\bar{x} = \frac{\xi_2}{\xi_1} = \frac{\eta_2}{\eta_1}$$

und $f \equiv \bar{y}$ giebt:

$$\xi_1 \frac{\partial \bar{y}}{\partial x} + \eta_1 \frac{\partial \bar{y}}{\partial y} = 1,$$

$$\xi_3 \frac{\partial \bar{y}}{\partial x} + \eta_3 \frac{\partial \bar{y}}{\partial y} = \bar{y}.$$

Hieraus bestimmt sich bekanntlich $\bar{y}$ durch Quadraturen.

Reduction auf den dritten Typus.

Wir kommen zum *letzten* Fall, in dem U_1, U_2, U_3 auf die canonische Form

$$q, \quad p, \quad xq$$

zurückgeführt werden kann. Nachdem wir wieder $\overline{U}_1$, $\overline{U}_2$, $\overline{U}_3$ in allgemeinster Weise so aus der gegebenen Gruppe ausgewählt haben, dass sie von einander unabhängig sind, und dass sie dieselbe Zusammensetzung wie der Typus haben, also:

$$(\overline{U}_1 \overline{U}_2) \equiv 0, \quad (\overline{U}_1 \overline{U}_3) \equiv 0, \quad (\overline{U}_2 \overline{U}_3) \equiv \overline{U}_1$$

ist, setzen wir, wenn

$$\overline{U}_i \equiv \xi_i p + \eta_i q$$
$$(i = 1, 2, 3)$$

ist:

$$\xi_1 p + \eta_1 q = \frac{\partial f}{\partial \bar{y}},$$
$$\xi_2 p + \eta_2 q = \frac{\partial f}{\partial \bar{x}},$$
$$\xi_3 p + \eta_3 q = \bar{x}\frac{\partial f}{\partial \bar{y}}.$$

Hiernach wird:

$$\bar{x} = \frac{\xi_3}{\xi_1} = \frac{\eta_3}{\eta_1}$$

und $f \equiv \bar{y}$ liefert:

$$\xi_1 \frac{\partial \bar{y}}{\partial x} + \eta_1 \frac{\partial \bar{y}}{\partial y} = 1,$$
$$\xi_2 \frac{\partial \bar{y}}{\partial x} + \eta_2 \frac{\partial \bar{y}}{\partial y} = 0,$$

woraus $\bar{y}$ durch eine Quadratur berechnet wird.

In jedem Falle reichen also auch jetzt algebraische Operationen und höchstens Quadraturen zur Reduction der vorgelegten Gruppe aus. Es ist hierbei, wie in § 2 und § 3, zu bemerken, dass die $\overline{U}$ noch völlig willkürliche Constanten enthalten, demnach auch in den Werten von $\bar{x}$ und $\bar{y}$ solche auftreten. Sicherlich giebt es gewisse Werte der Constanten, für die $\bar{x}$, $\bar{y}$ in der That diejenigen neuen Veränderlichen sind, welche die Reduction leisten. Man würde sie in jedem Falle durch wirkliche Einsetzung von $\bar{x}$ und $\bar{y}$ in die $\overline{U}$ rein algebraisch bestimmen können. Aber man kann beweisen, dass diese Constanten in der That gänzlich willkürlich gewählt werden dürfen. Doch gehen wir darauf nicht ein.

Beispiel: Die Gruppe Beispiel.

$$p, \quad yp, \quad yq$$

soll in allgemeinster Weise auf ihre canonische Form zurückgeführt werden. Hier ist:

$$(U_1 U_2) \equiv 0, \quad (U_1 U_3) \equiv 0, \quad (U_2 U_3) \equiv -U_2.$$

$U_2 \equiv yp$ also stellt die erste derivierte Gruppe dar. Da U_2 nicht mit U_1 und U_3 vertauschbar ist, so ist der zugehörige Typus sicher nicht der dritte. Nun besteht zwischen den infinitesimalen Transformationen der Gruppe nur die folgende Relation

$$U_1 - \frac{1}{y} U_2 = 0$$

und es ist $(U_1 U_2) \equiv 0$. Daher ist die Gruppe auf den zweiten Typus

$$q, \quad xq, \quad xp + yq$$

reducierbar. Wir haben nun zu setzen:

$$\overline{U}_1 \equiv \alpha U_2,$$
$$\overline{U}_2 \equiv \beta_1 U_1 + \beta_2 U_2 + \beta_3 U_3,$$
$$\overline{U}_3 \equiv \gamma_1 U_1 + \gamma_2 U_2 + \gamma_3 U_3$$

und die Constanten α, β, γ so zu bestimmen, dass

$$\alpha \neq 0, \quad \beta_1\gamma_3 - \beta_3\gamma_1 \neq 0$$

und ausserdem

$$(\overline{U}_1\overline{U}_2) \equiv 0, \quad (\overline{U}_1\overline{U}_3) \equiv \overline{U}_1, \quad (\overline{U}_2\overline{U}_3) \equiv 0$$

wird. Dies liefert

$$\alpha\beta_3 = 0,$$

d. h. $\beta_3 = 0$, ferner:

$$-\alpha\gamma_3 = \alpha,$$

d. h. $\gamma_3 = -1$, und endlich

$$\beta_2\gamma_3 = 0,$$

d. h. $\beta_2 = 0$, sodass sich ergiebt und zu setzen ist:

$$\overline{U}_1 \equiv \alpha U_2 \equiv \alpha y p = \frac{\partial f}{\partial \bar{y}},$$
$$\overline{U}_2 \equiv \beta_1 U_1 \equiv \beta_1 p = \bar{x}\frac{\partial f}{\partial \bar{y}},$$
$$\overline{U}_3 \equiv \gamma_1 U_1 + \gamma_2 U_2 - U_3 \equiv$$
$$\equiv (\gamma_1 + \gamma_2 y)p - yq = \bar{x}\frac{\partial f}{\partial \bar{x}} + \bar{y}\frac{\partial f}{\partial \bar{y}}.$$

Hiernach ist:

$$\bar{x} = \frac{\beta_1}{\alpha y},$$

während $f \equiv \bar{y}$ liefert:

$$\alpha y \frac{\partial \bar{y}}{\partial x} = 1,$$

$$(\gamma_1 + \gamma_2 y)\frac{\partial \bar{y}}{\partial x} - y\frac{\partial \bar{y}}{\partial y} = \bar{y},$$

also zunächst

$$\bar{y} = \frac{x}{\alpha y} + \omega(y),$$

und, wenn dies in die zweite Gleichung eingesetzt wird:

$$(\gamma_1 + \gamma_2 y)\frac{1}{\alpha y} - \omega'(y)y = \omega,$$

woraus sich durch Quadratur ergiebt:

$$\omega = \frac{\gamma_1}{\alpha} \cdot \frac{1}{y} \lg y + \frac{\gamma_2}{\alpha},$$

sodass die neuen Veränderlichen diese sind:

$$\bar{x} = \frac{\beta_1}{\alpha y}, \quad \bar{y} = \frac{x}{\alpha y} + \frac{\gamma_1}{\alpha} \cdot \frac{\lg y}{y} + \frac{\gamma_2}{\alpha}.$$

Wirklich wird bei Einführung dieser neuen Variabeln:

$$\overline{U}_1 \equiv \alpha y p = \alpha y \cdot \frac{1}{\alpha y}\bar{q} = \bar{q},$$

$$\overline{U}_2 \equiv \beta_1 p = \beta_1 \cdot \frac{1}{\alpha y}\bar{q} = \bar{x}\bar{q},$$

$$\overline{U}_3 \equiv (\gamma_1 + \gamma_2 y)p - yq = (\gamma_1 + \gamma_2 y)\frac{1}{\alpha y}\bar{q} -$$

$$- y\left[-\frac{\beta_1}{\alpha y^2}\bar{p} + \left(-\frac{x}{\alpha y^2} + \frac{\gamma_1}{\alpha}\cdot\frac{1}{y^2} - \frac{\gamma_1}{\alpha}\frac{\lg y}{y^2}\right)\bar{q}\right]$$

$$= \frac{\beta_1}{\alpha y}\bar{p} + \left(\frac{x}{\alpha y} + \frac{\gamma_1}{\alpha}\frac{\lg y}{y} + \frac{\gamma_2}{\alpha}\right)\bar{q}$$

$$= \bar{x}\bar{p} + \bar{y}\bar{q}.$$

§ 5. Reduction der dreigliedrigen Gruppen, welche keine Differentialgleichung zweiter Ordnung invariant lassen, auf ihre canonische Form.

Wir haben von vornherein in den drei letzten Paragraphen diejenigen Typen von dreigliedrigen Gruppen von infinitesimalen Transformationen von der Betrachtung ausgeschlossen, welche bei der Integration von Differentialgleichungen zweiter Ordnung nicht vorkommen. (Vgl. § 1.) Da aber das in den §§ 2, 3, 4 behandelte Problem unabhängig von der Integration von Differentialgleichungen eine gewisse Bedeutung in der Gruppentheorie hat, so wollen wir uns nun noch fragen, wann eine Gruppe U_1f, U_2f, U_3f in x, y auf einen der ausgeschlossenen Typen, d. h. nach dem Schema des § 3 des 22. Kapitels auf eine der beiden Formen

$$q \quad yq \quad y^2q,$$
$$q \quad xq \quad X(x)q$$

reducibel und wie diese Reduction auszuführen ist.

Die Gruppe U_1, U_2, U_3 ist dann und nur dann auf einen dieser Typen zurückführbar, wenn U_2 und U_3 sich nur um von einander abhängige Factoren von U_1 unterscheiden. Insbesondere ist sie auf den ersten oder zweiten Typus reducibel, je nachdem ihre erste derivierte Gruppe 3- oder 0-gliedrig ist.

Sie sei zunächst 3-gliedrig, d. h. U_1, U_2, U_3 sei auf den *ersten* Typus (Reduction auf den ersten Typus.)

$$q, \quad yq, \quad y^2q$$

reducibel. Dann wählen wir $\overline{U}_1$, $\overline{U}_2$, $\overline{U}_3$ so von einander unabhängig in allgemeinster Weise aus der vorgelegten Gruppe aus, dass sie die Zusammensetzung des Typus ergeben, also

$$(\overline{U}_1\overline{U}_2)\equiv\overline{U}_1, \quad (\overline{U}_1\overline{U}_3)\equiv 2\,\overline{U}_2, \quad (\overline{U}_2\overline{U}_3)\equiv\overline{U}_3$$

wird. Ist etwa

$$\overline{U}_1\equiv\xi p+\eta q$$

und ist demnach

$$\overline{U}_2\equiv\varrho(\xi p+\eta q),$$
$$\overline{U}_3\equiv\sigma(\xi p+\eta q),$$

so wird angesetzt

$$\xi p+\eta q=\frac{\partial f}{\partial\bar y},$$
$$\varrho(\xi p+\eta q)=\bar y\,\frac{\partial f}{\partial\bar y},$$
$$\sigma(\xi p+\eta q)=\bar y^2\,\frac{\partial f}{\partial\bar y}.$$

Hiernach ist

$$\bar y=\varrho=\frac{\sigma}{\varrho},$$

während $\bar x$ die Differentialgleichung

$$\xi\,\frac{\partial\bar x}{\partial x}+\eta\,\frac{\partial\bar x}{\partial y}=0$$

erfüllen muss, d. h. als Integral der gewöhnlichen Differentialgleichung erster Ordnung:

$$\frac{dx}{\xi}=\frac{dy}{\eta}$$

bestimmt wird.

Reduction auf den zweiten Typus. Wenn *zweitens*:

$$q,\quad xq,\quad X(x)q$$

der Typus der Gruppe ist, in dem allerdings X noch unbekannt ist, so wählen wir $\overline{U}_1$, $\overline{U}_2$, $\overline{U}_3$ irgendwie von einander unabhängig aus der vorgelegten Gruppe aus. Es ist dann jedes $(\overline{U}_i\overline{U}_k)\equiv 0$. Wenn wieder:

$$\overline{U}_1\equiv\xi p+\eta q,$$
$$\overline{U}_2\equiv\varrho\,U_1,\quad \overline{U}_3\equiv\sigma\,U_1$$

wird, so setzen wir

$$\xi p+\eta q=\frac{\partial f}{\partial\bar y},$$
$$\varrho(\xi p+\eta q)=\bar x\,\frac{\partial f}{\partial\bar y},$$
$$\sigma(\xi p+\eta q)=X(\bar x)\,\frac{\partial f}{\partial\bar y}.$$

Hieraus folgt:

$$\bar x=\varrho$$

und

$$X(\bar x)=\sigma,$$

während sich $\bar y$ aus

$$\xi \frac{\partial \bar{y}}{\partial x} + \eta \frac{\partial \bar{y}}{\partial y} = 1$$

berechnet. Bekanntlich erfordert letzteres die Integration der gewöhnlichen Differentialgleichung erster Ordnung

$$\frac{dx}{\xi} = \frac{dy}{\eta}$$

und eine Quadratur.

Das Gesamtergebnis der §§ 2 bis 5 ist dieses: Zusammenfassung.

Theorem 47: *Die Zurückführung einer dreigliedrigen Gruppe von infinitesimalen Transformationen der Ebene, welche nicht sämtlich dieselben Bahncurven haben, auf ihre canonische Form erfordert ausser ausführbaren Operationen höchstens einige Quadraturen. Haben jedoch alle infinitesimalen Transformationen der Gruppe dieselben Bahncurven, so verlangt die Zurückführung unter Umständen auch die Integration einer gewöhnlichen Differentialgleichung erster Ordnung in zwei Veränderlichen.*

Kapitel 24.

Integration einer gewöhnlichen Differentialgleichung zweiter Ordnung in x, y, welche eine bekannte dreigliedrige Gruppe von infinitesimalen Transformationen gestattet.

In § 1 des vorigen Kapitels skizzierten wir den Weg, auf welchem eine gewöhnliche Differentialgleichung zweiter Ordnung in x, y, welche eine bekannte dreigliedrige Gruppe von infinitesimalen Transformationen gestattet, integriert werden kann: Zunächst bringen wir die dreigliedrige Gruppe, welche eine der in §§ 2, 3, 4 des vorigen Kapitels betrachteten ist, auf ihre canonische Form. Die Bestimmung der dazu nötigen neuen Veränderlichen verlangt nach Theorem 47 (§ 5 des 23. Kap.) ausser ausführbaren Operationen höchstens einige Quadraturen.

Durch Einführung der neuen Veränderlichen geht die vorgelegte Differentialgleichung in eine solche über, welche bei einer der typischen dreigliedrigen Gruppen invariant bleibt. Es fragt sich demnach nur noch, wie man diejenigen Differentialgleichungen zweiter Ordnung in zwei Veränderlichen integriert, welche einen der Typen von dreigliedrigen Gruppen von infinitesimalen Transformationen gestatten.

Wir werden daher die bei jedem der Typen invarianten Differentialgleichungen zweiter Ordnung aufstellen und zu integrieren suchen.

Noch bemerken wir, dass wir nachher, in § 3, diejenige Integrationsmethode entwickeln, nach der die Zurückführung auf die canonischen Formen in den meisten Fällen nicht nötig ist, und auf welche wir schon im vorigen Kapitel hindeuteten.

§ 1. Die gewöhnlichen Differentialgleichungen zweiter Ordnung, welche eine dreigliedrige Gruppe vom Typus 1 oder 2 gestatten.

Typus 1. Der Typus 1 des in § 3 des 22. Kap. angegebenen Schemas hat die Form:

$$p + q, \quad xp + yq, \quad x^2 p + y^2 q.$$

Wir fragen nach denjenigen Differentialgleichungen zweiter Ordnung:

$$y'' - \omega(x, y, y') = 0,$$

welche diese drei infinitesimalen Transformationen gestatten. Dazu benutzen wir das Theorem 35 des § 3, 16. Kap.

Soll die Gleichung $y'' - \omega = 0$ die infinitesimale Transformation $p + q$ gestatten, so muss ω danach diese Bedingung erfüllen:

$$\frac{\partial \omega}{\partial x} + \frac{\partial \omega}{\partial y} = 0,$$

d. h. ω hat die Form:

$$\omega \equiv \omega(x - y, y').$$

Soll sie auch $xp + yq$ gestatten, so muss dies ω ferner der Gleichung genügen:

$$\omega + x \frac{\partial \omega}{\partial x} + y \frac{\partial \omega}{\partial y} = 0.$$

Bezeichnen wir $x - y$ für den Augenblick mit u, so ist:

$$\frac{\partial \omega}{\partial x} \equiv \frac{\partial \omega}{\partial u}, \quad \frac{\partial \omega}{\partial y} \equiv - \frac{\partial \omega}{\partial u},$$

die Bedingung geht also über in:

$$\omega + u \frac{\partial \omega}{\partial u} = 0,$$

sodass ω die Form hat:

$$\omega \equiv \frac{f(y')}{u}.$$

Nun soll $y'' - \omega = 0$ auch $x^2 p + y^2 q$ gestatten, und daraus folgt die letzte Bedingung:

$$2y'^2 - 2y' + (2y - 4x)\omega - 2y'(y - x)\frac{\partial \omega}{\partial y'} - \\ - x^2 \frac{\partial \omega}{\partial x} - y^2 \frac{\partial \omega}{\partial y} = 0.$$

Da

$$\frac{\partial \omega}{\partial y'} \equiv \frac{f'}{u}, \quad \frac{\partial \omega}{\partial x} \equiv - \frac{f}{u^2}, \quad \frac{\partial \omega}{\partial y} = \frac{f}{u^2}$$

ist, so nimmt sie die Gestalt an:

$$2y'^2 - 2y' - 3f + 2y'f'(y') = 0.$$

Dies ist eine lineare Differentialgleichung erster Ordnung in f und y', deren Integration in bekannter Weise liefert:

$$f \equiv -2y' - 2ay'\sqrt{y'} - 2y'^2,$$

sodass die gesuchte Differentialgleichung zweiter Ordnung lautet:

$$y'' + 2\frac{y' + ay'\sqrt{y'} + y'^2}{x - y} = 0.$$

a ist darin eine beliebige Constante.

Es fragt sich nun, wie man diese gefundene Differentialgleichung zweiter Ordnung integriert. Dazu verwerthen wir die Thatsache, dass sie die zweigliedrige Gruppe

$$p + q, \quad xp + yq$$

gestattet, wo $(p + q, xp + yq) \equiv p + q$ ist. Nach § 4 des 20. Kapitels fangen wir die Integration also so an. Wir bilden:

$$Af \equiv p + y'q + \omega q' \quad \left(q' \equiv \frac{\partial f}{\partial y'}\right)$$

und erweiteren unsere beiden infinitesimalen Transformationen:

$$U_1 f \equiv p + q,$$
$$U_2 f \equiv xp + yq.$$

Durch Erweiterung tritt kein Glied mit q' hinzu. Ein erstes Integral ist daher:

$$\int \frac{\begin{vmatrix} dx & dy & dy' \\ 1 & y' & \omega \\ 1 & 1 & 0 \end{vmatrix}}{\begin{vmatrix} 1 & y' & \omega \\ 1 & 1 & 0 \\ x & y & 0 \end{vmatrix}} \equiv \int \left(\frac{du}{u} + \frac{(1 - y')dy'}{2(y' + ay'\sqrt{y'} + y'^2)}\right).$$

Die Ausführung der Quadratur liefert das Integral

$$\lg(x - y) + \tfrac{1}{2}\lg y' - \lg(1 + a\sqrt{y'} + y')$$

oder also das Integral:

$$\varphi \equiv \frac{(x - y)\sqrt{y'}}{1 + a\sqrt{y'} + y'}.$$

Man kann nun fernerhin die Gleichung

$$\varphi \equiv \frac{(x - y)\sqrt{y'}}{1 + a\sqrt{y'} + y'} = \text{Const.} = \frac{1}{b}$$

integrieren. Bezeichnet man nämlich $\frac{b(x - y) - a}{2}$ mit v, so kommt durch Auflösung der letzten Gleichung nach y':

$$y' = 2v^2 + 2v\sqrt{v^2-1} - 1,$$

also, da

$$v' = \frac{b}{2}(1-y')$$

ist:

$$\frac{v'}{b} = 1 - v^2 - v\sqrt{v^2-1},$$

sodass

$$\int \frac{dv}{1 - v^2 - v\sqrt{v^2-1}} - bx = \text{Const.} = c$$

oder also:

$$\frac{1}{v + \sqrt{v^2-1}} - bx = c$$

die gesuchte vollständige Integralgleichung unserer Differentialgleichung zweiter Ordnung ist. Sie lässt sich auch so schreiben:

$$2v = \frac{1}{bx+c} + bx + c$$

oder da

$$v \equiv \frac{b(x-y) - a}{2}$$

ist:

$$\frac{1}{bx+c} + by + c + a = 0.$$

Wenn also eine vorgelegte Differentialgleichung zweiter Ordnung eine bekannte dreigliedrige Gruppe von infinitesimalen Transformationen vom Typus 1 gestattet, so wird ihre Integration dadurch geleistet, dass man durch ausführbare Operationen (siehe § 2 des 23. Kap.) canonische Veränderliche x, y einführt. Sie wird dadurch auf die soeben integrierte Form gebracht.

Typus 2. Wir suchen nun die beim Typus 2:

$$p, \quad 2xp + yq, \quad x^2p + xyq$$

invarianten Differentialgleichungen zweiter Ordnung in genau derselben Weise. Nach Theorem 35 (§ 3 des 16. Kap.) ist die Differentialgleichung

$$y'' - \omega(x, y, y') = 0$$

nur dann bei allen drei infinitesimalen Transformationen invariant, wenn ω die Bedingungen erfüllt:

$$\frac{\partial \omega}{\partial x} = 0,$$

$$-3\omega + y'\frac{\partial \omega}{\partial y'} - 2x\frac{\partial \omega}{\partial x} - y\frac{\partial \omega}{\partial y} = 0,$$

$$3x\omega + (y - xy')\frac{\partial \omega}{\partial y'} + x^2\frac{\partial \omega}{\partial x} + xy\frac{\partial \omega}{\partial y} = 0.$$

Nach der ersten enthält ω nur y und y', sodass sich die zweite reduciert auf:

$$-3 + y'\frac{\partial \lg \omega}{\partial y'} - y\frac{\partial \lg \omega}{dy} = 0.$$

Diese ist äquivalent dem simultanen System:

$$\frac{dy'}{y'} = \frac{dy}{-y} = \frac{d \lg \omega}{3},$$

das die beiden Integrale yy' und $\left(\frac{\omega}{y'^3}\right)$ besitzt, sodass ω die Form hat:

$$\omega \equiv y'^3 f(yy').$$

Sonach giebt die dritte Bedingung

$$3f(yy') + yy'f'(yy') = 0,$$

d. h.

$$f \equiv \frac{a}{y^3 y'^3}.$$

Die gesuchte Differentialgleichung zweiter Ordnung lautet daher so:

$$y'' - \frac{a}{y^3} = 0.$$

Wir könnten diese Differentialgleichung mit Benutzung des Umstandes, dass sie die zweigliedrige Gruppe p, $2xp + yq$ gestattet, nach unserer allgemeinen Theorie integrieren. Aber die Integration ist auch ohne diese sehr einfach. Die Gleichung lässt sich so schreiben:

$$2y'y'' - \frac{2ay'}{y^3} = 0$$

und liefert integriert:

$$y'^2 + \frac{a}{y^2} = \text{Const.} = b.$$

Es kommt also:

$$y' = \frac{\sqrt{by^2 - a}}{y},$$

d. h.:

$$\int \frac{y\,dy}{\sqrt{by^2 - a}} - x = \text{Const.} = c$$

als vollständige Integralgleichung. Die Ausführung der Quadratur giebt:

$$\frac{1}{b}\sqrt{by^2 - a} - x = c$$

oder

$$by^2 = b^2(x + c)^2 + a.$$

Liegt eine gewöhnliche Differentialgleichung zweiter Ordnung vor, die eine Gruppe von infinitesimalen Transformationen vom Typus 2 gestattet, so integrieren wir sie also dadurch, dass wir canonische Veränderliche einführen, wozu einige Quadraturen hinreichen (vgl. § 2 des 23. Kap.), denn alsdann nimmt sie die eben betrachtete integrabele Form an.

§ 2. Die gewöhnlichen Differentialgleichungen zweiter Ordnung, welche eine dreigliedrige Gruppe gestatten, deren erste derivierte weniger als dreigliedrig ist.

In ähnlicher Weise wie wir im § 1 die Typen 1 und 2 erledigten, führen wir nun die Rechnungen für die übrigen Typen durch. Wir geben die einzelnen Schritte nur noch schematisch an, da sich doch immer dieselben Bemerkungen wiederholen würden.

4., 6. und 10. Typus:

$$p, \quad q, \quad xp + cyq.$$

$$p)\ \frac{\partial \omega}{\partial x} = 0, \quad q)\ \frac{\partial \omega}{\partial y} = 0,$$

$$xp + cyq)\ (c-2)\omega - y'(c-1)\frac{d\omega}{dy'} = 0,$$

d. h.

$$\omega \equiv \text{Const.}\, y'^{\frac{c-2}{c-1}};$$

also lautet die Differentialgleichung:

$$y'' - ay'^{\frac{c-2}{c-1}} = 0.$$

Sie kann offenbar ohne weiteres integriert werden. Wenn insbesondere $c = 1$ ist, so kommt $\omega \equiv 0$ und die Differentialgleichung lautet einfach:

$$y'' = 0.$$

5., 7. und 11. Typus:

$$q, \quad xq, \quad (1-c)\,xp + yq.$$

$$q)\ \frac{\partial \omega}{\partial y} = 0, \quad xq)\ \frac{\partial \omega}{\partial y'} = 0,$$

$$(1-c)\,xp + yq)\ (2c-1)\omega + (c-1)x\frac{d\omega}{dx} = 0,$$

d. h.

$$\omega \equiv \text{Const.}\, x^{\frac{1-2c}{c-1}},$$

$$y'' - ax^{\frac{1-2c}{c-1}} = 0.$$

Die Integration ist sofort zu leisten. Für $c = 1$ jedoch folgt $\omega \equiv 0$ und die Differentialgleichung lautet:

$$y'' = 0.$$

8. Typus, der nach Vertauschung von x mit y die bequemere Form annimmt:

$$p, \quad q, \quad xp + (x+y)q.$$

$$p)\ \frac{\partial \omega}{\partial x} = 0, \quad q)\ \frac{\partial \omega}{\partial y} = 0,$$

$$xp + (x+y)q) \quad \omega + \frac{d\omega}{dy'} = 0,$$

d. h.

$$\omega \equiv a e^{-y'},$$

$$y'' - a e^{-y'} = 0.$$

Die Integration macht keine Schwierigkeiten.

9. Typus:

$$q, \quad xq, \quad p + yq.$$

$$q) \; \frac{\partial \omega}{\partial y} = 0, \quad xq) \; \frac{\partial \omega}{\partial y'} = 0,$$

$$p + yq) \quad \omega - \frac{d\omega}{dx} = 0,$$

d. h.

$$\omega \equiv a e^{x},$$

$$y'' - a e^{x} = 0.$$

Diese Differentialgleichung ist sofort integrierbar.

12. Typus:

$$p, \quad q, \quad xq.$$

$$p) \; \frac{\partial \omega}{\partial x} = 0, \quad q) \; \frac{\partial \omega}{\partial y} = 0, \quad xq) \; \frac{\partial \omega}{\partial y'} = 0,$$

d. h.

$$\omega \equiv \text{Const.} = a,$$

$$y'' - a = 0.$$

Auch diese Gleichung lässt sich ohne weiteres integrieren.

§ 3. Zusammenfassung der Ergebnisse. Vermeidung der Reduction auf canonische Formen.

Nunmehr können wir die Ergebnisse dieses Kapitels offenbar in diesem Theorem zusammenfassen: Zusammenfassung.

Theorem 48: *Gestattet eine vorgelegte gewöhnliche Differentialgleichung zweiter Ordnung in x, y eine bekannte dreigliedrige Gruppe von infinitesimalen Punkttransformationen, so verlangt ihre Integration ausser ausführbaren Operationen nur noch in einzelnen Fällen einige Quadraturen.*

Denn nach Theorem 47 (§ 5 des 23. Kap.) verlangt die Reduction der Gruppe auf ihre canonische Form höchstens einige Quadraturen. Nach der Reduction aber ist die Differentialgleichung ohne weiteres integrabel.

Nachstehend stellen wir die Ergebnisse in Form einer Tabelle übersichtlich zusammen:

$p+q \quad xp+yq \quad x^2p+y^2q$	$y''+2\frac{y'+ay'\sqrt{y'}+y'^2}{x-y}=0.$
$p \quad 2xp+yq \quad x^2p+xyq$	$y''-\frac{a}{y^3}=0.$
$p \quad q \quad xp+cyq \quad c \neq 1$	$y''-ay'^{\frac{c-2}{c-1}}=0.$
$p \quad q \quad xp+yq$	$y''=0.$
$q \quad xq \quad (1-c)xp+yq \quad c \neq 1$	$y''-ax^{\frac{1-2c}{c-1}}=0.$
$q \quad xq \quad yq$	$y''=0.$
$p \quad q \quad xp+(x+y)q$	$y''-ae^{-y'}=0.$
$q \quad xq \quad p+yq$	$y''-ae^{x}=0.$
$p \quad q \quad xq$	$y''-a=0.$

Unter den angegebenen Typen der Differentialgleichungen zweiter Ordnung, welche eine dreigliedrige Gruppe von infinitesimalen Transformationen gestatten, sind, wie man leicht durch Rechnung findet, vier enthalten, welche nicht mehr als drei von einander unabhängige infinitesimale Transformationen zulassen. Es ist dies der erste, zweite, dritte und siebente. Dabei ist vorausgesetzt, dass in denselben $a \neq 0$ angenommen wird. Alle übrigen aber bleiben bei mehr als drei, nämlich bei acht von einander unabhängigen infinitesimalen Transformationen invariant und lassen sich durch Einführung neuer Variabeln auf die Form $y''=0$ bringen, da sie sämtlich die Form $y''-\varphi(x)=0$ haben. Bekanntlich gestattet $y''=0$ die acht von einander unabhängigen infinitesimalen projectiven Transformationen.

Vermeidung der Reduction auf canonische Formen.

Schliesslich wollen wir noch hervorheben, *dass die Integration einer gewöhnlichen Differentialgleichung zweiter Ordnung, welche eine bekannte dreigliedrige Gruppe von infinitesimalen Transformationen gestattet, in den meisten Fällen die Reduction der Gruppe und der Differentialgleichung auf ihre canonische Form* **nicht** *verlangt.* Wenn nämlich die Gleichung

$$y''-\omega(x,y,y')=0$$

die dreigliedrige Gruppe U_1f, U_2f, U_3f gestattet, so gestattet die zugehörige lineare partielle Differentialgleichung

$$Af \equiv \frac{\partial f}{\partial x} + y' \frac{\partial f}{\partial y} + \omega \frac{\partial f}{\partial y'} = 0$$

die drei einmal erweiterten infinitesimalen Transformationen $U_1'f$, $U_2'f$, $U_3'f$. (Vgl. Satz 7, § 3 des 16. Kap.) Es besteht aber zwischen vier Symbolen in drei Veränderlichen, wie hier zwischen Af, $U_1'f$, $U_2'f$, $U_3'f$ immer eine lineare Relation, etwa diese:

$$U_3'f \equiv u_1 U_1'f + u_2 U_2'f + vAf,$$

wo sich u_1, u_2 und v als Functionen von x, y, y' auf algebraischem Wege berechnen lassen. Nach Theorem 31 (§ 3 des 15. Kap.) sind alsdann, vorausgesetzt, dass nicht schon zwischen $U_1'f$, $U_2'f$ und Af eine lineare Relation besteht, die Coefficienten u_1 und u_2 Lösungen von $Af = 0$. Um zu erkennen, ob dieselben in den einzelnen Fällen auch unabhängig von einander sind, nehmen wir jetzt vorerst die Gruppe U_1f, U_2f, U_3f in ihrer canonischen Form an.

Ist dies die Gruppe $p + q$, $xp + yq$, $x^2p + y^2q$, so ist nach dem Obigen:

$$\omega \equiv -2 \frac{y' + ay'\sqrt{y'} + y'^2}{x - y},$$

also:

$$\begin{aligned} Af &\equiv p + y'q - 2 \frac{y' + ay'\sqrt{y'} + y'^2}{x - y} q', \\ U_1'f &\equiv p + q, \\ U_2'f &\equiv xp + yq, \\ U_3'f &\equiv x^2p + y^2q + 2(y - x)y'q', \end{aligned}$$

wo $q' \equiv \frac{\partial f}{\partial y'}$ sein soll. Hier besteht zwischen Af, $U_1'f$ und $U_2'f$ keine lineare Relation, wohl aber lässt sich $U_3'f$ linear durch diese ausdrücken. Berechnen wir nämlich aus den ersten drei Gleichungen p, q und q' und setzen die gefundenen Werte in $U_3'f$ ein, so kommt:

$$U_3'f \equiv -\left\{xy + \frac{2y'}{\omega}(y - xy')\right\} U_1'f + \left\{x + y + \frac{2y'}{\omega}(1 - y')\right\} U_2'f - \\ - 2\frac{(x-y)y'}{\omega} Af.$$

Hierin sind die Coefficienten von $U_1'f$ und $U_2'f$ wegen des obigen Wertes von ω von einander unabhängig und sie stellen also gleich Const. gesetzt die Integralgleichungen von $y'' - \omega = 0$ dar, aus denen man durch Elimination von y' die gewünschte Gleichung zwischen x, y und zwei Constanten erhält.

Sobald also die Gruppe U_1f, U_2f, U_3f zum soeben betrachteten Typus gehört, giebt die Relation:

$$U_3'f \equiv u_1 U_1'f + u_2 U_2'f + vAf$$

stets von einander unabhängige Lösungen u_1 und u_2. Diese Relation aber kann man immer aufstellen, *ohne* die Gruppe auf ihre canonische Form gebracht zu haben. Ähnliches gilt in den meisten anderen Fällen.

Wenn nämlich *zweitens* die Gruppe auf die Form

$$p, \quad 2xp + yq, \quad x^2p + xyq$$

gebracht werden kann, so wird zugleich nach der obigen Tabelle

$$\omega \equiv \frac{a}{y^3}.$$

Hier haben wir also:

$$\begin{aligned} Af &\equiv p + y'q + \frac{a}{y^3}q', \\ U_1'f &\equiv p, \\ U_2'f &\equiv 2xp + yq - y'q', \\ U_3'f &\equiv x^2p + xyq + (y - xy')q'. \end{aligned}$$

Hier besteht zwischen Af, $U_1'f$ und $U_2'f$ ebenfalls keine Relation, dagegen drückt sich $U_3'f$ durch diese aus. Es kommt ja:

$$\begin{vmatrix} Af & 1 & y' & \frac{a}{y^3} \\ U_1'f & 1 & 0 & 0 \\ U_2'f & 2x & y & -y' \\ U_3'f & x^2 & xy & y - xy' \end{vmatrix} \equiv 0$$

oder:

$$U_3'f \equiv -\left\{x^2 + \frac{y^2 - 2xyy'}{y'^2 + \frac{a}{y^2}}\right\} U_1'f + \left\{x - \frac{yy'}{y'^2 + \frac{a}{y^2}}\right\} U_2'f + \\ + \frac{y^2}{y'^2 + \frac{a}{y^2}} Af.$$

Auch hier sind die Coefficienten von $U_1'f$ und $U_2'f$ von einander unabhängige Lösungen von $Af = 0$.

Im *dritten* Fall p, q, $xp + cyq$ ist $\omega \equiv ay'^n$, wo $n = \frac{c-2}{c-1}$ und $c \neq 1$ ist. Hier besteht auch nur die eine Relation:

$$\begin{vmatrix} Af & 1 & y' & ay'^n \\ U_1'f & 1 & 0 & 0 \\ U_2'f & 0 & 1 & 0 \\ U_3'f & x & cy & (c-1)y' \end{vmatrix} \equiv 0$$

oder:

$$U_3'f \equiv \left(x - \frac{c-1}{ay'^{n-1}}\right) U_1'f + \left(cy - \frac{c-1}{ay'^{n-2}}\right) U_2'f + \frac{c-1}{ay'^{n-1}} Af$$

und folglich geben auch hier die Coefficienten von $U_1'f$ und $U_2'f$ zwei von einander unabhängige Lösungen von $Af = 0$, sobald $a \neq 0$ ist. Wenn aber $a = 0$ ist, so ergiebt sich nur diese Relation:

$$U_1'f \equiv -y' U_2'f + Af,$$

die *nur eine* Lösung y' von $Af = 0$ liefert.

Im Fall $p, q, xp + yq$ ist $\omega \equiv 0$ und es besteht schon zwischen

$$Af \equiv p + y'q,$$
$$U_1'f \equiv p,$$
$$U_2'f \equiv q$$

eine lineare Relation:

$$U_1'f \equiv -y' U_2'f + Af,$$

worin der Coefficient y' von $U_2'f$ eine Lösung von $Af = 0$ darstellt. Ferner ist hier

$$U_3'f \equiv xp + yq$$

und also

$$U_3'f \equiv (y - xy')\, U_2'f + xAf,$$

sodass der Coefficient $y - xy'$, der von y' unabhängig ist, eine zweite Lösung von $Af = 0$ liefert.

Liegt eine Gruppe vom Typus $q, xq, (1 - c)xp + yq$ vor, so ist $\omega \equiv ax^n$, wo $n = \frac{1 - 2c}{c - 1}$ und $c \neq 1$ ist. Zwischen Af und den $U'f$ besteht dann nur diese Relation:

$$U_3'f \equiv \{y + (1-c)ax^{n+2} - xy'\}\, U_1'f + \{cy' - (1-c)ax^{n+1}\}\, U_2'f + \\ + (1 - c)xAf$$

und hier sind die Coefficienten von $U_1'f$ und $U_2'f$ von einander unabhängige Lösungen von $Af = 0$.

Im nächsten Falle q, xq, yq ist $\omega \equiv 0$ und die einzige Relation ist diese:

$$U_3'f \equiv (y - xy')\, U_1'f + y' U_2'f,$$

in der $y - xy'$ und y' von einander unabhängige Lösungen von $Af = 0$ sind.

Ist die Gruppe vom Typus $p, q, xp + (x + y)q$, bei dem $\omega \equiv ae^{-y'}$ ist, so besteht nur diese Relation:

$$U_3'f \equiv \left(x - \frac{e^{y'}}{a}\right) U_1'f + \left(x + y - y' \frac{e^{y'}}{a}\right) U_2'f + \frac{e^{y'}}{a} Af,$$

in welcher wiederum die Coefficienten von $U_1'f$ und $U_2'f$ von einander unabhängig sind, sobald $a \neq 0$ ist. Für $a = 0$ dagegen kommt:

$$U_1'f \equiv -y' U_2'f + Af.$$

Diese Gleichung aber liefert *nur eine* Lösung y' von $Af = 0$.

Beim Typus q, xq, $p + yq$ ist $\omega \equiv ae^x$ und die einzige Relation lautet:

$$U_3'f \equiv (y + axe^x - y' - xy')\, U_1'f + (y' - ae^x)\, U_2'f + Af.$$

Sie giebt zwei von einander unabhängige Lösungen, auch wenn $a = 0$ ist.

Endlich beim letzten Typus p, q, xq ist $\omega \equiv a$ und es existiert nur diese Relation:

$$U_3'f \equiv -\frac{1}{a}\, U_1'f - \left(\frac{y'}{a} - x\right) U_2'f + \frac{1}{a}\, Af.$$

Sie ergiebt *nur eine* Lösung $\frac{y'}{a} - x$ von $Af = 0$, sobald $a \neq 0$ ist. Für $a = 0$ haben wir

$$U_1'f \equiv -y'\, U_2'f + Af$$

und so ergiebt sich auch dann *nur eine* Lösung von $Af = 0$.

Wir sehen also: Nur in wenigen Ausnahmefällen liefern die Relationen zwischen Af und den $U'f$ nicht zwei von einander unabhängige Lösungen. Sehen wir von diesen Ausnahmefällen ab, so folgt, *dass wir, ohne die canonischen Variabeln einzuführen, die vorgelegte Differentialgleichung durch rein algebraische Processe integrieren können*, denn die Relationen, welche zwischen Af und $U_1'f$, $U_2'f$, $U_3'f$ bestehen, lassen sich stets aufstellen, ohne dass man nötig hat, zu den typischen Formen seine Zuflucht zu nehmen.

In den bezeichneten Ausnahmefällen werden wir dagegen nur eine Lösung der Gleichung $Af = 0$ auf rein algebraischem Wege finden, während sich eine zweite nach unseren früheren Theorien durch Quadratur bestimmen lässt.

Kapitel 25.

Lineare partielle Differentialgleichungen in vier Veränderlichen und gewöhnliche Differentialgleichungen dritter Ordnung in x, y.

Vom 16. Kapitel an haben wir uns mit der Integration von gewöhnlichen Differentialgleichungen zweiter Ordnung in x, y beschäftigt, indem wir voraussetzten, dass sie eine bekannte eingliedrige (16. Kap.) oder eine bekannte zweigliedrige (18. bis 20. Kap.) oder endlich eine bekannte dreigliedrige Gruppe von infinitesimalen Transformationen (24. Kap.) gestatten sollten. In ähnlicher Weise könnten wir fortfahren. Wir wollen uns jedoch statt dessen in diesem Kapitel mit den gewöhnlichen Differentialgleichungen *dritter* Ordnung und ihrer

Integration beschäftigen für den Fall, dass sie *eine bekannte dreigliedrige Gruppe* von infinitesimalen Transformationen gestatten. Dies erfordert einige Vorbereitungen in den folgenden §§ 1 und 2.

§ 1. Über das Problem der Integration von gewöhnlichen Differentialgleichungen dritter Ordnung mit bekannter dreigliedriger Gruppe.

Zunächst fragt es sich, was es überhaupt heisst, *dass eine gewöhnliche Differentialgleichung dritter Ordnung* Diffgl. 3. O., die eine inf. Trf. gestattet.

$$y''' - \omega(x, y, y', y'') = 0$$

eine infinitesimale Punkttransformation $Uf \equiv \xi p + \eta q$ *gestattet.* Sie gestattet sie dann und nur dann, wenn sie die ∞^3 Integralcurven unter einander vertauscht oder, was auf dasselbe hinauskommt, wenn die dreimal erweiterte infinitesimale Transformation Uf der linken Seite der Differentialgleichung ein Increment erteilt von der Form:

$$\varrho(y''' - \omega)\delta t,$$

wo ϱ irgend ein offenbar von y''' freier Factor ist. Natürlich bedarf es eigentlich eines Beweises, dass diese beiden Thatsachen sich mit einander decken, aber wir verzichten darauf. Der Beweis ist ganz analog dem Beweise, die wir für den Fall einer Differentialgleichung zweiter Ordnung gaben. Wir werden überhaupt noch einige unbewiesene Sätze in diesem Kapitel benutzen. Die Entwickelungen dieses Kapitels sollen eben nur dem Leser einige Einblicke in weitere Theorien gewähren und ihn zu tiefergehenden Studien vorbereiten.

Es lässt sich nun zweitens darthun, *dass, wenn die Differentialgleichung*

$$y''' - \omega(x, y, y', y'') = 0$$

die infinitesimale Transformation

$$Uf \equiv \xi p + \eta q$$

gestattet, alsdann auch die lineare partielle Differentialgleichung in vier Veränderlichen x, y, y', y'':

$$Af \equiv \frac{\partial f}{\partial x} + y' \frac{\partial f}{\partial y} + y'' \frac{\partial f}{\partial y'} + \omega \frac{\partial f}{\partial y''} = 0,$$

die der Gleichung $y''' - \omega = 0$ *äquivalent ist, die infinitesimale Transformation*

$$U''f \equiv \xi p + \eta q + \eta' q' + \eta'' q''$$

gestattet, welche aus Uf *durch zweimalige Erweiterung hervorgeht, und umgekehrt.* Auch diesen ziemlich selbstverständlichen Satz geben wir ohne Beweis an.

Wir wollen uns das Problem stellen, *eine vorgelegte gewöhnliche*

Diffgl. 3. O. die eine dreigl. Gr. gestattet.

Differentialgleichung dritter Ordnung in x, y zu integrieren, welche eine bekannte dreigliedrige Gruppe von infinitesimalen Punkttransformationen U_1f, U_2f, U_3f zulässt. Nach dem Obigen lässt sich dieses Problem auch so aussprechen: Es soll die lineare partielle Differentialgleichung in x, y, y', y'':

$$Af \equiv \frac{\partial f}{\partial x} + y' \frac{\partial f}{\partial y} + y'' \frac{\partial f}{\partial y'} + \omega(x, y, y', y'') \frac{\partial f}{\partial y''} = 0$$

integriert werden, welche eine bekannte dreigliedrige Gruppe von infinitesimalen Transformationen $U_1''f$, $U_2''f$, $U_3''f$ gestattet. Erweitert man nämlich U_1, U_2, U_3 zweimal, so bilden auch die hervorgehenden infinitesimalen Transformationen U_1'', U_2'', U_3'' in den vier Veränderlichen x, y, y', y'' eine dreigliedrige Gruppe, denn wegen:

$$(U_i U_k)'' \equiv (U_i'' U_k'')$$

(vgl. Satz 3, § 1 des 17. Kap.) folgt aus

$$(U_i U_k) \equiv \sum_1^4{}_s c_{iks} U_s,$$

dass auch

$$(U_i'' U_k'') \equiv \sum_1^4{}_s c_{iks} U_s''$$

ist, d. h. die U'' eine Gruppe von infinitesimalen Transformationen bilden.

Lin. part. Diffgl. in 4 Var. mit 3gl. Gruppe.

Hierdurch werden wir zu dem folgenden allgemeinen Problem geführt: *Eine vorgelegte lineare partielle Differentialgleichung in x_1, x_2, x_3, x_4:*

$$Af \equiv \alpha_1(x_1 \cdots x_4) \frac{\partial f}{\partial x_1} + \alpha_2(x_1 \cdots x_4) \frac{\partial f}{\partial x_2} + \alpha_3(x_1 \cdots x_4) \frac{\partial f}{\partial x_3} + \\ + \alpha_4(x_1 \cdots x_4) \frac{\partial f}{\partial x_4} = 0$$

zu integrieren, welche eine bekannte dreigliedrige Gruppe von infinitesimalen Transformationen in den vier Veränderlichen x_1, x_2, x_3, x_4:

$$U_k \equiv \xi_{k1}(x_1 \cdots x_4) \frac{\partial f}{\partial x_1} + \xi_{k2}(x_1 \cdots x_4) \frac{\partial f}{\partial x_2} + \xi_{k3}(x_1 \cdots x_4) \frac{\partial f}{\partial x_3} + \\ + \xi_{k4}(x_1 \cdots x_4) \frac{\partial f}{\partial x_4}$$
$$(k = 1, 2, 3)$$

gestattet, d. h. für welche jedes $(U_k A)$ die Form hat:

$$(U_k A) \equiv \lambda_k(x_1 \cdots x_4) \cdot Af$$

(siehe Theorem 29, § 2 des 15. Kap.).

Das Verfahren, welches wir einschlagen werden, um dies Problem zu erledigen, ist analog dem in § 2 des 20. Kapitels gegebenen, wo es sich darum handelte, eine lineare partielle Differentialgleichung in drei Veränderlichen mit bekannter zweigliedriger Gruppe zu integrieren. Wie wir dort den Begriff eines zweigliedrigen vollständigen Systems in drei Veränderlichen benutzten, so werden wir in der Folge von dem Begriff *eines dreigliedrigen vollständigen Systems in vier Veränderlichen* Gebrauch machen müssen. Daher wollen wir ihn hier kurz auseinandersetzen, auf nähere Begründung verzichtend. Dreigliedr. vollständ. System.

Eine lineare partielle Differentialgleichung $Af = 0$ in vier Veränderlichen besitzt bekanntlich drei von einander unabhängige Lösungen, und jede Function derselben ist eine Lösung. Untersucht man, wann drei von einander unabhängige (vgl. § 2 des 10. Kap.) lineare partielle Differentialgleichungen

$$A_1 f = 0, \quad A_2 f = 0, \quad A_3 f = 0$$

in vier Veränderlichen mindestens eine gemeinsame Lösung besitzen, so findet man, dass dazu notwendig und hinreichend ist, dass die $(A_i A_k) = 0$ nur Folgen der drei Gleichungen sind, d. h. die $(A_i A_k)$ sich linear mit von $x_1 \cdots x_4$ abhängigen Coefficienten durch $A_1 f$, $A_2 f$, $A_3 f$ ausdrücken lassen. Alsdann besitzen sie auch nur eine gemeinsame Lösung, d. h. keine von ihr unabhängige ausserdem, und werden ein *dreigliedriges vollständiges System in vier Veränderlichen* genannt. Zur Auffindung ihrer gemeinsamen Lösung verfährt man ganz ebenso wie bei den zweigliedrigen vollständigen Systemen in drei Veränderlichen (vgl. § 3 des 10. Kap.).

Auf die Beweise gehen wir, wie gesagt, nicht näher ein, sie sind analog denen des 10. Kapitels.

§ 2. Integration einer linearen partiellen Differentialgleichung $Af = 0$ in vier Veränderlichen, welche eine bekannte dreigliedrige Gruppe von infinitesimalen Transformationen zulässt.

Wir wollen also nunmehr annehmen, es sei eine lineare partielle Differentialgleichung

$$Af \equiv \alpha_1 p_1 + \alpha_2 p_2 + \alpha_3 p_3 + \alpha_4 p_4 = 0$$

vorgelegt, in der

$$p_1 \equiv \frac{\partial f}{\partial x_1}, \quad p_2 \equiv \frac{\partial f}{\partial x_2}, \quad p_3 \equiv \frac{\partial f}{\partial x_3}, \quad p_4 \equiv \frac{\partial f}{\partial x_4}$$

ist und die α gegebene Functionen der vier Veränderlichen x_1, x_2, x_3, x_4 bedeuten. Ferner sei vorausgesetzt, diese Differentialgleichung gestatte eine bekannte dreigliedrige Gruppe von infinitesimalen Transformationen in den $x_1 \cdots x_4$.

Zertheilung des Problems.

Wir haben im 21. Kapitel alle möglichen Zusammensetzungen von dreigliedrigen Gruppen von infinitesimalen Transformationen betrachtet, und zwar waren unsere damaligen Überlegungen, wie besonders hervorgehoben wurde, völlig unabhängig von der Anzahl der Veränderlichen. Demgemäss können wir aus dem 21. Kapitel entnehmen, dass eine dreigliedrige Gruppe von infinitesimalen Transformationen in x_1, x_2, x_3, x_4 durch passende Auswahl der infinitesimalen Transformationen, die wir jetzt mit X_1f, X_2f, X_3f bezeichnen wollen, so geschrieben werden kann, dass die Zusammensetzung eine der folgenden Formen hat (vgl. § 3 des 21. Kapitels):

$$
\begin{array}{llll}
1) & (X_1X_2) \equiv X_1 & (X_1X_3) \equiv 2X_2 & (X_2X_3) \equiv X_3 \\
2) & (X_1X_2) \equiv 0 & (X_1X_3) \equiv X_1 & (X_2X_3) \equiv cX_2 \quad (c \neq 0) \\
3) & (X_1X_2) \equiv 0 & (X_1X_3) \equiv X_1 & (X_2X_3) \equiv X_1 + X_2 \\
4) & (X_1X_2) \equiv 0 & (X_1X_3) \equiv X_1 & (X_2X_3) \equiv 0 \\
5) & (X_1X_2) \equiv 0 & (X_1X_3) \equiv 0 & (X_2X_3) \equiv X_1 \\
6) & (X_1X_2) \equiv 0 & (X_1X_3) \equiv 0 & (X_2X_3) \equiv 0.
\end{array}
$$

Wir haben nun nacheinander diese sechs Möglichkeiten ins Auge zu fassen.

Die drei infinitesimalen Transformationen

$$X_k \equiv \xi_{k1}p_1 + \xi_{k2}p_2 + \xi_{k3}p_3 + \xi_{k4}p_4$$
$$(k = 1, 2, 3)$$

sollen natürlich wesentliche für die Gleichung $Af = 0$ sein, und überdies soll keine lineare Relation zwischen ihnen und Af bestehen (vgl. § 3 des 15. Kap.), mit anderen Worten, es soll die Determinante

$$\Delta \equiv \begin{vmatrix} \alpha_1 & \alpha_2 & \alpha_3 & \alpha_4 \\ \xi_{11} & \xi_{12} & \xi_{13} & \xi_{14} \\ \xi_{21} & \xi_{22} & \xi_{23} & \xi_{24} \\ \xi_{31} & \xi_{32} & \xi_{33} & \xi_{34} \end{vmatrix} \neq 0$$

sein.

Den Fall der Zusammensetzung 1 wollen wir, da er Besonderes darbietet, erst zum Schluss behandeln und also beginnen mit der

Zusammensetzung 2.

Zusammensetzung 2:

$$(X_1X_2) \equiv 0 \quad (X_1X_3) \equiv X_1 \quad (X_2X_3) \equiv cX_2 \qquad (c \neq 0).$$

Bestehen diese Relationen zwischen den X_k, so bilden

$$Af = 0, \quad X_1f = 0, \quad X_2f = 0$$

ein vollständiges dreigliedriges System, denn es ist ja jedes

$$(X_k A) \equiv \lambda_k Af$$

und $(X_1 X_2) \equiv 0$. Es existiert daher eine Lösung φ desselben, die natürlich eine Lösung von $Af = 0$ ist. Da:

$$(X_3 A) \equiv \lambda_3 Af$$

oder ausführlich geschrieben:

$$X_3(Af) - A(X_3 f) \equiv \lambda_3 Af$$

ist und hieraus für $f \equiv \varphi$ wegen $A\varphi \equiv 0$ folgt:

$$A(X_3 \varphi) \equiv 0,$$

ebenso wegen $(X_1 X_3) \equiv X_1$, $(X_2 X_3) \equiv c X_2$ und $X_1 \varphi \equiv 0$, $X_2 \varphi \equiv 0$:

$$X_1(X_3 \varphi) \equiv 0, \quad X_2(X_3 \varphi) \equiv 0,$$

so ist $X_3 \varphi$ eine Lösung jenes vollständigen Systems, d. h., da dies nur eine Lösung φ besitzt, eine Function von φ allein:

$$X_3 \varphi \equiv \Omega(\varphi).$$

Sicher ist sie nicht Null, da $\Delta \not\equiv 0$ ist, also dann

$$\frac{\partial \varphi}{\partial x_1} \equiv \frac{\partial \varphi}{\partial x_2} \equiv \frac{\partial \varphi}{\partial x_3} \equiv \frac{\partial \varphi}{\partial x_4} \equiv 0$$

sein müsste. Wir können sie daher durch Einführung einer Function $\Phi(\varphi)$ als neues φ gleich 1 gemacht denken. Demnach existiert also eine Function φ, für welche:

$$\begin{aligned}
A\varphi &\equiv \alpha_1 \frac{\partial \varphi}{\partial x_1} + \alpha_2 \frac{\partial \varphi}{\partial x_2} + \alpha_3 \frac{\partial \varphi}{\partial x_3} + \alpha_4 \frac{\partial \varphi}{\partial x_4} \equiv 0, \\
X_1\varphi &\equiv \xi_{11} \frac{\partial \varphi}{\partial x_1} + \xi_{12} \frac{\partial \varphi}{\partial x_2} + \xi_{13} \frac{\partial \varphi}{\partial x_3} + \xi_{14} \frac{\partial \varphi}{\partial x_4} \equiv 0, \\
X_2\varphi &\equiv \xi_{21} \frac{\partial \varphi}{\partial x_1} + \xi_{22} \frac{\partial \varphi}{\partial x_2} + \xi_{23} \frac{\partial \varphi}{\partial x_3} + \xi_{24} \frac{\partial \varphi}{\partial x_4} \equiv 0, \\
X_3\varphi &\equiv \xi_{31} \frac{\partial \varphi}{\partial x_1} + \xi_{32} \frac{\partial \varphi}{\partial x_2} + \xi_{33} \frac{\partial \varphi}{\partial x_3} + \xi_{34} \frac{\partial \varphi}{\partial x_4} \equiv 1
\end{aligned}$$

ist, während ausserdem die Identität besteht:

$$dx_1 \cdot \frac{\partial \varphi}{\partial x_1} + dx_2 \cdot \frac{\partial \varphi}{\partial x_2} + dx_3 \cdot \frac{\partial \varphi}{\partial x_3} + dx_4 \cdot \frac{\partial \varphi}{\partial x_4} \equiv d\varphi.$$

Diese fünf Gleichungen ziehen das Verschwinden ihrer Determinante nach sich:

$$\begin{vmatrix}
\alpha_1 & \alpha_2 & \alpha_3 & \alpha_4 & 0 \\
\xi_{11} & \xi_{12} & \xi_{13} & \xi_{14} & 0 \\
\xi_{21} & \xi_{22} & \xi_{23} & \xi_{21} & 0 \\
\xi_{31} & \xi_{32} & \xi_{33} & \xi_{31} & 1 \\
dx_1 & dx_2 & dx_3 & dx_4 & d\varphi
\end{vmatrix} \equiv 0,$$

sodass sich $d\varphi$ hieraus (wegen $\Delta \not\equiv 0$) berechnet und eine Quadratur giebt:

$$\varphi = -\int \frac{1}{\Delta} \begin{vmatrix} dx_1 & dx_2 & dx_3 & dx_4 \\ \alpha_1 & \alpha_2 & \alpha_3 & \alpha_4 \\ \xi_{11} & \xi_{12} & \xi_{13} & \xi_{14} \\ \xi_{21} & \xi_{22} & \xi_{23} & \xi_{24} \end{vmatrix}.$$

Hiermit ist eine Lösung von $Af = 0$ gefunden. Diese wird nun von dreien der Veränderlichen x_1, x_2, x_3, x_4, etwa von x_1, x_2, x_3, unabhängig sein. Wir können dann x_1, x_2, x_3 und φ als neue Veränderliche benutzen. Da $A\varphi \equiv 0$, $X_1\varphi \equiv 0$, $X_2\varphi \equiv 0$ ist, so werden die neuen Af, X_1f, X_2f, die mit $\overline{A}f$, $\overline{X}_1f$, $\overline{X}_2f$ bezeichnet werden mögen, frei von einem Gliede in $\frac{\partial f}{\partial \varphi}$ sein, also die Form haben:

$$\overline{A}f \equiv \overline{\alpha}_1 \frac{\partial f}{\partial x_1} + \overline{\alpha}_2 \frac{\partial f}{\partial x_2} + \overline{\alpha}_3 \frac{\partial f}{\partial x_3} = 0,$$

$$\overline{X}_1f \equiv \overline{\xi}_{11} \frac{\partial f}{\partial x_1} + \overline{\xi}_{12} \frac{\partial f}{\partial x_2} + \overline{\xi}_{13} \frac{\partial f}{\partial x_3},$$

$$\overline{X}_2f \equiv \overline{\xi}_{21} \frac{\partial f}{\partial x_1} + \overline{\xi}_{22} \frac{\partial f}{\partial x_2} + \overline{\xi}_{23} \frac{\partial f}{\partial x_3}.$$

Die α und ξ sind genau die früheren mit der einzigen Änderung, dass x_4 vermöge $\varphi = \varphi(x_1, x_2, x_3, x_4)$ aus ihnen eliminiert und dafür φ eingeführt worden ist. Nach wie vor ist jetzt:

$$(\overline{X}_1\overline{A}) \equiv \overline{\lambda}_1 \overline{A}f, \quad (\overline{X}_2\overline{A}) \equiv \overline{\lambda}_2 \overline{A}f, \quad (\overline{X}_1\overline{X}_2) \equiv 0.$$

Unser jetziges Problem ist also dies: Es sollen zwei von einander unabhängige Lösungen der Gleichung $\overline{A}f = 0$ gefunden werden, welche die mit einander vertauschbaren infinitesimalen Transformationen $\overline{X}_1$, $\overline{X}_2$ gestattet. $\overline{A}f = 0$ enthält nur drei Grössen als eigentliche Variabeln, nämlich x_1, x_2, x_3. φ spielt in $\overline{A}f = 0$, wie in $\overline{X}_1$, $\overline{X}_2$, da es nicht transformiert wird, nur die Rolle einer arbiträren Constanten. Schliesslich ist noch die Determinante aus $\overline{A}f$, $\overline{X}_1f$, $\overline{X}_2f$ nicht identisch Null.

Da wir uns jetzt im Gebiet dreier Variabeln x_1, x_2, x_3 befinden, recurrieren wir auf § 2 des 20. Kapitels und entnehmen daraus, dass zwei Lösungen ψ und χ von $\overline{A}f = 0$ durch je eine Quadratur gefunden werden, die von einander unabhängig sind. Schliesslich ist in ψ und χ für φ wieder die früher gefundene Function von x_1, x_2, x_3, x_4 einzusetzen, wodurch dieselben in von einander und von φ unabhängige Lösungen von $Af = 0$ übergehen.

Die Integration von $Af = 0$ erfordert also zunächst eine Quadratur und darauf zwei von einander unabhängige Quadraturen.

Wir wollen gleich hier die *Zusammensetzung 4* Zusammensetzung 4.

$$(X_1 X_2) \equiv 0, \quad (X_1 X_3) \equiv X_1, \quad (X_2 X_3) \equiv 0,$$

die mit dem Falle $c = 0$ in Zusammensetzung 2 identisch ist, erledigen. Wenn die dreigliedrige Gruppe diese Zusammensetzung hat, so bilden wie vorher

$$Af = 0, \quad X_1 f = 0, \quad X_2 f = 0$$

ein dreigliedriges System in vier Veränderlichen, deren Lösung φ so angenommen werden kann, dass $X_1 \varphi \equiv 1$ wird. φ wird dann wie oben durch eine Quadratur bestimmt. Es bilden aber auch

$$Af = 0, \quad X_1 f = 0, \quad X_3 f = 0$$

ein vollständiges System, dessen Lösung ψ sicher unabhängig von φ ist, da sonst auch $X_2 \psi \equiv 0$ wäre. Analog dem Obigen ergiebt sich hier, dass — was im Falle $c \neq 0$ wegen $(X_2 X_3) \equiv c X_2 f$ nicht so gewesen wäre — $X_2 \psi$ eine Function von ψ allein ist, d. h. ψ so gewählt gedacht werden kann, dass $X_1 \psi \equiv 1$ wird. Demnach geht ψ ganz analog dem φ durch eine Quadratur hervor:

$$\psi \equiv - \int \frac{1}{\Delta} \begin{vmatrix} dx_1 & dx_2 & dx_3 & dx_4 \\ \alpha_1 & \alpha_2 & \alpha_3 & \alpha_4 \\ \xi_{11} & \xi_{12} & \xi_{13} & \xi_{14} \\ \xi_{31} & \xi_{32} & \xi_{33} & \xi_{34} \end{vmatrix}.$$

Diese Quadratur ist von der vorigen unabhängig. Nun sind φ und ψ etwa zusammen mit x_1, x_2 von einander unabhängig. Alsdann werden sie als neue Veränderliche eingeführt. Da $A\varphi \equiv A\psi \equiv 0$ und auch $X_1 \varphi \equiv X_1 \psi \equiv 0$ ist, so werden die neuen $\bar{\bar{A}} f$ und $\bar{\bar{X}}_1 f$ φ und ψ nicht transformieren, also von der Form sein:

$$\bar{\bar{A}} f \equiv \bar{\bar{\alpha}}_1 \frac{\partial f}{\partial x_1} + \bar{\bar{\alpha}}_2 \frac{\partial f}{\partial x_2} = 0,$$
$$\bar{\bar{X}}_1 f \equiv \bar{\bar{\xi}}_{11} \frac{\partial f}{\partial x_1} + \bar{\bar{\xi}}_{12} \frac{\partial f}{\partial x_2}.$$

Hier sind die $\bar{\bar{\alpha}}$ und $\bar{\bar{\xi}}$ aus den früheren α und ξ dadurch gebildet, dass x_3 und x_4 vermöge $\varphi = \varphi(x_1 \cdots x_4)$, $\psi = \psi(x_1 \cdots x_4)$ eliminiert werden. $\bar{\bar{A}} f = 0$ gestattet $\bar{\bar{X}}_1 f$. Beide enthalten nur zwei wirklich als Variabeln auftretende Grössen, nämlich x_1, x_2. Die Lösung von $\bar{\bar{A}} f = 0$ ergiebt sich also nach § 1 des 6. Kap. durch eine Quadratur. Indem man in dieselbe für φ und ψ wieder die gefundenen Functionen von $x_1 \cdots x_4$ substituiert, geht aus ihr die gesuchte dritte Lösung χ von $Af = 0$ hervor. Die Integration von $Af = 0$ erfordert mithin insgesamt drei Quadraturen, zuerst zwei von einander unabhängige und nach diesen eine dritte.

Zusammensetzung 3.

Wir kommen zur *Zusammensetzung 3:*

$$(X_1 X_2) \equiv 0 \quad (X_1 X_3) \equiv X_1 \quad (X_2 X_3) \equiv X_1 + X_2.$$

Jetzt bilden wir das vollständige System

$$Af = 0, \quad X_1 f = 0, \quad X_2 f = 0,$$

dessen Lösung φ sich durch Quadratur bestimmt. Es ist nämlich leicht einzusehen, dass $X_3 \varphi$ ebenfalls Lösung, d. h. eine Function von φ allein ist, die bei passender Wahl von φ gleich 1 gemacht werden kann. Da also

$$A\varphi \equiv 0, \quad X_1 \varphi \equiv 0, \quad X_2 \varphi \equiv 0, \quad X_3 \varphi \equiv 1$$

ist, so giebt eine Quadratur φ genau so wie früher. Nun werden etwa x_1, x_2, x_3 und φ als neue Veränderliche benutzt. Dann sind die neuen $\overline{A}f$, $\overline{X}_1 f$, $\overline{X}_2 f$ frei von $\frac{\partial f}{\partial \varphi}$, enthalten also nur drei Grössen x_1, x_2, x_3 als wirkliche Veränderliche. $\overline{A}f = 0$ gestattet $\overline{X}_1 f$ und $\overline{X}_2 f$ und es ist $(\overline{X}_1 \overline{X}_2) \equiv 0$, während keine Relation zwischen $\overline{A}f$, $\overline{X}_1 f$, $\overline{X}_2 f$ besteht. Nach § 2 des 20. Kap. lassen sich also zwei Lösungen ψ und χ von $\overline{A}f = 0$ durch je eine Quadratur finden. Diese beiden Quadraturen sind von einander unabhängig. Die Integration von $Af = 0$ erfordert also im vorliegenden Falle drei Quadraturen wie im ersten Fall.

Zusammensetzung 5.

Haben die X_k die *Zusammensetzung 5:*

$$(X_1 X_2) \equiv 0, \quad (X_1 X_3) \equiv 0, \quad (X_2 X_3) \equiv X_1,$$

so giebt es eine Lösung φ des vollständigen Systems

$$Af = 0, \quad X_1 f = 0, \quad X_2 f = 0,$$

für die wegen $A(X_3 \varphi) \equiv 0$, $X_1(X_3 \varphi) \equiv 0$, $X_2(X_3 \varphi) \equiv 0$ auch $X_3 \varphi \equiv \Omega(\varphi)$ ist. Wir dürfen daher annehmen:

$$A\varphi \equiv 0, \quad X_1 \varphi \equiv 0, \quad X_2 \varphi \equiv 0, \quad X_3 \varphi \equiv 1$$

und bestimmen φ durch eine Quadratur in bekannter Weise. Analog bilden

$$Af = 0, \quad X_1 f = 0, \quad X_3 f = 0$$

ein vollständiges System, für dessen Lösung ψ auch $X_2 \psi \equiv 1$ angenommen werden darf. Daher ergiebt sich ψ durch eine von der vorigen unabhängige Quadratur genau so wie bei der Zusammensetzung 4. x_1, x_2, φ, ψ etwa werden darauf als neue Veränderliche eingeführt; die dritte Lösung χ bestimmt sich dann gerade so wie in dem eben angegebenen Falle. $Af=0$ wird somit durch zwei von einander unabhängige und eine dritte darauffolgende Quadratur integriert.

Wenn schliesslich die X_k die *Zusammensetzung 6* haben: Zusammensetzung 6.

$$(X_1X_2)\equiv 0 \quad (X_1X_3)\equiv 0 \quad (X_2X_3)\equiv 0,$$

so bilden

$$Af=0, \quad X_1f=0, \quad X_2f=0$$

ein vollständiges System, für dessen Lösung φ auch $X_3\varphi\equiv 1$ angenommen werden darf. φ bestimmt sich also durch Quadratur. Analog bestimmen sich die Lösungen ψ und χ der beiden vollständigen Systeme

$$Af=0, \quad X_1f=0, \quad X_3f=0 \quad (\text{wo } X_2\psi\equiv 1)$$

und

$$Af=0, \quad X_2f=0, \quad X_3f=0 \quad (\text{wo } X_1\psi\equiv 1)$$

durch je eine Quadratur. $Af=0$ wird also in diesem Falle durch drei von einander unabhängige Quadraturen integriert.

Nunmehr bleibt nur noch der oben ausgeschlossene Fall zu untersuchen, in welchem die X_k die *Zusammensetzung 1* haben: Zusammensetzung 1.

$$(X_1X_2)\equiv X_1 \quad (X_1X_3)\equiv 2X_2 \quad (X_2X_3)\equiv X_3.$$

Wir behaupten, dass es in diesem Falle eine Lösung φ von $Af=0$ giebt, für welche

$$A\varphi\equiv 0, \quad X_1\varphi\equiv 1, \quad X_2\varphi\equiv\varphi, \quad X_3\varphi\equiv\varphi^2$$

wird. Ist nämlich φ eine Function von x_1, x_2, x_3, x_4, die durch die Gleichung

$$f(x_1, x_2, x_3, x_4, \varphi)=c \quad (c=\text{Const.})$$

definiert sei, so bilden wir die vier Gleichungen:

$$\mathsf{A}f\equiv Af \equiv \alpha_1\frac{\partial f}{\partial x_1}+\alpha_2\frac{\partial f}{\partial x_2}+\alpha_3\frac{\partial f}{\partial x_3}+\alpha_4\frac{\partial f}{\partial x_4}=0,$$

$$\mathsf{X}_1f\equiv X_1f+\frac{\partial f}{\partial\varphi}\equiv\xi_{11}\frac{\partial f}{\partial x_1}+\xi_{12}\frac{\partial f}{\partial x_2}+\xi_{13}\frac{\partial f}{\partial x_3}+\xi_{14}\frac{\partial f}{\partial x_4}+\frac{\partial f}{\partial\varphi}=0,$$

$$\mathsf{X}_2f\equiv X_2f+\varphi\frac{df}{\partial\varphi}\equiv\xi_{21}\frac{\partial f}{\partial x_1}+\xi_{22}\frac{\partial f}{\partial x_2}+\xi_{23}\frac{\partial f}{\partial x_3}+\xi_{24}\frac{\partial f}{\partial x_4}+\varphi\frac{\partial f}{\partial\varphi}=0,$$

$$\mathsf{X}_3f\equiv X_3f+\varphi^2\frac{\partial f}{\partial\varphi}\equiv\xi_{31}\frac{\partial f}{\partial x_1}+\xi_{32}\frac{\partial f}{\partial x_2}+\xi_{33}\frac{\partial f}{\partial x_3}+\xi_{34}\frac{\partial f}{\partial x_4}+\varphi^2\frac{\partial f}{\partial\varphi}=0.$$

Es sind dies lineare partielle Differentialgleichungen in fünf Veränderlichen $x_1, x_2, x_3, x_4, \varphi$, und es ist:

$$(\mathsf{A}\mathsf{X}_1) \equiv (AX_1) \equiv \lambda_1 Af \equiv \lambda_1 \mathsf{A}f,$$
$$(\mathsf{A}\mathsf{X}_2) \equiv (AX_2) \equiv \lambda_2 Af \equiv \lambda_2 \mathsf{A}f,$$
$$(\mathsf{A}\mathsf{X}_3) \equiv (AX_3) \equiv \lambda_3 Af \equiv \lambda_3 \mathsf{A}f,$$
$$(\mathsf{X}_1\mathsf{X}_2) \equiv (X_1 X_2) + \left(\frac{\partial f}{\partial \varphi},\ \varphi \frac{\partial f}{\partial \varphi}\right) \equiv \mathsf{X}_1 f,$$
$$(\mathsf{X}_1\mathsf{X}_3) \equiv (X_1 X_3) + \left(\frac{\partial f}{\partial \varphi},\ \varphi^2 \frac{\partial f}{\partial \varphi}\right) \equiv 2\mathsf{X}_2 f,$$
$$(\mathsf{X}_2\mathsf{X}_3) \equiv (X_2 X_3) + \left(\varphi\frac{\partial f}{\partial \varphi},\ \varphi^2 \frac{\partial f}{\partial \varphi}\right) \equiv \mathsf{X}_3 f.$$

Die Klammerausdrücke geben also, gleich Null gesetzt, keine neuen Differentialgleichungen. Daher bilden

$$\mathsf{A}f = 0, \quad \mathsf{X}_1 f = 0, \quad \mathsf{X}_2 f = 0, \quad \mathsf{X}_3 f = 0$$

ein sogenanntes *viergliedriges vollständiges System in fünf Veränderlichen* $x_1, x_2, x_3, x_4, \varphi$, das, wie man allgemein beweisen kann, eine Lösung f besitzt. Sei diese Lösung

$$f \equiv f(x_1, x_2, x_3, x_4, \varphi),$$

so setzen wir sie gleich einer Constanten c. Indem wir dann φ aus

$$f(x_1, x_2, x_3, x_4, \varphi) = c$$

berechnen, erhalten wir eine Function $\varphi(x_1, x_2, x_3, x_4)$, für die wegen $\mathsf{A}f \equiv 0$ offenbar $A\varphi \equiv 0$, wegen $\mathsf{X}_1 f \equiv 0$ offenbar $X_1\varphi \equiv 1$ etc. ist, denn es ist:

$$\frac{\partial \varphi}{\partial x_k} \equiv - \frac{\frac{\partial f}{\partial x_k}}{\frac{\partial f}{\partial \varphi}} \qquad (k = 1, 2, 3, 4),$$

also:

$$A\varphi \equiv \alpha_1 \frac{\partial \varphi}{\partial x_1} + \alpha_2 \frac{\partial \varphi}{\partial x_2} + \alpha_3 \frac{\partial \varphi}{\partial x_3} + \alpha_4 \frac{\partial \varphi}{\partial x_4}$$
$$\equiv - \frac{1}{\frac{\partial f}{\partial \varphi}} \left(\alpha_1 \frac{\partial f}{\partial x_1} + \cdots + \alpha_4 \frac{\partial f}{\partial x_4}\right) \equiv - \frac{1}{\frac{\partial f}{\partial \varphi}} \mathsf{A}f \equiv 0$$

u. s. w. Mithin existiert in der That eine Function φ, für welche

$$A\varphi \equiv 0, \quad X_1\varphi \equiv 1, \quad X_2\varphi \equiv \varphi, \quad X_3\varphi \equiv \varphi^2$$

ist.

Es fragt sich nun, wie diese Function praktisch gefunden wird. Aus den vier vorstehenden Gleichungen lassen sich die $\frac{\partial \varphi}{\partial x_k}$ berechnen in der Form:

$$\frac{\partial \varphi}{\partial x_k} = \varrho_k(x_1 \cdots x_4) + \sigma_k(x_1 \cdots x_4)\varphi + \tau_k(x_1 \cdots x_4)\varphi^2$$
$$(k = 1, 2, 3, 4).$$

Um hieraus φ zu berechnen, verfahren wir nach Dubois-Reymond's Methode so. Wir setzen:

$$x_1 = a_1 x, \quad x_2 = a_2 x, \quad x_3 = a_3 x, \quad x_4 = a_4 x$$

und drücken also φ als Function von x allein und arbiträren Constanten a aus, sodass in dieser Form

$$\frac{d\varphi}{dx} = a_1 \frac{\partial \varphi}{\partial x_1} + a_2 \frac{\partial \varphi}{\partial x_2} + a_3 \frac{\partial \varphi}{\partial x_3} + a_4 \frac{\partial \varphi}{\partial x_4}$$

wird. Setzen wir hierin die obigen Werte der partiellen Differentialquotienten ein, so erhalten wir eine Gleichung von der Form

$$\frac{d\varphi}{dx} = \varrho(x, a) + \sigma(x, a)\varphi + \tau(x, a)\varphi^2.$$

Es ist dies eine *Riccati'sche Gleichung*. Haben wir ihre allgemeine, eine Constante c enthaltende Lösung

$$\varphi = \varphi(x, a_1 \cdots a_4, c)$$

bestimmt, so setzen wir wieder rückwärts

$$a_1 = \frac{x_1}{x}, \quad a_2 = \frac{x_2}{x}, \quad a_3 = \frac{x_3}{x}, \quad a_4 = \frac{x_4}{x}.$$

Dadurch fällt notwendig x aus φ heraus und es bleibt eine Function von der Form

$$\varphi \equiv \varphi(x_1, x_2, x_3, x_4, c).$$

Hiermit wäre eine Function φ gefunden, für die $A\varphi \equiv 0$ ist. Diese Function enthält nun noch eine arbiträre Constante c. Geben wir dieser Constanten c drei Zahlenwerte, so ergeben sich drei Functionen $\varphi_1, \varphi_2, \varphi_3$, für die sicher $A\varphi_1 \equiv A\varphi_2 \equiv A\varphi_3 \equiv 0$ ist. Es ist nun leicht einzusehen, dass $\varphi_1, \varphi_2, \varphi_3$ von einander unabhängig sind. Denn alle drei erfüllen die Gleichungen:

$$\frac{\partial \varphi}{\partial x_k} = \varrho_k + \sigma_k \varphi + \tau_k \varphi^2$$
$$(k = 1, 2, 3, 4).$$

Wäre also etwa:

$$\Pi(\varphi_1, \varphi_2, \varphi_3) \equiv 0,$$

so würde aus

$$\frac{\partial \Pi}{\partial x_1} \equiv 0, \quad \frac{\partial \Pi}{\partial x_2} \equiv 0, \quad \frac{\partial \Pi}{\partial x_3} \equiv 0$$

folgen:

$$\frac{\partial \Pi}{\partial \varphi_1}(\varrho_k + \sigma_k \varphi_1 + \tau_k \varphi_1^2) + \frac{\partial \Pi}{\partial \varphi_2}(\varrho_k + \sigma_k \varphi_2 + \tau_k \varphi_2^2) +$$
$$\frac{\partial \Pi}{\partial \varphi_3}(\varrho_k + \sigma_k \varphi_3 + \tau_k \varphi_3^2) = 0$$
$$(k = 1, 2, 3, 4)$$

oder, anders geordnet:

$$\varrho_k\left(\sum_1^3{}_i\frac{\partial\Pi}{\partial\varphi_i}\right)+\sigma_k\left(\sum_1^3{}_i\varphi_i\frac{\partial\Pi}{\partial\varphi_i}\right)+\tau_k\left(\sum_1^3{}_i\varphi_i^2\frac{\partial\Pi}{\partial\varphi_i}\right)=0$$

$$(k=1,2,3,4).$$

Nun sind nicht alle Determinanten der Matrix

$$\begin{vmatrix}\varrho_1 & \sigma_1 & \tau_1\\ \varrho_2 & \sigma_2 & \tau_2\\ \varrho_3 & \sigma_3 & \tau_3\\ \varrho_4 & \sigma_4 & \tau_4\end{vmatrix}$$

identisch Null, da sonst zwischen $\frac{\partial\varphi}{\partial x_1}$, $\frac{\partial\varphi}{\partial x_2}$, $\frac{\partial\varphi}{\partial x_3}$, $\frac{\partial\varphi}{\partial x_4}$ mehr als eine lineare Relation bestände (da doch nur $A\varphi\equiv 0$ ist). Also folgte notwendig, dass einzeln:

$$\frac{\partial\Pi}{\partial\varphi_1}+\frac{\partial\Pi}{\partial\varphi_2}+\frac{\partial\Pi}{\partial\varphi_3}\equiv 0,$$

$$\varphi_1\frac{\partial\Pi}{\partial\varphi_1}+\varphi_2\frac{\partial\Pi}{\partial\varphi_2}+\varphi_3\frac{\partial\Pi}{\partial\varphi_3}\equiv 0,$$

$$\varphi_1^2\frac{\partial\Pi}{\partial\varphi_1}+\varphi_2^2\frac{\partial\Pi}{\partial\varphi_2}+\varphi_3^2\frac{\partial\Pi}{\partial\varphi_3}\equiv 0,$$

d. h. dass die Determinante:

$$\begin{vmatrix}1 & 1 & 1\\ \varphi_1 & \varphi_2 & \varphi_3\\ \varphi_1^2 & \varphi_2^2 & \varphi_3^2\end{vmatrix}\equiv 0$$

oder also

$$(\varphi_1-\varphi_2)(\varphi_2-\varphi_3)(\varphi_3-\varphi_1)\equiv 0,$$

d. h. zwei der φ_i identisch wären.

Wir sehen also: Indem wir in der Lösung $\varphi(x_1\cdots x_4,\,c)$ der Constanten c drei Zahlenwerte geben derart, dass nicht zwei Zahlenwerte dieselbe Function liefern, was immer möglich ist, so erhalten wir drei von einander unabhängige Functionen φ_1, φ_2, φ_3 als Lösungen von $Af=0$.

Somit ist in diesem Fall die Integration von $Af=0$ auf die einer Riccati'schen Gleichung reduciert*).

*) In Bd. 25 der Math. Annalen zeigte Sophus Lie, dass die Gleichung $Af=0$ im vorliegenden Fall auf eine Riccati'sche Gleichung zurückgeführt werden kann. Alsdann machte Vessiot die äusserst wichtige Bemerkung, dass man direct durch die im Text gegebene Methode eine Lösung von $Af=0$ durch eine Riccati'sche Gleichung bestimmen kann. Endlich bemerkte Lie, dass dann die gefundene Lösung eine arbiträre Constante derart enthält, dass drei verschiedene Werte derselben drei von einander unabhängige Lösungen von $Af=0$ iefern. Die Methode des Textes ist einer Verallgemeinerung fähig auf beliebige

Fassen wir die Ergebnisse dieses Paragraphen zusammen in dem **Theorem 49*)**: *Gestattet eine vorgelegte lineare partielle Differentialgleichung $Af = 0$ in vier Veränderlichen eine bekannte dreigliedrige Gruppe von infinitesimalen Transformationen, deren erste derivierte Gruppe weniger als dreigliedrig ist, so verlangt ihre Integration drei Quadraturen, von denen entweder die beiden ersten oder die beiden letzten von einander unabhängig sind.*

Ist dagegen die erste derivierte Gruppe auch dreigliedrig, so verlangt die Integration von $Af = 0$ die einer Riccati'schen Differentialgleichung.

In beiden Fällen ist vorausgesetzt, dass zwischen Af und den drei infinitesimalen Transformationen keine lineare Relation bestehe.

§ 3. Integration einer gewöhnlichen Differentialgleichung dritter Ordnung in x, y, welche eine bekannte dreigliedrige Gruppe von infinitesimalen Transformationen gestattet.

Die Theorie des vorigen Paragraphen wenden wir nunmehr auf die Integration einer *gewöhnlichen Differentialgleichung* an:

$$y''' - \omega(x, y, y', y'') = 0,$$

von der wir voraussetzen, dass sie *eine bekannte dreigliedrige Gruppe* von infinitesimalen Transformationen

$$U_k f \equiv \xi_k p + \eta_k q \qquad (k = 1, 2, 3)$$

in x, y gestatte.

Es bedarf diese Anwendung kaum noch einer besonderen Auseinandersetzung. Die lineare partielle Differentialgleichung in x, y, y', y'': **Integration durch Verwertung d. vorhergeh. Theorien.**

$$Af \equiv \frac{\partial f}{\partial x} + y' \frac{\partial f}{\partial y} + y'' \frac{\partial f}{\partial y'} + \omega(x, y, y', y'') \frac{\partial f}{\partial y''} = 0,$$

welche jener gewöhnlichen Differentialgleichung äquivalent ist, gestattet die durch zweimalige Erweiterung der U_k gewonnenen infinitesimalen Transformationen:

---

r-gliedrige vollständige Systeme in n Veränderlichen mit bekannter $(n-r)$-gliedriger einfacher Gruppe von infinitesimalen Transformationen.

*) Dieses Theorem wurde von Lie in Bd. 11 und 25 der Math. Annalen aufgestellt in den Abhandlungen: „Allg. Theorie der partiellen Differentialgleichungen erster Ordnung" und „Allg. Untersuchungen über Differentialgleichungen, die eine continuierliche endliche Gruppe gestatten". Diese Arbeiten enthalten eine durchgeführte Integrationstheorie der vollständigen Systeme mit bekannten infinitesimalen Transformationen.

$$U_k''f \equiv \xi_k \frac{\partial f}{\partial x} + \eta_k \frac{\partial f}{\partial y} + \eta_k' \frac{\partial f}{\partial y'} + \eta_k'' \frac{\partial f}{\partial y''}.$$

Die letzteren bilden eine dreigliedrige Gruppe. Denn es ist ja (nach Satz 3, § 1 des 17. Kap.)

$$(U_k'' U_l'') \equiv (U_k U_l)''.$$

Da aber nach Voraussetzung etwa:

$$(U_k U_l) \equiv \sum_1^3 {}_s\, c_{kls} U_s$$

und auch:

$$(\Sigma \text{ Const. } U_s)'' \equiv \Sigma \text{ Const. } U_s''$$

ist, so folgt:

$$(U_k'' U_l'') \equiv \sum_1^3 {}_s\, c_{kls} U_s'',$$

d. h. U_1'', U_2'', U_3'' bilden eine dreigliedrige Gruppe von infinitesimalen Transformationen.

Die Anwendung der Theorie des vorigen Paragraphen lehrt nun unmittelbar, indem die $U''f$ an die Stelle der dortigen Xf treten, dass die Integration von $Af = 0$, also auch von $y''' - \omega = 0$ in allen Fällen bis auf einen nur drei Quadraturen erfordert. Nur wenn die erste derivierte Gruppe auch dreigliedrig ist, würde nach jenen Theorien auch die Integration einer Riccati'schen Differentialgleichung erforderlich sein. Gewisse Differentialgleichungen dritter Ordnung allerdings entziehen sich dieser Methode, diejenigen nämlich, für welche die Determinante von Af, $U_1''f$, $U_2''f$, $U_3''f$ identisch verschwindet.

Integration durch Einf. canon. Variabeln.

Eine andere Integrationsmethode unserer Differentialgleichung

$$y''' - \omega(x, y, y', y'') = 0$$

besteht darin, dass man die dreigliedrige Gruppe U_1, U_2, U_3 auf ihre canonische Form bringt. Dies erfordert, wie wir in den §§ 2 bis 5 des 23. Kapitels erkannten, nur eine Reihe von Quadraturen oder aber noch die Integration einer Differentialgleichung erster Ordnung in x, y. Durch diese Reduction wird die vorliegende Differentialgleichung auf eine einfachere Form gebracht, und es handelt sich alsdann darum, sie in dieser Form zu integrieren. Unter Umständen verlangt diese Methode einfachere Operationen als die obige, sich an den vorigen Paragraphen anschliessende.

Durchführung in einem besond. Falle.

Es möge die Differentialgleichung z. B. eine dreigliedrige Gruppe zulassen, die zum Typus

$$p, \quad q, \quad xp$$

gehört. Die Auffindung der zugehörigen canonischen Veränderlichen

x, y erfordert nach § 4 des 23. Kapitels nur eine Quadratur. Die Differentialgleichung nimmt durch Einführung der canonischen Variabeln eine Form

$$y''' - \omega(x, y, y', y'') = 0$$

an, in der sie die Gruppe p, q, xp gestattet. Um diese Form zu finden, werden wir so verfahren:

Wir bedenken, dass die Gleichung $y''' - \omega = 0$ bei den drei dreimal erweiterten infinitesimalen Transformationen

$$U_1'''f \equiv \frac{\partial f}{\partial x},$$

$$U_2'''f \equiv \frac{\partial f}{\partial y},$$

$$U_3'''f \equiv x\frac{\partial f}{\partial x} - y'\frac{\partial f}{\partial y'} - 2y''\frac{\partial f}{\partial y''} - 3y'''\frac{\partial f}{\partial y'''}$$

invariant bleiben muss, hierin x, y, y', y'', y''' als Variabeln betrachtet. Sie ergiebt sich daher in allgemeinster Weise dadurch, dass man die allgemeinste Lösung des dreigliedrigen vollständigen Systems

$$U_1'''f = 0, \quad U_2'''f = 0, \quad U_3'''f = 0$$

in x, y, y', y'', y''' einer Constanten gleich setzt. Dieses vollständige System in fünf Veränderlichen wird in dieser Weise integriert: Zunächst hat $U_1'''f = 0$ die vier von einander unabhängigen Lösungen y, y', y'', y''', also als allgemeinste Lösung eine Function f von y, y', y'', y'''. Soll sie auch Lösung von $U_2'''f = 0$ sein, so darf sie offenbar y nicht enthalten. Soll sie endlich noch Lösung von $U_3'''f = 0$ sein, so muss diese Function $f(y', y'', y''')$ die Gleichung

$$y'\frac{\partial f}{\partial y'} + 2y''\frac{\partial f}{\partial y''} + 3y'''\frac{\partial f}{\partial y'''} = 0$$

erfüllen. Diese aber hat die beiden von einander unabhängigen Lösungen

$$\frac{y''}{y'^2} \quad \text{und} \quad \frac{y'''}{y'^3},$$

sodass also

$$\Omega\left(\frac{y''}{y'^2}, \frac{y'''}{y'^3}\right)$$

die allgemeinste Lösung des vollständigen Systems und demnach

$$\Omega\left(\frac{y''}{y'^2}, \frac{y'''}{y'^3}\right) = \text{Const.}$$

oder, nach y''' aufgelöst:

$$y''' - y'^3 w\left(\frac{y''}{y'^2}\right) = 0$$

die allgemeinste Differentialgleichung dritter Ordnung ist, welche die Gruppe p, q, xp gestattet.

Es fragt sich nun, wie diese Differentialgleichung dritter Ordnung zu integrieren ist. Wenn wir

$$\frac{y''}{y'^2} = u$$

setzen, so wird

$$\frac{y'''}{y'^3} = \frac{\frac{du}{dx}}{\frac{dy}{dx}} + 2u^2$$

$$= \frac{du}{dy} + 2u^2,$$

sodass dann die Differentialgleichung lautet:

$$\frac{du}{dy} + 2u^2 - w(u) = 0.$$

Eine Quadratur:

$$\int \frac{du}{w(u) - 2u^2} + y = a$$

liefert u als Function von y und der Integrationsconstanten a. Wir finden also etwa:

$$\frac{y''}{y'^2} = \varphi(y, a)$$

oder

$$\frac{1}{y'^2} \frac{dy'}{dy} = \varphi(y, a),$$

d. h.

$$-\frac{1}{y'} = \int \varphi(y, a) dy + b.$$

Ist diese Quadratur beendet, also etwa gefunden:

$$y' = \psi(y, a, b)$$

so folgt durch eine letzte Quadratur:

$$\int \frac{dy}{\psi(y, a, b)} - x = c$$

die vollständige Integralgleichung der vorgelegten Differentialgleichung dritter Ordnung.

Im ganzen sind hier also vier successive Quadraturen erforderlich, eine erste zur Bestimmung der canonischen Veränderlichen x, y und drei folgende zur Integration der Differentialgleichung in ihrer neuen Gestalt.

Integration nach der ersten Methode.

Zum Vergleich wollen wir die Differentialgleichung

$$y''' - y'^3 w\left(\frac{y''}{y'^2}\right) = 0$$

nach der Methode des vorigen Paragraphen integrieren. Wir setzen:

$$Af \equiv \frac{\partial f}{\partial x} + y' \frac{\partial f}{\partial y} + y'' \frac{\partial f}{\partial y'} + y'^3 w \frac{\partial f}{\partial y''} = 0$$

und

$$U_1''f \equiv \frac{\partial f}{\partial x},$$

$$U_2''f \equiv \frac{\partial f}{\partial y},$$

$$U_3''f \equiv x \frac{\partial f}{\partial x} - y' \frac{\partial f}{\partial y'} - 2y'' \frac{\partial f}{\partial y''}$$

und bilden die Determinante

$$\varDelta \equiv \begin{vmatrix} 1 & y' & y'' & y'^3 w \\ 1 & 0 & 0 & 0 \\ 0 & 1 & 0 & 0 \\ x & 0 & -y' & -2y'' \end{vmatrix} \equiv -2y''^2 + y'^4 w.$$

Sie ist, sobald

$$w \not\equiv 2\left(\frac{y''}{y'^2}\right)^2$$

ist, nicht identisch Null. Das vollständige System

$$Af = 0, \quad U_1''f = 0, \quad U_2''f = 0$$

besitzt eine Lösung φ, für die wegen

$$(U_3''A) \equiv \lambda \cdot A, \quad (U_1''U_3'') \equiv U_1'', \quad (U_2''U_3'') \equiv 0$$

auch etwa

$$U_3''\varphi = -1$$

angenommen werden kann. Es kommt also:

$$\varphi \equiv \int \frac{1}{\varDelta} \begin{vmatrix} dx & dy & dy' & dy'' \\ 1 & y' & y'' & y'^3 w \\ 1 & 0 & 0 & 0 \\ 0 & 1 & 0 & 0 \end{vmatrix} \equiv \int \frac{y'^3 w\, dy' - y''\, dy''}{y'^4 w - 2y''^2}$$

oder, wenn wieder

$$\frac{y''}{y'^2} \equiv u$$

gesetzt wird:

$$\varphi \equiv \int \left(\frac{dy'}{y'} - \frac{u\,du}{w - 2u^2}\right) \equiv \lg y' - \int \frac{u\,du}{w - 2u^2}.$$

Ferner hat das vollständige System

$$Af = 0, \quad U_1''f = 0, \quad U_3''f = 0$$

eine Lösung ψ, für die

$$U_2''\psi \equiv 1$$

angenommen werden darf. Demnach kommt:

$$\psi \equiv \int \frac{1}{\Delta} \begin{vmatrix} dx & dy & dy' & dy'' \\ 1 & y' & y'' & y'^3 w \\ 1 & 0 & 0 & 0 \\ x & 0 & -y' & -2y'' \end{vmatrix}$$

$$\equiv \int \frac{(y'^4 w - 2y''^2)dy + y'(2y''dy' - y'dy'')}{y'^4 w - 2y''^2}$$

$$\equiv y - \int \frac{du}{w - 2u^2}.$$

Durch diese zwei Quadraturen hat sich also etwa ergeben:

$$\varphi(y', y'') = a,$$

$$\psi(y, y', y'') = b.$$

Eliminiert man hieraus y'', so kommt eine Relation

$$y' = \chi(y, a, b)$$

deren Integration:

$$\int \frac{dy}{\chi(y, a, b)} = x + c$$

die vollständige Integralgleichung liefert.

Diese Methode erfordert also nur drei Quadraturen, von denen sogar die beiden ersten von einander unabhängig sind. Allerdings haben wir zunächst vorausgesetzt, dass die canonischen Veränderlichen, deren Bestimmung ja eine Quadratur erfordert, schon eingeführt seien. Aber diese Voraussetzung ist offenbar unnötig, wir hätten dieses zweite Integrationsverfahren auch für beliebige Veränderliche genau ebenso durchführen können.

Wir werden nun auf die Behandlung der übrigen Fälle nicht weiter eingehen, ihre Durchführung vielmehr dem Leser überlassen.

Doch sollen zwei Beispiele zu unseren Theorien hier Platz finden.

Beispiele. Lineare Diffgl. dritter Ordnung.

1. Beispiel: Vorgelegt sei die allgemeine *lineare* Differentialgleichung dritter Ordnung

(1) $$y''' - X_2 y'' - X_1 y' - X_0 y - X = 0,$$

in der X, X_0, X_1, X_2 gegebene Functionen von x allein bedeuten. Bekanntlich nennt man die Differentialgleichung dritter Ordnung zwischen z und x:

(2) $$z''' - X_2 z'' - X_1 z' - X_0 z = 0$$

ihre *verkürzte* Gleichung. Hat man diese integriert, so kann man durch drei von einander unabhängige Quadraturen die erstere ebenfalls integrieren. Es seien nämlich z_1, z_2, z_3 drei particulare Lösungen z der verkürzten Gleichung, also drei Functionen von x, für die

$$z_i''' - X_2 z_i'' - X_1 z_i' - X_0 z_i \equiv 0 \qquad (i = 1, 2, 3) \tag{3}$$

ist. Insbesondere können sie stets, wie man leicht einsieht, so gewählt werden, dass die Determinante

$$\Delta \equiv \begin{vmatrix} z_1 & z_1' & z_1'' \\ z_2 & z_2' & z_2'' \\ z_3 & z_3' & z_3'' \end{vmatrix} \not\equiv 0$$

ist. Nun gestattet die nicht verkürzte Differentialgleichung (1) die drei infinitesimalen Transformationen:

$$U_1 \equiv z_1 q, \quad U_2 \equiv z_2 q, \quad U_3 \equiv z_3 q,$$

denn mit y ist auch $y + \text{Const.}\, z_1 + \text{Const.}\, z_2 + \text{Const.}\, z_3$ eine Lösung von (1) und bei U_1, U_2, U_3 erfährt y eben die Incremente $z_1 \delta t$, $z_2 \delta t$, $z_3 \delta t$, während x ungeändert bleibt. Dass die unverkürzte Differentialgleichung die $U_i f$ gestattet, kann man übrigens auch so einsehen: Die Differentialgleichung ist äquivalent:

$$Af \equiv \frac{\partial f}{\partial x} + y' \frac{\partial f}{\partial y} + y'' \frac{\partial f}{\partial y'} + (X + X_0 y + X_1 y' + X_2 y'') \frac{\partial f}{\partial y''} = 0,$$

und die U_i geben zweimal erweitert:

$$U_i'' \equiv z_i \frac{\partial f}{\partial y} + z_i' \frac{\partial f}{\partial y'} + z_i'' \frac{\partial f}{\partial y''},$$

sodass

$$(U_i'' A) \equiv (z_i X_0 + z_i' X_1 + z_i'' X_2) \frac{\partial f}{\partial y''} + z_i' \frac{\partial f}{\partial y} + z_i'' \frac{\partial f}{\partial y'} -$$

$$- z_i' \frac{\partial f}{\partial y} - z_i'' \frac{\partial f}{\partial y'} - z_i''' \frac{\partial f}{\partial y''}$$

oder wegen (3)

$$(U_i'' A) \equiv 0$$

ist.

Nunmehr bilden

$$Af = 0, \quad U_1 f = 0, \quad U_2 f = 0$$

ein dreigliedriges vollständiges System in x, y, y', y'', dessen Lösung φ so angenommen werden kann, dass

$$U_3 \varphi \equiv 1$$

wird. Die U_i bilden nämlich eine dreigliedrige Gruppe mit vertauschbaren Transformationen.

Sonach ist:

$$\varphi \equiv \int \frac{\begin{vmatrix} dx & dy & dy' & dy'' \\ 1 & y' & y'' & X + X_0 y + X_1 y' + X_2 y'' \\ 0 & z_1 & z_1' & z_1'' \\ 0 & z_2 & z_2' & z_2'' \end{vmatrix}}{\begin{vmatrix} 1 & y' & y'' & X + X_0 y + X_1 y' + X_2 y'' \\ 0 & z_1 & z_1' & z_1'' \\ 0 & z_2 & z_2' & z_2'' \\ 0 & z_3 & z_3' & z_3'' \end{vmatrix}}$$

oder

$$\varphi \equiv \int \frac{1}{\Delta} \begin{vmatrix} dx & dy & dy' & dy'' \\ 1 & y' & y'' & X + X_0 y + X_1 y' + X_2 y'' \\ 0 & z_1 & z_1' & z_1'' \\ 0 & z_2 & z_2' & z_2'' \end{vmatrix}$$

ein Integral von $Af = 0$. Durch cyklische Vertauschung der Indices 1, 2, 3 bei den z ergeben sich noch zwei Integrale.

2. Beispiel: Gesucht wird eine Curve in der Ebene von der Beschaffenheit, dass ihre Bogenlänge s, von einer Anfangsstelle aus gerechnet, eine gegebene Function der zugehörigen Bogenlänge σ der Evolute der Curve ist. Wenn ϱ_0 der Krümmungsradius der Anfangsstelle, ϱ der Krümmungsradius der Stelle mit Bogenlänge s auf der gesuchten Curve ist, so ist

$$\sigma = \varrho - \varrho_0$$

und wir verlangen

$$s = \Omega(\varrho - \varrho_0).$$

Da sich die Bogenlänge s durch ein Integral ausdrückt, so ist dies noch keine Differentialgleichung. Wir haben vielmehr noch zu differenzieren:

$$ds = \Omega'(\varrho - \varrho_0) d\varrho.$$

Es ist:

$$ds = \sqrt{1 + y'^2}\, dx,$$

$$\varrho = \frac{(1 + y'^2)^{\frac{3}{2}}}{y''}.$$

Die Bedingung nimmt also die Form an:

$$y''' = \frac{y''^2}{1 + y'^2}\left(3y' - \frac{1}{\mathfrak{Q}'}\right),$$

wo

$$\mathfrak{Q}' \equiv \Omega'\left(\frac{(1 + y'^2)^{\frac{3}{2}}}{y''} - \varrho_0\right)$$

ist. Führen wir die Bezeichnungen ein:

$$\frac{1}{\Omega'} \equiv w\left(\frac{(1+y'^2)^{\frac{3}{2}}}{y''}\right),$$

$$\frac{y''^2}{1+y'^2}(3y'-w) \equiv \omega,$$

so lautet die Differentialgleichung:

$$y''' - \omega = 0.$$

Um sie zu integrieren, beachten wir, dass die gesuchte Curve in eine ebensolche übergeht, wenn man sie in der Ebene verschiebt oder dreht. Die Differentialgleichung gestattet daher die Translationen:

$$U_1 f \equiv p, \quad U_2 f \equiv q$$

und die Rotation:

$$U_3 f \equiv -yp + xq,$$

die zusammen eine dreigliedrige Gruppe von infinitesimalen Transformationen bilden. Die gewöhnliche Differentialgleichung $y''' - \omega = 0$ ist der linearen partiellen äquivalent:

$$Af \equiv \frac{\partial f}{\partial x} + y' \frac{\partial f}{\partial y} + y'' \frac{\partial f}{\partial y'} + \omega \frac{\partial f}{\partial y''} = 0,$$

welche die zweimal erweiterten infinitesimalen Transformationen zulässt:

$$U_1'' f \equiv \frac{\partial f}{\partial x},$$

$$U_2'' f \equiv \frac{\partial f}{\partial y},$$

$$U_3'' f \equiv -y\frac{\partial f}{\partial x} + x\frac{\partial f}{\partial y} + (1+y'^2)\frac{\partial f}{\partial y'} + 3y'y''\frac{\partial f}{\partial y''},$$

die eine dreigliedrige Gruppe bilden, deren erste derivierte Gruppe zweigliedrig ist. Es ist die Determinante von Af und den $U''f$:

$$\Delta \equiv \begin{vmatrix} 1 & y' & y'' & \omega \\ 1 & 0 & 0 & 0 \\ 0 & 1 & 0 & 0 \\ -y & x & 1+y'^2 & 3y'y'' \end{vmatrix} \equiv 3y'y''^2 - (1+y'^2)\omega$$

$$\equiv y''^2 \cdot w.$$

Sobald wir $w \not\equiv 0$ annehmen, was wir thun wollen, ist $\Delta \not\equiv 0$, und wir können die Integration nach der Methode des vorigen Paragraphen durch drei Quadraturen ermöglichen.

Es ist:

$$(U_1'' U_2'') \equiv 0, \quad (U_1'' U_3'') \equiv U_2'', \quad (U_2'' U_3'') \equiv -U_1'',$$

während jedes $(U_i'' A) \equiv \lambda_i Af$ ist. Die drei Gleichungen:

$$Af = 0, \quad U_1'' f = 0, \quad U_2'' f = 0$$

bilden also ein dreigliedriges vollständiges System in x, y, y', y'', dessen Lösung φ so gewählt gedacht werden kann, dass

$$U_3''\varphi \equiv 1$$

ist. Es ist somit:

$$\varphi \equiv \int \frac{1}{\Delta} \begin{vmatrix} dx & dy & dy' & dy'' \\ 1 & y' & y'' & \omega \\ 1 & 0 & 0 & 0 \\ 0 & 1 & 0 & 0 \end{vmatrix} \equiv$$

$$\equiv \int \frac{1}{y''^2 w}\left(\frac{y''^2}{1+y'^2}(3y' - w)dy' - y''dy''\right)$$

$$\equiv -\operatorname{arc\,tg} y' + \int \left(\frac{3y'dy'}{(1+y'^2)w} - \frac{dy''}{y''w}\right)$$

oder wenn wir

$$(1+y'^2)^{\frac{3}{2}} \equiv u, \quad \text{also} \quad w \equiv w\left(\frac{u}{y''}\right)$$

setzen:

$$\varphi \equiv -\operatorname{arc\,tg} y' + \int \frac{d \lg \frac{u}{y''}}{w\left(\frac{u}{y''}\right)}.$$

Die Ausführung dieser Quadratur giebt etwa:

$$\varphi \equiv -\operatorname{arc\,tg} y' + \Phi\left(\frac{u}{y''}\right)$$

$$\equiv -\operatorname{arc\,tg} y' + \Phi\left(\frac{(1+y'^2)^{\frac{3}{2}}}{y''}\right).$$

Nunmehr benutzen wir x, y, y', φ als Veränderliche. Dadurch gehen Af und U_1'', U_2'' über in:

$$\overline{A}f \equiv \frac{\partial f}{\partial x} + y'\frac{\partial f}{\partial y} + y''\frac{\partial f}{\partial y'},$$

$$\overline{U}_1 f \equiv \frac{\partial f}{\partial x},$$

$$\overline{U}_2 f \equiv \frac{\partial f}{\partial y},$$

wo in $\overline{A}f$ das y'' vermöge der Beziehung zwischen φ, y', y'' durch φ und y' ausdrückbar ist. y'' ist also als bekannte Function von φ und y' zu betrachten. Nun bilden:

$$\overline{A}f = 0, \quad \overline{U}_1 f = 0$$

ein vollständiges System in x, y, y' (φ tritt darin als arbiträrer Parameter auf) und seine Lösung ψ erfüllt, wie wir wegen

$$(\overline{U}_2\overline{A}) \equiv \lambda_2 \overline{A}, \quad (U_1 \overline{U}_2) \equiv 0$$

annehmen dürfen, die Gleichung

$$\overline{U}_2 \psi \equiv 1.$$

Die Determinante von $\overline{A}f$, $\overline{U}_1 f$, $\overline{U}_2 f$ lautet:

$$\overline{\Delta} \equiv \begin{vmatrix} 1 & y' & y'' \\ 1 & 0 & 0 \\ 0 & 1 & 0 \end{vmatrix} \equiv y''$$

und es kommt:

$$\psi \equiv \int \frac{1}{y''} \begin{vmatrix} dx & dy & dy' \\ 1 & y' & y'' \\ 1 & 0 & 0 \end{vmatrix} \equiv y - \int \frac{y' dy'}{y''}.$$

Hierin ist, wie bemerkt, y'' als Function von y' und φ aufzufassen vermöge

$$\varphi \equiv - \operatorname{arc} \operatorname{tg} y' + \Phi\left(\frac{(1 + y'^2)^{\frac{3}{2}}}{y''}\right).$$

Bezeichnen wir die zu Φ inverse Function mit $\overline{\Phi}$, so kommt:

$$\frac{(1 + y'^2)^{\frac{3}{2}}}{y''} \equiv \overline{\Phi}(\varphi + \operatorname{arc} \operatorname{tg} y'),$$

also

$$y'' = \frac{(1 + y'^2)^{\frac{3}{2}}}{\overline{\Phi}(\varphi + \operatorname{arc} \operatorname{tg} y')}.$$

Demnach wird:

$$\psi \equiv y - \int \frac{y' dy'}{(1 + y'^2)^{\frac{3}{2}}} \overline{\Phi}(\varphi + \operatorname{arc} \operatorname{tg} y')$$

$$\equiv y + \int \overline{\Phi}(\varphi + \operatorname{arc} \cos z) dz,$$

wenn nämlich

$$\frac{1}{\sqrt{1 + y'^2}} = z$$

gesetzt wird. Bei der Ausführung der Quadratur ist φ wie eine Constante zu behandeln. Man findet etwa:

$$\psi \equiv y + \Psi\left(\frac{1}{\sqrt{1 + y'^2}}, \varphi\right),$$

worin noch

$$\varphi \equiv - \operatorname{arc} \operatorname{tg} y' + \Phi$$

zu setzen ist.

Nunmehr werden x, y, φ und ψ als Veränderliche benutzt. Dann geht $Af = 0$ über in:

$$\overline{A}f \equiv \frac{\partial f}{\partial x} + y' \frac{\partial f}{\partial y} = 0,$$

wo y' als Function von y, φ und ψ aufgefasst werden muss. Diese Gleichung gestattet:

$$U_1 f \equiv \frac{\partial f}{\partial x}$$

und hat daher das Integral:

$$\chi \equiv \int \frac{\begin{vmatrix} dx & dy \\ 1 & y' \end{vmatrix}}{\begin{vmatrix} 1 & y' \\ 1 & 0 \end{vmatrix}} \equiv -x + \int \frac{dy}{y'},$$

wo y' durch y, φ und ψ ausdrückbar ist und bei der Quadratur φ und ψ als Constanten zu behandeln sind.

Diese dritte Quadratur ist von der zweiten abhängig. Wir könnten aber auch die dritte unabhängig von der zweiten ausführen, denn benutzt man x, y, y' und φ als Veränderliche, so bilden auch:

$$\bar{A}f \equiv \frac{\partial f}{\partial x} + y' \frac{\partial f}{\partial y} + y'' \frac{\partial f}{\partial y'} = 0,$$

$$\bar{U}_2 f \equiv \frac{\partial f}{\partial y}$$

ein zweigliedriges vollständiges System und die Lösung $\bar{\chi}$ desselben erfüllt, wie angenommen werden darf, die Gleichung

$$\bar{U}_1 \bar{\chi} \equiv 1,$$

sodass

$$\bar{\chi} \equiv \int \frac{\begin{vmatrix} dx & dy & dy' \\ 1 & y' & y'' \\ 0 & 1 & 0 \end{vmatrix}}{\begin{vmatrix} 1 & y' & y'' \\ 0 & 1 & 0 \\ 1 & 0 & 0 \end{vmatrix}} \equiv x - \int \frac{dy'}{y''}$$

wird. Hierin ist y'' durch y' und φ ausdrückbar, und darauf muss so integriert werden, als ob φ eine Constante wäre. Schliesslich ist für φ sein obiger Wert einzusetzen.

Eliminiert man endlich aus

$$\varphi = a, \quad \psi = b, \quad \chi = c$$

die Grössen y', y'', so erhält man die gesuchte vollständige Integralgleichung

$$\lambda(x, y, a, b, c) = 0.$$

Schlusswort.

Wir wollen nunmehr mit einigen Bemerkungen *über die Bedeutung der vorgetragenen Theorie* dieses Werk beschliessen.

Nehmen wir an, es liege — um gleich allgemein zu reden — ein System von Differentialgleichungen vor, welches integriert werden soll und von dem man weiss, dass seine allgemeinen Lösungen nur arbiträre *Constanten*, keine arbiträren Functionen, enthalten. Alsdann kann man sich fragen, ob dasselbe infinitesimale Transformationen gestattet. Lässt sie solche zu und zwar eine *begrenzte* Anzahl von einander unabhängiger, so ist es immer möglich, die Bestimmung dieser infinitesimalen Transformationen zurückzuführen auf das Problem, ein gewisses vollständiges System von linearen partiellen Differentialgleichungen zu integrieren, welches *bekannte* infinitesimale Transformationen gestattet. Wird dieses vollständige System integriert, so findet man die gewünschten infinitesimalen Transformationen und ihre Verwertung ermöglicht alsdann gewisse Vereinfachungen des Integrationsproblemes. Das dann noch zu erledigende Integrationsgeschäft lässt sich nämlich wiederum auf die Integration eines vollständigen Systems mit bekannter Gruppe von infinitesimalen Transformationen zurückführen.

Wenn ein System von Differentialgleichungen vorliegt, so kann man sich ferner die aus vielen Gesichtspunkten wichtige Frage vorlegen, *ob dasselbe auf eine gegebene typische Form reduciert werden kann.* Die Frage der Möglichkeit dieser Zurückführung lässt sich immer durch die allgemeine Theorie der Differentialinvarianten entscheiden. Ist die Reduction möglich, und gestattet dabei die typische Form eine endliche Gruppe von infinitesimalen Transformationen, so kann man die wirkliche Überführung leisten, sobald man ein gewisses vollständiges System mit bekannter Gruppe von infinitesimalen Transformationen integriert hat. Wieder also tritt das letztere Problem auch hier in den Vordergrund.

Schon diese Bemerkungen genügen, die hervorragende Wichtigkeit des Problems zu zeigen, ein vorgelegtes vollständiges System mit bekannter Gruppe von infinitesimalen Transformationen zu integrieren.

Eine Begründung der obigen Bemerkungen kann freilich hier nicht gegeben werden, denn sie setzt die Kenntnis der allgemeinen Theorie der endlichen continuierlichen Transformationsgruppen voraus*).

---

*) Eine ziemlich eingehende Integrationstheorie eines vollständigen Systems mit bekannter Gruppe findet sich, wie schon gelegentlich bemerkt wurde, in

Schliesslich sei noch Eines hervorgehoben: Bei der Ausführung der von uns verwerteten Integrationstheorien spielten die zu einer Gruppe gehörigen *Differentialinvarianten* eine wesentliche Rolle. Man wird durch ihre Benutzung zu solchen Integrationstheorien geführt, welche mit der *Galois'schen Behandlung der Auflösung algebraischer Gleichungen* durchgehende Analogien darbieten. Allerdings müssen wir uns darauf beschränken, auch dies hier nur angedeutet zu haben. Eine Begründung dieser Bemerkung ist hier nicht am Platze.

Bd. 25 der Math. Annalen. Es mag aber hier erwähnt werden, dass die dortige Darstellung an einer Stelle eine kleine Lücke hat und an einer anderen Stelle einen Satz verwertet, dessen allgemeine Gültigkeit allerdings zweifelhaft ist. In den Berichten der Sächs. Gesellsch. d. Wiss. vom Jahre 1889 ist jedoch die genannte Lücke ausgefüllt und der fragliche Satz eliminiert worden. Die früher citierte Bemerkung des Herrn Vessiot ermöglicht es überdies, die Hauptresultate jener Abhandlung in einfacherer Weise abzuleiten.

www.ingramcontent.com/pod-product-compliance
Lightning Source LLC
Chambersburg PA
CBHW022348191125
35718CB00040B/995
* 9 7 8 3 7 4 2 8 3 8 2 7 8 *